CAETANO

Carlos Eduardo Drummond
Marcio Nolasco

CAETANO
uma biografia

A vida de Caetano Veloso,
o mais Doce Bárbaro dos Trópicos

Copyright © 2017, Carlos Eduardo Drummond e Marcio Nolasco
Copyright do projeto © 2017, Editora Pensamento-Cultrix Ltda.
Texto de acordo com as novas regras ortográficas da língua portuguesa.
1ª reimpressão 2017.
Todos os direitos reservados. Nenhuma parte deste livro pode ser reproduzida ou usada de qualquer forma ou por qualquer meio, eletrônico ou mecânico, inclusive fotocópias, gravações ou sistema de armazenamento em banco de dados, sem permissão por escrito, exceto nos casos de trechos curtos citados em resenhas críticas ou artigos de revistas.

A Editora Seoman não se responsabiliza por eventuais mudanças ocorridas nos endereços convencionais ou eletrônicos citados neste livro.

Coordenação editorial: Manoel Lauand
Capa e projeto gráfico: Gabriela Guenther
Editoração eletrônica: Estúdio Sambaqui

Os autores são responsáveis pelo conteúdo e veracidade dos fatos apresentados nesta obra, inclusive imagens e fotos, eximindo a editora de qualquer questionamento futuro.

DADOS INTERNACIONAIS DE CATALOGAÇÃO NA PUBLICAÇÃO (CIP)
(CÂMARA BRASILEIRA DO LIVRO, SP, BRASIL)

Drummond, Carlos Eduardo
  Caetano : uma biografia : a vida de Caetano Veloso, o mais doce bárbaro dos trópicos / Carlos Eduardo Drummond, Marcio Nolasco. -- São Paulo : Seoman, 2017.

ISBN: 978-85-5503-045-1

1. Compositores - Brasil - Biografia 2. Músicos - Brasil - Biografia 3. Tropicalismo (Música) - Brasil 4. Veloso, Caetano, 1942- I. Nolasco, Marcio II. Título.

17-01192   CDD-780.092

Índices para catálogo sistemático:
1. Brasil : Compositores : Biografia e obra 780.092

Seoman é um selo editorial da Pensamento-Cultrix.

EDITORA PENSAMENTO-CULTRIX LTDA.
R. Dr. Mário Vicente, 368 – 04270-000 – São Paulo, SP
Fone: (11) 2066-9000 – Fax: (11) 2066-9008
E-mail: atendimento@editoraseoman.com.br
http://www.editoraseoman.com.br
Foi feito o depósito legal.

Para
Rodrigo Velloso,
Antônio Nunes
e Maria Sampaio

Índice

Prólogo	9
Capítulo 1 • Lua de São Caetano	15
Capítulo 2 • Rua do Amparo	31
Capítulo 3 • *Back in* Guadalupe	47
Capítulo 4 • Estrada da Vida	61
Capítulo 5 • O Casarão Amarelo	75
Capítulo 6 • [Re]União de Apóstolos	91
Capítulo 7 • Nós, por Exemplo...	110
Capítulo 8 • Casa, Comida, Diversão e Arte	131
Capítulo 9 • A Manhã Tropical se Inicia	146
Capítulo 10 • Tropicalismo: Vida, Paixão e Banana	167
Capítulo 11 • Acorrentados	189
Capítulo 12 • Frio, Drogas e *Rock and Roll*	211
Capítulo 13 • Começar de Novo	235
Capítulo 14 • Uma Temporada Joia	255
Capítulo 15 • Barbarizar... Sem Perder a Doçura	273
Capítulo 16 • Dentro da Estrela Azulada	295
Capítulo 17 • O Que É Que o Baiano Tem?	315
Capítulo 18 • Conexões Internacionais	337
Capítulo 19 • Baião de Dois	357
Capítulo 20 • Chiclete com Banana	377
Capítulo 21 • Uma Nova Ordem Musical	397
Capítulo 22 • Circulando Mundo Afora	417
Capítulo 23 • Vamos Comer Caetano?	437
Capítulo 24 • Discos, Livros e Tudo Mais	457
Capítulo 25 • Prenda Minha, Tua, Dele...	477
Capítulo 26 • Tomar o Mundo Feito Coca-Cola	495
Posfácio	517
Agradecimentos	529
Índice de Músicas	533
Obras de Caetano Veloso	534
Fontes	536
Créditos	542

PRÓLOGO

Música e cinema. Essa combinação deu certo desde as primeiras sessões no Eden francês, onde as primeiras obras foram exibidas no cinematógrafo dos irmãos Lumière, lá pelos idos de 1895.

Apesar de a película ainda não conseguir registrar som em paralelo, as apresentações eram acompanhadas por música de toda espécie. Cinema e música. Continuou assim quando o som se fez presente na voz pioneira do cantor de jazz Al Jolson. Daí para o cenário atual, foi um longo caminho dentro de uma sequência evolutiva natural. Em algum ponto dessa estrada luminosa, entre os anos 1940 e 50, Caetano Veloso pegou esse bonde para as estrelas e dele nunca mais desceu.

Ainda na infância se deixou levar pelas luzes que saíam da tela grande e logo entendeu sua magia arrebatadora. Nunca esqueceria as lágrimas de seu Agnelo Rato Grosso, matuto rude, que reconhecia nos filmes de Federico Fellini a história de sua própria vida. E em Fellini também passou a se reconhecer. Chorou por Giulietta Masina, suspirou ao lado de Dasinho e aprendeu com Chico Motta a gostar de Gene Kelly nas noites claras da Praça do Rosário. O traquejo com as palavras o levou a escrever críticas em *O Archote* e a ler os *Cahiers du Cinéma*. E mais. A paixão pelas divas, a fraternidade com Álvaro Guimarães e Glauber Rocha, as participações em filmes de Júlio Bressane e Cacá Diegues, os trabalhos com Neville d'Almeida e Fábio Barreto. A amizade com Pedro Almodóvar e o reconhecimento a Michelangelo Antonioni. Teve até seu *O Cinema Falado*. Se nem tudo na vida dele mantinha relação com o cinema, muita água desse rio de sonhos banhou momentos de sua vida.

Tanto assim que o ano de 2002 revelou-se prolífico nesse ramo da arte. Primeiro foi a ponta em *Fale Com Ela*, de Pedro Almodóvar, cantando "Cucurrucucu Paloma". Depois, o inusitado convite para gravar "Burn it Blue", tema do filme *Frida*, de Julie Taymor. Este o levaria ainda mais longe. Ou não. Atribulado por uma série de compromissos no primeiro semestre daquele ano, não pôde ir aos Estados Unidos para fazer o trabalho. Além disso, a música pareceu-lhe grandiosa demais para uma voz com o timbre da sua. Mas a singeleza de seu canto era exatamente o que a diretora queria. Ouvi-lo seria como ouvir Diego Rivera encantado pelo magnetismo exuberante de sua Frida Kahlo. Ainda mais tendo como contraponto feminino na canção, a presença morena da mexicana Lila Downs, outra artista acostumada a rodar este mundo com desenvoltura. Tinha de ser Caetano.

E Julie sabia ser persistente, como prova uma passagem de sua história. Para conseguir encenar seu musical *O Rei Leão*, na Broadway, precisou dobrar vozes dissonantes até mesmo da própria Disney. Alguns produtores da divisão teatral da empresa achavam uma temeridade a montagem ganhar a luz do palco. Não tinham ideia do megassucesso que quase deixaram de lado. Encenado sem interrupção desde 1997, o espetáculo atrai milhares de pessoas todos os anos e continua a correr o mundo sempre envolto da mesma fascinação. Se *Frida* faria algo semelhante ainda não dava para dizer, mas a certeza particular de Julie Taymor é que contaria com a voz do cantor brasileiro Caetano Veloso.

Vencidas as barreiras, Julie e o maestro Elliot Goldenthal, seu marido e também autor da música, desembarcaram no Brasil acompanhados da cantora Lila Downs, para gravar com o baiano. Os trabalhos aconteceram no Rio de Janeiro. Foi tudo muito rápido, mas ficou um cheirinho bom no ar. Corria o início de 2002. Meses depois, em novembro, nessas andanças da vida, Caetano passava por Nova York em sua turnê norte-americana, quando o casal eufórico foi vê-lo. Prenunciavam a indicação ao Oscar. Seria algo inédito apenas para Julie Taymor, uma vez que Goldenthal conseguira a façanha por conta de trilhas incidentais como as de *Entrevista com o Vampiro* e *Michael Collins: o preço da liberdade*. Mais comedido, Caetano preferia esperar até fevereiro do ano seguinte, quando a Academia anunciasse oficialmente os indicados.

Como em um roteiro bem planejado, o anúncio se confirmou e a felicidade bateu fundo. O filme obteve seis indicações ao Oscar, entre elas as de melhor trilha e melhor canção. Tudo conspirava para que Caetano fosse também o intérprete de "Burn it Blue" na festa do cinema mundial. A escolha abriria um precedente histórico: pela primeira vez um cantor brasileiro teria a chance de se apresentar ao vivo na cerimônia de entrega do prêmio. E bem que poderia ter um parceiro à altura. *Cidade de Deus*, longa-metragem dirigido por Fernando Meirelles, escolhido pelo Ministério da Cultura como representante brasileiro para concorrer à estatueta de melhor filme estrangeiro, não conseguiu ver sua candidatura prosperar. Ao menos naquele momento, a premiação ficaria na saudade. A chance de o filme concorrer de fato só vingaria no ano seguinte e a injustiça seria corrigida com juros e correção monetária. Na festa de 2003, Caetano poderia ser o exclusivo representante do Brasil.

O plano começou a ganhar mais corpo quando o Carnaval chegou, e com ele Julie Taymor e Elliot Goldenthal. Além de aproveitar o agito de Salvador, o casal queria acertar os detalhes para a cerimônia de entrega do Oscar. Nada apagava uma ideia da cabeça de Julie: o cantor brasileiro apresentaria a música também na cerimônia. A pouco mais de um mês de sua realização, *e-mails* recebidos por parte da Academia e da Miramax, distribuidora do filme, tratavam de tirar qualquer dúvida sobre sua participação. No meio de todo o disse me disse estelar, Caetano Veloso estava garantido na festa. E ela só não seria completa porque havia a perspectiva de uma guerra EUA versus Iraque eclodir a qualquer momento. O problema era pior do que se imaginava.

Osama Bin Laden, esse falso profeta, decidira abalar estruturas quando enviou aos ares seus anjos da destruição. Derrubadas as torres gêmeas, demonstrou o poder de seu desvario. O mundo mudou desde 11 de setembro de 2001. Passada a tormenta, nada mais seria como antigamente. A essa altura, as consequências do atentado ganhavam a forma de um ultimato, lançado por George W. Bush, o filho, em 17 de março de 2003. O presidente americano deixou o mundo perplexo ao comunicar pela TV que o ditador Saddam Hussein teria 48 horas para deixar o Iraque. Desde que George H. W. Bush, o pai, tinha invadido o país nos anos 1990 sem conseguir derrubar o chamado "regime do mal", uma pulga persistia atrás da orelha. Motivado pelos fracassos na caçada a Bin Laden, apoiado na falácia da produção de armas de destruição em massa e para justificar a fortuna aplicada em medidas antiterroristas, Bush escolheu o caminho da guerra. A decisão não tinha apoio do Conselho de Segurança da ONU, o que, cá entre nós, de pouco importava. Se o ditador não saísse por conta própria, os EUA e seus aliados se encarregariam de tirá-lo de lá à força. E Bush, o "rei da brincadeira", dizia a verdade; Saddam, o "rei da confusão", não acreditava e aguentou tão firme quanto podia. Expirado o prazo, uma chuva de bombas desabou sobre as terras antes mágicas de Bagdá.

Entre bombas e Brigitte Bardot, a grande maioria prefere a segunda opção. A indústria do cinema também. Apesar do clima de instabilidade, a Academia decidiu manter a cerimônia de premiação na base da velha máxima *the show must go on*. A guerra estava em andamento, quando Caetano Veloso e Paula Lavigne viajaram para os EUA. A entrega do Oscar aconteceria em 23 de março, no Kodak Theatre, em Los Angeles. Depois de 74 edições, finalmente o evento ganhava uma casa para chamar de sua. Localizada no coração do Hollywood Boulevard, pertinho da "Calçada da Fama" do Chinese Theatre, onde as estrelas, mais e menos conhecidas, deixam suas marcas no concreto do chão. E se no local, nove entre dez turistas disputam o gosto de sentir os pés sobre as "mãos" de Marilyn Monroe, seria mais difícil ainda chegar até a porta do teatro. Para evitar maiores problemas, não haveria a tradicional aglomeração de curiosos na entrada. O espaço aéreo estava controlado; os arredores, cercados; e as ruas em volta, isoladas. Pode-se dizer que, por medida de segurança, havia mais policiais que caçadores de autógrafos. Nas ruas próximas, ninguém entendia nada. A manifestação de um lado era a favor da guerra, a passeata do outro, contra. Ao menos ali, ninguém matava, ninguém morria. É o lado bom de haver lugares onde se respeita a opinião do outro. Coisas da democracia.

Dentro do teatro, o clima era parecido. Os pinguins engomadinhos de gravata borboleta que organizavam o movimento recomendavam evitar discursos políticos. Naturalmente a orientação era posta de lado pelos "Che Guevara" de plantão. O galã mexicano Gael García Bernal, antes de chamar Caetano Veloso e Lila Downs, deu sua espetada elegante naqueles imperialistas que gostavam de dar porrada em outros, quase todos barbudos. Lembrou que Frida Kahlo *"pintava sua realidade e não seus sonhos"*. Em seguida, emendou dizendo que *"a necessidade de paz no mundo não era um sonho, era uma realidade"*. E só depois de emitir tais palavras anunciou, com muitos elogios, a entrada dos intérpretes de "Burn it Blue", tema de *Frida*.

O filme conta a história da pintora mexicana Frida Kahlo. Na interpretação do tema, Caetano Veloso, brasileiro, cantou em inglês, e Lila Downs, mexicana, em espanhol. A combinação de culturas, o tom épico da canção, o brilho pessoal dos artistas no palco. Por alguns momentos foi possível esquecer que o homem, além de produzir um espetáculo artístico de rara beleza, é capaz de fazer a guerra, matar seus semelhantes. No fim da apresentação, enquanto a plateia hollywoodiana aplaudia com entusiasmo, o cantor brasileiro, abraçado a Lila, fazia questão de agradecer em bom português: *"Obrigado!"*

"And the winner is..." Como tantos cinéfilos, Caetano já tinha ouvido pela TV a categórica frase que anunciava cada premiado. Não ouviria daquela vez. No fim dos anos 1980, os tempos do politicamente chato a derrubaram em troca do *"And the Oscar goes to..."* E não seria apenas essa parte que ele deixaria de ouvir... A escolhida como melhor canção original foi "Lose Yourself", do *rapper* Eminem, tema do filme *8 Mile: Rua das Ilusões*. Embora *Frida* não tenha vencido nessa categoria, ganhou o Oscar de melhor trilha sonora e melhor maquiagem. Indiretamente, Caetano também se sentiu premiado. E não só por *Frida*, mas também por *Fale com Ela*, no qual fez uma ponta sob a direção de Pedro Almodóvar. O Oscar de melhor roteiro original foi parar nas mãos do amigo espanhol.

Naquela noite ímpar, Caetano cantou no idioma bretão, mas provou mais uma vez o quanto acha saborosa a língua de Luís de Camões. Muitos pares de olhos cheios de cores assistiram à sua apresentação. Jamais poderia se dizer que voltou de lá americanizado. Com seu singelo *"Obrigado!"* ressoando baixinho, simbolicamente colocou na história do cinema internacional a imagem desse país ilhado pelo idioma e quase totalmente excluído da nova ordem mundial. Embora não fizesse tanta diferença para ele, um fato não poderia ser ignorado. Caetano Veloso tinha se apresentado para o maior público de sua carreira até então. Muitos foram os caminhos percorridos por ele até chegar àquele momento, mas, como acontece com qualquer pessoa, tudo começou num piscar de olhos.

Você já foi à Bahia, meu nego? Não?! Então venha. Mergulhe nela com essa força estranha, presença de todas as cores, nascida e criada nas regiões profundas do ser do Brasil, que aqui é de papel, mas em outra verdade tropical é concreta como o Planalto Central. A Bahia tem um jeito que nenhuma terra tem. Muita sorte teve, muita sorte tem e muita sorte terá. Tudo lá faz a gente querer bem. E é engraçada a força que as coisas parecem ter quando elas precisam acontecer...

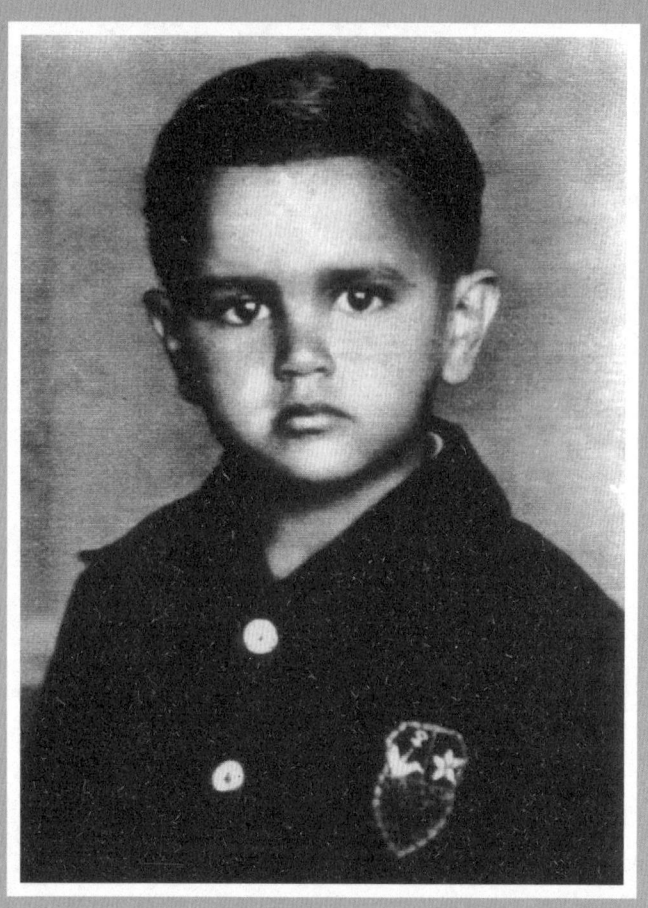

1

LUA DE SÃO CAETANO

Santo Amaro, Bahia • Brasil • Agosto de 1942

Seu Zezinho não era afeito a jogos de azar, mas no dia em que comprou uma rifa para ajudar um vendedor de Santo Amaro, ganhou um bilhete da loteria federal. O cestinho de roupas do filho recém--nascido, perfumado com alfazema, parecia um bom esconderijo, e ali ficou esquecido o mapa do tesouro. Bem que dona Canô desconfiou do marido mexendo nas coisas do bebê, mas deixou por isso mesmo. Não podia imaginar que a sorte grande sorriria duplamente para o casal.

Quando deu a notícia no rádio que o prêmio havia saído para a Bahia, teve gente rumando cedo em direção ao telégrafo de Santo Amaro. O bilhete 24966 dava direito à quantia de trezentos contos de réis. A soma considerável não deixaria ninguém rico, mas ajudaria um bocado. O ganhador daquele sorteio pensava assim também. Com uma família numerosa, seu Zezinho achou melhor dividir o dinheiro entre os parentes. E olha que sobrou até para os amigos mais próximos. De qualquer forma, o bilhete premiado seria apenas uma anunciação. Muitas alegrias ainda estavam por vir para aquela família.

Os Velloso moravam na rua Conselheiro Saraiva nº 39, mas como na Bahia se dá apelido em tudo, era mais conhecida como rua Direita. O velho sobrado em que viviam fora vendido por João Cardoso para os Correios e Telégrafos, cujas atividades passaram a funcionar no mesmo endereço. Localizada no trecho mais movimentado da cidade, a construção com traços do século XIX se comunicava com a rua Direita pela frente, e com a rua do Amparo pelos fundos. A ligação entre as duas vias e os portões sempre abertos permitiam à vizinhança usar a passagem como atalho, mas isso não chegava a incomodar quem trabalhava no local.

O serviço era conduzido por José Telles Velloso, o seu Zezinho, e sua irmã Jovina, a Minha Ju. Responsável pelo correio e pelo telégrafo, seu Zezinho era o agente postal telegráfico, ou APT, como se dizia na época. Disciplinado, levantava todos os dias às cinco da manhã para fazer a chamada e conferir se as linhas estavam em condições normais de operação. Com tudo checado, tomava o café da manhã nos fundos da casa, onde ficavam a cozinha e a sala, e depois abria o correio. Enquanto Minha Ju operava o telégrafo, seu Zezinho passava telegramas pelo telefone operado à manivela. Dono de voz firme mas tranquila, às vezes precisava aumentar o tom para vencer o ruído da linha precária. E só assim conseguia se comunicar com o operador de São Francisco do Conde, localidade próxima a Salvador.

O telégrafo ficava na parte da frente da casa. Colocado inicialmente no andar de cima, desceu conforme mais cômodos foram preparados para abrigar a família que não parava de crescer. Vez por outra, diversão e trabalho se misturavam. As soluções químicas necessárias ao funcionamento das máquinas exerciam fascínio natural nas crianças. Na bateria eletrolítica, o azul produzido pelo sulfato de cobre atraía as mãozinhas curiosas, mas a tentação em mexer diminuía quando o pai explicava com paciência que aquilo não era brinquedo.

Com o expediente dividido em dois turnos, um pela manhã, outro à tarde, o trabalho exigia atenção dobrada. Mesmo com a rotina cansativa, o respeito à profissão fez com que seu Zezinho nunca tirasse férias. A estrutura enxuta do serviço, tocada por ele e sua irmã, não o deixava confortável para esquecer, mesmo por alguns dias, a obrigação que tinha com seus conterrâneos. O que poderia ser um fardo, no entanto, deu-lhe um presente maravilhoso. O trabalho realizado na própria casa permitiu que estivesse sempre presente. Além da convivência natural com a família, pôde acompanhar o desenvolvimento de cada filho, primo ou sobrinho sob sua tutela. Essa praticidade proporcionou uma união que de outra forma não seria possível.

No Nordeste do Brasil as estações nem sempre são bem caracterizadas como em lugares onde claramente existe verão, outono, inverno e primavera. Em agosto, no Recôncavo Baiano, e, portanto, inverno no Hemisfério Sul, os dias são quentes, e as noites, frias. Na noite de 7 de agosto de 1942, o vento úmido que soprava baixinho trouxe boas novas. Mais um filho de seu Zezinho e dona Canô veio a este mundo. Às 22 horas e 50 minutos, sob o signo de leão, nasceu Caetano Emanuel Vianna Telles Velloso. Na ocasião nem todos da família estiveram na plateia para assistir ao parto. Margarida e Mariinha, sobrinhas de seu Zezinho, iam à Igreja toda sexta-feira, e aquela não tinha sido diferente. Embora estivessem ansiosas pela chegada do primo, acharam por bem pedir aos céus que dona Canô tivesse uma boa hora. E as preces foram atendidas. Quando chegaram acompanhadas de minha Ju encontraram o menino repousando ao lado da mãe. Dormia um sono tranquilo depois de aparado por mãos experientes.

No sobrado não havia criança que acreditasse em cegonha. Por mais que se contasse esse conto da Carochinha, ninguém embarcava na história. Naquela família, todo mundo sabia que para tirar criança da barriga tinha que trazer Iá Pomba e vó Júlia, mães de seu Zezinho e dona Canô, respectivamente. Daquela vez, porém, não foi assim. Apenas vó Júlia aparou o pequenino Caetano. Iá Pomba tinha deixado saudades quase um ano antes, vítima de problemas cardíacos.

Maria Clara Velloso, a Iá Pomba, era parteira, ou aparadeira, como se costumava dizer na época. Nascida em Santo Amaro, conheceu e se uniu a José Cupertino Telles, comerciante de Berimbau, hoje Conceição do Jacuípe. José foi abrir uma casa de negócios na cidade e se apaixonou por Iá Pomba, que estava viúva e cheia de filhos. De seu primeiro relacionamento teve Francisco, Maria Pacífica, Arabela e Isabel. Nem a existência de toda essa filharada tirava o ímpeto de José Cupertino em ser pai. Realizaria seu sonho antes da virada para o século XX, com o nascimento de sua primeira filha, Jovina.

Jovina Telles Velloso foi batizada segundo o costume antigo, que pedia o sobrenome do pai vindo antes do da mãe. Na tradição do apelido, embora o natural fosse chamar de Jô, ou Jó, com o som aberto característico do sotaque baiano, acabou chamada de Minha Ju. O possessivo ficava por conta do tratamento carinhoso da família.

Minha Ju ganhou um dengo todo especial do pai e teve educação digna de princesa. Entrou para o Colégio das Irmãs Sacramentinas, onde lecionaria anos mais tarde. Na instituição exclusiva para meninas aprendeu francês e a tocar piano. A desenvoltura com o instrumento despertou também o interesse pelo canto. Com o passar do tempo, Minha Ju uniu o útil ao agradável. Católica praticante, entrou para o Coro Santa Cecília, da Igreja da Matriz da Purificação, e por muito tempo faria ecoar sua bem colocada voz de soprano. Fosse na Matriz ou no Rosário, em Oliveira dos Campinhos ou na Lapa, e onde houvesse festa, lá estaria Minha Ju.

Em coração de pai e de mãe sempre cabe mais um. Se Minha Ju era a menina dos olhos da família, em 14 de outubro de 1901 nascia José Telles Velloso, para dividir um pouco as atenções. Zezinho e Minha Ju cresceram juntos sob a proteção dos pais e influência dos irmãos mais velhos. Francisco, o primeiro filho de Iá Pomba, já era casado e morava em outra casa. Foi ele quem estimulou os caçulas na educação. Homem de forte presença, proveu a família dos recursos necessários e botou os mais novos para estudar. Zezinho gostava de música, poesia, serenata e era bom aluno. Minha Ju não ficava para trás. Podia parecer muito, mas não era suficiente. Influenciados por Francisco, os dois resolveram prestar concurso para os correios.

A aprovação chegou, mas nem todas as notícias soaram boas. Precisariam colocar os pés na estrada. As vagas eram para trabalhar em Salvador. Fazer o quê? O jeito foi encarar o desafio. O tempo passou e alguns anos de experiência foram acumulados até surgir a chance de retornar. Fizeram novo concurso, desta vez interno, e, pela boa classificação obtida, tiveram prioridade de escolha. Passaram ainda por Ilhéus, mas não demoraria muito até que estivessem de volta à tranquila Santo Amaro.

Aliás, tranquila naquela época. Bem antes disso, porém, índio não queria só apito...

No início eram os índios Abatirás. Os primeiros colonos que chegaram ao Recôncavo Baiano, lá pelos idos de 1557, perceberam que aqueles eram inimigos dos Tupinambás e ficaram satisfeitos. Inimigo de meu inimigo é meu amigo. Enquanto os nativos se matavam, os portugueses tomavam suas terras. Para catequizar os sobreviventes, uma turma de jesuítas do Colégio Santo Antão de Lisboa subiu pelas margens do rio Traripe. Ergueram a capela de Nossa Senhora do Rosário e nos arredores cresceu o povoado. A paz foi ameaçada quando divergências entre índios, colonos e jesuítas, levaram à morte um padre em plena missa. O fato ocasionou uma diáspora e o início de um novo povoado na margem do rio Subaé ♪[1].

Dizia Pero Vaz de Caminha que no Brasil em se plantando tudo dá. O massapê, terra escura rica em húmus, era abundante naquelas plagas. Sabendo disso, o 3º Governador Geral do Brasil, Mem de Sá, chegou com seu engenho e mudas de cana-de-açúcar. Deixou tudo nas mãos de seu filho e foi cuidar de outros assuntos no Rio de Janeiro. Ele só não contava com a morte prematura do filho. Sem herdeiros homens na linhagem, apressou o casamento da filha Felipa com Fernando de Noronha, o Conde de Linhares.

O Conde assumiu o engenho e expandiu a freguesia rumo ao interior, dando vez a outros povoados, como Brotas, Saubara e Acupe. Com a antiga capela abandonada desde a morte do padre, mandou construir uma nova dentro do próprio engenho, agora em nome de Nossa Senhora da Purifica-

---

[1] ♪"Onde Eu Nasci Passa um Rio"

ção. Sem filhos com Felipa, sua devoção cristã fez com que as terras fossem doadas ao colégio de jesuítas, depois de sua morte.

Em 1600, as terras foram repartidas em sesmarias, e um bom quinhão do povoado ficou sob a tutela de João Ferreira de Araújo. Pouco tempo depois formava-se o distrito. Para aumentar ainda mais o alcance da fé, a expansão pedia também uma nova capela. Em 1667, construiu-se outra, desta vez em nome de Santo Mauro, ou Santo Amaro na forma mais utilizada em português. Do abraço da fé entre os povoados surgidos ao redor das duas igrejas, cresceu a localidade denominada a partir de 1727 de Vila de Santo Amaro da Purificação.

Em 1837, a promoção de Vila à Cidade custou a terminação do nome, daí em diante denominada apenas por Santo Amaro. Os responsáveis pela mudança, porém, esqueceram de uma coisa: casamento que Deus ordena, homem não desfaz. A cidade seria para sempre conhecida como Santo Amaro da Purificação.

De volta à sua terra, Zezinho continuou a servir à comunidade. E voltou a morar no sobrado da Conselheiro Saraiva. O agente postal ainda tinha direito a se instalar na sede do correio. Melhor assim, pois eles precisariam mesmo de espaço. Maria Pacífica tinha morrido e seus filhos, Edmundo, Mariinha, Lindaura, Detinha, Nair e Zequinha, foram morar lá também. Arabela tinha se casado com Silvino Salles, mas como ele trabalhava nas usinas de Santo Amaro, ela e as filhas, Tereza, Mariana, Lourdes e Margarida, ficaram no sobrado. Isabel, a Mãe Mina, única irmã solteira de Zezinho, também morava lá. Não perca a conta. Com mais Iá Pomba e Minha Ju, ao todo eram 15 pessoas vivendo sob o mesmo teto. E mais gente ainda estava para chegar.

Eunice de Souza Oliveira, a Nicinha, era filha de Domingos Gaudino de Oliveira, barbeiro que morava com a mulher, Gracilina Souza de Oliveira, algumas casas depois do sobrado. Vivia brincando na casa das meninas do telégrafo. Certa vez foi acometida de sarampo e aí é que não sairia mais de lá. Ainda hoje a doença é perigosa se o paciente não receber o devido tratamento. Naquele tempo os riscos eram ainda maiores. Como não existia antibiótico, o medo fez o sobrado ficar de quarentena. Iá Pomba foi escalada para cuidar da criança e Mariinha ajudava passando as noites zelando Nicinha.

Quando a febre baixou e os sintomas enfraqueceram, a afeição se tornou tão grande que ficou difícil afastar-se da menina. Depois de curada, Nicinha voltou a passar os dias no sobrado, só voltando em casa para dormir. Acontece que lá não tinha Mariinha, e assim não daria para continuar. Aos poucos foi ficando por mais tempo na casa dos Velloso, e, se já era tratada como se fosse da família, passou a ser de fato. Zezinho acabou escolhido por Nicinha para ser seu segundo pai. Cuidar de pessoas não chegava a ser uma novidade para ele, responsável por aquela grande família. Em 1930, porém, ainda não tinha casado nem tinha filhos. Só não demoraria a achar sua alma gêmea.

No início dos anos 1930, com a cidade girando em torno dos 16 mil habitantes, não era difícil as pessoas se conhecerem ao menos de vista. Fora o cotidiano normal, boa parte da população se encontrava em ocasiões festivas. Festa do Padroeiro Santo Amaro, festa de Nossa Senhora da Purificação, Bembé do Mercado, Ata da Vereação, 2 de Julho, festa de São Pedro. Encontros não faltavam naquela cidade. E como se não bastasse, havia também os "assustados", que eram festas organizadas de improviso na casa de quem cedesse o espaço para a diversão. Tendo sempre contato com aquela jovem bonita e de atitude, pequena, de cabelos compridos e negros feito a asa da graúna, Zezinho já estava interessado em conhecê-la. Só não sabia seu nome. Sem problema; um "passarinho" assoviou em seu ouvido: Canô.

Canô nasceu Claudionor Vianna, filha de Anízio Cesar de Oliveira Vianna e Júlia Moniz Araújo. Assim como Iá Pomba, Júlia perdera seu primeiro companheiro e já tinha filhos, Joana e Almir, quando conheceu Anízio. Ele era fiscal do governo e morava em Salvador, mas por conta de suas andanças pelo interior, conheceu Júlia e logo se apaixonaram. Dizer que foi paixão à primeira vista seria pouco; foi um grande amor, o qual gerou como fruto uma linda menina.

Nascida em 16 de setembro de 1907, dia seguinte ao de Nossa Senhora das Dores, Claudionor deveria se chamar Maria das Dores, pelo desejo da mãe. Embora respeitasse a mulher, Anízio não deu ouvidos quando foi registrar a menina. Por ser espírita, não queria um nome que lembrasse tristeza ou algo parecido. O que tinha em mente fora rejeitado de pronto. Rechevé era um pouco demais e apenas ele sabia o significado. Só quando ele voltou do cartório, Júlia soube da novidade. Nem um, nem outro. O nome escolhido foi Claudionor.

Certa vez, ele não pôde comparecer ao aniversário da filha, mas lembrou-se de enviar um poema de presente. Mal sabia a menina que a falta dele em breve aumentaria. Canô completava nove anos e não teria o pai por muito tempo. Anízio, que já tinha idade avançada, faleceria pouco tempo depois.

Com os filhos ainda pequenos, Júlia voltou-se para o dom que Deus havia lhe dado. Era parteira e com isso sustentava a família. Na verdade, não cobrava um tostão para tirar o bebê da barriga da mãe. As famílias é que reconheciam seu valor e retribuíam de bom grado. Mais tarde, com o casamento de Canô e Zezinho, formaria com Iá Pomba a dupla de aparadeiras mais conhecida da cidade. Juntas, ajudariam a trazer ao mundo boa parte dos meninos e meninas da Santo Amaro daqueles tempos.

O apelido Canô foi obra de Osvaldo Fiúza, amigo dos tempos de infância. Sendo a pronúncia de Claudionor longa e complicada para uma criança, Osvaldo só conseguia dizer Nô. Daí para Canô foi um pulo. O apelido pegou e virou muito mais que um nome. Brincadeira de criança é coisa boa e Canô se "vingou" do amigo: Osvaldo virou Dundum.

O "passarinho" era um amigo em comum de Zezinho e Canô. Mário Cardoso foi o cupido necessário para tudo acontecer. Canô, moça namoradeira, gostou do par e o amor brotou fundo. Tão fundo que a partir dali, em todas as festas da cidade, eram vistos sempre juntos e enamorados. E olha que Zezinho nem gostava de dançar. Mas isso não atrapalhou. Entre uma festa e outra, trocaram juras de amor e a relação seguiu em frente. Ainda não pensavam em casamento, mas já sabiam que eram feitos um para o outro. Em menos de um ano, teriam de considerar a possibilidade mais seriamente. Naquele momento, outra preocupação sobressaía. Estavam arrumando as malas de Zezinho mais uma vez.

Em fins de 1930, a situação mundial se complicava. Um ano antes, a Bolsa de Nova York tinha implodido, piorando de vez a crise econômica que se abatera desde o fim da 1ª Guerra Mundial. No Brasil, o dinheiro de investimentos estrangeiros escorria pelo filtro de café, desde que o grão deixou de ser vendido ao mercado externo. Não bastasse tanto azedume, Getúlio Vargas dava o golpe em Júlio Prestes, presidente eleito.

Tantas mudanças ocorrendo ao mesmo tempo e outro agente telegráfico chegava à cidade. Até então Zezinho tocava o serviço muito bem com Minha Ju no correio de Santo Amaro, mas a chegada do novo agente foi o estopim para uma nova mudança. A convivência se mostrou complicada e a direção da empresa decidiu pela transferência do funcionário mais antigo. Iria chefiar a agência de Nazaré das Farinhas.

A notícia o pegou desprevenido. Sem saber o melhor caminho a seguir, mais uma vez ganharia apoio do irmão mais velho. Se conselho fosse bom ninguém dava; vendia. Experiente, Francisco deu a melhor dica que o irmão poderia receber: se tinha de ir embora, que fosse casado com Canô e constituísse sua própria família. Zezinho matutava a ideia fazia tempo. A transferência e a sugestão do irmão apenas apressaram as decisões. Assim seria feito, mesmo que para isso algumas pedras tivessem que rolar. Inicialmente, a família de Zezinho não aprovava o casamento.

Canô era conhecida por ser uma mulher à frente de seu tempo. O Brasil, aos poucos, deixava de lado as oligarquias rurais e se urbanizava. Em Santo Amaro, a febre da industrialização também dava o ar da graça. E foi um alvoroço quando João Gualberto da Silva, o Sinhô, marido de Joana, irmã de Canô, comprou uma Fubica. Canô não perdeu tempo e pediu para guiar o carro. Atendida pelo cunhado, não foi longe, é bem verdade; limitou-se a dirigir por alguns metros além de sua casa, mas tornou-se célebre a pioneira motorista da cidade.

Mulher vaidosa, Canô gostava de andar na moda, mesmo que para isso fosse necessário escandalizar os padrões da cidade interiorana. As atrizes das matinês que apareciam em cena, de calças compridas, eram seu modelo de consumo. Gostou da novidade e aderiu. Coitado de Sinhô, sempre ele, que perdeu uma peça de seu guarda-roupa. Por essas e outras, o casamento não era visto com simpatia pela família do noivo.

As pedras também existiam do outro lado. Júlia não via a união com bons olhos. Seu Cupertino, pai de Zezinho, era negro e ela não queria que a filha casasse com um mulato. O amor, porém, foi mais forte e, aos poucos, as barreiras foram sendo quebradas. A intransigência racial realmente não combinava com as famílias que estavam para se juntar; afinal, vó Júlia tinha sangue índio, proveniente de sua avó. Na mistura, eles se encontraram e as vaidades foram deixadas de lado.

Em 7 de janeiro de 1931 casaram-se na Matriz de Nossa Senhora da Purificação. A igreja tinha passado por uma grande reforma poucos anos antes e estalava de nova. A cerimônia foi simples, restrita a familiares e alguns convidados. A noiva não atrasou mais do que o de costume e chegou a pé, depois de percorrer as ruas empoeiradas da cidade. O noivo, apesar de tenso, não gaguejou na hora de dizer o "sim" que selaria o matrimônio. Dali em diante, até que a morte os separasse, seriam 52 anos de convivência.

A lua de mel seria em Nazaré das Farinhas, onde Zezinho já era esperado para assumir seu posto nos correios. Por ora, tinham que partir, mas sabiam que iriam voltar. E nem demoraria tanto assim.

Com poucos meses em Nazaré das Farinhas, dona Canô percebeu que suas regras atrasaram. Não havia dúvida: estava grávida, e seria mãe pela primeira vez. Seu Zezinho adorou a notícia. Pensava retornar a sua terra e aquele parecia ser um bom sinal. Começou, então, a mexer os pauzinhos. Para seus superiores de Salvador, demonstrou que, além de ter uma família numerosa em Santo Amaro, tinha trabalhado lá muito tempo e conhecia a rotina da agência de olhos fechados. Como se não bastasse, havia ainda a notícia da gravidez. Era o pretexto de que precisava.

Por sorte, ou destino, a estada do outro agente telegráfico também não tinha sido das melhores. Assim conseguiu retornar, e a primeira filha do casal, Clara Maria, pôde nascer santamarense, em 7 de fevereiro de 1932.

Caetano nasceu mirradinho. Àquela altura, era o quinto filho natural de seu Zezinho e dona Canô. Roberto, o caçula "destronado", ao ver o pequenino novo membro da família, chegou a dizer que seria o "Meio-Quilo". Mariinha não gostou muito da brincadeira, mas deixou passar. Aquilo era coisa de criança e, como os irmãos tinham se comportado bem na noite passada, estavam todos perdoados.

Fora o fato de vó Júlia ter segurado a criança sozinha, o parto dele também ganhou um colorido diferente. Os outros filhos haviam nascido no sobrado, mas Dona Canô foi ter Caetano numa outra casa de Joãozito Cardoso, na mesma rua dos correios. Com o sobrado em reformas, o amigo de longa data sugeriu que dona Canô fosse dar à luz nessa outra residência, resguardando o bebê do forte cheiro de tinta fresca. Ficava ali pertinho. Bastava atravessar e andar algumas casas para chegar ao nº 56.

Joãozito deveria ter sido padrinho de Maria Isabel, a Mabel, nascida em 1934, dois anos depois de Clara Maria. Já tinha até comprado a roupa da afilhada em uma de suas viagens à Europa. Só que, às vésperas do evento, outro grande amigo de seu Zezinho, Felisbertino, avisou que estava indo para São Paulo. Ele tinha sido noivo de Lindaura, a Minha Daia. Recém-formado em Agronomia, viajaria em busca de novas oportunidades. Na intenção de homenagear o amigo de partida, seu Zezinho propôs a troca a Joãozito. Proposta aceita, o próximo filho seria dele, para apadrinhar. Acabou tendo a honra de batizar o primeiro filho homem da família, Rodrigo, nascido em 1935.

Outra casa, só uma avó para fazer o parto, bilhete premiado. As peculiaridades daquela criança não pararam por aí. Que tal o nome? Com o nascimento no dia de São Caetano, dona Canô quis homenagear o santo do dia. A princípio, o nome seria Caetanus, fiel à grafia latina do santo italiano. Outros possíveis nomes, Ronaldo e Romero, já tinham sido descartados. Entre a grafia latina e o bom português, escolheram a segunda opção: Caetano. Para o segundo nome do rebento, porém, ainda restavam algumas dúvidas. Sugeriram Luís, mas seu Zezinho achou pequeno demais. Antônio e José estavam fora de questão, pois foram as escolhas para Rodrigo e Roberto. Aproveitando a inspiração bíblica, o pai optou por Emanuel. Registrado no cartório de Santo Amaro, Caetano Emanuel Viana Teles Veloso ficaria sem as consoantes repetidas do nome, por obra e capricho da desatenção de seu Oscar, escrivão responsável pelo registro. Ele seria o único da família a ter o nome diferente.

Se o período de gravidez passou sem maiores problemas, do pós-parto não podia se dizer o mesmo. Acometida por forte gripe, dona Canô ficou sem poder amamentar o bebê pouco depois do nascimento. A solução, porém, estava ali do lado. Recorreu à vizinha e amiga Edith de Oliveira, irmã mais velha de Nicinha. Coube a Edith, mãe de Carlos Augusto, o Tinho, nascido cinco dias depois de Caetano, repartir seu leite com os dois meninos.

Muita gente acredita que o horário do nascimento influencia o ritmo biológico da criança. Para estes, Caetano comprovaria a tese. Desde muito cedo trocava o dia pela noite. Naquele tempo ainda não era porque fazia samba e amor até mais tarde. Também não podia ser solidão. Os irmãos Rodrigo e Roberto, o Bob, dormiam no mesmo quarto. Quem sofria era Mariinha, que permanecia acordada até altas horas da madrugada. Às vezes nem percebia o dia clarear enquanto brincava com o primo. Na hora do café da manhã, ao ver a indisposição de Mariinha, o restante da casa já sabia. Tinha ficado de festa com Caetano na noite anterior.

As primas eram bem mais velhas que os filhos de seu Zezinho e dona Canô. Variavam na mesma faixa etária dos donos da casa. Por conta dessa diferença, acabavam ajudando na criação das crianças. Com isso, cada uma ia se afeiçoando mais por um dos primos. Mariinha era a escolhida de Caetano. Logo seria chamada de Minha Inha. Solteira, não tinha filhos, e ainda não trabalhava fora, então podia dispensar toda a atenção do mundo ao primo pequeno. E ela cortava um dobrado por isso. Além das noites de boêmia, Caetano, a exemplo do pai, mal comia. Seu Zezinho seria capaz de mastigar sopa e Caetano não ficava atrás.

Às vezes não era bem por falta de fome. Volta e meia, o menino Caetano ficava entretido no jardim, admirando os tesouros da natureza guardados dentro de sua própria casa. A flor "lágrima-de-vênus", que no seu desabrochar deixa correr um filete de água por cada nova pétala aberta, tomava sua atenção em especial. Muitas vezes o almoço ia sendo retardado até que a lágrima caísse. Mesmo se retirado do transe, ainda seria capaz de ficar absorto em pensamentos, enquanto a comida esperava. Esse distanciamento não passava despercebido.

A irmã Mabel estava atenta ao que o irmão mais novo fazia. Ainda não era professora, mas já estudava para ser. Tinha mania de educadora. Como material didático, utilizava cartas de baralho com nomes de flores e animais, e suas respectivas figuras. Instigando o irmão a identificá-las, percebeu que, em pouco tempo, o menino fazia as relações corretamente, sem precisar ver o desenho. Após mais treinamento, ele já conseguia distinguir o nome de cada diferente jornal santamarense que lhe chegasse às mãos. Nem bem havia completado três anos e já dava os primeiros passos nas letras.

Passando a distrair o irmão com histórias, Mabel frequentemente era interrompida porque ele já conhecia o final. O repertório podia ser extenso, mas sempre caía numa que ele já conhecia de trás para frente. O jeito era alterar para que ficasse mais a seu gosto. Só que isso, ele mesmo fazia, tomando a vez da irmã e recriando a seu bel-prazer.

Aos poucos, passou a decorar os versos que lhe ensinavam de Castro Alves, Martins D'Alvarez ou Arthur de Salles. Não precisava de muitas audições e já estava repetindo tintim por tintim. Demonstrava, dessa forma, a memória prodigiosa que um dia o tornaria famoso. Mais que isso, aproveitava de seu bom ouvido para aprender as canções entoadas pela mãe. Com seu jeito suave de cantar, dona Canô começava a estimular no filho o gosto pela música. Gosto incomum, por sinal. Os irmãos podiam caçoar à vontade, mas ele não estava nem aí. Curtia o vozeirão de Vicente Celestino e pronto.

E que ambiente era aquele. Fora o rádio sempre ligado, ainda tinha o eco que se ouvia das retretas das Sociedades Filarmônicas Lira dos Artistas e Filhos de Apolo.

Santo Amaro respirava mais que o doce odor que corria dos engenhos de açúcar; respirava música. As duas filarmônicas da cidade despertavam paixões dignas de grandes clássicos futebolísticos. Quem era "Apolo" não usava verde e tampouco os da "Lira" trajavam vermelho. Quando as duas se cruzavam pelas ruas só faltava sair faísca. Não era como nos encontros amistosos de trios que ocorreriam décadas mais tarde. Um verdadeiro duelo musical acontecia, e com muitos decibéis acima. Não raro chamavam a polícia para o povo voltar a dormir com tranquilidade. Ambas ensaiavam seu repertório diariamente. Nos feriados e fins de semana promoviam bailes históricos. Aqueles eram dias de festa.

Apreciador de música, seu Zezinho conhecia de cor e salteado os dobrados que a "Apolo" tocava. Por meio deles, deu forma ao característico assovio com o qual chamava dona Canô. Desse jeito conseguia emitir som de modo afinado, mas era um desastre quando tentava cantar. Incapaz de repetir duas notas no mesmo tom, deixava para a esposa a tarefa de ninar as crianças.

A sede da "Apolo" era na rua do Imperador, onde também existiam os dois tamarindeiros ♪[2] mais conhecidos da cidade. Bem ali, defronte ao cais de Araújo Pinho ♪[3], ficavam os seculares pés de fruta. Os troncos retorcidos foram alvos de mitos que atravessaram gerações. Dizia-se que em um

---

[2] ♪ "Trilhos Urbanos"
[3] ♪ "Trilhos Urbanos"

deles, Gastão de Orléans, o Conde d'Eu, amarrou o cavalo, e, no outro, Dom Pedro II aliviou a bexiga depois de um rega-bofe. Não teve foi quem preservasse os tamarindeiros como patrimônio. Anos depois, um prefeito desinformado acabou derrubando as imponentes árvores. Arrancaram do solo, mas não da história.

Para batizar o pequeno Caetano, seu Zezinho convidou um amigo de infância, doutor Antônio Maciel. Só que mais uma vez mudaria os planos. Doutor Antônio precisou viajar às pressas para São Paulo. O inesperado fez com que seu Zezinho buscasse alguém para representar o padrinho ausente, pois o batismo seria realizado por procuração. O escolhido foi Vivaldo Costa, noivo de Detinha, uma das primas de Caetano. A honra de ser madrinha ficou para dona Áurea Reis, amiga íntima de dona Canô.

Vivaldo passaria de padrinho substituto a padrinho de crisma anos mais tarde. Figura de humor invejável, revelou-se um talentoso contador de "causos". A família se deliciava com as histórias narradas no quintal do sobrado. Numa delas, contou detalhes de um lendário cinema em Salvador. Quando jovem, frequentava as matinês com amigos de colégio. Enquanto o mocinho Tom Mix lutava contra os vilões na tela do cinema, ele e seus amigos não paravam de se coçar. E não era pela emoção do caubói justiceiro que sempre triunfava no final. O cinema, sujo e decrépito, servia de abrigo para inúmeras pulgas. No fim da sessão, só dava para se lembrar de metade do filme. A maior parte do tempo, passavam esmagando as selvagens tribos de pulgas do Cinema Olympia.♪[4]

A família era de católicos praticantes, daqueles que vão à missa todo domingo. E domingo não era dia só de igreja. Tinha também futebol. Seu Zezinho ia aos campos da cidade para torcer pelo clube que admirava: o Botafogo. O Ideal era o time de maior expressão, contudo, o Botafogo e o Elite rivalizavam à altura. Um dos campos, que mais tarde seria de outro time da cidade, o Riachuelo, ficava bem no meio de um mangue. Muito mais que animadas pelejas aconteciam por ali. Na época de procriação de caranguejos era curioso vê-los invadindo o terreno, andando sob a luz da lua cheia ou driblando a grama rala durante uma ou outra partida.

Com o uniforme igual ao do homônimo carioca, o Botafogo de Santo Amaro pode não ter tido um ponteiro esguio e veloz como Garrincha, mas contou com um fenômeno chamado Chico Motta. Jogador de qualquer posição, fazia da defesa e do meio-campo seus espaços preferidos. A torcida femi-

---

[4] ♪"Cinema Olympia"

nina balançava na arquibancada ao ver aquela ginga de dançarino. Chico seria a recompensa de seu Zezinho pela possível frustração de não ter visto um filho jogando futebol.

Chico morava na rua do Amparo, quase defronte aos fundos da casa de Caetano. Não por coincidência, viviam como irmãos; tanto que ele também tinha nascido pelas mesmas mãos de vó Júlia. Era filho de João da Cruz Motta, amigo de todas as horas de seu Zezinho. Lembra do bilhete premiado? Pois é, seu João foi um dos amigos lembrados na hora da divisão do prêmio. Com essa proximidade toda, o convívio dos filhos acontecia naturalmente. Se um amigo próximo participando das brincadeiras agradava tanto a Caetano, imagine só uma irmã.

Até então, a irmã mais nova de Caetano era oito anos mais velha que ele. Não dava para brincar com uma pré-adolescente. Planejado ou não, chegava o momento de Dona Canô ganhar mais uma filha. Antes mesmo de engravidar, já ouvia o menorzinho profetizando o nascimento de mais uma menina na casa. Ela retrucava dizendo que já tinha filhos demais, que pensasse em outra coisa. De nada adiantaria. Caetano ainda era pequeno quando ganhou sua irmã caçula, em 18 de junho de 1946.

Empolgado, pediu aos pais para dar nome à menina. Parecia intuir que ela teria muito mais influência na vida dele do que poderia imaginar. Diplomático, o pai aceitou a ideia e ainda incrementou. Faria um sorteio com a sugestão de nome apresentada por cada filho. Os mais velhos fizeram suas escolhas por gosto pessoal. O mais novo foi um pouco além. Inspirado na canção "Maria Betânia", de Capiba, gravada por Nelson Gonçalves, Caetano revelou seu preferido.

Seu Zezinho estranhava a predileção por um nome de música, mas escreveu tudo em pequenos pedaços de papéis e colocou dentro de um chapéu estilo boina. Misturou-os ali na frente de todos para Caetano tirar um deles. O que saísse daria o nome à filha. Um pouco de suspense e o papel sorteado foi aberto. Estava escrito: Maria Betânia. Gostando ou não, assim seria. Os irmãos desconfiaram da proteção paterna com o até então caçula. Alegaram que em todos os papéis estava o nome escolhido por ele, ou mesmo que Maria Betânia teria entrado mais de uma vez. Onde estariam Cristina, Mary Gisleine ou Cecília? Tarde demais. Caetano, o dono do chapéu, estava feliz da vida e não queria nem saber.

O nome trazia a força da mulher guerreira, como na peça *Senhora de Engenho*, de Mário Sette, para a qual Capiba compôs a canção. Seu Zezinho e dona Canô, porém, muito católicos, preferiram a grafia bíblica de Maria Bethania.

Assim ficaria, não fosse mais um tropeço na hora do registro. Dessa vez, o escrivão acertou nos eles duplos, mas não a poupou de incluir o acento circunflexo. Se para caber no compasso, a "Maria Betânia" de Capiba precisou perder o "da" do original "Maria da Betânia", quis o destino que Maria Bethânia Vianna Telles Velloso fosse conhecida dessa maneira.

Bethânia se tornaria a grande companheira de Caetano, passando a fazer parte do estilo contemplativo de viver do irmão. Quando não estavam em cima da mangueira, subiam juntos no tronco dos araçazeiros. Não havia muita preferência. O prazer de deitar nos galhos das árvores, sentindo os pés fora do chão, era o que mais importava. Se o Nirvana tivesse algum significado para os dois, este teria um perfume mistura de araçá com manga. Para a dupla de irmãos, a vida tinha um sabor tão gostoso quanto tirar fruto do pé.

Nas brincadeiras de picula, de berlinda e tantas outras, lá estavam os dois juntos novamente. Essa união constante não chegava a atrapalhar o gosto particular de cada um. Quando o assunto era bola, por exemplo, Maria Bethânia se destacava. Era a única da família que se aventurava a brincar com os meninos. O gosto pelo esporte estava longe de fazê-la jogar em algum dos times da cidade, como muito se divulgaria algum tempo depois. Caetano, por sua vez, costumava se afastar da irmã para ficar imerso em seu mundo próprio. Diziam que ele era aluado. Podia até ser que fosse, mas o termo pejorativo não fazia jus ao jeito como ele via a vida passar em sua cidade.

Em Santo Amaro não tinha parque de diversão. A festa era grande quando recebiam a visita de um. Roda gigante, carrossel e maçã do amor não podiam faltar. A trupe chegava e montava tudo como se fosse um circo. Instalados na Praça da Purificação, ficavam por um tempo e logo partiam em busca de outro público. Cachoeira, Saubara, Jacuípe e outras cidades faziam parte do roteiro. As crianças se esbaldavam. Era difícil dizer adeus. Vendo o desmontar frenético do parque, Caetano filosofava à sua maneira, tal qual um personagem de Fellini. Naquela vez, deixou muita gente preocupada, pois só voltou para casa depois de o chão ter ficado vazio novamente.

Apesar da preocupação natural, ninguém achava estranho aquele comportamento. A família que morava no sobrado passava longe do convencional, considerando o padrão de uma pequena cidade do interior da Bahia. Minha Daia lia Jean-Paul Sartre e trazia todo vigor do autor francês para dentro de casa. Dizia que queria largar a vida tacanha de Santo Amaro para ser existencialista em Paris, como a Chiquita Bacana da marchinha. Naquele momento ninguém desconfiava, mas, no futuro, quem muito se inspiraria pelos rompantes libertários de Minha Daia seria Bethânia.

Baiano é bem-humorado por natureza. Com tanta mulher morando na mesma casa, os Velloso não conseguiam evitar as piadinhas que surgiam a todo momento. Fruto desse humor, as mulheres do sobrado eram mais conhecidas como as "meninas do telégrafo". Também costumavam dizer que no dia em que todas menstruassem ao mesmo tempo seria um "Deus nos acuda". Alheias ao que povo dizia, essas mulheres do sobrado eram de personalidade forte e não tinham medo de ir à luta. Por esse motivo, o sobrado, aos poucos, foi perdendo parte de suas moradoras.

Em 1942, o presidente Getúlio Vargas enviou a Força Expedicionária Brasileira para combater as tropas do Eixo na Europa. Depois da entrada dos EUA na guerra, e dos ataques a navios nacionais, o Brasil rompeu relações diplomáticas com Alemanha, Itália e Japão, e se envolveu diretamente no conflito. Muita gente boa iria sofrer com isso.

Antes mesmo de Maria Bethânia nascer, Margarida seria a primeira a ir embora. Carlos Alexandre, seu marido, fora convocado pela Marinha de Guerra e precisou se transferir com a mulher para o Rio de Janeiro, então capital federal. Em seguida foi a vez de Mariinha, que depois de visitar a prima, resolveu ficar. Com sua vocação para cuidar de pessoas, fez concurso para auxiliar de enfermagem do Hospital dos Servidores do Estado, e passou. A despeito da saudade que certamente sentiria, Caetano continuaria a percorrer sua estrada pessoal.

Com seis anos de idade e a educação básica reforçada por Mabel, chegava a hora de ir para a escola. As opções eram poucas na cidade pequena. Sem ter muito o que pensar, os pais o matricularam na Escola Estadual Dr. Bião, a mesma onde os irmãos Rodrigo e Roberto tinham estudado. Para chegar à escola não era necessário gastar muita sola de sapato. O colégio ficava a poucas quadras de onde morava. De tão pertinho, nem precisava tomar lugar no histórico bonde.

No primeiro dia de 1874, o bonde da Trilhos Urbanos ♪[5] começou a circular. Levava até o centro os passageiros que desembarcavam pelo Porto do Conde. No trajeto de quatro quilômetros, a cidade se descortinava. Os passageiros podiam escolher entre o bonde ou o "caradura" — idêntico ao bonde, só que sem encosto no banco. Atrás deles vinha o trole, um tablado com rodas, puxado por burros, no qual se levava carga. Conduzindo o trole ou o bonde, Popó, figura folclórica de Santo Amaro, ficaria eternizado.

---

[5] ♪ "Trilhos Urbanos"

Paulino Aluísio de Andrade, o Popó, era grande incentivador dos costumes locais. Negro alto, com físico de atleta, também se destacava nas rodas de capoeira. Habilidoso com os pés, ainda encontrava tempo para realizar apresentações de maculelê nas ruas da cidade, resgatando a tradição de seus antepassados malés. Tornou-se mestre e formou um grupo para preservar o costume da dança. Muito tempo depois, seu esforço seria lembrado através do grupo de dança "Netos do Popó". Ficou conhecido como o Popó do maculelê ♫[6].

Se Chico e Caetano já formavam uma dupla do barulho, a chegada de Antônio Nunes, o Manteiga, recriaria no Recôncavo Baiano a lenda dos três mosqueteiros. Quando veio de Itabuna, com quatro anos, Manteiga foi morar na rua Direita, próximo ao sobrado dos correios. A diferença mínima na faixa etária fez nascer a forte amizade. Em pouco tempo, era mais um que não saía da casa dos Velloso. Com Chico matriculado em outra escola, Manteiga formaria com Caetano uma nova parceria na Escola Dr. Bião.

O rigor dos anos 1940 não deixava chamar a professora de tia. Além do mais, deferência era exigida. Em respeito, todos os alunos se levantavam quando a mestra entrava em sala. Com Terezinha Portela, a primeira professora, o ritual era cumprido com prazer. Filha de dona Letícia, conhecida educadora da cidade, Terezinha tinha a missão de prender a atenção dos pequenos pupilos.

Morena bonita, deixou profunda marca naquele garoto que ainda não tinha sete anos. Certa vez, levada pelo maniqueísmo da época, falou mal dos comunistas para sua plateia de gente inocente. Dizia que eles seriam capazes de comer criancinhas no café da manhã. Isso e outros absurdos que costumavam dizer quando queriam estigmatizar a ideologia. Para que tudo isso? O que ela não sabia é que um dos garotos daquela turma tinha em casa um ferrenho defensor de Luís Carlos Prestes. Alguns anos mais à frente, estaria arriscada a ouvir o que não queria.

Apesar de todo aquele rigor, não demoraria muito para o menino se integrar perfeitamente aos métodos do colégio. Com Mabel fiscalizando de perto, realizava os deveres de casa, mas sempre achava que tinha trabalho demais a fazer. Pura inocência. Com o tempo, dona Canô e seu Zezinho perceberam que ele dava conta do recado. Os irmãos mais velhos acumulavam os estudos tradicionais com as aulas de música. Estava na hora de Caetano enfrentar um novo desafio.

---

[6] ♫ "Trilhos Urbanos"

2

RUA DO AMPARO

A distância não desanimava as crianças da família Velloso. No caminho até a rua Santa Luzia, onde fica a ladeira do Paraíso, passavam diante da Praça do Rosário, da rua do Imperador, do Solar de Araújo Pinho e da capela de Santo Amaro. O trajeto final, repleto de araçazeiros, dava água na boca, mas os gansos que ali viviam botavam para correr intrusos indesejados. Não era o caso dos meninos e meninas que iam até lá aprender a tocar um instrumento musical. Como todo cuidado é pouco, só depois de passar correndo pelas aves é que os pequenos alunos encontravam, no alto da ladeira, uma senhora gorducha e simpática, que os recebia de braços abertos.

Dona Haydil Barros era professora de piano em Santo Amaro. Nas aulas regulares, as mãozinhas delicadas das crianças nem sempre respondiam de acordo com o esperado. A vontade de brincar às vezes cantava mais alto. Mas isso não atrapalhava. Paciente, dona Haydil sempre tinha uma palavra de apoio em meio à profusão de notas musicais. Sabia que, naquele caso, tudo o que brilhava era ouro, e, com ela, Nicinha já se destacava.

A paixão da família vinha de longe. Inspirada pela participação no coral da igreja, Minha Ju adquiriu um piano Ritter Halle. Nas baterias do telégrafo só ela e seu Zezinho podiam mexer. O uso do piano, no entanto, era democrático, e todos os sobrinhos se aventuravam no instrumento. Nicinha ♪[7] já dominava a escala quando Caetano começou a tocar, aos sete anos. Normalmente era com a irmã que o menino pegava de ouvido os exercícios que havia esquecido de praticar. Criada com a atenção ligada no rádio e nas cantorias de dona Canô, Nicinha não era pianista de tocar só por cifras. Com um repertório para ninguém botar defeito, ia com a mesma desenvoltura da

---

[7] ♪ "Nicinha"

cantiga de roda até a valsa, passando por Cole Porter, dos clássicos "Begin the Beguine" e "Night and Day".

Embora houvesse estímulo dentro de casa, Caetano não se empolgava o suficiente. Nem mesmo a promessa de tocar o Hino Nacional, divisor de águas entre um aluno pronto ou não, o estimulava. Preferia brincar com os mosqueteiros Chico Motta e Manteiga, a passar uma tarde inteira sentado ao piano. Apesar de ele trabalhar com as mãos desde pequeno, sua preferência, contudo, não era exatamente dedilhar as teclas brancas e pretas.

Caetano também gostava de desenhar. Desde os quatro anos não podia ver lápis e papel. Isso quando não usava um pedaço de carvão para rabiscar a calçada na frente da casa. Largas e convidativas, as calçadas de Santo Amaro faziam a vez de tela para as obras do garoto. Certa vez, desenhou o rosto de uma vizinha debruçada na janela. Distraída, a moça nem percebeu os contornos familiares que o menino fazia sentado à beira do caminho. Quando as irmãs dele olharam de perto, levaram um susto. "Mas é a cara de Diva, filha de seu Amado!"

Em outra ocasião, a modelo foi a irmã Mabel. Clara gostou e pediu que fizesse o rosto dela também. Meio sem jeito, o pequeno artista bem que tentou, mas se desculpou dizendo que os traços dela eram muito finos para serem reproduzidos. A princípio orgulhosa com a homenagem, Mabel achou estranho depois. Por que ela servia para a pose e Clara não? Seria ela uma personagem caricatural? Não, longe disso. Bastava esperar um pouco e ver os desenhos de Brigitte Bardot e Maysa, produzidos em série, para conferir. Se Deus criou a mulher, Caetano não a recriava, apenas a retratava, com seu jeito particular de ver a vida.

Em 1950, a família se mudou para uma casa na rua do Amparo, número 179, não muito longe do antigo sobrado. Só para variar, o nome da rua não era bem esse. Aliás, nem rua era. A avenida Viana Bandeira herdou esse nome de um antigo prefeito de Santo Amaro. Como um Pereira Passos do Recôncavo, ele contribuíra com calçamento de ruas e outras melhorias. O apelido decorre da avenida se estender até a Igreja de Nossa Senhora do Amparo.

Era uma casa simples, porém, espaçosa. A boa divisão dos cômodos colaborava para o sossego e o conforto da família, àquela altura mais reduzida. Algumas das primas já haviam se mudado. Do espaço onde ficava a mesa da sala de jantar, podiam avistar o quintal repleto de árvores. O verde da vegetação, misturado ao colorido das flores na varanda, situada dois degraus abaixo, enchia de paz o olhar dos novos moradores. O velho sobrado deixava saudades, mas os atrativos da nova morada tinham lá seu charme para conquistar o coração de cada um. E seria bom que conquistasse mesmo, afinal, não havia tantas outras opções para dividir as atenções da família.

Naquela época, a televisão ainda engatinhava. Apenas a Inglaterra, os EUA e a França possuíam canais de transmissão. O Brasil seria o próximo, com o início das operações da TV Tupi de São Paulo, em setembro de 1950. Ainda uma novidade, os poucos aparelhos colocados à venda custavam uma fortuna. Com toda essa dificuldade, quem apostasse no invento teria que esperar um pouco mais para vê-lo ganhar o gosto popular de vez. Enquanto isso não acontecia, outro meio de comunicação reinava soberano.

O rádio era o campeão de audiência da época. As famílias brasileiras se reuniam para ouvir os programas de auditório da Rádio Nacional. Em Santo Amaro, não era muito diferente. Caetano passava horas escutando música com seu Zezinho. Através dos discos e pelas ondas do rádio o menino viajava no universo musical de Dorival Caymmi, Noel Rosa e Luiz Gonzaga. Adorava ouvir *A Hora da Saudade* e só dormia depois de encerrado o programa do Rei do Baião. Ciente do gosto do filho, dona Canô, na hora certa, pedia para alguém sintonizar o aparelho e reduzir aquele chiado característico.

Dono de um gosto atípico para sua idade, Caetano intrigava a família. Como é que uma criança podia gostar tanto de Nelson Gonçalves, Aracy de Almeida, Augusto Calheiros e Vicente Celestino? Essa preferência musical incomum causava estranheza em todos, principalmente sua predileção pelo jeitão operístico de Vicente Celestino, da qual os irmãos tanto gozavam.

Se os irmãos mangavam dele, o pai se mostrava paciente. Seu Zezinho não cantava, mas gostava de música. Fazia comentários críticos e explicava o sentido das letras para o deleite do filho. Caetano ficou impressionado quando ouviu o significado da letra de "Três Apitos", de Noel Rosa. Gravada por Aracy de Almeida, a canção descreve a paixão do compositor por uma moça empregada numa fábrica de tecidos. Em sua rotina diária, a jovem se dividia entre o trabalho enfadonho e o amor de Noel. Reza a lenda que a verdadeira musa inspiradora trabalhava numa fábrica de botões. A despeito das muitas histórias, o fato é que a paixão rendeu a Noel um de seus maiores clássicos. A distribuição perfeita de rimas na pequena crônica urbana marcou Caetano profundamente.

As músicas chegavam a ele vindas de várias fontes. Pelos alto-falantes da rádio-vitrola, nas ondas do rádio, nas explicações detalhadas de seu Zezinho e também pela voz doce e delicada de sua mãe. Desde muito cedo, dona Canô adorava cantar. De memória prodigiosa, entoava canções que aprendera ainda na infância. Sambas de roda, valsas, toadas, cantigas religiosas, folclóricas, e o repertório completo do alagoano Augusto Calheiros. Criado nesse ambiente, Caetano moldava aos poucos seu vasto conhecimento musical.

Os ingredientes dessa atmosfera cultural não se resumiam apenas à música. Apesar de não haver livrarias na cidade♪⁸, seu Zezinho mantinha contato com amigos ligados à literatura. Esse convívio lhe rendeu o hábito de declamar poesias pelos corredores da casa. O distraído Caetano muitas vezes esbarrou em seu pai, quando este declamava um de seus poemas preferidos, "Lúcia", do poeta baiano Arthur de Salles.

> "Lúcia chegou, quando do inverno o tredo
> Vento agitava o coqueiral vetusto,
> Vinha ofegante, e pálida de susto,
> E trêmula de medo.
>
> Ah! Quanto beijo e quanto riso ledo
> Deu-me o seu lábio, rúbido e venusto!
> Quanto divino sentimento augusto,
> Quanto infantil segredo!
>
> Lúcia partiu... E aquele riso doce
> Lúcia levou! A casa transformou-se
> Num sepulcral degredo.
>
> Se o vento agita o coqueiral vetusto,
> Inda a recordo: pálida de susto
> E trêmula de medo..."

Fora de casa as experiências eram outras, mas nem por isso menos enriquecedoras. Quando os três mosqueteiros Caetano, Chico Motta e Manteiga se reuniam, as influências continuavam sendo vitais para a formação de cada um. Os personagens de Dumas não faziam muito sentido para eles, que ainda não se mostravam tão aventureiros e românticos assim. Precoces, apenas começavam a se enveredar na arte das conquistas amorosas.

Na rua do Amparo havia uma menina extrovertida em quem os três estavam de olho. Dijanir Natividade, a Dó, partia uns coraçõezinhos. Um ano mais velha, não era colega de escola dos meninos. Mas isso não a impedia de chamar a atenção deles quando atravessava a rua com as amigas Dinorá e Linda. Caetano parecia alimentar uma paixão secreta por Dó. Pelo menos era o rostinho delicado da menina que ele passou a desenhar com mais fre-

---

⁸♪"Livros"

quência na calçada. Não fosse a timidez que o mantinha distante, Dó teria se rendido mais facilmente. Dizem que os opostos se atraem. Exatamente o contraste da insegurança com a desinibição é que fez nascer a atração entre os dois.

Aos poucos, quebraram as barreiras e começaram um namorico, daqueles de pegar só na mão, coisa de criança. Utilizando seus talentos, Caetano a convidava para ouvi-lo tocar piano. Daí para subir com ele nos araçazeiros do quintal foi um pulo. Àquela altura, o romance havia engatado, mas ainda faltava o primeiro beijo. A chance apareceu numa brincadeira de rua, a "Berlinda", também conhecida como "Salada Mista". Os colegas combinaram para dar a deixa quando fosse a vez de Caetano ou Dó no centro da roda. Numa dessas aconteceu o primeiro, o segundo, o terceiro...

Da coisa de criança, o namoro ganhou contornos mais firmes. Os dois, então, passaram a se encontrar na Praça da Purificação e a fazer todo o circuito dos casais enamorados. Iam juntos às sessões de cinema, ao teatro na casa de amigos, e frequentavam assiduamente as festas da cidade. Só que pedir compromisso para um casal cujo mais velho tinha nove anos era um pouco demais. Naturalmente a paixão infantil passou e cada um seguiu seu rumo. Diz o ditado que a primeira namorada a gente não esquece, contudo, em pouco tempo, Caetano seria tomado por outro amor, este sim, sério o bastante para deixá-lo fora de órbita.

No início da década de 1950, quem não gostava de rádio só podia ser ruim da cabeça ou doente do pé. Célio Machado, como não era uma coisa nem outra, não desgrudava o ouvido da Rádio Nacional. De tanto escutar os programas da época, decidiu criar sua própria emissora. Com muita força de vontade e poucos recursos, um mini transformador e alguns alto-falantes, deu asas a seu sonho. Fundou a Rauland, uma rádio pirata que funcionava no mesmo sobrado de uma das bandas de música da cidade, a Lira dos Artistas.

A audiência foi crescendo e Célio sentiu o gosto inesperado do sucesso. Empolgado, acabou se rendendo aos apelos populares. Como quem sabe faz ao vivo, passou a apresentar um programa de calouros. Sendo a cidade pequena, a maioria dos concorrentes era de gente conhecida. Aí estava a graça da novidade. Ouvir aquele amigo ou parente se apresentando com transmissão simultânea para as casas da vizinhança agradou em cheio. No *Programa de Calouros do Célio Machado* o candidato cantava e a plateia é que escolhia o vencedor. Os bons recebiam aplausos. Para os ruins, não havia gongo, buzina ou coro de vaias. Troféu abacaxi também não, mas dava para perceber que o entusiasmo não era o mesmo.

Caetano já não se contentava em ouvir música na velha rádio-vitrola. Queria exercer também sua veia de artista. Com o sucesso da rádio de Célio, ganhou coragem e se inscreveu no programa dele. Faltava escolher a música de apresentação. A marchinha "Touradas em Madri", de Braguinha e Alberto Ribeiro, sucesso no Carnaval de 1938, pareceu uma boa escolha. De letra e melodia simples, tinha tudo para ajudar no desempenho. Ledo engano. A canção estava bem ensaiada, mas o nervosismo da estreia atrapalhou tudo. Depois da introdução da orquestra, Caetano entrou no tom errado e, antes mesmo de completar o primeiro verso, foi desclassificado. Aos oito anos de idade, aquela experiência deixaria trauma em qualquer um. Para Caetano, a lembrança o faria carregar o medo de entrar fora do tom por um bom tempo, mas a graça do episódio ele carregaria o resto da vida.

Depois de um dia inteiro de brincadeiras, à noite batia a exaustão. Antes de dormir, ou pelo menos tentar, Caetano tomava a bênção dos pais e rezava as orações ensinadas por eles. Essas tradições que a família católica lhe passava eram reforçadas com o hábito de ir à missa todos os domingos. O compromisso às vezes o entediava, mas não tinha muito para onde fugir. Quem não fosse à missa também não iria às matinês. Aí a perda seria bem maior.

Se, por um lado, as cerimônias se mostravam belas, por outro, os dogmas da religião causavam medo. A promessa de que Deus entraria em seu corpo quando recebesse a hóstia lhe tirava o sono. Como poderia ser isto? O medo só não era maior porque todos os irmãos mais velhos já tinham recebido a primeira comunhão e nenhum deles parecia carregar Deus dentro do corpo. Se carregavam, pelo menos aos olhos do menino, estavam todos como antes. As dúvidas lhe surgiam a cada experiência, mas até que se rebelasse contra as formalidades da fé cristã ainda teria de cumprir algumas obrigações impostas pela religião.

No fim de 1950, Caetano e Roberto recebiam as últimas aulas de Catecismo. Minha Ju ensinava as lições aos meninos na própria casa da família. Caetano sempre se mostrou uma criança esperta e observadora, tirando conclusões lógicas de tudo. O catolicismo abria para ele somente uma das muitas portas espirituais. Por isso, não se via impedido de frequentar as festas de Caboclo na casa de dona Edith, sua mãe de leite e irmã biológica de Nicinha.

Os primeiros passos nas religiões africanas começaram neste candomblé. Os cultos na casa de dona Edith eram diferentes dos que se viam em Salvador. Lá se praticava um tipo de candomblé de Caboclo, mais comum nas cidades do Recôncavo. A fisionomia sisuda de dona Edith, quando incorporada com seu Sultão das Matas, uma de suas várias entidades, confundia ainda mais a mente de Caetano. O medo novamente batia à sua porta.

De qualquer forma, o sincretismo religioso não atrapalharia Caetano a receber sua primeira comunhão, em 7 de janeiro de 1951, dia em que seus pais completavam vinte anos de casados. Com a história dos irmãos ainda na lembrança, o medo irremediável o acompanhou no momento de receber a hóstia. Mas não passou disso. No fim, sentiu-se aliviado ao perceber que nada de sobrenatural havia lhe acontecido. Melhor assim. Os desafios estavam em outras provações.

❧

Caetano estudava com afinco. Esse esforço lhe rendia boas notas na Escola Dr. Bião. Em novembro de 1952, garantiu sua aprovação do quarto ano com distinção plena. Média 8,0. Com a divulgação do boletim, estava pronto para cursar o último ano antes do ginásio. A ideia inicial era essa. Só que a necessidade de botar o menino de pé logo cedo fez dona Canô pensar em outra opção.

Naquele tempo, se a criança não tivesse completado o último ano primário, podia prestar uma espécie de minivestibular, denominado Exame de Admissão. Alcançada a média necessária, passava-se à primeira série ginasial. Muito franzino, Caetano sofria com insistentes crises de amigdalite. Quase não comia. Além disso, tinha uma dificuldade crônica para acordar cedo. O zelo dos pais foi maior e eles optaram por fazer a matrícula no curso de admissão da professora Zilda Paim, em 1953. Os fiéis escudeiros Manteiga, colega de classe na Dr. Bião, e Chico Motta, vindo da Escola Araújo Pinho, também fariam parte da turma.

Zilda Paim era uma mulher avançada para a época. Ativa e dinâmica, participava de todos os eventos culturais da cidade. Até aí, não fazia mais do que dar vazão a seu espírito libertário. E põe libertário nisso. Contrariando os bons costumes daquele tempo, tornou-se em 1951 a primeira desquitada de Santo Amaro. Um escândalo. A coragem de Zilda chocou parentes e vizinhos. Uma irmã se mudou da cidade só para não ter o desgosto de morar perto de uma desquitada. O que a professora queria mesmo era fazer história.

Os estudos aconteciam na rua Conselheiro Saraiva, número 55, com os alunos se acomodando na sala de jantar, preparada à guisa de classe pela professora. Enquanto explicava as lições, Zilda muitas vezes ficava impaciente ao ver Caetano no mundo da lua. De tempos em tempos, precisava trazê-lo de volta à realidade. Mas ela já o conhecia de outros carnavais. Sendo prima de Mariinha, também fazia parte da família e, de certo modo, às vezes o encontrava absorto em pensamentos fora do horário de estudo.

Esse mundo particular em que o menino vivia chamava atenção e o diferenciava. Uma cena durante o aniversário de mãe Mina, irmã de seu Zezinho, marcou a professora. Como em todos os anos, Zilda foi até lá render homenagens à amiga. Em meio à conversa com a família, percebeu Caetano imóvel em frente ao prato de comida. O garfo jazia diante da boca fazia tempo. Quase sem piscar, e com a mente anos-luz de distância da mesa, Caetano esquecia de comer. Em casa, todos já tinham se acostumado, mas, para Zilda, estava ali a prova de que Caetano era mesmo "lerdo", como confidenciava a alguns.

Esse torpor crônico não o impedia de ser bom aluno em português. Nas aulas de matemática, porém, continuava em seu mundo de sonhos e fantasias. Só interrompia esses momentos na hora do intervalo, com direito a lanche. A merenda era trazida de casa. Pãozinho com doce, banana, tangerina ou, simplesmente, um saco de amendoim, compunham o farnel. A simplicidade do cardápio não importava. Ao menos na escola, Caetano não deixava de comer.

A rotina das aulas com Zilda se estenderia durante o ano de 1953. O dinamismo e a personalidade forte da primeira professora muito ajudaram na formação de Caetano. Por outro lado, ensinar Caetano também abriria a mente da educadora. No futuro, ela entenderia as razões que o levavam a tanto distanciamento, mas nunca desconfiaria daquele que poderia ser um dos principais: saudade.

※

Margarida, a Guja, como chamavam, trocara Santo Amaro pelo Rio de Janeiro, após a 2ª Guerra Mundial. E Mariinha, xodó de Caetano, tinha ido morar com ela algum tempo depois. Longe das primas, Caetano amenizava a saudade escrevendo. Nas cartas e nos bilhetes, demonstrava todo o carinho que sentia por elas. Mariinha recebia notícias da família, mas também chorava e gargalhava com as declarações do pequeno primo. Em sua sinceridade infantil, Caetano vez por outra cortava e reatava relações. Também não poupava detalhes na hora de relatar uma experiência com vermes. O mal o fazia ir ao banheiro de cinco em cinco minutos. Diante da terrível diarreia, Mariinha se acabava de rir com tanta espontaneidade. Em 1953, ela completaria 36 anos de vida. Mais do que as cartas, dessa vez Caetano queria enviar uma lembrança marcante: um disco.

Luizinho, representante da Philips na região, consertava e vendia radiolas. Louco por música, o homem também tinha um aparelho para gravação de discos. Amigo da família, foi escolhido para produzir a bolacha. Prevenido, Caetano entrou no estúdio improvisado em abril. Minha Inha faria aniversário em 29 de maio. O período, portanto, era suficiente para fazer o trabalho, mesmo que as condições precárias do local atrapalhassem um pouco. Nicinha, ao piano, brigava com a buzina dos carros que passavam próximos à janela. Nada disso, porém, tirou o ímpeto da turma. Apesar dos contratempos, o projeto chegou ao fim.

O disco de 78 rpm foi gravado em acetato, e não na tradicional cera de carnaúba, que desgastava nas primeiras audições e assim não dava para guardar por muito tempo. Além disso, o formato permitia gravar uma música de cada lado. "Mãezinha Querida", de Getúlio Macedo e Lourival Faissal, e "Feitiço da Vila", de Noel Rosa e Vadico, foram as escolhidas. No lado de "Mãezinha Querida" foi gravada também uma mensagem de carinho e o tradicional "Parabéns pra Você". Assim que ficou pronto, o disco seguiu para o Rio de Janeiro. Emocionada, Mariinha recebeu o presente original que vinha de longe. Feliz da vida, tornava-se a primeira a ter um disco de Caetano Veloso.

Na Bahia, a saudade apertava. Caetano não via Mariinha e Margarida fazia um bom tempo. As duas não compareceram à primeira comunhão do primo, mesmo com as "ameaças" de cortar relações feitas por ele. Sem saber o que fazer, Caetano deixou que o universo conspirasse a favor deles. Tereza, irmã de Margarida, tirava férias da Cia. Energia Elétrica de Santo Amaro em dezembro, e costumava viajar para o Rio de Janeiro. Nem precisava pensar muito. A oportunidade acabava de surgir.

Quase o ano inteiro dedicado a estudos com a professora Zilda. Mais um tempo gasto nas aulas de reforço da professora Dida. Àquela altura, Caetano estava apto a prestar o exame de admissão, marcado para março do ano seguinte. Tinha, portanto, cumprido com suas obrigações de aluno. Não fazia arte, a não ser os desenhos na calçada e os concertos solitários ao piano. Esse bom comportamento merecia um prêmio. Já podia arrumar as malas. Em 5 de dezembro de 1953, andaria de avião pela primeira vez na vida.

Tereza e Caetano chegaram ao aeroporto abarrotados de bagagem, pouco antes da hora do almoço. No início da tarde, o avião decolou. Aos poucos o medo desaparecia e Caetano cumpria suas primeiras horas de voo. Mesmo preso ao cinto de segurança, se esticava para admirar da janela a paisagem em miniatura. Do avião, casas e coqueiros lembravam pequeninos presépios. O mar parecia outro céu, com as nuvens flutuando sobre a imensidão azul. Daquela altura, os automóveis se moviam como brinquedos. Rios, matas, casinhas com telhados de zinco refletindo os raios do sol, tudo isso ficaria em sua memória.

No Rio de Janeiro, um grupo animado esperava por eles. Mariinha, Margarida, seu marido Carlos Alexandre, e a filha Tânia Maria, estavam ansiosos pela chegada dos parentes. Depois de uma escala em Vitória, Espírito Santo, finalmente o avião aterrissava em terras cariocas. No meio do caminho, tinham enfrentado uma tempestade, mas o humor de Caetano permaneceu inabalável.

O menino ainda tentou se esconder atrás de Tereza, para fazer charme que não tinha vindo. Logo foi desmascarado. A emoção tomou conta de Mariinha, que desabou em lágrimas. E Caetano pôde, enfim, dar um "chega" a tanta saudade.

Margarida e Mariinha moravam no subúrbio carioca de Guadalupe, próximo à Avenida Brasil, via que liga a Zona Oeste ao Centro da cidade. A rua 1, na quadra 6, da "Fundação da Casa Popular" era o destino do táxi. O ritmo do trânsito da cidade grande prendia a atenção de Caetano junto à janela. E como era um bom pedaço de chão até em casa, deu para aproveitar bem a viagem. Quando chegaram, já não dava para fazer muita coisa além de pôr a conversa em dia. Caetano estava elétrico, curioso, doido para conhecer tudo. Mas precisava ter calma. A diversão apenas começava. A cidade é que não estava para brincadeira naquele período.

Em 1953, Getúlio Vargas saía de uma campanha bem-sucedida em prol da criação da Petrobrás. Ele só não contava com a esperteza do jornalista Carlos Lacerda. Opositor ferrenho e dono do jornal "Tribuna da Imprensa", o jornalista difamava o Estado Novo aos quatro ventos. Para os defensores do governo, essa ousadia teria um preço. No ano seguinte, Lacerda sofreria um atentado na rua Tonelero. O tiro, porém, sairia pela culatra. A crise política que se instalou determinaria o fim da era Vargas.

Enquanto a briga esquentava no governo, no mesmo ano a então capital federal servia de palco em outras disputas. Para a tristeza de Marlene, a cantora Emilinha Borba foi coroada Rainha do Rádio. Sorte de quem assistiu ao vivo. Faltava um pouquinho ainda para Caetano ver esses brotos mais de perto. Por ora, o garoto teria de se contentar em olhar pescoço de girafa.

No dia seguinte à chegada, conheceu o Zoológico da Quinta da Boa Vista, antiga morada da família real no Rio de Janeiro. Os olhos do menino brilharam ao ver os animais que só conhecia das cartas da irmã Mabel. Depois foi tomar banho de mar na Praia Vermelha, no bairro da Urca, próxima à estação do bondinho que leva ao Pão de Açúcar. O espetáculo do cartão postal e o bondinho que ia e vinha chamaram sua atenção. Caetano queria experimentar, mas dessa vez foi Tereza quem teve medo e o fez desistir da ideia. Se queria subir e descer sem parar, mataria sua vontade andando de escada rolante.

As decorações natalinas dos grandes magazines destacavam-se na paisagem carioca. Em Santo Amaro, a tradição de enfeites era mais tropicalizada. As famílias espalhavam pela casa uma fina camada de areia de praia salpicada de folhas de pitanga. O luxo ostentado nas ruas do Rio não impressionava tanto quanto as maravilhas tecnológicas que Caetano nunca havia visto. Na loja Sears, de Botafogo, o tradicional presépio iluminado perdia de muito em interesse para o prazer de andar naqueles degraus que se moviam como por encanto.

Os dias daquele início de verão foram assim, cheios de agradáveis surpresas. A diversão foi tanta que o tempo voou. Nem dava para crer que as férias haviam terminado. Passados o Natal, o aniversário de Tânia Maria e o ano-novo sob as luzes da Guanabara, chegava o momento de partir. Levaria muitas histórias na bagagem. No coração, a certeza de retornar àquele Rio que ele um dia chamaria de seu. Em janeiro de 1954, Caetano e Tereza retornaram a Santo Amaro. Uma prova cascuda aguardava o jovem estudante.

❧

De volta à terra natal, precisava de uma boa nota no exame de admissão. Se já tinha dificuldades de dormir normalmente, imagine aperreado por uma prova dessas. Na véspera do grande dia, a rotina de dormir tarde não foi diferente, mas também não tirou a energia de Caetano. Em 23 de março, fez as provas. O resultado foi uma média geral de 6,6. Razoável, mas suficiente para conseguir a aprovação. As aulas com a professora Zilda deram certo. Podia cursar o ginásio sem problemas. E mais. Os amigos Chico Motta e Manteiga também estariam lá. Melhor não poderia ser.

Antes de começar os estudos, o destino se encarregaria de trazer um pequeno talismã. Ainda na comemoração pelo ingresso no ginásio, Caetano recebeu a boa notícia. A casa da rua do Amparo acabava de ganhar uma nova moradora. A pequena Irene Vieira Hielling ♪[9] nasceu na casa dos pais verdadeiros de Nicinha, em 5 de abril daquele ano. A alegria, porém, durou pouco. A mãe da menina, Lindinalva, contraiu tétano. Dona Canô visitou a amiga e viu a grave situação da enferma. Para poupar a menina recém-nascida de qualquer complicação, decidiu cuidar dela até que a mãe se recuperasse. Só que a doença foi mais forte e Lindinalva faleceu.

Cinco dias após o nascimento, Irene estava órfã de mãe. O pai, sozinho, não tinha condição de cuidar da filha. Os Velloso eram conhecidos pelo tamanho do coração e ainda tinha espaço para mais um, ou mais uma. A menina, então, foi adotada pela família. Caetano adorou a surpresa e não largava o bebê. Fazia de tudo para agradar a nova irmã, mas nem sempre conseguia. Por mais que quisesse ver Irene rir, a menina mais chorava do que dava risada. A vinda da criança foi o sinal de um novo ciclo. Com a sorte nas mãos, Caetano podia seguir seu destino.

O Ginásio Estadual Teodoro Sampaio havia acabado de ser inaugurado quando ele e seus amigos se matricularam. O colégio tinha uma boa infraestrutura. Com dois pavimentos e amplas salas, havia também um grande pavilhão coberto. Uma parte era ocupada pela quadra de esportes e a outra abri-

---

[9] ♪ "Irene"

gava um palco com salão para eventos. A criançada deitava e rolava com tanto espaço. E todos ali faziam história, afinal, eram da primeira turma ginasial do colégio. Entre tantos outros, o jovem Genebaldo Correia, figura polêmica do cenário político do país anos depois, também fazia parte do grupo.

A princípio, a mudança de escola parecia não trazer muita novidade, mas logo se perceberia a principal delas: um panteão de professores. Em vez da exclusividade de Mabel, Terezinha, Dida ou Zilda, no ginásio havia um especialista em cada matéria. Quem lecionava Língua Portuguesa era o professor Nestor Oliveira. Impunha respeito pela altivez de sua estatura e pela voz grossa e potente. Poeta de rara inspiração, influenciaria muita gente com seus belos textos. Também ficou conhecido por ser pai de Dólia, uma das meninas mais bonitas da região e que despertava a testosterona da moçada. Caetano, inclusive.

A grande simpatia despertada por Nestor tinha eco em outros professores, como Édio de Souza, de História Geral, e Gustavo Viana, de Inglês. Cada um, à sua maneira, conquistaria os alunos à medida que o convívio aumentasse. Naquele primeiro contato a timidez impediria Caetano de se aproximar dos mestres. Muito menino ainda, a relação de amizade com eles só se aprofundaria nos anos seguintes.

As aulas rendiam. Caetano aprendia ao mesmo tempo em que pintava e bordava. Assim mesmo, como se diz na expressão popular, pois além do estudo, participava de todos os eventos culturais promovidos pelo colégio. No palco do pavilhão, aconteciam shows. Se chegasse alguém de prestígio vindo de fora, o espetáculo aterrissava no Cine Teatro Subaé, bem mais confortável. Na década de 1950, a indústria fonográfica ainda não contava com grande aparato de divulgação. Para promover suas músicas e vender discos, o artista tinha de ir aonde o povo estava, do Oiapoque ao Chuí. Não podia contar só com o rádio. Pela proximidade de Salvador, Santo Amaro entrava nas turnês que passavam pela capital. Foi assim que o seresteiro Sílvio Caldas visitou aquelas bandas.

Para receber os sucessos de seus discos mais recentes, *Saudades* e um com músicas de Ary Barroso, o Cine Subaé foi todo preparado. Como tradição, artistas da região se apresentavam na abertura desses grandes shows. Eram os chamados "enche-rolas", como pedia o bom humor santamarense. Para a noite de Sílvio Caldas os escalados foram Benedito Barbosa e João Alberto, dois artistas locais. Mas teria um certo Caetano Veloso também.

Com doze anos, quatro a mais desde a primeira apresentação pública na rádio de Célio Machado, Caetano estava mais experiente e seguro. O trauma de antes fora finalmente apagado e ele cantou bem até o final. Naquela noite, preparou o chão de estrelas para o astro e depois acompanharia tudo de alma lavada. Quando acabou de cantar, Sílvio cumprimentou o talento vocal do menino, que sorria aliviado. Orgulhosa, a irmã Mabel assistia a cena da improvisada coxia. Não imaginava que aquilo tudo era apenas um prenúncio do que o futuro reservava para seu pequeno irmão.

Por ora, o que havia de mais concreto estava no Carnaval que vinha pela frente. E nessa época Caetano aprontava.

※

Terminado o ano letivo, a aprovação em todas as matérias garantia a Caetano curtir as férias de verão despreocupado. E o início da estação mais quente do ano prometia. É a época em que se concentram as grandes festas populares do Recôncavo. Em 6 de janeiro, Dia de Reis, chegava a hora de botar o "Terno de Reis" na avenida. Em seguida, a novena de Nossa Senhora da Purificação, de 24 de janeiro a 1º de fevereiro, culminando com o dia da santa, em 2 de fevereiro, num festejo com mais de trezentos anos de tradição. Na lavagem do adro da igreja, realizada cedo, Caetano raramente conseguia acordar. Na procissão fazia diferente. Em nome dos bons costumes, comparecia de terno e gravata.

Logo depois acontecia a festa preferida de Caetano. Para ele, nada se comparava ao Carnaval. De Salvador chegavam notícias do recém-inventado trio elétrico de Dodô e Osmar. Multidões de foliões pulavam pelas ruas da cidade. Caetano ficava doido. Enquanto a capital não roubava do interior a atenção para a festa, o jeito era se mandar atrás dos blocos locais.

Em Santo Amaro, a folia se concentrava na Praça da Purificação. Com os músicos vestindo roupas de cetim colorido, salpicadas de lantejoulas, os ternos "Amantes da Moda", "Bacurau", "Amantes da Folia" e "Coletes" saíam da parte baixa da cidade e arrastavam os foliões até a praça. Fantasiadas ou não, as pessoas dançavam e cantavam ao som de marchinhas cariocas, tocadas pelos instrumentos de sopro e percussão das charangas.

Caetano entrava na dança. Gostava de se exibir. A cada ano inventava uma fantasia mais original. Certa vez se apoderou da saia de uma das irmãs, e a enrolou à guisa de bombacho. Na cabeça encaixou uma toalha, como turbante, e foi para a avenida. Ao circular sério pela praça, de braços cruzados, sem dar uma palavra, encarnava seu momento de paxá. Alguns arriscavam a dizer que ele tinha enlouquecido. Ali, sozinho? Onde estariam seus amigos e a irmã Bethânia, sempre parceira? Ninguém entendia nada.

Se o paxá caboclo surpreendeu muita gente, Caetano provocaria um reboliço ainda maior com sua nova fantasia. A criatividade juvenil o fez desafiar os padrões conservadores da cidade. Resolveu sair de Chiquita Bacana, porém acabou em apuros. Enquanto desfilava pela praça, ouviu um bocado de gracinha. Foi o de menos. O pior veio depois. Levou um tremendo beliscão na bunda, tão forte que chegou a inchar o pedaço de carne. Voltou chorando para casa.

❧

Goste-se ou não, as festas não duram para sempre. Depois do Carnaval, a rotina no Teodoro Sampaio teria de ser retomada. Antes estudioso, agora o desejo de pegar nos livros já não era dos maiores. E a situação ainda poderia piorar. A turma de amigos de Caetano sofreu pesada baixa em 1955. Manteiga havia ido morar em Itabuna. Longe do amigo fiel, o incentivo na hora das lições ficaria sensivelmente prejudicado. O jeito foi se distrair desenhando tudo e todos durante as aulas. Nas matérias mais chatas, Caetano rabiscava o caderno com vontade. Nas menos, também.

Naquele ano não tinha Copa do Mundo. Havia eleição presidencial. Café Filho, vice de Getúlio Vargas, ficara como presidente provisório desde que Getúlio cometera suicídio, em 24 de agosto do ano anterior. Chegava a hora da mudança. Com o lema "50 anos em 5", o mineiro Juscelino Kubitschek, representante da coligação PSD-PTB, corria o país de norte a sul atrás de votos. Numa dessas andanças foi a Salvador e passou por Santo Amaro. Importante reduto da elite baiana, a cidade merecia uma visita.

Doutor Tarquínio Muricy, apaixonado pelos ideais progressistas de JK, não perdeu a oportunidade de homenagear o ilustre visitante. Preparou um discurso de boas-vindas. E não ficou só nisso. A ideia de convidar uma criança da cidade para ler a mensagem parecia perfeita. Arroz de festa e eloquente como ele só, Caetano Veloso foi a primeira pessoa que lhe veio à mente.

A cidade ficou em alvoroço. A praça enfeitada, bandeiras por todo lado e os músicos da banda a postos no coreto. Todo mundo se espremeu na praça para ver o homem. Era um zum-zum-zum danado. E como não dava para conter a algazarra, mal se pôde ouvir aquela vozinha fina que saudava JK. Orgulhosa, a família de Caetano conseguiu ouvir tudo até o final. Doutor Tarquínio também, mesmo que na metade do texto já não conseguisse mais segurar sua emoção.

Poucos meses depois, Juscelino seria eleito com mais de 3 milhões de votos. Doutor Tarquínio ficou muito feliz por ter contribuído de alguma forma para aquele sucesso. Caetano é que amargaria um fracasso.

❧

No decorrer de 1955, até os bons professores do Teodoro Sampaio não conseguiram fazer Caetano tomar gosto pelo estudo. Desinteressado, passou a andar com uma turma que matava aula, fazia baderna na Praça, subia o morro de São Francisco atrás de araçá — coisas de pré-adolescente. As queixas chegaram aos ouvidos de seu Zezinho, mas pouco adiantou. Resultado: bomba. Caetano foi reprovado na segunda série ginasial por dois décimos.

Se já era chato precisar fazer novamente todas as lições, conviver com as crises de amigdalite o deixava ainda mais franzino e multiplicava a preocupação da família. Ninguém morre por repetir de ano, porém, uma infecção mal curada tem seus riscos. A prioridade, portanto, seria cuidar da saúde. Por mais que o comentário causasse arrepios, talvez fosse melhor seguir os conselhos de Mariinha e mandar o menino operar no Rio de Janeiro. Caetano ficava atento a esse tipo de sugestão. Chegava até a desgrudar do rádio por alguns instantes para prestar atenção na conversa dos mais velhos. Em sua imaginação fértil já se via novamente no Rio, dessa vez em visita à Rádio Nacional, que tanto admirava. Instintivamente, sabia que o sonho poderia se tornar realidade. E nem demoraria tanto assim.

CARACTERISTICOS

NOME DO ALUNO: Caetano Emanuel V. Teles Veloso

Data do nascimento: 7 de Agosto de 1942
Natural de: Santo Amaro - Bahia
Nome do pai: José Teles Veloso
Nome da mãe: Claudionor Viana Teles Veloso
Residência: Av. Viana Bandeira Nº 179
Observações: Matriculado como repetente. Abandonou. Matrícula cancelada por falta de frequência em 31.5.56.

Retrato
(3 x 4)
Carimbo
do
Estabelecimento

	Portugues	Latim	Frances	Ingles	Matematica	Ciencias Naturais	H. Geral	H. Brasil	Geografia	Trabalhos Manuais	Economia Domestica	Desenho	Canto Orfeonico	Dir....	Educação Fisica
Março															
Abril															
Maio															
Junho															
Agosto															
Setembro															
Outubro															
Novembro															
TOTAIS															

FREQUENCIA (Anotação das Faltas)

Total anual de faltas .... (........)
Total anual de aulas dadas .... (........)
Total anual de faltas em Educação Física ...... (........)
Total anual de sessões em Educação Física .... (........)
Observações ....

Data

DIRETOR   INSPETOR

3

BACK IN GUADALUPE

Uma grata surpresa estava reservada para 1956. No Rio de Janeiro, depois de um ano de trabalho no Hospital dos Servidores do Estado, a enfermeira Mariinha tirava férias. Com tempo de sobra para gastar, faltava decidir o que fazer. Nem precisava pensar muito. O que seria melhor do que passar uma temporada com os parentes? Era o que mais desejava: estar de volta a Santo Amaro. Além disso, fazia muito que não respirava os ares daquela cidadezinha do interior. Caetano ainda teve a sorte de estar com ela no verão de 1953, quando passou uns dias em Guadalupe. À exceção de Tereza, que viajava para o Rio todo mês de dezembro, os outros não a viam desde sua mudança, em 1949.

Os anos longe de Santo Amaro não conseguiram apagar da memória cada cantinho da cidade, cada frequentador da Igreja da Matriz, cada pedaço daquele chão. Cores fortes de boa parte de sua vida inundavam sua mente, enquanto o ônibus deixava o mar de cavalinhos de flecha ♪[10], comum naqueles prados repletos de cana-de-açúcar, e entrava pela ponte que atravessa o rio Subaé. Aos poucos reparava que muita coisa continuava do jeito que havia deixado. Tinha mais gente, mais automóvel na rua, porém, cada casa estava lá como ela bem se lembrava. Cada rosto na multidão que ela sabia nome, sobrenome e endereço. Era bom estar de volta e rever seus parentes. Mesmo que alguns não estivessem tão bem como ela imaginava.

A magreza de Caetano não era somente por ele mastigar sopa. Fazia tempo ele sofria de constantes crises de amigdalite. Não tinha sido esse o único

---

[10] ♪ "Sugar Cane Fields Forever"

motivo, mas é lógico que até na repetência da segunda série ginasial, as crises tiveram sua parcela de culpa. Mariinha já sabia do problema, só não sabia da gravidade e frequência. Inúmeras vezes, tentou convencer a família a levar o menino para tratamento na capital. Agora, com a ajuda de bons contatos nos hospitais do Rio de Janeiro, tinha ainda mais argumentos para persuadir seu Zezinho e dona Canô.

Ambos não simpatizavam com a ideia. Temiam a possibilidade de algo mais sério acontecer. Deus me livre e guarde. Nem gostavam de pensar na hipótese de cirurgia ou coisa do gênero. A resistência era grande, mas não invencível. Depois de muita conversa, finalmente cederam aos apelos de Mariinha, mas somente com a condição de que ela trouxesse o menino de volta em março, para o início das aulas no Teodoro Sampaio. Compromisso aceito, trato feito. Hora de viajar novamente.

Em poucos dias, Caetano e Mariinha chegavam ao simpático bairro de Guadalupe. Três anos depois da primeira visita, ele estava de volta ao Rio de Janeiro, o seu querido Rio ♪[11], que aprendera rapidamente a amar. Dessa vez, porém, a vinda não seria a passeio. Mesmo assim, a visita inesperada alegrou a todos e a recepção foi a melhor possível. Na pequena casa de dois quartos, Caetano recebia o que mais precisava naquele momento: o cuidado das primas.

Muito abaixo do peso normal, comia pouquíssimo. Tinha dificuldades para engolir. Até mesmo falar era um suplício. Preocupadas, as primas logo procuraram a ajuda de um profissional, doutor Danilo Pinto Teixeira, amigo e médico da família. Clínico geral de confiança, costumava acertar a origem da enfermidade nas primeiras impressões. E o doente nunca saía sem resposta. Se não diagnosticasse o problema, indicava um especialista que o fizesse. Mais uma vez a segunda opção nem seria necessária. Era óbvio demais. Caetano vivia resfriado e sua imunidade estava baixa. Feito o exame, o médico foi taxativo: as amígdalas estavam salientes e inflamadas.

O que a família tanto receava surgia naquele consultório como um fantasma. A melhor saída seria mesmo a extração, conforme constava do diagnóstico emitido. Embora fosse experiente, doutor Danilo não era cirurgião, por isso não poderia realizar a tarefa. Teriam que depositar a confiança em outras mãos. No início, ficaram sem saber o que fazer. Mas isso durou pouco. Mesmo com as indicações do médico da família, Margarida preferiu apostar em alguém também de confiança. Ela conhecia o dono de mãos hábeis o suficiente a quem poderia entregar sem medo a saúde do jovem primo.

O emprego na Policlínica Geral do Rio de Janeiro fora obtido com ajuda de uma tia do doutor Fernando Linhares, médico que chefiava o setor de Otorri-

---

[11] ♪ "Meu Rio"

nolaringologia daquele hospital. A feliz coincidência os conduziu até lá. Com extenso currículo e muitas horas de bisturi, doutor Linhares tratou de tranquilizar a família. A bateria de novos exames a que Caetano fora submetido apenas confirmou o diagnóstico de doutor Danilo. Era mesmo caso de cirurgia. O procedimento era absolutamente comum, mas continha seu potencial de risco. No folclore popular dizia-se até que cirurgia na garganta poderia fazer a voz sumir. Decerto, um exagero, mas não cabia relaxar totalmente.

Mesmo com toda experiência em enfermagem, Mariinha quase caiu dura. E coube a ela a responsabilidade de comunicar a notícia aos pais de Caetano, além de pedir uma autorização para que a cirurgia fosse realizada. Com aval da família, pouco depois a operação seria realizada na Policlínica. Para o alívio de todos, a cirurgia foi um sucesso.

O problema é que o tempo não para. O ano avançava sem trégua e a recuperação ainda exigiria certos cuidados. Canja de galinha fria, alimentos gelados e muito repouso. Com as aulas prestes a iniciar, o acordado retorno ao Teodoro Sampaio estava seriamente ameaçado. Por segurança, Mariinha tratou de fazer a matrícula do primo no Colégio Pio XII de Guadalupe, só para não perder o ano letivo. Se houvesse qualquer imprevisto que obrigasse Caetano a permanecer mais tempo no Rio, não seria por falta de escola que ele ficaria sem estudar.

Pelas graças do Senhor do Bonfim, tudo correu bem. Bem até demais. Caetano pôde descansar como havia tempo não fazia. Até a comida regrada da dieta lhe parecia mais saborosa. Sem falar nos litros de sorvete que ingeria para auxiliar na cicatrização. Àquela altura, ninguém mais pensava no acordo descumprido. Obrigado a ficar de repouso em casa, Caetano fez da pintura uma grande aliada nas horas de lazer. Largou um pouco do lápis e do papel e passou a dar pinceladas com tinta a óleo. Embora o passatempo tenha rendido belas obras, o prazer que mais lhe encantava vinha mesmo do rádio.

❧

Na casa de Margarida existia uma rádio-vitrola. Por força do hábito, o aparelho vivia ligado. Caetano era fã de rádio já de outros tempos. Em Guadalupe, o costume adquirido na infância ganhava um sabor diferente. Quase todos os programas eram transmitidos pela Rádio Nacional, situada na Praça Mauá nº 7, zona portuária do Rio, mais precisamente no 22º andar do prédio do jornal *A Noite*. Ele sabia disso. O fato de estar na mesma cidade não podia ser obra do acaso. Iria ver seus ídolos de perto, nem que precisasse enfrentar a fila de gente que disputava os pouco mais de seiscentos lugares do auditório, vendidos a quem quisesse ver, sentado ou em pé.

As dores de garganta tinham passado. O desinteresse pela escola não. Embora o zelo de Mariinha fosse constante, não teve santo que o fizesse estudar. Não se dignou a ir ao Colégio Pio XII nem para comer merenda. A situação preocupava, porém Mariinha não era rigorosa ao extremo. Preferia ver o primo feliz e recuperado, a deixá-lo cabisbaixo por fazer algo contra a vontade. Não o levar à Rádio Nacional como forma de castigo nem passava por sua cabeça. Se a vida teria de ser sua escola, que as aulas começassem com o charme e o brilho do auditório da Rádio Nacional.

A folga no Hospital dos Servidores caía em dias alternados. Melhor assim, pois dava para conhecer os principais programas da emissora. Na quinta-feira, o dono do microfone se chamava Manoel Barcelos. Nas tardes de sábado era a vez do programa de César de Alencar, que não deixava de ir ao ar nem em dia de jogo do escrete canarinho. E, finalmente, no domingo o comando ficava com Paulo Gracindo. Eram todos programas de grande popularidade. Para sustentar a audiência esmagadora, a Rádio Nacional contava ainda com o apoio de uma legião de atores, produtores, jornalistas, maestros, músicos e cantores.

Os artistas que povoavam a imaginação de Caetano, desde Santo Amaro, ganhavam forma ao vivo e em cores. Foi assim que ele assistiu à lendária rivalidade das cantoras Emilinha Borba e Marlene. O talento dessas divas dividia sua preferência. Emilinha havia conquistado o título em 1953 e era saudada nos *jingles* das Pastilhas Valda. Marlene, por sua vez, não via a coroa de Rainha do Rádio desde que a passara a Dalva de Oliveira, em 1951. O jejum não tirava seu entusiasmo. A ousadia de suas apresentações superava tudo. Durante as performances, quase sempre derramava as madeixas sobre o microfone, levando o público ao delírio.

E Cauby Peixoto, coitado. Quem mandou ser galã? Após pouquíssimas apresentações no Programa César de Alencar foi alçado ao posto de ídolo. A tietagem não lhe dava trégua. Muitas vezes foi perseguido pelas fãs ensandecidas que o esperavam na saída do prédio. Nem sempre entrar ou sair pelos fundos ajudava. Na maioria das vezes terminava a noite com as roupas em pedaços. Nos bastidores, diziam até que ele deixava a camisa apenas alinhavada. Estratégia ou não, Cauby protagonizou cenas de histeria dignas de um grande astro internacional.

Todo dia era assim. Caetano delirava assistindo de pertinho aos cantores e cantoras que tanto admirava. Ângela Maria, Ivon Curi, Heleninha Costa, as irmãs Linda e Dircinha Batista e muitos outros passaram pela Rádio Nacional daquela época. O número elevado de artistas às vezes lhe permitia assistir na mesma semana a apresentações tão díspares quanto marcantes. Uma tarde poderia se emocionar com Dolores Duran, a compositora de "A Noite do Meu Bem", cantando bem diante de seus olhos. No dia seguinte, estremecer na cadeira ao presenciar a pioneira cantora de rock no Brasil, Nora Ney, interpretando com sua voz rouca o *hit* instantâneo "*Rock Around the Clock*".

O garoto vibrava com cada nova descoberta. Como um ímã, pouco a pouco era atraído mais pela música. Em 1956, não lhe passava pela cabeça a possibilidade de um dia ser cantor profissional. Muito menos ser perseguido pelas fãs na saída de um espetáculo. Todavia, já matutava o que fazer durante as interrupções provocadas pelos apitos dos navios em manobra no porto, bem perto do auditório da Rádio. Até que essas preocupações se tornassem de fato seu ganha-pão, ainda iria dar muita topada pela rua.

❦

Em Guadalupe, Caetano curtia sua vida de autêntico suburbano carioca. Adaptado aos costumes do bairro, nem o fato de ser vizinho da favela do Muquiço ♪[12] o incomodava. Adorava aquele lugar e toda sua simplicidade. Com as crescentes migrações que tomavam conta do país, a população rumava para as regiões mais desenvolvidas. A situação do Rio era semelhante. Com o aumento da expansão imobiliária, os lugares mais próximos do Centro eram os mais procurados. Em bairros mais afastados, no entanto, ainda se podia curtir o que a vida tinha de bom para uma criança, como andar descalço e jogar bola na rua.

Bastava Caetano se reunir com os amigos da rua 1 e logo aparecia alguém sugerindo uma partida de futebol. Não era bem pela brincadeira em si, pois assumia sua condição de perna-de-pau e nem gostava muito de correr atrás da bola. O que valia era estar com os amigos. Na tradicional pelada do bairro não se tem registro de nenhum espetáculo com ele em campo. Muito desajeitado, raramente marcava um gol. Mesmo com toda a fama de bola murcha, seu Zezinho daria tudo para vê-lo em ação.

No fim do jogo voltava para casa naquelas condições: um lixo. Então corria direto para o banheiro sem dizer uma palavra. Acontece que a pressa é inimiga da perfeição. Invariavelmente esquecia de separar a toalha para se enxugar. Com vergonha de incomodar as primas, resolvia o problema de modo prático, correndo em volta do quintal. E assim secava-se ao sabor do vento. Tudo bem que o suor exigisse novo banho. Era dessa forma que se sentia bem. E disso a família precisava para perceber que os tempos de doença tinham mesmo ficado para trás.

Até o apetite, que não era dos maiores, melhorou. Não o suficiente para quebrar certas extravagâncias alimentares, como nas vezes em que Margarida preparava bife à milanesa. Nessas ocasiões, Caetano degustava a casca in-

---

[12] ♪ "Meu Rio"

teira. O bife, no entanto, repousava virgem no prato. Ele tinha dessas coisas. Onde queria doce, seria capaz de botar sal. Foi assim depois de um passeio na parte histórica do Centro do Rio. No banquinho da tradicional Confeitaria Manon, na rua do Ouvidor, recebeu o pedido que havia feito. O Toddy duplo com muito açúcar, porém, não tinha vindo da forma que gostava. Tascou-lhe o primeiro pó branco que vira na frente. Ledo engano. Não bastasse ter sujado de chocolate todo mundo em volta, deixou a bebida mais salgada que água do mar. Coisas de cabeça de vento.

Se a primeira passagem pelo Rio havia sido rápida, limitada aos atrativos da capital, essa teve todas as compensações possíveis e imagináveis. Visitou cada recanto da Cidade Maravilhosa e de quebra ainda conheceu cidades vizinhas. Foi do Palácio Quitandinha, em Petrópolis, até as areias da praia do Saco de São Francisco♫[13], em Niterói, onde muitas vezes tomou banho de mar com as primas. Sessão de cinema em Madureira não faltou. Ainda com direito a perder o casaco. Como diz o ditado popular: não perdia a cabeça porque estava presa ao corpo. O pior é que já tinha perdido.

Certo dia, ouviu um locutor de rádio anunciar o fim do mundo. Ora, então só restava um dia. Se o mundo fosse mesmo acabar, que acabasse de uma vez, mas ele tinha que estar em Santo Amaro quando isso ocorresse. Era o que o desespero lhe fazia pensar. Ele só não sabia que tudo não passava de uma piada num programa humorístico. Piada de mau gosto, por sinal, porque despertou nele um sentimento incubado. Chorou no colo de Margarida até entender que tudo não passava de uma brincadeira. O problema não estava no que se dizia. O que assustava era pensar naquela possibilidade horrenda. Estava na hora de voltar para casa e aplacar a saudade da mãe, que tanto apertava. O ano já acabava e Mariinha tirava férias novamente. Com um ano de atraso levou seu primo de volta para os pais, em Santo Amaro.

A casa da rua do Amparo ficou em festa. Levou tempo para contar todas as aventuras no Rio de Janeiro, mas a família ouviu tudo com atenção. Era bom tê-lo de volta, melhor e bem de saúde. Nem o fato de ter perdido um ano de estudo importava. Menos ainda porque, antes de voltar às carteiras do Teodoro Sampaio, tinha um Carnaval no meio do caminho.

❦

A temporada em Guadalupe lhe permitiu conhecer de perto o Carnaval de rua carioca. Gostou, ficou deslumbrado, mas em Santo Amaro ele tinha mais liberdade. Durante a festa, seu Zezinho costumava comprar um vidro de lança-perfume para cada filho. Era comum espirrar o líquido perfumado como

---

[13] ♫"Meu Rio"

forma de brincadeira. Os mais velhos alertavam quanto aos perigos da inalação, mas não havia quem ficasse de fora de uma boa guerra de lança-perfume. No caso dos meninos, as garrafinhas de metal dourado eram também usadas como arma de paquera, quando o susto inicial das garotas era substituído pelo frescor agradável do éter perfumado. Enquanto a brincadeira acontecia, os menos tradicionais descobriam outras propriedades da mistura.

No Carnaval de 1957, Luís César, amigo de ginásio, estava feliz pela volta de Caetano. Queria celebrar com um algo mais. Foi quando ele propôs um porre de lança-perfume. Inalando o líquido de um pequeno lenço, o frescor tornava-se um entorpecente em potencial. Caetano nem quis saber daquilo. Por pouco tempo. Encorajado pelo incentivo de amigos mais velhos, resolveu experimentar, e logo depois sentiu um zumbido infernal no ouvido. A praça da cidade, antes iluminada pela decoração, sofria um blecaute com sua vista enevoada. A seu lado, Luís César ia e voltava da viagem, sem maiores alterações. Os segundos daqueles momentos pareciam uma eternidade. A angustiante sensação só diminuiu quando a droga perdeu efeito. A euforia por estar de volta não foi suficiente para evitar que o Carnaval daquele ano perdesse completamente o sentido. Sabia que estava de volta, mas teve medo do que sentiu.

Aos quatorze anos, Caetano vivia sua primeira experiência com drogas. O trauma do episódio ajudaria a formar em sua personalidade uma aversão profunda que ele passaria a carregar dali em diante.

ꕤ

Como seria aquela nova turma do Teodoro Sampaio? Seus velhos colegas de classe estavam um ano à frente. Não era questão de se arrepender do período passado no Rio de Janeiro, mas a perspectiva de não se enturmar o assustava. Ficar deslocado não combinava com ele. Embora a preocupação fosse legítima, não durou muito tempo. Outra vez o destino se encarregaria de unir velhos amigos. Manteiga tinha passado o ano anterior em Itabuna e também perdera o ano. Os dois, unidos novamente, faziam um pacto silencioso de estímulo mútuo aos livros.

Deixadas as caricaturas de lado, Caetano passou a prestar mais atenção nas aulas. É claro que esse interesse não o fez descobrir uma paixão secreta por matemática, mas as aulas de história geral lhe pareciam sempre muito interessantes. Prender a atenção daqueles garotos não era para qualquer um. O professor Édio de Souza conseguia essa façanha, mesmo que para isso precisasse ser chamado pejorativamente de "Pregando no Deserto". Dono de uma articulação invejável, Édio não se limitava à chatice da decoreba de datas e fatos marcantes. Narrava os acontecimentos como num épico. A turma ia das batalhas de Napoleão às peripécias dos navegantes lusitanos com invejável facilidade. E se ainda restasse alguma dúvida não esclarecida em sala, dava para se entreter mais um pouco na cadeira do dentista. Édio também exercia a profissão nas horas vagas e aproveitava para acalmar o medo do boticão com histórias como as conquistas de Alexandre, o Grande. Diziam as boas línguas que sua prosa fazia qualquer obturação ser mais suave e menos dolorosa.

Inglês poderia ser aprendido com a ajuda de Shakespeare. Poderia, mas no Teodoro Sampaio, o professor Gustavo Viana achava esse recurso um exagero. Gustavo tinha uma bonita história de vida. Na juventude, havia sido carvoeiro. A experiência na profissão penosa não o impediria de aprender sozinho a falar inglês, francês e até esperanto. Por esses e outros motivos despertava a admiração de alunos e colegas de profissão. Para o bom aprendizado do idioma bretão gostava de apresentar Edgar Allan Poe a seus pupilos. E ele se impressionava com a memória dos alunos declamando poemas na frente da sala. Nossa, eles sabiam tudo tão direitinho. Como não enxergava direito, nunca desconfiou das colas escritas a lápis e pregadas na lousa.

Nenhum outro professor, porém, despertou tanta paixão quanto Nestor Oliveira. Ensinando Português de maneira singular, Nestor parecia reinventar a língua. Poeta de grande sensibilidade, extraía do aluno o que ele tinha de melhor. Mais do que isso, parecia revelar o artista que morava em cada um deles. Com a ajuda desse professor, Caetano absorvia regras gramaticais com absoluta facilidade, além de elaborar redações cada vez mais criativas. Era a consolidação de seu amor pela literatura e pelo irresistível gosto da língua de Luís de Camões.

A temporada no Rio expandira a mente de Caetano. Com uma técnica mais apurada, o desenho e a pintura passaram a ocupar um espaço maior em sua vida. A afinidade fez com que se aproximasse de Emanoel Alves de Araújo, o Manuba, como era conhecido pelos demais colegas de classe. Emanoel também tinha o dom da pintura, embora sofresse um bocado para dar vazão à sua porção artística. Enquanto sonhava em ser pintor, sua família o queria advogado. Menos rígida, a de Caetano queria ele feliz em qualquer rumo que escolhesse. Ele ainda não sabia o que fazer da vida. Enquanto isso, esboçava seus desenhos. Tanto melhor quando estava ao lado de Emanoel.

Em pouco tempo passaram a carregar cavalete e pincel por toda Santo Amaro. Manteiga não pintava, mas não deixava de ir junto para admirar o trabalho dos amigos. Para eles, a musa do momento se chamava Maysa Matarazzo, ou simplesmente Maysa. Cantora de voz potente e rouca, Maysa tinha um rosto lindíssimo e olhos de um verde ofuscante. Fez grande sucesso com seu trabalho inicial, *Convite para Ouvir Maysa*. Aos ouvidos mais inebriados era também um convite para senti-la e admirá-la. Vidrado naqueles olhos verdes, Caetano pintaria quase um bloco inteiro de telas só com desenhos da cantora.

No Teodoro Sampaio, o pavilhão de festas fervilhava nos fins de semana. O palco parecia um grande programa de auditório. Lá se apresentavam cantores, declamadores, mímicos, atores, artistas locais e toda sorte de performático que valesse a pena. Um autêntico banquete cultural.

Ao ingressar no ginásio, em 1954, Caetano era muito menino e raramente deixava sua timidez de lado para se apresentar nas festas. Aos quinze, mais escolado, queria participar de todas. Em várias delas foi uma das principais atrações. O vasto conhecimento musical permitia-lhe ir do fado "Foi Deus", verdadeiro hino português imortalizado por Amália Rodrigues, até as mais antigas cantigas de roda. O repertório tradicional era só uma pequena parte de seu show. Enganava-se quem esperava ver a apresentação de um jovem comportado, típico dos anos 1950. Certa vez, Caetano surpreendeu a plateia ao cantar "Banana Boat Song", de Harry Belafonte. Vestido numa roupa típica das Antilhas, interpretava um genuíno caribenho, dançarino de Calipso.

E o palco parecia pequeno para tantas evoluções. Naquela época, já ensaiava apresentações mais assanhadas. No auge do show, chegava a se atirar no meio da plateia para cantar junto ao público. Nem a presença dos irmãos o intimidava. Quando Mabel aparecia por lá, ela quase tinha um troço ao ver suas estripulias. Mas sobrava crédito com ela. Por ser irmão, acima de tudo, e por tantas vezes colaborar nas atividades da escola.

❧

Depois de se formar professora em 1955, Mabel passou a lecionar em casa. Nas horas vagas, Caetano assistia às aulas da irmã e quase sempre decorava as capas dos cadernos com desenhos caprichados. Além disso, aproveitava para instigar a criatividade da irmã com suas ideias.

Em maio, no dia das mães, Mabel decidiu fazer uma festa diferente. Ensaiou uma coreografia com as crianças e preparou uma delas para recitar um poema que versava sobre "sonho", do cearense Martins d'Alvarez. Caetano observou o ensaio quieto, matutando em segredo o plano que ele revelaria apenas no final. Por que o poema não poderia ser cantado em vez de recitado? E ainda se ofereceu para fazer a música. Mabel já gostava do poema do jeito que era. Musicado, então, certamente ficaria melhor. Adorou a ideia e aceitou a proposta sem piscar.

No dia marcado, tudo estava pronto e bem ensaiado. Caetano, ansioso, sentou na fila do gargarejo para curtir o momento. No final do número, as mães dos alunos Raimundo, Julietinha, Honoratinho, Soninha, Miltinho e Laurinho adoraram. Na plateia, Dona Canô também exultou de entusiasmo, duplamente feliz. Além de ter conferido o zelo da filha professora, ouviu mais uma criação musical do filho. Embora tivesse a assinatura Caetano Veloso, aquela não poderia ser considerada a primeira música composta por ele.

A pioneira nascera no período em que ele estudava piano. Certo dia, enquanto dedilhava o instrumento, Caetano compôs um pequeno baião, bem rudimentar, com poucos acordes, em dó menor. A despeito de toda simplicidade, a música não deixava de ser um marco em sua história pessoal. Mesmo sem se dar conta, lançava com ela a pedra fundamental de um longo repertório. A música ficaria guardada na memória com tanto carinho que ele acabaria inserindo a melodia em outra composição, décadas mais tardes, quando já estivesse mundialmente famoso.

Naquele tempo, porém, o desconhecido Caetano compunha canções por pura diversão. Dava para perceber que ele tinha jeito com essa arte. Só não existia pretensão de ser compositor profissional e muito menos cantor. Também levava jeito com a pintura e chegava a imaginar algo mais próximo dessa área. A família o apoiava carinhosamente. Não havia nada tão decisivo ainda para ele ser uma coisa ou outra. Na opinião deles, o caminho que ele escolhesse estaria bem escolhido. Apenas ele poderia definir o que seria quando crescesse. Mais gente, porém, prestava atenção no que ele fazia. E aí, sim, as coisas começaram a pender para o lado das notas musicais.

O professor Nestor Oliveira já havia identificado o talento do menino para as letras. Ele era um de seus melhores alunos e suas redações serviam de exemplos, tanto de correção gramatical quanto em originalidade. Nestor sabia das apresentações de Caetano nas festas de fim de semana do colégio e também tinha ouvido falar de sua habilidade ao piano. Por intuição, algo dizia a ele que o aluno seria capaz de musicar um de seus poemas: "Ciclo".

"Passa o tempo e a vida passa
E eu, de alma ingênua, acredito
Num sonho doce, infinito
Plenitude, enlevo e graça
Que sem tortura ou revolta
Estou cantando ao luar
Vamos dar a meia-volta
Volta e meia vamos dar.

Depois a estrada poeirenta
Os pés sangrando em pedrouços
E apaziguando alvoroços
A alma intranquila e sedenta

Murchessem todas as flores
A correnteza das horas
As trevas sobre as auroras
Os derradeiros amores.

Recordo o passado inteiro
E as voltas que o mundo dá
Meu limão, meu limoeiro
Meu pé de jacarandá
E aquele ao léu do destino
Que inspirou tanto louvor
Cajueiro pequenino
Carregadinho de flor.

Passa o tempo e eu fico mudo
Ontem ainda a ciranda
Vida à toa, a trova branda
Agora envolvendo tudo
O vale nativo, os combros
Várzea, montanha, leveza
Essa poeira de escombros
De que se nutre a tristeza.

Velho, recordo o menino
Que resta de mim, sei lá
Cajueiro pequenino
Meu pé de jacarandá."

Caetano conhecia muito bem aqueles versos. No fundo, amava o poema. Só não se sentia capaz de compor uma melodia à altura para ele. Nestor insistiu e o estimulou a realizar o trabalho. Houvesse o que houvesse, estaria a seu lado. Se colocar música no poema de Martins d'Alvarez havia sido por pura diversão, musicar "Ciclo" tinha peso maior. Até porque conhecia o autor dos versos. A insegurança por não saber se o resultado agradaria estava entre suas preocupações. Por outro lado, desistir também não combinava com ele.

Apesar da tarefa árdua, dias depois o trabalho estava concluído. Ainda com dúvidas sobre a qualidade da obra, preferiu mostrar primeiro aos pais. Depois de ouvirem aquela toada, perceberam no ar um algo a mais. A música era belíssima, parecia composta por um profissional. Nestor, que nunca teve dúvidas do talento do pupilo, logo percebeu a qualidade da obra. Realizada como um novo marco, seria a primeira composição de Caetano, madura o suficiente para ser gravada.

❧

Envolvido com uma série de atividades, Caetano não dava muita brecha aos sentimentos do coração. Descontado o inocente namoro com Dó aos oito anos, não se apaixonara por mais ninguém. Àquela altura já tinha quinze e a adolescência desabrochava. Os hormônios disparavam freneticamente. E para apimentar ainda mais, o Cupido sobrevoava Santo Amaro. Uma bela moça que morava na rua do Amparo já despertava a admiração dele de outros tempos. Preocupado com os estudos, Caetano nem pensava em investir na relação, mas, sem perceber, a flecha havia sido lançada. E essa cravou fundo.

Hercília era de família simples; entretanto, sua beleza misteriosa e aristocrática sugeria uma origem nas famílias mais ricas do Recôncavo, donas de impérios açucareiros. Embora muito jovem, sua elegância discreta, moldada por um charme sofisticado, lhe dava ares de mulher madura. Caetano ficou enfeitiçado com tanta beleza. Do total desconhecimento à forte atração foi um pulo. Inexperiente nas armadilhas do amor, ainda não sabia que são muitos os perigos da vida para quem tem paixão.

A proximidade permitiu que Hercília ficasse amiga de Mabel e Bethânia. Logo passaria a frequentar a casa da família. Nas visitas da moça, Caetano não conseguia mais disfarçar seus sentimentos. Bastava se distrair e lá estava ele a admirar cada sarda que cobria a face alva da moça. Hercília não era ingênua e logo percebeu o interesse dele. Só que ela não tinha o mesmo nível de afeição pelo mancebo apaixonado. Comportava-se como se nada de diferente acontecesse.

Hercília tinha quatorze anos. Embora não parecesse, era mais nova que Caetano. O desejo demonstrado por ele, apesar de não correspondido, alimentava seu ego de menina moça. E sem dizer nem sim nem não, incendiava ainda mais aquele clima de flerte. Muitas e muitas vezes visitou a casa dos Velloso para jogar seu charme. Caetano ficava doido, mas nem com toda bandeira que ele dava, firmaram um namoro de fato. Além do mais, os pais dela a consideravam muito nova para se envolver com alguém seriamente.

Ainda assim, o jogo de sedução se prolongou por muito tempo, e o amor de Caetano, muito mais. No futuro, ela teria o privilégio de ser musa de uma de suas composições. O Sputnik já circulava sobre suas cabeças, mas era Hercília, com seu amor misterioso, mordendo e assoprando ao mesmo tempo, que povoava suas fantasias. Se Dó foi uma paixão infantil, Hercília foi paixão adolescente, infernal, que o consumiu em sua virilidade de garoto.

A jovem marcou-lhe a alma, e, para ela, Caetano seria capaz de lançar uma canção num disco voador, só para desabafar todo seu sentimento.♪[14].

Para a tristeza do rapaz, de nada adiantou tanto interesse em firmar uma união. Por outro lado, ninguém poderia dizer que havia sido apenas platônico. E não foi. O tempo passaria e aquele namoro sério que tanto almejava é que não vingaria. Hercília, porém, sabia muito bem separar as coisas. Mesmo sem namoro, a amizade com Mabel e Bethânia continuaria firme e sem nenhum constrangimento. Para Caetano, não seria nada fácil conviver com tudo aquilo. Ainda sofreria por muito tempo a dor daquela ausência.

Embora sentisse muito, como todo adolescente enamorado, não conseguia imaginar que aquele seria um dos muitos amores ao longo de sua vida. Existia uma longa estrada pela frente. E que estrada...

---

[14] ♪ "Não Identificado"

Armando e Julia

Os concluintes de 1959 pelo Ginásio Teodoro Sampaio, têm a honra de convidar V. Excia. e Exma. Família para as solenidades de suas Formaturas:

PROGRAMA

DIA 20 DE DEZEMBRO

Às 8 horas — Missa em ação de graças na Matriz da Purificação.
Às 10 horas — Sessão Solene no Auditório do G. E. T. S., presidida pelo Revdo. Pe. Antenor Celino.
Às 12,30 hs. — Almôço de Confraternização, oferecido pelos alunos aos Pais e Professores.

Remetente *Caetano Emmanuel Velloso*
Enderêço *Av. Viana Bandeira 179. Santo Amaro.*

4

ESTRADA DA VIDA

Santo Amaro da Purificação poderia ser mais uma pequena cidade do interior como tantas outras. Uma rua Direita torta, uma praça central com chafariz e coreto, igrejas, um rio afluente, um mercado. Poderia, mas não era. A feliz coincidência de ter crescido rodeada por grandes engenhos de açúcar fez com que o destino lhe parecesse mais doce. As aristocráticas famílias que ali moravam buscavam mais que diversão e arte para passar seus dias.

No final dos anos 1950, a cidade tinha a nova cara que o país começava a ganhar. Os fuscas de JK rodavam o Brasil, e Santo Amaro também tinha os seus. Os bambolês que embalavam as farras da moçada de norte a sul serviam para gostosas disputas de habilidade. A camisa de náilon, o sapato mocassim branco e a saia balão já não eram mais a última moda naquela região. E se os filmes da Atlântida arrastavam uma legião de fãs, por ali não era diferente. Ainda mais quando se respirava tanta cinematografia.

Na cidade havia três cinemas: o Subaé, o Santo Antônio e o São Francisco. O Cine Teatro Subaé era o maior de todos. Na ampla sala de projeção em *cinemascope*, cerca de 400 cadeiras acomodavam o público ansioso pelo beijo da mocinha, pela perseguição aos bandidos, pelo herói que triunfava no final. No Santo Antônio, bem mais modesto, o clima era diferente. O cinema não dispunha de assentos fixos e cada pessoa levava o seu se não quisesse ficar no chão. De tão apaixonado, o dono montou a estrutura em sua própria casa. Nos fins de semana, seu Mendes empurrava os móveis da sala e transformava o espaço em paraíso, com direito a exibição de pérolas do cinema mundial. Caçula de todos, o São Francisco nasceu da dedicação do grupo de igreja Círculo Operário Católico de Santo Amaro. O dinheiro arrecadado servia para a realização de obras sociais.

Com tanta variedade, ficava difícil resistir. Seu Zezinho não era fã de cinema. Dizia que a prática viciava; podia atrapalhar nos deveres da escola e na rotina da missa dominical. Àquela altura, Caetano já tinha dado pistas à família de que não acreditava tanto em Deus como pensavam. Mesmo assim, não escapava ao rigor paterno e comungava todo domingo. O esforço de seguir as tradições à risca escondia outro motivo. Sabia que depois tinha o prêmio tão esperado: a matinê de cinema, que ele também frequentava religiosamente.

O que, de fato, poderia ser outra preocupação de seu Zezinho já não era mais tanto assim. Depois das duas repetições seguidas, uma por dois décimos e outra por abandono, a passagem pela segunda série ginasial foi mais tranquila do que se esperava. Com o passaporte garantido para o próximo ano, Caetano podia se divertir do jeito que mais gostava.

Num domingo de manhã, ungido pelas bênçãos divinas, Caetano correu para o Cine Subaé e foi ver *La Strada*, de Federico Fellini. Tudo que sabia sobre o filme já havia despertado nele uma grande curiosidade. Tanta que até pensou ter escutado antes a trilha sonora criada por Nino Rota.

❦

Certo dia, enquanto dedilhava o piano, Caetano cismou ter ouvido algo diferente. Achou que pudesse ser alguma música vinda da casa de Luizinho, aquele mesmo representante regional da Philips que havia gravado o disco para servir de presente à Mariinha, em 1953. Ficou encucado. Na dúvida, foi investigar. Que som danado de intrigante seria aquele?

Caetano perguntou por uma música e cantarolou a melodia para ajudar na identificação. Luizinho tinha mania de ouvir músicas refinadas, de preferência de grandes orquestras estrangeiras. Mas aquele trompete... Não, ele não conhecia nada parecido. Como não, se tinha acabado de ouvir? E naquela vizinhança só Luizinho poderia reproduzir música de igual calibre. Entretanto, nada do que havia tocado naquele dia se assemelhava ao que o jovem instigado buscava. Nem adiantou apontar uma pilha de discos e procurar pela misteriosa canção. Por maior conhecimento musical que Luizinho tivesse, definitivamente não conhecia aquela. Se Caetano a escutara, certamente não tinha sido de sua vitrola pé de palito. Mas que diacho de música era aquela, então? De onde veio som tão enigmático? Levaria alguns dias para que o mistério fosse esclarecido.

Ciente da paixão do irmão, Mabel, vez por outra, financiava a ida dele até os cinemas da capital. Foi assim quando estreou *La Strada*. Ele já havia visto *I Vitelloni* e *Le Notti di Cabiria*, do mesmo diretor. A filosofia estilística visual que Fellini impunha em cada uma de suas obras o encantava. Chegava a se sentir como um dos boas-vidas que perambulavam por Rimini, cidade natal do diretor e cenário de alguns de seus filmes. Mais que isso, era capaz de sonhar que filosofava sobre a vida com o diretor, que contavam juntos histórias de um passado incomum em frenéticos bate-papos à italiana. E além disso havia Giulietta Masina. Ah, Giulietta Masina... ♪[15]

Masina era presença constante nos filmes de Fellini desde que se casaram em 1943. Longe de ser uma unanimidade, a atriz provocava arrepios na facção dos que a achavam uma intragável anã horrorosa. Na tela, porém, aquela baixinha se agigantava. Com os sentimentos à flor da pele, Caetano percebeu essa força logo de cara. Via nela um Carlitos de saia. Em *La Strada*, Giulietta encarnava a jovem Gelsomina, que é vendida pela própria mãe a Zampanò, um protótipo de Maciste, vivido por Anthony Quinn.

Censura, sempre ela, também calava impiedosa naquele tempo. Em nome dos bons costumes e da família brasileira, os burocratas de plantão taxaram *La Strada* como impróprio para menores. Caetano nem prestou atenção nesse detalhe. Estava encegueirado pelo filme, queria assistir a qualquer custo. Pura inocência. Em Salvador, na porta do Cine Guarany, o braço forte do porteiro indicava o pior. Sua entrada estava barrada. Não podia passar dali. Começava a sentir na própria pele os primeiros efeitos dessa prática cerceadora. Nem o apelo de seu amigo Chico Motta, parceiro de tantas horas de cinema, serviu para comover o funcionário.

Recém-chegado aos 15 anos, com boa vontade Caetano poderia passar por um garoto de 13. Muito magrinho, nem mesmo a farta cabeleira conseguia esconder seu jeito de menino novo. Com Chico não houve problema. Mais velho e com músculos tonificados pela dança e o futebol, passou tranquilo pela catraca. Para que o amigo não ficasse tão triste por ter perdido a viagem, o jeito foi assistir ao filme e contar-lhe tudo depois. E nenhum detalhe foi esquecido. Do primeiro ao último fotograma, Chico narrou o que havia acontecido e, de quebra, ainda assobiou a trilha sonora que trazia algo de familiar.

A tentativa frustrada, a narrativa de Chico, a música envolvente, tudo isso colaborou para aguçar ainda mais sua curiosidade. Não podia perder esse filme de jeito nenhum. Com tanta procura, logo *La Strada* estava em cartaz também em Santo Amaro. Naquela manhã de domingo, Caetano formou fila para ver na estreia, antes que algum imprevisto acontecesse novamente. Todavia, dessa vez correu tudo bem e ele conseguiu entrar para ver o filme. Na tela observou tintim por tintim tudo que Chico havia lhe contado. E surpreendeu-se ao perceber que já conhecia aquela música. Como não lembrar?

---

[15] ♪ "Giulietta Masina"

Era a mesma que tanto o intrigara. Pensara ter ouvido na casa de Luizinho. Não era de lá. Por alguma razão inexplicável, Caetano tinha ouvido *La Strada*, música tema de Nino Rota, antes de assistir à película.

Caetano gostava de cinema fazia tempo, mas ter visto *La Strada* foi uma experiência transformadora. Uma outra dimensão se abriu para ele, como o céu que se abre no fim do filme para Zampanò, o personagem de Anthony Quinn. Havia acabado de experimentar um espetáculo sensorial. Ao chegar em casa, o almoço estava quase pronto. O cheiro da comida, que naturalmente já não o atraía tanto, não conseguiu prender sua atenção. Foi para o fundo do quintal, como de costume, ficar absorto em suas reflexões. Passou o dia a chorar, o que chegou a preocupar a sempre zelosa mãe, dona Canô. Mas esse impacto não fora exclusividade do filho. Os filmes de Fellini conseguiam amolecer até os corações mais duros da cidade. Um pouco antes, Caetano e seus amigos viram seu Agnelo Rato Grosso, um açougueiro com fama de durão, sair soluçando de uma sessão de *I Vitelloni*. "*É a vida da gente! É a vida da gente!*", justificava. Assim como os outros moradores de Santo Amaro, Caetano também se reconhecia nas histórias, nos personagens, se emocionava. Em homenagem àquele coquetel de sensações, Minha Daia passaria a ser chamada de Giulietta Masina.

Daí em diante, Caetano passou a devorar tudo relacionado a cinema. Tornou-se um estudioso do assunto. Lia matérias nas revistas *O Cruzeiro*, *Manchete*, *Seleções do Reader's Digest*, em qualquer periódico que lhe pousasse nas mãos. Até mesmo em pequenas notas de jornais alimentava seu espírito curioso. Isso sem falar nos diversos filmes que devorava diariamente. Sim, porque em Santo Amaro não era filme novo toda semana. Era todo dia. Alguns passavam na cidade antes mesmo de estrear em Salvador. A cidade parecia perfeita para um cinéfilo viver. E como deixar de assistir a uma safra tão boa de filmes?

Se a indústria cinematográfica vivia uma fase rica, o incrível apetite santamarense devorava tudo com vontade. Bergman, De Sica, Kurosawa, Fellini, todos que produziam algo de bom naquela época marcavam presença. E não ficava só nos mais badalados. Exibiam tudo quanto era filme. Volta e meia começava um festival de filmes indianos e mexicanos, que em geral apresentavam boas histórias para o delírio dos fãs. Com essa diversidade, o recôncavo baiano estava longe de se restringir ao que se fazia na Hollywood da época.

Marilyn Monroe era apenas mais uma das deusas que "baixavam" na cidade. Em matéria de mulher bonita o cinema europeu não deixava nada a desejar. Uma lista interminável brilhou nas telas de Santo Amaro: Sophia Loren, Jeanne Moreau, Silvana Mangano, Gina Lollobrigida, Silvana Pampanini, além, claro, dos lábios carnudos de Brigitte Bardot, que encantavam muita gente por lá. Caetano que o diga.

Não dava para fugir de tanta tentação. Contornando a ligeira antipatia do pai, Nicinha costumava dizer que ia na casa de amigas, quando decidia pegar um cinema nas noites de sexta-feira. No fundo, seu Zezinho sabia muito bem onde a patota se reunia. Mas nessas horas deixava o rigor de lado, pois não queria ser o estraga prazer da turma. Aquilo não iria mesmo trazer nenhum prejuízo na formação dos filhos. Muito pelo contrário.

Caetano fazia parte do mesmo time. Os cinéfilos que sempre batiam ponto eram Manteiga, Chico Motta, Emanoel Araújo e Gildásio de Oliveira, o Dasinho, que se juntara ao grupo fazia pouco tempo. Se o filme fosse um musical estrelado por Gene Kelly e Fred Astaire, lá ia Chico ensaiar os novos passos que havia aprendido. Utilizava-os como arma de conquista em suas paqueras. Caetano, como sempre, o acompanhava ao piano. Se fosse filme de Fellini, não havia dança, mas o piano estava garantido. Manteiga e Dasinho, que não tocavam nem pintavam ou dançavam, também eram peças fundamentais das reuniões. Participavam com uma boa conversa e gostosas gargalhadas.

E nem só de cinema vivia a união daquela turma. Quando não estavam defronte à tela, batiam longos papos na Praça do Rosário. Ali, entre o coreto e o chafariz, filosofavam sobre a vida que os encantava. Debatiam de tudo e por tudo. Com assuntos tão abrangentes, não raro figuras eméritas da cidade vinham se juntar ao grupo. A vitalidade e ânsia típicas dos mais novos lhes davam um magnetismo tamanho que atraía gente como o doutor Ranulfo Paranhos, médico reconhecido por sua solidariedade. Horas se passavam e ouvidos atentos prestavam atenção no que aquele senhor também tinha para contar. Boêmio assumido, Doutor Ranulfo não escondia esse gosto de ninguém. Os rapazes se deliciavam com suas histórias. Como num cinema imaginário, se viam na pele de personagens daqueles contos das mil e uma noites. Mesmo sem o *glamour* de belas odaliscas, eles também teriam aventuras dignas para contar.

❧

Na Santo Amaro de 1958 ainda não havia essa história de prostituição institucionalizada. Não existia a chamada região do baixo meretrício, uma zona, ou "brega", como se dizia no Nordeste. Mesmo assim, naquela cidade onde o mato cheirava à cana-de-açúcar, também se sentia o aroma do pecado. Os namorados sabiam que altas horas da noite a Praça do Rosário favorecia um amasso mais ousado. Para os adolescentes que não podiam sair facilmente na calada da noite, o jeito era se arrumar de outra maneira.

Com os hormônios cada vez mais à flor da pele ficava difícil segurar só na masturbação. As horas seguidas no banheiro não serviam apenas ao banho demorado. Como ninguém era de ferro, a salvação da lavoura vinha de uma negra carnuda, de seios fartos, pernas tortas como as de Garrincha. Mesmo longe de ser uma deusa do ébano, aliviava a tensão da moçada. Felícia era o nome dela. "Nêga Feliça" para os íntimos. De dia, trabalhava como lavadeira. De tanto esfregar ceroula ficou com braços fortes o suficiente para dar uns bons safanões em muito marmanjo desavisado. Mas aquelas mãos calejadas queriam mesmo era cuidar de quem precisava. Na cama, ela aproveitava para vender seu charme.

Todo mundo sabia. A garotada fazia fila na porta da casa de Felícia. Quando os espermatozoides subiam à cabeça bastava contar o troco que sobrava da merenda, procurar por ela e correr para o abraço. E que abraço! Graças ao prazer proporcionado e ao preço em conta que cobrava, era a válvula de escape nas tensões da molecada. Até naquelas rapidinhas, quando se debruçava na janela e disfarçava a bolinação atrás, a satisfação era garantida. Dissimulada, era capaz de algum incauto passar na rua e nem perceber que nas costas dela um moleque com as pernas bambas encontrava a felicidade. Na pressa, as coisas acontecem assim mesmo.

Até que o primeiro bordel fosse inaugurado na cidade, Felícia seria a responsável pela iniciação sexual de muitos jovens santamarenses. Embora não fosse bonita como as estrelas do cinema, só a aventura de transar com ela já era digna de um filme de Fellini. Um dos poucos que não tiveram o privilégio de vivenciar as noites de Felícia foi Caetano. Para ele, vontade não faltava, mas tudo a seu tempo. Teria sua vez com uma prostituta mais tarde. Naquela época, porém, ele estava mais preocupado com outros assuntos.

Os preparativos para a festa de São João que se aproximava ocupavam a cabeça dos mais envolvidos no evento. Sem saber ainda, Caetano ficaria muito mais preocupado depois que a festa acabasse.

Podia-se dizer que tinha feira todo dia na cidade. As mais importantes, porém, aconteciam no sábado e na segunda-feira. Em 1958, com a véspera de São João caindo numa segunda, 23 de junho, o dia prometia ser tão ou mais festivo que em anos anteriores. E as festas por lá eram animadas. Duravam dias e chegavam ao clímax nos finais de semana, quando os jovens que estudavam fora da cidade retornavam para curtir a festança. Naquele ano, o fim de semana já tinha passado, mas a cidade ainda estava cheia. Em Santo Amaro se realizava uma das festas de São João mais comentadas do Recôncavo e de toda Bahia. A perspectiva da empolgação animava vendedores e atraía gente de municípios vizinhos para tentar a sorte no comércio de ocasião.

Um típico almoço baiano pode ser bastante apetitoso, mas o preparo exige uma boa dose de paciência. Para fazer uma gostosa frigideira era preciso catar caranguejo desde cedo. Naquela manhã, enquanto alguém realizava essa tarefa, seu Zezinho e dona Canô traziam da feira o que faltava para completar a receita. E quem não ajudava nos afazeres da casa, brincava na varanda. Assim faziam Caetano e Bethânia, que haviam chegado mais cedo da escola.

Reinava a agitação normal de um dia de festa. Porém, por volta das 11 horas da manhã, tudo mudou quando se ouviu um forte estrondo. O lustre da sala chegou a balançar. Era o som de uma explosão bem perto dali. Um fogo de artifício desgovernado batera numa barraca de madeira, no Largo do Mercado, à margem do Rio Subaé. O problema é que a barraca vizinha, a venda "Dois Irmãos", de seu Aristides Santos, estava abarrotada de grande variedade de outros fogos de artifício e material explosivo utilizado em pescarias. O fogo, que tinha tomado conta da palhoça, se alastrou e mandou tudo pelos ares.

No epicentro da tragédia o caos reinava. As barracas que não se desfizeram com o impacto dos explosivos serviam de hospital improvisado. Ambulâncias da Santa Casa de Misericórdia cortavam a cidade levando mortos e feridos. As pessoas que conseguiam sair daquele inferno lembravam sobreviventes de Hiroshima. As roupas negras de fuligem, os cabelos duros do calor intenso, a pele em carne viva das queimaduras, os corpos mutilados. Para complicar ainda mais o quadro, logo depois caiu uma chuva torrencial, daquelas que faziam o Rio Subaé alagar as ruas. O acesso ao único hospital da cidade, que já não era dos mais fáceis, ficou ainda pior. O saldo da tragédia chocou o país: mais de uma centena de mortos e uns trezentos feridos.

Pouco depois, em 29 de junho, dia de São Pedro, o escrete canarinho deixava de lado seu complexo de vira-latas e conquistava na Suécia sua primeira Copa do Mundo. Enquanto o Brasil inteiro comemorava a vitória, uma cidade não fazia festa. Santo Amaro ainda chorava seu luto. Não havia do que se vangloriar. Até o licor de jenipapo ♪[16], que seu Zezinho gostava tanto e deixava para curtir especialmente nessa época de festas juninas, ficou esquecido no tonel.

A lembrança do fato que não se apagava da memória marcaria a festa por muitos anos. Caetano era um dos mais traumatizados. Pouco tempo antes, compusera uma música em homenagem a São João. A triste lembrança que o episódio lhe trazia, fez com que nunca mais a quisesse cantar ou tocar. A música ficou perdida em seu repertório.

---

[16] ♪ "Jenipapo Absoluto"

O livro estava em cima da mesa. E se não tivesse passado pelas mãos de alguém, onde mais estaria? Num baú, numa estante, em algum outro lugar que não fosse ali. Na casa de seu Zezinho e dona Canô não havia um lugar específico para armazenar livros. Nem assim eles deixavam de entrar e sair pela vida dos Velloso. Podia ser que um dos filhos de Lourdes, amantes da literatura, tivesse esquecido sobre a mesa, ou então seria de Minha Daia ou de alguma das outras primas. Um livro assim deixado de lado. E aquele não podia ser considerado um livro qualquer; era "o" livro.

Caetano gostava de ler. Não fazia de modo regular, mas já tinha se deliciado com histórias de Monteiro Lobato e Jorge Amado. Aquele era de contos de William Saroyan, *O Jovem Audaz no Trapézio Volante*. O jeito de narrar de Saroyan, como se estivesse proseando com o leitor, agradou em cheio. A ruptura da narrativa convencional apontava o que cada conto tinha de moderno. Se Minha Daia queria ser existencialista, ele queria ser modernista. Tinha vontade de correr pela casa e contar a todo mundo as maravilhas que havia lido. Por pensar que ninguém daria importância, guardou para si próprio. Achava que não teria com quem conversar. Seus amigos não eram tão intelectualizados assim. Um ponto que os unia era o cinema, sem dúvida, mas havia também a música. E aí aconteceu o que iria revolucionar o resto de sua vida.

No início de 1959, a Odeon lançava o LP *Chega de Saudade*, cuja canção homônima, de Tom Jobim e Vinicius de Moraes, seria a semente da Bossa Nova. João Gilberto foi quem fez o registro com seu jeito natural e particular de tocar e tratar as músicas. Do alto de seus 27 anos, tendo tocado seu violão profissionalmente apenas na participação em "Canção do Amor Demais", com Elizeth Cardoso, chegava como influenciador de toda uma geração de cantores, compositores, músicos e arranjadores, em um disco só. Artistas como Carlos Lyra, Ronaldo Bôscoli, Nara Leão e Roberto Menescal aderiram à sua bossa de bate-pronto. Com as bênçãos do maestro Antônio Carlos Jobim registradas na contracapa do disco, João Gilberto influenciaria até quem não pensava muito em ser artista.

Pouco tempo antes, Caetano tinha ouvido Maysa cantar "Chega de Saudade" no rádio. Era sua musa dos olhos verdes, dona de dois oceanos não pacíficos, sempre abertos de espanto, a entoar a canção. Desde o primeiro momento foi fisgado por algo totalmente inovador, com uma qualidade jamais ouvida até então. Depois foi Sieliton, cunhado de Clara, que veio dar a novidade. No Clube Social Uirapuru, antigo ginásio de Santo Amaro, tinha um disco que girava na vitrola sem parar. Insistia em dizer que era uma coisa, mas uma coisa de ruim. Caetano gostava de coisas diferentes, então tinha que ir até lá conferir que "trem doido" era aquele.

Talvez a própria sugestão que o nome "Desafinado" causava, induzira Sieliton a pensar daquele jeito. Na verdade, ele estava mesmo por fora. Aquele baiano de Juazeiro podia ser qualquer coisa, menos desafinado. Sua voz sussurrante demonstrava o incansável treinamento para cantar daquele jeito especial. Com a batida de seu violão, revelava a modernidade de um ritmo verdadeiramente inovador. A síntese de tudo que o samba reunia e representava atingia com João Gilberto um ápice de expressão. Sieliton não estava de todo errado. Era uma coisa de doido mesmo. Caetano achou simplesmente genial.

Como toda boa música que se preze, João Gilberto passou a ressoar forte no Brasil inteiro. No bar de Bubu, o mesmo grupo se juntava para ouvi-lo: Caetano, Chico Motta, Manteiga, Emanoel Araújo, Dasinho e Bethânia. Para sorte dos tietes, Bubu tocava tantas vezes a bolacha que os sulcos do vinil deviam estar até mais acentuados que o normal. E não era só da radiola dele que se podia ouvir boa música. Dona Flor também tinha sido contagiada pelo vírus da Bossa Nova. Ela tinha um bom radinho no qual sintonizava João Gilberto várias vezes ao dia. Radinho é força de expressão. Só a carcaça do aparelho cheio de válvulas devia pesar uns bons quilos, mas nada que a atrapalhasse de esticar um fio enorme para deixá-lo ligado à beira da calçada. A vizinhança é que agradecia. Podia curtir o amor, o sorriso e a flor, em meio àquele som moderno que vinha da rua.

Se 1958 foi um ano que não poderia acabar, 1959 seguia no mesmo pique. Depois da clarividência transmitida por João Gilberto, o público constatava que o cinema continuava pródigo. Alain Resnais inaugurava a Nouvelle Vague com seu *Hiroshima Mon Amour*, e logo depois também traria à ação seus colegas de *Cahiers du Cinéma*, François Truffaut e Jean-Luc Godard. Estava formado na França o movimento que pretendia revitalizar o cinema autoral, sendo capaz de reconhecer essa virtude até mesmo em alguma obra do cinemão hollywoodiano. Caetano também estava atento a esse movimento. Mas eram várias novas ondas que estavam quebrando em seu mar.

Ele já estava sob o domínio de uma força oculta, bem maior do que tudo que havia sentido até então. Ainda não sabia disso concretamente, mas a descoberta de João Gilberto teria muito mais peso do que ele mesmo poderia imaginar. Era o que faltava para transbordar sua alma de artista. Despertava nele, pela primeira vez de forma mais consciente, a vontade de seguir o exemplo daquele baiano bom de voz e violão. Em seu íntimo, queria fazer parte de tudo aquilo. Nascia o desejo de viver da música. Desejo tímido, é bem verdade, pois a pintura ainda dividia parte de sua atenção.

O que vou ser quando crescer? É comum se fazer essa pergunta em algum momento da vida. Com 17 anos, Caetano até se perguntava, uma vez que em sua frente se abria um leque dos mais variados e promissores. Gostava de pintura, de música, de escrever, de cinema. Havia, portanto, muitas portas em que podia bater. Ainda não seria daquela vez que iria se preocupar muito com isso. Contudo, sabia que um dia teria de escolher o melhor caminho a seguir.

Fazia tempo que era conhecido como exímio desenhista. Cobria seus cadernos com desenhos de tudo quanto era jeito. Prestava mais atenção nos traços que imprimia em cada folha do que nas matérias ditadas. Todos os professores já haviam sido retratados no decorrer do ano, mesmo aqueles que não compreendiam esse jeito estranho de aprender. E ele prestava mesmo atenção. Nem na vez em que foi interrompido durante a confecção de uma caricatura perdeu o rebolado. Questionado pelo professor se saberia explicar do que se tratava a aula, não só resumiu o que tinha sido dito nos últimos minutos, como pontuou o contexto exato em que a matéria havia sido apresentada.

Se fosse aula de Nestor Oliveira, não havia perigo de uma deselegância dessas. O professor de português era um dos preferidos de Caetano, mesmo antes de musicar o poema "Ciclo". Inegavelmente aquele mestre teve grande importância na formação de Caetano e de tantos outros jovens santamarenses. Em meados de 1959, Nestor se viu novamente homenageado por ele, dessa vez com uma redação: "Ensinar".

"Ensinar. Tirar de dentro de nós mesmos o que sabemos, o que conseguimos angariar de bom na vida. Se procuro hoje atentar para as coisas dignas é porque quero, amanhã, transmitir para alguém o que sei. Ensinar é a profissão que nos aproxima de Deus. Que foi Deus, que é Deus, senão um Mestre? Ensinar não é só uma profissão, ensinar é uma arte. O ensino necessita da justiça de um verdadeiro juiz, da pureza de um verdadeiro sacerdote, da paciência de um verdadeiro médico. O professor é um médico espiritual, cura os erros do intelecto, livra a alma da ignorância. O ensino é uma profissão espiritual. O professor é o guia que nos leva pelos caminhos cheios de beleza, da ciência. Que imensa beleza, que enorme beleza existe no fato de um mestre tirar a dúvida de um aluno, de um professor ensinar uma coisa nova a um aluno, de um professor ser justo e compreensivo.

Ensinar... a milagrosa arte que abre largos horizontes na vida dos jovens! Ensinar... o milagre que transforma um homem num artista."

Com sensibilidade, o jovem pupilo sintetizou em poucas linhas o altruísmo da importante missão de ser professor. Ao homenageado primeiro, professor Nestor Oliveira, coube a certeza de que o texto seria um modelo de estrutura e estilo.

A boa formação de Caetano vinha de berço, só que o Teodoro Sampaio tinha sua dose de contribuição. O colégio, embora novo — ou até mesmo por isso — estimulava o talento de seus alunos. No decorrer do ano promovia shows, eventos, festas, uma agitação cultural que ultrapassava os muros da escola. Alguns desses acontecimentos eram capazes de movimentar a cidade inteira. Numa dessas ocasiões tiveram a ideia de realizar uma exposição de pintura. Promovidos a expoentes das artes plásticas, dois alunos formados nas próprias fileiras do colégio, Caetano Veloso e Emanoel Araújo, seriam os anfitriões da mostra.

Ambos frequentemente se divertiam juntos desenhando e pintando cada cantinho da cidade. A convivência de Caetano com o amigo pintor era tanta que dona Canô e seu Zezinho chegaram a pensar que um curso de artes plásticas seria interessante para o filho. Emanoel Araújo tinha ambições mais ousadas. Pensava mesmo em ser famoso e ganhar o mundo. São Paulo, Nova York, centros onde pudesse fugir do rótulo de figura local da Bahia e se tornar um artista reconhecido. Caetano também pensava em outros horizontes, mas ainda sem ter foco definido, mantinha os pés firmes na Santo Amaro que tanto adorava. Essa exposição coletiva também celebrava, de certa forma, os inúmeros bons trabalhos que a dupla de amigos havia produzido até então.

O evento foi bem organizado e a exposição, um sucesso. Parentes, amigos, artistas locais e políticos compareceram. De passagem por Santo Amaro, até o secretário de cultura da Bahia prestigiou os garotos. Do resultado, Emanoel Araújo tirou a lição de que precisava. Estava certo sobre a escolha do caminho que deveria trilhar. A arte poderia, sim, render-lhe bons frutos. O futuro que seu pai, o mestre ourives Vital, não via, mostrava-se estar mais vivo que nunca. Por outro lado, a experiência botava ainda mais "minhocas" na cabeça de Caetano.

Atento a toda curiosidade interior de seu irmão mais novo, Rodrigo queria mesmo era que ele tivesse acesso a tudo que pudesse contribuir com sua formação. Caetano já tinha sentido cheiro de modernidade na seção "Pif-Paf", da revista *O Cruzeiro*, assinada pelo jornalista Millôr Fernandes. Chegava a colecionar as tiras com desenhos e textos produzidos por Millôr, sob o pseudônimo de Emmanuel Vão Gôgo. Não tinha maturidade suficiente para teorizar sobre o que encontrava, mas percebia naquele material algo de revolucionário. Rodrigo sabia desse gosto do irmão. Então, resolveu presenteá-lhe com a assinatura de outro tabloide.

A revista *Senhor* tinha sido lançada havia pouco e um vendedor bateu à porta. Estava na cara que o material tinha qualidade, principalmente por trazer contos de Clarice Lispector, escritora que Rodrigo amava. Um amor capaz de permitir-lhe citar frases inteiras da autora, da mesma forma que o pai fazia com o poeta Arthur de Salles. O presente, portanto, não foi por conta de aniversário, formatura ou qualquer outra data comemorativa. Negócio fechado, a assinatura da revista ficava para *Cae*, como Rodrigo carinhosamente o chamava. O hábito da leitura se intensificou pelas páginas da *Senhor* e a paixão pelos mistérios de Clarice ganhou mais um adepto.

A porta que se abriu com a revista *Senhor* despertou em Caetano um sentimento de amor intenso aos livros. E foi se enveredando por essa estrada que ele conheceria João Guimarães Rosa e João Cabral de Melo Neto, outros dois Joões de sua vida.

❦

Depois de alguma dificuldade no meio do caminho, os anos no Teodoro Sampaio chegavam ao fim. A coroação pelo mérito da conquista ficou para o dia da formatura. Naquele domingo, 20 de dezembro de 1959, a turma de amigos estava ansiosa para receber o tão sonhado diploma. Com direito à missa em ação de graças na Igreja Matriz e sessão solene presidida pelo Padre Antenor Celino, a cerimônia se estendeu por toda manhã. Alguns alunos ficaram entediados, queriam receber logo o canudo e comemorar. Essa impaciência, contudo, foi abafada pelo sentimento de conquista compartilhado pela maioria. Para quem esperou tanto tempo, faltava pouco para completar mais uma etapa na vida de cada um.

Misturados entre pais e alunos, aqueles professores já não metiam tanto medo quanto em dias de prova. Um sentimento de gratidão pulsava em cada coração de estudante ali presente. Homenagens não faltariam naquela manhã. Édio de Souza, de História Geral, foi um dos mais lembrados, assim como Nestor Oliveira, de Língua Portuguesa, que teve a honra de receber da turma a homenagem especial. No fim da cerimônia foi servido o almoço de confraternização, oferecido pelos alunos aos pais e professores.

Para aqueles jovens formandos de 1959, mais difícil do que digerir o rega-bofe da ocasião, seria enfrentar o problema que acabava de surgir. Em Santo Amaro, as escolas só ofereciam estudo até o ginásio. Quem quisesse continuar tinha de se mudar para uma cidade com ensino pré-universitário e superior. Salvador, a pouco mais de 70 quilômetros de distância, era a opção mais procurada. Caetano queria prosseguir com os estudos. Cheio de planos, pensava até em fazer uma faculdade depois. Bethânia, por sua vez, iria começar o ginásio, e precisava seguir a tradição da família de formar as meninas em colégios da capital. O jeito, então, seria mesmo se transferir para Salvador ♪[17]. A vida de ambos estava prestes a mudar radicalmente.

---

[17] ♪ "Adeus, meu Santo Amaro"

Bethânia entrava na adolescência e seu estilo rebelde chamava a atenção de Caetano, sempre disposto a traduzi-la. Ele era seu irmão mais próximo, fosse na idade, fosse na amizade. Clara e Mabel tinham casado. Rodrigo e Roberto trabalhavam em Salvador. Nicinha era a mais velha, e Irene, muito nova ainda. Com isso, mais e mais os irmãos se chegavam, e naturalmente ficavam ainda mais parceiros um do outro. Escutar João Gilberto no bar de Bubu, perambular na Praça da Purificação, encenar os dramas que dona Canô dirigia, faziam muita coisa juntos. Santo Amaro podia ser pequena, mas, para eles, era como se fosse o centro do universo.

Por mais que fosse uma decisão muito antes anunciada, sair daquela esfera não deixava de ser doloroso. Principalmente para Bethânia. Em que pé de araçá ou de fruta-pão iria subir para cantar Ângela Maria? Em que chão duro se deitaria para ver as nuvens passar? Ai quem dera não ter de ir para a Bahia...

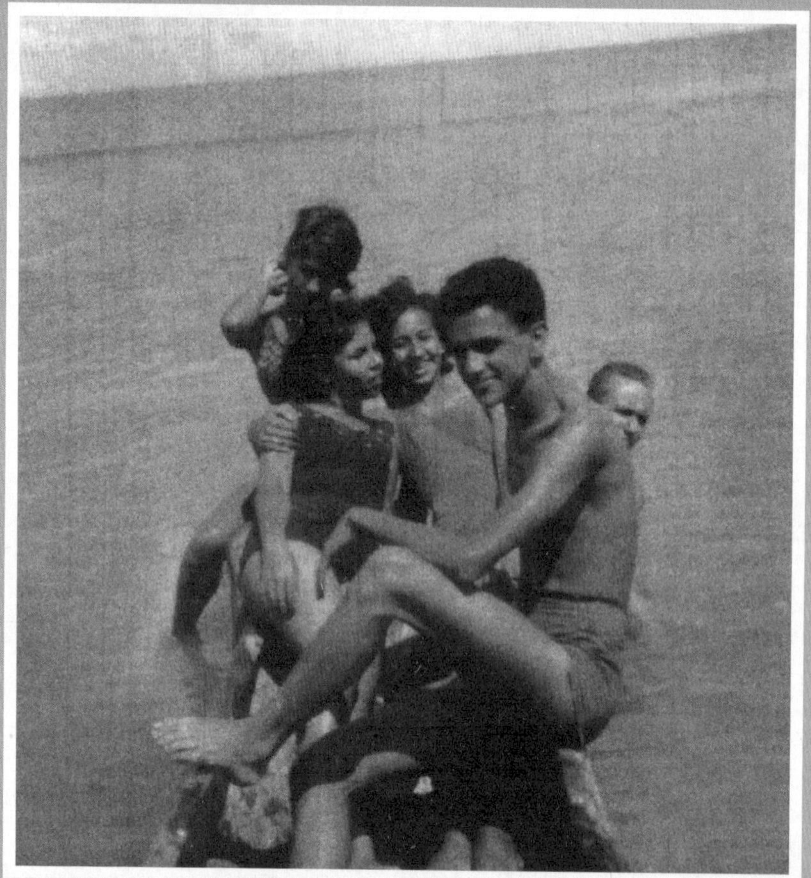

5

O CASARÃO AMARELO

Rodrigo e Roberto conheciam Salvador de cor e salteado. Os dois já trabalhavam na cidade, quando Caetano e Bethânia chegaram acompanhados de Nicinha, no início de 1960. O pequeno apartamento alugado por seu Zezinho, no bairro do Tororó, era o destino de ambos. O reencontro foi uma grande festa, mas os caçulas não podiam esquecer que estavam ali para estudar. Em Santo Amaro não havia curso equivalente ao 2º grau, atual ensino médio, e Caetano precisou se transferir para continuar os estudos. Com Bethânia foi uma questão de tradição de família. Todas as mulheres se mudavam para estudar na capital assim que terminavam o primário. Nicinha, a pedido dos pais, seguiu viagem para tomar conta dos dois. Naquela tarde, os vizinhos da rua Ismael Ribeiro nem notariam a presença dos novos moradores, não fosse a fisionomia contrariada da mais jovem do grupo.

Bethânia havia resistido bravamente até o último momento, e só arredou o pé por não ter outra escolha. Sem ânimo até para sair de casa, não escondia o desgosto pela nova morada. Nem havia completado uma semana e já rezava pela chegada das férias, só para ter a chance de passar mais tempo onde ela de fato se acostumou a chamar de lar. Com Caetano era diferente. Embora tivesse raízes profundas em Santo Amaro, não encarava com desagrado a vinda para Salvador. Admirada desde a primeira infância, a ida para a Bahia — como se referiam a Salvador nas cidades do interior — tinha a perspectiva de novas oportunidades na cidade grande. Certo de ampliar seus horizontes e expandir sua mente, a ideia da mudança foi bem aceita.

Se a busca por um bom colégio era prioridade, não precisariam procurar muito. A poucas quadras da Ismael Ribeiro, o recém-criado curso clássico do Colégio Estadual Severino Vieira parecia ideal para estudantes com predisposição às áreas humanas. Respeitado pelo bom ensino, o colégio abria espaço a jovens mais dispostos a desenvolver seu potencial, sem o rigor de uma educação conservadora. Além disso, o fato de ser perto de casa vinha bem a calhar. Podiam ir a pé sem maiores problemas.

Situado no 345 da avenida Joana Angélica, no bairro de Nazaré, o Severino Vieira ocupava um amplo sobrado do século XIX. No início das aulas, o velho casarão amarelo, com janelas e portões "verde-cansado", parecia mais imponente ao receber seus novos alunos. Antiga residência de família aristocrática, o sobrado ainda mantinha decoração de época. Nos três pavimentos do prédio, corredores longos e escuros aparentavam não ter fim. No pátio interno, as árvores disputavam espaço com as paredes úmidas. E para completar, uma pomposa escadaria atormentava os professores reumáticos, quando precisavam chegar aos andares superiores.

O clássico não era muito disputado. A grande maioria dos alunos do colégio cursava o científico. Por esse motivo, Caetano dividia a enorme sala com pouquíssimos colegas. Recém-chegado do interior, se espantou com a quantidade de nomes peculiares. Quando todos estavam em sala, Altino, Anfilófilo, Neyla, Wilebaldo e Wanderlino, davam as caras ao responder a chamada. Os nomes podiam ser diferentes, mas logo perceberiam que todos ali tinham muito em comum. Em alguns casos, a sintonia afinada do grupo vinha de outros tempos, muito além do espaço do colégio.

No último ano do ginásio estudava uma mocinha espevitada que Caetano achava reconhecer de outros cantos. A suspeita tinha suas razões. Cynara já emprestava sua voz ao projeto social "A Hora da Criança", na companhia das irmãs Cybele, Cyva e Cylene. Conduzido pelo professor Adroaldo Ribeiro da Costa, autor do Hino do Esporte Clube Bahia, o projeto oferecia atividades de música, dança e literatura, além de montar espetáculos teatrais de grande impacto visual, com figurinos bem cuidados e qualidade técnica irrefutável. Em certos períodos chegavam a fazer turnês pelas cidades vizinhas, nas quais Santo Amaro sempre estava incluída.

Caetano e Bethânia adoravam o projeto. Não participavam como artistas mirins, mas valorizavam o trabalho do professor prestigiando seus espetáculos. Embora o projeto tenha sido importante para a formação dos jovens da época, incluindo as irmãs que dariam origem ao Quarteto em Cy, as afinidades com Cynara também não ajudaram muito a animar Bethânia. Para a tristeza de Caetano, ela continuava ignorando tudo o que se passava a sua volta. Mas água mole em pedra dura tanto bate até que fura.

❦

A vida na capital revelava seus atrativos aos poucos. Impaciente nos primeiros meses, Bethânia estava mais à vontade em meados de 1960. Por mais incrível que pareça, não era a perspectiva de rever os pais, seus outros irmãos, amigos e sua Santo Amaro, que a consolava. Em seus refúgios particulares, começou a se enfeitiçar pelo verde misterioso das águas do Dique do Tororó, admirado pela janela do apartamento. Incansável desde sua chegada, Caetano insistia em chamar atenção da irmã para as belezas da cidade. Mas foi essa mística ligação com as águas do Dique que facilitou seu trabalho. A paixão por Salvador brotava lentamente, feito água de uma fonte que nunca seca. Passado o período mais difícil, ela já não demonstrava tanta resistência quando caminhava contra o vento na avenida Joana Angélica.

O comportamento da irmã era plenamente compreendido por Caetano. E ele se encarregava de traduzi-lo para o restante da família. Ainda adolescente, Bethânia gostava de usar roupas pretas ou roxas. Quanto mais chocante, melhor. Prendada, ela mesma fazia suas sandálias. Para enfeitar, improvisava joias em cobre e imensos broches em forma de girassol. As gigantescas unhas pintadas de vermelho completavam o exotismo de seu visual. Os amigos não entendiam nada, mas Caetano, sim. Como já gostava de algo fora dos padrões, estimulava ainda mais sua irmã. Aquele jeito de ser o encantava. Era bom ver sua parceira de aventuras desfrutando a vida fora de Santo Amaro. Afinal, a Bahia oferecia muitos prazeres.

Empolgado desde o primeiro dia em Salvador, Caetano queria aproveitar a capital da melhor forma possível. Nem bem tinha chegado e viveu seu primeiro Carnaval soteropolitano. A visão do trio elétrico foi deslumbrante. A onda do trio tinha começado como dupla, em 1950. Osmar Macedo e Eduardo "Dodô" Peres, inspirados no que faziam "Os Vassourinhas", grupo de frevo pernambucano, empunharam pela primeira vez um violão e um cavaquinho em cima de um Ford 1929, aparelhado com alto-falantes. Arrastaram tanta gente pelas ruas que no ano seguinte ganharam mais um parceiro, Temístocles de Aragão. O trio estava formado. A novidade ganhou tal proporção que, em 1960, a folia passou a ser comandada de cima de caminhões. Entre uma Coca-Cola e outra, Caetano prestava atenção em tudo, sempre em busca de novas experiências.

Não era difícil procurar o que fazer naqueles tempos. Salvador vivia um momento de ebulição cultural ímpar. Havia alguns anos o reitor da Universidade Federal da Bahia, professor Edgard Santos, promovia uma revolução na cidade. Trazia a sociedade para dentro do *campus* e também oferecia cultura além das salas de aula. O apoio de peso das fundações Ford e Rockfeller permitia que papas como Hans-Joachim Koellreutter, Walter Smetak, Yanka Rudzka, entre outros, incrementassem o cenário.

Inspirada nesse ambiente borbulhante, a resistência de Bethânia foi quebrada de vez quando ela aceitou assistir à peça *A História de Tobias e Sara*, de Paul Claudel. A montagem do grupo da Escola de Teatro da Universidade Federal da Bahia contava com o talento de Helena Ignez e Érico de Freitas. De tão marcante, o desempenho de ambos fez renascer em Bethânia o antigo desejo de ser atriz. Ela ficou impressionada com a qualidade da encenação. Caetano também gostou do espetáculo, mas outro motivo fez seu coração bater mais intensamente. A felicidade por ter conseguido arrastar a irmã para fora de casa. Os bons tempos estavam de volta.

A cumplicidade mútua, crescente desde os últimos anos em Santo Amaro, se firmava nos passeios por Salvador. Entre outros *points* desbravados, um em especial foi capaz de estimular muito os dotes artísticos de Caetano. O ateliê das pintoras Sônia Castro e Lena Coelho ficava bem no centro de Salvador, num pequeno prédio da rua do Paraíso. O lugar servia de ponto de encontro da vanguarda soteropolitana. Era ótimo estar ali e sentir o cheiro da tinta em profusão. Aquele clima atiçava sua mente e dava ideias para quadros não realizados. Mas a diversidade de opções parecia não ter fim. Por esse motivo, essas tais ideias teriam que dividir espaço com outra atividade que batia à porta: a redação de críticas de cinema.

❦

Por mais que aproveitassem as boas opções de lazer de Salvador, tudo remetia à doce Santo Amaro. Além das férias de meio de ano, vez por outra os irmãos Velloso visitavam os pais. Manter contato com parentes e amigos amenizava o sentimento de saudade. Mais do que isso, criava condições para que novas oportunidades surgissem. Naquela época, o interesse de Caetano pela sétima arte, que já era grande, triplicou. Passou a ler todo e qualquer artigo sobre cinema que lhe chegasse às mãos. O que parecia um hábito inocente tornou-se mais sério no momento em que outra dúvida surgiu em sua cabeça. Seria possível viver de cinema?

Àquela altura, seu negócio havia sido um pouco de música, outro tanto de pintura e uma pitada de teatro. Desejava ser artista, só não sabia ainda de qual área. Gostava de cinema, conhecia como poucos, o que era meio caminho andado. E já escrevia crônicas entusiasmadas sobre o assunto. O negócio podia ser mesmo esse. A suspeita se fortaleceu quando uma de suas crônicas chegou às mãos de seu ex-professor Édio de Souza. Naquela época, Édio, Nestor Oliveira e o ex-colega de ginásio Genebaldo Corrêa publicavam um jornal em Santo Amaro, *O Archote*. A qualidade do texto agradou em cheio. Estava ali um colaborador em potencial, pensou Édio. Não demorou e Caetano passou a assinar a coluna "Cinema e Público".

O lendário pasquim, porém, só teria 20 edições e sobreviveria por apenas dois anos. Desde sua primeira crítica, publicada em 30 de outubro de 1960, quando lembrou a importância dos diretores de cinema, até os últimos suspiros do jornal, Caetano buscaria estimular o gosto pelo chamado cinema de arte entre os jovens de Santo Amaro, e também recriar o ambiente cineclubístico que havia em Salvador. O envio das resenhas contava com a ajuda de qualquer um que estivesse de malas prontas para Santo Amaro. Podia ser um parente, um amigo, ou até ele próprio. De vez em quando, Caetano dava o "ar da graça" por aquelas plagas do Recôncavo Baiano.

Em meados de 1960, esteve na inauguração de uma emissora de rádio de Santo Amaro. Fã de música e festeiro convicto, não podia faltar ao evento. Durante a festa lhe pediram uma canja. Sem cerimônia, muniu-se do microfone e cantou para os ouvintes da região. Seu Zezinho e dona Canô adoraram a surpresa e aproveitaram para matar a saudade do filho querido. Saudade que, de tão grande, começava a levar também um pouquinho deles para Salvador.

No final de 1960, com Bethânia perfeitamente integrada à atmosfera cultural da cidade, as saídas com Caetano ficaram ainda mais frequentes. Tanto que começaram a preocupar Nicinha, que havia se mudado com a missão de tomar conta de ambos. Em Santo Amaro, seu Zezinho tinha dificuldades para manter duas casas. Contas em dobro, preocupação com os filhos menores e uma saudade grande que só apertava. A solução para todo esse aperto não poderia ser tão difícil assim. Já que estava aposentado, uniu o útil ao agradável: resolveu arrumar as malas e se mudar para Salvador com toda a família.

No apartamento da Ismael Ribeiro moravam Rodrigo, Roberto, Caetano, Nicinha e Bethânia. Muito pequeno para acolher seu Zezinho, dona Canô, Minha Ju e Irene, que estavam para chegar. Em busca de mais conforto, alugaram outro imóvel um pouco maior, na rua Boulevard Suíço, no Jardim Baiano, em Nazaré. E assim a mudança foi feita. Ainda não era o tamanho ideal, mas já dava para acolher todo mundo.

O velho ditado diz que dinheiro não traz felicidade. Mas pode ajudar. Para reforçar o orçamento nos primeiros meses, seu Zezinho alugou a casa da rua do Amparo. No início, o reforço até colaborou nas contas, mas com o tempo, seu Zezinho percebeu que a emenda tinha saído pior que o soneto. Os inquilinos danificaram tanto o imóvel que o fizeram desistir da ideia. Evitando uma dor de cabeça maior, a casa ficaria fechada e apenas dona Isaura, a fiel cozinheira da família, permaneceria por lá tomando conta de tudo.

Com a família novamente reunida, seu Zezinho e dona Canô poderiam controlar de perto as despesas, e, principalmente, as saídas dos mais novos da turma. Além disso, não dava para dormir no ponto quando se tratava da saúde de Caetano. A falta de apetite e as crises de amigdalite da infância ainda estavam vivas na memória. Depois da operação das amígdalas, as dores desapareceram e ele passou a comer melhor, embora continuasse magrelo. Se ficasse assim, não teria motivos para reclamar. Mas não ficou.

Em Salvador, Caetano passou a sentir uma dor insistente na região abdominal. Na dúvida, o levaram para uma consulta médica. Os exames foram realizados e nenhuma doença foi diagnosticada. Nem no fígado, nem no estômago, tampouco nos intestinos. O médico virou o paciente do avesso, mas não localizou a origem do problema. Mas então de onde vinha essa dor? Por desencargo, sugeriu radiografar os pulmões. Quando seu Zezinho e dona Canô receberam a notícia, já sabiam o melhor lugar para levar o filho: o consultório de doutor José Silveira, o Silveirinha, um velho conhecido da família.

O médico santamarense conhecia seu Zezinho desde o tempo em que os dois andavam de calças curtas. Foram colegas de escola em Santo Amaro. E a indicação da consulta não foi apenas por amizade. Cientista respeitado no Brasil e no exterior, sobretudo na Alemanha, onde fez cursos de especialização, doutor Silveira era especialista em assuntos de radiologia e doenças pulmonares. Além de professor de universidades na Bahia, fundou o Instituto Brasileiro de Investigação para a Tuberculose, o IBIT. Por essas e outras, se havia alguma coisa nos pulmões de Caetano, aquele homem descobriria.

Não deu outra. Após analisar as radiografias, o médico localizou uma pequena mancha no alto do pulmão esquerdo. Não se podia afirmar que o paciente tinha uma tuberculose pulmonar configurada. Não havia os suores noturnos, a tosse, a febre regular e a chamada hemoptise, o sangue no escarro. Por outro lado, a magreza e a mancha eram fortes indícios do princípio da doença. Ninguém queria dar sopa ao azar. Casimiro de Abreu e Noel Rosa saíram de cena mais cedo por conta de um infortúnio como esse. Não seria o xarope Bromil que ele iria receitar. Para garantir, doutor Silveira aplicou o tratamento clássico da doença, à base de Rifampicina, Hidrazida e Pirazinamida.

O processo duraria meses, até que todos ficassem convencidos de que o bacilo não teria mais chance de sobrevivência e proliferação. A misteriosa dor abdominal também sumiu. A preocupação com a doença permaneceu durante todo o período em que esteve em tratamento, mas não chegou a atrapalhar os estudos de Caetano. Pelo contrário; o rapaz passou de ano com excelentes notas. Adaptado aos métodos de ensino do Severino Vieira, só atingira resultado semelhante no primário, ainda no frescor da idade. Mesmo com todo esse ímpeto para os estudos, talvez nem tivesse tempo de repetir o desempenho no ano seguinte. O clássico corria sério risco de acabar.

No início de 1961, o segundo ano se iniciava com um grave problema. Dos poucos alunos que começaram o curso clássico, seis pediram transferência. Na enorme sala de aula, a reduzidíssima turma contava agora com apenas nove gatos pingados. Diante dessa situação, o diretor do colégio, doutor Armando Alberto da Costa, resolveu extinguir o curso e distribuir os alunos pelas escolas da região. Mas como assim? Essa infeliz decisão não estava nos planos da turma. Bem mais unidos depois de um ano de convívio, os alunos decidiram lutar pelos seus direitos e foram conversar com o diretor.

Após muito diálogo, doutor Armando mudou de ideia mediante penosa condição: com tão poucos alunos, as aulas só poderiam ocorrer na pequena biblioteca do colégio, no terceiro andar do casarão amarelo. A turma pequena não justificaria a ocupação de uma sala tão espaçosa como antes. Relegados a um espaço mínimo, os estudantes agora ocupavam uma mesa de biblioteca e dividiam o metro quadrado com estantes empoeiradas e abarrotadas de livros. A paisagem da pequena janela revelava apenas os telhados das casas cobertos pela copa das árvores. Descontando os alunos míopes, únicos beneficiados pela sala intimista, o restante da turma teria que se contentar com as novas acomodações por tempo indeterminado.

A situação difícil serviu para unir ainda mais o grupo. A amizade atravessou as fronteiras do colégio e a turma passou a realizar atividades extraclasse. De ladeira em ladeira, rodavam toda Salvador em busca de programas culturais que saciassem sua sede de conhecimento. Quando não estavam nas ruas históricas do Pelourinho, visitavam museus, bibliotecas, igrejas e galerias de arte. Além de fazer os deveres de casa juntos, ainda encontravam tempo para assistir a inúmeros filmes e peças de teatro. Formavam uma verdadeira irmandade. Em muitas dessas ocasiões, Bethânia acompanhava o grupo. Alguns colegas achavam estranho. Caetano não estava nem aí. Se irmã menor era um fardo para outros jovens adolescentes, a dele era titular absoluta da turma. Qualquer um que tivesse a audácia de reclamar, tinha mesmo de ser muito petulante.

Em sala, Caetano voltava a se destacar nos estudos. O ambiente de amizade favorecia. Para incentivar ainda mais, vivenciava uma salutar guerra de egos com outro rapaz de inteligência privilegiada. Brincalhão e debochado, Wanderlino nunca dividia o mesmo grupo de trabalho com ele. Como se não bastasse, o rapaz também tinha dom para desenho. Media forças com o rival na hora de ilustrar os trabalhos de grupo, numa época em que os esboços de Caetano eram disputados a tapas pelos colegas de sala. Nada disso, porém, afetava a amizade entre eles. Mesmo nos debates mais acalorados, a farra depois da aula estava garantida.

Wanderlino ampliava seu conhecimento com estudos de francês, o que lhe permitia viajar pelo mundo de sua preferência: o cinema. O domínio do idioma ajudava na leitura do *Cahiers du Cinéma,* a bíblia do cinema europeu. Ele e Caetano frequentavam os clubes de cinema de Salvador num tempo em que o chique era dizer o nome do filme na língua de origem. Nessas horas também gostavam de competir entre si. Disputavam quem assistia mais vezes ao mesmo filme. O bilheteiro do Cine Guarany achou que tinha enlouquecido quando encontrou Wanderlino pela nona vez na fila, pronto para o início da sessão de *Hiroshima Mon Amour,* de Alain Resnais. No fim das contas, perderia para Caetano, incansável depois de assistir onze vezes a *Rocco e i Suoi Fratelli,* de Luchino Visconti.

Mesmo quando assistiam uma única vez, a imbatível dupla conseguia memorizar diálogos inteiros. Uma exceção para quem normalmente entrava e saía do cinema dezenas de vezes. Certa ocasião, foram assistir novamente a *Rebecca,* único longa de Hitchcock premiado com Oscar de melhor filme. Àquela altura, o roteiro estava mais do que decorado. Em uma cena, a personagem de Joan Fontaine vê um vulto no quarto de Rebecca, morta desde o início da história. Na ponta dos pés, vai até lá conferir. Ao chegar, escuta vozes, e resolve ouvir sorrateira. Por pouco tempo. O primo da falecida aparece de supetão e a pega com a boca na botija. Inesperado, o susto surpreende. Cientes do exato momento do clímax, Caetano e Wanderlino gritavam do fundo: "*Rebecca!*" Como se a atriz se assustasse, virava-se de forma brusca, e o cinema caía na gargalhada.

E ai de quem não seguisse a cartilha dos cinéfilos assumidos. As colegas Marina e Maria Izabel, a Mabel, tentavam acompanhar o ritmo dos amigos que insistiam em chamar a atenção para alguns diálogos. Elas iam, voltavam e se esqueciam de tudo. O filme inteiro prendia por demais a atenção. Não dava para se atentar aos detalhes. A saída, então, era ver de novo para não levar bronca. Melhor ainda quando ia a turma toda. Aí a farra era completa. E que bom que Marina podia contar com Caetano como ponto de referência. A seus olhos míopes, a imagem da vasta cabeleira, destacada na magreza do corpo, lembrava um palito de fósforo. Identificada a figura, ficava simples localizar o restante do grupo.

Brincadeiras à parte, durante as aulas o colégio exigia disciplina. As normas valeriam em qualquer outra turma. Para os clássicos daquele ano não era bem assim. Especiais na essência, a dedicação brotava naturalmente. E na companhia dos amigos, a arte de aprender parecia uma gostosa brincadeira. Até nas tarefas mais corriqueiras percebiam a profundidade necessária que marcava suas vidas.

Para um trabalho de francês teriam de traduzir um poema de Alfred de Musset. A temática impressionava. O pelicano, quando não encontra comida, é capaz de rasgar o peito e alimentar os filhotes com a própria carne. Uma imagem bastante forte para facilitar o estudo da língua. Caetano adorava aquele poema. Seus versos sugeriam imagens marcantes e sua mente viajava através delas. Marina, com seu jeito aguçado de mãe, viajava com ele. Ela também sabia a história do pelicano.

A boa inspiração nas letras não se repetia com números. Ainda no primeiro ano, a professora de matemática aplicou uma prova só de logaritmos. Simpática e bonita, Norma Araújo era considerada uma "uva" pelos mais assanhados. Em dia de prova, nem a beleza da professora conseguia melhorar o humor dos alunos, que mais pareciam ter chupado limão. Assim como o restante da turma, Caetano afirmava não saber nada da matéria. O estranho foi vê-lo escrevendo sem parar durante todo o exame. Onde ele achava tanto logaritmo para escrever daquele jeito?

Na aula seguinte, a professora Norma entregou as provas. O resultado geral foi o que se esperava: um fiasco. Caetano não fugiu à regra. Ficou com zero. Como de praxe, todo mundo recebeu sua prova de volta. Menos ele. Norma perguntou se poderia guardar a folha de recordação. Mas que interesse uma prova toda errada poderia despertar? O conteúdo surpreendente ao longo das questões explicava. Ciente de sua inabilidade com números, Caetano preferiu fazer uma extensa divagação sobre a ciência matemática. Se não deu para obter ponto algum, pelo menos despertou o interesse da professora.

Embora a graça do episódio tivesse feito a alegria dos colegas, o restante da turma também tinha levado pau no teste. Não era nenhum fim do mundo. Ninguém ali desejava mesmo ser um aluno perfeito, tirar nota máxima em tudo. Nas falhas também se pode aprender valiosas lições. E como ninguém ficou de castigo, o melhor seria mesmo esquecer tudo e aproveitar o feriado que estava por vir.

Dia 21 de setembro era feriado para os alunos do clássico do Severino Vieira. Nada de farda naquela data especial. Estavam proibidas. A ordem era aproveitar o dia. Desligado como ele só, Caetano quase sempre esquecia o feriado e vinha com o uniforme de costume. Tudo bem. Apesar de seu atraso de duas horas, seguiam em bando até a casa dele para que ele se trocasse e largasse o material em algum canto. Se você nunca ouviu falar nesse feriado, não se espante. O "Dia do Clássico" foi invenção daquela turma.

Os alunos reservavam essa data para a realização de passeios. Acompanhados de Sílvia Enedina e Celina Contreiras, professoras de história, ou de quem merecesse a honra de ser responsável por eles, os estudantes faziam viagens agradáveis e educativas. No primeiro ano, promoveram uma excursão que percorreu as cidades de Cachoeira, São Félix, Muritiba e Santo Amaro. No ano seguinte foram à paradisíaca Ilha de Itaparica, onde viajaram de canoa e se esbaldaram nas belas praias de águas transparentes, com as meninas posando de *miss* em seus maiôs Catalina.

A convivência com os amigos do clássico enriquecia Caetano. Foi na companhia de Wanderlino que ele ouviu falar de Oswald de Andrade pela primeira vez. A Semana de Arte Moderna, lançada na São Paulo de 1922, e a antropofagia escandalosa de Oswald, foram temas recorrentes em seus bate-papos. E Wanderlino não era fácil. Insuflava discussões saudáveis, citando frases de efeito, na maioria das vezes por ele modificadas. Se fosse em latim, a mudança não se devia à sua criatividade, e, sim, a uma deficiência crônica com a língua. Detestava o idioma e não fazia questão nenhuma de esconder. E ainda brincava com isso. Por esse motivo, quando se aventurava a fazer uma daquelas célebres citações latinas, dificilmente acertava.

Mergulhado nessa atmosfera, Caetano sempre participava dos calorosos debates levados para além do casarão amarelo. Foi num desses que Wanderlino "cunhou" a impagável expressão *"Panis et Circencis"* ♪[18] em seu latim esculhambado. Criada originalmente na Roma antiga, pelo poeta satírico Juvenal, a grafia era um pouquinho diferente. Mas ele estava perdoado. Tinha crédito de sobra e sua influência não parava por aí. Quando percebia afinidades em amigos de grupos diferentes, tratava de apresentá-los. Foi assim com Caetano e um certo Waly.

Waly Salomão estudava no tradicional Colégio Central da Bahia, por assim dizer, "rival" do Severino Vieira, tanto em qualidade quanto na vanguarda do ensino. Também vinha de Jequié, onde havia estudado com Wanderlino nos tempos de primário. Poeta diletante, despertava a curiosidade em Caetano de tanto que ele ouvia falar naquele nome de origem síria. Depois de muitas tentativas de encontro, calhou de se cruzarem na rua do Tijolo, quando caminhavam pela Praça da Sé. Ali mesmo os dois foram apresentados. O jeitão de Waly era típico de um tímido garoto do interior, ao que Caetano também se adequava. O destino tratou de encaminhar os fatos; a amizade foi rapidamente estabelecida e daria muito o que falar no futuro.

❦

Desde que se transferiram de mala e cuia para Salvador, os Velloso sabiam que o imóvel não comportaria tanta gente por muito tempo. As limitações de espaço no apartamento da Boulevard Suíço obrigavam seu Zezinho e dona Canô a dormir na sala. A falta de privacidade fez com que tomassem a decisão de se mudar novamente, agora para um lugar que pudesse abrigar todo mundo com mais conforto. E dessa vez acertaram no tamanho.

---

[18] ♪ "Panis et Circencis"

Ainda em 1961, alugaram um apartamento de três quartos, situado em Nazaré, na rua Prado Valadares.

Para a alegria de Caetano, Wanderlino morava na mesma rua. Afinidades com a nova vizinhança não faltariam. As surpresas não terminavam por aí. Logo aquele endereço receberia o reforço de outro amigo velho de guerra. Pouco tempo depois, Manteiga passou a morar na casa defronte, a poucos metros da janela de Caetano.

O cinema continuava uma predileção dos velhos bons amigos. E foi assim que assistiram à estreia de *Orfeu do Carnaval*, de Marcel Camus, no Cine Tupi, na Baixa dos Sapateiros. Caetano sabia que o filme era inspirado na peça *Orfeu da Conceição*, do poeta Vinicius de Moraes. Sobretudo pela monumental trilha sonora, recheada de canções "bossanovistas", o filme prometia. Eles e todo mundo no cinema queriam ouvir obras-primas como "Manhã de Carnaval", de Luiz Bonfá e Antônio Maria, e "A Felicidade" de Tom e Vinicius.

Antes da metade do filme, porém, a expectativa inicial desabou com a revelação de um Brasil artificial, exótico, estigmatizado em sua posição de terceiro mundo. A plateia ria quando deveria chorar. Nem a antológica trilha conseguiu amenizar a decepção. O mesmo se dava em todo cinema que exibia a película. Descontente com o que acabara de assistir, o próprio Vinicius desautorizou o filme ao sair furibundo de uma sessão no Rio de Janeiro, promovida pelos produtores. Em Salvador não era diferente e ainda poderia ser pior.

No Cine Tupi, na cena em que Orfeu procura por Eurídice, um engraçadinho gritou do fundo: *"Orfeu, se achar um pau de breu enfia no cu que é meu!"* Foi o maior sururu. O suficiente para acenderem as luzes e a polícia entrar no cinema à procura do infeliz. Passada a confusão, ninguém foi preso e a projeção continuou até o fim. Apesar de toda polêmica, o filme arrebatou vários prêmios importantes no exterior, entre eles o Oscar de melhor filme estrangeiro e a Palma de Ouro em Cannes. Também ajudou a difundir a Bossa Nova para o mundo. Por outro lado, ficou marcado na cabeça de muita gente como prova de um Brasil que só existe para gringo ver.

⁂

Em casa, Caetano sentia falta da música. Não para ouvir, mas para tocar. Grande e pesado, o piano de Minha Ju não pôde ser trazido para Salvador. O jeito seria arrumar um bom substituto. Pediu, então, à dona Canô para comprar-lhe um violão. Com o ritmo de João Gilberto martelando em sua cabeça desde 1959, poderia arriscar alguns acordes. Logo ganharia desenvoltura com o instrumento, observando e reproduzindo o que os mais experientes faziam, ao vivo ou pela televisão. Em pouco tempo, ganharia confiança e acompanharia Bethânia em animadas rodas de samba pelos bares da cidade. Antes disso, porém, Caetano precisava dar continuidade aos estudos.

Embora tivesse passado de ano em 1961, tinha que se preparar para o último ano do clássico, e, logo depois, para o vestibular. Em meio a esse clima, encontrou tempo para consolidar mais uma daquelas amizades que duram para o resto da vida. No primeiro ano do clássico, Caetano havia se aproximado de um aluno do científico, Fernando Barros. As afinidades foram tantas que no último ano Fernando não resistiu e se transferiu para o clássico. E passou a ser o Nando, querido por todos. A amizade entre Nando e Caetano cresceu e, por conta disso, longas temporadas de verão em Itapuã seriam curtidas na casa dos pais dele. Mas enquanto o verão não chegava, tinham de estudar com afinco. Cientes de que os anos de graça do Severino Vieira estavam para terminar, não podiam desgrudar os olhos dos professores.

Caetano tinha suas preferências. Desde 1961, alimentava uma paixão platônica por Maria Emiliana, de inglês. Mas quem resistiria a tanto charme? Além do vasto conhecimento, Emiliana tinha uma beleza exótica. Apelidada de "Coruja Linda", a alcunha se justificava não só pela sabedoria, mas também pelos olhos misteriosos de um castanho claro, quase amarelos, que brilhavam ainda mais em contraste com sua pele mulata. Dona de uma cultura que atravessava as fronteiras anglo-saxônicas, incentivava a leitura dos versos secos de João Cabral de Melo Neto. Não por acaso, o poeta se tornaria o preferido de Caetano, cujos poemas seriam lidos quase tantas vezes quanto os discos de João Gilberto girariam em sua vitrola.

Se Emiliana o cativava por seus atributos de mulher, no coração materno de outra professora cabia a turma inteira. As aulas de 1962 começaram, e foi bom rever aquela negra corpulenta, com nome de baronesa, que já havia despertado a paixão da turma desde o ano anterior. Mais que uma professora de português, Candolina ♪ [19] Rosa de Carvalho Cerqueira era psicóloga, conselheira, amiga e, na medida do possível, cúmplice. De tão parceira, dava palpites até no namoro de seus pupilos. Além de abrir as portas da literatura, confiava aos alunos sua biblioteca particular, e os recebia em casa como se fossem seus próprios filhos. E olha que ela tinha vários. Quando um aluno ficava deprimido por qualquer motivo, no ombro de Candó encontrava aconchego. Se não resolvesse o problema, pelo menos o carinho da professora o amenizava.

Embora rígida na essência, fazia vista grossa para as gazeteadas dos alunos. Claro, desde que fosse para visitar sua casa, situada próxima ao colégio. Uma espécie de clube particular dos alunos ou mesmo uma filial do clássico. Nos trabalhos em grupo, diante dos olhos curiosos dos filhos pequenos de

---

[19] ♪ "Neide Candolina"

Candolina, a turma mergulhava na biblioteca da casa. As regalias não paravam por aí. Para a alegria de todos, entre uma leitura e outra, Caetano tirava algumas notas no velho piano da professora. A agitação com Candolina era só uma amostra do que estava por vir.

Num ano de despedidas, o colégio fervia. A convivência devia ser aproveitada até o último teste. Mais maduros e preparados, os alunos se sentiram no dever de transmitir conhecimento para o colégio inteiro. Queriam provar que o saber não se media apenas com régua e compasso. A cultura não devia se limitar a um simples programa didático e tinha de ser valorizada. Com esse propósito, em meados de 1962, lançaram a ideia de criar as "Semanas da Cultura". Reunidos na sala da biblioteca, trabalhavam sem parar na organização do evento. E só diminuíam o frenesi na chegada de Wilebaldo, com meio palmo de língua de fora, após subir correndo os três lances de escada com o lanche comprado na cantina.

Depois de engajadas discussões, os alunos classificaram sete setores da cultura como vitais. Para cada um deles, reservaram uma semana. Convidaram professores e especialistas de cada área que, entremeados com palestras preparadas por alunos, fariam suas conferências. Foram programados eventos de ciências, de religião, de música brasileira, de história da Bahia, de sociologia e de literatura luso-brasileira. A semana da arte, embora preparada originalmente, precisou ser abortada devido à pouca participação das demais turmas e de professores contrários ao movimento. E ainda haveria outros contratempos.

Durante a "Semana de Sociologia", Wanderlino abrilhantou sua palestra sobre "Artistas do povo & povo artista" expondo peças de cerâmica de artistas populares da Bahia. Já sua palestra sobre "O Municipalismo no Brasil" abordava tema forte demais e, talvez num sinal da barra pesada que estava por chegar, não foi realizada. A "Semana da Música Brasileira" conseguiu ser mantida no programa, porém os ânimos ficariam abalados e nem tudo sairia conforme o planejado.

Na conferência sobre música erudita, a então colunista do jornal *A Tarde*, Hebe Machado Brasil, revelou posição contrária à música popular. Tudo bem que manifestações como essa são permitidas em tempos de democracia, mas falar mal de música popular para aqueles jovens apaixonados foi um pouco demais. A turma protestou com veemência. E quem levou a pior foi Caetano. Depois do acalorado debate entre defensores e detratores, a palestra que faria sobre Bossa Nova, ilustrada com discos do movimento, ficou "às moscas" e o evento foi cancelado. Apesar da frustração, ele ainda teria chance de mostrar seus pendores musicais antes do fim do ano.

No início do segundo semestre, Candolina divulgou a tarefa de encerramento do curso. A turma esperava uma pesquisa trabalhosa, mas se surpreendeu quando a professora simplesmente pediu a criação e encenação de uma peça de teatro. Na realidade, Candolina queria o trabalho na metade do ano, mas sendo um ano de vestibular, ocupados que estavam com tanta matéria para rever, transferiram a apresentação da peça para novembro, no almoço de confraternização dos professores. O adiamento foi uma forma de ajudar a turma. Pelo menos poderiam criar e ensaiar os primeiros diálogos com um mínimo de antecedência.

Os meses se passaram e nada de peça. É bem verdade que os alunos mal conseguiam se coçar. Mas isso não poderia ser desculpa. Afinal, tiveram tempo para iniciar os primeiros esboços. O trabalho precisaria ser feito ou ficariam sem nota final de português. Candolina era uma verdadeira mãe nos assuntos pessoais, mas rígida na hora de cobrar os trabalhos. Faltando uma semana para a apresentação e sem ideia do que poderiam fazer em tão pouco tempo, Caetano sugeriu a adaptação do clássico infantil *O Casamento de Dona Baratinha*, com o texto atualizado e as ações ambientadas na sociedade baiana dos anos 1960. Ele mesmo se encarregaria de compor a trilha em forma de opereta.

Com os primeiros diálogos montados na casa dele, o arremate final foi dado na casa de Marina. O elenco foi assim distribuído: Mabel, como "Dona Baratinha", dividiria a cena com o "Burro-poeta" Wanderlino, o "Boi-comerciante" Nando Barros, o "Cabrito-pleibói" Altino e o "Deputado D. Ratão", vivido por Guilardo. Marina, Neyla, Marilene e Terezinha fariam as "Damas de honra", enquanto Wilebaldo, Altino e Guilardo, os dois últimos acumulando papéis, seriam os "Urubus". No canto do palco, Caetano conduziria a trilha ao piano, e Terezinha faria a narração quando não estivesse no papel de "Dama". Na véspera do almoço de confraternização, estavam todos na ponta dos cascos para encenar *Baratinha 62 ou Tanques para Feliz Marilene*.

Mas que gozação era essa de "tanques para feliz Marilene"? O que Marilene tinha feito para merecer tanques de presente? Isso foi obra das mentes irrequietas de Wanderlino e Caetano. Durante a semana da pátria, os alunos visitaram uma escola de marinheiros. Entediado com o passeio, Caetano se afastou do grupo e viu de longe uma placa informativa. Espantado depois de ler a inscrição, voltou correndo para contar a Wanderlino. Jurou de pés juntos que nela estava escrito: "Tanques para a feliz Marilene". Ele não acreditou e, convicto de que o amigo havia pirado, foi conferir de perto. Esclarecida a confusão, os dois não paravam de rir. A verdadeira frase era "Tanques para Aprendizes de Marinheiro". Não havia mais tempo de explicar a história toda ao restante de turma e o episódio passaria a fazer parte do título da peça. Faltava subir o pano.

Quando terminou o almoço de confraternização, a sala estava sob um silêncio em que se podia ouvir uma borracha caindo no chão. No improvisado palco, os atores ocupavam suas posições, enquanto Caetano sentava ao piano para iniciar os acordes da canção "Sambinha Nupcial – Baratinha 62", composta por ele especialmente para a ocasião. O silêncio, antes na plateia, agora chegava ao palco. E, nele, os alunos aflitos não tiravam os olhos do compenetrado pianista. Pode começar, vai?! A tensão continuava. Os professores não desconfiaram, mas havia dado um branco repentino e Caetano tinha esquecido a melodia. Sem a deixa para o início do espetáculo não dava para começar a encenação.

Um burburinho irrequieto começou a tomar conta da plateia, quando Caetano finalmente conseguiu tirar meia dúzia de notas que o fizeram se lembrar dos acordes iniciais. Aliviados, os alunos prosseguiram com a introdução da música e a leitura foi levada a cabo. Depois de muita tensão veio a recompensa merecida. Os professores aplaudiram de pé o que consideravam uma digna homenagem de fim de curso. Não dava para esperar menos que um dez para encerrar aquele ano tão especial na vida de cada um dos alunos. E a nota veio com louvor.

Para Caetano, o círculo com "o ponto vermelho de inquietude no amarelo da conformação", símbolo da turma, deixaria saudades no momento da despedida. Dali em diante, cada um seguiria seu caminho. De uma forma ou de outra estava convicto de que não seria uma separação em definitivo. Os anos de graça do clássico estavam encerrados, mas a amizade ficaria para sempre. Outro ciclo chegava ao final. Em breve, uma nova fase começaria na vida de Caetano Veloso. A efervescente Salvador ainda reservava muitas surpresas.

UNIVERSIDADE DA BAHIA
FACULDADE DE FILOSOFIA

N.º 102-138

Aos 13 de março de 1963 matriculou-se nas aulas da primeira Série do Curso de Letras Neo Latinas desta Faculdade, nas cadeiras de Letras, digo, Língua e Literatura Latina, dependência.

a Snr.ª Alvaisa Dias de Jesus _____ filha de Aquelo Dias de Jesus _____ natural do Estado da Bahia com 20 anos de idade.

E para constar, o Secretário da Faculdade lavra êste têrmo, que assina com o matriculado.

O Secretário: Maria J. de Pinho e Souza
O Matriculado: Alvaisa Dias de Jesus

dependente

N.º 102-139

Aos 13 de março de 1963 matriculou-se nas aulas da primeira Série do Curso de Filosofia desta Faculdade, nas cadeiras de Hist. da Filosofia, Lógica, Teoria do Conhecimento, Filosofia Geral, Sociologia Geral e Ética.

O Snr. Caetano Emanuel Viana Teles Veloso filho de José Teles Veloso _____ natural do Estado da Bahia com 20 anos de idade.

E para constar, o Secretário da Faculdade lavra êste têrmo, que assina com o matriculado.

O Secretário: Maria J. de Pinho e Souza
O Matriculado: Caetano Emanuel Viana Teles Veloso

N.º 102-140

Aos 13 de março de 1963 matriculou-se nas aulas da primeira Série do Curso de Pedrilina da Boa Morte N.º desta Faculdade, nas cadeiras de Língua Portuguesa (dependente)

a Snr.ª Pedrilina da Boa Morte _____ filho de Pedro da Boa Morte _____ natural do Estado da Bahia com 20 anos de idade.

E para constar, o Secretário da Faculdade lavra êste têrmo, que assina com o matriculado.

O Secretário: Maria J. de Pinho e Souza
O Matriculado: Pedrilina da Boa Morte

dependente

6

[RE]UNIÃO DE APÓSTOLOS

Nem havia terminado o curso clássico do Severino Vieira e Caetano teria uma surpresa para ajudar a definir seus caminhos. De tanto visitar o ateliê de Lena Coelho e Sônia Castro, na rua do Paraíso, encontraria aquele que seria responsável direto por sua estreia como músico num espetáculo profissional: o aspirante a diretor de teatro, agitador cultural e descobridor de talentos, Álvaro Guimarães, o Alvinho. Bastaram umas pinceladas de Lena e Sônia, e ambos se tornaram bons amigos.

Álvaro Guimarães estudava direção na Escola de Teatro da Universidade Federal da Bahia e tinha feito alguns trabalhos sob a égide do CPC, o Centro Popular de Cultura. Nos idos de 1962, estava prestes a montar seu primeiro espetáculo profissional, *O Primo da Califórnia*, comédia de costumes de Joaquim Manuel de Macedo. Alvinho almejava criar uma espécie de musical, desde que encontrasse alguém para compor as músicas que ele queria ouvir.

Caetano tocava piano e violão, compunha e dava canjas com Bethânia em bares de Salvador. Ele e o jovem diretor não divulgavam suas próprias aptidões. Longe de serem pavões narcisistas, falavam apenas do que gostavam, e assim uniam-se mais e mais. Quando se encontravam, Caetano conversava de tudo, mas o assunto acabava recaindo na música popular brasileira. Desfiava seu gosto por Caymmi, Gonzagão, Noel Rosa, se empolgava ao falar da Bossa Nova e da paixão assumida por João Gilberto. Entusiasta ao limite, sua metralhadora de vasto conhecimento encantava o interlocutor. Se ele conhecia tão bem esses mestres todos, não seria somente mais um na multidão. Estava lançada a pista de que Alvinho precisava para aguçar sua intuição. Caetano seria o responsável por fazer a trilha de sua peça de estreia.

Como poderia ser isto? Alvinho nunca o tinha visto tocar nada. Que dirá compor uma trilha! Tudo bem que o diretor se referisse a ele de maneira exclusiva e peculiar. Era o único que o chamava carinhosamente de Caio.

Mas nem com toda proximidade Caetano se sentia confortável para aceitar o convite. Com Alvinho, no entanto, não tinha conversa. O novo amigo iria compor a trilha e a recusa estava terminantemente descartada. Ele que deixasse qualquer possibilidade de insegurança para lá. Diante de tamanha confiança não houve saída. O jeito foi se entregar ao desafio.

Compor trilha não era brincadeira de criança. Havia a apreensão típica por saber do caráter profissional do espetáculo. Seria sua primeira experiência nesse sentido. Alvinho percebeu e tratou de incentivar o amigo estreante. O grupo cobrava ingressos para sustentar o desejo de fazer teatro, mas a turma na plateia era sempre de gente boa e amiga, amante da arte. Não tinha do que ter medo. O elenco tinha valor, a peça era boa, e o diretor, sem nenhuma modéstia, muito bom também. A letra já estava pronta, faltava musicar. E algo dizia a Alvinho que só Caetano conseguiria.

Logo nos primeiros ensaios, o diretor percebeu que havia acertado na mosca. Caetano seria para ele como Nino Rota era para Fellini. E não ficaria só nisso. Com tanto talento à vista, Alvinho logo ampliou a participação do amigo. Caetano também acompanharia as cenas ao piano durante toda a temporada da peça. Quem estava na chuva era para se molhar. Já tinha ido até ali. Por que não?

A peça ficou pouco tempo em cartaz no pequeno teatro da Escola de Música, na Praça da Piedade. Não fez um sucesso estrondoso, como também não foi um fracasso. O rendimento apenas cobriu as despesas com técnicos e elenco. Para Caetano, a experiência tinha outro significado. Uma nova porta se abria. Percebeu que aquele poderia ser um caminho a seguir. Gostava de teatro tanto quanto de cinema. Também sabia compor. Para fazer trilhas não teria dificuldade. E trabalho não faltaria, pois Alvinho tinha outra bala na agulha. Preparava os ensaios de *A Exceção e a Regra*, de Bertolt Brecht.

❦

Bethânia havia demorado a se adaptar à vida em Salvador. O teatro colaborou muito para que o repúdio à cidade fosse esquecido. Àquela altura, ela e Caetano iam juntos a todos os lugares. A aproximação de Alvinho veio naturalmente. Tão natural que a presença morena de Bethânia o impressionou desde o início. Se o irmão tinha trabalhado numa trilha musical de uma peça dele, por que não contar com o pendor artístico da irmã mais nova? Foi bater o olho, um pouco de conversa, e o convite foi feito: ela viveria o papel de uma prostituta em *A Exceção e a Regra*.

Bethânia sempre quis ser atriz, subir ao palco. Aquela parecia uma chance e tanto. Ciente do desafio de viver uma "mulher da vida", preferiu não comunicar à família. Ainda menor de idade, temia uma reprovação dos pais.

Achava que poderia atuar às escondidas. Puro engano. Seu Zezinho e dona Canô liam de tudo e assim que souberam do papel reservado à Bethânia, trataram de adiar sua desejada estreia. Nada contra prostitutas, muito menos contra teatro, mas não queriam ver a filha se assanhando daquela maneira, mesmo sendo só de mentirinha.

O pior é que sobrou para todo mundo. Bethânia tinha personalidade forte e se zangou um bocado. Arrumou paquera com um homem mais velho. Começaram a encrencar porque ela bebia. Não queriam mais que ela saísse à noite. O clima fechou até para Caetano, no dia em que voltou para casa sem sua protegida. Sempre encarregado de acompanhar a irmã, achou que podia passar a tarefa a Roberto. Não podia. Resultado: teve de ouvir o "carão" de seu Zezinho. Se todo aquele reboliço foi por conta de sua ausência em *A Exceção e a Regra*, teria de esperar mais um pouco para abrandar o fogo.

A peça já tinha música própria, composta pelo alemão Paul Dessau. Caetano conhecia e achava linda. Por que trocar, então? Simples. Alvinho queria uma trilha nova. Precisava de seu Nino Rota, e mais uma vez o teria. Se Brecht intimidava, a possibilidade de não atender ao pedido do amigo incomodava ainda mais. O convite, ou intimação, foi aceito e novamente o resultado agradou em cheio. O que de certa forma comprovava a versatilidade do autor. Acabara de compor para uma comédia de costumes brasileira e, sem descansar, recriava a trilha de um clássico do teatro mundial. O meio teatral de Salvador começava a conhecer Caetano Veloso.

Mais conhecido, Álvaro Guimarães vivia ligado na tomada. Não parava. Sua próxima empreitada seria cinematográfica: um curta em 16 mm, *Moleques de Rua*. A produção ficaria a cargo de outro amigo, Glauber Rocha. Alvinho novamente insistia em ter Bethânia. Ela havia perdido a última, mas dessa vez poderia se redimir a valer. Colocaria sua voz na trilha. Não seria ainda a oportunidade que ela tanto almejava, mas sendo feita por Caetano, poderia ser no mínimo interessante participar.

No início, Bethânia também achou que Alvinho tivesse enlouquecido. Nunca a tinha visto cantar. E precisava? Como nas primeiras impressões sobre Caetano, o diretor sabia que estava diante de uma grande artista. Não, Alvinho não estava doido. A presença magnética de Bethânia também o havia conquistado nas primeiras conversas. Aposta feita, novamente daria ouvidos à sua infalível intuição.

❦

Alvinho também era mestre em reunir gente boa a seu redor. Durante os ensaios de *O Primo da Califórnia* apresentou o amigo Roberto Pinho a Caetano. A empatia foi imediata, mas, por conta dos estudos, Roberto passava mais tempo em Brasília do que em Salvador. Místico do jeito que era, pressentia que a amizade renderia, embora ainda não fosse o momento de ficarem mais próximos. É bom guardar para não perder a conta. Roberto Pinho foi só o primeiro. Alvinho ainda apresentaria uma lista de influenciadores que seriam fundamentais na vida de Caetano.

No grupo ligado a "Moleques de Rua" havia um rapaz simpático que Caetano se acostumara a ver em todo canto que ia. Carlos Eduardo Lima Machado, o Duda Machado, gostava de arte, falava de política com muita propriedade e, o melhor de tudo, adorava cinema. Conheceram-se justamente no clube de cinema de Salvador. Alvinho foi o responsável pelo encontro. Tudo isso já bastaria para fazer nascer entre eles uma bonita amizade. O tempo, no entanto, mostraria a ambos outras características em comum que os aproximariam ainda mais.

Duda lhe pareceu muito inteligente. Magrinho como ele, também mulato claro, pareciam irmãos. Se Narciso acha feio o que não é espelho, Caetano viu na figura de Duda uma espécie de imagem própria, familiar, e, portanto, tão pessoal quanto a que ele imaginava passar para os outros. Ficou siderado por ele. Quando percebeu a grande empatia entre os dois, quem diria, Alvinho teve ciúmes. Bem-humorado, sabia que tanta conversa entre os dois tinha lá suas explicações. Se eram tão semelhantes na aparência e na forma de pensar, natural que as afinidades brotassem. E não seria por conta disso que os dois deixariam de lado o velho amigo em comum. Mesmo assim, enquanto aquela relação se mantivesse intensa, de vez em quando Alvinho teria que se contentar com a reserva.

Estimulado por seu irmão Rodrigo, Caetano fez um curso de crítica cinematográfica. Fora sua paixão pelo tema, já havia publicado críticas em jornais. Mesmo assim, Duda conseguiu aparecer com uma dica de filme interessante. A exemplo de Wanderlino, do Severino Vieira, Duda lia o *Cahiers du Cinéma* e deu o toque. O quente era assistir À *bout de souffle*, ou *Acossado*, filme de estreia de Jean-Luc Godard. Caetano assistiu, gostou e percebeu que o time em que jogava era de primeira linha. E ficaria ainda melhor quando Duda apresentasse um piauiense excêntrico, amigo seu.

O jovem poeta Torquato Neto vivia com um monte de papéis debaixo do braço. Aonde fosse levava consigo os longos poemas que produzia. A profundidade de seus textos lembrava muito a dos poemas de Carlos Drummond de Andrade. Não por acaso, o poeta mineiro era sua maior influência. O encontro não deixava de ser uma louvação para ambos, porém, a parceria de fato só nasceria mais tarde. Naquela época, Torquato estava de "malas prontas" para o Rio de Janeiro. Queria fazer jornalismo onde pudesse esbarrar com Drummond, Nelson Rodrigues ou Vinicius de Moraes, numa esquina qualquer. Passou antes em Teresina, e depois viajou feliz. Ficaria ainda mais quando os amigos baianos começassem a migrar também. Muitos amadureciam a ideia enquanto cuidavam de seus projetos, fosse de literatura, de teatro ou de cinema, como era o caso de Caetano, às voltas com a trilha de *Moleques de Rua*.

A sonorização da película teria de ser feita no Rio de Janeiro. Enquanto não chegava a hora de viajar, o cara mais bem entrosado de Salvador continuaria a expandir seus horizontes.

❦

Álvaro Guimarães tinha mesmo mão boa para escolher suas amizades. Foi assim também com Anecy Rocha, a Nécy, irmã de Glauber. Casada e morando no Rio de Janeiro, Nécy estava de passagem por Salvador e desejava reencontrar o amigo Alvinho. Combinaram de se ver e ele ficou todo entusiasmado. Além de colocar os assuntos em dia, ia ter uma chance de apresentá-la a seu compositor de trilhas favorito. Com esse espírito, Alvinho chamou Caetano para ir com ele ao encontro da moça. O local seria o Porto da Barra.

Caetano sabia quem era Anecy Rocha. Só não sabia que era tão bonita. Bonita, não. Linda. E não ficava só na beleza. Inteligente, bem-humorada, sensível e com uma visão peculiar da vida. Encantadora mesmo. De cara bateu uma atração. A moça regulava com sua idade, mas era muito mais experiente nas coisas da vida. No Rio de Janeiro, exercia dois papéis, esposa em casa e atriz no trabalho. Tinha toda uma vida encaminhada. Com um histórico desses, Caetano imaginou que a menina não iria querer nada com um cara como ele: franzino, sem pinta de galã e, ainda por cima, "duro". Mas ela quis.

O casamento já não andava muito bem e ela o mandaria às favas de uma forma ou de outra. No primeiro encontro com Caetano, ficaram muito mais instigados do que os altos papos sobre arte e cultura podiam sugerir. Foi uma paixão meteórica. Como não dava para resistir à forte atração, marcaram de se encontrar novamente. O local pouco importava. Eles queriam apenas um lugar tranquilo onde pudessem namorar à vontade.

Caetano nunca tivera uma relação tão completa e libertadora quanto aquela. Assim, tão intensamente, foi sua primeira vez. Por outro lado, seria injusto dizer que sua iniciação sexual aconteceu com ela. Algum tempo antes, uma atriz do *cast* de Alvinho se interessara por ele e os dois tiveram um *caliente* romance. Namoraram juntos no escuro dos cinemas, em praias desertas e onde pudessem usufruir do intenso prazer que as carícias libidinosas são capazes de proporcionar. Rolou de tudo, mas não chegaram a transar. Com Anecy não faltou nada. E, ainda por cima, tinha aquele irresistível gostinho do proibido. Só que o romance seria logo abreviado. Embora estivesse feliz por conhecer um cara interessante, ainda era casada e teria que voltar para o Rio de Janeiro.

Anecy passou como um furacão na vida de Caetano. Foram poucos dias intensos de amor, suficientes para deixá-lo caído por ela. Aí ele entendeu o que levou um rapaz de nome Rogério Duarte a ganhar a fama do cara mais apaixonado que pisou em terras baianas. Bem antes do casamento de Anecy, os dois tiveram um romance que não foi à frente. O sentimento dele, contudo, se manteve e continuaria assim por muitos anos. Algo parecido aconteceu com Caetano. Mesmo após o retorno de Anecy para o Rio de Janeiro, continuariam a se falar por cartas. Quando Alvinho fosse sonorizar *Moleques de Rua*, na capital carioca, teria chance de revê-la. Ficaria feliz, mas a situação não era tão simples de administrar. Embora gostasse muito dela, estava convencido de que não teria recursos para assumir algo mais sério. A influência da moça ficaria na memória. Uma pontinha de esperança também. A desistência definitiva, porém, só aconteceria bem mais tarde, quando chegasse por telefone a notícia de que ela se casaria novamente.

Enquanto essas notícias não chegavam, Álvaro Guimarães continuava firme no papel de relações públicas do amigo de Santo Amaro. E quanta gente importante havia chegado por conta dessa amizade. Todo um início de vida artística florescendo entre apertos de mãos, gostos e afinidades que se atraíam naturalmente. E não parava por aí. Mais gente chegaria pelas mãos de Alvinho. Caetano admirava um homem em especial e outra vez Alvinho seria o amálgama do encontro. Curiosamente esse homem poderia ter sido seu cunhado: Glauber Rocha.

Após lançar seu primeiro longa, *Barravento*, Glauber apresentou ao mundo a linguagem que marcaria sua obra. O filme foi premiado na Europa e seu irrequieto diretor preparava mais um "petardo" para breve: *Deus e o Diabo na Terra do Sol*. Caetano sabia muito bem quem era Glauber Rocha. Tinha escrito críticas cinematográficas para a revista Ângulos, produzida pelo pessoal da faculdade de direito, da qual o jovem diretor era dos mais prolíficos colaboradores. Encarregado de preparar a trilha para o curta *Moleques de Rua*, Caetano fatalmente teria contato com Glauber, produtor do filme. Para Caetano, só a chance de trabalhar com cinema já valia a pena. Melhor ainda se envolvesse aquele sonhador que virava mito na Bahia. Só faltava a chance de conhecê-lo ao vivo e em cores. E todos os caminhos pareciam levar até ele.

❦

No início dos anos 1960 o panorama sociocultural de Salvador fervia em ebulição latente, banhado em azeite de dendê. Boa parte do condimento vinha do empenho pessoal do reitor da UFBA, a Universidade Federal da Bahia. A despeito do que podiam dizer sobre não ser exatamente um exemplo de progressista, o magnífico reitor, Edgard Santos, tinha na disseminação de atividades culturais sua maior bandeira.

Reitor a partir de meados dos anos 1940, Edgard Santos ♪[20] fez da UFBA o epicentro da efervescência cultural que a Bahia vivia nos anos 1950 e 60. Ali se reuniam grandes cabeças pensantes. Contudo, sua obra não se resumia aos domínios da instituição. Expandia-se por toda a cidade. Dinheiro não faltava. Fomentado pelas fundações Ford e Rockfeller, qualquer bom profissional que pudesse contribuir, fosse de onde fosse, poderia ser pinçado. Foi assim com Walter Smetak, Koellreutter, Agostinho da Silva ♪[21], e tantos outros. Até quando não era por força e obra da Universidade, Salvador se beneficiava.

A italiana Lina Bo Bardi ♪[22], arquiteta e mulher do jornalista, *marchand* e crítico de arte Pietro Maria Bardi, vivia no Brasil desde 1946. Trazidos pela obstinação de Assis Chateaubriand, foram para São Paulo com a missão de tornar realidade o sonho de Chatô de criar um museu de ponta, nos moldes dos que se via em países de primeiro mundo. Nesse ínterim, convidada pelo governo baiano, Lina desembarcou em Salvador para levantar o Museu de Arte Moderna da Bahia. A princípio, a obra seria executada no *foyer* do Teatro Castro Alves. Todavia, imprevistos aconteceram. Em julho de 1958, depois de um incêndio que acabou com o prédio antes mesmo de sua inauguração, ela percebeu que teria de abrigar seu sonho em outras pradarias.

Em suas andanças, deparou-se com o local perfeito ao cruzar a avenida do Contorno. O Solar do Unhão estava em estado de petição, mas a italiana visionária sabia que tinha de ser ali. Nem era problema o fato de o lugar ter dono: o poder público. Juracy Magalhães, governador do estado e um dos grandes incentivadores do trabalho de Edgard Santos, tratou de desapropriar o conjunto arquitetônico lá existente. A italiana, com seu jeito disciplinado de ser, teria peito suficiente para capitanear o projeto, pensava Juracy. A única exigência seria que o gestor da obra fosse funcionário público.

Lina não era general à toa. Seu exército tinha Calasans Neto, Mario Cravo, Glauber Rocha, Roberto Santana, Mirabeau Sampaio, entre outros. Todos jovens e cheios de garra. Não desistiriam no primeiro empecilho. Quando Mario Cravo expôs o problema, o pintor e escultor Mirabeau Sampaio danou a rir. A turma olhava de cara feia quando tudo foi explicado. Além de artista, Mirabeau era médico da saúde pública. Portanto, funcionário público. Com tudo

---

[20] ♪ "Bahia, Minha Preta"
[21] ♪ "Bahia, Minha Preta"
[22] ♪ "Bahia, Minha Preta"

acertado, o passo seguinte foi botar a mão na massa. O entusiasmo contagiava e mesmo quem não fosse envolvido com arte colaborava só pelo prazer de ser útil. A dedicação intensa levou a cabo a realização de mais esse projeto.

Com apoio do governo da Bahia, de fundações internacionais e outras entidades, o polo concentrador que se configurou a partir da faculdade beneficiou toda a sociedade soteropolitana, espalhando ali conhecimento, arte e cultura. Para um jovem recém-entrado em sua maioridade, curioso por natureza, aquela atmosfera se mostrou perfeita. Caetano nem havia sido admitido na universidade e já frequentava os eventos por ela patrocinados. No salão nobre da reitoria, acompanhou concertos com obras de John Cage, tocadas pelo pianista David Tudor. Diante do olhar atento do Diretor da Escola de Música, o maestro Koellreutter, Tudor não se limitava ao tradicional banquinho. Além do piano, utilizava aparelhos esdrúxulos como acessórios. Com toda aquela inventividade, Caetano aprendeu muito e também deu boas gargalhadas. Em uma das peças, o pianista utilizava um rádio. O que poderia ter um clima formal não impediu as risadas do público e do próprio Koellreutter, no dia em que Tudor ligou o aparelho e se ouviu a voz impostada do locutor fazendo a velha chamada: "*Rádio Bahia, cidade do Salvador...*".

A palestra de Jean-Paul Sartre e Simone de Beauvoir foi outra experiência vivida naqueles anos. Caetano adorava Simone e acompanhava a verborragia dos embates entre Claude Lévi-Strauss e Sartre. Achou o máximo ver o casal bem de perto. Naquela época, poucos alunos tinham o privilégio de aprender com intelectuais do mundo inteiro que aportavam na cidade. E o melhor de tudo. A prata da casa também tinha seu valor e não ficava por baixo.

A Escola de Teatro movimentava a cidade. Dirigida por Eros Martim Gonçalves ♪[23], encenava nos palcos baianos clássicos da dramaturgia mundial, de Bertolt Brecht, Tennessee Williams, Paul Claudel, Tchekhov, entre outros. A exemplo de Edgard Santos, Eros importava profissionais. O trato com o futuro guru da contracultura, Luiz Carlos Maciel, para dar aulas por lá, foi muito bem cumprido pelo visitante. Fez sua parte e mais um pouco. Em breve, andaria pelas ladeiras da cidade como um autêntico baiano. A amizade com Glauber e João Ubaldo Ribeiro colaborava, e fazia com que suas aulas incendiassem ainda mais a Escola de Teatro. Quem passasse por ali, fosse como aluno, professor, público ou simples ouvinte, nunca mais seria o mesmo. Que o digam os alunos pioneiros.

Desde 1959, uma dissidência da primeira turma da "Escola de Teatro" formada por João Augusto Azevedo, Carlos Petrovich, Sonia Robatto, Tereza Sá, Carmen Bittencourt, Martha Overbeck, Echio Reis e Othon Bastos, se reunia sob a alcunha de "Sociedade Teatro dos Novos", ou "Teatro dos Novos",

---

[23] ♪ "Bahia, Minha Preta"

ou somente "Os Novos". O governador Juracy Magalhães, de novo ele, após ver que os jovens não tinham sede fixa para realizar seus espetáculos, cedeu-lhes um terreno do governo. No espaço destinado à obra, situado no Passeio Público, os artistas poderiam contar com um galpão e toda sobra de material de construção ali existente. Era o início do Teatro Vila Velha.

Fora da Bahia, em 1962, a arte brasileira também se movimentava. A Bossa Nova se firmava nos EUA depois de um show histórico no Carnegie Hall. O cinema ganhava a "Palma de Ouro" em Cannes, com *O Pagador de Promessas*, de Anselmo Duarte. Na mesma época, a televisão ganhava cada vez mais adeptos ao redor do Brasil. Passada a primeira década de existência, mais de 200 mil aparelhos preenchiam dias e noites de uma população que aprendeu rapidamente a ficar de olho na telinha. Silvio Santos incrementava seu Baú da Felicidade, Chacrinha balançava a pança e Chico Anysio fazia graça.

A política é que andava meio tonta. As coisas não iam nada bem desde a renúncia de Jânio Quadros, em agosto de 1961. Sem completar oito meses na presidência da República, não resistiu às "terríveis forças" que pediram sua cabeça. Nesse contexto, o vice João Goulart foi pego de surpresa. Sem respaldo das forças militares, só tomou posse depois de muita discussão. A condição exigida foi a de ser instaurado o Parlamentarismo para diluir a força do presidente. Mas esse movimento também não vingou. Meses depois, um plebiscito popular foi realizado e o Presidencialismo voltaria a ser o sistema de governo do país.

Nesse fogo cruzado vivia-se o início dos anos 1960 no Brasil. Ninguém que experimentasse aquela época poderia sair ileso.

Caetano gostava de aprender. Queria sempre mais. Como só pôde estudar até o ginásio em Santo Amaro, tinha vindo a Salvador fazer o clássico. Com essa etapa concluída, precisava seguir sua linha evolutiva e escolher o curso superior mais adequado. Filosofia, pelo seu caráter humanista, parecia uma boa escolha. Conhecia bem Hegel, Sartre, Heidegger, Nietzsche, Spinoza e os pré-socráticos. Gostava de ler sobre o assunto. Sabia que a UFBA tinha muita gente boa. Ainda por cima, o prédio ficava em Nazaré, pertinho de casa. Valia arriscar. Em 22 de janeiro de 1963, se inscreveu no vestibular de Filosofia.

Naquele tempo, para ser admitido no curso o estudante fazia provas de Português, História da Filosofia e escolhia uma língua entre Inglês ou Francês. Caetano passou tranquilo: ficou em 1º lugar no concurso. Em 13 de março, estava matriculado. Mas não sem antes apresentar o atestado de sanidade mental e física exigido pela instituição. Fora a magreza, a cuca estava boa e essa formalidade também foi cumprida sem maiores problemas. Como fez durante toda sua vivência de aluno, novamente estudaria numa instituição pública.

Tal qual nos anos de clássico, a turma de Filosofia também era pequena. Pouca gente procurava o curso. Aquele negócio de nomes extravagantes tinha sido uma onda do clássico. Na faculdade seria diferente, mas havia figuras entre os alunos. Os colegas ficavam conhecidos por nome e sobrenome, como deve ser para um intelectual que se preze. Álvaro Andrade, Pedro Sancho, Carlos Nelson Coutinho, Eglê Vieira, entre outros. Caetano Veloso fez amigos, mas a empolgação para assistir às aulas se mantinha baixa, envolvido que estava com atividades mais importantes para ele. No início até havia interesse, mas, em pouco tempo, a sensação de perda de tempo começou a aumentar. Não que o curso fosse ruim, mas não era também dos que mais empolgavam. Perto de outros cursos da UFBA, como Biologia ou Direito, Filosofia foi relegada a um plano secundário. O reitor Edgard Santos havia sido fabuloso para atividades artístico-culturais, contudo, sofria oposição ferrenha entre partidários dos campos de ciências. Não se conseguia agradar a todos.

Mesmo com toda dificuldade, sempre havia um professor que se destacava. João Mendonça era tranquilo, tranquilo até demais. Para ele, Psicologia era tudo. Ou melhor, tudo era psicologia. Tanto que suas provas pediam dissertações livres. Alguns escreviam sobre política, outros sobre meninos de rua, e até sobre esportes. Caetano escrevia sobre samba. Para não dizer que o assunto fugia da área, tratou de falar também sobre alma. Pronto. Em letras garrafais, "A Alma e o Samba" era título para ninguém botar defeito. Para o espanto dos colegas foi esse o tema de uma de suas avaliações.

Ética e Estética ficava com Rui Simões. Figura de bom humor, dava aulas como se estivesse num animado bate-papo de esquina. Falava dos filmes contemporâneos, da peça em cartaz no teatro mais próximo, de qualquer tema que fosse de interesse geral. Embora dissertasse sobre vários assuntos, Simões não superava o padre Francisco Pinheiro em número de matérias. Introdução à Filosofia, Filosofia, Lógica, Teoria do Conhecimento e mais algumas disciplinas ficavam nas mãos dele. Incansável, também dirigia o Departamento de Filosofia.

Embora cada um dos professores tivesse sua particularidade, os alunos nutriam especial admiração pelo professor Auto José de Castro. Sujeito avançado, ensinava História da Filosofia. Para não complicar a cabeça dos pupilos, misturando Marx com Kant, preferia dizer que era "neokantiano". Perspicaz, foi um dos poucos que deu a medida exata da barra pesada que viria logo à frente.

Mais interessado no que a vida acadêmica poderia fazer por ele fora de sala, Caetano aproveitou para se integrar a grupos de interesses comuns. Política era assunto recorrente entre os universitários, e boa parte deles se mostrava simpatizante da esquerda. O Partido Comunista tinha acabado de montar uma base para estudos no Departamento de Filosofia, e, assim como vários outros, Caetano foi convidado a comparecer às reuniões semanais. Ele foi, viu, gostou, mas não ficou estimulado. Poderia até se sentir atraído, claro, se não tivesse uma série de outras atividades que chamavam mais sua atenção.

O tipo de aglutinação que Caetano se interessava, quem praticava era o professor de sociologia Hélio Rocha. Figura incomum, havia sido integralista e andava de namoro com a esquerda, por mais que ambas facções tivessem suas diferenças. Hélio reunia em torno de si uma série de jovens, ministrando um curso de Introdução à Filosofia em sua própria casa. Ele não se limitava à retórica de suas aulas. Também editava a revista *Afirmação*, na qual punha toda aquela juventude para escrever. Caetano adorava cinema e gostava também de escrever. Hélio e todas aquelas publicações estavam ali dando sopa. Não faltava mais nada. Aproveitou a chance e passou a assinar artigos na revista.

Dono de um intelecto brilhante, Hélio possuía um volume considerável de livros. Sua imensa biblioteca saltava aos olhos dos visitantes. Todos se deliciavam com leituras a que não teriam acesso tão facilmente. Caetano aproveitava. Muitas vezes para se alcançar um exemplar no alto da estante, precisava se dependurar numa escada. Mas não havia perigo. Embora a escada fosse magrelinha, estava bem fixada. Não precisava de ninguém sustentando a base para que o outro subisse e apanhasse o que procurava. Capinan viu que Caetano se saía bem alguns degraus acima e voltou sua atenção para o livro que paginava.

José Carlos Capinan estudava direito na UFBA. Seduzido pela política, sempre dava ouvidos a seu colega João Ubaldo Ribeiro, e, quando havia eleição no Centro Acadêmico Ruy Barbosa, votava com a esquerda. Mas nem só de política vivia o rapaz. Assim como Torquato, Capinan era poeta. Tinha obras publicadas na *Afirmação*. Diferente do piauiense, escrevia na época uma poesia mais dura, politizada, engajada, menos lírica. O teatro também fazia sua cabeça. Pouco depois de entrar para o Direito, bandeou-se para os lados do Passeio Público e conheceu João Augusto e o pessoal do "Teatro dos Novos". Entrou para a Escola de Teatro e ficou ainda mais empolgado. Precisava achar um jeito de casar política com teatro. Achou no CPC.

Braço cultural da UNE, a União Nacional dos Estudantes, o CPC concentrava em suas fileiras jovens que quisessem fazer arte engajada. Capinan queria e estava lá para o que desse e viesse. Caetano, por sua vez, não queria saber muito de política. Flertava com a esquerda, ainda que sua posição de se manter à margem das discussões mais acaloradas fosse vista como fuga por alguns. Podia até participar das reuniões na casa de Hélio Rocha, mas preferia longos papos sobre cinema a discutir o próximo prefeito da cidade. De qualquer forma, o CPC seria o ponto onde arte e política inevitavelmente se tangenciariam.

❦

Na casa de Hélio Rocha, a turma se encontrava com frequência. Orlando Senna, Florisvaldo Mattos, Glauber Rocha, Geraldo Sarno, Fernando Peres, João Ubaldo Ribeiro, Paulo Gil Soares e muitos outros. Só que numa cidade de atividade cultural tão intensa, o circuito onde podiam se reunir ultrapassava os arredores da casa de Hélio. O buchicho se estendia da avenida Joana Angélica à praça Castro Alves, com passagem pela rua Chile ♪[24], o que até não é muito em termos de distância. O mais incrível era a proliferação de locais de interesse num espaço tão concentrado.

Naquele feudo de terra privilegiada não faltavam ambientes de boa conversa. A turma percorria os bares Anjo Azul, Biklour, Belvedere, entrava e saía da livraria Civilização Brasileira, esquentava as poltronas dos cinemas Glória, Capri e Guarany, andava pela Galeria Bazarte. E nos dias mais quentes, esticavam o circuito para sorver um delicioso *milk-shake* na tradicional sorveteria A Cubana, situada próxima à saída do Elevador Lacerda. Para os mais iniciados ainda tinha a loja de roupas O Adamastor ♪[25], não por acaso pai do agitado Glauber Rocha.

O filho de seu Adamastor era daquele tipo de pessoa irrequieta. A imagem de um vulcão não seria figura de linguagem. Nos bancos do Colégio Central da Bahia fizera história com outros colegas ao dar luz à Geração Mapa. Determinado em seus desejos, queria mais, queria fazer cinema a qualquer custo. Realizou seu primeiro curta, *Pátio*, a partir de sobras de outro filme. Queria namorar sua vizinha, alvo de intensos sonhos eróticos, e conseguiu. Persistente, fez ainda mais. Transformou Helena Ignez em atriz e subiu com ela ao altar.

Para bancar o sonho de fazer cinema de guerrilha, vivia seu papel de dublê de jornalista. De vez em quando, botava o pé na estrada e promovia suas ideias Brasil afora. Em Belo Horizonte, núcleo avançado de cineastas, não encontrou ressonância. No Rio de Janeiro, sobretudo com Nelson Pereira dos Santos, pôde enfim desenvolver seu conceito de Cinema Novo ♪[26]. Uma ideia na cabeça e uma câmera na mão. Às vezes nem precisava da ideia. Bas-

---

[24] ♪ "Clever Boy Samba"
[25] ♪ "Clever Boy Samba"
[26] ♪ "Cinema Novo"

tava a câmera e ele inventava. Em meados de 1963, Glauber estava em Salvador, num intervalo das filmagens de *Deus e o Diabo na Terra do Sol*. Foi quando Alvinho aproveitou o ensejo para matar a curiosidade de Caetano, que havia tempos queria conhecer a figura.

A varanda da casa de Maria Muniz, no Boulevard Suíço, era outro ponto obrigatório do circuito cultural soteropolitano. A turma toda se reunia por lá. Passavam horas e horas jogando conversa fora, dançando, cantando, falando de arte. Na vitrola sempre giravam os últimos lançamentos, comprados às custas do esforço coletivo, muitas vezes na base da "vaquinha". No fim da festa, altas horas da noite, tinha a tradicional sopa, que era para forrar o estômago.

Num desses encontros de varanda, Alvinho, sempre ele, levou Caetano. Glauber também foi e finalmente se conheceram. Antenado, Glauber conhecia os artigos de Caetano sobre cinema. Gostava principalmente de um em que ele contrapunha *Barravento* ao filme *A Grande Feira*, de seu amigo Roberto Pires. O papo fluiu e a amizade aconteceu naturalmente. Comparado a um oráculo nos anos do clássico, por discorrer sobre temas variados, Caetano encontrava em Glauber virtude semelhante. E logo as afinidades cresceriam. Em breve, Caetano frequentaria sua casa nos Barris e comeria na pensão de dona Lúcia, mãe de Glauber. Com tanto carinho, na casa de seu Adamastor e dona Lúcia, sentia-se na própria casa. Pena que Anecy não morasse mais lá.

Pena mesmo, porque sem ela por perto, e na impossibilidade de engatar um namoro firme, Caetano arrastaria sua asa para outras bandas, mais precisamente em sua cidade natal.

❦

Não tinha quem não conhecesse o "brega" de Santo Amaro. Ali não era exatamente um lugar de respeito, porém, assim é que se tornara conhecido: "Respeito". Quem se arriscava na zona do baixo meretrício da cidade não se gabava de dizer que frequentava o "Respeito", mas lá mesmo é que se ia. Antes só existia Felícia, a lavadeira carnuda que fazia a alegria da molecada. Depois da instalação da Petrobras no município de Candeias, o crescimento econômico da região trouxe progresso às cidades vizinhas. E foi nesse período que Santo Amaro ganhou seu ponto de prostituição oficial, por assim dizer.

Muito comentado, o local recebia gente de longe. Para chegar lá, os forasteiros se guiavam pela lâmpada vermelha na entrada da casa das moças. Mas nem quando a lâmpada queimava dava para se perder. Bastava o sujeito descobrir de onde vinha o repertório de canções "dor-de-corno" para saber onde o prazer reinava. No espaço apertado, quase todo mundo se conhecia, mas o bom mesmo era conhecer o que escondiam as "meninas damas". Dentro daquele ambiente qualquer um se sentia no harém de um Sultão. Para evitar abusos, as meninas tinham em Bodaça o cão de guarda que zelava por elas. Negro alto e forte, não deixava suas meninas caírem em furada. Mas com uma rapaziada que estava ali para namorar, não havia preocupação.

As estrelas daquele cabaré atendiam por pseudônimos extravagantes: Zezé Bandolim, Maria Tábua, e, a melhor de todas, Lambreta. Não se sabe se o apelido decorria do costume de montar na moto italiana, mas o fato é que faziam fila para "montar" na Lambreta. A morena clara *mignon*, de olhos verdes e corpo torneado, despertava o desejo. Em uma de suas visitas a Santo Amaro, Caetano também foi fisgado pelo seu charme instantâneo. Numa noite em que bebia cerveja com amigos, caiu em tentação e resolveu dar umas voltas com Lambreta. Era a primeira prostituta com quem transava e a primeira vez que fazia sexo em sua cidade natal.

Foi uma experiência marcante. Se o corpo cheio de curvas não serviu de inspiração poética, Lambreta ganharia seu lugar no futuro. A ela, Caetano dedicaria um de seus primeiros discos. O destino, contudo, não seria piedoso com Lambreta. Depois de largar o prostíbulo, casou-se e foi morar no Rio de Janeiro. A união, porém, não deu certo e ela retornou. A vida é mesmo um moinho. Sem dinheiro para se sustentar, voltou a se prostituir. Os anos se passaram, deixaram suas marcas e Lambreta nunca mais foi a mesma. Envelhecida, terminaria seus dias abandonada nas ruas, sem ter como pagar pela comida que recebia por caridade.

❦

O CPC era mesmo fora de série. Caetano e Bethânia já conheciam todo mundo de vista. Estavam doidos para travar mais contato com eles. Quem sabe, fazer algo em conjunto. Roberto Santana, em seu modo coletivista de ser, tocava os trabalhos por lá. Como a união é que faz a força, chamou seu primo de Irará, Antônio José, o Tom Zé, para se juntar ao grupo. Vieram também Capinan, Fernando Lona, Antônio Renato "Perna" Fróes, Djalma Corrêa, Alcyvando Luz, Piti, entre outros. Parecia gente à beça, mas Roberto queria mais.

Além da boa experiência no ramo, tinha bom faro. De tanto assistir ao programa *J&J Comandam o Espetáculo*, da TV Itapoan, um negro simpático cativou sua atenção. Queria ele como integrante da tropa. Por sorte, moravam no mesmo bairro e não foi difícil encontrá-lo. Convencê-lo também não. O rapaz estudava Administração na UFBA e gostava de política. Sabia tocar acordeão, labutava na música e de quebra criava *jingles* publicitários para o Estúdio JS, de Jorge Santos, um dos apresentadores do programa televisivo *J&J* ao lado de José Jorge Randam. Roberto gostou quando aquele músico conhecido por Beto resolveu tomar seu partido. Ele se mostrou um cara legal e ainda por cima bom de violão. Beto, que depois viria a ser conhecido como Gilberto Gil, iniciou uma grande amizade com Roberto Santana. Uma aquisição e tanto, é bem verdade, porém, ele ainda não estava satisfeito.

Para Roberto Santana, de quanto mais talentos pudesse se servir, melhor. Entretanto, ninguém entrava no grupo por acaso. Edy Star, excelente cantor, não conseguia cair nas graças dele, mesmo com toda sua qualidade. Roberto o achava espalhafatoso demais e resistia à sua participação no grupo. Vez por outra ouvia Edy cantar e sabia que procurava alguém que não fosse ele. Edy, mesmo preterido, não se fez de rogado e deu a dica: na Galeria Bazarte, no Polytheama, tinha um casal que tocava e cantava muito bem.

Caetano e Bethânia faziam das suas na noite de Salvador. Na Bazarte não poupavam talento. De propriedade de seu Castro, um português incentivador da arte, a galeria também era ponto de encontro da classe artística baiana. A perspectiva de conhecer esse tão falado casal excitava Roberto Santana. Nem o fato de depois saber que não eram exatamente marido e mulher, como pensava, mas, sim, irmãos, tirou o mérito deles. Eram os artistas de que precisava para completar seu grupo no CPC. Convencer a irmã é que seria tarefa difícil.

Bethânia tirou rápido o time de campo. Política não era com ela. Queria cantar, e atuar, antes de tudo. Caetano, por sua vez, apesar de também ter restrições à política, conhecia o trabalho deles e se interessou pelo convite. Existia proximidade com o pessoal do "Teatro dos Novos", já os conhecia de quando se apresentaram em Santo Amaro, no início do grupo. E os Novos tinham uma bagagem considerável. Muitas vezes Caetano pegou emprestado com eles livros de Federico García Lorca, discos de jazz, de canções francesas e até da Broadway. Seria legal estar perto deles, mesmo com todas as dificuldades enfrentadas na época.

Vida de artista na Bahia era difícil. Os mais "duros" se especializavam na arte de "pongar" e "paraquedar" do bonde. Para tomar uma média no café da manhã, só se fosse com pão "donzelo", sem manteiga, para não pesar no orçamento. As oportunidades, porém, compensavam a falta do dinheiro.

O barracão do CPC, na avenida Joana Angélica, atrás dos muros da escola de administração da UFBA, estava em plena atividade quando Roberto Santana chegou acompanhado de Caetano. O barracão não abrigava nenhuma escola de samba, mas ali não entrava quem não gostasse de um bom maxixe e um bom batuque. Afeito a todo tipo de arte, Caetano tinha passe livre, ainda que preferisse ficar à margem do viés político do grupo. Passado o primeiro impacto, percebeu que já conhecia boa parte da moçada, como Capinan e Tom Zé, este apresentado anteriormente por Orlando Senna. Faltava conhecer o Beto.

Integrante do grupo, Beto era o mesmo que aparecia na televisão e dona Canô dava o sinal: "*Caetano, venha ver o preto que você gosta.*" Pouco depois de iniciada sua carreira profissional passou a ser conhecido como Gilberto Gil. As melhores lojas do ramo já vendiam seu primeiro compacto, gravado em parceria com o conjunto vocal As Três Baianas, futuro Quarteto em Cy. De tanto aparecer no programa *J&J*, Gil era quase um velho conhecido. A chance para conhecê-lo pessoalmente não havia chegado, mas ela estava a caminho.

Dizem que na vida nada é por acaso. O fato é que a união, ou reunião, daquele grupo em torno de um mesmo ideal daria muito o que falar. Por um capricho do destino, Roberto Santana e Gilberto Gil andavam pela rua Chile quando avistaram Caetano, caminhando em sentido oposto. Naquele instante casual, sem forçar nada, finalmente se conheceram. Se para falar com Deus tem que ficar a sós, para conhecer aquele negro danado de bom foi preciso a ajuda de um "cabra" chamado Roberto Santana. Em 1963, foi ele o responsável por esse encontro.

A música, sem dúvida, embalou a união dos dois. Cantor e compositor, Gil também idolatrava João Gilberto. Não demorou e a conversa desaguou em uma série de citações musicais. Assuntos corriqueiros também não faltaram. O tempo passava e se via que a admiração mútua foi instantânea. Pressentiam que haviam acabado de encontrar uma espécie de alma gêmea de cada um. Mas nem precisavam ter pressa. No futuro teriam longos papos e haveria muita sopa na varanda de Maria Muniz para discutir suas ideias. Eles nem desconfiavam, mas todos aqueles encontros eram um verdadeiro ensaio geral para o estardalhaço que fariam em bem pouco tempo.

❧

Em agosto de 1963, o incansável Alvinho montou *Boca de Ouro*, de Nelson Rodrigues. Como não se tratava de um musical, dessa vez não encomendou trilha a Caetano. Mas também não o deixaria ficar solto por aí. Que tal uma ponta como ator? O baiano viveria o papel de um fotógrafo com singela participação. Numa das últimas cenas, quando alguém perguntava: "*O Boca morreu?*", Caetano proferia pausadamente: "*As-sas-si-na-do!*"

Se a participação de Caetano era pequena, a de Bethânia seria um dos trunfos da montagem. Considerada membro da equipe de Alvinho, nem a ausência de *A Exceção e a Regra* tirou seu desejo de subir ao palco. Em *Boca de Ouro*, Alvinho preparou uma participação de impacto para a abertura. Sem que o público pudesse saber de onde vinha o som, Bethânia começava a cantar "Na Cadência do Samba", de Ataulfo Alves e Paulo Gesta: "*Sei que vou morrer, não sei o dia... levarei saudades da Maria...*" Apenas a voz potente, à capela, na completa escuridão. A impossibilidade de ver o rosto da cantora e a forma crua como o samba era interpretado mexiam com a imaginação do público e preparavam o terreno para o resto da encenação. Quando os atores pisavam no palco do teatro Oceania, a plateia já tinha entrado no clima, hipnotizada pela interpretação da cantora misteriosa.

Cantar era mesmo com ela. E cercada de amigos, o prazer dobrava. Também faziam parte do elenco outras figuras bem conhecidas dos Velloso, como os amigos Fernando Barros e Emanoel Araújo. Nando fazia o papel de um jornalista e Manuba cuidava da cenografia. Fernando Lona, participante do grupo de teatro do CPC, vivia o bicheiro "Boca de Ouro". Não acabou aí. O *cast* de Alvinho ainda contava com a atriz Gessy Gesse, amiga de Bethânia e futura esposa de Vinicius de Moraes.

Não seria o último projeto de Caetano sob a direção de Alvinho. Algum tempo depois, o inquieto diretor ainda montaria *Os Fuzis da Senhora Carrar*, outro texto de Brecht. A trilha, claro, ficaria por conta de Caio. Dessa vez, Bethânia não participaria, mas depois do fantástico início em *Boca de Ouro*, estava lançada para a carreira musical. Mesmo que parecesse exagerado, ainda mais por ter sido sua estreia como cantora, acontecia um fenômeno parecido com o que tomou conta de João Gilberto. Já se dizia em boca miúda que ela era a maior cantora do Brasil. E tinha gente que achava até mais que isso.

A simpatia de Gil despertava sentimentos. Todo mundo queria tê-lo por perto. Na medida do possível, atendia aos amigos e costumava visitar a casa de um e outro. Entre tantos lugares, começou a frequentar o apartamento dos Velloso, na Prado Valadares. Passavam horas e horas em longas sessões de violão. Caetano aprendera muito vendo Gil tocar na televisão. Ao vivo, o desempenho dele ganhava outra dimensão. A insegurança com o instrumento diminuía pouco a pouco com a energia transmitida pelo novo amigo. Gil só não percebia que suas visitas mexiam com mais gente naquela casa. De tanto o rapaz bater ponto com seu violão, Bethânia começou a sonhar.

A contínua presença daquele cara bom de violão deveria ter outras razões. Pelo menos era assim que Bethânia acreditava. Aos 17 anos, ainda era uma adolescente. Como é inerente à idade, poderia acontecer de se apaixonar por alguém que no máximo tivesse lhe dado um "oi" na rua. Nesse clima, chegou a imaginar que Gil visitava o apartamento só por causa dela. E quando o moço dedilhava o instrumento, sentia como se fosse uma espécie de serenata mal dissimulada.

Gil também era bonito. Seu rosto afável, sempre recheado de um sorriso largo, inspirava generosidade e revelava um ar acolhedor. O magnetismo de sua pessoa cativava, e mais e mais Bethânia se enternecia. Largava seu artesanato de lado para cantar com ele. Daí veio a vontade de tocar violão e pacientemente Gil a ensinava. Se a colocava para aprender a vibrar as cordas, o simples ato de pegar em sua mão bastava para que seu coração vibrasse mais intensamente.

E havia mesmo toda uma carga de paixão no ar. Caetano incentivava, e o sentimento que unia Gil à Bethânia aumentava. Mas Gil já tinha Belina, eram noivos. Ele vinha de uma família religiosa, estudou muitos anos em colégios católicos. Todas as questões em termos de sexualidade criaram nele uma casca difícil de quebrar. Sentia uma grande admiração por Bethânia e talvez algo a mais pudesse ter se consumado. Porém, não aconteceu. Entre o carnal e o platônico, seguiram o caminho do meio. Um namoro astral e um tanto quanto esotérico.

❧

Quando bateu uma saudade mais forte de Santo Amaro, não foi um bicho de estimação ou mesmo o afago da família que aplacou a dor de Caetano. As mágoas foram apagadas pelas cordas do violão, já que o piano não pôde ser trazido para Salvador. Ainda sem uma namorada fixa para dividir as atenções, ele se virava como podia. Mas tudo bem. Ele não tinha com o que se preocupar. João Gilberto existia e nada mais seria como antigamente. Mundo afora também.

Lançado seu compacto em outubro de 1962 pela Parlophone, braço da EMI, os Beatles saíram da caverna. A grife Lennon & McCartney começava a fazer história. Ouvir o som dos cabeludos de Liverpool virou febre mundial. Apesar de simples, os acordes arrebatavam de imediato. Se Lennon dizia que não existia nada antes de Elvis, muita coisa não existiria depois não fossem os Beatles. Caetano curtiu, mas não como curtia Chet Baker, Ray Charles, Thelonious Monk, Miles Davis. Em outra esfera estava João Gilberto. No Brasil, as músicas dele se tornaram fator de agregação. Sem saber ainda, Caetano estava prestes a conhecer outro fã de João Gilberto, ou melhor, uma fã do mestre João.

De tanto participar das atividades culturais de Salvador, Caetano conhecia todo mundo que batalhava nesse *front*, ou quase. Uma de suas amigas da Escola de Dança, Laís Salgado, comentou com entusiasmo sobre uma menina que cantava lindo. Caetano ficou curioso, afinal, música era seu idioma. Laís insistiu e disse que ele precisava ouvir essa menina, melhor amiga de uma aluna sua, Idelzuith Gadelha, a Dedé. Laís aproveitou um dia de domingo e levou Caetano ao Diretório da Escola de Dança da UFBA, no bairro do Canela. Lá conheceu Dedé e gostou muito dela. A empatia foi imediata, mas o objetivo da visita era outro. Ele queria conhecer a amiga cantora. Não havia problemas. Eram vizinhas e o encontro foi marcado na Galeria Bazarte.

Àquela altura, Caetano já tinha seu eleitorado. Aparecia na TV Itapoan, no programa *Música e Poesia*, de Carlos Coqueijo Costa. Para Gracinha, a menina que cantava lindo, saber que o encontro era com ele aumentava sua ansiedade. A timidez natural da primeira vez foi multiplicada por muito. Que bom que tinha o violão para quebrar o gelo. No dia da apresentação, Gracinha mostrou que não era muito de conversa. Queria soltar a voz. Pegou o instrumento e cantou "Vagamente", de Ronaldo Bôscoli e Roberto Menescal, então sucesso na voz de Wanda Sá.

Caetano logo percebeu que estava diante de uma grande cantora. No íntimo já sabia a resposta, mas disparou a pergunta que lhe era capital: *"Para você quem é o melhor cantor do Brasil?"* E a resposta veio naturalmente: *"João Gilberto"*, claro. Quem mais senão ele? Maria da Graça, a Gracinha, ou Gau como chamavam os mais próximos, era outra devota do mestre. Muito antes de o baiano surgir, porém, Gau já gostava de música. E bem antes mesmo, porque sua mãe tinha o hábito de ouvir música clássica com ela ainda na barriga. Pelo visto o bebê ouviu tudo direitinho. Tempos depois, nem havia aprendido a andar e a menina já sonhava ser cantora.

Diante do novo amigo, Gau até podia ficar tímida ao falar. Para quem estava a seu redor, no entanto, bastava-lhe entoar a voz. Dedé se encarregava de quebrar o gelo com seu jeito alegre e veloz de conversar. Seu talento, porém, estava nos pés. Depois de estudar em colégio de freiras e no Colégio Central da Bahia, encontrou na arte de Isadora Duncan sua maior vocação. Entrou para a Escola de Dança e tornou-se aluna de Dulce e Laís Salgado. O contato com Gau vinha antes de tudo isso. Eram amigas desde a infância, quando foram vizinhas pela primeira vez. Com essa convivência tão antiga, não seria por causa de qualquer cabeludo que as duas começariam a competir. Ou seria?

De cara, tanto Dedé quanto Gau ficaram impressionadas pelo jovem compositor. Até demais. Tanto que começaram a desenvolver uma paixão recolhida. O coração de Caetano tinha balançado também, mas para a tristeza das duas pretendentes, as férias de fim de ano atrapalhariam um possível reencontro casual. O problema seria como fazer para encontrá-lo novamente. A resposta soprada no vento teria de esperar até o fim do próximo verão.

❦

Onde você estava naquele 22 de novembro de 1963, quando Kennedy foi assassinado? Tanta gente ouviu essa pergunta. Naquela fatídica sexta-feira, Caetano se perguntava o que fazia no curso de Filosofia. De uma forma ou de outra, sabia que aquele não era o caminho, mas sofria pressão para concluí-lo. O primeiro dever de casa tinha feito. Estava aprovado em todas as cadeiras. O ano terminava e sempre havia a perspectiva de um verão para pensar melhor. Afinal, o que o destino ainda lhe reservava? Essa e outras dúvidas passavam por sua cabeça, mas uma pergunta em especial não queria calar: onde estaria seu amor?

7

NÓS, POR EXEMPLO...

Domingo é dia de praia, dia de ir à missa, dia de futebol. Cada um com sua mania. Dedé também tinha a dela. Não era mais estranha do que qualquer outra. Ela se divertia andando de carro com o pai, ainda que fosse pelos mesmos lugares. Os passeios dominicais nas ruas de Salvador tornaram-se frequentes no início de 1964. Seu Liber fazia a vontade da moçoila, mas desconfiava que havia algo mais naquilo tudo. Todo domingo o mesmo trajeto. E ela prestava atenção em cada canto. Na verdade, procurava por alguém especial no frenético sobe e desce das ladeiras da capital baiana. Para sua tristeza, porém, não encontrava. Por onde andava aquele rapazinho franzino, tímido e fã de João Gilberto?

Com o início das férias de verão, Caetano se afastou da universidade e, como bom filho de Deus, foi curtir sua praia. Do ponto de vista acadêmico, o ano de 1963 não tinha sido dos melhores. A faculdade, os professores, o método, quase tudo o decepcionou. Por outro lado, o aspecto artístico e cultural foi deveras gratificante. Longe da sala a farra não teve limites. Fez teatro, flertou com o cinema, publicou matérias em jornais e ainda se apresentou em barzinhos pela cidade. Fora isso, conheceu muita gente boa, talentosa e companheira, daquelas de se guardar para o resto da vida.

Outra boa notícia veio do campo profissional. Os raros pelos da barba podiam enganar os menos atentos, mas Caetano já havia completado 21 anos. Como qualquer jovem, também tinha seus gastos. Não dava para ficar só na aba de seu Zezinho. Para assistir a um filme, pedia dinheiro; para ir a um teatro, pedia dinheiro; para comprar um livro, também. O pai dava de bom grado, todavia, um emprego não faria mal e ainda amenizaria a sensação de dependência. Rapaz de sorte, nem precisou se debruçar nos classificados do jornal *A Tarde* para apanhar uma vaga. Um primo bem relacionado abriu essa porta para ele.

Frederico de Souza Castro conhecia o pessoal de uma agência de publicidade no bairro do Canela, perto do diretório da Escola de Dança da UFBA, onde Caetano conhecera Dedé. O talento para desenho contou no currículo, e Frederico arrumou-lhe uma vaga de estagiário. Era o primeiro emprego de Caetano Veloso. Estranhou nos primeiros dias, não estava acostumado ao batente, mas depois entrou nos eixos. Embora não se animasse muito, dava boas gargalhadas com as histórias contadas pelos colegas durante o expediente, quase sempre sobre duvidosas façanhas sexuais. E mesmo se levassem bronca de seu Guilherme, o chefe, não perdiam o bom humor. Sabiam que no fim do mês todos receberiam seu merecido prêmio: o salário.

A partir daí, sim, Caetano pôde curtir o final das férias com "din-din" no bolso. E o que é melhor, seu próprio dinheiro. Pelo menos enquanto estivesse empregado, não precisaria da ajuda dos pais para frequentar a Livraria Civilização Brasileira ou ver filmes no Cine Guarany. Naquele início de ano, essa era a parte boa. A ruim continuava por conta dos estudos. Seria chato encarar mais um ano de filosofia. Até quando aguentaria?

Um pesado golpe daria a resposta definitiva.

❦

No fim das férias costumava-se fazer uma aula inaugural com as turmas reunidas no salão nobre da reitoria da UFBA. Caetano estava lá para conferir. Chegou atrasado, mas também não faria diferença chegar na hora. Naquele dia não haveria aula. A confusão estava armada e um tumulto tomava conta do local. No burburinho de alunos e professores falando ao mesmo tempo, uma voz se destacava na multidão. O líder estudantil Betinho, que mais tarde seria conhecido como Caó, incitava a massa juvenil a embargar a aula daquela noite. Tudo porque o professor escalado foi Clemente Mariani, um banqueiro milionário de Salvador, amigo de Carlos Lacerda, então governador do estado da Guanabara. Lacerda era um reacionário radical e, naturalmente, odiado pela classe estudantil, a maioria simpatizante da esquerda. Já se sabia de suas intenções para cima de João Goulart. Havia algo de podre no ar do Brasil. Mas nem tudo cheirava mal naquela tarde. Muito pelo contrário. Nas grandes crises surgem também as boas oportunidades.

No meio daquela gente toda, outra voz se destacava. Não só por emitir palavras de ordem, mas também porque a bela mocinha que gritava sem parar saltava aos olhos. Aquela voz pertencia a Dedé, a jovem dançarina apresentada por Laís Salgado, meses antes. A forma como ela participava do movimento impressionava muito mais que a manifestação em si. Não fazia o estilo boazuda, daquelas mulheres exuberantes da rua Chile, chamadas de V8, em alusão ao potente motor de carro, contudo, tinha lá seu charme. Tanto que Caetano começou a sentir um tipo de atração que já conhecia muito bem.

Da reitoria, os alunos partiram em passeata até a Praça Municipal, pois queriam o apoio do prefeito Virgildásio Senna. Aquele não era o momento adequado a uma cantada, mas bem que veio a calhar. O reencontro inesperado parecia colocar mais lenha na fogueira. Sim, porque Dedé estava a fim do rapazola havia tempos. Seu Liber que o diga. Sofria de tanto passar com o carro no mesmo lugar enquanto a filha procurava por Caetano. Dedé só não ficou o tempo todo vivendo de esperança. Cansada de tanta procura, tinha engatado namorico com um carioca. Nada sério, apenas uma pequena barreira sem força suficiente para segurar a paixão que novamente aflorava.

Combinaram, então, de se encontrar num local que passaria a ser muito íntimo dos dois: o pátio do edifício Mossoró. Para Caetano, a oportunidade seria duplamente feliz, pois além de ver a paquera, também estaria na companhia de Gracinha, a Gau, a moça de voz privilegiada. O gosto pela música unia os dois. O problema é que quando combinou a visita com Dedé, Caetano demonstrou interesse em rever a amiga. Foi o suficiente para saltar uma pulga do tamanho de um bonde atrás da orelha da moça.

Dedé morava na rua Rio de São Pedro, no bairro da Graça, no edifício Mossoró. Gau morava na casa em frente. Pelos dias que se seguiram ao fortuito encontro na reitoria, Caetano passou a visitar o pátio. E sempre que chegava encontrava as duas meninas sorridentes. Em pouco tempo, começou a funcionar ali uma filial da varanda de Maria Muniz. Conversavam muito, cantavam, e, quando tinha festa, também dançavam. O estranho é que ele só se animava a dançar com Gau. A timidez o impedia de convidar Dedé. Confusa, a jovem não entendia o coração vagabundo de Caetano. Afinal, qual das duas ele desejava? Será que desejava ser um homem para duas? A dúvida só fez despertar mais o interesse de Dedé. O dela só, não. Gau também estava para lá de interessada no rapazola.

Embora fossem amigas, cobiçavam o mesmo amor. E sem que o objeto da disputa desconfiasse, já existia uma saudável competição entre elas. Não chegavam a se rasgar como fizeram as garotas na chegada dos Beatles aos EUA naquele mesmo ano, no bojo do sucesso "I Want to Hold Your Hand". Mas ele estava bem cotado. E para não sair briga, selaram um pacto. Quem beijasse Caetano primeiro levaria o troféu para a casa e a outra chisparia. Amigas, amigas, negócios à parte. Acordo firmado, elas sabiam que em breve uma das duas iria dançar.

A definição aconteceu na noite de 1º de abril de 1964. Noite longa, por sinal. O namoradinho passatempo de Dedé havia ficado na saudade algumas semanas antes. O caminho, portanto, estava livre. Como de costume, as duas ficaram no pátio do edifício a esperar por ele. Só que dessa vez Dedé estava decidida. Quando a noite avançou e o cansaço bateu, Gau cantou em retirada. Caetano também ensaiou que tinha de voltar para casa, mas Dedé o convenceu a ficar. Foi quando aproveitou para dar o bote e o primeiro beijo aconteceu. Naquele momento não desconfiavam. Nascia ali uma bonita história de amor que ainda teria muito o que contar.

Sem esperar o nascer do outro dia, Dedé bateu na janela de Gau para dar a notícia. Ela que ciscasse em outro poleiro, porque aquele galo já tinha dona. Apesar do tom de brincadeira, não tinha nada a ver com mentira de 1º de abril. Gau não ficou chateada, apenas confirmou o que no fundo já sabia. E prometeu cumprir o pacto. Essa parte Caetano não viu. Àquela altura, descia a rua feliz da vida, livre, leve e solto. Só tinha de se preocupar com o toque de recolher instaurado desde o dia anterior. Isso, sim, parecia história da Carochinha, mas não era.

Em 31 de março, tanques partiram de Minas Gerais para o estado da Guanabara. Era o início de um golpe de estado. Informado sobre tal movimentação, o presidente João Goulart, o Jango, ainda tentou reagir. No entanto, quando soube que tropas de São Paulo também viraram a casaca, se exilou no Uruguai. A manifestação na reitoria da UFBA e outros eventos promovidos pela sociedade civil prenunciavam que o tempo iria fechar. O país mergulhava em trevas e ainda não sabia.

No dia seguinte, Jango estava deposto e a cadeira de presidente, vaga. Começava mais uma das muitas ditaduras do Brasil. Não demorou e as ruas ficaram tomadas de tropas. Em Salvador, a cena se repetia. Tanques faziam parte da paisagem. Caetano se deparava com eles a todo instante em suas visitas a Dedé. Por onde andava, parecia ter um cano de canhão a seguir seus passos. Era a liberdade vigiada. Só que a vida tinha que continuar. Além do mais, a barra só começaria a pesar mesmo alguns anos à frente. Naquele momento, nem tudo que pesava era de chumbo.

❧

Em janeiro de 1962, quando o governador Juracy Magalhães cedeu um terreno no Passeio Público para a construção do Teatro Vila Velha, não imaginava que a obra demoraria tanto. Achava que só a cessão do terreno e mais um galpão cheio de sobras de construção seriam suficientes para levantar o teatro. Em outubro daquele ano, porém, o grupo "Teatro dos Novos" enfrentava a primeira de uma série de paralisações por falta de verbas. Diante do problema, a turma precisou se unir. Liderados pelo professor e diretor de teatro João Augusto Azevedo, atores e diretores da Escola de Teatro da Universidade Federal da Bahia tiveram que botar a mão na massa e a cuca para funcionar.

Para arrecadar fundos, os "Novos" realizaram espetáculos pelo interior, promoveram bingos, fizeram vaquinhas e tudo que pudesse gerar algum dinheiro. E nem só de eventos viviam eles. Na falta de condições para contratar profissionais calejados, muita gente pegou no pesado. Até mesmo quem não sabia por onde começar. Roberto Santana e Othon Bastos, sem entender bulhufas de eletricidade, prepararam a parte elétrica do espaço. Tudo bem que levassem um ou outro choque. A paixão pela arte superava tudo. Ou quase tudo.

Com a iluminação entregue, o trabalho no piso começou. Organizaram um mutirão, arregaçaram as mangas e meteram as caras. Marinheiros de primeira viagem, esqueceram que o betume fresco utilizado como base é altamente tóxico. Em pouco tempo foi um Deus nos acuda. Já corria o verão, e o sol de rachar, daqueles de fritar ovo no asfalto, intensificou o efeito. O cheiro insuportável logo fez suas primeiras vítimas. Alguns foram parar no hospital vendo as luzes da ribalta antes do tempo.

O show, porém, tinha de continuar, mesmo que ainda restassem uns poucos problemas. Ou quinhentos e tantos problemas. Com quase tudo pronto para a estreia, ainda faltavam os assentos para o público. Corre daqui, corre de lá, mas foi Rodrigo Velloso quem tirou o coelho da cartola. Membro atuante do grupo, também precisava dar sua parcela de sacrifício pessoal. Um dos cinemas de Santo Amaro fora desativado pouco tempo antes. Todo o material estava minguando às moscas. Alguém precisava ir até lá e descolar o máximo de cadeiras possível. Foi o que ele fez.

Exatos dois anos e meio depois de tudo começar, a obra finalmente chegava ao fim. Em 31 de julho de 1964 o teatro foi inaugurado com uma exposição retrospectiva dos trabalhos realizados pelo "Teatro dos Novos". O mês de agosto foi reservado para espetáculos comemorativos da inauguração. O problema é que não daria para realizar todos. O pouco dinheiro que eles tinham virou poeira com a obra. A ideia inicial de montar a peça *Eles Não Usam Black-Tie*, de Gianfrancesco Guarnieri, precisou ser adiada. Foi quando João Augusto lembrou-se do grupo de jovens talentosos que se reunia na varanda de Maria Muniz. Se outras tantas atividades estavam previstas, por que não dar a eles uma chance de fazer um show? E era uma turma e tanto: Gilberto Gil, Fernando Lona, Caetano Veloso, Alcyvando Luz, Maria Bethânia, Antônio Renato "Perna" Fróes, Maria da Graça, Tom Zé, Djalma Corrêa. João Augusto os conhecia bem e queria pagar para ver.

Integrante do mesmo time, Roberto Santana ficou encarregado de fazer a ponte e convencer a moçada. Nem teve muito trabalho. Todo mundo estava afiado e doido para se apresentar. Aceitaram, sim, mas como não havia muito tempo até a estreia, o show foi concebido em poucas semanas. O repertório escolhido visitava clássicos de Noel Rosa, Batatinha e Dorival Caymmi; bebia da Bossa Nova de Carlinhos Lyra, Ronaldo Bôscoli, Tom Jobim e Vinicius de Moraes; e desfilava canções próprias, como "Sol Negro" e "De Manhã", de Caetano Veloso, e "Maria", de Gilberto Gil. Estava quase tudo pronto. Faltava o nome. A dúvida pairava sobre a cabeça deles quando alguém mais chegado a divagações começou a filosofar. Lembrou que todos ali eram muito jovens e faziam parte de mais um dentre tantos outros grupos estimulados a se dedicar à música desde o surgimento da Bossa Nova. Eram mais um exemplo. Sem saber se haviam entendido direito, concordaram com a sugestão de Caetano. O espetáculo se chamaria: *Nós, por Exemplo...*

O ditado popular diz que há males que vêm para o bem. Foi exatamente isso que aconteceu com Caetano naquela época. Despedido da agência de publicidade por contenção de despesas, ia ter mais tempo para se aprimorar naquilo que se tornaria seu ganha-pão de fato. Para que tudo ficasse bem ajustado, os artistas do show precisariam se entregar em tempo integral. Se o convite fosse feito antes, Caetano não teria essa sopa. Surgiu no momento certo. Estava desempregado e podia aproveitar as preciosas horas que antes gastava trabalhando na agência.

Apesar dos poucos dias antes da estreia, Caetano ainda encontrava tempo para namorar. Namoro, sim, porque da aventura dos primeiros encontros, o relacionamento com Dedé ganhou contornos de caso sério. A mãe de Nando Barros tinha uma casa de praia em Itapuã e era amiga da mãe de Dedé. Assim, dona Vangri e seu Liber permitiam que a filha passasse fins de semana por lá. O que eles não sabiam é que Caetano ia junto. E nem podiam saber mesmo. Não queriam a filha, ainda muito jovem, passando noites fora com namorado. Além do mais, o pretendente não trabalhava e muito mal frequentava a faculdade. Não obstante, o sentimento se mostrava maior que qualquer dificuldade aparente. O namoro iria firmar e se tornar cada vez mais íntimo.

Jovens da década de 1960 eram bombardeados por correntes filosóficas, culturas diversas, ideias e modismos que surgiam a cada minuto. A Nouvelle Vague francesa, a filosofia *beat* de Jack Kerouac, o existencialismo de Sartre, a contracultura, o *flower power* e todo o ideário *hippie* que começava a despontar. Essa geleia geral fervilhava na cabecinha de Dedé e de dez em cada dez jovens da época. Tanto que um dia ela veio com a pergunta bombástica.

Caetano seria a favor do amor livre? Causou estranheza a pergunta assim de supetão. Nada, porém, que o tirasse do sério. Idealista do amor, antes de tudo, perseguidor dos existencialistas, a resposta estava na ponta da língua. E já que estavam ali, por que não começar a praticar também?

As belas praias desertas de Itapuã ♪[27] em noites de lua cheia eram um convite ao amor e à inspiração. O lugar era ermo o suficiente para não serem incomodados. Quase não se ouvia o som dos automóveis. Apenas a brisa suave balançava os coqueiros e espalhava os grãos de areia fina pela praia. E se precisassem de mais inspiração, não muito longe dali ficava a lagoa do Abaeté, com águas misteriosas e dunas de areias alvíssimas. Com um cenário paradisíaco desses não deu mesmo para segurar muito tempo. A lua brilhava intensa e, vigiados apenas pelas casinhas distantes, em 14 de agosto, o casal transou pela primeira vez.

Embora rodeados por toda a tranquilidade do mundo, não podiam abusar muito. Precisavam voltar logo. Os pais de Dedé poderiam desconfiar e cortar o passeio. Além disso, o pano do Vila Velha estava pronto para subir.

❧

Na noite de 22 de agosto de 1964, todos os lugares do Teatro Vila Velha estavam tomados. Abertura em alto estilo. Desconhecidos do grande público, o milagre da casa cheia ficava por conta de inúmeros colegas de faculdade, paqueras, amigos, tios, primos, cunhados e parentes de todo tipo que compareceram ao evento. Ninguém iria se arrepender.

Sem dinheiro para contratar outros profissionais, cada um da equipe acumulava várias funções. Estava longe de ser uma grande produção. Tudo acontecia na base do quebra-galho. Para o cenário, improvisaram algumas "pernas-de-três" como se fossem postes de iluminação e só. Ao todo, nove refletores seriam comandados por Roberto Santana, iluminador, produtor do show e responsável pela direção artística, ao lado de Caetano Veloso e Gilberto Gil.

Apesar das dificuldades, o show se mostrou uma agradável surpresa. Gil e Caetano, com voz e violão, Bethânia e Gau, com interpretações particulares de clássicos do cancioneiro popular, e Fernando Lona fazendo de tudo um pouco, se revezavam no palco. A cozinha era comandada por Perna Fróes ao piano, Djalma Corrêa na bateria e Alcyvando Luz no violão, contrabaixo e trompete. Tudo funcionava redondo. O difícil era conter a alegria de Lona quando ouvia um daqueles clássicos na voz dos companheiros. Com sua veia natural de ator, esquecia o roteiro e se agarrava a um dos postes de ilumi-

---

[27] ♪ "Itapuã"

nação para cantar junto. Roberto Santana se desesperava. Tudo bem. Pelo menos amenizava o nervosismo do grupo.

Antes de entrar para o seu primeiro número, Gau tremia de nervoso na coxia do teatro. Para piorar a situação, Gil entrou fora do tom quando começou a dedilhar "Se É Tarde Me Perdoa", de Carlos Lyra e Ronaldo Bôscoli. Não foi bem assim que haviam ensaiado. Então o jeito seria cantar em tom mais alto que o de costume. Gau matou essa no peito, mostrou a que veio e foi até o fim sem desafinar. O público explodiu em aplausos.

O ápice ficou por conta de um dueto com Bethânia e Gau, na canção "Sol Negro", de Caetano. A música tinha sido feita exatamente com o objetivo de contrapor dois estilos diferentes. O contraste da agressividade de Bethânia com a delicadeza de Gau criava o efeito almejado. Ao fim da apresentação não teve bitoca, mas bem que merecia para coroar a ovação do público às futuras grandes estrelas.

No dia seguinte, entre um acarajé e outro, só se falava do show. A imprensa local não deixou passar em branco. Saudou o espetáculo com entusiasmo. A estreia não poderia ter sido melhor. Quem não viu ficou na vontade. Quer dizer, nem todo mundo. Os discípulos do *rock and roll* que havia em Salvador, sobretudo na região do Cine Roma, pouco se lixavam para o que acontecia de bom que não fosse cantado em inglês. Raul Seixas♪[28] no comando de sua banda, "Os Panteras", rebatizada mais tarde "Raulzito e os Panteras", era um dos principais opositores ao estilo do pessoal do Vila Velha. Raul não viu da primeira vez e muito menos queria ter outra chance para vê-los. De qualquer forma, os roqueiros da cidade representavam uma das poucas exceções naquele momento e teriam que aceitar o sucesso do pessoal do Vila Velha.

Sim, porque de tanto alvoroço que se fez, não tiveram como recusar o bis. Como a voz do povo é a voz de Deus, dias depois, em 7 de setembro, o grupo repetia a dose com *Nós, por Exemplo...* nº 2. Na segunda edição houve uma substituição de peso. No lugar de Fernando Lona, entrou Tom Zé. O sucesso seria o mesmo. A projeção alcançada em grupo abria espaço para que em breve cada um se lançasse individualmente. Seria esse o caminho natural. Só que nem todo mundo se convencia de que levava jeito para o negócio.

Nas duas edições de *Nós, por Exemplo...* Caetano cantou e tocou violão. Mesmo assim ainda não tinha planos de se profissionalizar como músico ou cantor. Continuava com muitas dúvidas sobre seu futuro. Sobrou para a faculdade. Com o início da ditadura, a barra também ficou pesada por lá. Aulas suspensas, professores sumidos e alunos presos. Os mais otimistas previam pelo menos dez anos de regime militar. Alguns colegas ligados ao CPC, como Carlos Nelson Coutinho e Capinan, prevenidos, correram da

---

[28] ♪ "Rock'n'Raul"

repressão e foram parar no Rio de Janeiro. Dessa forma não dava mais para continuar. O curso já não agradava havia tempo. O contato com o pessoal do Vila Velha pesou na decisão e Caetano resolveu abandonar a Faculdade de Filosofia.

Enquanto a barra não pesava de vez, o bom mesmo naquele momento era seguir o exemplo da irmã: tomar banho de mar no farol da Barra fazia um bem danado.

Bethânia não se desgrudava da moeda de prata que Minha Daia deu a ela de presente. Tinha um ciúme mortal da moedinha. Ninguém podia mexer. Uma espécie de amuleto da sorte, a moedinha "número um" do Tio Patinhas. O problema é que a moeda era grande e não dava para carregar o tempo todo. Podia perder. E ai se perdesse. Isso nem passava por sua cabeça, sempre ocupada com muitos sonhos. Almejava ser atriz e bradava isso para quem quisesse ouvir. Viajaria para a Europa, ganharia muito dinheiro, e fãs de toda parte lhe pediriam autógrafo. Sonho bom esse. Queria também poder levar sua moedinha para onde quer que fosse. Não sabia como, mas queria.

A ideia veio durante a noite. Ainda preocupada com seu amuleto, sonhou com um belo anel, enorme, para usar no dedo médio. Pronto. Em forma de anel, a moeda poderia ficar junto dela o tempo inteiro. No dia seguinte, desenhou o modelo num pedaço de papel, catou suas economias e foi procurar seu Vital, o talentoso ourives, pai de Emanoel Araújo. Na oficina, explicou tudo. Precisava derreter a moeda e confeccionar um anel igualzinho àquele. E mais. Nem uma lasca poderia ser perdida. Muito paciente, seu Vital tranquilizou a jovem e prometeu caprichar. Ainda assim, Bethânia não arredou o pé da oficina enquanto o trabalho não terminou. Valeu a pena. O anel ficou lindo.

Toda prosa, passou a desfilar com a enorme joia no dedo. Na casa da irmã Clara Maria a vaidade brotava com mais força. Parecia mesmo uma atriz de sucesso. Em tom de brincadeira, Clara perguntou se ela gostaria de consultar os búzios para saber o futuro que aguardava por ela, se de fato realizaria o sonho de ser atriz. Deus me livre! Nem pensar, dizia ela. Embora respeitasse essas crenças, Bethânia não queria saber das coisas antes do seu devido tempo. Perdia a graça, pensava.

O babalorixá que morava perto de Clara não estava nem aí para as crenças de Bethânia. No centro do sincretismo nacional, ele e mais uma centena de cartomantes, videntes, místicos e espiritualistas de toda espécie, davam consultas por toda Salvador. Era difícil encontrar um baiano que não conhecesse um. Quem nunca tivesse ido até um terreiro, que atirasse a primeira pedra. Gau, Dedé e sua irmã Sandra Gadelha, que já haviam passado por um e outro, logo souberam da fama desse outro pai de santo. Resolveram conferir. Combinaram de ir com Clara e Minha Daia. De tanto insistir, Bethânia também iria, mas somente na condição de ficar do lado de fora, apenas espiando.

A consulta seria num quartinho bem humilde. Nem porta existia. Somente um pano, esticado à guisa de cortina, mantinha alguma privacidade. Também não havia janelas. Tudo muito simples. Uma pequena mesa, retratos, algumas imagens de santos. No meio de tudo, diante das conchinhas consagradas a Ifá, orixá das adivinhações, ficava o sacerdote. Um homem negro, forte e bem alto. Não tinha santo que fizesse Bethânia entrar. Muito menos fornecer uma fotografia, como sugeriram as meninas. Desconfiada, preferiu olhar da porta, enquanto as outras entravam.

A última a entrar para a consulta foi Dedé. Os búzios foram jogados, ela perguntou o que tinha que perguntar e ficou satisfeita. Mas antes que saísse, uma entidade soprou algo no ouvido do médium. Ele então perguntou se a moça que esperava do lado de fora não iria entrar. Aquela única que não quis entrar antes. Com as antenas ligadas, Bethânia ouviu e fez sinal para Dedé dizer que não queria. Estava decidida. Só não ia adiantar fugir tanto. Mesmo de longe conseguiu ouvir o recado transmitido pelo pai de santo. *"Olha, menina, se você der um presente à Iemanjá, sua vida vai mudar completamente"*.

Com a cabeça cheia de minhocas, Bethânia não entendeu nada. Que história era essa de Iemanjá? Como se dá presente para o mar? Naquela época, ela pouco sabia sobre as lendas e costumes do candomblé. O pouco vinha das festas de caboclo na casa de dona Edith, em Santo Amaro. Conhecia, sim, a beleza das histórias de Janaína dos romances de Jorge Amado, das canções praieiras de Caymmi e das festas do 2 de fevereiro, quando se comemora na Bahia o dia de Iemanjá. Parava por aí. A força do orixá nem passava por sua cabeça. Muito menos a forma como poderia presenteá-lo.

Pouco tempo depois, Bethânia e Sandra Gadelha foram à praia no lugar de sempre, próximo ao Farol da Barra. A formação de corais criava pequenas piscinas, quando a onda quebrava na orla e a maré baixava. Não raro podia se admirar os peixinhos nadando em círculos dentro das pequenas bacias naturais. Naquela manhã, as águas estavam calmas e todo mundo brincava nos recifes. Bethânia também. Muito distraída, foi tarde quando percebeu que tinha perdido seu anel de estimação. O desespero tomou conta. Como foi possível acontecer? Justo o precioso anel que não tirava para nada. Não podia acreditar. Seu Vital fez no tamanho exato, grudado no dedo. Os gritos de Bethânia chamaram a atenção de Sandra. Exímia nadadora, tinha grande chance de recuperá-lo. Mergulhou uma, duas, três vezes e não encontrou a joia. Caprichosamente, a maré havia arrastado o anel para as profundezas.

Bethânia chorou a manhã inteira. Perdera o amuleto que tanto gostava. O anel feito especialmente para ela. O que não sabia era que sua ligação com o elemento água, iniciada com as incansáveis horas de admiração diante do Dique do Tororó, se confirmava ali, de forma ainda mais surpreendente. Muito menos desconfiava que tudo aquilo pudesse ter qualquer relação com o que o pai de santo dissera antes.

O presente à Iemanjá estava dado. Faltava a outra parte da profecia.

❦

Baiano burro nasce morto. Os diretores do teatro Vila Velha, que de bobo não tinham nada, perceberam o sucesso alcançado nos primeiros espetáculos e decidiram fazer uma minitemporada de três apresentações. Sempre com a Bossa Nova no centro de tudo, criaram o show *Nova Bossa Velha & Velha Bossa Nova*. O repertório era inspirado no formato do disco, emblema do movimento, *Chega de Saudade*, gravado por João Gilberto. A exemplo da bolacha, o espetáculo colocava clássicos da música popular, como "Rosa", de Pixinguinha, e "Eu Sonhei Que Tu Estavas Tão Linda", de Lamartine Babo e Francisco Matoso, ao lado de canções modernas, bossanovistas, como "Chega de Saudade", de Tom e Vinicius.

Com esses trunfos na manga, o grupo se apresentou nas noites de 21 a 23 de novembro de 1964. Casa cheia novamente. E olha que dessa vez amigos e parentes eram minoria. A fama do grupo se espalhara pela cidade e gente muito bem relacionada resolveu conferir de perto. A atriz Nilda Spencer foi assistir. O crítico musical Carlos Coqueijo Costa, que já conhecia o trabalho do grupo desde a primeira apresentação, também. Nilda, atriz tarimbada, e Carlos Coqueijo, incentivador das boas novidades, aprovaram o que viram e ouviram. Eles sabiam do que falavam. E para quem falavam.

Naquele período, a cantora Nara Leão finalizava em Salvador uma turnê por cidades do norte e nordeste. Cantou, sim, fez o que sabia de melhor; em cada cidade apresentou sua arte, mas no fundo desejava ter contato com as raízes musicais de seu país. E conseguiu. Quando encontrou o amigo Carlos Coqueijo, quis saber das boas novas. Ora, se existia algo de novo e importante acontecendo na Bahia naquele momento, só podia ser o pessoal do Vila Velha. Coqueijo mostrou o caminho das pedras. Nara achou boa a pedida e quis conhecer a garotada.

Com a simplicidade e delicadeza que lhe eram peculiares, Nara conversou com todos de igual para igual. Ouviu com muito interesse uma fita com a gravação do show *Nova Bossa Velha & Velha Bossa Nova*. No final, elogiou as composições de Caetano, Gil e companhia. Gostou do estilo suave de Gau e mais ainda da voz potente da jovem Maria Bethânia. O encontro foi uma festa, embora rápido como visita de médico. A cantora precisava voltar ao Rio para ensaiar seu próximo espetáculo: *Opinião*. A empatia foi tanta que, antes de ir embora, Nara ensinou algumas canções ao grupo, entre elas, "Acender as Velas", de Zé Kéti, que Bethânia incluiria em seu show solo, previsto para acontecer em breve.

Isso mesmo, espetáculos individuais. Já podiam se dar ao luxo de tentar novos rumos separadamente. E Bethânia foi a escolhida para inaugurar a série. A encenação na mesma época de *Eles Não Usam Black-Tie*, a peça que fora adiada por falta de verbas, colaborava para a decisão. Para o cenário, Calasans Neto bolou uma favela carioca, ambiente que se encaixava perfeitamente no modelo de show que Bethânia pretendia apresentar. *Mora na Filosofia*, nome tirado de um samba homônimo de Monsueto Menezes e Arnaldo Passos, tinha roteiro parecido com a consagrada fórmula dos shows anteriores. E nem podia ser diferente. Em time que está ganhando não se mexe.

Na encenação durante o dia, a família Velloso batia ponto por lá desde cedo. Rodrigo integrava o elenco da peça. Interpretava o morador de um dos barracos da favela cenográfica. À noite, era a vez de Bethânia, que apresentava clássicos da música popular brasileira. O fato de ocupar o cenário da peça de Guarnieri incendiou ainda mais o espetáculo que era dirigido por Caetano. A veia de atriz pulsou mais forte e a apresentação ganhou um clima de musical *off-Broadway*. O antigo sonho de subir ao palco começava a se tornar realidade, mesmo que não fosse como atriz. A partir dali perseguiria seus objetivos com todas as forças que pudesse reunir.

O problema é que a intensa dedicação à música atrapalhou os estudos. Sucesso garantido no palco, na escola Bethânia fez feio. Não era mesmo chegada a um logaritmo. Conclusão: não passou em matemática e teria que amargar uma segunda época.

❦

Em janeiro de 1965, Caetano curtia férias na fazenda do amigo Pedro Novis, no Vale do Iguape, próximo à sua cidade natal. Embora perfeitamente integrado à vida na cidade grande, ainda se encantava com a calmaria interiorana. Perdido naquela imensidão, não queria outra vida. Só que começou a sentir algo estranho. Um forte pressentimento lhe dizia que Bethânia precisava de sua ajuda, necessitava falar com ele de qualquer maneira. Caetano não acreditava muito nessas coisas, mas, por desencargo, resolveu voltar para casa e ver o que estava acontecendo.

Santo Amaro ficava ali pertinho. Como o caminho de volta para Salvador passava por sua cidade, resolveu saltar antes. No período de férias, quem sabe encontraria Bethânia por lá também e aí tiraria logo a angústia que tanto o consumia. Mabel estranhou o fato de Caetano voltar tão cedo. De todo modo, a visita era bem-vinda. Bethânia estava por lá? Não naquele momento, mas em breve estaria. Tinha levado bomba em matemática e Mabel, sua professora preferida, sempre dava uma ajuda. Caetano tranquilizou-se. Provavelmente as dificuldades da irmã com o estudo eram o motivo de seu pressentimento.

Pouco depois, Bethânia chegou de repente. Com cara de poucos amigos, a cabeça fervia de tanto estudar para a prova de matemática. Nas horas difíceis a irmã professora costumava estender a mão. Além do mais, a visita quebraria um pouco o clima enfadonho do estudo. Não dava mesmo para continuar esquentando os miolos com aquelas coisas de maluco. Não demorou e o clima foi amenizado com alguns discos de Noel Rosa. Já que estavam reunidos, que aproveitassem então. Enquanto os irmãos conversavam, bem contra a vontade, Bethânia ainda permaneceu com a cara enfiada nos livros. Para a sorte dela, a chateação não duraria muito tempo.

Em dezembro do ano anterior, Nara Leão estreara o espetáculo *Opinião*. Com poucas apresentações, o show se tornou um enorme sucesso. Contudo, um fato inesperado interrompeu a temporada. Acometida de um problema de garganta, Nara ficou com a voz prejudicada e precisou ficar em repouso. Para manter o show, seria necessário achar uma substituta imediatamente.

Primeiro convidaram a atriz Suzana de Moraes, filha de Vinicius, então namorada de um dos criadores do show, Oduvaldo Vianna Filho, o Vianninha. Só não daria certo por muito tempo. Suzana não era cantora, estava mais ligada ao teatro e por isso teria outros compromissos. Foi quando Nara lembrou-se da jovem cantora que conhecera em Salvador: Maria Bethânia. Nara, então, pediu a Vianninha para localizar a substituta na Bahia. O contato foi feito com a ajuda de Nilda Spencer, que conhecia Bethânia dos shows do Vila Velha. Na mesma hora, a atriz começou a ligar para tudo quanto foi gente atrás da moça.

Enquanto isso, em Santo Amaro, Bethânia perdia a paciência. Cansada de tanto fazer contas, deu um basta. Não, não quero mais saber disso. Mabel até que insistiu. Mas não tinha jeito, suas aptidões estavam em outras áreas. E estavam mesmo. O telefone tocou e Mabel atendeu. Do outro lado, alguém tentava dizer que Nara Leão havia adoecido e que Bethânia deveria substituí-la. Quem? Como? Sem entender direito, Mabel desligou o telefone. Bethânia estava armando alguma para fugir do estudo. Aquilo só poderia ser trote, pensou ela.

Nilda insistiu e ligou novamente. Ainda sem entender, Mabel entrou na brincadeira e se apresentou como Billie Holiday. Nilda já estava desesperada. Fazer uma ligação interurbana naquela época era um suplício. A cada telefonema sem sucesso corria um tempo enorme até completar nova ligação. Nilda insistiu, insistiu, até que comprovou quem era e explicou tudo. Finalmente convencida, Mabel fazia festa àquela altura. Caetano achou o máximo. Já Bethânia recebeu a notícia sem muita surpresa. Uma fleuma. Parecia pressentir tudo aquilo. Alegrias à parte, o difícil seria convencer os pais dessa história toda.

Nilda Spencer serviria de contrapeso na hora de conversar com seu Zezinho e dona Canô. Atriz conhecida na Bahia, não colocaria sua credibilidade em risco se não fosse por coisa séria. Contudo, o previsível aconteceu. Não permitiram a ida de Bethânia. Muito perigoso, era jovem demais, menor de idade, perderia o ano letivo. Um monte de justificativas que punham tudo a perder. Bethânia assistia a tudo impassível. Desejava ir por tudo desse mundo, mas não dava uma palavra. Previa que de alguma forma tudo acabaria em *happy end*. Nilda não poderia acompanhá-la na viagem. Por que não enviar Caetano para cuidar dela? A ideia de Nilda foi bem apreciada e os pais de Bethânia ponderaram. Ele já era o tutor natural da irmã. Largou a faculdade e não tinha muita coisa que o prendesse por ali. Fechado. Acompanhada do irmão, Maria Bethânia podia ir aonde quisesse.

Não havia mais barreira depois de receber as bênçãos dos pais. Até a possível falta de grana para chegar ao destino não os abalava. Sim, porque Vianninha mandou trazê-la, mas não enviou nenhum trocado. E Nilda estava mais dura que um coco. Por sorte conhecia muita gente. O jeito foi comprar fiado as passagens na Agência Conde, de seu amigo Fernando Conde. As coisas pareciam conspirar a favor. Tudo pronto a toque de caixa e num piscar de olhos, os dois jovens rumaram para o Rio de Janeiro no início de 1965.

Dias depois da partida de Bethânia, um negro forte e alto passou na porta de Clara Maria e gritou: "*Viu como deu certo o presente de Iemanjá?*"

❦

Assim que chegaram, os irmãos foram descansar na casa da prima Mariinha, na época morando no Méier, zona norte do Rio. Dada a distância até o teatro, em Copacabana, não ficariam ali por muito tempo. Bethânia, pela necessidade de ensaiar muitas vezes, se hospedaria em Botafogo, a convite de Rosinha Pena, mulher de Glauber Rocha. Algum tempo depois, Caetano integraria uma república para lá de animada, em Botafogo, no meio de jornalistas e artistas, entre eles o futuro galã de novelas José Wilker, na época apenas um cheiro de promessa. Caetano foi um dos poucos que apostaram no visual exótico daquele cearense magrinho de óculos que mais parecia um intelectual.

Naquele início de temporada, porém, descanso foi apenas força de expressão. Bethânia veio ao Rio para trabalhar e muito. Havia pressa para substituir Nara. O show *Opinião* fora obra de um time de craques composto por Vianninha, Paulo Pontes e Armando Costa. Com direção musical de Dori Caymmi e direção geral de Augusto Boal, o grupo reunia no mesmo palco artistas de estilos, origens e aparências bem díspares: Zé Kéti, o sambista do morro, João do Vale, o nordestino retirante e, em contraste aos dois primeiros, Nara Leão, a bela mocinha da zona sul carioca.

A simples presença dos três artistas no mesmo palco já impressionava a plateia. Mas isso era só uma pequena amostra. O repertório seguia o perfil dos compositores em cena e abusava de sambas, baiões e canções de protesto. O lado teatral do roteiro ficava por conta dos textos declamados entre uma canção e outra. Estatísticas retiradas de relatórios da SUDENE, sobre reforma agrária, êxodo rural e miséria preenchiam os espaços vazios. Em plena ditadura, os artistas davam um tapa de luva de pelica na cara dos militares.

Bethânia chegou nesse clima. À exceção de Nara, que a conhecia de Salvador, para os demais era uma completa desconhecida. Caetano, que vinha a tiracolo, muito menos. Aos olhos dos menos atentos, ela e o irmão poderiam ser só mais dois garotos vindos do interior em busca de trabalho. De fato, a diferença física entre Bethânia e Nara saltava aos olhos, o que gerava dúvidas nos produtores. Será que repetiria o sucesso? Conseguiria substituir Nara à altura? Logo na estreia, Maria Bethânia apresentaria seu cartão de visita e responderia todas essas questões.

O clima de desconfiança era tanto que Boal demorou para ouvir Bethânia soltar a voz. Ela percebia uma tensão no ar, sofria com tudo aquilo. Como qualquer jovem, sentia o peso da responsabilidade sobre sua cabeça. Todo dia ela insistia e Boal se esquivava. O diretor estava mais preocupado com Suzana de Moraes, que ficaria na peça por pouco tempo. Cansada de esperar, Bethânia não quis nem saber e rodou sua baiana. E só assim foi ouvida. Antes tarde do que nunca. Boal confirmava ali o que demorou a crer: Maria Bethânia seria, sem dúvida, a substituta perfeita.

Naquele 13 de fevereiro de 1965, o Teatro de Arena, em Copacabana, aguardava a entrada da substituta de Nara. O espetáculo começou e o público viu surgir uma figura desconhecida. Por pouco tempo. Conheciam *Opinião* graças ao talento de Nara; dali em diante, passariam a conhecer pela força de Maria Bethânia. Até a natural comparação com Nara tornou-se um trunfo para a baiana. E a diferença maior se notou na interpretação de "Carcará", de João do Vale e José Cândido. O tema pedia uma cantora com veia dramática, de preferência com um timbre de voz mais grave e agressivo. O que faltava em Nara sobrava em Bethânia. A temática da música, que versa sobre a ave do sertão que pega, mata e come, metaforizava a valentia do próprio povo nordestino. No momento em que a sociedade civil clamava por resistência, a música tinha a força de um murro.

Na coxia, Caetano se derretia de orgulho. Primeiro pela atuação da irmã, depois por ter conseguido inserir no show algumas de suas composições, "De Manhã", entre elas. Nada mal para quem veio só de guarda-costas. E era mesmo uma valiosa divulgação porque, a partir dali, Bethânia se tornaria uma celebridade nacional. Passaria a ser a queridinha dos mais politizados, que a viam como um símbolo da canção de protesto. Rótulo este que, por sinal, demoraria a perder nos anos seguintes.

O período em cartaz no Rio também foi rico em bons contatos. Nas várias apresentações, os assentos do teatro foram ocupados por muita gente importante. Chegar até Bethânia passou a ser um exercício de paciência. O assédio crescia e a cada final de espetáculo um séquito de fãs se aglomerava na porta dos camarins. Caetano, por sua vez, embora desfrutasse dos louros do sucesso de *Opinião*, era um compositor que se contentava em ser mais um nos bastidores. Aquele que o visse poderia até não reconhecer sua participação no espetáculo. Entretanto, quem tinha bom faro para boas oportunidades se aproximava dele por ser irmão da dona da festa.

Foi o que fez um rapaz elegante que viera para conhecer a "maior cantora do Brasil". Depois de trabalhar um período na TV Tupi, como diretor de programa, Guilherme Araújo tornou-se assistente de Aloysio de Oliveira, o criador da gravadora Elenco. Mas ainda não estava satisfeito, queria mais. Cavou uma bolsa para fazer um curso de televisão na Itália. Antes de viajar, porém, precisava ver com os próprios olhos a "bambambã" do momento. Guilherme sabia que Caetano era irmão da cantora. Também conhecia suas músicas. Tinha gostado delas, mas estava fascinado mesmo por Maria Bethânia. Percebeu que tinha acabado de ouvir uma estrela internacional, do nível de Billie Holiday ou maior. O desejo de trabalhar com ela foi inevitável. Daquela vez, porém, não seria possível. Estava de malas prontas. Quem sabe na volta?

Conhecer Guilherme Araújo naquelas circunstâncias não foi um fato casual. E com tanta gente importante naquele ambiente, os encontros não parariam por aí. Alguns foram bem inusitados, por sinal. Na saída de uma das apresentações, Caetano esbarrou com um baiano que já conhecia de nome havia tempos: Rogério Duarte. Muito falante e inteligente, não demoraria para reconhecer em Caetano afinidades ideológicas, estéticas e até sentimentais. No Rio desde 1960, Rogério ainda tinha esperança de reatar com Anecy Rocha. Os dois haviam se relacionado na Bahia, em 1959, bem antes de ela se casar. Até mesmo antes do romance avassalador que ela tivera com Caetano. As semelhanças com o novo amigo começavam por aí. Entre outros pontos em comum, Rogério Duarte e Caetano Veloso se relacionaram com a mesma mulher, em épocas diferentes. Romances à parte, a amizade brotou fundo e desse encontro em diante muita coisa boa ainda aconteceria.

Naquele período, porém, não dava para esticar muito. Nara havia abandonado de vez o show *Opinião*. Com o sucesso de Bethânia, novos horizontes se abriam. Próxima parada: São Paulo, cidade esperança.

Ainda no início de 1965, Caetano chegou com Bethânia em São Paulo e achou tudo de um mau gosto tremendo.♪[29]. O formato dos prédios, o jeito de se vestir das pessoas, o sotaque. O impacto inicial foi grande, mas não demoraria muito. Em breve as esquinas e os moradores daquela cidade passariam a ser bem mais íntimos do que ele pudesse imaginar. Mesmo diante do estranhamento natural, não estavam ali para reparar na cidade e sim para trabalhar. Antes de começar no batente, foi preciso achar um canto para ficar durante o período em que estivessem na cidade.

Com Augusto Boal por perto isso não seria problema. O diretor conhecia muita gente que podia ceder uma estada temporária sem fazer cerimônia. Caetano e Bethânia ficariam hospedados no apartamento do casal de atores Paulo José e Dina Sfat. O ator já havia participado de trabalhos com Boal e mantinha com ele uma estreita amizade. Na mesma época, teria um trabalho importante no Rio. Dina Sfat, para não ficar sozinha, preferiu a casa dos pais. Com o imóvel livre, não se importaram de oferecer seu cantinho aos dois jovens iniciantes. Podiam ficar o tempo que precisassem.

A temporada paulista do *Opinião* ocuparia o Teatro Ruth Escobar. O roteiro seria mantido. Os músicos, porém, ganhariam um reforço. Roberto Nascimento, violonista da banda, tinha outros compromissos e precisava pegar a estrada. Para não deixar Dori na mão, indicou o parceiro Jards Macalé para substituí-lo. E mais gente ia se juntar ao grupo. Vindo da Bahia, Roberto Santana desembarcava para animar a festa. Queria tentar a vida em São Paulo. Com o Vila Velha no currículo, as coisas poderiam ficar mais fáceis. Mas era bom que se adaptassem logo à cidade ou acabariam passados para trás.

O repertório do show *Opinião* estava mais do que conhecido. Faltava o registro em disco. A ideia de gravar um compacto vinha bem a calhar. Era o primeiro disco de Bethânia, com "Carcará" de um lado e "De Manhã", de Caetano, do outro. A gravação seria feita no estúdio Scatena. No dia marcado, Caetano, Roberto Santana e Macalé tomaram um táxi rumo ao estúdio. O taxista logo percebeu que os passageiros eram de fora e começou a dar voltas no quarteirão. Mais perdidos que cego em tiroteio, não sabiam onde ficava o estúdio. Envolvidos no bate-papo, mal repararam as várias vezes que passaram no mesmo lugar. Acontece que no meio deles tinha um cabra arretado. Depois de passar pela quarta vez na mesma esquina, Roberto Santana gritou para que o motorista parasse ali mesmo. O táxi parou e eles desceram sem pagar. Na confusão, o motorista chamou a polícia e todo mundo foi parar na delegacia. Só depois de algumas ligações e a ajuda de um advogado, tudo foi esclarecido. Não seria daquela vez que veriam o sol nascer quadrado.

---

[29] ♪ "Sampa"

Pelo menos o episódio quebrou o tédio que tomava conta de Caetano. A condição de tutor de Bethânia não pesava tanto. A vontade de voltar para casa é que falava mais alto. Morria de saudades de Dedé. Mas não podia simplesmente largar tudo pela metade, pois assumira um compromisso com os pais. Enquanto matutava um jeito de resolver a equação, aproveitava as opções de lazer que São Paulo oferecia. Numa dessas foi conhecer de perto o grupo de teatro Oficina ♪[30], para assistir à peça *Os Pequenos Burgueses*, de Gorki. Caetano logo percebeu que estava diante de algo inovador. Com a obra-prima do teatro realista nas mãos e um *cast* de atores atualizados com o que havia de mais moderno em termos de interpretação, o diretor José Celso Martinez Corrêa dava vazão às suas ideias polêmicas e revolucionárias.

Caetano saiu dali com gostinho de quero mais. Contudo, precisaria esperar um pouco para assistir a novas estripulias de Zé Celso. Por ora, Bethânia iria se apresentar em Salvador – era a senha que Caetano precisava para voltar à boa terra de vez.

❦

A passagem por Salvador não seria por conta do *Opinião*. Depois da bem-sucedida temporada paulistana do show, deram uma esticada rápida a Porto Alegre e foi só. Boal já tinha criado um espetáculo com Bethânia à frente dos outros baianos: *É um Tempo de Guerra*. Em julho, o show foi apresentado no Teatro Oficina, em São Paulo, e no mesmo mês desembarcava na capital baiana. O Teatro Vila Velha esperava ansioso para novamente abraçar sua estrela.

Além de aproveitar para rever todo mundo, Caetano percebeu que havia encontrado a solução para seu dilema. Os pais queriam ter segurança de que Bethânia estivesse em boas mãos. O irmão desempenhava muito bem o papel, no entanto, estava na hora de passar o bastão. Augusto Boal poderia assumir seu lugar com méritos. Feita a proposta, seu Zezinho e dona Canô aceitaram, mas com uma condição: tinha de ser oficial, com firma reconhecida e documento lavrado em cartório. Se ele quisesse, seria nesses termos. Para Boal, tudo bem. Sabia que a jovem cantora não dava trabalho mesmo. E planos para ela não faltavam. Na volta a São Paulo, Boal pretendia fazer um espetáculo grandioso, com produção caprichada, cenários, figurinos e tudo mais. Bethânia tinha personalidade forte. Só toparia o convite se a trupe inteira de baianos estivesse junta.

Dias depois, Gau, Piti, Tom Zé, Gil e Caetano estavam em São Paulo com Bethânia, ensaiando *Arena Canta Bahia*. O tempo passado em Salvador aju-

---

[30] ♪ "Sampa"

dou Caetano a matar saudade. Namorou bastante sua musa Dedé, e, meio sem saber o que fazer da vida, acabou aceitando mais uma empreitada pela capital paulista. Não tinha mesmo como fugir. Novamente foi levado pelos braços fortes da irmã. Dessa vez, porém, podia voltar quando quisesse. Boal tomaria conta de Bethânia. Caetano só não teria a mesma moleza do início do ano, quando ocupou o apartamento de Paulo José e Dina Sfat. Na segunda visita, a história seria bem diferente, para ele e para os outros barbados da equipe.

Com o prestígio alcançado, Bethânia recebia tratamento de estrela. Hospedava-se no Excelsior, uma espécie de apart-hotel de luxo da época, situado próximo à Praça da República, no centro de São Paulo. Quase todo o restante do grupo, entre eles Caetano, Piti, Tom Zé, Roberto Santana e Macalé, tinham de se arranjar no Hotel Itaúna, bem mais modesto e pouco familiar. Ao lado funcionava um bordel. Ali não tinha Bodaça nem Lambreta. E Caetano nem se animou a conhecer. Além do mais, a saudade de Dedé machucava um bocado. Para aplacar sua dor, escrevia quilos de cartas e cobria as paredes do quarto com desenhos da musa. O clima romântico se alastrava. Na cama ao lado, Macalé sofria calado com uma paixão não correspondida. Arrastava uma asa para cima de Bethânia, que não queria se envolver com músico da banda. Macalé sofria e o *Di Giorgio* ainda mais. A cada decepção, espatifava o coitado de seu violão. A fábrica repunha o instrumento e a paixão continuava sem retorno. Quem entrava no quarto admirava a decoração para lá de vanguardista. De um lado da parede, quadros com desenhos de Dedé, pelada, vestida, de frente, de costas. Do outro, braços de violão com as cordas retorcidas, obra dos surtos de Macalé.

Apesar das dificuldades, aquele não era o primeiro "perrengue" em Sampa. No início da temporada, Caetano quase dormiu debaixo da ponte. Embora contasse com a boa vontade de amigos, numa noite se perdeu do grupo e ficou sem saber o que fazer. Por sorte conhecia um local próximo, muito frequentado por artistas da época, o Juão Sebastião Bar. Sem dinheiro, foi até lá na esperança de encontrar alguém conhecido para dar uma força. Ninguém apareceu. Já quase na hora de fechar, o dono do bar, Paulo Cotrim, percebeu que o rapaz sozinho na mesa era o irmão de Maria Bethânia e foi conversar com ele. Quando soube do problema, ofereceu sua casa para ele passar a noite. Foi pegar ou largar. Ele pegou.

Pertencendo ao dono de um bar famoso, esperava-se uma casa ampla, luxuosa e cheia de quartos confortáveis. Para a surpresa do hóspede, não foi nada disso. Cotrim ocupava um minúsculo quarto e sala, em que mal cabia uma cama. Sem espaço para os móveis, as paredes foram bem aproveitadas. Um pôster enorme do escritor e compositor Jorge Mautner, de quem Cotrim era amigo, enfeitava uma delas. Caetano estranhou, mas reconheceu o moço que fazia pose de James Dean no retrato, cujo rosto conhecia de fotos publicadas na revista *Senhor*. Para quem ficaria na rua foi bom até demais. E assim, com Mautner a zelar seu sono, Caetano adormeceu e se livrou do relento.

O resto da temporada em São Paulo não guardava outra aventura dessas, mas o trabalho idealizado por Boal seria bem morno em comparação às outras montagens do grupo. O Teatro de Arena já tinha montado *Arena Conta Zumbi*, parceria entre Guarnieri, o próprio Boal e o jovem músico Edu Lobo, filho do compositor Fernando Lobo. Com a ajuda do talento musical de Edu, o espetáculo fizera grande sucesso. Edu já despontava como promessa da música ao vencer com "Arrastão", em parceria com Vinicius de Moraes, o I Festival de Música da TV Excelsior, realizado meses antes. Tudo isso havia colaborado para a boa recepção do musical. À exceção de Bethânia, a nova montagem não contava com gente da mesma fama. Tinham talento, claro, mas eram todos iniciantes. Já de cara o projeto desagradou a Caetano. Para ele não seria possível montar um recital sobre a Bahia e deixar Caymmi de fora. Só que a intenção de Boal era ser novamente uma voz contra a repressão. Queria contar a saga de um casal nordestino que vinha para o sul tentar a vida. Daí se desfiava todo um leque de mazelas. Mesmo firme em suas ideias, no fim das contas, Boal acabou dando vez a Caymmi.

Em setembro de 1965, *Arena Canta Bahia* estreava no TBC, o Teatro Brasileiro de Comédia. Não repetiu o sucesso de público de *Arena Conta Zumbi*. A crítica também não recebeu bem o novo trabalho. O espetáculo ficou em cartaz por pouco tempo. A verdade é que a química não aconteceu daquela vez e o resultado não poderia ter sido diferente. A experiência pouco festejada, porém, não afastaria Boal dos baianos. No futuro, Caetano e Gil ainda iriam colaborar com suas músicas para o espetáculo *Arena Conta Tiradentes*, na mesma linha de musicais engajados.

Se a relação com o teatro ficou morna, com as gravadoras começava a esquentar. Bethânia fez mais do que bater o pé na hora de levar todo mundo com ela. Também usou de sua influência para que a RCA Victor desse uma oportunidade a eles. Nesse contexto, Caetano gravou um compacto simples, com "Cavaleiro" de um lado e "Samba em Paz" do outro. Era o primeiro registro fonográfico profissional, e logo numa grande gravadora. Para qualquer um em sã consciência, aquele seria o indício de um começo bastante promissor. Para Caetano, não. A música ainda não havia batido para valer. Nem toda a participação junto ao pessoal do CPC ou a simbiose instantânea com Gil tinham pesado muito. As dúvidas continuavam. Pintor ou professor? Cineasta ou escritor? Quem sabe, filósofo? Estava de volta à estrada sem saber se queria estar nela ou não. Quando terminou a minúscula temporada do "Arena", Caetano voltou para Salvador. Lá, poderia rever Dedé e pensar melhor no que iria fazer da vida.

8

CASA, COMIDA, DIVERSÃO E ARTE

No fim de 1965, de volta à Bahia, Caetano queria namorar, pensar na vida e curtir sua baianidade com direito a rede, água de coco e uma boa dose de preguiça. Será que dava para tanto? Pensar na vida e namorar seria natural. Já a preguiça ficaria de lado. O tempo longe de Salvador não apagou da memória dos baianos as boas apresentações no teatro Vila Velha. Antes de estourar com o *Opinião*, Bethânia estreara a série de espetáculos individuais, em dezembro do ano anterior, com *Mora na Filosofia*. Pouco depois, em março, Gil apresentava o seu *Inventário*. Em novembro seria a vez de Caetano.

No período em que estiveram fora, outros talentos se somaram ao grupo do Vila Velha. O baterista Tutty Moreno e os irmãos Moacir e Péricles Albuquerque, o Perinho, chegaram nessa leva. Ao lado de Perna Fróes tinham feito parte da orquestra de baile "Carlito e sua Orquestra", que passou a se chamar "Orquestra Avanço" após um motim de integrantes insatisfeitos com o próprio Carlito. Sendo a música o ponto em comum, a amizade levou os rapazes para o Vila. Na mesma época, o boa-praça Paulinho Boca de Cantor era *crooner* da orquestra. Em matéria de voz, porém, o Vila estava bem servido e ele não se transferiu. Só os instrumentistas foram aproveitados. Paulinho era amigo da turma toda, mas a barca, para ele, correria um pouco mais até que formasse seu próprio grupo.

Todo mundo sabia que a nova safra possuía excelentes músicos. A participação em um show de Bethânia, em julho daquele ano, dera notoriedade aos novatos da casa. Não só pela música em si. Nos tempos de orquestra, Perinho encarnava uma espécie de faz-tudo. Embora não tivesse a formação acadêmica dos demais, era instrumentista, compositor e também arranjador. Com ele não tinha tempo ruim. Se fosse preciso, costurava paletó de músico, confeccionava estante para as partituras, e, quando a fome batia, aprontava meia dúzia de acarajés em dois tempos. Se trocasse as mãos pelos pés, mostrava sua desenvoltura da mesma forma. Dançava muito bem e ainda ensaiava seus dribles de craque nas peladas de rua.

Em meio a tantas habilidades, Perinho tinha tempo de identificar oportunidades à sua volta. Durante os ensaios para o próximo show do Vila, a banda precisou de um flautista. Na orquestra havia um garoto tímido, gordinho, de óculos, e com a cara pipocada de espinhas. Tuzé de Abreu aprendera o ofício na Escola de Música. E quem havia lhe ensinado o pulo do gato fora o suíço Walter Smetak, em cuja oficina, cheia de instrumentos estranhos, o jovem Tuzé passava horas como aprendiz. Perinho viu naquele garoto o músico certo para a função. Convite aceito, Tuzé se juntou à banda que acompanharia Caetano em seu espetáculo individual, intitulado *Cavaleiro*.

Desde o dia em que voltou à Bahia, Caetano não se desgrudou da namorada. Durante o show a rotina seria a mesma. Dedé emprestaria seu talento de dançarina ao grupo. Começaram com uma coreografia simples, mas logo aumentaram a participação da moça, que passou a exibir suas habilidades em quase todo o espetáculo. Por sinal, bem diversificado. Em dado momento, enquanto Caetano cantava "Strange Fruit", Dedé encarnava Billie Holiday, maior intérprete da obra, ao mesmo tempo em que traduzia a letra da canção. Seu lado atriz também ganhava força nos momentos em que tinha que declamar Guimarães Rosa. E só ela sabia o que enfrentava para cumprir a tarefa. A timidez e o jeito de falar rápido insistiam em jogar contra.

A dança, porém, recompensava seu esforço. Durante o número de maior carga dramática, os músicos tocavam a canção tema do filme *Luzes da Cidade*, de Charles Chaplin. Em meio à interpretação da trilha, Dedé incorporava a personagem florista, e Caetano fazia o próprio Carlitos, no papel do vagabundo apaixonado, cujo amor não era correspondido pela moça. Inspirado na força de um clássico do cinema mudo, o conjunto da cena emocionava e surpreendia a plateia. Sofrendo com o desprezo de sua amada florista, Caetano comia uma rosa inteira, pétala por pétala.

A canção que Bethânia divulgara Brasil afora, "De Manhã", também entrou no roteiro, assim como algumas músicas apresentadas em números anteriores: "Clever Boy Samba", "Samba em Paz" e, claro, a que dava nome ao espetáculo, "Cavaleiro". Foram poucas apresentações, todavia, suficientes para agradar ao público e deixar um gostinho de quero mais. Caetano é que não aguentava mais devorar tanta rosa. Haja estômago. Àquela altura, já havia digerido quase um buquê completo. Com o fim da temporada, a mudança na dieta ajudaria. Melhor se manter em forma. Vinha mais trabalho pela frente.

No mês seguinte, em dezembro, a cantora Sylvia Telles estava em Salvador para realizar um show no Vila Velha. Não obstante, problemas com o empresário ameaçavam a realização do espetáculo. Nesse clima, Caetano foi convidado a colaborar. Depois de assumir a direção geral, montou uma banda, com a ajuda de Perinho, Perna e outros músicos da casa. E só assim o show *Sylvia* virou realidade. Todo mundo lucrou. Caetano ganhou uma amiga do peito; e o teatro, uma colaboradora. Antes de voltar para o Rio, Sylvinha doou uma quantia significativa aos cofres do Vila. Nos bastidores, a cantora soube que o teatro passava por dificuldades. Como não queria ver naufragar uma instituição que já começava a fazer história, deixou sua parcela de contribuição.

A temporada chegava ao fim. Caetano ainda não queria saber de preocupação, queria sossego. E querer é poder, mas nesse caso não valia. Baiano de férias não costuma ficar parado muito tempo. Além do mais, alguém vinha de longe para evitar qualquer possibilidade de marasmo.

※

Carlos Coqueijo atuava como "embaixador" da música brasileira em terras baianas. Mas não ficava só na diplomacia. Parceiro de Alcyvando Luz e arranjador, Coqueijo também compunha. Conhecedor do assunto, sempre dava dicas a quem precisava. Foi ele um dos mentores do Quarteto em Cy, quando as irmãs ainda cantavam na Bahia e nem sonhavam com esse nome. Também gostava de reunir pessoas e dar força a iniciantes. Não por acaso levou Nara Leão ao Vila Velha, na passagem da cantora por Salvador, em 1964. Em suas visitas à cidade, Dorival Caymmi fazia do apartamento dele um porto seguro. Outro amigo de longa data se chamava João Gilberto. Para se casar com Miúcha, o cartório obrigou João a apresentar sua certidão de batismo. Foi Coqueijo quem fez a gentileza de ir a Juazeiro buscar o documento. Por essas e outras, o homem se relacionava bem no meio artístico e muita gente gostava dele.

No final de 1965, João Gilberto retornava de uma longa temporada nos EUA. Recém-casado com Miúcha, em breve seria pai. A cantora estava grávida de quatro meses. Bebel Gilberto começava a dar pontapés na barriga da mãe. João pretendia levar a esposa até Juazeiro, sua cidade natal, e depois visitar amigos em Salvador. Quando Coqueijo soube que o cantor estava na cidade, tratou de arrumar um encontro com a novíssima geração de talentos baianos. Coqueijo já conhecia Caetano fazia tempo, por conta da participação dele em seu programa da TV Itapoan. Fora a amizade, o talento pesou e ele foi um dos poucos eleitos para recepcionar o mestre.

Coqueijo e dona Aidil, sua esposa, prepararam uma comida especial para o encontro. Embora não tão conhecido quanto o Vatapá ou o Caruru, o Arroz de Hauçá é um prato típico da Bahia, também de origem africana. Se agradaria, ninguém sabia dizer. O fato é que a iguaria exótica combinava com o clima daquela noite. Quando Caetano e Dedé chegaram, João ainda estava trancado num dos quartos da casa. Coqueijo tranquilizou-os dizendo que era apenas uma daquelas manias de João Gilberto e que logo estaria com eles. Depois de ouvir o amigo, os dois ficaram tranquilos e se ajeitaram no sofá para aguardar o convidado de honra. Esperariam sentados, literalmente. Àquela altura, pareciam duas estátuas: imóveis e calados. O único som emitido saía das sandálias franciscanas deles, que acompanhavam o tremor das pernas.

A noite passava lenta e nada de João entrar na sala. O jeito foi tapear a longa espera degustando uma porção de Arroz de Hauçá. Ainda recluso, João Gilberto preferiu comer no quarto mesmo. Horas depois, eis que a espera chegava ao fim. João finalmente concordou em sair da toca, todavia, desde que a luz fosse apagada. Tudo bem. Àquela altura, ninguém seria louco de contrariar. Na penumbra da sala, João entrou, sentou, pegou seu violão, e, diante de uma reduzida plateia, soltou a voz e cantou o resto da noite. Precisava de algo mais?

Aquele foi o primeiro encontro com seu mestre de todos os mestres. Dali em diante, Caetano poderia descansar pelo resto da vida, se fosse esse o seu destino.

❧

O verão de 1966 estava no auge. Naquele calor, sem compromisso na Bahia, e com a casa de veraneio de Nando Barros dando sopa em Itapuã. A temporada fora aumentou a saudade do amigo e no início daquele ano as visitas se multiplicaram. A fiel companheira Dedé também não perdia uma. Tudo bem que o repertório de desculpas para os pais estivesse batido. A história de viajar com uma amiga à Ilha de Itaparica já não colava como antigamente. De todo modo, enquanto ainda colasse, lá estariam os dois pombinhos para aproveitar momentos prazerosos. Namoravam nas dunas, à beira da Lagoa do Abaeté, nas praias, de dia, à noite, a qualquer hora.

Embora os dias agradáveis em Itapuã lhe dessem tranquilidade, Caetano não deixava de pensar em seu futuro. A experiência no Sul serviu, entre outras coisas, para diminuir suas dúvidas. Para quem nunca imaginou viver da música, o fato de ter canções gravadas e relativamente conhecidas, bem que poderia ser o sinal do caminho a seguir. Poderia, se o próprio Caetano se convencesse de que tinha talento para essa arte. Mas isso ainda estava longe de acontecer. Precisaria do incentivo de amigos para ganhar força.

Naquele ano, Roberto Pinho passava mais tempo em Salvador por causa de um trabalho na cidade de Cachoeira. O período em Brasília, onde realizara pesquisas na área da antropologia, tinha ficado para trás. Conviver com velhos amigos, portanto, ficou mais fácil. Bastou reencontrar Caetano para colocar os papos em dia. Assunto não faltava. Discutiam sobre filosofia, história do Recôncavo, cultura negra, antropologia, "papos cabeça" de que tanto gostavam. Também reservavam espaço para assuntos triviais. Por causa da temporada fora da Bahia, Caetano tinha muita história para contar. Roberto é que não entendia por que o amigo decidira abandonar uma carreira que se iniciava. Afinal, desde o início havia identificado nele o talento de um artista promissor. O caminho não podia ser diferente. E parou por qual motivo? Por que não voltar e tentar a sorte no Rio de Janeiro ou em São Paulo?

Indeciso, Caetano listava os muitos empecilhos que o desencorajavam: grana curta, distância da namorada, falta de oportunidade e, principalmente, ausência de moradia. Em outras palavras, faltava de tudo um pouco. Mas Roberto Pinho tinha personalidade forte e não desistia no primeiro empecilho. Ele não sossegaria enquanto não apontasse uma possível solução.

Pouco tempo depois, durante o Carnaval, os dois se encontraram novamente. Dessa vez, Roberto não estava sozinho. Um amigo da Universidade de Brasília o acompanhava. O chileno Alex Chacon, artista gráfico e professor, estava em Salvador para colaborar nas pesquisas do colega. O encontro dos três parecia obra do acaso, mas só parecia. A conversa com Caetano não tinha saído da cabeça de Roberto. Ele sabia que Alex morava com Mariza, sua mulher, num apartamento enorme em Copacabana. Grande demais para duas pessoas. Então, por que não preencher o espaço vazio abrigando um amigo de confiança? Ao saber da história de Caetano, Alex imediatamente aderiu à campanha e ofereceu o "apê" pelo tempo que precisasse. Com o plano arquitetado, Roberto provocou o encontro para dar o bote. Quando todo mundo estava à vontade, finalmente o convite foi lançado. Ainda restava alguma dúvida de que as portas estavam abertas?

Na cabeça de Caetano, sim, mas por pouco tempo.

❦

Inspirado no Festival de San Remo da Itália, o produtor Solano Ribeiro criou a versão nacional do evento. E não se arrependeu. A experiência com o I Festival Nacional de Música Popular Brasileira, em março e abril de 1965, havia sido um sucesso. Jovens talentos como Geraldo Vandré, Chico Buarque, Wilson Simonal e Edu Lobo inauguravam um dos períodos mais férteis da música nacional. Num evento em que subiram ao palco feras como Elizete Cardoso e Claudete Soares, uma novata roubou a cena, com voz, caras, bocas e braços. Para defender a canção vencedora, "Arrastão", de Edu e Vinicius, Elis Regina multiplicava a carga dramática da obra. No final das apresentações, maquiagem não restava, mas ninguém tinha dúvida do talento da "Pimentinha".

O sucesso fez com que a TV Excelsior de São Paulo, organizadora do evento, encomendasse uma nova edição, o II Festival Nacional de Música Popular Brasileira. Para Solano, missão dada era missão cumprida. A tarefa de organizar aquele segundo festival exigia, antes de tudo, uma lista de canções inéditas e de qualidade que pudesse manter o bom nível da primeira edição. Sem problemas. Espalhados pelo país havia uma extensa relação de bons compositores. Incansável, o produtor não mediria esforços na busca de boas obras. Se fosse preciso, bateria na porta de cada um deles, no Rio, em São Paulo, na Paraíba ou mesmo na Bahia.

Àquela altura, Caetano já estava conhecido no meio artístico. As músicas gravadas por Bethânia, as participações teatrais, o primeiro compacto e o convívio com outros artistas, serviram para divulgar seu nome e seu trabalho. Uma boa pedida para participar do festival, apostava Solano. Além do mais, poderia indicar outros nomes. Sem pensar duas vezes, o produtor foi atrás dele em Salvador. No encontro, pediu uma música inédita para inscrever na competição. Muito surpreso, Caetano entregou a canção "Boa Palavra", recém-composta a partir de sambas de roda do Vale do Iguape, aquela mesma região de onde interrompera as férias para procurar Bethânia. Com a música debaixo do braço, Solano voltou para São Paulo, enquanto Caetano permaneceu na Bahia especulando os motivos daquele convite inesperado.

Não havia mesmo escapatória. A música, os amigos, as oportunidades, tudo empurrava Caetano para tentar uma vida artística fora da Bahia. Roberto Pinho fazia enorme pressão. Duda Machado apoiava, assim como Gil, Alvinho e muitos outros. Alex Chacon ofereceu moradia. Faltava mais o quê? A namorada, talvez. Não, nem isso poderia prendê-lo. Pelo contrário, Dedé também incentivava. Ele é que não conseguia se desgrudar dela. O chamego era bem-vindo, mas ela não queria o posto de vilã da história, única responsável por ele não tomar a decisão que mudaria sua vida. Pragmática, resolveu matar dois coelhos com um tiro só. Primeiro, abandonou a escola de dança faltando apenas um semestre para se formar coreógrafa. Em seguida, pediu aos pais para estudar jornalismo no sudeste. A avó, dona Ideuzuith, morava no Rio de Janeiro e poderia dar guarida. O plano deu certo. Com a aprovação dos pais de Dedé, as dúvidas de Caetano receberam o golpe de misericórdia. Finalmente ele topou.

A fim de preparar o terreno, Dedé foi na frente. Agora não tinha mais volta. Pouco depois, em abril de 1966, Caetano deixou a Bahia. Antes de partir, lançou as bases do trabalho que desenvolveria algum tempo depois. Num debate promovido pela revista *Civilização Brasileira*, organizado por Airton Lima Barbosa, do Quinteto Villa-Lobos, Caetano registrou sua visão e suas ideias sobre a música popular de seu país. Reforçou a necessidade de mudanças e apontou caminhos alternativos que poderiam ser seguidos. Em seu íntimo, sabia que algo realmente novo precisava sacudir o panorama musical da época. Até mais radical do que isso, algo impactante o suficiente para retomar a linha evolutiva da música popular brasileira.

Teria bastante tempo até que ele mesmo fosse um dos responsáveis por esse "algo novo".

※

A chegada à Rodoviária Novo Rio não poderia ter sido melhor. À espera de Caetano, estavam Dedé, Edu Lobo e Sylvia Telles, com seu cachorrinho de estimação no colo. Caetano havia conquistado o coração de Sylvinha, desde que dirigira seu show no Vila Velha, em dezembro do ano anterior. Naquele mês, Edu Lobo também fizera show no teatro, o que estreitou os laços de amizade com os baianos. Estava na hora de retribuir a boa recepção que tiveram na Bahia.

Da rodoviária, Caetano foi direto para o apartamento de Alex Chacon, em Copacabana. O cansaço da viagem incomodava, mas ele que não demorasse muito a guardar as malas. Naquela mesma noite combinaram de ir à casa de Edu Lobo. Uma boa oportunidade para fazer novos contatos e divulgar seu repertório de composições. Algumas já bem conhecidas, por sinal. Enquanto trocava figurinhas com outros músicos, Caetano identificava acordes familiares no violão do colega ao lado. E quase sempre de uma forma mais sofisticada, diferente do que estava acostumado a ouvir. Experientes nas cordas, a cantora Wanda Sá e o próprio Edu Lobo sabiam tocar algumas de suas músicas melhor do que ele próprio. Numa dessas, quase saiu um desentendimento.

Por coincidência, a melodia de "Onde Eu Nasci Passa um Rio", de Caetano, é muito parecida com a de "Upa, Neguinho", de Edu. Embora as duas tivessem sido compostas sem que um conhecesse a canção do outro, apresentaram muitas semelhanças. O espanto inicial foi inevitável; contudo, depois do "disse me disse", ficou só na semelhança mesmo. Cada um sabia do talento alheio e o plágio seria uma atitude impensável. Coincidências à parte, a motivação de Caetano só aumentava. Reconhecia a superioridade musical dos amigos. No fundo, considerava um prêmio ouvir suas canções tocadas por mãos tão hábeis. E como tinha gente para visitar... Dali em diante, encontros como esses passariam a ser rotina. Rapidamente seria recebido de braços abertos pela nata da música carioca. Sentia-se em casa. Ficaria ainda mais à vontade com a chegada de sua mana Bethânia.

No início de 1966, Bethânia descansava na Bahia. A temporada do ano anterior tinha sido barra-pesada. Enquanto aproveitava o verão, não desconfiava de planos ambiciosos que alguém estava bolando para ela. Guilherme Araújo voltou da Europa do jeito que foi: com a cantora do *Opinião* na cabeça. Cheio de ideias, decidiu propor-lhe trabalho. Assim que chegou ao Rio, se empenhou em localizá-la. Por intermédio de Glauber Rocha, ligou para a cantora e lançou a proposta: fazer um show no Rio, na boate Cangaceiro, em Copacabana. Ressabiada, Bethânia não achou a ideia ruim, mas queria dar um tempo nas canções de protesto. O rótulo começava a pesar e não era o que ela fazia de melhor. Guilherme achou ótimo, queria mesmo inovar. Dias depois, Bethânia desembarcava no Rio, sem um tostão no bolso. Mas para que servem os bons amigos?

Um velho companheiro do *Opinião* correu para socorrê-la. Jards Macalé morava com a mãe, o irmão e a avó num apartamento em Ipanema. Na mesma época, sua avó viajava pela Europa. Com mais espaço no ambiente, Macalé acolheu Bethânia. A paixão antiga se perdeu, mas a amizade continuou. Dona Lígia, mãe de Macalé, também apoiou a iniciativa. Bethânia poderia ficar o quanto quisesse. O que ela não sabia é que Macalé tinha um monte de amigos. Aonde um fosse, outro ia atrás, e mais outro, até formar um grupo. Em pouco tempo, Gau e Caetano começaram a aparecer por lá. Não demorou, Torquato, Capinan e Rogério Duarte também se chegaram. O apartamento, com vaga para mais um, passou a ser dividido por pelo menos mais meia dúzia. Enquanto a paciência de dona Lígia não torrava, a turma fazia arte e uma bagunça e tanto.

Guilherme sentia de longe o cheiro de talentos. Na casa de Macalé, viu-se diante de um tesouro. O violão do próprio Macalé de um lado, os poemas de Torquato e Capinan de outro, a presença de Caetano, a voz de Bethânia. Com aquela garotada dando sopa, ficou fácil conceber o novo show da cantora. O roteiro de *Recital* foi recheado de sambas-canções, sambas tradicionais, boleros e muita fossa. Nem sombra de música de protesto. Macalé ganhou a direção musical e reuniu um *cast* de primeira, entre eles o experiente baterista Edson Machado. À frente de todos, a verdadeira Bethânia, no gosto, no estilo, nos gestos, nas interpretações teatrais, enfim, ela própria. E para que tudo funcionasse, Caetano teria de fazer seu trabalho direitinho. A pedido de Guilherme, tornou-se uma espécie de gerente administrativo que se preocupava com tudo e todos. A iluminação, o som, os músicos, a cantora; tudo precisava ficar um brinco.

A receita deu certo. Os donos da boate riam de orelha a orelha. Depois de meses de fracasso, a casa ficou cheia durante toda a temporada. De certa forma, o show representava um marco duplo na história da música brasileira: o surgimento do empresário Guilherme Araújo e a revelação de uma Bethânia que o grande público ainda não conhecia. Quem perdeu essas apresentações foi Dedé. Muito jovem, não podia entrar para assistir aos espetáculos. Todavia, não deixava de ficar na porta esperando o namorado sair. Afinal, tinham que aproveitar cada instante. Dali, cada um seguia seu rumo. Dedé, para a casa da avó, no Flamengo, e Caetano, para o apartamento de Alex Chacon, ali mesmo em Copacabana.

Embora fosse muito gentil, o chileno era casado e a presença de um hóspede tirava um pouco de sua liberdade. Para amenizar a situação, Caetano passava boa parte do tempo na casa da avó da namorada. Às vezes, nem lá conseguia permanecer. Certa vez, dona Ideuzuith decidiu pintar o imóvel. E como não queria intoxicar ninguém, mandou todo mundo para a casa de Lucy Gadelha Pillar, uma de suas filhas. Acontece que Lucy era mãe de uma garotinha que não parava quieta. Caetano cortava um dobrado para tomar conta da pimpolha. Linda como um neném, aos dois anos de idade, Patrícia Pillar ainda não pensava em ser atriz, mas já fazia cena ao se esconder do namorado da prima. Por essas e outras, Caetano queria dar outro rumo à sua rotina. Pensava em ter um cantinho para ficar mais à vontade com Dedé. Só não sabia para onde ir. Um futuro vizinho daria a dica.

Naquele tempo, Caetano frequentava as sessões de música popular que aconteciam no Clube Mourisco, em Botafogo. Promovidos pelo Teatro Jovem, os eventos eram muito bem frequentados e lá se fazia de tudo um pouco. Jovens músicos se apresentavam e compositores iniciantes mostravam novas composições. Ali trocavam experiências e promoviam intensos debates sobre música, em que se ouvia o vozeirão do mediador Sargentelli até do lado de fora. Naquele ambiente, Caetano conheceu Cléber Santos, diretor do Teatro Jovem.

A exemplo de muitos artistas da época, o diretor morava numa espécie de pensionato tamanho família, não muito longe dali, ao lado do morro da Babilônia, entre Copacabana e Botafogo. Um casarão branco com detalhes azuis, em estilo colonial, e uma grande área externa bem arborizada. Antiga residência do Vigário Geral do Rio de Janeiro, o local fora asilo durante um período. Depois passou a abrigar gente de todas as partes que se deliciava com a beleza da cidade. Além da boa localização, o preço do aluguel ajudava. Pelo menos os parcos direitos autorais que Caetano recebia, somados às mesadas remetidas por Minha Daia, dariam para o gasto. Comida também não seria problema. O lanche ficava por conta dele, e, na hora de comer de verdade, podia passar na casa da avó de Dedé. O essencial, portanto, estava garantido: casa, comida, diversão e arte.

Satisfeito com a vizinhança, Cléber indicava o lugar para os amigos que estivessem à procura de moradia barata. Exatamente o que o magrinho frequentador do Mourisco precisava naquele momento. Depois de ouvir a sugestão do diretor, Caetano pesou tudo e decidiu se mudar. O nome oficial do lugar era Solar Santa Terezinha. Mas com tanta gente criativa vivendo por lá, ganhou o apelido de "Solar da Fossa". Embora lembrasse tristeza e depressão, o termo "estar na fossa" tinha conotação mais amena na época. Além do mais, era desmentido na prática pelos moradores não muito convencionais dos 85 apartamentos. Atores, pintores, músicos, compositores e jornalistas, quase todos em começo de carreira, se aglomeravam no Solar. Todo mundo se conhecia e quem não fosse boêmio precisava ter um pouco mais de paciência. Os dias e as noites no apartamento 72 prometiam.

Cercado de vizinhos amistosos, Caetano desfrutava do mínimo de limpeza e organização, gastava pouco, e o melhor de tudo: podia ver Dedé com mais frequência. Os bons ventos que sopravam naquele período não traziam apenas sua namorada. Notícias inesperadas também. Para a surpresa do autor, a canção "Boa Palavra", trazida de Salvador por Solano Ribeiro, obteve, na voz potente da cantora Maria Odette, o 5º lugar no II Festival promovido pela TV Excelsior. Em junho de 1966, a estreia nos festivais acontecia com pé direito. Para quem não acreditava muito, a colocação foi um prêmio. A vencedora do festival também lhe trouxe alegrias. "Porta Estandarte" nascera de uma parceria entre Geraldo Vandré e Fernando Lona, seu velho companheiro do Vila Velha.

Se o resultado agradou, outras palavras não o convenceram de forma muito concreta. Alex Chacon tinha lhe mostrado um artigo do *Correio da Manhã* em que o autor tecia comentários sobre a composição de Caetano e suas ideias publicadas na revista *Civilização Brasileira*. Naquele momento, o baiano pouco se animou. Afinal, quem era esse Augusto de Campos? Caetano ainda não tinha ideia da importância do autor, muito menos poderia imaginar qual seria sua ligação com a música. Augusto, por outro lado, saudava a chegada dele como um grande acontecimento na música popular brasileira. No artigo intitulado "Boa palavra sobre a música popular" o poeta ressaltava as qualidades do compositor e identificava, no que ele fazia, elementos de vanguarda que poderiam sacudir o cenário musical brasileiro. Mesmo com todo esse entusiasmo, Caetano não deu muita bola.

O primeiro contato com os concretistas foi assim, morno e quase despercebido. O namoro com a poesia concreta teria de esperar um pouco mais até desabrochar. Naquele período, outro escritor é que o sacudiria de forma mais contundente.

❦

Em 1966, a casa de Rogério Duarte parecia um albergue em alta temporada. Situada no bairro de Santa Tereza, famoso pela tranquilidade, pelas ladeiras e pelo bondinho, atraía constantes visitas e vivia cheia de gente. Os amigos Caetano, Dedé, Torquato, Gil, Gau, entre outros, costumavam ir até lá de tempos em tempos. Mais velho e mais experiente, Rogério exercia grande influência sobre eles, o que de certa forma repetia o que acontecera na sua relação com Glauber Rocha.

Naquela época, Rogério frequentava o restaurante da Faculdade Nacional de Filosofia, na avenida Presidente Antônio Carlos, no Centro do Rio. Lugar ideal para encontrar gente bem informada, militantes políticos, intelectuais e estudantes. E foi no meio dessa gente toda que ele viu de longe um barbudo de calça *jeans* que o deixou intrigado. A aparência exótica e intelectualizada do estranho às vezes se confundia com uma postura de desprezo para tudo à sua volta. Sem dúvida, estava ali um homem inteligente, pensava Rogério.

Depois de alguns encontros silenciosos, a curiosidade foi maior e aconteceu uma discreta aproximação. Assim nasceu sua amizade com o escritor paulista José Agrippino de Paula. O convívio aumentou e Rogério percebeu que sua intuição inicial estava mais do que certa. O escritor passou a ser uma espécie de referencial. Além de possuir inteligência privilegiada, tinha ideias particulares sobre cultura, ídolos de massa, e sobre a relação de tudo isso com o mundo. Sério feito um guarda real britânico, o homem raramente sorria. Fazia um tipo urbano, com forte influência da cultura internacional e quase nenhuma do folclore tipicamente brasileiro. Exatamente o oposto de Caetano.

Essa disparidade motivou Rogério a promover um encontro. Nessas idas e vindas à casa de Santa Tereza, os dois finalmente se conheceram. Caetano logo percebeu que o amigo tinha razão. Era mesmo uma figura ímpar, tinha jeito de troglodita, mas, por outro lado, possuía uma visão globalizada do mundo, com opiniões críticas e gostos peculiares. Quem se deliciou com o inusitado encontro foi Rogério. Polêmico até o último fio de cabelo, queria mesmo ver o circo pegar fogo. Com eles, comprovou que os opostos, de fato, se atraem. Mais do que isso; se completam. Naquela troca, Caetano adicionava a seu lado telúrico, provinciano e tipicamente brasileiro, o universo de Agrippino, com sua heterogeneidade cultural, referências diversas, ideias universalistas, atos e posturas de homem da cidade grande.

Caetano nem desconfiava ainda, mas Agrippino sabia muito bem onde dar forma a tudo que pregava. Havia tempos despejava todos esses elementos no livro que lançaria no ano seguinte: *PanAmérica* ♪ [31]. Enquanto o tijolo não saía, o convívio com Rogério e Agrippino jogava mais lenha na fogueira criativa de Caetano. O caldeirão que fervilhava em sua cabeça tinha que vazar por algum canto.

Mas enquanto isso não acontecia, trabalhar não fazia mal a ninguém.

❦

Se a casa de Rogério vivia cheia, o apartamento de Capinan não ficava atrás. Situado em Copacabana, recebia com frequência os amigos que moravam nas redondezas. Macalé, Torquato e Caetano eram figurinhas fáceis por lá. Conversavam bastante sobre política, poesia e cinema. E não raro algumas compo-

---

[31] ♪ "Sampa"

sições surgiam durante os encontros. Íntimo da poesia, Capinan gostava muito das letras de Caetano. Certa vez, se impressionou com a delicadeza de uns versos criados pelo amigo, que descreviam imagens amorosas, ambientadas na manhã de um dia ensolarado♪[32]. A música também estava adiantada e, ali mesmo, em seu apartamento, nascia mais uma canção de Caetano.

Além de novas composições, essa atmosfera criativa inspirava novos projetos. Nesse mesmo apartamento, Capinan, Torquato e Caetano discutiram muito até finalizar o roteiro do show que reuniria no mesmo palco Bethânia, Gil e Vinicius de Moraes. Com produção de Suzana de Moraes, direção musical de Francis Hime e direção geral do ator Nelson Xavier, o espetáculo *Pois É* estreou no Teatro Opinião em setembro de 1966. Macalé não dirigiu daquela vez, contudo, o violão foi dele. Conhecia tão bem o repertório que era capaz de tocar até de trás para frente. Fora escrever o roteiro, Caetano não precisou organizar tudo como fizera no recital da boate Cangaceiro. Claro, não deixou de prestigiar as apresentações da irmã, mas não podia se dedicar em tempo integral. Precisava garantir o seu também.

Alguns meses antes, Solano Ribeiro, o "homem festival", se transferira para a TV Record de São Paulo. Desde 1965, a emissora aumentava sua audiência com programas semanais apresentados por jovens talentos da música. As estrelas eram contratadas aos borbotões pelo homem forte da casa, Paulinho Machado de Carvalho. Desde maio daquele ano, Elis Regina passou a apresentar com Jair Rodrigues o programa *O Fino da Bossa*. O sucesso de "Arrastão" rendera a ela um contrato generoso. Pouco depois, aconteceu a estreia do programa *Jovem Guarda*, comandado nas tardes de domingo por um trio de arromba: Roberto Carlos, Erasmo Carlos e Wanderléa. Entre outros programas, a velha guarda também tinha seu espaço. Elizete Cardoso e Ciro Monteiro apresentavam o programa *Bossaudade*. Essa programação variada conquistava um público cada vez maior e a Record não parava de crescer.

Com tanta gente boa por perto, a ideia de promover outro festival de música soava simpática. Solano Ribeiro estava por lá e mais uma vez as coisas ficaram sob sua responsabilidade. Assim foi criado o II Festival da Música Popular Brasileira, dessa vez promovido pela TV Record. A segunda edição se justificava porque a emissora já havia promovido um festival em 1960, bem antes da TV Excelsior produzir o seu. O fato de a chamada "Era dos Festivais" coincidir com o surgimento de uma nova safra de grandes músicos, cantores e compositores, tornava as competições ainda mais acirradas e com nível de qualidade cada vez mais alto.

Caetano gostou da experiência no Festival da Excelsior e resolveu apostar. Inscreveu a canção "Um Dia", aquela mesma composta no apartamento

---

[32] ♪"Um Dia"

de Capinan. E dessa vez o time dos baianos ganhava reforço. Gil apostava em "Ensaio Geral", também inscrita na competição para ser defendida por ninguém menos que Elis Regina. Em outubro de 1966, o Festival entrava em sua fase decisiva. A cada eliminatória, a torcida se dividia entre as favoritas. Na noite da grande final, o clima esquentou de vez nas poltronas do Teatro Record. A metade mais sensível da plateia preferia a delicadeza de "A Banda", de Chico Buarque, interpretada por Nara Leão. A outra metade, formada pela ala dos mais politizados, torcia por "Disparada", de Théo de Barros e Geraldo Vandré, conduzida por Jair Rodrigues, Trio Novo e Trio Marayá.

Caetano não queria faltar à decisão que aconteceria em São Paulo. Afinal, sua canção fora bem aceita pelos jurados. Mesmo com o favoritismo das outras duas, a dele também continuava no páreo. O único problema é que os eventos de gala da emissora pediam formalidade na roupa dos artistas. Se a grana estava curta, onde arranjaria o traje a rigor? Quem tem padrinho não morre pagão. Guilherme Araújo ainda não era seu empresário ou mesmo seu produtor, mas naquela noite queria vê-lo divino maravilhoso♪[33], como dizia em seu bordão mais conhecido. Tirou do armário um de seus ternos e emprestou ao amigo. Não havia pressa para devolver, só tinha que tomar cuidado com os fundos da calça. Sabe-se lá onde ele sentaria...

À medida que os convidados chegavam, as torcidas quase se agrediam no auditório. Preocupada, a direção da emissora temia pelo pior quando noticiassem o resultado. Mas alguém tinha que vencer. Seria "Disparada" ou "A Banda"? "Um Dia", talvez? Ou, quem sabe, "Ensaio Geral", de Gil? Enquanto todo mundo aguardava pronto para sair no tapa, Paulinho Machado de Carvalho se reuniu com os jurados e toda a equipe. Pouco depois a decisão foi divulgada com muito alívio por parte da Record: empate entre "A Banda" e "Disparada". "A Banda", porém, seria a única vencedora, se Chico Buarque não tivesse pedido o empate num acordo secreto com a emissora. Esse resultado beneficiou Gil que saltou para o 5º lugar.

Caetano pensou que sairia de mãos vazias até ouvir que sua delicada "Um Dia" arrematou o prêmio de melhor letra. Vestido a caráter, já tinha se misturado às torcidas quando anunciaram o resultado. A demora do anúncio provocou uma reação natural em Caetano. Cansado de ficar em pé, imaginou-se na praia de Amaralina e sentou-se no chão da plateia. Passaria despercebido, se alguém não soprasse para o diretor de imagem que o cabeludo no carpete se chamava Caetano Veloso, autor da melhor letra do Festival. Antes que a turba se enfiasse na frente da câmera, deu para focalizá-lo por alguns minutos. Pronto: virou celebridade da noite para o dia.

---

[33] ♪"Divino Maravilhoso"

Aos 24 anos, Caetano sentia o gostinho da fama pela primeira vez. A imagem dele sentado tão à vontade no chão do teatro fixou-se na cabeça do povo. Para Chico Buarque, a proporção foi ainda maior. Com aparência de bom-moço, o cantor tornou-se o genro que toda mamãe queria ter. O ibope dele estava nas alturas. Fazia show em tudo que era canto, participava de eventos, apresentações, e novos contratos não paravam de chegar. Embora premiado em dois festivais, Caetano ainda não estava com essa bola toda. Mas também havia deixado o posto de iniciante fazia tempo. Os bons resultados não haviam sido por acaso. Em time que está ganhando não se mexe. Bastaria surgir outra oportunidade e ele agarraria novamente.

Com o sucesso das primeiras edições dos festivais, a moda se espalhou. Tanto que no fim de outubro a TV Rio promoveria o I Festival Internacional da Canção Popular, a ser disputado no estádio do Maracanãzinho, no Rio de Janeiro. Diferente do festival da Record, o FIC teria uma fase nacional de onde sairia o concorrente brasileiro para disputar a fase internacional. Mais experiente, Caetano estaria lá também.

De volta à capital carioca, inscreveu a suave "Beira Mar", composta em parceria com Gil. Depois de lhe mostrar parte da letra musicada, Caetano pedira ao parceiro que completasse a obra. A princípio, Gil recusou, achou linda a melodia já criada, bastava continuar na mesma linha. Nada feito. Caetano não abria mão de ter a música de Gil revestindo sua letra. Pedido de amigo não se nega. Com a insistência, Gil se esmerou e acrescentou seu talento musical a todo o restante da canção, criando a versão final da obra. Faltava definir a intérprete.

O novo local de competição influenciaria na escolha. Maria Odette estava mais ligada a São Paulo e, naquele momento, ficaria mais difícil contar com ela. Uma solução caseira, então, precisou ser providenciada. Maria Bethânia ganharia a missão de defender a obra. Seria a primeira vez que ela participaria de um festival de música popular. Primeira e última, diga-se de passagem. Se soubesse que o resultado e a atmosfera de rivalidade a irritariam tanto, nem teria participado.

Na 2ª eliminatória, Bethânia interpretou a canção com toda a força a que tinha direito. Nem o terrível som do Maracanãzinho atrapalhou sua performance. Com a ajuda do belo arranjo de Luizinho Eça, o público gostou e aplaudiu. No período em que a situação política do país estimulava manifestações de desagrado, muitas vezes descabidas, uma ovação favorável era raridade. De qualquer forma isso não determinava classificação de ninguém. E no caso dos baianos, tampouco influenciou na decisão dos jurados. A canção não foi à final em meio a muito protesto.

No fim, quem lucrou foi o trio formado por Nelson Motta, Dori e Nana Caymmi. A canção "Saveiros", que tinha sido recusada no I Festival da Excelsior, levou o primeiro prêmio. A coragem da jovem cantora também foi reconhecida. Enfrentar a vaia monumental que se ouviu durante toda a apresentação lhe rendeu o título de melhor intérprete da noite. Com o dinheiro do prêmio, Nelsinho comprou o fusquinha de seus sonhos. Ainda não tinha carteira, mas isso não passava de um mero detalhe. A partir de então ficaria mais fácil visitar seus amigos e reunir todo mundo. E ele que aproveitasse bem o seu carrinho; em breve seria roubado.

Ainda em outubro daquele ano, o marechal Artur da Costa e Silva foi eleito presidente da República. A ditadura militar permanecia no poder, mas não havia engrossado de vez. Ainda se podia aglomerar duas, três pessoas em reuniões privadas, sem despertar com isso a curiosidade dos órgãos de segurança nacional. A classe artística se beneficiava. Cantores, músicos e compositores conseguiam se juntar na hora que bem entendessem.

Algum tempo depois do FIC, Caetano participou de uma reunião promovida por Nelson Motta na cobertura de Vinicius de Moraes. Nelsinho reuniu a nata da música brasileira para discutir formas de revitalizar a marchinha de Carnaval, tão desvalorizada desde o surgimento da Bossa Nova. Rever amigos foi uma alegria só, mas, até onde se sabe, nenhuma obra-prima surgiu em decorrência do encontro. Nem os litros de uísque ingeridos na ocasião deram a inspiração necessária. À exceção de Braguinha, único a criar alguma coisa, os demais nada fizeram. Preferiram apenas confraternizar. A foto histórica da reunião ficou para a posteridade. Tom, Vinicius, Braguinha, Luiz Bonfá, Linda Batista, Dori, Nelson Motta, Torquato, Capinan, Edu, Caetano, Chico, Paulinho da Viola, Francis Hime, entre outros, não faltaram ao "olha o passarinho!" do fotógrafo.

Embora 1966 tenha sido de muito trabalho, o ano que se iniciava prometia remexer os trópicos. Estava na cara que o destino dele era mesmo ser artista. Quanto a isso não restava dúvida. Entretanto, para que ele se firmasse de vez, algo de grande impacto precisava acontecer. Havia tempos, Caetano matutava possíveis caminhos, mas eram apenas fragmentos desorganizados de pensamento. Para começar a organizar tudo seria prudente ouvir os conselhos da irmã Maria Bethânia. Ela sabia o caminho das pedras.

9

A MANHÃ TROPICAL SE INICIA

Morar no "Solar da Fossa" estava longe de se tornar motivo de depressão para Caetano. Muito pelo contrário, tinha se tornado um exercício animado e prazeroso. Nem a saudade natural de casa e dos amigos afetava seu humor. E se Maomé não ia à montanha, a montanha ia até Maomé. Nessa época, seu amigo Duda Machado deixou Salvador e foi morar com ele em seu pequeno apartamento no Solar. Enquanto não arranjasse outro recanto, Duda se acomodaria ali mesmo. Dividir o pouco espaço com o velho camarada seria uma bênção para ambos. E espia só que vizinhança...

O sambista Paulinho da Viola fazia festa no pensionato e compartilhava das noites de boêmia com o amigo baiano. Rogério Duarte também havia se bandeado para lá. Embora sua casa em Santa Tereza vivesse sempre cheia de gente, o Solar tinha um charme a mais. Naquele ambiente, as ideias de vanguarda fervilhavam, havia uma grande concentração de intelectuais e artistas, um lugar perfeito para colocar mais lenha na fogueira de seus pensamentos e fazer jus ao apelido criado por Vianninha: Rogério Caos.

Mesmo com essa fama de caótico, Rogério não podia ser considerado um sujeito confuso. Como artista gráfico, organizava eventos e dava aulas no MAM, o Museu de Arte Moderna do Rio de Janeiro, no Aterro do Flamengo. Não fazia o tipo professor sisudo, ranheta, que leva tudo a sério e mantém distância dos alunos. Ao contrário disso, interagia com eles como se fizesse parte da turma. Hiperativo, não economizava energia e semeava o terreno para um trabalho ainda mais contundente. A turma de artistas que andava por lá sintonizava na mesma frequência. Antonio Dias, Lygia Clark, Rubens Gerchman, Lygia Pape e o multifacetado Hélio Oiticica também faziam história naquelas bandas.

Nesse período, se o fusquinha dele falasse, teria muita história para contar. Sempre metido num sem número de atividades, Rogério rodava um bocado. A bordo de seu pequeno bólido, ia com frequência à Editora Vozes, onde comandava o setor de artes. Sem perder tempo, batia ponto nas reuniões do CPC carioca, com o qual estava comprometido desde 1963. Aonde quer que fosse, viajava em seu bendito fusquinha. No fim da jornada, porém, sempre regressava com ele para o mesmo ponto de partida: a encosta do Morro da Babilônia, sua nova morada.

A presença de Rogério no Solar fez aumentar o convívio com Caetano e Agrippino. A reboque, passou a conviver com Duda Machado. Varavam madrugadas falando de música, cinema, arte, política e o que mais desse na telha. Regados à cerveja, nem viam a hora passar. Caetano já estava mais que acostumado à rotina de noites sem dormir. E nem precisava apelar a outros artifícios para conseguir tal proeza. O simples prazer de estar com os amigos bastava para mantê-lo acordado e bem esperto. O fato não passava despercebido aos olhos de seus companheiros. Atento a tudo e a todos, Rogério Duarte criou para o sócio sentimental um apelido emblemático: "Caretano". Nesse clima de confraternização, o tempo passava no Solar. Como se fosse a manhã de um novo dia, de um dia diferente, novas ideias se organizavam na cabeça de Caetano. A mistura ganhava consistência e outras formas de expressão vinham engrossar ainda mais o caldo. Ingredientes não faltavam e a todo instante chegavam pelas mãos dos amigos mais próximos.

Capinan se impressionou com um estudo crítico da obra do poeta Joaquim de Sousa Andrade, o Sousândrade, de autoria dos irmãos Augusto e Haroldo de Campos. Quando o livro fora publicado, em 1964, o poeta maranhense estava quase em total esquecimento. Intitulado *ReVisão de Sousândrade* o estudo lançou luz à obra de caráter vanguardista do autor de *O Inferno de Wall Street*. Empolgado, apresentou o trabalho ao amigo Caetano. Mas ele não guardou os nomes dos irmãos Campos naquele momento, tampouco percebeu que um deles, o Augusto, era o mesmo que havia publicado um artigo no *Correio da Manhã*, saudando sua chegada ao cenário musical brasileiro. Muita coisa acontecia ao mesmo tempo e Maria Bethânia também tinha a dica de uma ponta de novelo a se seguir.

Desde agosto de 1965, Roberto Carlos, Erasmo Carlos e Wanderléa faziam enorme sucesso como apresentadores do programa *Jovem Guarda*, da TV Record de São Paulo. Lá recebiam artistas do mesmo estilo. Martinha, Eduardo Araújo, Golden Boys, Renato & Seus Blue Caps, e muitos outros: a chamada turma da Jovem Guarda, ou turma do iê-iê-iê, em alusão ao refrão marreta de "She Loves You", dos Beatles. Para eles, o grupo de Liverpool era uma inspiração no estilo, na estética, no tipo de música, em tudo. Atenta, Bethânia insistia para Caetano prestar atenção no que Roberto Carlos vinha fazendo. A vitalidade demonstrada por aquela turma, sobretudo pelo seu líder, o cabeludo Roberto, incomodava muita gente. A ala conservadora da música brasileira, mais ligada à Bossa Nova, torcia o nariz para aquele tipo de música. Nem mesmo a lembrança de que o principal jovenguardista também havia bebido da mesma fonte, amenizava o clima.

Quando finalmente assistiu ao programa com mais atenção, Caetano captou o que sua irmã queria dizer. Bethânia estava certa, Roberto Carlos era mesmo o quente. Percebeu que ali estava um dos pilares do que ele procurava para sacudir o cenário musical. A energia de Roberto Carlos provocava as mais diversas reações nas pessoas. Seu comportamento rebelde, ao mesmo tempo inovador, gerava debates, estimulava reflexões e desafiava os mais tradicionais. Caetano, porém, queria fazer um estardalhaço ainda maior. Não queria fazer muito barulho por nada. E ele sabia que sozinho não iria a lugar algum. Precisava incorporar mais pessoas, outros amigos, mais elementos.

※

As discussões com Rogério e Agrippino, as conversas com Guilherme, Duda e Gil, as dicas quentes de Bethânia. Tudo isso mexia com a cabeça de Caetano. Artistas e personagens diversos, de cultura pop ou de vanguarda, brasileiros ou não, como Roberto Carlos, Beatles, Godard ou Chacrinha estavam presentes em cada conversa. No liquidificador ideológico do fim dos anos 1960, tudo seria devidamente digerido e assimilado, e deixaria Caetano mais receptivo às novidades. Foi com esse espírito que ele atravessou o Túnel Novo, que liga Botafogo à Copacabana, para "pegar uma tela" no Cine Ricamar. Com a mente aberta, foi assistir à mais nova empreitada cinematográfica de Glauber Rocha: *Terra em Transe*.

Àquela altura, Glauber já tinha feito seu nome no Brasil e no exterior, o que gerava grande expectativa em relação a seus lançamentos. Se até o iconoclasta Agrippino havia dado aval à película, podia se esperar muito mais daquela vez. E não deu outra. Caetano achava que já tinha visto de tudo, que não se surpreenderia com mais nada. Isso durou até deixar o cinema, no fim da sessão, completamente estarrecido. O transe começava na tomada aérea inicial, ao som de um ponto de candomblé. A partir daí, o delírio de Glauber apresentava de maneira crua, com imagens chocantes, a condição de um povo sufocado pela força dos poderosos. Com uma narrativa não linear, muitas vezes confusa, o filme esculhambava com a demagogia dos políticos populistas de uma terra imaginária que metaforizava o Brasil.

Agrippino gostou, Duda não muito, a reação de Rogério é que intrigava. Não dizia uma só palavra, nenhum comentário sobre o filme. Logo ele que, além de ser autor do festejado cartaz de *Deus e o Diabo na Terra do Sol*, transpirava polêmica. Preferia dar mais atenção a outros trabalhos. No ano anterior, havia participado como peça viva de uma obra de Hélio Oiticica, na exposição *Opinião 66*, montada no MAM. Fazia o papel de um jogador de sinuca que fumava um baseado entre uma tacada e outra. Pouco depois, em abril de 1967, estivera presente com suas ideias em outra obra de Hélio. O ambiente "Tropicália" da exposição *Nova Objetividade Brasileira*, também montada no MAM. Uma espécie de labirinto com areia, brita, aves e plantas tropicais. Em meio à marola, às araras e às bananeiras, Rogério parecia esquecer um pouco de tudo. Mas essa posição distanciada deixava todo mundo confuso. Caetano e os amigos não percebiam o que estava por trás daquilo. No fundo, Rogério sentia um saudosismo pelo filme, porque o transportava para o universo de Glauber, onde certamente encontraria Anecy Rocha, seu amor do passado. A fim de resguardar seu coração, preferiu o silêncio.

Para Caetano, o impacto foi inevitável, sobretudo porque a estética do filme se encaixava no que ele pensava em fazer na música. Assistir àquela obra serviu para ampliar ainda mais seus horizontes, reforçar ideias, agregar outras e, o melhor de tudo, lhe dar certeza de que estava na hora de extravasar o que imaginava. Contudo, ainda faltava o mais importante. Iria precisar de gente em uníssono com seus ideais. Gente capaz de botar os pés no chão na mesma passada. Sem problemas, Gilberto Gil e Guilherme Araújo caminhavam na mesma sintonia. Ainda que viajassem de vez em quando, não esqueciam de trazer um fruto novo para botar no cesto.

❦

No início de 1967, Guilherme Araújo não era mais empresário de Maria Bethânia. Depois de um desentendimento que quase acabou em briga, o acordo entre os dois foi desfeito. Guilherme, então, passou a trabalhar com Gilberto Gil. Assim como Bethânia, Gil já gozava de grande prestígio no meio musical, mas de uma forma um pouco diferente, por assim dizer, bem mais exposto. Figurinha fácil nos programas da TV Record, tinha canções gravadas por Elis Regina, acumulava boas apresentações nos festivais, e estava prestes a terminar as gravações de seu primeiro LP, *Louvação*. Torquato Neto, transformado em parceiro dileto, já cantava a pedra. Ele dizia que, se havia várias formas de cantar e fazer música brasileira, Gil preferia todas.

Por tudo isso, dos outros três que formavam com Bethânia o núcleo principal dos baianos, foi natural que Guilherme passasse a trabalhar com Gil. E como não ficava parado um só minuto, rapidamente conseguiu os primeiros contratos. A exemplo do que acontecera em Salvador pouco tempo antes, Recife vivia o seu período de efervescência cultural. Isso se devia muito à atuação do governador Miguel Arraes até meados de 1964, quando fora preso e deposto pela ditadura militar. Apesar do violento corte, as sementes germinaram e, pouco tempo depois, os frutos podiam ser apreciados. Ali estava uma boa fonte para se provar.

Antenado como ele só, Guilherme fechou contrato com o Centro de Cultura de Recife para que Gil fizesse apresentações no Teatro Popular do Nordeste. Os dois ficaram radiantes. Além do trabalho em si, seria uma ótima oportunidade para ter contato com outros tipos de sons, outras culturas, especialmente com o folclore local e o povo valente do nordeste. Nas conversas com Caetano, os dois também demonstravam insatisfação com a estagnação em que se encontrava a música brasileira. Sabiam que era preciso sacudir de alguma forma. A viagem a Recife, sem dúvida, acrescentaria mais lenha nessa fogueira. E foi com esse espírito que os dois embarcaram.

Embora Guilherme estivesse com Gil em Recife, Caetano e Gau não ficariam desamparados na capital carioca. Mesmo sendo empresário apenas de Gil, Guilherme não deixou de abraçar os demais membros do grupo. Ele mesmo fez uma proposta a João Araújo, diretor da gravadora Philips na época, para que cada um gravasse um LP. De início, bateu a dúvida, todavia, com aval de artistas do calibre de Dori Caymmi, Francis Hime, Edu Lobo e Roberto Menescal, João Araújo resolveu apostar nos garotos. Como não eram tão conhecidos, não seria possível atender ao pedido inicial de Guilherme, mas também não dava para ignorar o talento de ambos. A solução encontrada foi gravar um disco em parceria.

Domingo seria o LP de estreia de Caetano e Gal. Sim, o nome da cantora figuraria desse jeito, em letras rosa-choque com moldura azul, na capa da bolacha. Mas não era Maria da Graça, Gau, Gracinha? Isso foi até Guilherme Araújo entrar em cena. O nome Maria da Graça não lhe soava bem. Lembrava nome de cantora de fado e estava muito aquém do potencial da intérprete. Guilherme não engolia aquele nome de jeito nenhum e passou uma noite inteira fazendo combinações, até encontrar a que achou melhor: Gal Costa. Entre cores e nomes, estava ali um nome internacional, à altura do talento da moça. Quem não gostou foi dona Mariah, a mãe de Gal, que enviou uma carta malcriada a Guilherme, por ele ter desprezado o nome de batismo da filha. Apesar dos protestos, não tinha mais volta. A partir dali, passaria a ser conhecida como Gal Costa.

Escolhido o repertório, entraram em estúdio para gravar. Os arranjos ficaram por conta da turma que havia dado força. A presença de Menescal, Francis e Dori, este último também como produtor, dava credibilidade ao trabalho e confiança à dupla de iniciantes. Na condição de novatos, Caetano e Gal precisavam fazer um esforço tremendo para gravar. Como não possuíam o mesmo prestígio de outros artistas, só podiam ocupar o estúdio da Av. Rio Branco, no Centro do Rio, de manhã cedo. Cumprir esse horário para quem dificilmente acordava antes do meio-dia era um martírio. Mas eles aguentaram firme até a última faixa, quando a "tortura" chegou ao fim. As canções foram interpretadas com uma suavidade para João Gilberto nenhum botar defeito. Os arranjos e a forma de cantar dos intérpretes tendiam muito mais para a Bossa Nova do que qualquer outro ritmo. O resultado não poderia ser diferente. Agradou a todos. E, por assim dizer, agradou a Caetano também. Mas era isso que ele tanto planejava fazer? Não, não era.

Domingo tornava-se um registro do que ele tinha feito até aquele momento. As músicas estavam lá, não podiam ser renegadas. Caetano não guardou para si essa opinião. Deixou a pista na contracapa do disco. Alertou que olhava aquele trabalho com certo distanciamento e que suas inspirações tendiam para caminhos bem diferentes do que havia seguido até então. Por outro lado, esses caminhos estavam bem próximos do que seus parceiros também pensavam em fazer.

❧

A valorização do folclore local provinha dos centros de cultura de Pernambuco. Os visitantes podiam desfrutar do jeito que quisessem. Convidados a provar de tudo, faziam contato com as mais variadas manifestações artísticas. Nesse clima, Gil foi a Caruaru, assistir a um grupo local que usava pequenas flautas chamadas de pífanos, a "Banda de Pífanos de Caruaru". Todas as boas impressões obtidas com o giro pernambucano foram sintetizadas no som melódico produzido por eles. O repertório abusava de temas do cancioneiro sertanejo. Um em especial bateu mais fundo: "Pipoca Moderna" ♪[34]. Ao entrar em contato com o som daquela banda, sua indumentária, seu estilo e sua postura, Gil traçou parâmetros com os Beatles de "Strawberry Fields Forever". Via neles uma semelhança com a Banda do Sargento Pimenta. Em sintonia com o artista, o olhar cúmplice de seu empresário traduzia sensação semelhante.

As experimentações da viagem encheram a cabeça deles de ideias. O longo período em contato com um Brasil real, pobre, miserável, bem diferente do que era cantado nas canções românticas de outrora, causou forte impacto em ambos. Somado a isso, a cultura local fora exposta ao sol, nua, crua, em

---

[34] ♪ "Pipoca Moderna"

praça pública, com toda sua precariedade, mas nem por isso sem valor; com todo seu teor arcaico, mas nem por isso parada no tempo. Para Gilberto Gil, aquela experiência tinha sido a gota d'água.

Na volta de Pernambuco, sua empolgação estava a mil por hora. Muito eufórico, narrou para Caetano tudo o que havia sentido durante a viagem. Gil já desconfiava dos pensamentos do amigo e logo percebeu que ambos falavam o mesmo idioma. Pragmático, quis ir mais longe. Propôs a realização de encontros com os colegas de música, a fim de expor as novas ideias, a exemplo dos debates que o pessoal do "Teatro Jovem" realizava no Mourisco. Precisavam discutir, pensar e evoluir aqueles novos conceitos, e a melhor maneira de fazer isso seria com todo mundo reunido.

Realizada na casa do compositor Sérgio Ricardo, a primeira dessas reuniões foi um fracasso. Alguns chegaram bêbados; outros, atrasados. Teve gente que nem deu as caras. Gil até se esforçou para demonstrar a necessidade de se fazer um som mais heterogêneo, mais universal. Entretanto, a turma que se prestou a ir até lá não entendeu a proposta. No fundo, pensavam que Gil quisesse fazer um som comercial e vulgar. Entre os poucos gatos pingados que apareceram, estavam Chico, Edu, Sidney Miller, Torquato, Capinan e o próprio Sérgio. A segunda reunião não foi diferente e a proposta de torná-las um evento periódico logo desmoronou. Só não foi um fracasso total porque alguns dos presentes assimilaram a essência das ideias. Pelo maior convívio e afinidades naturais, Torquato e Capinan captaram o argumento central e entraram de cabeça.

Juntar pessoas não se mostrou uma tarefa simples, todavia, um pequeno grupo estava reunido em torno do mesmo ideal. A trama ganhava corpo, mas ainda não estava completa. Com o principal elemento nas mãos, o que mais seria preciso para organizar tudo? Faltava o cenário, isto é, o quintal adequado para soltar os tigres e os leões do movimento. A oportunidade logo surgiria, mas, antes disso, a música nacional passaria por uma cisão. E tudo começaria em São Paulo, nos bastidores da TV Record.

O programa *Jovem Guarda*, de Roberto, Erasmo e Wanderléa, crescia na preferência do público, enquanto *O Fino*, de Elis Regina e Jair Rodrigues, despencava na audiência. Arretada como ela só, a "Pimentinha" não deixaria barato: foi conversar com o patrão. Diante da pequenina Elis, Paulinho Machado de Carvalho se viu em situação delicada. Afinal, eram todos contratados da mesma casa e não havia privilégio de um em detrimento ao outro. Embora a rivalidade fosse interessante para a emissora, estava patente que alguma coisa precisava ser feita. Para serenar os ânimos, a primeira providência foi marcar uma reunião com toda a ala que se dizia prejudicada.

Pela ligação antiga com Elis, Gil foi convidado a participar do encontro. Sabiamente levaria Caetano, aceito na condição de ouvinte e colaborador.

Entre discursos acalorados, a principal sugestão foi a de substituir alguns programas existentes, o de Elis, o de Nara, do Simonal e de outros, por um único programa a ser apresentado semanalmente por quatro núcleos distintos de artistas, o *Frente Única da Música Popular Brasileira*. A proposta tinha seu valor, mas o grupo mais descontente gostaria de algo radical. No fundo, queriam soterrar Roberto Carlos, mandar o iê-iê-iê, a Jovem Guarda, as guitarras e tudo mais, para o inferno.

Com esse espírito de guerrilha, a ala mais violenta da MPB foi às ruas. Uma passeata contra a invasão das guitarras foi organizada em 17 de julho de 1967, dia em que seria apresentado o primeiro programa da série recém-criada. Quem ficou de saia justa foi Gilberto Gil. Teve de participar da passeata sem concordar com o que ela pregava. Mas não teve outra opção. Devia lealdade a Elis por toda força que ela havia dado no início de sua carreira. Além do mais, tinha acabado de assinar contrato com a Record para apresentar um dos programas da nova série.

Enquanto a passeata se arrastava pelas ruas de São Paulo, Caetano a assistia, estupefato, da janela do Hotel Danúbio, onde havia se hospedado. Lá também estava Nara Leão, que, não menos revoltada, testemunhou o protesto a seu lado. Horrorizada, comparou a grotesca manifestação ao antigo partido Integralista, uma espécie de fascismo dos trópicos. As palavras de Nara encorajaram Caetano, e ele percebeu que tinha uma nova aliada para seus planos. Na primeira chance, as novas ideias seriam divulgadas publicamente.

O programa de Gil ofereceu a primeira oportunidade. O núcleo dele contava com a colaboração de Caetano, Torquato e Bethânia. Na elaboração do roteiro, em resposta à passeata, pensaram em radicalizar de vez. Fariam uma escandalosa homenagem ao inimigo público número um do momento: Roberto Carlos. Bethânia entraria em cena de minissaia e guitarra, declamaria um texto sobre o cantor e em seguida interpretaria: "Querem Acabar Comigo", ao lado do próprio. O problema é que essa história chegou aos ouvidos de um paraibano cabra-macho. Enfurecido, Geraldo Vandré foi até o Hotel Danúbio e discutiu com todo mundo. Depois de ouvir os berros de Vandré, a turma achou melhor adiar a empreitada e refazer o roteiro. Não apagaram todas as propostas, porém, os trechos mais polêmicos foram eliminados e o programa foi ao ar com impacto bem menor.

Com ou sem o impacto esperado, começavam ali alguns dos maiores desafetos do grupo dos baianos.

❧

Naquela época, Caetano alternava períodos no Rio e em São Paulo, onde havia boas oportunidades de trabalho. Depois do estremecimento com Vandré, em agosto estava de volta à Sampa. Não para aconselhar Gil, como fizera pouco tempo antes, e sim, novamente, para acompanhar e dar força à irmã, que fora convidada a participar de uma competição musical no mais recente programa da TV Record: *Esta Noite se Improvisa*.

Os apresentadores Blota Jr. e sua esposa, Sônia Ribeiro, comandavam o show. O programa exibia um jogo em que se testava o conhecimento musical dos convidados, a maioria artistas contratados da casa. Após Blota fazer suspense e completar o jargão do programa "*A palavra é...*", quem tocasse a campainha primeiro tinha que apresentar uma canção com a palavra citada, acompanhado pelo maestro Caçulinha. Aquele que acertasse mais canções ao longo do programa levava o prêmio, um automóvel Gordini novinho.

Ao saber das regras do programa, Bethânia se convenceu de que precisaria de um bom treino. Sem problemas, Caetano estava lá para isso. Já em São Paulo, no intervalo dos ensaios, os dois foram até uma lanchonete simular a brincadeira. Bethânia tinha dificuldade para lembrar-se das músicas e isso aumentou sua insegurança. Ao contrário da irmã, Caetano sempre achava no fundo do baú uma canção com a palavra escolhida. O que parecia coisa de gênio tinha um segredo; ou vários. Lembra das cantigas de dona Canô, das sessões de rádio com seu Zezinho, dos discos de dona Flor, do Bar do Bubu e dos shows no Vila Velha? Pois é, com a ajuda de uma excelente memória musical, seu conhecimento acumulado aflorava espontaneamente.

Entre uma conversa e outra, um homem que lanchava próximo prestou atenção no rapazola bamba de música. Aproximou-se e se apresentou como Nilton Travesso, produtor da TV Record. Ele já conhecia Bethânia e suspeitava que o rapaz ao lado fosse Caetano Veloso, seu irmão compositor. Só não sabia da extensão de seu conhecimento musical. Percebendo a boa oportunidade, Travesso o convidou a também participar do programa do Blota Jr. O dinheiro estava curto, Bethânia estava insegura, e ele apareceria na TV. Até que não seria má ideia. Diferente de Bethânia, Caetano sentia-se naturalmente pronto para encarar o desafio. Então, que fosse assim, já que a estreia seria naquele mesmo dia.

O programa tinha um clima de festa. Além do ambiente divertido, quase todos os convidados se conheciam de longa data. Edu Lobo, Wilson Simonal, Chico Buarque e Vinicius de Moraes brigavam entre si para tocar a campainha com maior rapidez. Mas nem todos jogavam bem. Edu tinha raciocínio lento, a ponto de não lembrar em que música havia a palavra "neguinho". E um de seus maiores sucessos é "Upa, Neguinho". A palavra no título às vezes pregava peças. Chico trouxe Vinicius do Rio e explicou-lhe a brincadeira no avião. O problema foi na hora do vamos ver. Vagaroso e com braços curtos, o poeta não conseguia tocar a campainha antes dos outros. Aí Chico deu a dica para ele bater mesmo sem ouvir a palavra. Na primeira tentativa deu sorte. A palavra foi "garota". Moleza, pensou o poetinha. Todo serelepe começou a cantar sua "Garota de Ipanema". Cantou, cantou, cantou, até chegar ao último verso. Nada de sua "garota". No fim, constatou desapontado que a eterna garota só estava no título, ou, no máximo, desfilando na Montenegro a caminho do mar. A gargalhada do auditório foi ruidosa.

Por outro lado, a suspeita de Travesso se confirmava em Caetano, que passou a reinar em vários programas seguidos. Certa ocasião, Blota lançou a palavra "acordei". Campainha tocada e Caetano começou a interpretar a valsa "Eu Sonhei que Tu Estavas tão Linda", de Lamartine Babo e Francisco Mattoso. Seu preciosismo foi tanto que ele precisou cantar a música de cabo a rabo. "...*Olhavas só para mim... vitórias de amor cantei...*" A palavra só aparecia no final da música. "...*Mas foi tudo um sonho, acordei!*" Santo Vila Velha! Ai se não tivesse incluído essa nos shows de inauguração do teatro. Com a vitória, mais um Gordini foi para sua conta. Na verdade, o dinheiro, já que o carro era vendido sem que se soubesse a cor. De Gordini em Gordini, Caetano foi enchendo seu cofrinho. Mas nem sempre ganhava com facilidade. Ele tinha concorrentes à altura. Carlos Imperial e Chico Buarque não davam trégua.

Com uma boa dose de malandragem, Chico conhecia de cor um extenso repertório. Versado no berço da cultura popular, também faturava seus carrinhos. Quando tocava a campainha, rapidamente se lembrava da música. Ou, se não soubesse, inventava. Chegou a cantar uma canção fictícia inteira, composta ali mesmo, na frente das câmeras. Foi tão criativo que ainda apresentou ficha técnica, com ano de gravação, gravadora, autor e tudo o mais. Como ninguém tinha ouvido falar mesmo, o jeito foi dizer que a gravadora estava extinta e por isso o autor da obra também era desconhecido. Embora convincente, a farsa não durou muito tempo. Chico danou a rir da própria cara de pau. E era bom que não viesse com outra dessas porque o maestro Caçulinha, escolado, começava a torcer seu generoso nariz.

A rivalidade sadia que brotava entre Chico e Caetano começou a incomodar e a imprensa marrom logo jogou pimenta. Dizia-se que ambos se antipatizavam mutuamente. Balela; nada disso era verdade. O convívio cresceu e logo passariam a sair juntos pelas noites paulistanas. Quem sempre estava metido com eles era um amigo de Chico, o violonista Toquinho. Moreno bonito, o garotão fazia sucesso com a mulherada, a ponto de mexer até com o lado feminino do baiano. No clima da brincadeira, Caetano passou a tratar o morenão de "meu noivo". Chico não se aguentava de rir ao ver Toquinho encabulado.

O próprio Chico encarnava o grande gozador da turma. Certa vez, jurou de pés juntos que seu amigo baiano havia enlouquecido e que, ao ser visitado no hospício por Bethânia, enxotava a irmã aos gritos de: "*Sai, carcará! Sai, carcará!*" Os mais ingênuos acreditavam na história absurda e, quando encontravam o suposto maluco, se surpreendiam ao vê-lo completamente são. Conhecedor de seu eleitorado, Caetano já sabia que Chico, tremendo de um sacana, havia aprontado mais uma.

Apesar das brincadeiras de Chico e das gozações homoeróticas de Caetano, saíam todos de madrugada no fusquinha de Chico, curtindo a vida e fazendo estripulias pela cidade. Quando não precisavam levar Chico de porre para casa, iam ao bairro do Pacaembu pular o muro da casa de uma de suas paqueras, no afã de promover românticas serenatas. Certa vez, Caetano chegou a subir em uma árvore para melhor entoar sua voz. Pelo visto não deu muito certo. Em breve, Chico se uniria a outra bela jovem, a atriz Marieta Severo. Amores à parte, a turma logo se encontrava novamente nos bares paulistanos.

Se no *Esta Noite se Improvisa* a dupla de compositores disputava palmo a palmo cada Gordini, nas mesas de bar a competição também se acirrava. No movimentado Patachou, da rua Augusta, Chico, Caetano e Toquinho promoveram um concurso de quem melhor imitava João Gilberto. O páreo foi duro, mas Toquinho, no papel de juiz, deu a vitória a Caetano, em meio a muito protesto de Chico. A despeito das brincadeiras, a competição de verdade acontecia na frente das câmeras.

As aparições na Record deram fama e dinheiro a Caetano. O período foi de fartura e a oportunidade não podia ser desprezada. Com os constantes convites para o programa e o acúmulo de vitórias, ele praticamente passou a morar em São Paulo, no apartamento alugado por Guilherme Araújo na rua São Carlos do Pinhal, paralela à avenida Paulista. A proximidade abriu o olho de Guilherme. Ele, que ainda não havia despertado para o talento do mancebo, finalmente viu na crescente popularidade do amigo uma carreira promissora. Antes que uma raposa chegasse, tornou-se, a partir dali, seu empresário. A exemplo do que acontecera com os outros, seu artista não ficaria sem trabalho.

Muito em breve, Caetano repetiria os tempos de Alvinho Guimarães. Iria compor a trilha do filme *Proezas de Satanás na Vila de Leva-e-Traz*, do diretor Paulo Gil Soares, um velho conhecido da Bahia. Sem dúvida seria uma boa chance de mostrar seu trabalho, mas não a que reuniria as melhores condições para divulgar o que tinha de melhor. A fama, o dinheiro, as aparições na Record, nada disso tirou da cabeça dele a necessidade da mudança que pretendia empreender no cenário musical brasileiro. Ao contrário, lhe deram mais segurança para detonar tudo de vez. E o momento que ele tanto esperava acabava de chegar.

Estavam abertas as inscrições para o III Festival da Música Popular Brasileira, a ser promovido pela TV Record de São Paulo.

Depois de uma pausa nas aparições no programa do Blota Jr., Caetano retornou ao Rio de Janeiro. Em seu quarto no Solar, começou a compor uma canção para inscrever no Festival. Ele até já tinha material pronto, mas nada moderno o suficiente para atingir o impacto desejado. A que mais se aproximava era "Paisagem Útil", composta algum tempo antes. Contudo, essa também não servia. Paulinho da Viola, seu vizinho no Solar e primeiro a ouvi-la, não se mostrara chocado. Tinha achado diferente de tudo, é bem verdade, mas não a ponto de estremecer quem ouvisse. Ele sabia que precisava fazer algo ainda mais contundente.

Em seu processo criativo, lembrou-se de sua canção "Clever Boy Samba", composta ainda na Bahia. A letra cheia de referências revela imagens de alguém caminhando por lugares da moda de Salvador. Com temática semelhante, mas com a ação ambientada nas ruas de Copacabana, Caetano compôs uma marcha bem ao estilo de "A Banda", de Chico. "Alegria, Alegria" era carregada de imagens da cultura pop, a começar pelo próprio título, tirado do jargão que o apresentador Chacrinha aprendera com Wilson Simonal. Bem mais impactante que as canções anteriores, "Alegria, Alegria" representava uma espécie de manifesto do tipo de música moderna que ele almejava produzir dali em diante; a canção certa para inscrever no festival.

A expectativa aumentava. Caetano tinha certeza de que a revolução que tanto ambicionava seria finalmente deflagrada. A nova canção tinha a força necessária, mas ele ainda precisava despejar os outros elementos que cozinhavam em sua cabeça. Para acompanhá-lo, pensou em convidar o RC-7, a banda de Roberto Carlos. Seria uma boa opção, afinal, Roberto reinava no epicentro da guerra de correntes musicais travada naquele período. Sem dúvida seria, se Guilherme não tivesse o hábito de ser *in* em São Paulo.

Numa dessas, o empresário foi parar na casa noturna O Beco, do amigo Abelardo Figueiredo. Lá se deparou com os Beat Boys, um grupo de rock argentino formado por cinco rapazes: Toyo, Tony Osanah, "Cacho" Valdez (substituído, no fim de 1967, por Daniel Dáttoli), Marcelo Frías e Willy Verdaguer. Os cabelos compridos, as guitarras, a indumentária, a experiência em fazer *cover* de bandas de rock internacionais. Ali estava o conjunto perfeito para acompanhar Caetano no festival. Eram garotos que gostavam de Beatles e Rolling Stones e poderiam fazer tanto barulho quanto o RC-7. A sugestão de Guilherme, incluindo toda a atmosfera *pop* das roupas, do som, dos instrumentos e da atitude, foi imediatamente aceita por Caetano.

Enquanto isso, em São Paulo, Gil também se convencera de que o momento havia chegado. Então ele que preparasse logo sua munição. Tinha se separado de Belina, mas não estava sozinho. Nana Caymmi era seu par. A proximidade com a família o levou ao universo do pai da moça. Numa visita a um amigo de Dorival, o tema "Caymmi" foi sugado até a última gota. De volta ao Hotel Danúbio, Gil pensou em compor uma canção bem ao estilo do mestre, sobretudo com elementos do folclore da Bahia. Gastou a madrugada até chegar ao resultado que queria. Intitulada "Domingo no Parque", a música conta a história de um crime passional no meio de um triângulo amoroso formado por gente comum que transitava nas ruas de Salvador. A ousadia do tema não foi suficiente. Ele também sabia que precisava incluir os elementos do novo estilo, do movimento que estava para ser deflagrado: as guitarras elétricas.

Com a cabeça virada desde o último disco dos Beatles, *Sgt. Pepper's Lonely Hearts Club Band*, Gil imaginou o mesmo tratamento para o arranjo da canção. Uma verdadeira pedrada na janela da MPB. A corajosa empreitada, no entanto, carecia de alguém competente. Quem seria corajoso o bastante? Depois de algumas opções descartadas, Gil lembrou-se do maestro Júlio Medaglia, integrante da equipe de produção do Festival. Medaglia tinha talento mais do que suficiente, porém, como seria jurado do evento, não podia levar a cabo a tarefa. Passarinho que acompanha morcego amanhece de cabeça para baixo. Medaglia, que andava com gente boa no campo da música, passou a bola para outro craque da batuta: o maestro Rogério Duprat.

Diplomado pelo conservatório musical "Heitor Villa Lobos", Duprat militava havia tempos no campo da música. Entre várias atividades, integrava diversas orquestras, fora jurado no festival da TV Excelsior, dera aulas de violoncelo e harmonia, e tinha participado ativamente do grupo vanguardista Música Nova, do qual, entre outros, também faziam parte Damiano Cozzella e o próprio Júlio Medaglia. Ainda que tivesse visto de tudo na música, Duprat não abria mão de fazer experiências. Em seu íntimo, se considerava um antimúsico. Faltava, então, um conjunto de impacto para completar o quadro imaginado por Gil.

Mergulhado no clima, Duprat tinha a banda ideal. Apresentou a Gil três adolescentes do bairro paulistano da Pompéia, os irmãos Sérgio e Arnaldo Dias Baptista, e uma mocinha sardenta chamada Rita Lee Jones. De primeira, eles arrasaram. Em fase de apreciação, Gil imediatamente acordou para a maravilha à sua frente: "Os Mutantes". Embora parecessem apenas meninos, conheciam tudo de *rock and roll*, da sola do pé até o último fio de cabelo. E eram bem cabeludos, por sinal. Se existia uma turma que gostava de provocação, estava ali a própria. Com a equipe formada, o petardo de Gil ficou pronto. Só restava esperar pelo dia "D".

Caetano não tinha qualquer dúvida de que o momento era aquele. Além de reunir os elementos necessários, percebeu que a energia da mudança atravessava as fronteiras da música. A confirmação de um movimento com abrangência mais ampla se deu quando foi ver a peça *O Rei da Vela*. A mais nova empreitada do grupo de teatro Oficina era obra do não menos inquieto Oswald de Andrade. Depois de *Os Pequenos Burgueses*, mais um ponto marcado por Zé Celso. O desbunde reinava. A começar pelos cenários. Com destaque para o do 2º ato, em que o artista Hélio Eichbauer abusava de cores berrantes e elementos tropicais, como coqueiros e bananeiras. Do primeiro ao último ato, a montagem irreverente e cheia de picardia chocou e surpreendeu os espectadores. Como se os conceitos do momento se interligassem, a peça transbordava deboche, crítica social e estilo popular; tinha um quê de Glauber, uma pitada de Chacrinha, e todo o universo que pairava sobre a cabeça de Caetano e que seu nariz já apontava.

Àquela altura, o romance *PanAmérica*, de Agrippino, ocupava as livrarias; o grupo de artistas do MAM aprontava horrores nas artes plásticas; Zé Celso se inspirava em Glauber e exaltava as qualidades do apresentador Chacrinha. As bases estavam lançadas. Faltava a explosão. O estopim foi aceso em outubro de 1967, nas primeiras eliminatórias do Festival da TV Record.

Antes mesmo do primeiro número musical, havia um clima de apreensão e rivalidade nos bastidores. O amadurecimento de uma geração de grandes artistas colaborou para aumentar a qualidade das canções. A briga daquele ano seria ainda mais acirrada. Disputa no palco, tensão na plateia. Se os concorrentes transpiravam ansiedade, as torcidas estavam prestes a incendiar o auditório. Já nas primeiras apresentações, a vaia predominou. Nara Leão, com "Estrada e o Violeiro", de Sidney Miller, e Jair Rodrigues, interpretando "Samba de Maria", de Francis Hime e Vinicius de Moraes, sentiram a reação do público na pele e no ouvido.

Na vez de Gil, a plateia se dividiu entre gostar, não entender, e odiar inteiramente. A presença de "Os Mutantes", a mistura de guitarras com berimbau, o arranjo de Rogério Duprat, a temática da canção, a forma cinematográfica com que a história desfilava na letra. O conjunto da obra mostrava que a novidade vinha dar à praia. No cômputo final saiu mais aplaudido que vaiado. Por muito pouco ficava sem essa. Horas antes da apresentação, fora acometido de um pavor que o fez se trancar em seu quarto no Hotel Danúbio. Só depois de muita conversa de Nana, Caetano, Guilherme e do próprio Paulinho Machado de Carvalho, Gil resolveu pagar para ver. E viu mesmo. O júri aprovou a obra e o classificou para a grande final.

Dias depois, na outra eliminatória, foi a vez de Caetano. Como de praxe, o casal de apresentadores Blota Jr. e Sônia Ribeiro começou a anunciar o currículo do artista. Em contraste à brutalidade do público, os rapazes do grupo Beat Boys, vestidos com um terninho rosa-bebê, afinavam suas guitarras. A leitura dos apresentadores nem tinha acabado quando os mais debochados começaram a vaiar. Decidido a ir para o embate, Caetano entrou de supetão. Vestindo uma camisa de gola rolê laranja debaixo de um terno xadrez, com cara de poucos amigos, assustou até quem não tinha nada a ver com a briga. A plateia recuou e, sem que tivesse tempo de entender o que acontecia, ouviu os primeiros e imponentes acordes de "Alegria, Alegria". Em pouco tempo, quem pensava em vaiar, aplaudia euforicamente. O sucesso de público se repetiu com a equipe técnica. O júri também aprovou a música. Seu plano começava a dar resultado. Estaria na final ao lado de Gil.

Entre outros, também se classificaram, "Roda Viva", de Chico, "Ponteio", de Edu e Capinan, "O Cantador", de Dori e Nelson Motta, e "Maria, Carnaval e Cinzas", de Luiz Carlos Paraná, interpretada pelo "brasa" Roberto Carlos. Se o júri tinha seus eleitos, ficava difícil entender o público. No curto espaço entre a apresentação e o anúncio da classificação, aplaudiam e vaiavam a mesma música. Isso influenciou o desempenho de muitos artistas e prejudicou o julgamento das concorrentes. Uma das mais vaiadas foi "Beto Bom de Bola", de Sérgio Ricardo. Apesar do enorme barulho, a canção também foi classificada. O autor não desconfiava, mas botaria para quebrar na final, literalmente. Quem não teve a mesma sorte foi Johnny Alf e sua delicada "Eu e a Brisa". Atrapalhados pelo público, os jurados não perceberam a beleza da obra, que acabou limada. Quem passou pela turbulência esperava ansioso pela finalíssima.

Na noite de 21 de outubro de 1967, o Teatro Record Centro fervia. A imprensa estava dividida. Uns davam favoritismo a Chico, outros a Edu, e ainda havia os que simpatizavam com a rebeldia e a irreverência dos baianos. Todo mundo continuava no páreo. Gil e Caetano estavam entre os primeiros a se apresentar. Confiantes, subiram ao palco e repetiram o bom desempenho das eliminatórias. Àquela altura, o resultado não importava. Estavam de alma lavada. O recado foi dado para quem quisesse ouvir e entender. A repercussão começaria muito em breve. Ambos sacudiram as estruturas, mas quem rachou a lenha mesmo foi outro artista.

Da coxia, todo mundo viu quando Sérgio Ricardo entrou junto com seu violão. Apenas um voltaria de lá. O compositor chegou tenso. Não sabia por que o público implicava tanto com sua "Beto Bom de Bola". Foi assim nas eliminatórias e na final seria ainda pior. Mal se ouviram os primeiros acordes, a gritaria começou. O barulho ensurdecedor prejudicou Sérgio e os músicos que o acompanhavam. Ele atravessou, cantou fora do tom, sem melodia. Já não ouvia o seu próprio retorno. Parecia impossível continuar. Ele ainda tentou conversar com a plateia, fez graça, mas foi inútil. A vaia só aumentou. O sangue, então, subiu-lhe à cabeça. Sérgio parou de cantar e gritou: "*Vocês ganharam! Vocês ganharam!*" Em seguida, numa atitude surpreendente, esmigalhou seu violão no cenário e o atirou à plateia, para desespero dos apresentadores. O gesto provocou sua desclassificação. Mas o show tinha que continuar.

As cinco últimas concorrentes, entre elas "Ponteio" e "Roda Viva", seriam apresentadas mesmo com os intérpretes em estado de choque. Com muita coragem, Edu, Marília Medalha, Quarteto Novo e Momento Quatro, e, depois, para defender "Roda Viva", Chico e o conjunto MPB 4, subiram ao palco e enfrentaram a guerra. Não obstante, em comparação ao que tinha acontecido com Sérgio Ricardo, Chico, Edu, e os demais intérpretes se sentiram nas nuvens. As duas canções caíram no gosto da maioria e eles foram poupados da enxurrada de vaias. Ainda sem entender a reação do público, saíram de lá consagrados. Dever cumprido. Faltava o resultado final.

Minutos depois, a direção da Record anunciava o que todo mundo queria ouvir: 5º lugar para "Maria, Carnaval e Cinzas", de Luís Carlos Paraná, 4º lugar para "Alegria, Alegria", de Caetano, 3º lugar para "Roda Viva", de Chico, vice-campeonato para Gil, com "Domingo no Parque", e, finalmente, a grande vencedora, "Ponteio", de Edu e Capinan. A festa foi completa. Todo mundo se abraçava no palco, enquanto Edu, ao lado de Marília Medalha, Quarteto Novo e Momento Quatro, bisava "Ponteio" para o público.

Outro premiado foi Rogério Duprat. "Domingo no Parque" levou o prêmio de melhor arranjo. Gil e Caetano não levaram a "Viola de Ouro", é bem verdade, mas não estavam abatidos por conta disso. As portas foram escancaradas e dali em diante tudo seria diferente na música popular brasileira. Ainda que só o tempo comprovasse isso, o desejo de balançar o cenário musical do país foi muito bem cumprido. Esse foi o verdadeiro prêmio do movimento que passariam a instituir a partir de então.

※

O mês não se resumiu a disputas acirradas de boas canções. A América Latina perdia um revolucionário. Em 9 de outubro, a voz de Che Guevara foi silenciada nas selvas da Bolívia. A notícia chocou muita gente. Capinan, homem da esquerda engajada, não se conteve e derramou todo seu sentimento nos versos de um longo poema, escrito numa tacada só. Assim nascia o hino em portunhol "Soy Loco por Ti, América", que pouco depois Gilberto Gil cobriria com notas musicais de uma autêntica rumba.

Enquanto isso, em São Paulo, a revolução apenas começava. Como de costume, mal acabava o festival e as gravadoras lançavam as canções vencedoras em compacto. Nem sempre a vitoriosa se tornava a mais popular. Naquele festival, por exemplo, a que estava na boca do povo era "Alegria, Alegria". A música vendia que nem banana na feira. Em pouco tempo, mais de cem mil compactos foram comercializados nos melhores magazines do ramo. Caetano passou a ser celebridade nacional e o paparico da mulherada. As moças viam em sua aparência franzina um quê de garoto desprotegido. Momentos como o frenesi que Cauby Peixoto causava nas fãs da Rádio Nacional começaram a se tornar rotina para ele. Bem que ele gostava da tietagem. Mas nem todo mundo estava satisfeito com esse sucesso repentino.

As primeiras reações à ousadia de incluir guitarras elétricas no Festival começaram com gente bem próxima. Vandré declarou guerra aos baianos, Dori não alimentava simpatia, Edu e Elis viraram as costas, e parte da imprensa os chamava de pilantras. A popularidade teve um preço. Ninguém entendia direito a transformação sofrida por aquele menino tímido do interior da Bahia. Aos olhos dos mais conservadores, não passava de uma gente traidora que se vendeu ao comercialismo barato e vulgar. O outro lado, contudo, recebia Caetano de braços abertos. Apareceu no programa de Roberto Carlos e subiu no "queijo", a plataforma circular reservada aos grandes convidados. Em breve, estaria distribuindo bananas no programa do Chacrinha.

Aos 25 anos, Caetano bem que poderia estar deslumbrado. Fama, dinheiro, sucesso, uma legião de fãs. Feliz estava, claro, porém, não esquecia sua companheira de todas as horas. Sempre que podia, Dedé o visitava em São Paulo. Mas a festa durava pouco. Ainda na condição de namorada, não podia ficar muito tempo. Nem bem matava a saudade e já tinha que voltar para os cuidados da avó, no Rio de Janeiro. Com o estouro de "Alegria, Alegria", cada vez mais Caetano se firmava em São Paulo. A distância começava a incomodar. A melhor solução seria mesmo acabar com o "papo de cerca Lourenço" e juntar as escovas de dente.

Dona Vangri quase teve um troço quando soube da ideia. Não aceitava de jeito nenhum. Com ela não havia esse negócio de "se juntar". De família católica e muito conservadora, só depois do casamento a filha poderia dividir o mesmo lençol com um homem. Dedé só sairia se fosse para casar. Dinheiro não seria problema e eram adultos o suficiente para saber o que queriam. Dedé, então, ligou para o apartamento de Guilherme e pediu para falar com o candidato a noivo. A conversa foi rápida. Quando desligou, Caetano virou-se para o amigo e disse: "*Eu vou me casar com Dedé!*"

Marcada para 20 de novembro de 1967, a cerimônia deveria acontecer em segredo. Doce ilusão para quem tinha Guilherme Araújo como empresário. Na cabeça dele um acontecimento daqueles não poderia nunca ficar escondido. Por conta de sua atuação na gravadora Elenco, Guilherme tinha bom relacionamento com uma penca de jornalistas. Conhecia muita gente na imprensa escrita e falada. A vontade irresistível de contar foi maior e, sem que os noivos soubessem, soprou o glacê no ventilador.

Na manhã do dia 20, os noivos, os padrinhos e todos os convidados enfrentavam o mesmo problema para chegar à Igreja de São Pedro, no Largo da Piedade: um enorme engarrafamento. Guilherme se deliciava com o *happening*. De São Paulo, a notícia do casamento havia chegado à imprensa baiana na velocidade da luz, e o programa *Vamos Acordar*, da Rádio Sociedade da Bahia, noticiava o evento. Uma multidão se dirigiu para os arredores do Largo. Colégios decretaram feriado e um enxame de jovens uniformizados se aglomerou na porta da igreja. Rodrigo Velloso chegou antes e quase ficou sem cabelo. Parecido com o irmão, foi confundido e a horda não lhe deu trégua enquanto a confusão não se desfez. Confundir irmãos parecidos, tudo bem; dizer que o próprio Cristo fugia da igreja foi demais. Alguém de senso de humor mais ferino, quando viu um dos integrantes dos Beat Boys, de barba e cabelos compridos, correr do tumulto, saiu com essa pérola.

Quando os noivos chegaram, foi o maior auê. Muitos pensaram que Caetano faria show porque trajava roupa no mesmo estilo do festival, terno preto com camisa de gola rolê laranja por baixo. Dedé também queria deixar sua marca. Feito uma Chapeuzinho Vermelho dos trópicos, vestia uma quase minissaia, de capuz branco forrado com tecido rosa-choque. Enquanto os noivos tentavam sair do carro, alguém, a alguns metros dali, começava a entender o motivo do tumulto. Por uma coincidência, Dorival Caymmi estava de passagem por Salvador e naquela manhã foi visitar parentes na região. No momento em que Caetano entrava na igreja, de dentro do carro, Caymmi assistia a tudo. De longe, o compositor também abençoou a união do casal. Caetano não ficou sabendo do episódio e quase ficaria sem ouvir a voz do padre Francisco Reis, que celebraria seu casamento.

Com enormes flores coloridas de papel crepom na lapela, no bolso e nas mãos, e debaixo de uma gritaria infernal, finalmente conseguiram chegar até o altar. Padre Francisco esboçou iniciar a cerimônia, mas foi inútil. Não daria para levar o casamento até o fim daquele jeito. O barulho estava insuportável. Ao ver dona Canô desmaiada nos braços de Bethânia, decidiu agilizar tudo. Quando ia declará-los marido e mulher, deu falta de algo importante. Na pressa, os noivos haviam esquecido as alianças. O jeito foi improvisar. Os pais de Dedé, pela primeira vez desde que se casaram, tiraram suas alianças e emprestaram ao casal. Para reforçar, Roberto Santana e a esposa Lucinha também emprestaram as deles. Com duas alianças em cada dedo, puderam continuar. O padre, então, selou de vez a união dos dois pombinhos.

A festa seria numa praia deserta, em Ondina, onde funcionava o restaurante Le Chalet. De novo, em sigilo, apenas para amigos íntimos e familiares. Dessa vez, porém, Tom Zé, encarregado de acertar tudo, não deixou o furo escapar. O segredo foi mantido e apenas uma jornalista amiga de Bethânia, Marisa Alvarez Lima, foi autorizada a registrar o festejo. Sob um sol de quase dezembro, a serviço da revista *O Cruzeiro*, Marisa mergulhou na atmosfera *hippie* do evento como se estivesse nas areias da praia de Ipanema. A festança se deu em clima descontraído e não teve hora para acabar. A partir daquele momento os dois estavam oficialmente casados. Dedé já podia arrumar suas malas e se transferir de vez para São Paulo, sem desagradar sua mãe. Mas ela que ficasse comedida nos passeios com o marido. No fim dos anos 1960 nem deveriam se preocupar tanto assim. Mas iam se deparar com um povo para lá de conservador.

❧

Após o casamento relâmpago, Caetano e Dedé não tiveram tempo de planejar muita coisa. Provisoriamente, teriam que se arrumar no Hotel Danúbio. E somente depois que a poeira abaixasse se mudariam para um imóvel só deles. Mais apaixonados do que nunca, os dois viviam aos beijos e abraços onde quer que fossem. Certa ocasião, o casal estava na porta do restaurante Patachou no maior amasso. A ousadia teve um preço. Interrompidos, tiveram que ouvir o sermão de um policial que passou na hora. E só depois de fazer um escândalo e comprovar que era marido de Dedé, Caetano convenceu o PM a deixá-los em paz.

Passado o período inicial do pós-casamento, chegava a hora de trabalhar novamente. A Philips queria um LP para ser lançado no início do próximo ano. No fim de 1967, a empreitada começou. A escolha do repertório foi o primeiro passo. Mas isso não seria problema. Com a inspiração de Caetano a pleno vapor, e a verdadeira avalanche de textos, poesias e letras de Capinan e Torquato, novas músicas não faltariam. O longo poema sobre uma menina ♪[35] que Capinan conheceu em sua cidade natal, fora entregue havia algum tempo e certamente renderia uma boa canção. Algumas ainda precisavam ganhar título, como a música cheia de referências que Caetano compusera pouco antes de assistir ao *Rei da Vela*.

No fundo, no fundo, o próprio movimento, deflagrado no Festival da Record, ainda buscava seu nome fantasia, sua marca registrada. Estava na hora do batismo de fogo.

---

[35] ♪ "Clarice"

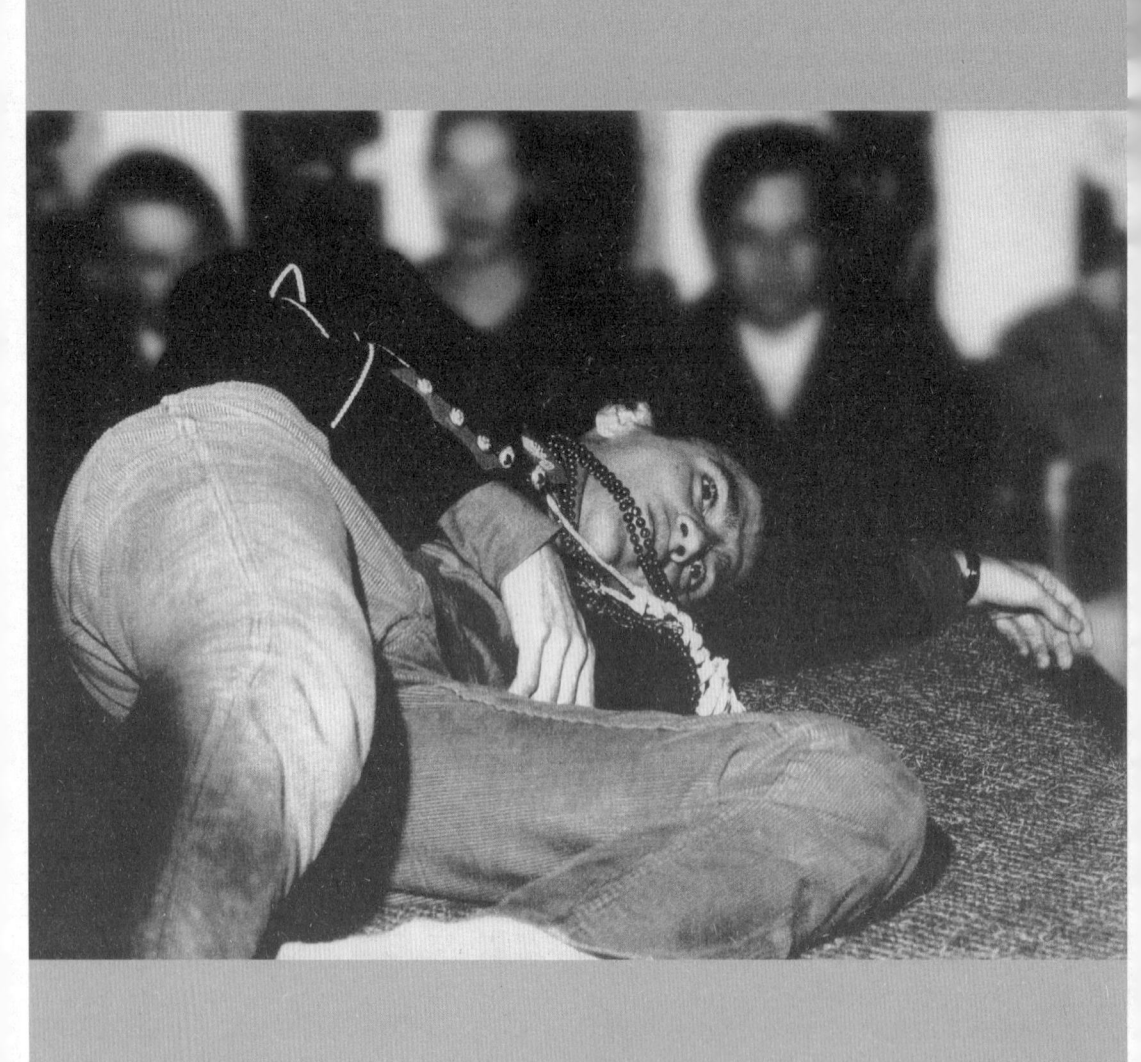

10

TROPICALISMO: VIDA, PAIXÃO E BANANA

No fim de 1967, estilhaços do movimento iniciado naquele ano estavam presentes em diversos setores da cultura. Fosse nas apresentações de Caetano e Gil, nas peças de Zé Celso, nos filmes de Glauber, nas obras de Oiticica, a semente germinava. E mais gente aderia à causa. O produtor Manoel Barenbein entraria no olho do furacão carregando uma extensa bagagem musical. Walter Santos, Zimbo Trio, Erasmo Carlos, Roberto Carlos, Cláudia Barroso, Toquinho e Chico Buarque compunham a lista dos que haviam trabalhado com ele. Em seu currículo, acumulava experiências com Bossa Nova, MPB, iê-iê-iê e música brega. Uma mistura bem "tropical", por assim dizer.

Em sintonia com os novos rumos da música brasileira, Barenbein se empolgou quando Armando Pittigliani, diretor da Philips, lhe pediu para procurar Guilherme Araújo. O time baiano ganharia um reforço. Ele seria o produtor do próximo disco de Caetano Veloso. A gravadora não queria poupar esforços, e, ciente do potencial do artista, investiu pesado. Para os arranjos, além de Rogério Duprat, convidou os maestros eruditos Júlio Medaglia, Damiano Cozzela e Sandino Hohagen, todos oriundos do movimento "Música Nova". O germe do novo som também estaria presente. Os Beat Boys, Os Mutantes e, finalmente, o RC-7, a banda de Roberto Carlos, acompanhariam Caetano.

Para o nome do disco, uma solução simples e autoral: *Caetano Veloso*. A música de trabalho é que ainda não tinha sido batizada. Logo essa?! A canção sintetizava o movimento como nenhuma havia feito até então. Com uma letra cheia de sugestões e desdobramentos, não faltavam referências. Carmem Miranda, Chico Buarque, *Deus e o Diabo na Terra do Sol*, *Iracema*, Jovem Guarda, Carnaval, Brasília, Ipanema, desfilavam de maneira original nas entrelinhas da extensa letra. O nome provisório de fato não cheirava bem. "Mistura Fina" era marca de cigarro. Caetano bem que gostava desse tipo de citação. A lua oval da Esso e a Coca-Cola que o digam. Mas dessa vez não queria ir pelo mesmo caminho. Enquanto não achasse título melhor, ficaria esse mesmo. Seria assim por pouco tempo.

Durante um almoço com amigos, Caetano foi instigado a dar uma palhinha. Cheio de gás, não negou fogo. Depois de interpretar novas canções, a música que mais impressionou foi justamente a tal que estava sem nome. No meio da conversa, o cantor deixou escapar suas dúvidas em relação ao título. De barriga cheia se pensa melhor. Entre os presentes estava o fotógrafo e futuro produtor de cinema, Luiz Carlos Barreto. Meses antes, ele estivera no ambiente "Tropicália", que Hélio Oiticica havia montado no MAM. Quando ouviu a música, identificou na letra os mesmos elementos presentes no trabalho de Hélio. Parecia óbvio demais. Por que não chamar de "Tropicália"? Caetano ainda relutou, disse que era o título da obra de outro artista, mas quando sentiu a ressonância de Guilherme e de Barenbein, aceitou a ideia.

Na hora de gravar a música, outra surpresa. Embora o percussionista Dirceu não tivesse a menor ideia do teor da letra, fez uma narrativa no início da gravação que se encaixou perfeitamente na estética da obra. Inspirado no clima tropical do som de tambores e canto de pássaros da introdução, disse ele: "*Quando Pero Vaz Caminha descobriu que as terras brasileiras eram férteis e verdejantes, escreveu uma carta ao rei: Tudo que nela se planta, tudo cresce e floresce. E o Gauss da época gravou.*" O Gauss citado nada tinha a ver com o descobrimento do Brasil. Rogério Gauss, o técnico de gravação do estúdio, gravou a fala de improviso, a pedido do maestro Júlio Medaglia. Ao se deparar com a tropicalidade daquelas palavras, o maestro percebeu que se integrava naturalmente à canção. Apesar de todo *nonsense* do episódio, a narração foi aproveitada. Na vanguarda do maestro cabia todo tipo de experimentalismo e tudo tinha valor em termos de música. O que parecia brincadeira virou coisa séria. Mas nem tudo correu em clima descontraído.

No meio daquela miscelânea musical, Caetano quis encaixar uma canção de Dorival Caymmi, uma de suas antigas paixões. Alguns amigos foram contrários à ideia. Na opinião deles, Caymmi estava por fora do clima do disco. Agrippino, por exemplo, defendia uma ruptura completa, sem deixar qualquer vestígio do que se fazia até então em termos de música. Se conselho fosse bom, vendia-se. Caetano respeitava as opiniões de Agrippino, mas como adorava Caymmi, resolveu apostar e gravar "Dora". Para fazer o arranjo, queria alguém que tivesse muita afinidade com o universo do compositor. Para tanto, nada melhor que contar com o filho do próprio, Dori Caymmi.

Embora Dori tivesse participado da produção do disco *Domingo*, desde então muita água de coco havia rolado. Ele não simpatizava com as guitarras elétricas e não escondia isso de ninguém. Aceitou colaborar, mas chegou com um pé atrás. A suspeita se confirmou. Só teve tempo de fazer algumas tentativas e deixar frustrado o amigo. Quando percebeu a tendência, Dori não pensou duas vezes e se mandou. Aquela praia não combinava mesmo com ele. Quem lucrou com essa história foi Barenbein. Ganhou a chance de incluir "Clarice", canção composta sobre um longo poema de Capinan, que o produtor amava. Seria a única concessão de Caetano à gravadora.

Gente partia, gente chegava. Durante as gravações, Júlio Medaglia apareceu no estúdio com o poeta Augusto de Campos a tiracolo. A poesia concreta batia à porta novamente. E dessa vez para ficar. A admiração e o desejo de conhecer Caetano vinham de longe. O poeta via no trabalho do baiano um ponto em comum com as experiências concretistas que ele, seu irmão Haroldo e Décio Pignatari, faziam desde a década de 1950. Assim como os baianos, o tipo de poesia exercitada por eles, mais visual e baseada na subversão da linguagem, provocava polêmica nos mais tradicionais. Durante o encontro, Augusto presenteou Caetano com farto material concretista. Textos, poemas e números da revista *Invenção* com artigos do grupo. Em breve soterraria o novo amigo com livros de James Joyce, e. e. cummings e Oswald de Andrade, algumas de suas influências. E para que a conversa não ficasse apenas na erudição, Augusto também demonstrou ser profundo conhecedor da obra de Lupicínio Rodrigues, o compositor gaúcho de sambas dramáticos, na linha da mais pura "dor de corno".

O material deixado por Augusto foi lido com muito interesse. Caetano gostou do que viu e sabia que aquela estética tinha lugar em sua obra musical. Num dos textos, uma frase cunhada por Décio Pignatari o intrigou: *"Na geleia geral brasileira alguém tem de fazer o papel de medula & de osso."* Essa possibilidade não incomodava Caetano, ainda mais no campo da música popular brasileira. Seu primeiro LP solo estava praticamente pronto e seria sua ponta de lança.

Logo de cara, as cores berrantes da capa chamavam a atenção. Um desenho meio psicodélico, meio Art Nouveau, de Rogério Duarte, com dragão, bananas, serpente e uma Eva tropical abraçada a um *portrait* de Caetano. Na contracapa, um texto enigmático escrito de improviso na mesa do bar Patachou. O presidente da Philips na época, Alain Trossat, gostou tanto que enviou um bilhete a Fernando Lobo, então diretor de arte da gravadora, pedindo para não mexer em uma vírgula sequer. Manda quem pode, obedece quem tem juízo. O manuscrito de Caetano foi reproduzido na íntegra. Em janeiro de 1968, lotado de guitarras, rumbas e boleros, o disco chegou às lojas.

Embora todo mundo estivesse satisfeito, uma pergunta permanecia sem resposta: Som Livre, Revolução Musical, Som Universal, Pop-Hippie. Qual é mesmo o nome do movimento?

Naquele período, Guilherme Araújo morava no 18° andar de um edifício da Av. São Luís, esquina com a Av. Ipiranga, no coração de São Paulo. Com serviços eficientes e amplos apartamentos, o prédio ficaria melhor se pudesse acolher seus amigos queridos. Quando soube que no 20° andar havia um imóvel vazio, lembrou-se de Caetano e Dedé, instalados no Hotel Danúbio desde que se casaram. Caetano gostou da ideia e pouco depois se mudou para o apartamento 2002, de mala, cuia e só. À exceção dos móveis do quarto, da geladeira, do fogão e da vitrola, não havia qualquer outro móvel. Enquanto não encontravam um bom decorador, sentavam no chão mesmo. Faltava conforto, mas havia espaço para espalhar periódicos e apreciar os mais variados comentários sobre suas peripécias tropicais.

Àquela altura, toda a imprensa discutia a estética recém-lançada. Alguns defendiam, outros criticavam e havia os que não entendiam nada. Nos debates sobre o assunto, não raro a palavra Tropicália ganhava derivações. Em pouco tempo havia gente falando em Tropicalismo. Esboçava-se ali o batismo do movimento. O disse me disse durou até um cara antenado oficializar de uma vez por todas.

Convidado pelo jornalista Samuel Wainer, o letrista Nelson Motta passou a assinar a coluna "Roda Viva", do jornal Última Hora. Assunto não faltava. A efervescência cultural da década de 1960, no Brasil e no mundo, dava "panos pra manga". Às vezes, o bom tema saía durante uma chopada de mesa de bar. No auge do verão carioca, Nelsinho se reuniu com uma turma da pesada no bar Alpino, em Ipanema. Na mesa, Cacá Diegues, Glauber Rocha, Gustavo Dahl e Luiz Carlos Barreto. O assunto não poderia ser outro senão o movimento cultural que dialogava com as mais variadas correntes artísticas. Muito se falou naquela noite e, depois de quase zerarem o estoque de chope do bar, cada um seguiu seu rumo.

No dia seguinte, Nelsinho acordou ainda meio tonto. Parou, pensou, e com os ecos da conversa martelando sua cabeça, despejou tudo em uma espécie de manifesto: "A Cruzada Tropicalista". Este seria o título de seu próximo artigo. Em 5 de fevereiro de 1968 os jornais chegavam às mãos dos leitores e o movimento recebia seu nome definitivo. No artigo de Nelsinho, o "Tropicalismo" ganhava outra dimensão. Passou a ter *status* de movimento e deixou de ser um simples apelido para o suposto modismo comercial pregado pelos opositores. Doesse a quem doesse, o nome caiu na boca do povo.

Caetano e Gil receberam a notícia com certa surpresa. Também não sabiam definir ao certo o que faziam. Na verdade, nem estavam muito preocupados com isso. Não simpatizavam com rótulos. Preferiam o nome Tropicália. Ou até mesmo Som Universal, que fundia os conceitos que pretendiam seguir. De todo modo, o movimento estava oficializado e seria a partir dali chamado de Tropicalismo. Além do mais, não dava para discutir muito se deveria ter rótulo ou não. A maré não estava para peixe. O que já estava quente começava a ferver.

Na tarde de 28 de março, a PM dissolveu a tiros uma pequena manifestação de estudantes que acontecia próxima ao restaurante conhecido como Calabouço, no Centro do Rio. Com balas zunindo em todas as direções, o resultado foi a morte do estudante Edson Luís. Velado na mesma noite no prédio da Assembleia Legislativa, o rapaz tornou-se mártir. O que os militares mais temiam aconteceu. A brutalidade do crime provocou revolta na população e os protestos se multiplicaram. O movimento de resistência política recrudescia. A guerra, de fato, começava ali.

Indignados com a violência da repressão contra os estudantes, a comunidade artística foi à luta. Cineastas, escritores, intelectuais, músicos, foram todos cobrar providências do governador Negrão de Lima. Caetano chegou de São Paulo e se juntou ao grupo que lotou o salão nobre do Palácio Guanabara, sede do governo. Negrão teve que ouvir o sermão da turma sem poder fazer muita coisa. Mas nem tudo foi perdido. Em meio ao protesto, Caetano conheceu uma de suas escritoras favoritas. O sotaque peculiar, a beleza misteriosa, e bem diante de seus olhos estava Clarice Lispector. Ficou feliz com o encontro acidental, todavia, o fracasso da reunião mostrou que em breve o tempo fecharia de vez.

Nessas idas e vindas ao Rio, Caetano ampliava sua coleção de amigos. A jornalista Marisa Alvarez Lima, a mesma que fizera a cobertura do casamento dele, também percebera que o movimento cultural em trânsito tinha valor histórico. Empolgada com o assunto, tratou de juntar todo o grupo para fazer uma grande reportagem. O primeiro encontro aconteceu no Rio, no apartamento dela, no Corte do Cantagalo. Ali mesmo, pelas mãos de Marisa, Caetano conheceu Hélio Oiticica. Conversaram muito e logo perceberam uma penca de afinidades tropicais.

Entre uma visita e outra, Caetano tinha tempo de fazer apresentações escandalosas no programa Discoteca do Chacrinha. A "Noite da Banana" foi uma delas. Um dos ícones do movimento, o espalhafatoso apresentador mexia a pança de alegria, enquanto lançava dúzias de bananas às "macacas de auditório". No quintal do Tropicalismo, Caetano se sentia em casa. Vestido a caráter, delirava de satisfação em seu camisolão bordado de bananas. Na hora da saída, tinha que driblar as fãs mais exaltadas que se plantavam na porta do camarim para pedir autógrafos. Paciente, o cantor atendia a todas, apesar de sempre sair com arranhões pelo corpo

Depois dos primeiros encontros no Rio, a comitiva tropicalista comandada por Marisa seguiu para São Paulo. Com meia dúzia de parangolés na bagagem e uma ala de passistas mangueirenses, desembarcaram na rua Bela Cintra, num lugar chamado A Galeria, de Valdemar Szaniecki, um judeu baiano incentivador da arte. O "Showpapo", nome dado ao evento, aconteceu na noite de 29 de abril. Entre passistas, parangolés, alegorias e outros convidados, contou com a participação de Marisa, Hélio, Caetano e Gil. O trabalho da jornalista ganhava mais um capítulo. Aliás, histórias não faltavam. Enquanto Marisa não finalizava o artigo, o manifesto maior do movimento entrava em gestação. E quanto mais gente participasse, melhor.

Após lançar as bases no Festival da Record, Caetano foi buscar na Bahia uma figura fundamental: Tom Zé. À medida que o Tropicalismo ganhava forma, mais ele identificava no amigo características que se encaixavam no que ele, Gil, Torquato, Capinan e outros, pensavam em fazer da música dali em diante. A irreverência das letras, o jeito matuto de tabaréu do interior, somados a uma formação erudita na Escola de Música da Bahia, preenchiam seu cartão de visitas. Caetano, porém, precisou gastar uma boa dose de saliva para convencê-lo. Já no avião, Tom Zé deu amostras de seu *mui* peculiar jeito de ser. Não, a aeromoça não servia cachaça. Ficou sem a "branquinha", mas já estava em ponto de bala para agregar sua veia bem-humorada ao movimento. E mais gente vinha se juntar.

No auge da briga Iê-iê-iê x MPB, Nara Leão se revelava mais aberta e favorável ao novo do que se poderia imaginar. Ainda mais porque boa parte da liderança "emepebista" saía do "gogó" de Elis Regina, e as duas não se entendiam de jeito nenhum. Mesmo com o advento do Tropicalismo, Nara continuou simpática a Gil, Caetano e sua turma. E quem diria. Justamente ela, que por tanto tempo cedeu seu apartamento em Copacabana para ninar a Bossa Nova. Esse pensamento corajoso e avançado não passou despercebido pela turma. Resolveram convidar a moça para gravar com eles.

Em poucas semanas estariam todos convidados para a festa: a gravação do disco manifesto *Tropicália ou Panis et Circencis*.

Com o sucesso dos baianos no Festival de 1967, a Record havia prometido criar um programa só deles, como os que já existiam na casa. Prometeu, prometeu, mas ficou só na promessa. Isso irritou a turma de Guilherme Araújo. Existia um motivo para tanto. Paulinho Machado de Carvalho estava assustado com a transformação radical por que passavam Gil e Caetano. E a culpa, segundo ele, era do empresário, que só fazia prejudicar a imagem dos baianos. Em meio ao bate-boca, o balde entornou de vez no dia em que convidaram Gal para participar do programa *Jovem Guarda* e, na hora "H", a deixaram de fora. Caetano também participaria, mas quando viu a decepção da amiga, se revoltou e mandou dizer a Paulinho que enfiasse a emissora dele naquele lugar. Guilherme, e outros artistas empresariados por ele, como

Gil e Jorge Ben, apoiaram a decisão e debandaram em seguida. Apesar disso, ninguém ficaria sem trabalho.

Algum tempo depois, assinaram um contrato misto com a Rede Globo, a Standard Propaganda e a Rhodia. Como uma espécie de troca de favores, o contrato previa a realização de eventos variados de mútua colaboração. Um programa tropicalista com direção de Zé Celso, a ser exibido pela Rede Globo, com patrocínio da Rhodia, seria apresentado uma vez por mês, com Caetano e Gil à frente de seus convidados. Em contrapartida, os baianos integrariam um show musical intitulado *Momento 68*, que apresentaria a coleção "Brazilian Fashion Foolish", da Seleção Rhodia Moda.

Bem ao estilo megaespetáculo, a ousadia dos produtores previa a exibição do show em cidades brasileiras e na Europa. Com direção de Ademar Guerra, produção de Otávio III, arranjos de Rogério Duprat, textos de Millôr Fernandes, coreografia de Lennie Dale, o elenco contava com a participação da cantora Eliana Pittman e dos atores Walmor Chagas e Raul Cortês. O que parecia um manjar de reis, em pouco tempo se revelaria um osso duro de roer. Porém, enquanto o show não estreava, o disco manifesto começava a ganhar forma.

Maio de 1968 ficou marcado mundialmente pelos protestos de estudantes franceses nas ruas de Paris. Os muros daquela capital exibiam o *slogan* do momento: "*Il est interdit d'interdire*" – "É proibido proibir" ♪[36]. Com a morte do estudante Edson Luís, a situação no Brasil ia de mal a pior. Cogitava-se uma passeata gigantesca em protesto contra uma ditadura que não dava tréguas. Durante aquele período, Caetano, Gil, Os Mutantes, Nara, Tom Zé, Gal, Rogério Duprat e Manoel Barenbein, estavam trancados no estúdio RGE, em São Paulo. Com os primeiros esboços produzidos no apartamento de Caetano, a experiência tropicalista em disco chegava ao apogeu com *Tropicália ou Panis et Circencis*.

O repertório estava ainda mais radical e revelava novos elementos. A influência dos concretistas marcava presença na faixa "Batmacumba", cujo formato da letra, cheio de referências, lembrava as asas de um morcego. Embora estivesse no título do LP, "Tropicália" não fez parte do disco, todavia, ganhou substituta de peso. A letra de Torquato para "Geleia Geral", musicada por Gil, cujo título fora tirado do texto de Décio Pignatari, refletia bem o clima do movimento e, de certo modo, igualmente exercia o papel de emblema. Entre outras participações, Nara Leão interpretou "Lindonéia", encomendada por ela a Gil e Caetano, com base num quadro de Rubens Gerchman – artista que também criaria a capa do disco, sob foto de Olivier Perroy. A ruptura chegava ao extremo em "Coração Materno", uma indigesta canção de Vicen-

---

[36] ♪ "É Proibido Proibir"

te Celestino, ressuscitada na voz de Caetano, sob um arranjo melodramático de Rogério Duprat.

Caetano quis muito que Bethânia participasse do disco, entretanto, ela preferiu preservar sua individualidade. Desde o início não queria se prender a rótulos e se manteve assim. Não participou como cantora, todavia, dera dicas essenciais para o movimento e ainda deixaria outra marca no LP. Bethânia achava lindas as camisas que continham mensagens positivas e expressavam sentimentos. Ao ver um modelo para lá de original, sua criatividade fluiu. Pouco depois, ela quis uma música inspirada no tema, bem alegre, para cima, que fizesse referência a uma camisa com a frase "*I love you*". O mano Caetano atendeu e fez o que ela pediu. A faixa "Baby" também tinha a presença morena de Bethânia. Como não puderam contar com ela na gravação, Gal assumiu o microfone. E muito bem, por sinal. Pena que nem todo mundo compartilhava da mesma opinião.

Finalizada a gravação, Caetano e Gal foram comemorar no bar Patachou. Geraldo Vandré se aproximou de repente e perguntou sobre as novidades malucas que estavam por chegar. Todo mundo sabia que Vandré não batia com os tropicalistas. Algum tempo antes, chegara a propor a Guilherme deixar a baianada toda e trabalhar com ele. Coisa boa não vinha. Caetano, então, explicou sobre o disco coletivo e falou com entusiasmo sobre a canção "Baby", que acabara de gravar. Vandré não ficou satisfeito e pediu uma palhinha. Meio sem jeito, Gal começou a cantar os primeiros versos: "*Você precisa saber da piscina, da margarina, da...*" Antes de completar a primeira estrofe, foi interrompida por Vandré, com um violento soco na mesa. "*Isto é uma merda!*", gritou o paraibano. Caetano achou a grosseria um insulto e, sem se fazer de rogado, expulsou Vandré do bar.

Nem havia chegado às lojas, o disco já causava polêmica. Com as faixas gravadas, a capa do LP não poderia deixar de ter sua pitada de deboche. A foto de Olivier Perroy com a turma reunida poderia ser mais uma entre tantas, mas não era. O penico na mão de Rogério Duprat, fazendo as vezes de xícara, dava-lhe um ar de Chapeleiro Louco tropicalizado. Com sutis reminiscências da histórica capa do *Sgt. Pepper's*, o grupo trazia para a linha de frente suas maiores referências. Quem não pôde estar em São Paulo para o registro, apareceu de qualquer jeito. Caetano segurou um retrato de Nara Leão, e Gil, um de Capinan, na clássica foto de formatura, com beca e tudo. E nesse clima o disco ficou pronto.

❦

O episódio com Vandré e a campanha de parte da imprensa contrária ao movimento, quase sempre com os baianos rivalizando com Chico, mostravam que as disputas ideológicas estavam cada vez mais violentas. Entre a realidade e o sensacionalismo, ficava mais cômodo para alguns jornalistas explorar uma briga imaginária entre Chico e Caetano do que a briga verdadeira, quase de ringue de boxe, com Vandré. Não se podia, porém, dizer o mesmo sobre a reação de todos os tropicalistas. No calor dos debates, alguns exageravam nas declarações. Se pequenos comentários alimentavam o churrasco da imprensa marrom, farpas explícitas promoviam banquetes completos.

Ao ser entrevistado pela revista *Intervalo*, Caetano discorreu sobre vários assuntos. No clima de provocação, o repórter perguntou o que ele achava de Chico Buarque: "*Um menino de olhos verdes que encanta as meninas e faz música fácil para o povo aprender*", respondeu de pronto. Naquele contexto, a declaração carregava certa irreverência, mas não tinha a intenção de aviltar o talento do colega. Dias depois, saía em letras garrafais na revista: "*Chico faz música fácil, é um menino de olhos verdes*." Tom Zé, por outro lado, costumava emitir suas opiniões sem papas na língua. Num programa de TV, com seu humor ácido, disse que "*Chico precisava ser respeitado, sim, afinal, era avô dos tropicalistas*." Com agenda cheia, Chico e Caetano não se viam com a mesma frequência. Ficava difícil desfazer um ou outro mal-entendido. Na dúvida, Chico se magoava. A chance para esclarecer qualquer intriga chegaria na hora certa. Mas até que tudo ficasse esclarecido, muito bafafá alimentaria a imprensa da época.

Convidados a participar de um debate na FAU – Faculdade de Arquitetura e Urbanismo, em São Paulo, os tropicalistas nem se deram conta de que estariam no QG de Chico Buarque, uma espécie de "Chicolândia". Três anos antes, o cantor ainda rabiscava plantas nos bancos daquela faculdade. Para debater o "Tropicalismo", em 6 de junho, Caetano, Gil e Torquato ocuparam uma pequena mesa. A fim de reforçar o time, Guilherme convidou Augusto de Campos e Décio Pignatari. A oposição tropicalista contava com a presença do compositor Maranhão, também aluno da FAU, do jornalista Chico de Assis, e de toda a plateia, formada por simpatizantes de Chico Buarque, doidos para comer banana amassada.

Na primeira fala, Augusto teorizou sobre a importância do Tropicalismo. Traçou paralelos com Oswald de Andrade e o movimento antropofágico. Preparada para a guerra, a plateia pouco ouviu e começou a vaiar. Na vez de Gil, o tumulto aumentou quando ele tocou na ferida ao dizer que a música "*só penetra quando vendida*". Como ninguém estava ali para apoiar a causa, começou uma esculhambação generalizada. Jogaram bombinhas em direção à mesa, arremessaram bolinhas de papel, bananas, e o que tivesse ao alcance da mão. Décio Pignatari perdeu a paciência e se levantou para vaiar também. Os outros mal foram ouvidos e por pouco ninguém saiu machucado. Só depois de muita gritaria, perceberam o tamanho da arapuca em que caíram. Diante daquela atmosfera nada amistosa, os palestrantes acharam por bem recolher suas armas. Encerraram o debate sem convencer ninguém e saíram pela porta dos fundos.

Dias depois desse episódio, Caetano foi convidado a participar de uma grande passeata em protesto à ditadura militar. No governo Costa e Silva, a repressão aumentou de maneira assustadora. Havia gente presa e muitos estavam desaparecidos. Histórias não faltavam. Caetano conhecia bem o assunto. Na Semana Santa daquele ano, seu amigo e mentor, Rogério Duarte, fora preso e torturado pelos militares. Escapou vivo, mas a ferida ficaria aberta para sempre. O contexto pesado não impediu Caetano de protestar na Av. Rio Branco, Centro do Rio, de braços dados com Nana Caymmi, Dedé, Gil, Paulinho da Viola e tantos outros, na tarde de 26 de junho de 1968, naquela que ficou conhecida como a "Passeata dos Cem Mil". O povo ganhava um *round* da briga. O revide dos militares viria um pouco mais tarde. E seria muito mais devastador que até então.

Em agosto, *Tropicália ou Panis et Circencis* podia ser encontrado nas melhores casas do ramo. E dois importantes lançamentos estavam previstos para o decorrer do mês. Àquela altura, a Rhodia, com o espetáculo *Momento 68*, já havia realizado alguns desfiles bem animados, no país e na Europa. Como parte do elenco, Caetano cantou no exterior pela primeira vez. Depois de ficar maravilhado com Lisboa, visitou Paris e Londres. A grana ajudava, e viajar para o exterior fazia muito bem. A estética do projeto é que não agradava muito. Não combinava com eles preparar o terreno para meia dúzia de modelos desfilar com roupinhas da moda, ou, ainda, ouvir atores contando piadas toscas para animar grã-finos na plateia. Caetano e Gil ficaram entediados. Era hora de tirar o time de campo. O problema seria como. Estavam presos a seus contratos. Enquanto a chance não aparecia, o melhor seria divulgar o novo trabalho.

Em 7 de agosto, fizeram a primeira festa de lançamento do LP coletivo. O Dancing Avenida, no Rio de Janeiro, foi pequeno para tanta tropicalidade. O "niver" de Caetano foi só um detalhe a mais. Completar 26 anos ao lado dos amigos, e ainda por cima divulgar as faixas do novo LP, não tinha preço. Dias depois foi a vez de São Paulo receber a guerrilha tropicalista. Em 12 de agosto, repetiram a dose no Avenida Danças. Ao som de "Geleia Geral", "Miserere Nobis" e muita "Batmacumba", a festa varou a madrugada com direito a plumas cor-de-rosa, paetês e dúzias e dúzias de bananas. Foi animação para Chacrinha nenhum botar defeito.

Nos lançamentos, a alegria ditava o clima, mas com a Rhodia o caldo começava a azedar. A gravação do programa tropicalista, prevista como parte do contrato, para ser exibido pela Rede Globo, tinha sido adiada várias vezes. E os baianos não faziam a menor ideia do porquê. Só depois de uma série de mudanças, foi finalmente marcada para 23 de agosto, na gafieira paulista Som de Cristal. Se a gravação demorou tanto assim, podia se esperar toda sorte de dificuldades para colocar o programa na telinha. Ainda mais quando fosse anunciada uma baixa real no meio da guerra.

Com direção de Zé Celso, textos de Torquato e Capinan, o programa teria a marca da ousadia e do deboche. Em uma das cenas, Gil faria o papel de um Cristo negro regendo uma Santa Ceia tropical, com abacaxis e bananas espalhadas sobre a mesa. A imagem seria forte demais para alguns. Convidado a participar do evento, como parte da estética abraçada no novo LP, Vicente Celestino aceitou. Chocado depois de assistir aos primeiros ensaios, o cantor de voz operística, autor de clássicos como "O Ébrio" e "Coração Materno", pediu a conta e se foi para sempre. À noite, quando a gravação aconteceu para valer, chegou a notícia de que Vicente havia falecido, vítima de repentino ataque cardíaco.

Como se pressentisse o pior, naquela tarde, Gil havia discutido com Caetano por causa do ocorrido no ensaio. Estavam pegando pesado demais, pensava ele. Os anos de parceria não impediram a briga. Gil se mostrou receoso com o que tinha visto e ameaçou abandonar o barco. Ao contrário do parceiro, Caetano queria ir às últimas consequências e aplicou um esporro homérico em Gil. A bronca deu resultado e ele participou da gravação, mas o clima não ficou o mesmo. À noite, ambos perceberam que a sensibilidade de Gil, tal qual a de um profeta, estava mesmo aguçada.

Gravado o programa, começou o suplício para a exibição na TV. Não seria fácil mostrar tantas cenas instigantes. O original "Vida, Paixão e Banana do Tropicalismo", que mudou de nome diversas vezes, já tinha sido simplificado. Mesmo assim, como não gostaram do formato do programa, os executivos da Rhodia embargaram sua exibição. Com tantos adiamentos, começaram as ameaças de processo por quebra de contrato. Caetano e Gil não estavam satisfeitos havia um bom tempo. O *Momento 68* ainda seria apresentado em Buenos Aires, porém, com os constantes embargos, os cantores se sentiram à vontade para abandonar o projeto pela metade. Ficou tudo "elas por elas". Apesar da deserção baiana, algum tempo depois, sob a direção de Geraldo Casé, o programa seria finalmente exibido. Mas só poeira da ideia original. O momento tinha mesmo passado.

Embora Gil tenha ficado sentido com a bronca de Caetano, não deixou que isso afetasse sua amizade com ele. Muito em breve consideraria afago o que escutara do parceiro na gravação, quando ouvisse o sermão que um grupo bem maior de pessoas receberia.

❦

Em meados de 1968, o apartamento de Caetano e Dedé finalmente estava mobiliado e bem decorado. Quer dizer, originalmente decorado. Piero, um decorador italiano, foi o responsável pela atmosfera psicodélica e futurista do apê. Espalhou poltronas infláveis pela sala para que os donos da casa e seus convidados deixassem de se sentar no chão. No mesmo estilo, distribuiu pelos cômodos móveis de acrílico, transparentes e coloridos. Para completar, plantou uma boneca em tamanho natural, de material translúcido, entre as salas de estar e de jantar. Você pensa que acabou? Sobre o corpo da manequim, nua, careca, ele pendurou pequenas lâmpadas coloridas, do tipo pisca-pisca, conectadas ao som da casa. Enquanto Jorge Ben girava na vitrola, as lâmpadas acendiam e apagavam no ritmo da música. João Gilberto também iria gostar de passar por ali. A mesa de pingue-pongue à guisa de mesa de jantar daria uma boa diversão. Mas se ele não aparecesse, amigos não faltariam para visitar ou passar um tempo.

Duda Machado novamente seguiu o amigo e logo ficaria sob o mesmo teto. Dessa vez, sobrava espaço. Waly Salomão não queria ficar fora da festa e também se mandou para lá. Àquela altura, Gil e Guilherme consideravam o 2002 uma segunda casa. Naturalmente, Torquato, Capinan, os Mutantes, os Beat Boys, Rogério Duarte, Hélio Oiticica e Zé Celso batiam ponto de vez em quando. Agrippino ia com a esposa Maria Esther Stockler. Em contraste à imagem dos pirados, *hippies*, *freaks* e doidões que apareciam a todo momento, o poeta Augusto de Campos marcava hora para chegar. Vinha sempre com seu terno impecável, acompanhado da comitiva concretista formada por seu irmão Haroldo e Décio Pignatari. Velhos amigos, novas amizades.

Para reforçar o time dos bichos-grilos, também entravam pela porta da frente: o jovem pintor Antonio Peticov, o estudante de filosofia Péricles Cavalcanti, e o psicanalista Luís Tenório de Oliveira Lima, amigo de Dedé desde Salvador. Em pouco tempo, o lugar se transformou num acampamento *hippie*. O elegante ascensorista de luvinhas brancas não se importava em levar tanta gente diferente ao 20º andar. As senhoras que moravam lá, no entanto, ficavam chocadas com a aparência dos "ripongas" e faziam suas rezas para que a vizinhança indesejada se escafedesse.

Nesse período, Caetano mergulhou em novos sons e reforçou antigas paixões musicais. Com as dicas de Peticov, travou contato com Jimi Hendrix e Janis Joplin, e redescobriu Bob Dylan. Outros que faziam o ritmo do pisca-pisca da sala eram Pink Floyd, The Doors e James Brown. A música nacional não foi esquecida. Jorge Ben tocava que era uma beleza e João Gilberto mais ainda. Para não deixar de lado a velha guarda, Caetano adquiriu uma antiga vitrola de corda para ouvir discos de 78 rotações. Ali apreciou as gravações que Orlando Silva fizera nos anos 1930 e que muito influenciaram João Gilberto no jeito suave de cantar. Carmem Miranda, Sílvio Caldas, Francisco Alves e Augusto Calheiros também giravam noite adentro. O Tropicalismo não media esforços em buscar influências.

Com tanta gente reunida, a noite passava num piscar de olhos. Dormir antes das 5h, nem pensar. O álcool abastecia as madrugadas de boêmia. Ele só, não. Nos anos 1960, drogas como a maconha e o LSD de Timothy Leary eram vistas por parte da juventude como válvulas de escape, símbolos de liberdade, instrumentos de iluminação e aprendizagem. Era assim no mundo e no Brasil também, só que de um jeito mais tropicalizado. Um chá alucinógeno, de nome estranho, vindo das selvas amazônicas, também fazia a cabeça de uns poucos iniciados. O Auasca (Ayahuasca), ou santo-daime, ainda não estava muito difundido no sudeste, mas, quando chegava, fazia a alegria da rapaziada.

Em setembro de 1968, Gil ganhou uma garrafa do chá. Presente do amigo e jornalista Carlos Marques, que acabara de voltar de uma viagem ao extremo norte do Brasil. Mais aberto a novas experiências, Gil provou a bebida e gostou da onda. Dias depois, chegou no 2002 com a garrafa debaixo do braço e propôs uma viagem coletiva. Reunidos na sala estavam Caetano, Gil, Dedé e a irmã Sandra, Waly, Duda, Péricles e a esposa Rosa Maria Dias. Curiosos, todo mundo tratou de arranjar uma caneca para Gil despejar a mistura. Menos Caetano. A experiência com o lança-perfume na adolescência não havia se apagado de todo. Além do mais, não fazia muito tempo, tivera outra experiência desagradável. Em uma de suas viagens a Salvador, quase teve um troço ao fumar uma guimba de maconha. Mas Gil conhecia o assunto e tranquilizou o amigo. Diferente da maconha, o Auasca não tirava a lucidez de quem provava, tão somente ampliava a percepção das coisas. Gil falou, tá falado. Caetano entornou o grude. As portas da percepção estavam abertas e começava sua viagem.

Aos ouvidos de Caetano, o disco do Pink Floyd girando na vitrola virou uma comédia. Nunca havia percebido tanta graça nas músicas. Os efeitos estavam só começando. Ao fechar os olhos, pontos de luz colorida surgiam aos borbotões e dançavam sem parar. E não vinham do pisca-pisca da manequim de fibra. Enquanto Caetano contava cada átomo da sala e achava tudo muito lindo, Gil começava a se distanciar, à deriva no espaço, numa completa escuridão, a milhas e milhas distantes dali. Em contato com o cosmos infinito, bateu o desespero, o medo de não voltar. Foi quando ele pensou em Deus. Nesse momento, sentiu que retomava as rédeas da viagem. Já não estava nas camadas superiores do espaço sideral, mas, sim, sobre a cidade de Santos. Depois de sobrevoar algumas casas, aterrissou no bairro do Gonzaga, diante do prédio em que morava Lea Gadelha Millon, tia de Dedé e Sandra. O contato com aquela imagem tão familiar, do prédio e da própria Lea, tirou Gil do transe.

Quando se deu conta de que não sobrevoava as curvas da estrada de Santos, ficou feliz por regressar de sua odisseia ao 2002. Estirado no tapete da sala, olhou para os lados e viu que a maioria dos amigos também estava lá. O chá perdia efeito. Já não achavam a manequim da sala tão parecida com Brigitte Bardot. Próximo a ele, apenas Caetano ainda delirava com a droga. Os pontos luminosos se transformaram em anjos hindus e a cidade de São Paulo da varanda do apartamento passou a ser um espetáculo à parte. De conversa em conversa, Waly, Duda, Dedé e os outros, conseguiram trazer Caetano de volta. Quando o último anjo hindu se despediu, o sol começava a brilhar.

A nova experiência comprovou a fama que ele já tinha. Drogas não combinavam mesmo com Caetano. Dali em diante, não quis saber de mais nenhuma e por um período de pelo menos um mês sentiria as sequelas da beberagem. Alguns fatos que ainda lhe ocorreriam poderiam até parecer mirações, alucinações do chá de Auasca, mas seriam dura realidade.

Guilherme ficou intrigado ao ver na revista *Manchete* as fotos das manifestações estudantis na capital francesa, tiradas em maio daquele ano. E dentre os *slogans* pichados nos muros parisienses, "É proibido proibir" lhe pareceu inspirador. O tino comercial de Guilherme não dormia e ele vislumbrou ali um refrão de impacto. Caetano também se impressionou com a coragem daqueles jovens, todavia, não se animou quando o empresário lançou a ideia da composição. Guilherme insistiu. E com seu jeito particular de convencer, pediu a música só para ele, para seu deleite pessoal. Algum tempo depois a canção ficou pronta. O empresário adorou, achou divina maravilhosa. A promessa de não divulgar a obra, no entanto, só durou até surgir uma chance de lançá-la ao grande público.

Na mesma época, veio com outra das suas. A TV Globo realizaria o III Festival Internacional da Canção Popular e queria a presença de Caetano e Gil. O FIC não tinha o mesmo peso dos festivais da Record, mas a emissora carioca começava a ganhar espaço. A boa oportunidade não podia ser desprezada. Mesmo assim, Caetano recusou o convite. Calejado da fórmula, achava que não havia mais sentido participar. O bom de papo Guilherme insistiu de novo e conseguiu, embora de um jeito diferente. Depois de pensar bem, Caetano disse que participaria, não para tentar a vitória, mas, sim, para esculhambar de vez com aquele negócio de festivais.

Guilherme não se opôs à estratégia suicida de Caetano. Pelo contrário, entrou no clima. Uma boa esculhambação também precisa de classe. Para ajudar na criação de uns modelitos bem incrementados, convidou a *marchand* Regina Boni, dona da boutique Ao Dromedário Elegante. O quartel general seria o apê de Caetano e Dedé. Lugar mais inspirador que o 2002 não havia. Manequim também não faltaria para pendurar as roupas. Assim, com a ajuda de Torquato, da esposa dele, Ana Maria, e dos toques finais de Dedé, a armadura ficou pronta. Uma roupa de plástico, verde-limão, com colete prateado e diversos colares de fios elétricos, com dentes, tomadas, peças de carro, pérolas e miçangas. Haja carne de pescoço para carregar tudo aquilo.

Naquele festival haveria uma troca. Para defender sua "Questão de Ordem", Gil participaria acompanhado dos Beat Boys. Já Os Mutantes acompanhariam Caetano em "É Proibido Proibir", e também apresentariam uma canção própria, "Caminhante Noturno". Em 12 de setembro, Caetano pisou no palco do TUCA, o Teatro da Universidade Católica de São Paulo, consciente de que iria comprar briga. O choque da plateia foi imediato. Perto das roupas de plástico e dos caninos pendurados no pescoço, a camisa gola rolê do festival da Record parecia roupinha de bebê. A provocação apenas começava. Caetano movia os quadris para frente e para trás, como se estivesse fazendo sexo. A reação inevitável aconteceu. Tomates, ovos e latas começaram a voar no palco. No auge do refrão, os gritos de "*bicha!, bicha!*" podiam ser ouvidos até pela vizinhança do teatro. Não ficou só nisso. No meio da apresentação, Caetano recitou um poema de Fernando Pessoa, do livro *Mensagem*, e no fim gritou: "*Deus está solto!*" A senha foi dada para entrar no palco uma figura ímpar: o *hippie* americano Johnny Dandurand.

Nas asas da banda psicodélica The Sound, Dandurand deixou São Francisco, na Califórnia, berço da contracultura mundial, para aterrissar no Brasil naquele mesmo ano. Depois de algum tempo em terras tupiniquins, o conjunto se desfez e só ele permaneceu. Quando teve a ideia da apresentação, Caetano lembrou-se da banda que assistira numa boate de Copacabana. De São Paulo, ligou para o "alemão", como também era conhecido, e fez o convite. *Yes*, ele estaria lá, mas sua aparição seria segredo de Estado e um dos pontos altos da performance.

Dandurand entrou em cena e a gritaria triplicou. Portador de alopecia, seu enorme corpo sem pelos gingava desengonçado, enquanto seus raros cabelos loiros se eriçavam a cada movimento. No meio da exibição, o gringo tascou a boca no microfone, emitiu uma série de grunhidos e abandonou o palco. No fim da apresentação ninguém entendeu nada. Na mesma noite, Os Mutantes completariam a loucura vestidos a caráter. Urso e macaco, para os irmãos Dias Baptista, e camisolão cor-de-rosa para Rita Lee. Apesar da provocação geral, o júri classificou Caetano e também Os Mutantes. Entretanto, muita gente ficou revoltada. Ao se deparar com o tumulto tropicalista, Geraldo Vandré ameaçou retirar da competição sua "Pra Não Dizer que Não Falei de Flores (Caminhando)". Para o governo da época, que achava a canção subversiva, até que seria bom negócio. No entanto, convencido por amigos, Vandré prosseguiu na disputa.

Dois dias depois, Gil se apresentou bem, mas não teve a mesma sorte dos companheiros. O júri não entendeu a influência do guitarrista americano Jimi Hendrix na sua "Questão de Ordem" e o desclassificou. O fato revoltou Caetano ainda mais. Achava que a música de Gil tinha mais valor que a dele e não poderia ter ficado de fora. Iria despejar toda sua revolta no dia seguinte, em outra etapa do festival.

Na noite de 15 de setembro, o baiano entrou pronto para a guerra. Estava mais do que ressabiado com a manifestação da primeira noite. Mal começaram os primeiros acordes, a plateia virou as costas para o palco. Na mesma hora, Os Mutantes deram o troco e passaram a tocar de costas para o público. Caetano só teve tempo de cantar os primeiros versos. No meio do tumulto, aproveitou o momento em que recitaria o poema de Fernando Pessoa e iniciou um esporro monumental: *"Mas é isso que é a juventude que diz que quer tomar o poder?!..."* Assustada, a plateia se virou para ver e deu início a selvageria. Tomates, latas, ovos, pedaços de pau, eram atirados ao palco, enquanto Caetano, aos gritos, continuava o sermão. *"...Que juventude é essa? Vocês jamais conterão ninguém..."*

Na plateia, Dedé assistia a tudo horrorizada, ao lado do bailarino Lennie Dale. No calor da confusão, viu um homem armado seguir em direção ao palco. *"Vai atirar em Caetano"*, pensou. Não fossem seus gritos, talvez a segurança não tivesse despertado para o que ocorria. O indivíduo foi arrastado para fora por seguranças e ainda levou uns catiripapos no pé da orelha. No palco, Caetano continuava seu discurso. *"...e por falar nisso, viva Cacilda Becker!!!"* Alheio à boa parte do que acontecia ao redor, queria mais. Chamou Gil para se juntar a ele. Abraçado ao parceiro e ainda aos berros, avisou que estavam ali para acabar com o festival e com toda a imbecilidade que reinava no país. Ao final, pediu que os jurados, *"simpáticos, mas incompetentes"*, não tivessem piedade com ele. Que o desclassificassem com seu amigo Gil. No fim da esculhambação, deu um *"chega"* e saiu do palco abraçado a Gil e aos Mutantes.

Tinham ido longe demais? Ainda não. Para eles, o céu seria o limite. Só que o buraco em que estavam se metendo ficava bem mais embaixo.

No dia seguinte, Caetano, Dedé e Gil foram descansar no litoral paulista. Deixavam a poeira assentar enquanto curtiam as praias tranquilas de São Vicente. A imprensa procurava por Caetano, mas não se sabia seu paradeiro. E de longe ele acompanhava tudo. Tanto que não acreditou quando soube que o júri ignorou sua vontade e o classificou para a final. Só podia ser deboche. Mesmo com todo seu discurso contra a pasmaceira não conseguiu ser eliminado. Nem o choro de Augusto Marzagão, coordenador do evento, serviu para convencê-lo a mudar de ideia e continuar na disputa. Já o esporro ficaria para a posteridade. André Midani tinha assumido a direção da Philips e já revolucionava a indústria. Ao ouvir a gravação, logo percebeu ali um cheiro histórico. Midani bancou o lançamento de um compacto simples com "É Proibido Proibir", versão estúdio de um lado, e ao vivo, do outro. Mas nem isso ajudou. Caetano não queria mais saber de festivais e pronto.

Com a desistência sumária do baiano, abria-se uma vaga na final. Os Mutantes foram convidados para substituí-lo. Com os irmãos Dias Baptista fantasiados de toureiro e arlequim, e Rita Lee de véu e grinalda, o trio arrebentou. Apesar de todos os protestos, "Caminhante Noturno" conquistou o 6º lugar na classificação geral, e, de quebra, Rogério Duprat botou no bolso da casaca mais um prêmio de melhor arranjo.

A vencedora "Sabiá", de Tom Jobim e Chico Buarque, foi a preferida da crítica e do júri. Já o público pensava diferente. Com seu violão, Vandré cantou "Pra Não Dizer que Não Falei de Flores (Caminhando)" acompanhado por um coro de mais de 20 mil vozes. Por outro lado, Cybele e Cynara, escolhidas para defender "Sabiá", tiveram de enfrentar a hostilidade da plateia. Chico Buarque escapou porque estava em turnê pela Europa. Sorte dele. Não viu seu parceiro Tom Jobim e as irmãs cantoras impiedosamente vaiados pelo público do Maracanãzinho. Embora Vandré tivesse ficado com o vice, querendo ou não, sua canção tornou-se símbolo de resistência. Obviamente os militares não gostaram nada desse resultado. Aliás, tanto fazia quem ganhasse o páreo. Eles seriam contra do mesmo jeito.

❦

Em paralelo ao FIC, Caetano e Gil levavam o Tropicalismo às últimas consequências. Convidados a fazer um show na boate Sucata, de Ricardo Amaral, realizariam no Rio de Janeiro uma espécie de festival marginal. Uma resposta à mesmice em que haviam se transformado os grandes festivais. E a Sucata reunia condições perfeitas. Muito aconchegante, a casa tinha também um som de primeira. Desde que escutara "Yesterday" na voz rouca de Ray Charles, logo nas primeiras vezes em que esteve por lá, Caetano percebeu que o discotecário sabia das coisas. As carrapetas eram comandadas por Pelé, um negro simpático que assistiria em posição privilegiada a algumas das mais polêmicas apresentações que a Tropicália produziria.

Na estreia do show, em 4 de outubro, Caetano apareceu com as mesmas roupas de plástico e os inúmeros balangandãs utilizados no FIC. Acompanhado pelos Mutantes, cantou deitado no chão, plantou bananeira, deu salto, cambalhota, pintou e bordou. Johnny Dandurand também deu seu recado em urros desconexos. Gil repetiu a dose com a interpretação falada, estilo Hendrix, de sua "Questão de Ordem". Nos outros dias, mais loucuras. Quem tinha ouvido falar do show do TUCA, precisou ver para crer. Mais e mais gente aparecia e não raro se chocava. Francis Hime achava que tudo não passava de uma estratégia de *marketing*. Elis Regina ficou ainda mais confusa. Wanda Sá não se conteve e foi até o camarim cobrar explicações. Não sabia se chorava ou se batia em Caetano. O que eles tinham feito? Nem eles imaginavam a sarna que arrumaram para se coçar.

Em pouco tempo, a fama do show chegou aos ouvidos dos militares. Boatos diziam que no meio do delírio, Caetano cantava o Hino Nacional de forma desrespeitosa. Partidário da filosofia "inimigo meu, se não tiver defeito eu invento", uma autoridade apareceu na Sucata para conferir. Como não ouviu nada suspeito, implicou com o que viu. Ao lado do palco, como parte do cenário, havia duas bandeiras. Uma trazia "Yes, nós temos bananas" e outra, de Hélio Oiticica, estampava a foto do bandido Cara de Cavalo, morto com mais de 50 tiros pela polícia. Na parte de baixo do pano, os dizeres: "Seja marginal, seja herói". A primeira passou, mas a de Hélio não. O resultado foi a suspensão do show e a interdição da boate.

A partir desse episódio, os baianos passaram a ser ainda mais visados pelos órgãos de segurança. A liberdade deles vinha sendo vigiada e eles sequer desconfiavam. Apesar de toda tensão, não seria daquela vez que a voz tropicalista se calaria. Já tinham mais um coelho para tirar da cartola. Depois das promessas da Record e das trapalhadas da Rhodia, finalmente teriam um programa só deles. Assinaram contrato com a TV Tupi de São Paulo. O nome escolhido, *Divino Maravilhoso*, provinha do calejado bordão de Guilherme Araújo. Com direção geral de Fernando Faro, produção de Antônio Abujamra e direção de imagens de Cassiano Gabus Mendes, o programa estreou em 28 de outubro.

Com eles não tinha esse negócio de aliviar por estar na televisão. Continuaram com a loucura tropicalista da Sucata. Naquela noite, com um cenário todo pichado, Caetano, Os Mutantes, Gal, Jorge Ben e Gil alternaram-se nos *happenings*, performances, e todos os tipos de provocações que lhes tinham ocorrido na criação do roteiro. Era, ao mesmo tempo, a quintessência da loucura e a vitória do movimento.

O triunfo tropicalista se mostrou ainda mais notório, dias depois, em novembro, nas primeiras eliminatórias do IV Festival da Música Popular Brasileira, da TV Record. A maioria das canções continha um quê tropicalista. Caetano não participou como intérprete, mas alguns de seus principais seguidores representariam sua ideologia. Tom Zé, com "São, São Paulo Meu Amor", e Gal, cantando "Divino Maravilhoso", de Caetano e Gil, estariam lá para manter acesa a chama tropical. Sairiam consagrados.

No início de dezembro, a TV Record anunciava a vitória de Tom Zé. E Gal dava uma das maiores viradas de sua vida. Aposentou a timidez e surpreendeu a todos com uma interpretação incendiada, para Janis Joplin nenhuma botar defeito. A canção ficou em 3º lugar. Mas eles que aproveitassem cada minuto de felicidade que lhes restava. Como ensina a história, tudo tem começo, meio e fim; vida, paixão e banana. O céu estava carregado. A nuvem negra da imbecilidade que pairava sob suas cabeças começaria a cair em forma de chuva pesada.

❧

O ano de 1968 foi marcante para o mundo. Em abril, nos EUA, o assassinato do líder pacifista Martin Luther King desencadeou a revolta dos negros, fortalecendo os "Panteras Negras" e o movimento *Black Power*. Em maio, estudantes franceses tomaram as ruas exigindo seus direitos. Pouco depois, tropas do pacto de Varsóvia invadiram Praga para inibir uma onda de democracia que ficou conhecida como "Primavera de Praga". Em contraste à brutalidade de tanques e cassetetes, a comunidade *hippie* se multiplicava. Queriam mudar o mundo, criar uma sociedade ideal, alternativa, de paz e amor. A busca pela liberdade sexual ganhava força com o surgimento da pílula anticoncepcional. Drogas, como a maconha e o LSD, ganhavam adeptos. O movimento feminista mostrava sua força com a queima de sutiãs em praça pública. Foram tempos agitados aqueles.

No Brasil, o verde oliva das fardas ditava o tom. O preto dos cassetetes também. Passeatas de estudantes foram duramente reprimidas. Em julho, integrantes do CCC, o Comando de Caça aos Comunistas, invadiram o Teatro Ruth Escobar e espancaram os atores da peça *Roda Viva*, de autoria de Chico Buarque e dirigida por Zé Celso. Em 13 de dezembro, o caldo desandou de vez. Três meses antes, o deputado Márcio Moreira Alves havia proferido um discurso considerado ofensivo às forças armadas. Como não obteve apoio do Congresso para punir a insolência, Costa e Silva decretou o AI-5, o malfadado Ato Institucional nº 5. Fechou o Congresso, suspendeu direitos políticos, instituiu a censura, deu direito aos militares de invadir residências, mandar prender, fazer e acontecer.

A partir dali, qualquer passo em falso seria perigoso. Gil e Caetano que se contivessem mais nos roteiros de *Divino Maravilhoso*. Àquela altura, já haviam apresentado banquete de mendigos no palco, Santa Ceia tropical, jaulas e outros bichos. O pior é que ainda por conta do episódio da bandeira de Hélio, na boate Sucata, mais merda seria espalhada no ventilador. O jornalista Randal Juliano, apresentador de programas sensacionalistas de rádio e TV, insistia em bater na mesma tecla. E como guerra é guerra, nem precisava ver para crer. Bradava aos quatro ventos que os dois baianos tinham, sim, desrespeitado símbolos nacionais.

O cerco se fechava e eles não percebiam. Avisos não faltaram. O humorista Jô Soares, que trabalhava na TV Record, soube da existência de uma relação com os nomes dos artistas mais visados pelos militares. Caetano e Gil faziam parte dela e ficaram sabendo disso. Receberam recado até do "além". Roberto Pinho, o amigo místico de Caetano, participava na Bahia de uma sessão fechada de espiritualidade, quando recebeu o aviso de que o cantor corria risco de ser preso, ou até de perder a vida. Sem pensar duas vezes, tomou um ônibus em Cachoeira e foi até São Paulo avisá-lo. De nada adiantaria. Caetano queria pagar para ver.

Gil é que pensava diferente. Já estava cabreiro fazia tempo. Ter quebrado todas as estruturas e seguir sem um arranhão só podia ser milagre. Mais cedo ou mais tarde seriam parados, por bem ou por mal. Sentia a vibração negativa no ar, mas tinha de seguir em frente. Continuaram com o programa da TV Tupi. Em 23 de dezembro, às vésperas do Natal, conseguiram se superar. Caetano interpretou "Boas Festas", de Assis Valente, com um revólver apontado para a cabeça. A violência da cena chocou muita gente. O clima no programa estava pesado havia meses. Bastava abrir as centenas de cartas que a emissora recebia. Alguns comparavam o palco a uma filial do hospício.

Apesar da atmosfera espessa que rondava, os trabalhos continuavam. Longe das câmeras, Caetano estava contente pelo lançamento de um compacto com seu frevo "Atrás do Trio Elétrico". Tiro certeiro para arrasar no próximo Carnaval. Ele é que não estaria lá para ver.

Na manhã de 27 de dezembro de 1968, duas semanas após a instauração do AI-5, agentes da Polícia Federal tocaram a campainha do apartamento 2002. Vieram com um discurso para boi dormir de que Caetano precisava ir até a delegacia responder algumas perguntas. Ele ainda teve tempo de avisar seu companheiro Gil, que dormia o sono dos justos na sala. Gil conseguiu sair de fininho, pela porta dos fundos. Já sabia do que se tratava. Tinham demorado até demais. Mas não abandonou o amigo na hora difícil. Plantou-se em seu apartamento para esperar a próxima parada de seus captores.

Enquanto isso, ainda aturdido com a inesperada visita, Caetano tentava compreender o que acontecia. Os federais diziam que ele podia ficar calmo. Seria apenas o depoimento de um par de horas. Não demoraria nada. De qualquer forma, ele não conseguia entender por que precisava levar uma escova de dentes se logo estaria de volta.

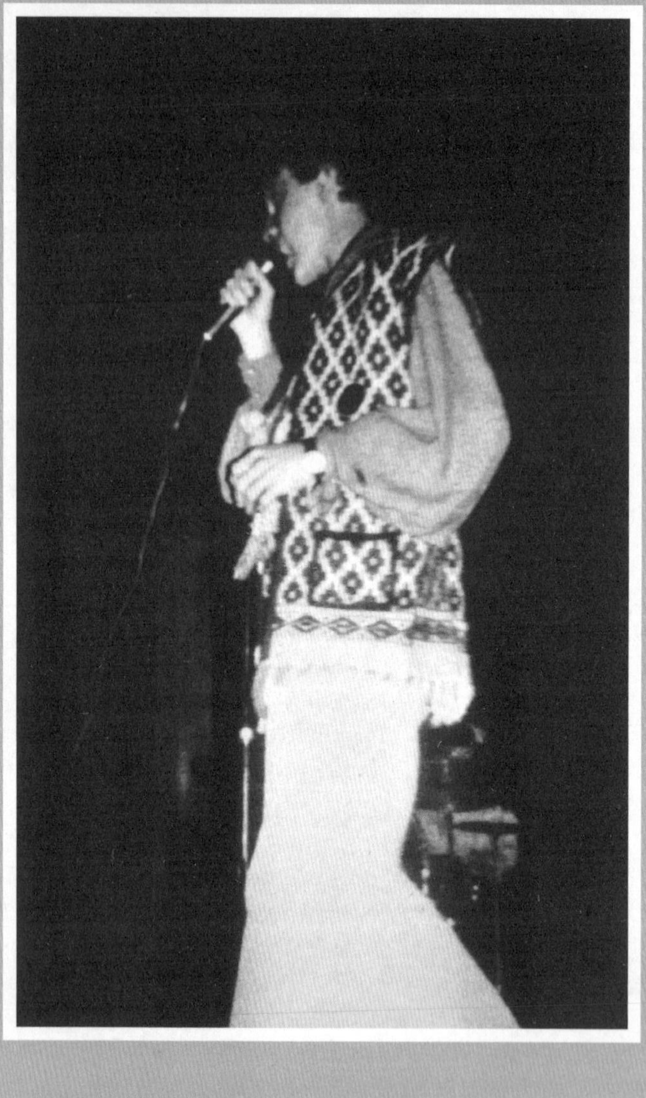

11

ACORRENTADOS

Levar uma escova de dentes. O simples ato de carregar um objeto tão ordinário e tão íntimo causava uma sensação estranha. Os federais tinham tocado a campainha na hora mais inconveniente. Para alguém que sofria de insônia como Caetano, o sono muitas vezes só chegava por volta das 6h da manhã. Naquele 27 de dezembro não seria possível dormir como antes. Por outro lado, nem precisava fechar os olhos para perceber que aquilo só podia ser pesadelo. No torpor pré-sonífero, a parada na casa de Gil trouxe um pouco de conforto. A ordem de prestar esclarecimentos era para os dois. Ambos estavam juntos novamente. De lá seguiriam para seu destino, seja lá qual fosse. Esperavam que fosse uma delegacia logo ali. Ledo engano.

São Paulo, cidade de tantas esquinas, ficou para trás, e em nenhuma delas a veraneio que os levava se dignou a parar. Entraram pelas autoestradas que levam a outras cidades, outros estados, outros mundos. Só Deus e aqueles homens de pouca simpatia sabiam aonde iam. A única coisa que trazia Caetano à realidade era a certeza de que Dedé estava logo ali. Ela pediu a Pedro Bira, um amigo hospedado com eles, para dirigir seu carro e não os perder de vista. Quanto a isso os policiais não se opuseram. Pelo contrário, ao pararem na estrada, até permitiram que almoçassem com Caetano e Gil. De todo modo, Dedé não queria deixá-los um minuto sequer. Já estavam longe de casa e a situação parecia mais complicada. Aproveitaram ao máximo aqueles instantes de aparente tranquilidade, mesmo sem saber que dali em diante seriam quase dois meses até que pudessem estar juntos à mesa novamente.

A última parada foi no Rio de Janeiro, no prédio onde funcionava o SOPS, Serviço de Ordem Política e Social, órgão da Polícia Federal, situado na Praça XV, próximo ao Museu da Imagem e do Som. Na cola deles, Pedro Bira conseguiu furar o bloqueio e estacionar no pátio. Nada o deteria, nem que botassem uma parede de concreto em seu caminho. Dedé, muito menos. Só sairiam de lá quando tivessem alguma informação do que eles fariam após o depoimento. Estavam dispostos a manter-se entrincheirados, mas o buraco era bem mais embaixo.

Sem saber, Caetano e Gil foram levados a uma triagem. Não prestariam depoimento ainda, e nem seriam liberados, mas transferidos para outro lugar. Ali o cortejo começou a perder força. Qualquer parente ou amigo não poderia passar daquele ponto. Para Dedé, a separação forçada seria mais que dolorosa. Semanas se passariam até que pudessem se ver de novo. Na saída do prédio, homens fardados de verde oliva assumiram a custódia dos detidos e os conduziram até a sede do Ministério do Exército, ao lado da Estação Central do Brasil. A troca de federais por soldados reforçava o caráter de averiguação militar. Lá dentro, seriam levados de uma sala a outra até que vissem a primeira autoridade de fato. E ver transmite bem o sentimento, pois naquele jogo de *O Processo*, de Kafka, ninguém dizia nada. O que parecia ser uma audiência não se confirmou. Novamente seriam transferidos, dessa vez para um quartel da Polícia do Exército, na rua Barão de Mesquita, Tijuca. O inferno ficava ali pertinho.

A recepção na PE não foi diferente. Descaso, abuso de autoridade, nenhuma resposta. A única coisa que perceberam é que ali ficariam detidos. Poderiam até dormir se quisessem; sonhar, não. Isso seria muito difícil num ambiente daqueles. O pardieiro que servia de cela era terrível. Uma latrina, um chuveiro, um cobertor. Nada mais. As pernas mal cabiam esticadas naquele espaço tão reduzido. Na grossa porta de ferro ficava uma pequena passagem por onde chegavam as refeições. O gradil no alto da parede permitia a entrada de um resto de luz. Quando o sol se punha, o breu dominava. Quantas baratas não passeavam soturnas durante a noite? Melhor nem pensar, Caetano odiava baratas.

Comer também seria um sacrifício. O cardápio intragável não variava. Nem a mistura de tudo numa gororoba só melhorava o paladar. Por sorte, sempre tinha um pãozinho ao lado da bandeja. Podia até ser pão dormido, mas quebrava o maior galho. E assim passaria com a dieta de pão e água por uns dias. O importante era não se abater, manter elevada a autoestima. Naquele clima, Caetano não cantava. A vontade evaporou. Nem o dito popular "quem canta os males espanta" servia de estímulo. E só mesmo com a insistência do preso ao lado, um velho comunista, sua voz se fez ouvir naquele inferno. Cantou "Súplica", sucesso de Orlando Silva. Tudo a ver.

Não se podia conversar entre as celas, mas aquele velho comunista quebrava as regras. Além disso, inspirava Caetano a quebrar também e cantar sua "Súplica" tão apreciada. Não seriam as únicas regras desrespeitadas. Na virada do ano, o velho garantiu que teriam uma taça de vinho para brindar a dias melhores. No entanto, o sono inesperado que tomou conta de Caetano desde que fora detido não lhe permitiu desfrutar desse prazer inebriante. Na noite de *Réveillon*, ele adormeceu à revelia. Acostumado à tradição de saudar o novo ano, dormir foi sua única forma de fugir daquele lugar. Mesmo que essa fuga se limitasse apenas à sua imaginação.

Pouco depois, Caetano conheceu um coronel do exército que estava preso por suspeitas de simpatizar com a causa comunista. Embora tivesse benefícios por ser militar, como o livre trânsito pelo quartel, não podia falar com Caetano e Gil, dois presos incomunicáveis. Mas ele insistiu e a conversa foi um risco que valeu a pena. Em suas caminhadas, o militar havia esbarrado com Ênio Silveira, dono da editora Civilização Brasileira, que também estava preso por lá. Tornaram-se amigos. O inesperado contato fez com que Ênio enviasse, por intermédio dele, dois livros para Caetano: *O Estrangeiro*, de Albert Camus e *O Bebê de Rosemary*, de Ira Levin.

Longe de serem exemplos de leitura divertida, pelo menos serviriam para matar o tempo. Não demorou e Caetano também encontrou Ênio Silveira. Na única chance que teve para respirar ar puro fora da cela, cruzaram-se no pátio. Não deveriam conversar, mas Ênio não estava nem aí. Trocaram algumas palavras e depois voltaram para suas rotinas de solitária. O encontro foi rápido, porém, determinante. A partir daquele fato aparentemente trivial, as famílias de Caetano e Gil voltariam a ter notícias de seus paradeiros.

❦

Dar notícia ruim não é fácil para ninguém. Dedé não tinha condição psicológica de contar à sogra o que havia acontecido. Sobrou para sua mãe, dona Vangri. Foi ela quem ligou para Santo Amaro e contou tudo. Caetano estava preso em algum lugar do Rio de Janeiro, mas seu Zezinho e dona Canô deveriam ficar tranquilos. Dedé moveria montanhas para saber o paradeiro do marido. Naquele momento podia ser mais fácil escalar o Everest do que achar alguém detido pela repressão. Tentar não custaria. A falta de vontade em compartilhar informações por parte dos militares se mostrou uma barreira e tanto. No "Deus nos acuda", qualquer dica ajudava. Todos os contatos possíveis e imagináveis foram feitos. A neblina começou a se dissipar quando correram boatos de que os cantores baianos estavam detidos na mesma prisão de Ênio Silveira. Ênio tinha muita influência e conseguiu amolecer os guardas. Com isso, passava mensagens para o mundo exterior. Como autênticos pedidos de S.O.S., as palavras iam longe e traziam a esperança de volta. A notícia passou de boca em boca até chegar aos ouvidos de Dedé. Ela, baiana "arretada", sabia que onde há fumaça, há fogo.

Pena que a notícia chegou tarde. Terminada a semana de triagem na Barão de Mesquita, Caetano e Gil foram transferidos para outro quartel da PE, dessa vez na Vila Militar, em Deodoro. Até segunda ordem, o destino deles permaneceria incerto. Para quem tinha a nítida impressão de que iria ser jogado numa vala qualquer, a transferência causou certo alívio. Teriam um pouco mais de sorte por lá. O tempo de solitária ficaria para trás e poderiam desfrutar da companhia de presos ilustres. Gil ficaria na cela de Ferreira Gullar e Paulo Francis. A turma de Caetano era mais jovem e contava com Perfeito Fortuna, que seria reconhecido por seu trabalho de agitador cultural nos anos 1970 e 80. A chance de ficar em grupo novamente levou Caetano a confraternizar com alguma emoção. Chegou a pensar que nunca mais veria alguém tão cabeludo quanto ele. Perfeito Fortuna estava ali para provar que existiam outros no mesmo estado. E Perfeito, descontando o trocadilho, foi perfeito para aquele momento. Católico praticante, reforçaria a fé abalada de Caetano.

Se a maré não está para peixe, é bom segurar na mão de Deus. Dias antes, quando o preso Baltazar Prates chegara à cela, os demais acharam que fosse um milagreiro. No rigor das revistas, não se podia guardar nenhum objeto, mesmo um simples terço de contas. Pois eis que São Baltazar tinha um e, sabe-se lá como, ninguém havia sido capaz de tirar dele. Antes de ser preso, Perfeito fazia trabalho de cunho social na Igreja de São Geraldo, levando teatro para o subúrbio carioca de Olaria. Ao ver o terço, pegou na mão do santo e puxou a oração. Até quem não era religioso, sentiu a vibração no ar. Um a um deram-se as mãos e pediram aos céus dias melhores. Dali em diante a reza iria se tornar um hábito e seria um foco de união. Podiam tirar-lhes a liberdade, mas não a fé.

Os soldados, céticos, não gostaram nem um pouco. Viam na oração algo de subversivo. Queriam terminar com qualquer possibilidade de levante. Ameaçavam-lhes de torturas se não parassem logo com aquilo. No entanto, a paz de Deus que estava com eles segurou as pontas. A prece tinha a força de um projétil de luz e com isso o coração dos militares derreteu. Passado algum tempo, um sargento pedia pelo pai enfermo; um tenente, que perdera a mãe, ansiava um pouco de conforto; uma autoridade dobrava o joelho diante do Senhor. Logo o clima mudou e alguns dos carcereiros foram capazes até mesmo de orar em comunhão com os presos. Naquele clima, quem diria, o fanático e o ateu podiam se dar as mãos em irmandade.

Em torno da oração todo mundo se uniu. Caetano desfrutou dessa corrente assim que chegou. Entretanto, sua presença por ali mudaria a rotina dos presos. Um militar não gostou nada da recepção calorosa e brandiu contra o grupo. O precioso terço foi recolhido. Chocado com a selvageria dos militares, Caetano ficou mal. Mas não precisava se preocupar. Podiam fazer o que fosse; não abalariam a crença daquelas pessoas. Apesar de o terço ser um símbolo poderoso, o sentimento já estava incrustado no coração e as orações continuariam. Caetano gostava de Salve Rainha, por render homenagens a uma deusa, a uma mãe. E precisaria mesmo de proteção materna para aguentar as humilhações que ainda estavam por vir.

Do lado de fora, Dedé continuava a mover Deus e o mundo para achar Caetano. Depois de dar com a cara na porta do quartel da Barão de Mesquita, bateu o desespero. Quem ajudou com as buscas naquele momento foi Carlos Alexandre, marido de Margarida, prima de Caetano. Ex-membro da Marinha de Guerra, havia se tornado escrivão da polícia. Por ter bom trânsito entre os militares, conseguiu localizar a agulha no palheiro. Caetano estava detido no quartel da PE, na Vila Militar, em Deodoro. A alegria só não foi maior porque o preso permanecia isolado. Nada de visita. Mesmo assim, Dedé não sossegava e foi tirar a prova dos nove.

Continuava a sina. Bateu com a cara na porta de novo. Caetano não havia se transferido, mas ninguém confirmava que ele estava no local. Dedé insistia, berrava, chorava, esperneava e nada de informação. Queria abrir a cabeça do soldado que não a deixava passar, para ver se tirava alguma coisa. Ninguém esclarecia nada. Mal sabia ela que Caetano estava bem ali e, ironicamente, ouvia tudo. Só não podia se fazer ouvir. Nem precisava. A convicção de Dedé era tamanha que ela continuou as tentativas até receber a confirmação de que precisava. Teimosia às vezes é virtude. De tanto insistir, conseguiu parte de seu objetivo. Não pela vontade dos militares. As notícias chegaram pelos parentes de outros presos. Foi bom saber que Caetano e Gil estavam vivos, mas isso não mudava a situação. Continuavam encarcerados. Pior; em poucos dias seriam transferidos outra vez. Mas para onde, agora? Antes disso, porém, perderiam a cabeça. Ou melhor: os cabelos.

❦

O ato mais simples para intimidar os presos era realizado com requinte de perversão. Não por todos os milicos, é bem verdade, mas havia os sádicos que se deliciavam com esses momentos. Foi assim quando chegou o dia de cortarem os cabelos dos detidos. Ninguém dizia nada, e com isso a ordem de "passar a máquina" foi conduzida como se fosse "passar a bala". Ao deixar a cela com uma metralhadora nas costas, Caetano pensou que seria friamente fuzilado ♪[37]. No pátio, debaixo do sol forte, suas pernas sumiram, mas ele se manteve firme. Ao perceber que era só para cortar o cabelo ficou tão aliviado que nem se importou com a perda da juba. A cabeleira de leão desapareceu em poucos minutos. Antes ela que a vida.

Os dias se passavam e o pesadelo parecia não ter fim. A cela se esvaziava. Iam embora o grupo de oração, o ex-cabeludo Perfeito Fortuna, e todos os outros. Caetano não ia a lugar algum. Mais uma vez se via sozinho. Tinha um espaço inútil só para ele. Até a reza que ajudava tanto foi extirpada. Ain-

---

[37] ♪ "In the Hot Sun of a Christmas Day"

da por cima, teve de ouvir um monte de ladainhas de um sargento que o visitou na cela. Entre outras intimidações, o algoz revelou ser um dos que haviam fechado na porrada a peça *Roda Viva*, de Chico Buarque. Para a sorte de Caetano, aquele seria o ato final no quartel da PE. A partir dali, ele e Gil ficariam sob a guarda de outra tropa. Juntos, tinham quebrado todas as estruturas; isolados, precisariam de mais força para sobreviver. Dessa vez, ficariam em quartéis diferentes.

❧

A tropa de paraquedistas do exército era de elite. Não só por suas arriscadas atividades, mas por serem todos voluntários. Saber disso não consolava Caetano. Prisão é prisão, e seria no 8º Grupo de Artilharia Paraquedista, situado na mesma Vila Militar de Deodoro, que ele continuaria preso. E de novo em uma solitária. Bem mais agradável do que a da Barão de Mesquita, se é que pode se dizer assim. Perto dessa, a da PQD podia ser chamada de "cinco estrelas". Tinha cama, uma suíte razoável e até água quente. Desse último benefício o calor infernal do verão de Deodoro se encarregava. A água já vinha quente da caixa. A primeira impressão até que não foi das piores. Restava esperar para ver quanto tempo mais duraria o sofrimento.

Quem apareceu para recepcioná-lo foi o major Hilton Justino Ferreira, subcomandante do quartel. A conversa foi mais para passar a ordem do dia. Caetano esperava esclarecer o motivo da prisão e ser liberado, mas nem ao menos a hipótese de um depoimento, adiada por duas semanas, foi levantada. O roteiro seria outro. Os dias que passou detido faziam parte de um burocrático processo de triagem. Apesar de tudo, pouco tempo depois o nefasto panorama de incerteza começaria a mudar.

A sensação de morte iminente passada nos dois quartéis da PE diminuía no quartel do PQD, onde finalmente encontraram pouso fixo. Na medida do possível, Caetano recebia bons tratos. Não mais precisava dormir no chão. A comida melhorou, e até os sonhos, que haviam sumido, voltaram. Estaria sonhando quando foi chamado para falar com o subcomandante? Ele nem acreditou, mas chegava a hora de prestar o tão esperado depoimento.

Major Hilton era da velha guarda do exército. Isso não queria dizer que o rigor da caserna estava dispensado. Rígido, porém, educado, recebeu Caetano para o primeiro de uma série de interrogatórios. Para todos os efeitos, havia uma desconfiança em relação ao preso. O major explicou isso e desfiou uma infinidade de perguntas sobre seus parentes mais próximos. Quis saber nome, sobrenome, idade e outros detalhes. Depois veio o enfoque pessoal. A participação na passeata dos cem mil serviu de álibi para aplicar-lhe um sermão. Caetano ouviu calado. Só prestou mais atenção quando a ficha caiu. Estavam presos por conta do episódio da Sucata. A ideia do show não tinha agradado aos militares. Brincar com símbolos nacionais não descia pela garganta. E tudo por conta de um tremendo mal-entendido.

Fazendo jus ao título de seu programa da TV Record, o jornalista Randal Juliano mostrou que, de fato, *Guerra é Guerra*. Alguém tinha passado a notícia de que os tropicalistas desrespeitavam a bandeira do país. Também se dizia que faziam chacota com o Hino Nacional. Randal confiou demais em suas fontes e nem se deu ao trabalho de checar a informação. Preferiu botar a boca no trombone. O apelo da notícia foi mais forte que a ética. Fato ou fofoca, a história caiu como uma bomba na Academia Militar das Agulhas Negras. De lá, uma ordem foi expedida. Resultado: Caetano e Gil no "xilindró".

A luz finalmente dissipava a neblina espessa. O motivo da prisão foi colocado em pauta. A verdade, porém, era outra. Não houve desrespeito algum aos símbolos nacionais. Quem esteve no show viu. Como em qualquer interrogatório o acusado tinha direito à defesa. Se ele insistia na tese de inocência, que trouxesse suas testemunhas. E ele apresentou duas de peso: Ricardo Amaral e Pelé, respectivamente dono e discotecário da Boate Sucata. Àquela altura, o major Hilton já havia percebido que Caetano tinha boa formação e considerou a hipótese de um grande mal-entendido. O julgamento, ou interrogatório, o que fosse, estava suspenso até que as testemunhas fossem intimadas a depor.

O encarregado de levar a intimação foi o tenente Respício Antônio do Espírito Santo, da 2ª Seção daquela unidade, que correspondia ao serviço de informações. No melhor estilo detetive particular, foi procurá-los no local do suposto crime: a boate Sucata. A casa estava aberta e por coincidência Maria Bethânia fazia um show. A presença do militar a deixou intrigada. Ao saber do que se tratava, também quis vê-lo. Não podia dar atenção naquele momento, mas pediu que ficasse. Depois do show poderiam conversar à vontade. O tenente Respício não se incomodou. Também tinha família. Entendia a tristeza de viver na apreensão de um irmão desaparecido.

Com a censura imposta, não se podia ser claro sobre o paradeiro de Caetano. Fora isso, havia muita especulação a respeito. Quem sabia a verdade, publicava matérias cifradas ou mesmo se calava por segurança. Desde a transferência de quartéis na própria Vila Militar, Dedé o perdera de vista. Foi assim até o dia em que o tenente Respício esteve com Bethânia. Foi ele quem levou notícias sobre Caetano. Ele passava bem e estava detido em seu quartel. Ela pediu para visitar o irmão. Não havia problema. Pelo menos ali,

Caetano podia receber visitas. E mais: deixou seu telefone para que Bethânia ligasse no dia em que fosse. Ele mesmo mandaria buscá-la.

No dia e hora marcados lá estava o Simca Chambord azul do tenente para pegar Bethânia. A ansiedade durante o percurso só não foi maior do que a alegria pelo reencontro, apesar do choque. Caetano estava um caco, abatido, de cabelo reco, vestido de soldado. Com a confirmação de que ele podia receber outras visitas, Bethânia avisou Dedé e os demais familiares, e todos passaram a vê-lo regularmente. O baque foi grande. Que o diga Dedé. Quando teve a chance de estar com ele percebeu que nem tudo estava bem. Além do abatimento natural, Caetano quase sumia de tão magro. Pele e osso. Nem o cabelo curto disfarçava a magreza. O instinto materno aflorou em Dedé. Ele não podia continuar naquelas condições. Do jeito que estava, corria o risco de ficar doente. Não queria nem pensar em morte, mas precisaria buscar outro caminho.

Num domingo, Dedé foi até a casa do major Hilton. Visitar o marido na solitária, tudo bem; chegar até a residência do oficial foi muita ousadia. De cara levou uma bronca. Não era hora nem local apropriados. Só que a vida de Caetano estava em jogo. Por ele, Dedé seria capaz de tudo. Apesar da indisposição do militar, ela implorou por melhores condições de tratamento. Argumentou que ele havia emagrecido demais e revelou que sua saúde se tornara frágil desde que tivera um princípio de tuberculose na adolescência. Uma cicatriz no pulmão ficara de herança. O major Hilton era rígido, mas não queria ser injusto. Disse que mandaria examinar o preso. Teria boa vontade, mas, se ela estivesse de galhofa, seu humor mudaria rapidamente.

Graças a Deus, e a doutor Silveira que ajudou a curá-lo na época, a cicatriz no pulmão esquerdo existia mesmo. As radiografias confirmaram a versão de Dedé e foram o passaporte de Caetano a uma vida mais digna. Passaria a ter acesso à comida reservada aos oficiais. Melhor ainda: teria o direito a fazer refeições no cassino, o refeitório onde comiam os mais bem graduados. A sensação de afrouxamento ajudou, mas Caetano queria mais. Agora que sabia o motivo da prisão precisava lutar para corrigir a injustiça, ou seja: provar sua inocência no suposto episódio da Sucata.

❦

Dias depois de convocados, Don Quixote e Sancho Pança foram cavalgar no quartel do PQD. Ricardo Amaral e Pelé vinham derrubar os monstros de verdade que cercavam Caetano. Para tanto, bastaria que falassem o que viram na Sucata. Nada mais que isso. Como responsável pela sindicância, o próprio major Hilton se encarregava de interrogar as testemunhas. A sala foi preparada para a ocasião. As cadeiras tinham encostos altos e se perfilavam de forma que nenhum dos arrolados pudesse ver os demais. A palavra passou de um para o outro e os depoimentos foram convincentes. Nenhuma contradição sequer. Apesar da rigidez militar, não restou dúvidas ao major: Caetano não estava envolvido em nada que desabonasse sua conduta como cidadão.

O trâmite natural da sindicância obrigava a convocar Randal Juliano para uma acareação. O major só não sabia que Randal não iria dar qualquer depoimento. Por algum motivo, o apresentador não viria. Com a falta do acusador, não havia razão para Caetano continuar preso. Convencido de sua inocência, o major providenciaria para breve a soltura do detento. Mas aquele veredito não conseguiu afrouxar a mão pesada do Estado. O major representava só mais um parafuso na máquina da ditadura. E, nesse caso, o parafuso devia estar empenado. A liberação que ele havia prometido não chegou em dois dias, nem em três. Demoraria bem mais que isso.

Apesar da insólita situação pela qual passava, Caetano ganhou um benefício especial. Nas visitas da esposa, podia ficar a sós com ela. Numa dessas, Dedé trouxe um exemplar da revista *Manchete* com as primeiras fotos de nosso planeta azul visto do espaço. Para Caetano, olhar a Terra♪[38] daquela perspectiva tinha uma carga emocional imensa. Ficou admirado com a imagem do globo terrestre, de um tremendo azul, envolto em nuvens. E pensava no dia em que estaria de volta àquele mundo que ninguém havia visto assim antes.

Do mundo que ele conhecia, repleto de imagens agradáveis, uma brotava a todo momento. A imagem de Irene♪[39], sua irmã mais nova. Aos 14 anos, sua alegria de menina, aliada à faceirice de adolescente, emocionava a mente cansada de Caetano. Da vontade de estar com os seus, de ver sua irmã rir, fez sua bandeira. Lembrar dela às gargalhadas, com toda sua beleza e espontaneidade, o trazia um pouco de volta a seu mundo. O testemunho desses sentimentos foi registrado na única música composta atrás das grades. Compor lhe fazia bem, mas ele queria mesmo ir embora. Não era dali e não tinha nada a ver com aquilo.

O interrogatório foi feito, as conclusões o davam como inocente, mas ele continuava preso. Mesmo em condições melhores que no quartel da PE, vez por outra um oficial vinha praticar seu sadismo. Ainda bem que nem todos seguiam a mesma cartilha. Ironicamente, alguns de seus captores se aproximavam para pegar autógrafos. Outros lhe pediam para cantar. Como se mostrava solícito, até porque não havia outro jeito, Caetano ganhou fama de gente boa e a confiança de alguns. Confiança regiamente retribuída. O radinho de pilha emprestado por eles o levava novamente a seu mundo, ainda que fosse proibido ouvir música na cela. Para fazê-lo, escondia o aparelho sob o travesseiro e sintonizava em silêncio as estações. Ficava de esguelha para

---

[38] ♪ "Terra"
[39] ♪ "Irene"

que nenhum engraçadinho viesse encrencar. Muito bom desfrutar aquele pequeno gostinho de liberdade, por mais arriscado que fosse. Nesse período, Caetano voltou a sentir o que não sentia havia um bom tempo: tesão.

Os militares permitiam Caetano ficar a sós com Dedé, mas não a ponto de deixá-lo transar com ela. Com a libido novamente em forma desde a troca de quartéis em Deodoro, ter desejo sexual o fazia se sentir vivo. O fato de estar com sua mulher ali, tão próxima, só aumentava a vontade. Entretanto, sempre tinha alguém vigiando para atrapalhar. Mais uma vez a fama de gente boa ajudou. Foi outro baiano, um sargento, quem quebrou o galho dessa vez. Nos dias em que ele prestava serviço, o casal podia ficar tranquilo. Com ele de guarda, teriam a intimidade que quisessem. Ali vivenciaram encontros íntimos revigorantes. Embora rápidos, tornaram-se essenciais.

Caetano não acreditava em bruxas, mas elas existiam. Um soldado delatou o sargento e a festa acabou. O militar baiano recebeu uma reprimenda e o privilégio de ter Dedé em sua cama foi proibido de vez. A partir dali nem visitar poderia mais. Apesar da separação, Caetano pressentia que seu tempo de presidiário se aproximava do fim. Poderia transar com Dedé muitas e muitas vezes depois. A pior parte era ver que a bruxa continuava solta. No quartel do PQD, ela respondia pela patente de capitão.

❧

Por dias a fio um oficial de óculos escuros passou a se postar do lado de fora da cela para olhar Caetano fixamente. Posudo, fazia questão de exibir seu *status* de "forças especiais" com um chicote na mão. Por trás das lentes daquele Ray-Ban não tinha um cara legal. A silenciosa análise diária incomodava e constrangia o preso. O desconforto aumentou quando o homem quis conversar com ele. Caetano temeu por sua integridade física, mas logo percebeu que o militar desejava falar sobre os atos de liberdade artística que o colocaram preso. Muito culto, mostrava-se mais preocupado com esses atos do que com os praticados pela guerrilha. A temática girou nesses termos e, quando a conversa acabou, Caetano lembrou-se do sargentão da PE. A similaridade nem era tanta, já que o capitão fora mais culto e polido, mas valia pela superstição. Tal qual da outra vez, aquela conversa prenunciava que os dias de terror estavam pertos do fim.

A Lei de Segurança Nacional dizia que qualquer cidadão brasileiro podia ser detido sem notificação pelo prazo máximo de 60 dias. Isso dava um poder e tanto. Nas averiguações, pesquisavam familiares e qualquer um que tivesse conexão com grupos armados. Caetano não tinha qualquer ligação desse tipo. E nem sabia ao certo seus direitos, se é que respeitariam naquelas circunstâncias. O prazo de 60 dias estava para se esgotar quando finalmente chegou a tão sonhada ordem de soltura.

Quem vive de promessa é santo. Na prisão, é melhor se fazer de São Tomé. O Carnaval terminava e Caetano tinha uma forte impressão de que seria libertado na quarta-feira de cinzas. E foi o que aconteceu. Em 19 de fevereiro de 1969, ele e Gil foram soltos após cumprirem 54 dias de detenção. Ironicamente, Caetano não sabia do sucesso que seu frevo "Atrás do Trio Elétrico" havia feito nas ruas de Salvador. Naquele momento, ele apenas via nas ruas do Rio de Janeiro o que restou da festa que terminara pouco antes. Não guardava rancor por não ter participado. Estava feliz por estar bem, e de novo ao lado de Gil. O suplício acabava ali. Estavam livres. Ou não.

Depois de cumprirem as últimas formalidades na Polícia Federal, rumaram para Salvador num avião da Força Aérea Brasileira. O próprio chefe da PF do Rio os deixaria em solo baiano. O voo foi tranquilo, ruim seria o pouso. Ao descerem na boa terra, Caetano e Gil receberam voz de prisão por parte de oficiais da Aeronáutica. Ambos sentiram um frio na espinha. Iria começar tudo de novo? O problema é que havia uma ordem de prisão expedida para o Brasil inteiro, caso estivessem em fuga. A desorganização da ditadura não permitiu que os militares baianos soubessem que eles estiveram presos e que estavam oficialmente liberados. Conclusão: Caetano e Gil amargaram mais um pernoite detidos, dessa vez no quartel da Força Aérea de Salvador.

Restabelecida a ordem, foram devolvidos à custódia da PF e entregues ao coronel Luiz Arthur, chefe da Polícia Federal de Salvador. Sem cerimônia, o coronel apresentou os fatos: estavam em regime de confinamento – trocando em miúdos, em prisão domiciliar. Não podiam sair da cidade, não podiam ser fotografados, nada de aparições em público, e teriam de se apresentar na PF diariamente. Os piores dias ficaram para trás, mas o sofrimento duraria por mais tempo.

De volta à casa dos pais, Caetano buscava uma referência concreta que o trouxesse de volta ao mundo. Reconhecia as fotos dos irmãos sem conhecê-las de fato. Os cômodos não o abraçavam como antes. Estava em casa de corpo presente, mas seu espírito ainda vagava em horizonte indefinido. Em sua estranha vertigem sentia que faltava algo. O olhar perdido de viagem só voltou a focar quando seu Zezinho finalmente o trouxe de volta à Terra com um palavrão que sua educação e gentileza não permitiam habitualmente: *"Não me diga que você deixou esses filhos da puta lhe deixarem nervoso!"*

O cantor e compositor Caetano Veloso foi oficialmente interrogado pelo regime militar e não foi torturado. Ao menos fisicamente. Vasculharam a sua vida, a de seus familiares e a de seus amigos, mas nada conseguiram. Ele organizava o movimento, sim, e por isso foi fichado. O tempo passaria; as marcas ficariam para sempre. Ele saiu da prisão, mas a prisão não saiu dele. As lembranças, de tão profundas, demorariam a deixar os porões de sua mente. Apesar de "acorrentado" a elas, não podia esmorecer. De volta a Salvador, a vida tinha que continuar. Apesar de ter seus passos vigiados de perto, ainda lhe era permitido caminhar pelas ruas, visitar amigos e até tentar se distrair.

Caetano estava longe de ser fã de futebol, porém, no estádio da Fonte Nova podia aparecer em público sem temer qualquer tipo de represália. No meio da multidão, podia ser fotografado sem quebrar a proibição imposta pelas autoridades. Além do mais, os fotógrafos da imprensa esportiva pouco sabiam do que tinha se passado com ele. Dessa forma aplicava um drible na ditadura. Com essas aparições públicas, Caetano mostrava que estava bem, na medida do possível. Só não estava feliz, mesmo sendo o convidado de honra para o pontapé inicial de seu Bahia contra o Santos. Bom, feliz ou infeliz, ele foi pé-quente. Naquela tarde, o tricolor baiano goleou o Santos, com Pelé e tudo, por 5 a 1.

Nem isso lhe dava ânimo. À exceção de um restrito círculo de familiares e amigos, ninguém sabia dele. A casa na Pituba, alugada com Gil, era seu pouso predileto. A paranoia não diminuía e a ideia de sair do país se configurou na única solução plausível para o momento. Gil mantinha contato mais aberto com o coronel Luiz Arthur. A aproximação diária a que se submetiam fez nascer um esboço de amizade entre os dois. Por conta disso, e pelas contínuas reivindicações de Gil para trabalhar, o próprio coronel sugeriu a opção do exílio. No Brasil não teriam chance alguma. A melhor saída seria o aeroporto.

❧

Ame-o ou deixe-o. O covarde bordão da ditadura chegava às últimas consequências. Quem quisesse ficar, que se enquadrasse no esquema. Aos demais, a porta da rua é a serventia da casa. A partir de 1968, o número de detenções, torturas e assassinatos aumentou. Certos de que não poderiam mais se expor como antes, Caetano e Gil se convenceram de que o melhor seria mesmo deixar o país. O susto passado na prisão deixou marcas profundas. Eram muito novos, tinham muito o que fazer ainda, não queriam saber de morte. Faltava escolher o melhor lugar. Primeiro, pensaram em Guilherme Araújo e sua atração especial por Nova York. O caráter cosmopolita da cidade o seduzia. Experiente no quesito morar fora do país, Guilherme também podia recomendar outros destinos. E eles precisavam, porque o lado provinciano de Caetano e Gil ainda não permitia uma atração maior pela América do Norte. Ainda mais no país que disseminava a Era de Aquário e promovia uma guerra nos confins da Ásia. Não, nem pensar. O velho continente parecia bem mais promissor.

De fato, Guilherme tinha ido embora muito antes de qualquer decisão. Em janeiro de 1969, o empresário estava em Cannes, na França, participando do MIDEM, o Mercado Internacional do Disco. O evento era uma grande feira do setor fonográfico para o qual Guilherme tinha levado os Mutantes. E só não levara Gil por motivos óbvios. No exterior, recebia notícias pouco confortáveis do Brasil. Dedé dizia para não voltar enquanto a poeira não baixasse. No momento certo, estariam todos juntos na Europa. Paciente, Guilherme ficou à espera dos amigos em Portugal.

Para sair de vez e tocar a vida no exterior precisariam levantar recursos. Caetano e Gil recebiam algum dinheiro por conta de direitos autorais, mas isso não garantia o sustento por um período longo. Não sabiam quanto tempo ficariam exilados, nem se conseguiriam trabalhar por lá. No meio da incerteza, a gravadora Philips daria sua cota de contribuição. André Midani armou um esquema com Manoel Barenbein e cada um dos cantores gravaria seu disco novo a toque de caixa. Por conta do confinamento, a equipe precisou ir até Salvador. Não tinha outro jeito. Corria junho e eles pretendiam deixar o Brasil no mês seguinte. Nesse clima, Barenbein aterrissou no Estúdio J.S., onde Gil começara sua carreira gravando *jingles*. Levou com ele o maestro Rogério Duprat e os técnicos de som Ary Carvalhaes e João dos Santos, lotados de equipamentos. Ninguém perdeu tempo e o trabalho fluiu rapidamente. Concluída a gravação, uma desagradável surpresa: o som dos precários instrumentos ficou ruim de doer.

Na ordem natural de uma gravação as bases são registradas primeiro e só no fim o cantor põe a voz. Naquela oportunidade seria impossível, já que o plano foi gravar tudo como se fosse "ao vivo". O tempo curto não permitiu outra estratégia. Com isso, o fracasso instrumental inviabilizou a continuidade do processo pelos meios normais. Iam ter de improvisar. Rogério Duprat, com seu jeito vanguardista de ser, resolveu inverter tudo. Caetano e Gil gravariam as vozes com uma base simples de violão; depois, ele e Barenbein se virariam para dar uma roupagem musical no resultado.

Fugir dos padrões acabou contagiando o grupo. Já que uma regra tinha sido quebrada, seria interessante manter o espírito anárquico ao longo de toda a regravação. Empolgado, o maestro foi além. Em "Acrilírico", chegou ao requinte de registrar o próprio flato durante a fase de estúdio. O difícil depois foi achar o som da "bufa" no meio do arranjo orquestral, mas ele insistia que estava lá. Na faixa "Irene", Caetano queria Gil cantando a seu lado. No clima de improviso, Gil esqueceu parte da letra e retomou de outro ponto. Durante as outras passagens, ninguém se lembrou de consertar a falha. Ficou do jeito que foi gravado. Barenbein e Duprat juraram que tinha ficado bom, então não precisava mexer. Ainda mais porque nas gravações das bases contariam com o talento de Lanny Gordin, pupilo de Duprat. Com o canal aberto para sua guitarra ácida, saberia contribuir no mesmo clima.

Brincadeiras à parte, Caetano continuava deprimido. O disco refletia seu desconsolo por deixar o país. O resultado apresentava apenas três músicas inéditas: a emblemática "Irene", o fado "Os Argonautas" e "Empty Boat". Um trabalho que mexia com o concretismo, se internacionalizava e dava vez a músicas de outros compositores. Nesse item, a polêmica veio junto. O lamento estranho que produziu em sua versão para "Carolina", de Chico Buarque, só ele sabia explicar. A maioria entendeu como puro deboche. No fundo, havia de tudo um pouco: crítica, reflexão, sarro, homenagem. O estranhamento foi inevitável e, com isso, sua versão de "Carolina", debochada ou não, mais uma vez dava assunto à imprensa que o opunha a Chico.

A radiodifusão de seus discos estava liberada. As letras foram previamente aceitas pela censura federal. Então não havia problema para divulgar os novos trabalhos. Essa liberdade foi dada pelos militares. E se quisesse colocar uma foto na capa do disco? Isso não podia. Ao menos foi essa a orientação formal recebida. Podia até remar contra a maré, mas não seria aconselhável naquela oportunidade. Devido às circunstâncias, a capa do próximo disco seria toda branca, apenas com sua assinatura em destaque no meio. Depois de lançado, ficaria também conhecido como o "álbum branco" de Caetano Veloso.

Por conta do projeto de viver fora, Caetano e Gil se empenharam para cumprir a burocracia exigida pelos militares. Gil obteve uma permissão especial e foi ao Rio tratar do assunto. Depois de acertar tudo, fez uma visita à mãe de Gal, dona Mariah, e ali as imagens daquele contexto começaram a se juntar. A alegria incontida pela certeza de que poderia partir, e sem rancor, repercutiu em sua mente criativa. Os sentimentos se misturaram no caminho de volta e assim nasceu "Aquele Abraço". Gil estava de partida, mas voltaria. Por isso queria deixar seu abraço de até logo. Na evocação ao Rio de Janeiro, em consequência ao Brasil, repetia o bordão do comediante Lilico, que tanto ouvira nos cumprimentos dos soldados na prisão. "Aquele Abraço" seria uma das músicas de Gil que mais tempo ficaria no topo das paradas de sucesso.

Mesmo que apostassem nela, os direitos autorais demorariam a virar dinheiro vivo. Se o plano previa uma custosa mudança de país, Caetano e Gil tinham que pensar em algo mais imediato. O que sabiam fazer era cantar, então só restava a alternativa de realizar um show, de preferência com casa lotada. O coronel Luiz Arthur tinha ordens de proibir qualquer aparição pública dos dois. Ordens são ordens, mas elas sempre podem ser reavaliadas. Depois de pesar tudo, o coronel conversou com a cúpula e os militares concordaram. Os caras já iam embora mesmo. Então liberaram a dupla para o show de despedida no Teatro Castro Alves, dias 20 e 21 de julho de 1969.

Não havia tempo a perder. A data de estreia se aproximava, e Caetano e Gil tinham pouca coisa estruturada. Para afastar qualquer risco, decidiram contar com a ajuda de um velho amigo. Roberto Santana se encarregaria da produção em sociedade com Paulo Lima. O figurino ficaria por conta de Dedé. Ela gostava de moda e sempre dava opinião no visual dos rapazes. Acertaram uma coisa aqui, outra ali, escolheram o repertório e só faltava o mais importante: a banda para acompanhá-los.

Músico não faltava na Bahia. Havia um sem número de opções conhecidas. Dessa vez, porém, queriam algo novo. A lembrança de um garoto que apareceu no programa *Poder Jovem*, da TV Itapoan, deu o estalo de que precisavam. Pedro Aníbal de Oliveira Gomes, o Pepeu Gomes, impressionava por se parecer com Mick Jagger e tocar guitarra como poucos. Com seus irmãos Carlos Gomes, Jorginho Gomes, e o amigo Lico, formavam o Leif's. A escolha deles seria providencial – o único "porém" é que isso adiaria o passeio de uns novos baianos que começavam a despontar.

O Brasa não era exatamente um bar da moda, mas lá muita coisa acontecia. Naquele ambiente, a moçada se sentia à vontade. Caetano ia muito com Dedé. Entre uma rodada e outra de cerveja encontravam-se com outros frequentadores bem interessantes. Foi lá que conheceram a divertida dupla Luiz Galvão e Moraes Moreira. Os dois compunham e Moraes tocava as canções da dupla. Inteirados no meio, já conheciam Paulinho Boca de Cantor, Tuzé de Abreu, Tom Zé, e toda aquela turma do Vila Velha. Ambos estavam num processo de transformação para se tornarem artistas profissionais e no Brasa ensaiavam seus primeiros passos.

Por uma dessas coincidências que nem Freud explica, Galvão, Moraes e Paulinho Boca de Cantor preparavam para o fim de julho o show *Desembarque dos Bichos Depois do Dilúvio Universal*. Tinham todo um conceito preparado e contavam com o Leif's para segurar a cozinha. Acontece que os rapazes acertaram para tocar com Caetano e Gil no show do Castro Alves. Com isso, a turma do Brasa ficaria para o mês seguinte naquele que seria o estopim para a formação de outro grupo marcante: os Novos Baianos. Tudo bem para ambas as partes, a fusão temporária de antigos e novos baianos ainda ia dar outro bebê. Ou melhor, outra Baby.

Bernardete Dinorah – Baby para os íntimos – era uma adolescente como outra qualquer. Ou quase isso. Prestes a completar 17 anos decidiu botar o pé na estrada. E pôs mesmo. Deixou um bilhete para os pais e se mandou de casa. Foi parar em Salvador quando faltavam poucos dias para o último show de Caetano e Gil antes do exílio. Ediane Lobão, a amiga que veio com ela do Rio de Janeiro, conhecia todo mundo envolvido no evento. Nessa, Bernadete se deu bem. Figuraça, dona de uma cabeça conversível, se enturmou rapidinho e caiu nas graças do pessoal. Descolou um lugar na beira do palco para ver os caras que ela só conhecia da televisão. Ver os famosos seria ótimo. Mas isso só duraria até que ela botasse o olho no guitarrista da turma. Com ele seria muito melhor.

❧

Na estreia, em 20 de julho, enquanto o americano Neil Armstrong dava seu pequeno passo na lua, Caetano e Gil davam tudo de si no show de despedida do Brasil. O teatro estava lotado. Não cabia mais ninguém. Um monte de gente ficou na entrada e a confusão foi inevitável. Na metade do show, uma turma de *hippies* quis entrar sem pagar. O show era justamente para arrecadar fundos e os caras queriam entrar de graça. Não havia condições. Eles só não contavam com a presença de um cabra arretado na porta do teatro. Com Roberto Santana não tinha essa história de "paz e amor". Nessas horas, resolvia na porrada mesmo. Arregaçou as mangas e enfrentou o grupo. Apanhou muito, mas conseguiu dispersar os desordeiros. Enquanto isso, Gil e Caetano faziam sua parte sem desconfiar do que acontecia fora do teatro. Na beira do palco, outra movimentação se dava de modo surpreendente.

Com um gravador Akai nas mãos, na hora e no lugar certo, Perinho Albuquerque teve o aval de Roberto Santana para registrar o som do evento. No calor daquele instante, e em condições tão precárias, ninguém imaginava transformar o espetáculo em disco. Todo mundo estava mais preocupado com o futuro dos cantores. Prontos para conquistar outro espaço, haviam arrumado as malas para sair do país. Não que eles quisessem, mas, do jeito que estava, não dava para continuar. E se tinham de partir, que fossem com Deus, e regressassem logo.

Do *happening* que se tornou o show de despedida, outros frutos brotariam. Galvão, Moraes e Paulinho Boca de Cantor adiaram sua estreia por conta do espetáculo, mas logo depois formariam com Pepeu Gomes e Baby Consuelo a base do grupo Novos Baianos. Para quem não sabe, Baby Consuelo é a mesma Bernadete que viu o show na beira do palco. O nome composto seria herança de seu personagem no filme *Caveira My Friend*, que Alvinho Guimarães pensava em fazer. E Baby era mesmo uma predestinada. Enquanto Caetano e Gil se despediam do país, a moça ganhava nome artístico, grupo musical, amigos e um grande amor. A imagem de Pepeu Gomes, o guitarrista com pinta de galã, amoleceu seu coração e o sentimento brotou fundo. Para que resistir? No futuro se casariam e teriam uma penca de filhos.

❧

Parecia final de campeonato. Em 27 de julho de 1969 as pessoas se acotovelavam no aeroporto do Galeão, no Rio de Janeiro. Queriam prestar homenagens a Caetano e Gil que partiam para Lisboa. Amigos, familiares e fãs foram até lá se despedir e desejar boa sorte a eles. Foi bom receber a energia positiva daquela gente, mas nem todos estavam no mesmo clima. Na porta da aeronave não houve aperto de mão ou desejo de boa viagem. Lacônicos, os federais preferiam apenas dar o aviso final. Que fossem e ficassem. Em caso de volta, deveriam avisar antes para lhes poupar tempo. A dupla era *persona non grata* em seu próprio país, e, se voltasse, ficaria novamente sob vigilância, ou, quem sabe, presa.

Guilherme Araújo é que já não sabia mais o que fazer. A demora pela chegada dos amigos começou a angustiar seu coração. Com a cabeça a mil, chegou a pensar que os meninos não tinham conseguido embarcar. Por sorte, não precisou segurar aquela barra sozinho. Roberto Pinho, que estava em Portugal a trabalho, o tranquilizava no aeroporto. Calma, calma, eles estavam bem e logo chegariam. Foi tiro e queda. O sorriso mudou e uma sensação de alívio tomou conta. Deixaram as tormentas para trás, bem longe, do outro lado do oceano. Estavam numa nova terra a desbravar. Fizeram o caminho inverso dos patrícios portugueses e agora poderiam explorar as belezas da terrinha.

E Lisboa encantava. A Alfama com suas tradicionais casas de fado. O Elevador de Santa Justa que lembrava o Elevador Lacerda. Sua comida farta e maravilhosa. Isso sem falar do idioma. Caetano e Gil se sentiram em casa. Guilherme é que não ficava confortável. No período em que permaneceu em Lisboa, à espera dos amigos, andava com Roberto Pinho para cima e para baixo. Não havia nada de errado nisso, todavia, o conservadorismo português não perdoava. Certos gajos os chamavam de "florzinhas", ou "paneleiros", como se referem a homossexuais por lá. Mas eles nem ligavam. Suas cabeças só pensavam em ajudar os amigos que chegavam. Um deles conseguiria esse intento ali mesmo em Portugal.

Roberto Pinho conhecia o humorista Raul Solnado, que comandava o programa *Zip-Zip*, na TV portuguesa. Os caras começariam o giro por cima.

Solnado os recebeu como convidados de honra. Essa não foi a única boa recepção em terras lusas. Profundo estudioso do misticismo, Roberto levou Caetano a um lugar um tanto quanto esotérico. Um castelo na região de Sesimbra. Lá se encontraram com um alquimista português de nome Rafael, velho amigo de Roberto. Foi uma experiência e tanto. Entre outros assuntos, o místico mostrou novos aspectos para "Tropicália", após ouvir a interpretação da música tema do movimento. Pena ter sido apenas um encontro. A base europeia de Caetano não seria Portugal. Havia um "detalhe" que fazia toda a diferença. O país vivia uma ditadura que parecia não ter fim. Salazar já havia se afastado, mas seu sucessor, Marcello Caetano, rezava na mesma cartilha. Então não valia o esforço. Continuariam a conviver com o mesmo fantasma. Queriam distância de qualquer confusão nesse sentido. Alguns quilômetros mais bastariam. Próxima estação: Paris, Cidade Luz.

Guilherme tinha amigos por lá. Em especial, Violeta Arraes Gervaiseau, irmã de Miguel Arraes. Mas nem a acolhida maternal de Violeta mudaria a má impressão que tiveram dos franceses. Eles os acharam xenófobos. Melhor pensar em outro lugar para morar. Sobrou para Londres. Guilherme havia passado antes por lá e desconfiava que poderia ser o porto seguro daquela viagem. Sem dúvida, se sentiriam à vontade num cenário onde havia música de primeira. Com a ajuda de Violeta e seus bons contatos, conseguiriam os vistos de permanência. Na Inglaterra, as armas que eles preferiam usar estavam nas lojas de discos, nas rádios, nos shows, e elas não matavam ninguém.

Enquanto o giro continuava pela Europa, os novos discos de Caetano e Gil eram lançados no Brasil. A pressa na produção também se refletiu num deslize da gravadora. O poema "Acrilírico", de autoria de Caetano e orquestrado por Duprat, foi creditado a outro Rogério, o Duarte. Tudo bem, esse não seria o primeiro nem o último erro desse gênero. Impressionava muito mais ver como depois de morta, a pessoa vira santo. Caetano não morreu, mas para ele o exílio representava quase isso. Deixar o país trazia toda uma carga de sobrevivência. Retirava-se da batalha para não perder a guerra. Daí todo mundo que atirou pedra se compadecia pelo destino dele. Os tropicalistas, criticados pela esquerda e pela direita, caíam nas graças do povo, de amigos e desafetos. "Irene" era aplaudida de pé, Caetano recebia homenagem da Orquestra Sinfônica da UFBA, e até Elis Regina, que fazia campanha contra as guitarras, mudava de opinião e o chamava de gênio.

❦

Se o sarrafo descia desde 1968, o ano que parecia não ter fim, a saída do presidente Costa e Silva faria tudo piorar. O militar deixou o cargo vítima de trombose, e as ideias de esboçar uma reabertura do Congresso foram engavetadas pela junta militar formada por conta da doença. O pior estava por vir. Emílio Garrastazu Médici, antigo chefe do SNI (Serviço Nacional de Informação), tomaria posse com plenos poderes. O país que vivera um março tenebroso e um dezembro ainda pior, enfrentaria tempos igualmente mais sinistros.

Enquanto morassem no exterior, Gil e Caetano estariam em outra. Gil sempre pensou na hipótese de viver fora do Brasil. A chance surgida com o exílio uniu o útil ao agradável. A ideia o atraía e ele encarava bem. Para Caetano, foi um sofrimento semelhante ao que acontecera com Bethânia na mudança para Salvador. Não pensava em trocar de ares, só havia feito pelas circunstâncias. Na primeira semana em Londres, Caetano, Gil, Sandra, Dedé e Guilherme ficaram num hotel em Queen's Gate, South Kensington. Pouco depois, se mudaram para uma casa de três andares no número 16 da Redesdale Street, em Chelsea. Era bom se acostumar. Por algum tempo, dividiriam suas tristezas, mágoas e saudades nesse endereço.

Para Caetano, o exílio em Londres ♫[40] representava um tédio só. Era tudo muito igual. As casinhas da rua, todas no mesmo padrão, com os tijolinhos sem graça, as tardes e noites frias, as pessoas de guarda-chuva nas ruas, a dor da distância. Nesse clima, a depressão começou a se instalar na alma. O verão boreal encerrava-se no hemisfério norte, o frio ainda nem havia chegado e ele já se encontrava nesse estado de espírito. Sua sorte é que a Inglaterra era um país agitado culturalmente. Para não definhar de vez, melhor aproveitar o que o lugar podia oferecer. Mesmo que precisasse ir até outra ilha distante.

Festivais realizados pouco antes em solo americano, como os de Monterey e Woodstock, viraram lenda e a moda pegou em outros países. Na Inglaterra, em 30 e 31 de agosto de 1969, haveria o da Ilha de Wight, o primeiro de uma série que sacudiria os bretões nos anos seguintes. Caetano vivia triste pelos cantos. Se continuasse assim, sabe-se lá o que poderia acontecer com ele. Quando soube do festival, teve de escolher entre a fossa e o *rock and roll*. Ficou com a segunda alternativa. Num dos primeiros eventos assistiu a feras como The Who, Bob Dylan, cuja apresentação tensa não agradou muito, e se surpreendeu com a força de Richie Havens. Foi um começo com pé direito. No entanto, de volta a Chelsea, continuou em sua tristeza particular. Uma carta vinda de longe transformaria um pouco seu ânimo.

Para quem precisava de dinheiro, todo e qualquer "cascalho" caía bem. Nesse período, Caetano descolou uma vaga como colaborador do *Pasquim*. O tabloide pretendia tirar graça de coisa séria e o foco na política enchia o prato de seus humoristas e redatores. Mas eles não queriam apenas contar piada. Foi Tarso de Castro, um dos editores, quem teve a ideia de convidar

---

[40] ♫ "London, London"

Caetano. Na redação trabalhava Luiz Carlos Maciel, que já o conhecia dos tempos de Salvador, em início de carreira. Ciente disso, Tarso incumbiu Maciel de trazer o cara para o time, mesmo que o baiano não fosse unanimidade na equipe.

O convite chegou a Londres por carta. Por incrível que pareça, a depressão insistente não o imobilizou. Topou na hora. A partir daí passou a mandar crônicas do além-mar. Negociou um "caraminguá" pelo trabalho e pediu que enviassem a seus pais. Não dá para imaginar que alguém ganhasse muito dinheiro fazendo jornalismo engajado no Brasil, mas aquele pouco ajudava. Passou a produzir regularmente. A volta ao hábito de escrever o estimulou a tentar voos mais altos também em inglês. Naquelas terras, queria sentir sua língua roçar a língua de William Shakespeare.

Caetano já conhecia o idioma, mas precisava melhorar se quisesse escrever e compor no nível que achava satisfatório. Além do mais, o fato de estar em solo estrangeiro obrigava-lhe a isso. Tinha de se virar no idioma local. Para correr atrás do prejuízo, matriculou-se num curso de inglês para estrangeiros. O pátio do colégio, a sala de aula, os colegas, tudo ali o remetia à sua juventude em Salvador. As lições do amável Mr. Lee traziam à sua lembrança a imagem de Maria Emiliana, sua professora de inglês dos tempos do Severino Vieira. A carteira da escola amenizava o baque inicial. E quando Caetano percebesse que ele e seus parceiros não eram os únicos brasileiros na região, a tristeza receberia outro golpe bem aplicado.

Não demorou para o 16 da Redesdale Street parecer a casa da Pituba ou, ainda, o apartamento 2002 de São Paulo. Para a surpresa de Caetano, muitos brasileiros, por motivos diversos, foram para Londres na mesma época. E o melhor de tudo: alguns eram velhos conhecidos. Por conta de uma bolsa de estudos em uma universidade local, Hélio Oiticica o visitava com frequência. Já Péricles Cavalcanti e sua esposa, Rosa Maria Dias, foram para ficar. Também exilados, passaram a morar com os velhos amigos. Aos poucos formava-se em Londres uma autêntica república tupiniquim. Até quem aparecia só para trazer encomenda, se integrava rapidinho àquela grande família.

No Brasil, Lea Millon soube que seu primo de segundo grau, Antonio Cícero, estava de partida para estudar filosofia na Inglaterra. Então pediu a ele que entregasse umas coisas a Dedé e Sandra Gadelha. Nada demais. Sua missão foi levar um pacote com objetos de uso pessoal, colônias, perfumes, e calcinhas Zazá, pois as meninas não aguentavam mais os ceroulões das inglesas. Ele levou e elas adoraram. Caetano é que demoraria um pouco mais para conhecer Cícero. O jovem estudante raramente expunha suas opiniões, mas isso não foi empecilho ao nascimento de uma bonita amizade. Passou a visitá-los com certa frequência. Sua influência, no entanto, só seria mais forte anos depois, já no Brasil. Em Londres, ele era o estudante de filosofia, o amigo, o primo distante de Dedé e Sandra.

Pouco depois, uma visita "nobre" deixaria todo mundo emocionado. Com sua comitiva particular, o rei em pessoa esteve em Chelsea. Não, não foi aquele do Palácio de Buckingham. Esse atendia pelo nome de Roberto Carlos, o rei do iê-iê-iê. Com ele, vieram Wanderléa, e Nice, mulher dele à época. A emoção por rever o amigo não cabia mais dentro do peito. Naquele clima, Roberto Carlos pegou o violão e cantou *"Se você pretende... saber quem eu sou... eu posso lhe dizer..."*. Ao ouvir os primeiros versos de "As Curvas da Estrada de Santos", Caetano chorou igual criança. A cena também enterneceu Roberto. Quando voltasse ao Brasil, comporia "Debaixo dos Caracóis dos Seus Cabelos", outra canção, dentre tantas que seriam compostas em homenagem ao baiano na época do exílio.

Em dezembro de 1969, a comitiva real já havia deixado a capital inglesa. Um ano agitado chegava ao fim. Parafraseando o rei, não importava se chorou ou se sorriu, o importante é que emoções ele viveu. Com a mudança da estação, o verdadeiro exílio de Caetano teria início em breve. O outono terminava e o inverno começaria a castigar Londres. Sair de casa seria um suplício. Restava rezar debaixo das cobertas para algo de bom agitar aquele marasmo e trazer um pouco de caos à mesmice do gélido inverno londrino.

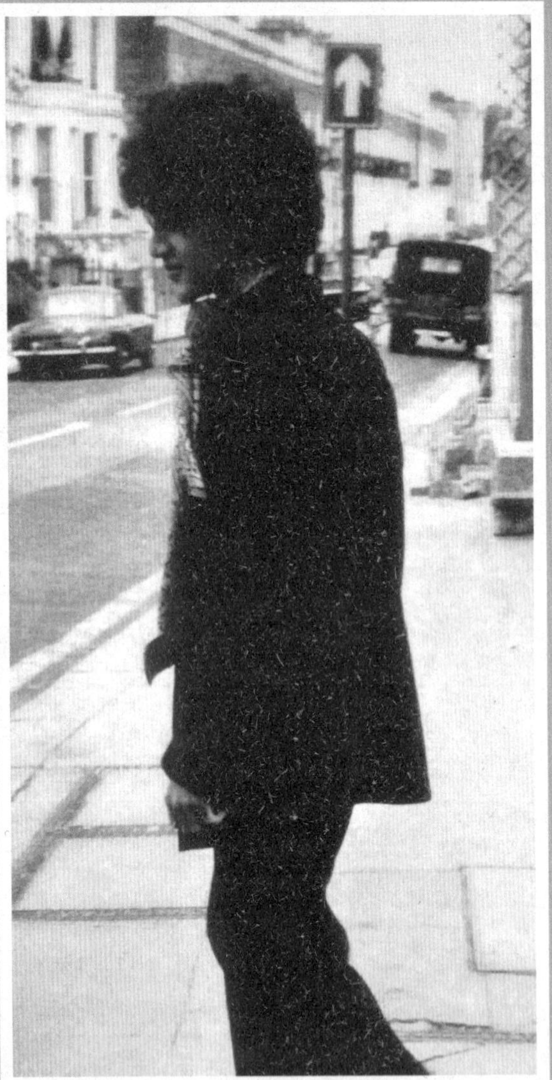

12

FRIO, DROGAS E *ROCK AND ROLL*

Como todo bom inglês que se preze, o inverno londrino havia chegado pontualmente. E o frio veio com vontade. No início de 1970, os brasileiros que moravam no 16 da Redesdale Street pouco se animavam a sair de casa quando assistiam da janela à paisagem inóspita da região. Para essa gente bronzeada, nascida e criada nos trópicos, com muita praia, sol e calor, o frio quase glacial incomodava um bocado. Itapuã fazia falta e a melancolia se instalava. Diante da modesta TV em cores alugada para passar o tempo, e mesmo debaixo de um bom cobertor, Guilherme, Caetano, Dedé, Gil, Sandra, Péricles Cavalcanti e Rosa Maria sentiam tudo na pele. E no osso.

Àquela altura, os cabelos de Caetano tinham crescido novamente e um ralo cavanhaque despontava em seu queixo magro. Ele não gostava de barba ou bigode, mas, até por desleixo, passou a cultivar o buço. Valia tudo para fugir da depressão que batia à porta. Enviar cartas, ver televisão, compor, escrever crônicas para o *Pasquim*, e até estudar inglês. Aprender o idioma local também ajudava na adaptação difícil. Além do mais, como era bom lembrar os tempos do Clássico, quando assistia às aulas de Maria Emiliana com a turma do Severino Vieira, o círculo com "o ponto vermelho de inquietude no amarelo da conformação". Recordar amigos distantes, e ao mesmo tempo tão íntimos, nutria a esperança por dias melhores. E por falar em amigos, no prenúncio de uma Inglaterra tropicalista, eles se "achegavam".

No fim do ano anterior, a vinda de Antonio Cícero, a presença de outros brasileiros na casa e na vizinhança, as visitas de Roberto Carlos, Nice, Wanderléa e Hélio Oiticica, trouxeram um pouco de alegria à rotina cansativa de Londres. O calor humano dos amigos também amenizava a dor da saudade. As baixas temperaturas poderiam até causar a impressão de que as visitas diminuiriam. Pura ilusão. Em breve, um forasteiro colocaria a capital inglesa de pernas para o ar. O caos, ou melhor, o "kaos" reinaria como nos bons tempos tropicalistas.

A Inglaterra ainda aproveitava a chamada "era de ouro" do pós-guerra e aquela era a primeira geração que aproveitava sem culpa os benefícios de uma real estabilidade econômica. Londres converteu-se no *point* do momento. A música florescia, a moda evoluía, a juventude tomava seu lugar e incorporava a alcunha "Mod" dos moderninhos que surgiam principalmente na capital. Tudo acontecia ali e todos queriam estar ali. Atraída pela boa perspectiva, a comunidade brasileira só fazia crescer. Por intermédio de Arthur e Maria Helena Guimarães, um casal amigo, Caetano se aproximou de um sujeito extravagante, avesso a pegar chuva. Prevenido, Jorge Mautner não saía de casa sem levar um guarda-chuva a tiracolo. Na capital inglesa daria bastante uso para o seu. Calejado com essa história de morar fora, também havia deixado o Brasil por motivos políticos. Primeiro passou uma longa temporada em Nova York. Para ganhar a vida, trabalhou na Unesco, foi ajudante de garçom, lavador de pratos, tradutor e até massagista. Cansado dessa vida agitada, um dia ajeitou suas coisas e resolveu mudar de ares. Em busca de novos horizontes decidiu dar uma de bacana no velho continente. E Londres virou seu porto seguro.

À primeira vista, Mautner se comportou como um sábio oriental, com sua fala suave e carregada de sabedoria. Mas não se engane, era apenas uma de suas facetas. Tão logo conquistou a confiança dos donos da casa, passou a bradar com propriedade sobre Marx, Nietzsche, Marcuse e tantos outros ícones do pensamento mundial. Apaixonado por esses pensadores, gostava de expor suas opiniões em tom de profecia. Bem à frente de seu tempo, naquela época Mautner já falava em globalização, desintegração da União Soviética e do caos instalado no mundo. Na cabeça dele, muita coisa em breve estaria fora da ordem mundial.

Essa avalanche de ideias não surpreendeu. A lenda de Mautner vinha de longe. Caetano já tinha ouvido falar dele. Conhecia seus trabalhos de artigos da revista *Senhor* e das longas conversas com Anecy Rocha. Levado pelo entusiasmo da moça, procurou *Deus da Chuva e da Morte* ♪[41], lançado em 1962, mas se assustou com o tamanho do tijolo e não avançou. Na hora certa, Caetano confirmaria que ela tinha razão. Num tempo em que o Tropicalismo sequer existia, misturar Jesus Cristo com Drácula no mesmo contexto foi uma ousadia para poucos. E bons. Nomes como Glauber Rocha e José Agrippino de Paula também receberam influência direta da obra. Com essas histórias ainda frescas na lembrança, Caetano não perdeu tempo e mergulhou no caótico universo de Jorge Mautner. Foi apenas o começo.

Na Inglaterra, outras facetas artísticas do escritor viriam à tona. A primeira delas seria de compositor. Entre as canções levadas por ele, a balada "O Vam-

---

[41] ♪ "Sampa"

piro" impressionou mais que todas. O susto foi ainda maior quando Caetano soube que a música, ousada e original, fora composta em 1958, nos primórdios da Bossa Nova e quase uma década antes da Tropicália. Por essas e outras, podia-se dizer que Mautner era também um precursor do movimento. O respeito e admiração mútuos foi questão de tempo. Entre afinidades e diferenças, Caetano e Mautner se completaram e uma bonita amizade nasceu nos tempos do exílio. Uma grata surpresa que perduraria por anos a fio.

⁂

Amizades à parte, os meses de estudo vingaram. Caetano já podia voltar a compor no idioma com mais segurança. "The Empty Boat" e "Lost In the Paradise", criadas antes do exílio, tinham aberto a porta, mas ele queria mais. Aos poucos também reconquistava a graça de viver. A barra voltava a ficar límpida de verdade, a mente clareava e ele sabia que um céu azul existia apesar das nuvens cinzentas. Ainda se lembrava dos ETs em verde oliva, com seus Ray-Bans descomunais destacando-se em cabeças pequenas. Aqueles que o trancafiaram em porões úmidos e sujos, deixando-o quase nu a minguar. Não tinha chegado ali por desejo próprio, mas começava a reconhecer beleza naquele chão de uma limpeza impecável. Podia até achar tudo um saco, mas andava de cabeça erguida e deixava seus olhos apenas procurando por discos voadores no horizonte. Não sabia por que, mas precisava cantar aquilo para todo mundo ouvir. "London, London" e "A Little More Blue" fizeram parte da nova safra de composições.

Embora Guilherme Araújo achasse muito cedo, daria até para arriscar uma apresentação na terra dos Beatles. Faltava apenas a boa oportunidade. Como a que surgiu quando um niteroiense cheio de bossa apareceu naquelas plagas. Desde os tempos do show no Carnegie Hall, o pianista Sérgio Mendes se acostumara a rodar o mundo com sua música. Naquele período, ele e o conjunto Brasil 66 se apresentariam em Londres e queriam a participação de Gil e Caetano. De início, Guilherme ficou receoso. Mesmo com seu estilo ousado de ser, pensava que ainda não estavam suficientemente integrados à cena londrina. Por outro lado, sabia que o momento era propício a experimentações. Com um pouco de insistência do músico, botou seus pupilos para subir ao palco.

Em março de 1970 havia algo de baiano na atmosfera do Royal Festival Hall. Acompanhados por uma banda local, a Nucleous, Gil e Caetano fizeram questão de interpretar suas composições no idioma anglo-saxão. Literalmente uma apresentação para inglês ver. Gal Costa e Capinan, que haviam chegado pouco antes para rever os amigos, deliraram na plateia. Os apupos foram ainda mais sonoros quando Caetano apresentou sua versão particular, bem mais lenta, do clássico "Asa Branca", de Luiz Gonzaga e Humberto Teixeira. O lamento nordestino arrepiou os "brasingleses" que estavam léguas longe de seu sertão. Depois veio Sérgio Mendes, tarimbado, misturando canções americanas com arranjos e ritmos brasileiros. Abalou as estruturas. A plateia pediu bis e ele voltou ao palco duas vezes.

Mesmo com todo esforço criativo dos baianos, a recepção da imprensa local foi morna. Para Caetano e Gil importava mais o fato de terem superado o impacto da primeira vez. Gal e Capinan pouco se lixaram para a crítica. Vibraram com a apresentação dos amigos e não iriam perder tempo discutindo a respeito. Tinham mais o que fazer. Uma boa opção foi visitar a Round House, a casa redonda de shows onde se cantava, dançava e pulava sem parar. Gal gostou tanto que prometeu voltar em breve. Naquela vez não poderia esticar muito; tinha show marcado no Brasil. Em maio, o palco da boate Sucata, ambientado por Hélio Oiticica, ficaria pequeno para ela, Marcio Montarroyos, a rapaziada do conjunto A Bolha, e o endiabrado percussionista Naná Vasconcelos.

Apesar da curta temporada em Londres, Gal e Capinan tiveram tempo de sobra para contar histórias de uma terra distante chamada Brasil. E quanto mais os baianos ouviam, mais instigados ficavam. Em tempos de repressão política, era mais fácil e seguro receber notícias dessa forma, em conversas privadas. Caetano e Gil sabiam que não muito longe, em Paris, estavam Nara Leão, seu marido Cacá Diegues e a família Arraes. Em Barcelona, o "vulcão", ele mesmo, Glauber Rocha, rodava *Cabeças Cortadas*. Com tanta gente interessante espalhada por perto, uma boa pedida seria botar o pé na estrada e o papo em dia.

Com esse espírito, Gil e Caetano foram à França e à Espanha rever os velhos camaradas. Entre um abraço e outro emocionado, conversaram muito sobre cinema, música e a situação política nada animadora do país. Entristecidos, os baianos constataram que a barra no Brasil continuava pesada. Voltar naquele momento, nem pensar. Por enquanto, *home sweet home,* para eles, continuava sendo a cinzenta Londres. E era bom que voltassem logo, ou então perderiam um evento e tanto, daqueles de reunir a família inteira diante da TV.

❧

Começava a Copa de 1970. O Brasil vinha de um fiasco na edição anterior, justamente na Inglaterra, onde o *English team* de Bobby Moore tinha levantado o caneco e o orgulho do povo inglês. A nova chance para o time de Pelé levar a Jules Rimet em definitivo seria no México. Uma boa oportunidade para reunir a torcida canarinho em Chelsea. A bandeira brasileira pendurada na porta da casa de Caetano indicava o ponto de encontro. Muito melhor do que assistir aos jogos num *pub* qualquer. Pelo menos ali não teria cerveja quente. Não bastasse a turma que morava no triplex, outros reforços chegavam de longe. A atriz Helena Ignez e os cineastas Júlio Bressane e Rogério Sganzerla estavam na área e apareceram para engrossar o coro de fãs da amarelinha. Era tanta gente junta, aquela algazarra, que na empolgação ficava difícil ninar Pedro Gil, primeiro filho de Gil e Sandra, nascido pouco tempo antes. E não faltou comemoração. Após uma campanha histórica, o futebol-arte de Rivelino, Pelé, Tostão, Jairzinho e Carlos Alberto assombrou o mundo. Em 21 de junho, o Brasil sagrava-se tricampeão mundial ao golear a Itália por 4 a 1. A taça do mundo é nossa!

No estrangeiro, quem não fazia gol tratava de se virar como podia. Caetano e Gil eram bons de música e nesse campo pisavam com propriedade. Já haviam perdido a virgindade dos palcos ingleses, mas faltava o disco gravado. E não era por descaso da Philips. No Brasil, André Midani enviava quilos de cartas aos colegas da filial inglesa. De pouco ou nada adiantava. Insistente, Midani decidiu mudar de estrategia. Apelou para um ex-funcionário da gravadora, Ralph Mace, então diretor artístico da Famous Music. Produtor na faixa dos quarenta anos, Mace trazia na mala experiências com artistas de peso, como David Bowie, além de mil ideias no bolso do paletó. Depois de combinar a visita com Guilherme Araújo, o inglês entrou em cena e conheceu o trabalho dos baianos.

Para a surpresa de Caetano, o gringo não só gostou do que ouviu como resolveu apostar. O projeto de gravar em estúdio foi a injeção de ânimo que faltava. Dali em diante, Caetano voltaria a compor como nos melhores dias. Na efervescente cena londrina, ficou até mais à vontade para curtir sua vida de exilado. E para deixar o clima ainda melhor, assistir a um bom show de rock caía muito bem. Embora preferisse de longe o Carnaval da Bahia, Caetano não perdia a chance de conhecer os novos sons que surgiam a todo momento. Em tempos de contracultura, o grande barato era participar dos megaeventos ao ar livre, regados a muito sexo, drogas e *rock and roll*. Na Inglaterra havia Bath, Ilha de Wight e Glastonbury. Caetano já havia visto alguns bons espetáculos, como uma apresentação de John Lennon e Yoko Ono no Lyceum Theatre, mas um festival daqueles tinha outra dimensão. O primeiro que ele havia assistido, incluindo Bob Dylan, ainda ecoava na memória. No final de junho de 1970, aconteceria o Festival de Bath. Foi um ganhar coragem, e os demais brasileiros botaram a mochila nas costas e seguiram para lá.

No local do evento, foram distribuídas dezenas de barracas fornecidas pelo exército, enormes, com um mastro no meio, onde cabiam fácil de 10 a 15 pessoas. Lembrava uma lona de circo, mas, dependendo da qualidade do ácido ingerido, ficava mais para tenda de índio americano. De longe se via o mar de biquinhos apontados para o céu. Parecia um grande acampamento. E de índio mesmo, daqueles pelados que se vê em tribos distantes. Mas ali, a falta da roupa tinha outra explicação. Fruto do amor livre e solto, volta e meia se tropeçava em um ou outro casal que aproveitava para transar no mato mesmo. Inglesa branquela de peito de fora, então, se via em todo canto. A turma de brasileiros, ainda pouco acostumada à liberdade coletiva, entrava no ritmo e achava tudo a maior graça.

O som eclético também fazia a cabeça da rapaziada. Tinha música para todos os gostos. Led Zeppelin, Pink Floyd, Santana, Johnny Winter, Frank Zappa, e muitos outros, subiram ao palco. Ficava difícil dizer adeus quando os shows terminavam. Para amenizar a sensação de fim de festa, levar uma "lembrancinha" podia ser uma boa pedida. Foi o que fez a turma de amigos brasileiros, junto com Cláudio Prado, um *hippie* bem relacionado que morava em Londres e aproveitava a *trip* com o grupo. No clima *underground* do evento, tiveram a brilhante ideia de levar as barracas para casa. Como ninguém apareceu para reclamar, a turma embrulhou as ditas, colocou no porta-malas e deu no pé. Para o próximo evento, o acampamento estava garantido. E festival não faltaria para reunir a caravana da coragem.

De volta à Chelsea, os trabalhos com Ralph Mace avançaram. Em meados de 1970, já havia um repertório em inglês praticamente pronto. E muitas canções em português também. Caetano estava no exílio, mas suas intérpretes favoritas não ficaram órfãs no Brasil. Autênticos artigos *made for export*, as músicas nasciam na Inglaterra, mas com a cara de brasileiras bem conhecidas e apreciadas. Gal Costa ganhou "Deixa Sangrar", e de quebra levou "London, London". Elis Regina, quem diria, sensibilizada com o sofrimento dos colegas desde a prisão, esqueceu as rusgas com as guitarras e voltou às boas com os baianos. Recebeu a novíssima "Não Tenha Medo". Elas não tinham obrigação nenhuma, porém, cada gravação rendia bons frutos comerciais.

No Brasil, as finanças de Caetano e Gil ficaram por conta de Lea Gadelha Millon, tia de Dedé e Sandra. Antes de se exilarem, os dois pediram a ela para cuidar dessa parte. Na condição de procuradora, levava a sério a incumbência e tinha de se virar para fazer a grana cruzar o oceano. De tanto botar a cabeça para funcionar, encontrou a melhor forma de driblar a limitação de libras por remessa. Se em condições políticas normais já seria difícil, imagine em pleno regime ditatorial. Em vez de mandar tudo em seu nome, Tia Lea pedia a amigos para enviar parte do dinheiro. Reuniu um grupo de fiéis colaboradores, e assim fazia o milagre da multiplicação, aplicando todo mês um inocente drible na Receita Federal.

Enquanto isso, em Londres, o disco da estreia inglesa de Caetano ganhava forma. Se a equipe já era boa, sempre havia lugar para mais talento. No meio dos trabalhos outro gringo chegaria para completar o *staff*. O experiente produtor americano Lou Reizner tinha trabalhos com as gravadoras Mercury e Philips, e dava os primeiros passos com o *big star* Rod Stewart. Radicado em Londres desde 1966, foi convidado a produzir o disco com o inglês Ralph Mace. Assim como Mace, Reizner se empolgou de cara com o material que recebeu. Gostou tanto que foi além. Insistiu para que o próprio Caetano tocasse violão nas gravações em estúdio. O baiano custou a crer que fosse verdade. No Brasil, isso não acontecia. Chegava a se achar um violonista de poucos recursos. As surpresas com Reizner não paravam por aí.

Até para chamar a atenção sobre os erros, o produtor fazia com jeito. Muito simpático, polido até a alma, Reizner algumas vezes precisou corrigir as falhas da gramática inglesa de Caetano e Gil. Já haviam superado a fase do *the book is on the table*, mas ainda davam seus deslizes. O título da canção "In the Hot Sun of the Christmas Day" ficou mais adequado após Reizner sugerir a troca do segundo "*the*" por "*a*". Detalhes tão pequenos que faziam a diferença. E assim corria a gravação no Chappell's Studios: em clima de santa fraternidade. Avançariam bem até o fim do ano, mas, até que tudo ficasse azeitado, o primeiro disco da fase inglesa de Caetano só sairia mesmo no início de 1971.

Naquele período, o verão europeu tinha se firmado e trazia um calor mixuruca à Chelsea. Então por que não curtir umas férias merecidas? Afinal, a saudade do Brasil, do sol escaldante da Bahia e das praias, só aumentava. Quem não podia mergulhar nas águas de Amaralina, tinha que se virar com o que existia na vizinhança. Talvez o que se assemelhasse mais à terra natal ficasse na península ibérica. Em plena estação do calor, Caetano se juntou à excursão verde e amarela com Dedé, Jorge Mautner, Helena Ignez, Rogério Sganzerla, Júlio Bressane, e aportaram na Catalunha. Em pouco tempo, desfilavam sungas e biquínis tropicais nas areias espanholas.

E lá não podia haver preguiça. Agitado como ele só, Mautner obrigava todo mundo a fazer ginástica nas ruínas gregas da região. A vista espetacular distraía o cansaço físico. O mental nem tanto. Contagiado pela atmosfera do lugar, Mautner fundia a cuca de quem estivesse por perto com divagações sobre Nietzsche, Heidegger e os filósofos pré-socráticos. Debaixo de um sol forte, amenizava sua palidez londrina e lia Sartre para a turma como se fosse uma revista de fofocas. Quem seguisse direitinho a cartilha dele, voltaria com a mente sã e o corpo são. E até quem chegasse depois. Para variar, mais gente boa se juntaria àquele *tour* de verão.

Violeta Arraes apareceu para conferir se Mautner pegava muito pesado com os meninos. Com residência no Bois de Boulogne, em Paris, era a embaixadora informal dos brasileiros em terras europeias. Aliás, a família Arraes inteira sempre se mostrava prestativa e agradável. Nas visitas a Paris, Caetano conheceu e se encantou com um dos filhos menores de Miguel Arraes, o futuro cineasta Guel Arraes. Se o papo com ele ainda não podia se aprofundar por conta da idade, a redenção provinha das conversas mais maduras com outro filho do ex-governador, José Almino, este, sim, com experiência suficiente para influenciar o pensamento de Caetano.

Embora os homens da família fossem excelentes anfitriões, Violeta Arraes encarnava a verdadeira mãezona de todos os exilados na Europa. Dava guarida, conselho, ombro amigo, apoiava e mantinha todo mundo informado sobre a situação política no Brasil. De quebra, ainda promovia encontros de amigos ilustres. Foi ela, por exemplo, quem apresentou Caetano ao escritor de contos fantásticos Julio Cortázar, exilado em Paris desde os anos 1950. Os dias na companhia de Violeta eram assim, com uma surpresa atrás da outra. Naquele período, Caetano aproveitou um bocado, mas como tudo que é bom dura pouco, teve de retornar à sua base. Pelo menos naquele momento, a Inglaterra continuava sendo o país onde dormia. Debaixo de um teto ou mesmo de uma barraca espaçosa, em mais um daqueles festivais imperdíveis.

❧

O casarão inglês dos baianos cada vez mais lembrava a agitação do apartamento 2002 de São Paulo. Rodrigo esteve por lá para matar saudades e conferir se o irmão estava bem. A atriz Odete Lara apareceu por conta de um trabalho para o *Pasquim*. E, quem diria, até Geraldo Vandré, maior opositor da Tropicália, fez questão de dar as caras. Exilado em Paris, achou por bem marcar um encontro com os antigos desafetos. Embora o clima cinzento de Londres estimulasse o mau humor, Vandré foi até lá fazer as pazes. Pediu desculpas pelos episódios desagradáveis do passado, falou sobre novos trabalhos e a situação difícil no Brasil. Sem rancor, Caetano ficou feliz por reencontrá-lo. Se a hostilidade havia ficado para trás, as diferenças artísticas continuavam acentuadas e o estreitamento não aconteceu.

Quem seria o próximo a tocar a campainha? O entra e sai de visitas não parava. Em meados de 1970, foi a vez do poeta Haroldo de Campos. Ele nem desconfiava, mas enfrentaria uma bela quarentena nas terras da rainha. Não era segredo para ninguém que os moradores do imóvel gostavam de "pintar o sete". Caetano não havia decorado o teto com desenhos, como fizera com as paredes do Hotel Itaúna, em São Paulo. Assim mesmo, Haroldo apelidou o local de Capela *Sixteena*, um trocadilho em alusão ao fato de o imóvel estar no número 16 da Redesdale Street. No melhor estilo James Joyce, o apelido original pegou rapidinho.

A presença do poeta criava um clima agradável na casa. Na hora de voltar, Péricles Cavalcanti levava Haroldo de carro para o hotel. Certa vez, o papo fluía animado, e eles mal perceberam que estavam a algumas milhas por hora. Distraídos, avançaram o sinal e nem enxergaram o carro que vinha no sentido oposto. O trânsito inglês sabe ser traiçoeiro com quem está acostumado a andar pela direita. Tarde demais. Quem levou a pior foi Haroldo. A batida foi toda no lado do carona. A casa inteira ficou preocupada, porém, alguns dias de repouso na Capela *Sixteena*, com Péricles num paparico só, deixaram Haroldo de pé novamente. Muito bem relacionado no meio literário, o poeta concreto ainda teve tempo de introduzir aos amigos o escritor cubano Guillermo Cabrera Infante, autor de *Três Tristes Tigres*, também exilado em Londres na época.

Outra que também apareceu, ou melhor, reapareceu, foi Gal Costa. A visita no início do ano fora tão proveitosa que ela retornou na primeira oportunidade. E dessa vez veio com mais gente. Trazia os rapazes do grupo A Bolha. O baterista Gustavo Schroeter, o baixista Arnaldo Brandão e o guitarrista Pedro Lima. Apenas Renato Ladeira, outro integrante da banda, não pôde viajar e ficou sem participar da festa. E que festa ele perderia. Em agosto de 1970, aterrissaram em Portugal, onde realizaram shows no programa do humorista Raul Solnado. Caetano foi vê-los e de lá esticaram todos juntos até Londres.

Gal parecia ter faro. Verão europeu, tempo de Festival. O próximo seria o da Ilha de Wight, de 26 a 30 de agosto. Mais uma vez, a trupe de aventureiros se formou. Caetano por pouco não ficou de fora. Precisou vencer a preguiça de enfrentar novamente a odisseia para chegar ao local do evento. Primeiro foram de trem até a costa da Inglaterra. De lá pegaram o *ferry boat* em direção a Wight. Chegando na ilha, um ônibus os conduziu à terra prometida. A viagem longa não conseguiu afetar o humor de ninguém, e mesmo a chatice das inevitáveis baldeações foram levadas na flauta pela turma animada. Todo sacrifício valia para ver de perto monstros sagrados como The Who, The Doors, Jimi Hendrix e muitos outros.

Mais uma vez, o acampamento verde e amarelo foi montado com as enormes barracas de Bath. A bandeira nacional tremulava no topo para ninguém se perder. Não demorou muito e um som bem brasileiro começou a rolar. A turma improvisou um acústico com violão, voz e percussão. Caretas ou doidões, brasileiros ou gringos, quem passava por ali curtia o som. Alguns gostavam até mais da cor do som. Para os mais chegados, ácidos, haxixes e mescalinas eram consumidos como água mineral. Embora fizesse parte da cultura, ou contracultura, da época, Caetano mais uma vez preferiu ficar de fora. Depois das experiências com o lança-perfume, a maconha e o Auasca, achava que a próxima viagem poderia ser a última e não queria se arriscar.

Quando a oportunidade de ir ao festival surgiu, Gustavo Schroeter nem dormiu direito. Assistir à performance do baterista Keith Moon, do The Who, um dos mestres do instrumento, seria o máximo. Como não queria perder nada, teve uma ideia. Comprou umas fitas cassetes e um gravador portátil, daqueles de capa de couro, que se leva no ombro. Se tudo desse certo, voltaria para o Brasil com uma recordação daquelas. Ele nem desconfiava, mas seria mais do que isso. Enquanto as feras não pisavam no palco, as primeiras gravações foram feitas ali mesmo, no acampamento. Ninguém tinha a pretensão de transformar o acústico em disco. Tudo acontecia na base da brincadeira. Ou quase tudo, porque Cláudio Prado, o homem das ideias inesperadas, estava por perto.

Porta-voz do grupo, chegou jurando de pés juntos que havia arrumado uma ponta para a galera. Se os mais caretas custaram a acreditar, quem estava doidão não entendeu patavinas. Acredite ou não, era verdade. Parecia viagem lisérgica, mas não era. Sem que ninguém percebesse, Cláudio Prado tinha ido até os organizadores com uma fita debaixo do braço. Para o *meeting*, no lugar do terno e gravata, preferiu uma sumária sunga vermelha. E não é que ele conseguiu encaixá-los na grade do festival?! No dia seguinte, batizados de Brazilian Group, Caetano, Gil, Gal, Gustavo, Arnaldo e Pedro se apresentaram no palco da Ilha de Wight. No meio de tantas performances, Caetano cantou "Shoot Me Dead" e Gil finalizou com "Aquele Abraço". Foram bem recebidos, com direito a bis e tudo. Dias depois, até a revista *Rolling Stone* elogiaria a apresentação. Todo mundo gostou da batucada. Ninguém recebeu uma libra de cachê, mas valeu a pena. Com a participação, ganharam crachás para assistir aos shows em área reservada. E ninguém ficou de fora. Até quem não participou da apresentação deu seu jeitinho. Como as credenciais eram poucas, revezavam entre si para ter o privilégio de ver seus ídolos de perto. Para ouvir, nem precisava tanto.

O som do palco vinha de uma verdadeira muralha de alto-falantes. Os brasileiros se impressionaram com a dimensão daquele extraordinário mundo novo. Um aviso prevenia os mais aéreos. Ouvir som alto a menos de três metros das caixas faz mal à saúde. Assim como acontece com o cigarro, ninguém queria saber daquilo. Naquele festival, The Doors, Miles Davis, The Who, Chicago, Jethro Tull, Emerson, Lake & Palmer, Sly & the Family Stone fizeram a cabeça da moçada. Corria até um boato de que Beatles e Rolling Stones apareceriam, mas era só história. Quem deixou todo mundo aceso de verdade foi Jimi Hendrix. Nos bastidores, enquanto mascava chiclete, o guitarrista surpreendeu pelo jeito tímido de menino desprotegido. No palco, parecia um possuído. O festival chegava ao fim, mas a aventura tinha valido a pena. Uma vitória do sonho sobre a realidade. E Jimi Hendrix fez o *gran finale*. O som de seu instrumento, seu canto, seu charme, ficariam na memória por muito tempo. Muito mesmo. Àquela altura ninguém podia imaginar. Seria um dos últimos choros de sua guitarra.

Dias depois, a notícia bombástica chocaria a todos. Em 18 de setembro, aos 27 anos, Jimi Hendrix morria afogado em seu próprio vômito, depois de ter misturado vinho e calmante. O macabro "clube dos 27" começava a ganhar fama. Em 4 de outubro, com a mesma idade, seria a vez de Janis Joplin, vítima da heroína. A bruxa estava solta e, em julho do ano seguinte, Jim Morrison, líder do The Doors, também sairia de cena. Enquanto os inimigos daquela geração estavam no poder, seus heróis morriam de overdose. Para os baianos, apesar de tudo, o show tinha de continuar.

Um monte de gente debaixo do mesmo teto, visitas a todo instante, Gil e Sandra com filho pequeno. Hora de ter um pouco mais de privacidade. Naquele período, Caetano, Gil e famílias se mudaram para o aprazível bairro de Notting Hill. Caetano ficou na Elgin Crescent, e Gil, bem perto, na Kensington Park Road. A Capela *Sixteena* deixaria saudades. A nova vizinhança, contudo, faria a cabeça de outra forma. A presença de jamaicanos no bairro tornava o lugar bem mais alegre e musical. O Caribe ficava logo ali, na movimentada Portobello Road ♪[42]. Criado nos guetos da Jamaica nos anos 1960, o *reggae* ♪[43] abria caminho em Londres e em breve ganharia o mundo pela tríade rastafári: Bob Marley, Peter Tosh e Bunny Wailer. Caetano e Gil caíram naquela gandaia. O novo som certamente os influenciaria nas próximas composições e ainda ecoaria por muito tempo. Naquele momento, porém, pelo menos para Caetano, outra novidade o deixaria mais empolgado ainda: uma possível visita ao Brasil apontava no horizonte.

Completar 40 anos de união matrimonial é uma bênção para qualquer casal. É também um bom motivo para reunir a família inteira. Em 7 de janeiro de 1971, seu Zezinho e dona Canô brindariam com missa e tudo mais. Brindar não exigia muito esforço. Unir a família é que não seria fácil. No governo Médici, a ditadura se mantinha firme e forte. Nem sombra de afrouxamento. Muito pelo contrário. Exilado em Londres havia um ano e meio, Caetano permanecia tão *persona non grata* quanto antes de partir. O aviso dos federais na porta do avião, praticamente uma ameaça, ainda ressoava na memória dele. Tudo indicava que ele estaria fora das bodas de rubi dos pais. Foi preciso contar com toda a fé de Maria Bethânia para mudar essa perspectiva.

---

[42] ♪ "Nine Out of Ten"
[43] ♪ "Nine Out of Ten"

Inconformada com a situação, Bethânia rodou a baiana e partiu em busca de uma saída. Fuçou daqui, dali, conversou com um, com outro, até que uma luz surgiu no fim do túnel, ou melhor, no escritório de Benil Santos, seu empresário à época. Benil tinha um *cast* variado e dentre seu elenco estava o humorista Chico Anysio. Numa conversa informal, Chico ficou ciente do caso e disse que tentaria mexer seus pauzinhos. Ele já tinha enviado uma carta aos baianos oferecendo apoio, mas o assunto não evoluiu. Daquela vez, daria sua contribuição de forma mais direta. Chico era amigo do humorista Castrinho, por coincidência afilhado de casamento do general Sizeno Sarmento, comandante do I Exército. Se alguém podia ajudar, esse alguém seria ele.

Castrinho prontamente se dispôs a dialogar com as autoridades. Logo o pedido de licença chegava à mesa do alto comando. A princípio não havia empecilho para que Caetano viesse, afinal, tinha ido embora por vontade própria. Só que não era bem assim que o pelotão marchava. Eles queriam saber "tim-tim por tim-tim" que diabos Caetano viria fazer no Brasil. Para esclarecer tudo, Bethânia foi convidada a se dirigir à sede do Ministério da Guerra, na Avenida Presidente Vargas, centro do Rio. Benil seguiu junto para ajudar a desenrolar a burocracia. Foi uma visita tensa. Ninguém estava ali para tomar chá com torradas. Enquanto percorria os imensos corredores do prédio, Bethânia tremia de medo. Bem devagar, devagarinho, o clima seria amenizado.

Dentro do ministério tinha gente que respeitava muito a artista. O susto foi grande quando um militar cheio de ginga a tratou pelo nome. "*Mariiiia!!!*" O sargento Martinho José Ferreira, o Martinho da Vila, lotado naquela unidade, veio lhe prestar continência. Quando não estava de serviço, encontrava tempo para fazer uns sambas de primeira. Como ali não era nenhuma casa de bamba, enquanto o sucesso não vinha, ganhava a vida servindo a pátria. Foi um encontro insólito. Pelo menos serviu para quebrar a ansiedade do momento. Logo em seguida, Bethânia localizou a sala da reunião e entrou. A portas fechadas, o clima ficou pesado novamente. Os militares ouviram tudo o que precisavam para saber se concordavam ou não com o apelo. Pois bem, bateram o martelo assim: se Caetano quisesse, poderia vir, mas que não fosse tão à vontade. Ele que não se metesse a besta de armar nada. Deveria entrar mudo, sair calado e cumprir as exigências que lhe fossem feitas a partir do momento em que pisasse em solo brasileiro.

Mesmo com todas as condições impostas, Caetano ficou eufórico. Era um cara família e não queria perder aquele momento por nada. Não deixaria sua mãe aflita. Em 6 de janeiro de 1971, o sol começava a nascer quando a aeronave despontou no espaço aéreo brasileiro. Antes mesmo de aterrissar no Aeroporto do Galeão, a emoção já tomava conta do baiano. Na vitrola imaginária de sua cabeça, o "Samba do Avião" tocava seguidas vezes. Como nos versos de Tom Jobim, sua alma cantava de alegria. Estava de volta à sua terra querida. Às seis da manhã, desembarcava no Rio de Janeiro. Para recebê-lo, a comitiva estava completa. Amigos, parentes, curiosos e jornalistas se amontoavam no aeroporto. Só que a recepção não podia ser um circo. E antes daquela felicidade se transformar em apoteose, a prometida ducha de água fria foi despejada. Ia ter de aturar a violenta burocracia das autoridades.

Bethânia sabia muito bem disso. Confirmou que o irmão e a cunhada chegaram bem, mas tratou de despistar qualquer atenção sobre eles. Na surdina, pegou Dedé pelo braço e se mandou para esperar por Caetano em seu apartamento, na rua Nascimento Silva, em Ipanema. Como previa o protocolo dos militares, ele tinha de ser ouvido antes de ser liberado. De lá, foi levado num fusquinha até um apartamento na Av. Presidente Vargas. A "conversa" renderia um bocado. Naquele momento político atual não dava para prever até onde iria a criatividade *nonsense* daqueles que mandavam no Brasil.

Foram momentos terríveis aqueles. Desde o pesadelo passado na detenção no fim de 1968, Caetano não sentia calafrio semelhante. Lembrou todo sufoco do passado nas seis horas de depoimento a que foi submetido. E precisou de muito sangue-frio para ouvir aquele repertório. Entre outras paranoias, proibiram-no de cortar cabelo ou raspar a barba. Antes, queriam humilhá-lo, depenando sua vasta cabeleira. Agora queriam preservá-la. Vai entender uma coisa dessas?! Perguntaram ainda se ele usava drogas, e quiseram saber o grau de ligação com a família Arraes, exilada em Paris. O mais absurdo foi quando lhe pediram para compor em nome do governo. A rodovia Transamazônica estava em construção desde outubro do ano anterior e, mesmo que naquele momento ligasse nada a lugar algum, era vista como obra revolucionária. Compor em sua homenagem seria demonstrar boa vontade com aqueles que permitiram seu regresso. Caetano conseguiu se fazer de rogado e escapou dessa bomba. Só não conseguiria se livrar das outras exigências. Entrevistas à imprensa, só por escrito, e assim mesmo sob censura prévia. Além disso, teria que fazer duas apresentações na TV. Tudo deveria parecer normal aos olhos do povo brasileiro. Sem maiores incidentes.

Aflitas em Ipanema, Bethânia e Dedé não entendiam o motivo de tanta demora. Pensavam no pior. Igualmente preocupados, Glauber Rocha e Luiz Carlos Maciel também estavam lá para receber o amigo. O almoço esfriava e nada de Caetano aparecer. A angústia durou uma eternidade. Somente após mais de seis horas de espera, o baiano chegou são e salvo. Estava ainda atordoado pela pressão psicológica, mas, na medida do possível, parecia bem. Com os ânimos restabelecidos, o jeito foi devorar a comida e matar um pouco da saudade. Mas só um pouco, já que o melhor aguardava por ele na Bahia.

Bethânia conseguiu. Não faltaria nenhum dos filhos à festa. À noite, rumaram para Salvador onde os pais mal puderam acreditar. Rodrigo, Nicinha, Clara, Mabel, Roberto, Caetano, Bethânia e Irene estariam juntos novamente.

Um presente abençoado para seu Zezinho e dona Canô. No dia seguinte, as rádios da Bahia só tocavam músicas de Caetano. A alegria pela volta do filho à boa terra saía dos alto-falantes e contagiava cada conterrâneo no sobe e desce das ladeiras. A missa das bodas foi realizada à noite, na igreja da Misericórdia.

Nos dias que se seguiram, Caetano descansou, reviu amigos, matou a saudade. Faltava, porém, cumprir o restante do trato. Ainda teria de fazer as aparições na TV. Depois de cantar no programa do Chacrinha, deixaria sua marca em outra apresentação. Surpreenderia uns, decepcionaria outrem e agradaria outros tantos no *Som Livre Exportação*, da Rede Globo. Produzido por Nelson Motta, o programa tinha um quê tropicalista. A expressão "som livre", por exemplo, fora lançada por Caetano no *Divino Maravilhoso* da TV Tupi. No comando, a tarimbada Elis Regina dividia a atenção com novos talentos musicais oriundos do Movimento Artístico Universitário, o MAU. Ivan Lins, Gonzaguinha e Aldir Blanc estavam entre eles.

Foram duas apresentações. Cantou com Bethânia, falou pouco, e, para se despedir, fez o que ninguém esperava. No melhor estilo Bossa Nova, com banquinho e violão, interpretou "Adeus Batucada", de Sinval Silva, sucesso na voz de Carmem Miranda. Para quem plantava bananeira no palco e fazia discursos inflamados, o show foi comportado até demais. Por essa, os militares não esperavam. A plateia de jovens cariocas gostou e achou tudo muito diferente. Eles nem desconfiavam, mas acabavam de assistir a um fato inédito na carreira do cantor. Era a primeira vez que Caetano tocava violão na televisão brasileira. Lou Reizner teria se orgulhado se tivesse visto a cena ao vivo.

A estada no Brasil duraria até 7 de fevereiro de 1971, aniversário de Clara Maria. Foram dias bons aqueles. Depois da festa, chegava a hora de mais uma despedida. Ainda não seria dessa vez que retornaria em definitivo. Entre "ame-o" e "deixe-o", Caetano ainda se via forçado a escolher a segunda alternativa. Novamente deixava o país. Ia embora chorando, com o coração sorrindo. Pelo menos um bom motivo também pesou na decisão. Um trabalho inacabado esperava por ele na Inglaterra.

De volta a Londres, as duas últimas faixas do novo disco foram remixadas e o LP ficou pronto. Intitulado simplesmente *Caetano Veloso*, pela terceira vez em sua carreira, a essência do trabalho nasceu de suas primeiras impressões do exílio. A tristeza e o frio sentidos nos primeiros meses afloravam, a começar pela fotografia pouco costumeira da capa. Um Caetano amarelo, envelhecido, com olheiras, de barba e bigode. Àquela altura, Gil também lançava pela Famous seu disco londrino, o *Gilberto Gil*, com músicas em inglês, algumas suas, outras em parceria com Jorge Mautner.

Finalizado o disco, Caetano não se acomodou. Permaneceu compondo em inglês e português. Com as canções em português, continuava municiando artistas no Brasil. "Esse Cara" nasceu para atender a um pedido de Bethânia. As vantagens por ser irmã não acabavam. Ela também ficou radiante com "Janelas Abertas nº 2" e "A Tua Presença Morena". Essa última inspiraria o título de seu LP daquele ano. E nem só de cantoras vivia a obra de Caetano. Os homens também teriam sua vez. Erasmo Carlos ganhou "De Noite na Cama", e a visita de Roberto Carlos foi devidamente retribuída. "Como Dois e Dois" faria parte do próximo disco do rei. Com as gravações a todo vapor, tia Lea teria muito trabalho pela frente. Dinheiro na conta não faltaria.

Influenciado pelos ritmos da Portobello Road, as novas composições em inglês seriam aproveitadas no próximo disco. Ralph Mace gostou do primeiro e queria seguir adiante. Para o novo trabalho, Caetano resolveu incrementar e quis formar sua própria banda. Bateria e percussão não seriam problemas. Os bateristas Áureo de Souza e Tutty Moreno, este último um velho conhecido dos tempos de Vila Velha, haviam chegado a Londres e já tocavam com Gil. Faltava gente para violão e baixo.

Notícias vindas do Brasil trouxeram na medida certa o clima da apresentação de "Gotham City", no IV FIC, em setembro de 1969. Jards Macalé e Capinan eram velhos conhecidos e a ousadia do número apresentado no Maracanãzinho provava que o Tropicalismo dera frutos. Durante a performance, os dois perpetuaram a tradição de receber vaia, enquanto gritavam que havia "*um morcego na porta principal*". Quando Caetano pensou num violonista, Macalé surgiu como primeira opção. Para o baixo, pensou em outro chapa. Os shows no Vila Velha estavam bem vivos na memória e Moacir Albuquerque, o irmão de Perinho, foi o escolhido. Pouco depois, os reforços desembarcavam na capital inglesa. Macalé, coitado, nem descansaria direito.

Em Londres, quem gostava da sétima arte frequentava o Electric Cinema ♪[44]. Caetano foi um dos que estiveram por lá muitas vezes, para assistir a clássicos dos anos 1930 e 40 e filmes alternativos do circuito europeu. Com a presença de dois cineastas entre eles, a vida louca daqueles brasileiros daria um bom roteiro. E não é que um filme *underground* começou a ser rodado? Para o espanto de todos, o diretor não foi o Bressane de *Matou a Família e Foi ao Cinema*, nem o Sganzerla de *O Bandido da Luz Vermelha*, e sim um cineasta estreante. Marinheiro de primeira viagem, Jorge Mautner jogou suas fichas na produção de *O Demiurgo*. O dinheiro de suas economias nem era tanto. Por isso mesmo, tudo tinha de ser aproveitado, até erros e recomeços de falas. Quem chegasse no meio das filmagens corria o risco de entrar para o elenco. Foi o que aconteceu com um certo forasteiro.

---

[44] ♪ "Nine Out of Ten"

No momento em que Mautner enquadrou Jards Macalé, ele não pestanejou. O músico não fazia o tipo galã, mas mesmo assim seria o mais novo ator de *O Demiurgo*. No papel de um mensageiro que vinha de longe, Macalé teve que fazer muita graça improvisada diante da câmera, antes de assumir o posto de violonista da banda. Grande parte das cenas foi filmada na casa de Arthur Guimarães, outro produtor da empreitada. E todo mundo deu sua parcela de colaboração, fosse com uma fala, uma ideia ou qualquer outra coisa. Valia tudo. E só quando Mautner liberou seu *cast*, a banda pôde ensaiar completa.

Primeiro foi na casa de Caetano. Assim que o sol deu as caras, afiaram o repertório ao ar livre, com direito a piqueniques em parques públicos. Tudo ia bem, mas eles queriam mais envolvimento artístico. Foram parar no Arts Lab, uma espécie de laboratório de artes. Um lugar espaçoso, com poucos recursos e muita friagem. E tinha mais. Acostumados à privacidade dos estúdios brasileiros, ali precisariam dividir o ambiente com outros artistas. Na mesma sala, um escultor dava forma à sua obra em fibra de vidro. Para não se intoxicar com o pó fino, o gringo trabalhava de máscara. Os músicos brasileiros não dispunham do mesmo acessório. A fim de amenizar os efeitos, deixaram a cerveja quente de lado e partiram para uns bons copos de leite. Tudo em nome da arte. O clima de paz, porém, durou pouco. Eram estrangeiros, ocupavam espaço e ainda faziam um barulho danado. O convívio gorou de vez quando outros artistas reclamaram do som alto. A briga só não chegou às vias de fato porque os brasileiros se mandaram de lá.

Para continuar os ensaios, mais um local peculiar foi escolhido. Dessa vez, o salão de uma igreja, próxima ao Camden Market. Não muito longe ficava o cemitério Highgate. Pelo menos os mortos não seriam incomodados. Ou seriam? No auge da loucura, teve músico vendo Nossa Senhora em pessoa na igreja. Ave, Maria! E Macalé, quando queria aliviar a tensão, corria para bater longos papos com Karl Marx, enterrado no lugar havia décadas. Mautner teria adorado. Os ensaios permanentes, em diferentes lugares, deixaram o conjunto na ponta dos cascos. As faixas seriam gravadas num piscar de olhos. O prazer de tocar juntos se refletiria até no nome do disco: *Transa*.

Com excelente entrosamento, àquela altura eram parceiros para o que desse e viesse. Fosse no trabalho ou nos momentos de lazer. Nesse item, caberia aos mais experientes apontar as melhores opções. E junho de 1971 reservava mais um evento daqueles.

❧

Caetano já tinha visto a maioria dos artistas da época. Chegou a conhecer David Bowie em pessoa, apresentado por Ralph Mace, mas a química entre eles não aconteceu. Gostou de algumas bandas, de outras, nem tanto. Nada, porém, o impressionou como os Rolling Stones. A identificação com Mick Jagger, líder do conjunto, foi imediata. Ao contrário de outras bandas, cuja força provinha do som, das letras, das guitarras, o trunfo dos Stones estava nas performances de seu vocalista. Enquanto percorria todo o palco, Jagger fazia caras, bocas, gestos, cantava, rebolava, só faltava comer o microfone. Sua energia contagiava o público e Caetano não escapou do efeito. Assunto certo para as conversas com o parceiro Gil, bem mais afeito àquele tipo de som que o próprio Caetano. Pensar diferente era um fator positivo na relação dos dois. Mesmo que tivessem pontos de vistas diversos, suas ideias convergiam. Arroz e feijão, os dois se completavam.

Na temporada inglesa, Caetano e Gil reagiram de maneira desigual às novas experiências. Nos primeiros meses, Caetano entrou em depressão. Por pouco não abandou a música. Gil, por outro lado, aproveitou a oportunidade para mergulhar na *swinging London*. Conheceu novos sons, pessoas, lugares e até os porões *underground*. Adepto da alimentação macrobiótica desde que saíra da prisão, perdeu tanto peso que seu corpo ganhou um formato longilíneo. Caetano cultivou barba pela primeira vez. Emagreceu também, mas não deixava de degustar os quitutes baianos preparados na cozinha de Dedé e Sandra. A presença africana ajudava. Nos mercados locais os imigrantes vendiam azeite de dendê, quiabo e leite de coco, próprios a um legítimo caruru.

Algum tempo depois, Caetano ficou mais receptivo, raspou o cavanhaque, e passou a sair mais. Gil, por sua vez, resolveu buscar seu autoconhecimento. Meditava muito e consumia as chamadas drogas de iluminação. Tinha o objetivo de ampliar seu poder criativo e atingir novos estados de consciência como instrumento de aprendizagem. Caetano continuava fora das viagens alucinógenas, preferia relaxar no Hyde Park, jogar conversa fora no Caffe Picasso, ou deitar no divã para viajar nas teorias de Freud. Em Londres, começou a fazer análise. Embora muito próximos, Caetano e Gil seguiam por caminhos diferentes. Foi assim muitas vezes, mas, quando o assunto era festival de música, as opiniões batiam. Não perdiam um. No Festival de Glastonbury, os dois, mais uma vez, marcariam presença. Eles, os integrantes da banda e o batalhão de brasileiros que sempre os acompanhava.

Os ingleses consideram Glastonbury um lugar sagrado. Muita gente acredita que ali está enterrado o lendário Rei Arthur. A época escolhida também tinha significado esotérico. Em 21 de junho, durante o festival de 1971, ocorreria o fenômeno do solstício, o dia mais longo do ano. Os organizadores prepararam o terreno. Um imenso palco transparente, em forma de pirâmide, foi montado. *Hippies*, místicos e gurus alternativos vieram de todas as partes. Até um aeroporto para receber discos voadores foi montado. Num lugar onde tudo podia acontecer, havia liberdade para o sexo e drogas em quantidades industriais. O clima lisérgico era amplificado pelo sistema de alto-falantes do evento. Preocupados com a segurança do público, a organização avisava a todo instante para não consumir os ácidos de cor verde, totalmente malhados. Para quem quisesse fazer a cabeça, melhor consumir do laranja, também conhecido como *Orange Sunshine*. Este, sim, dava o maior barato.

    A turma de brasileiros chegou nesse clima. As manjadas barracas de Bath estavam lá e o acampamento foi montado. Manjadas até demais. Quando todo mundo já tinha se acomodado, um policial se aproximou para cobrar explicações. Ninguém conseguiu acreditar no cara de preto com um pastor alemão a tiracolo. Só poderia ser viagem de ácido. Macalé se arrependeu amargamente por ter aceitado uns comprimidos de um casal de *hippies* pelados. Deve ter sido do verde. Repetidas vezes ele escutava aquele homem enorme dizer *police* e não entendia nada. O som da palavra parecia se propagar numa onda visual. Precisou travar os dentes para não cair na gargalhada. Ia dar a maior bandeira. Acompanhado de sua esposa Giselda, preferiu permanecer em silêncio para ver aonde aquele papo chegaria.

    Gil continuava a meditar dentro da barraca, em posição de lótus. Parecia um Lama, seríssimo. De Júlio Bressane só restavam os pés para fora da barraca enquanto tirava uma soneca. O policial não queria nem saber. Insistia. Queria alguém que falasse inglês, mas ninguém se arriscava. A estratégia deveria ser coletiva, mas esqueceram de avisar Paloma, filha de Glauber, que estava ali distraída no meio da curtição. A moça falava inglês, e muito bem, por sinal. Nem precisou traduzir o que havia acontecido. Deu merda. A carreira das barracas acabava ali. Afanadas em Bath, voltariam para seus legítimos donos. Por essa não esperavam. Iam ter de continuar ao ar livre. Prepararam até uma fogueira, daquelas de São João, com Gil tocando acordeom. Só que ninguém queria dormir ao relento. Então botaram a criatividade para funcionar. Fizeram um mutirão e, com sobras do palco, construíram um novo abrigo. Em pouco tempo o "puxadinho" foi armado. Ficou terrível, mas era a única coisa de que dispunham. Ainda assim, foram poucos os corajosos que se arriscaram a dormir lá dentro.

    Glastonbury podia ser o mais chinfrim da tríade de festivais ingleses. De todo modo, ali o pessoal assistiu a David Bowie, Joan Baez, Traffic, Quintessence, e muitos outros. Quando o festival chegou ao fim, a imagem do vale se revelou assustadora. Parecia um campo de guerra devastado. Uns doidões ainda circulavam perdidos no tempo e no espaço. Sujeira para todo lado. Policiais, médicos e enfermeiros em tudo que era canto. Quem exagerou na dose recebia atendimento lá mesmo. A todo instante, gritos e gemidos vinham das macas que passavam em direção às ambulâncias. O clima de fim de festa, a visão dantesca do lugar, e a frase cunhada por John Lennon na época, inspiraram Gil a compor "O Sonho Acabou". Os primeiros versos foram escritos ainda no local. Quem saiu vivo de lá, certamente não seria o mesmo.

❦

De volta a Londres, o trabalho com a banda recomeçou. Gravado em poucas sessões, o LP *Transa* ficou pronto. E, de certa forma, representou um marco. Ao citar a palavra *reggae* na faixa "Nine Out of Ten", Caetano se tornava o primeiro artista brasileiro a registrar em disco o novo ritmo jamaicano. Antes mesmo de Gil, que abraçaria o movimento "*rasta*" com muito mais carinho no futuro. Já quase uma *habitué* de Londres, Gal também esteve por lá na época e participou em algumas faixas. Daí foi partir para a divulgação. Viajaram pela Europa e passaram por muitos lugares interessantes. Encontraram muita gente boa também. Numa dessas, Caetano conheceu em Paris o escritor Jorge Luis Borges. E ficou surpreso quando o fantástico argentino revelou conhecer seu trabalho. Caetano não tinha se dado conta ainda, contudo, sua arte começava a ultrapassar fronteiras. Em breve, conheceria outro medalhão da cultura mundial.

Depois de mirar Caetano de cima a baixo, um dos executivos da Famous, Leslie Gould, viu nele uma estranha oportunidade. Não se sabia por que cargas d'água Gould achava o biotipo franzino do mulato baiano ideal para viver no cinema o papel de São Francisco de Assis. Na época, Franco Zeffirelli filmava *Irmão Sol, Irmã Lua* e precisava de alguém com aquele porte. É claro que havia interesse comercial no papo. Com a provável participação na trilha do filme, a gravadora ganharia. Caetano não botou fé na conversa. O cara só podia estar delirando. Mas o executivo dizia a verdade e Zeffirelli mandou chamar o artista brasileiro. Quem tem boca vai a Roma. Até aí, tudo de acordo com o dito popular. Para sair de lá, Caetano precisaria de um pouco mais do que isso.

Na capital italiana, Caetano, Dedé, Guilherme e Gould se hospedaram no Excelsior, um hotel de primeira na Via Veneto, encravado no coração da cidade. À noite, Caetano ficou entusiasmado e quis conhecer a Cidade Eterna. Foi com Dedé e Guilherme à Fontana di Trevi, local da cena clássica de Anita Ekberg e Marcello Mastroianni, em *La Dolce Vita*. Passeio típico de turista, mas nem todo mundo acharia. Magro e cabeludo, Caetano cansava de ser abordado por traficantes nas esquinas de Londres. Na visão dos caras, um sujeito como aquele só poderia ser *junkie*. Em Roma, piorou ainda mais. A "pinta" de Caetano despertou a suspeita dos *carabinieri* que faziam ronda no local. Ninguém se preocupou, afinal estavam limpos. Até demais. Os passaportes tinham ficado retidos no hotel. "*Documenti, documenti.*" Na falta deles, a aparência suspeita de Caetano pesou e todo mundo foi parar na delegacia. A sina continuava. Até que explicassem tudo direitinho, iriam ver o sol de Roma nascer quadrado. Passariam a noite por lá.

Soltos novamente, foram até a mansão de Zeffirelli, na Via Apia. Falante e bem-humorado, o diretor examinou cuidadosamente o rosto de Caetano. Virou de um lado, de outro, e concluiu que o papel não poderia ser dele. Na visão do diretor, o baiano não personificava a figura física do ator que deveria dar vida ao personagem. Tudo bem, ele nunca foi santo mesmo. A viagem parecia perdida até Zeffirelli falar novamente. Embora o compositor escocês Donovan já tivesse feito quase toda a trilha, pediu para Caetano cantar e compor o que faltava. Mesmo sem o papel, voltaram para Londres com algum material do filme. À exceção de um esboço de composição para a música tema, nada de novo nasceria. Com o tempo, o compromisso acabaria esquecido. Caetano estava no meio de um trabalho gratificante. Além do mais, alguém do Brasil também lhe faria um convite. Este, sim, não seria furada.

Tarde da noite o telefone tocou em Notting Hill. Acordado como de costume, Caetano atendeu. Do outro lado falava ninguém menos que seu mestre supremo João Gilberto. A voz firme e suave avisou que estava para gravar com Gal Costa um programa especial na TV Tupi de São Paulo e queria contar com a participação do amigo. Caetano ficou radiante mas ao mesmo tempo apreensivo, afinal de contas, o comitê de boas-vindas da primeira visita se mostrara bem desagradável. Como reagiriam os militares daquela vez? Se para a festa dos pais tinha sido um Deus nos acuda, não sabia o que esperar da próxima. Mas o bruxo de Juazeiro não perdia o tom. Falava com segurança, garantia que nada aconteceria e que ele seria recebido de braços abertos por um país que o amava de verdade. Melhor ver para crer. Não havia como recusar. João Gilberto falou, tá falado. Hora de arrumar as malas novamente.

Em 8 de agosto de 1971, Caetano e Dedé desembarcaram no Aeroporto do Galeão. Para espanto do casal, a recepção foi totalmente diferente do que esperavam. Não foram incomodados por nenhum militar de plantão. Inacreditável. As previsões de João Gilberto se confirmavam de maneira assombrosa. As portas pareciam abertas e o desejo de voltar em definitivo ganhou força a partir dali. Do aeroporto, foram para o apartamento de Bethânia. Várias iguarias baianas aguardavam fumegantes pela chegada dele. Depois de se esbaldar com amigos e familiares, Caetano foi para São Paulo se encontrar com João e Gal. A emoção contagiou a todos, assim que ele entrou no auditório da TV Tupi, o mesmo onde aconteciam as gravações do programa *Divino Maravilhoso*. Estar no Brasil, ao lado de Gal Costa e de João Gilberto, seu mestre maior, e ainda poder cantar. Foi, sem dúvida, uma sensação única.

Entre os produtores do especial, estava o conhecido Fernando Faro, com o apoio de Otávio III, empresário de João Gilberto. Foram seis horas de gravação e êxtase. Na plateia, velhos companheiros de guerrilha tropicalista. Júlio Medaglia, Rogério Duprat, Décio Pignatari, Augusto de Campos e Tom Zé se espremiam para ver Caetano desfiar suas últimas composições, babar nas interpretações de João Gilberto e cantar em trio uma canção que tinha tudo a ver com o momento: "Saudades da Bahia", de Dorival Caymmi. E João ainda atenderia ao pedido de Caetano para interpretar "Mané Fogueteiro", de Braguinha, sucesso na voz de Augusto Calheiros. A alegria por estar no Brasil voltou para não mais sair.

No dia seguinte, Caetano retornou ao Rio de Janeiro para assistir ao novo show de Maria Bethânia, *Rosa dos Ventos*, em cartaz no Teatro da Praia, entre Copacabana e Ipanema. Começava ali a parceria de Bethânia com o diretor Fauzi Arap. A simbiose dos dois ajudou e o sucesso foi inevitável. A veia teatral do diretor tinha encontrado a pessoa certa para pulsar forte. No meio do público, Caetano foi às lágrimas ao assistir à força dramática da irmã. Além de cantar, Bethânia declamava textos de Fernando Pessoa, Clarice Lispector, Vinicius de Moraes e do próprio Fauzi Arap. Muito emocionado, Caetano fez um dengo na irmã. Foi até a beira do palco, beijou e abraçou calorosamente a estrela da noite.

O encontro com João Gilberto e o show de Bethânia já tinham valido a viagem. Caetano, porém, queria mais. Foi revisitar sua Bahia. Ficaria mais alguns dias antes de regressar a Londres. Encontrou amigos e parentes: os antigos e os novos. Sim, porque em agosto de 1971, Mabel lhe dava mais uma sobrinha. Para dona Canô, vovó coruja, a pequenina Isabel Velloso mais parecia um bibelô. Daí para Belô foi um pulo. O tempo ia passar e a menina também revelaria pendores artísticos. Enquanto não chegava a hora, naquele momento a futura cantora só fazia chorar no colo dos tios.

Caetano também, mas com uma ponta de alegria. Em seu íntimo, sentia que a volta em definitivo estava próxima. Cumpriu os últimos compromissos, se despediu de todo mundo e voou para Londres cheio de esperança.

Passar o Carnaval de 1969 na cadeia havia sido barra pesada. Enquanto milhares de baianos pulavam ao som de "Atrás do Trio Elétrico", Caetano curtia uma fossa daquelas numa prisão carioca. Em Londres não havia trio elétrico, contudo, quem gosta de Carnaval sempre dá seu jeito. À distância, ele fazia o que sabia de melhor. O frevo rasgado, a marchinha picante, o samba de tradição. Não importava o ritmo, importava a alegria que o som iria proporcionar aos foliões de carteirinha. Em 1971, com esse espírito, Caetano compôs "Chuva, Suor e Cerveja", um frevo eletrizante. Essa, mais do que nunca, precisava ser lançada no Brasil.

Quando a Philips brasileira percebeu o potencial da música, seus diretores não pensaram duas vezes. Mandaram um homem de confiança para gravar *in loco*. Não deixariam essa para os gringos. Em novembro de 1971, o produtor Manoel Barenbein desembarcou na Inglaterra. Com Tutty, Macalé, Áureo e Moacir na base, o disco foi gravado. Saiu melhor que o esperado. Com músicas de seus parceiros de banda e outras canções inéditas que dispunha na manga, foi possível fazer um compacto duplo: *O Carnaval de Caetano*. Barenbein regressou às pressas. O álbum precisava ser lançado antes que a folia chegasse. Caetano é que não tinha certeza se estaria no Brasil durante a festa, mas que ele mexeria seus pauzinhos, mexeria.

Não havia mais clima na Inglaterra. Aqueles tijolinhos sem graça das casas londrinas eram um pé no saco. Até os documentários da BBC já não atraíam tanto quanto antes. No decorrer de 1971, Caetano não parou quieto. Tinha saído da Elgin Crescent para West Kensington, daí para Hampstead e, finalmente, para Golders Green. A próxima parada precisava ser no Brasil. A boa experiência na última visita, as informações animadoras que vinham de outros exilados na Europa, a saudade da terra natal. A soma de fatores lhe deu coragem e ele decidiu voltar em definitivo. Ralph Mace ainda tentou convencê-lo a ficar, achava que a carreira internacional poderia ser ampliada. Nada feito. A projeção global ficaria para outra oportunidade. *Bye bye, so long, farewell England*.

Uma nova etapa de vida começaria para Caetano e Dedé. Estariam no Brasil, mais sossegados e perto das famílias. Já podiam até colocar em prática uma ideia que começava a amadurecer; a de ter um filho. E por que não?

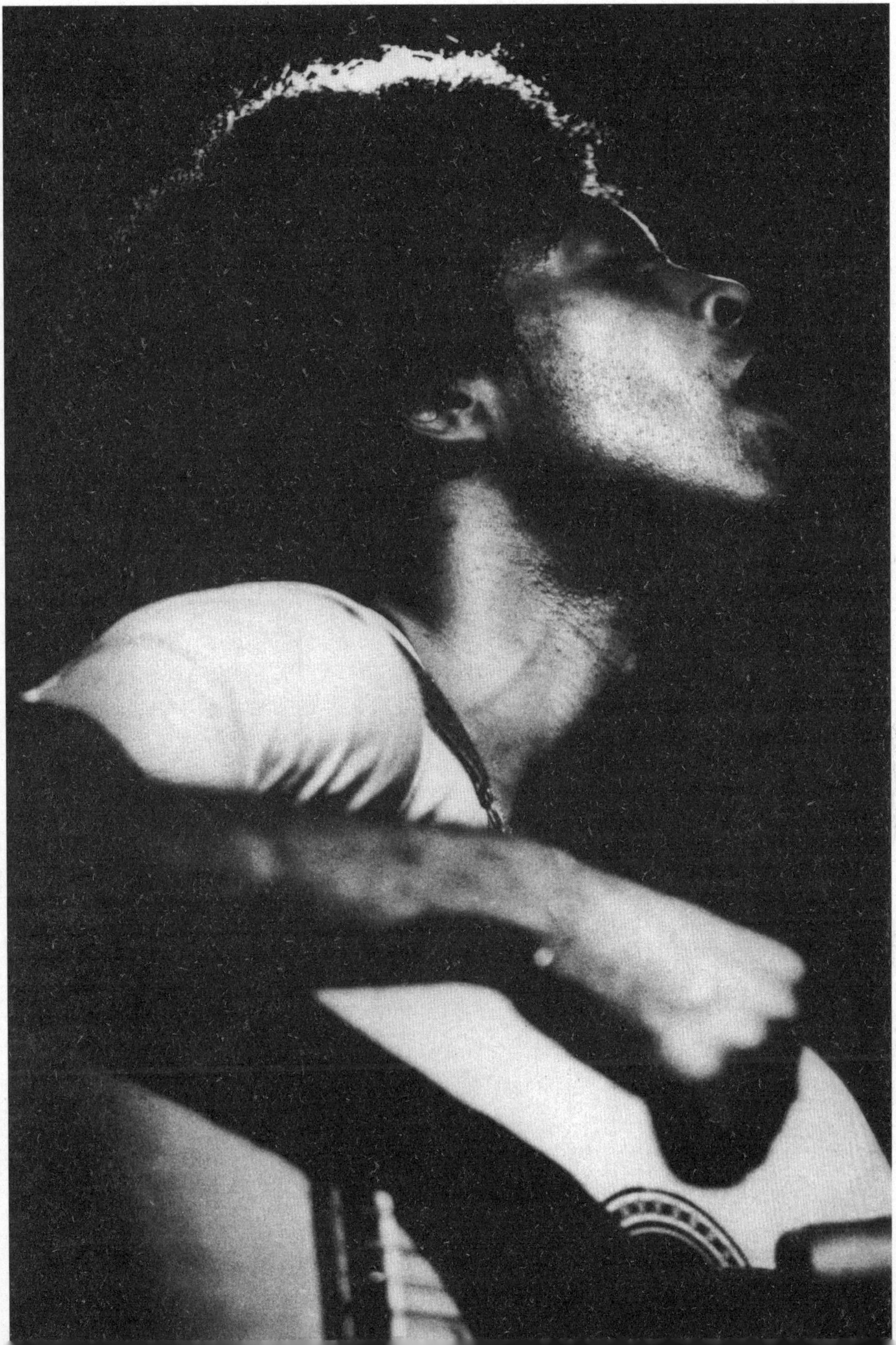

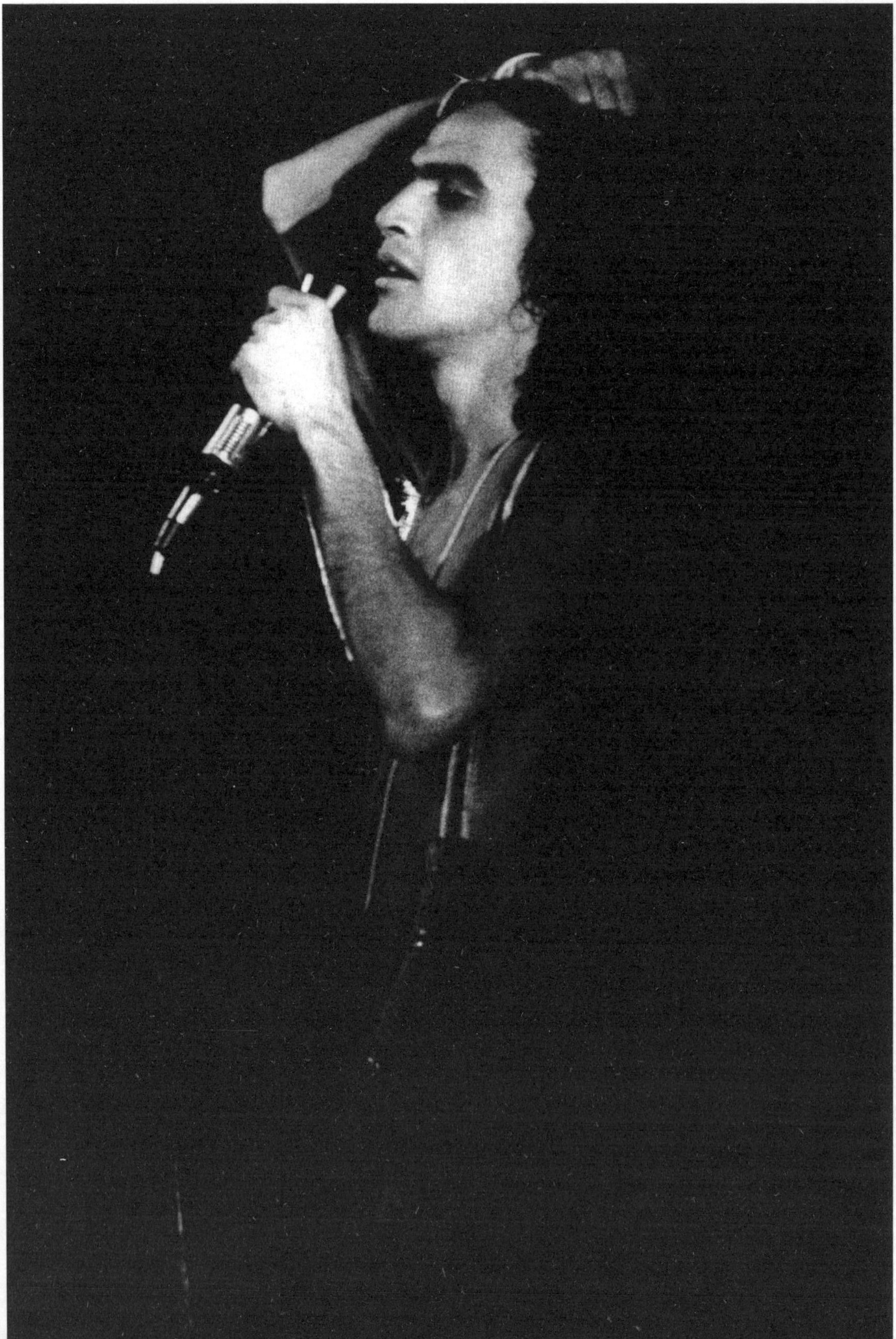

13

COMEÇAR DE NOVO

Janeiro de 1972, auge do verão carioca. Sol a pino e praias lotadas. Mulheres bonitas, mate gelado, sorvete Chicabon, as dunas do barato. O Rio de Janeiro continuava lindo. Em meio a esse cenário, o retorno de um brasileiro ilustre. No dia 11 daquele mês, uma terça-feira, Caetano Veloso desembarcava no Aeroporto Internacional do Galeão. Estava de volta a sua terra e, dessa vez, para ficar. Abandonava o frio de Londres com a esperança renovada e muito calor no coração. Era tanto que podia compartilhar. Já chegava com apresentação marcada. O palco do Teatro João Caetano esperava por ele.

Os primeiros shows seriam pela Aquarius Produções Artísticas, empresa dirigida por feras do calibre de André Midani, Nelson Motta e os irmãos Valle, Marcos e Paulo Sérgio. Ainda no início das atividades, a Aquarius tinha nos *jingles* seu carro-chefe. Mas seus donos não queriam se acomodar e sonhavam alto. Em busca de novos horizontes, procuravam artistas de sucesso para a montagem de grandes espetáculos. Bem relacionados e com prestígio no meio musical, a empreitada tinha tudo para dar certo. O mais curioso era ver Midani se dividindo entre a Philips e a Aquarius. *Workaholic* do jeito que era, se o negócio fosse música, poderiam contar com ele. O cara jogava em todas as posições. Haja fôlego. E para quem vinha de Londres, também.

Caetano nem descansou direito. Chegou no início da semana com estreia marcada para a sexta seguinte. Ainda bem que a base do repertório seria a mesma apresentada meses antes. O show estava amadurecido e bem ajustado. Caetano, Macalé, Moacir, Áureo e Tutty rodaram a Europa com ele. Países como Suíça, França e Inglaterra fizeram parte do roteiro. Na reestreia em solo brasileiro, o violão de Caetano viria a tiracolo, herança inglesa reforçada por Lou Reizsner. A plateia é que estranharia algumas atitudes inesperadas do cantor. Afinal, a poeira levantada pelo Tropicalismo ainda não havia baixado completamente e o *frisson* continuava.

Um banquinho, um violão. Para iluminar, um pouco de vermelho, outro cadinho de azul. Assim o público viu Caetano procurar seu lugar no palco. Com o sorriso aberto e cativante, abriu o show com "Bim Bom", de João Gilberto. Em seguida, interpretou canções do disco novo, o *Transa*, e de compositores de sua admiração, como Paulinho da Viola, Roberto Carlos, Chico Buarque e Dorival Caymmi. Intimista no início, foi acelerando aos poucos, como numa boa transa. Cantou um samba de roda do baiano Riachão, "Cada Macaco no Seu Galho", e surpreendeu no clássico "O Que É Que a Baiana Tem?", de Caymmi. No meio da música, emendou aquele famoso requebrado de Carmem Miranda. Rebolou, desmunhecou, revirou os olhos, tudo isso adornado pela magra barriga de fora. E para mostrar que a Bahia tinha mais espaço, contou com a presença de outro frequentador do Bonfim. Cadê Gil?

Gilberto Gil ainda morava na Inglaterra. De passagem pelo Brasil, aproveitou a chance e foi prestigiar o show do amigo. Ficou todo orgulhoso ao ver Caetano arrebentar no violão. Em seu íntimo, sabia que tinha sido um dos responsáveis por tudo aquilo, lá atrás, no início dos anos 1960. E até bem pouco tempo antes, quando Caetano pensara em deixar de fazer música e fora convencido por ele a continuar. Nesse clima, Gil não conteve a emoção e acabou rendendo homenagem ao parceiro velho de guerra. Caminhou até o palco, entregou a ele uma singela flor e subiu para uma canja. A participação de Gil valia outro ingresso, mas tinha mais. No final, Caetano ainda encontrou tempo para incendiar o teatro. Apresentou os frevos gravados no frio de Londres e prontos para explodir no Carnaval. Seria a antecipação da festa que tomaria conta do país dentro de mais alguns dias.

Do Rio de Janeiro o show seguiu para o TUCA, o Teatro da Universidade Católica de São Paulo. Aquele mesmo da bronca de "É Proibido Proibir". Dessa vez, contudo, não haveria esporro, algazarra, muito menos discurso inflamado. Quem embarcou no espírito "retrô" se deu mal. Muitos fãs ficaram desapontados e saíram porta afora. Metamorfose ambulante, Caetano estava em outra. As violentas performances Tropicalistas deram lugar a uma provocação mais sutil, calcada na postura, nas roupas, nos gestos e no repertório. Continuava polêmico, mas não precisava levar no grito. O que mais se aproximou das noites tropicais foi a repetição do refrão de "Quero que Vá Tudo pro Inferno", de Roberto e Erasmo Carlos. Os tempos eram outros e as brigas também. No fim do mês, o espetáculo seria no Teatro Castro Alves, depois no Estádio Geraldão, em Recife. O Rio ganharia o bis, também produzido pela Aquarius, a ser gravado pela Rede Globo, dessa vez no Teatro Municipal.

Entre um show e outro, Caetano descansava, ia à praia e retocava a morenice debaixo do sol da Bahia, onde voltou a morar, ou do Rio, para onde ia com frequência. O *point* baiano do momento era a praia do Porto da Barra, em Salvador, e a Meca dos *hippies* mais radicais ficava em Arembepe. No Rio de Janeiro, o buchicho acontecia no Píer de Ipanema, no pequeno trecho entre as ruas Teixeira de Melo e Farme de Amoedo. Com as obras de um emissário submarino que lançaria o esgoto da Zona Sul em alto-mar, a geografia modificada pelos operários contribuiu para aglutinar gente de todas as tribos. Um píer construído, imensas tubulações, armações de ferro retorcidas, materiais de construção espalhados pela areia. Não era bem uma vista agradável, mas assim mesmo os surfistas achavam tudo aquilo o máximo.

A obra remexeu a areia do fundo e a presença da tubulação melhorou a qualidade das ondas na região. Outra consequência foi o surgimento de dunas artificiais ao lado do píer. Meninos do Rio e garotas douradas, intelectuais e artistas, *hippies* e marginais, passaram a frequentar aquele minúsculo feudo *underground*. Gal Costa estendeu tantas vezes sua toalha por ali, que os mais criativos apelidaram o local de "dunas da Gal". Nas internas também ganhou o codinome de "dunas do barato". A marola dos baseados fazia a rapaziada sentir algo mais, além da maresia.

Naquele período a imprensa alternativa ganhava força. A coluna "Geleia Geral", assinada por Torquato Neto no jornal Última Hora, o *Pasquim*, as revistas *Rolling Stone, Flor do Mal, Bondinho*; o tabloide *Verbo Encantado*, e, mais à frente, a *Kaos*, davam voz a uma geração que tinha muito o que dizer. Grande parte dessas publicações tinha o dedo de Luiz Carlos Maciel. Exatamente naquelas dunas, vira e mexe, Maciel buscava inspiração para seus textos. Ali podia esbarrar com os Novos Baianos, ganhar um livro do poeta Chacal, admirar as pernas bronzeadas de Gal Costa, conversar com Caetano, ou apenas olhar tudo, como fazia Agenor de Miranda, o Cazuza. Moleque ainda, aos 13 anos, Cazuza ficava de longe a tietar seus ídolos. O futuro chegaria e ele próprio também daria muito o que falar, mas isso é outra história.

O Carnaval multiplicava a energia de toda essa gente. Em Ipanema ou em qualquer lugar do Brasil. Na folia de 1972, Caetano estaria novamente em Salvador. Chegava a hora de se jogar de pipoca atrás do trio elétrico. Depois de tantas aventuras mundo afora, retornava à sua terra de cabeça erguida, são e salvo. Durante três anos esteve ausente da festa. Todo esse tempo merecia uma recompensa. Misturados aos foliões, Caetano, Dedé, parentes e amigos percorreram a avenida Joana Angélica rumo à Praça Castro Alves, epicentro do agito. Ao ver os primeiros trios, a alegria do povo e toda movimentação em volta, Caetano se emocionou. Já na Praça, ao pé da estátua de Castro Alves, a festa continuou com muita alegria, bate-papo e cerveja.

A presença de Roberto Pinho no grupo indicava que algo inusitado estava a caminho. Literalmente. Assim que o sol se pôs, um imenso objeto apontou no horizonte. Não, não era um disco voador. O aparelho em forma de foguete espacial descia a rua, cheio de luzes e todo ornamentado de branco. Era o trio elétrico Tapajós, de Orlando Tapajós. Ainda sem entender, Caetano se esticou para ver melhor. Quando a espaçonave parou na praça, começou a tocar a eletrizante "Chuva, Suor e Cerveja". Na lateral da geringonça uma faixa com o nome provava que a Bahia não esquecera o filho querido. A "CAETANAVE" acabava de chegar e não deixaria ninguém quieto. Nem debaixo d'água.

Parece mentira, mas no momento em que a música tocava, uma chuva torrencial caiu em Salvador. Feliz da vida, com a roupa encharcada, Caetano ria e chorava ao mesmo tempo. O objeto, finalmente identificado, girou pelo circuito e voltou mais tarde à praça. O desejo de subir foi inevitável, mas dava medo ver aquela aglomeração em volta. Contudo, o bruxo Roberto Pinho estava ali para o que desse e viesse. Com a cara e a coragem os dois se meteram no meio da turba. A chuva não deu trégua até a chegada, mas valeu a pena. Já do alto do caminhão, com o fôlego recuperado, puderam admirar o espetáculo. Embaixo, um mar de gente festejando; do alto, o cair dos pingos cujo brilho se intensificava pela iluminação da festa. O efeito mágico e quase sobrenatural do episódio chegou ao apogeu quando uma esperança apareceu. Sabe aquele inseto de cor verde, que chamam de esperança? Pois é, um desses pousou em Caetano. Ele e Roberto Pinho se olharam assustados. Claro, ainda havia esperança!

A indescritível sensação durou até a nave aterrissar no bairro do Rio Vermelho, onde Caetano e Dedé haviam alugado uma casa. Gilberto Gil, que estava por lá, acordou com o barulho da "CAETANAVE" e apareceu na varanda. Não faltava mais ninguém. A festa estava completa. Naquele ano, o Carnaval foi assim, cheio de alegrias e surpresas. A agitação só terminou quando o último trio parou na garagem e os foliões de Salvador retornaram a seus dias normais de trabalho.

✦

Nessa época, Caetano e Dedé já estavam com residência fixa em Salvador. A paz familiar reinava soberana. Curtir a vida passou a ser uma prática diária. As preocupações eram poucas, a pressão de antigamente havia diminuído. E dentro de casa, um silêncio só. Não por muito tempo. Quando se deram conta de que faltava algo, ou melhor, alguém, não pensaram duas vezes: jogaram as pílulas pela janela. A ideia surgira discreta em Londres e ganhou força no Brasil. No clamor do sexo, encomendaram o rebento. Pelas contas, o bebê nasceria em novembro. Como na época não havia ultrassom em Salvador, não podiam saber o sexo antes. Até por garantia, na hora de pensar os nomes, decidiram prever duas hipóteses. Assim, Júlia e Moreno ♪[45] foram escolhidos. O primeiro,

---

[45] ♪ "Júlia/Moreno"

uma homenagem a avó de Caetano, o outro, uma sugestão de Dedé. A vida deles era uma felicidade só. Parecia até um conto de fadas, mas só parecia. A paz em que viviam seria abalada. E o que é pior, por gente conhecida.

A lua de mel de Caetano com o *Pasquim* só durou até ele voltar de Londres. Enquanto estava no exílio, havia o clima da rebeldia, a lembrança dos discursos inflamados, da prisão e do engajamento nas lutas contra o governo. Só que a poeira assentou. Bastou Caetano sossegar, esticar-se na rede, assumir o papel de chefe de família, para que as cobranças começassem. A situação se agravou com a saída daqueles que o levaram para o *Pasquim*. Por motivos nada pacíficos, Tarso de Castro e Luiz Carlos Maciel tiraram o time de campo. Com o caminho livre, o restante da turma, formada por Millôr Fernandes, Jaguar e Henfil, caiu de pau em cima de Caetano. Além de cobrar dele uma postura mais atuante, até criaram o termo pejorativo "Baihunos", usado para denominar a invasão de antigos e novos baianos, tropicalistas, e todo e qualquer simpatizante da casta.

Um dos últimos trabalhos de Caetano para o jornal foi a participação no projeto "Disco de Bolso". Nele, um artista consagrado dividia um compacto com um estreante. Tom Jobim tinha inaugurado com João Bosco, e Caetano fez o número dois da série com um cearense talentoso chamado Raimundo Fagner. Com a briga do *Pasquim*, Caetano se distanciou do projeto, e as coisas se misturaram de tal forma que as farpas sobraram até para os protegidos do jornal. Artistas que chegavam com temas e posturas mais engajadas, como o próprio Fagner e seu parceiro Belchior, eram bem vistos pelo pessoal do *Pasquim* e pela imprensa em geral. Na guerra de egos, o clima entre Caetano e Fagner ficou esquisito. Não demoraria para que aumentassem as desavenças, iniciando uma briga histórica que perduraria por muitos anos ainda.

A vida, contudo, não podia se resumir a conflitos. Em meados de 1972, foi lançado no Brasil o disco *Transa*. Pouco depois, o show de despedida, realizado em 1969, também virava LP. A gravação precária assustava, mas quando Nelson Motta ouviu, percebeu que o negócio tinha potencial. Um momento histórico daqueles não poderia ficar sem registro. E foi aí que ele não parou quieto enquanto não convenceu André Midani a prensar a bolacha. Com fama de farejador de boas oportunidades, Nelsinho tinha credibilidade no meio. Um pedido dele ganhava a força de uma ordem. A Phonogram, então, acabou aceitando, e, por meio de um selo pirata, lançou o *Barra 69*. Não seria um sucesso de vendagem, mas a atmosfera do episódio ficou para a posteridade graças ao empenho dessa dupla dinâmica da indústria fonográfica brasileira.

Bom seria se todo músico recebesse uma força dessas. Ainda mais se estivesse no sufoco. Naquela época, outra turma de baianos é que passava perrengue. Desde 1971, Luiz Galvão, Paulinho Boca de Cantor, Moraes Moreira,

Baby Consuelo, Pepeu Gomes e mais um monte de gente, montaram acampamento numa cobertura da rua Conde de Irajá, no bairro carioca de Botafogo. Os shows estavam escassos e viver tranquilos apenas com direitos autorais ainda estava longe da realidade deles. Nas grandes dificuldades as boas oportunidades também aparecem. Seria necessária a vinda de um iluminado para desvanecer a neblina e reorganizar a carreira desses Novos Baianos.

Amigos de longa data, Luiz Galvão e João Gilberto se conheciam de Juazeiro, na Bahia, cidade natal de ambos. O fato de terem nascido no mesmo pedaço de chão rachado criou um vínculo de amizade entre os dois. Contudo, a vida os levou a seguir caminhos diferentes. Apesar da distância, João Gilberto nutria grande carinho pelo conterrâneo e vice e versa. No início dos anos 1970, com os dois morando na mesma cidade, os encontros viraram uma espécie de rotina sagrada. E quando a saudade apertava, Galvão corria para visitar o amigo. Com o tempo, João Gilberto também passou a sair da toca.

Na primeira visita, a chegada do cantor fez saltar grilos da cabeça dos mais distraídos. Eduardo de Carvalho, o Dadi, um rapazola que se juntara ao grupo para tocar contrabaixo, quase teve um troço quando viu aquele senhor de terno parado na porta. Não sabia dizer se era oficial de justiça, espião, detetive particular ou da Polícia Federal. Em resumo, só podia ser sujeira. Por via das dúvidas, quem estivesse com a bagana acesa que tratasse logo de jogar na privada e dar descarga. Felizmente não havia com que se preocupar. O homem com pinta de autoridade não tinha nada a ver com os "canas". Bem diferente disso, estava mais para um messias do que outra coisa. A partir de suas visitas o grupo renovaria o ânimo e tomaria outro rumo.

João Gilberto sempre aparecia no auge da madrugada. Da portaria sibilava um suave "psiu" e todo mundo já sabia quem tinha chegado para animar a noite. Foi nesse período que ele apontou o caminho musical que levaria o grupo de volta para casa. Ensinou sambas antigos de Geraldo Pereira, Assis Valente, Dorival Caymmi e Ary Barroso. Mandou tirar o pandeiro do armário, sacudiu a poeira e deu valiosas dicas para o repertório. Cheio de intimidades, chamava Moraes Moreira de vaqueiro e, com sua voz suave, tranquilizava Pepeuzinho em relação a seu futuro na música. As noites para aquela turma reunida eram mesmo uma criança. Ficariam melhor ainda quando outros baianos, os antigos, também resolvessem aparecer por lá.

Caetano não se esquecia dos momentos agradáveis que passara com Moraes e Galvão no boteco Brasa, em Salvador, e da força que a rapaziada dera no show de despedida. A visita na Conde de Irajá seria uma justa retribuição. Justa e bem agradável. Da janela do "apê", a paisagem carioca se mostrava nua e sem pudor. Caetano se encantou com a beleza do Pão de Açúcar ♪[46] daquele

---

[46] ♪ "O Conteúdo"

ângulo. No meio das tendas improvisadas, cantou, tocou, e ainda disputou umas boas partidas de "Capitão" ♪[47], o jogo simples de apanhar pedrinhas que eles mantinham como passatempo. Em outra ocasião quem passou por lá foi Gal Costa. E quando os dois souberam que João andava por ali de vez em quando, sonharam repetir o encontro histórico da TV Tupi. De fato, outro encontro desses só por milagre. Mas quando se tratava daquele baiano misterioso de Juazeiro, até São Tomé relaxava.

E o inesperado aconteceu. Numa noite mágica, quando a turma se deu conta, João Gilberto cantava num canto da sala, Gal Costa no quarto ao lado, e Caetano Veloso em outro cômodo. Entre uma conversa e outra, se revezaram no som, e depois, com todo mundo reunido, abriram uma rodinha na sala, com João no comando da *jam session* baiana. Foi exatamente para esse tipo de comportamento que parte da imprensa criou expressões debochadas como "Báfia", "Máfia do Dendê", "Turma de Baianos" e "Baihunos". Mas eles não estavam nem aí. No fundo, poderia ser em Botafogo, no Bronx, no Brás, ou em qualquer parte do mundo, o importante era cantar, tocar e festejar até não poder mais.

As dicas de João Gilberto dariam resultado. Além de saber das coisas, o homem tinha pé-quente. Ainda naquele ano, com a fé depositada por João Araújo desde que Tom Zé indicara o grupo por meio de um bilhete, os Novos Baianos gravariam "Acabou Chorare" pela Som Livre. O disco venderia mais de cem mil cópias, se tornaria um clássico da banda, um dos mais festejados dos anos 1970 e disputado por colecionadores no futuro. Músicas como "Preta Pretinha" e "Acabou Chorare", de Moraes e Galvão, e "Brasil Pandeiro", de Assis Valente, integravam a lista de canções que sairiam desse disco direto para a boca do povo.

De longe, Caetano também acompanhou satisfeito o sucesso dos amigos. Naquele período, à exceção das visitas, ele não participou ativamente da virada do grupo. Com agenda cheia lhe faltava tempo. Em breve, voltaria a flertar com outra de suas grandes paixões: a sétima arte.

❧

A tara de Caetano Veloso por cinema vinha de longe. A paixão por Fellini e Giulietta Masina, as crônicas para o *Archote*, as disputas com Wanderlino, tudo isso contava muito. Além das experiências como espectador, Caetano já havia colaborado com alguns cineastas e isso completava seu currículo. Quando Leon Hirszman começou a adaptação do romance *São Bernardo*, de Graciliano Ramos, pensou no baiano para compor a trilha. O convite

---

[47] ♪ "O Conteúdo"

inesperado assustou. Caetano sabia muito bem que Graciliano Ramos não gostava de música. Mas Leon não queria música tradicional. Já conhecia a solução encontrada por Nelson Pereira dos Santos para a trilha de *Vidas Secas*, outro livro de Graciliano adaptado para o cinema. Captar o ranger das rodas do carro de boi tinha sido mesmo genial. Caetano também sabia disso e intuía que as coisas poderiam caminhar nessa direção.

A versão de Caetano para "Asa Branca", gravada no exílio, incomodou muita gente. Os detratores achavam lenta, murmurosa demais, e até ofensiva a Luiz Gonzaga. O rei do baião não achava nada disso. Leon muito menos. Pelo contrário. Assim que ouviu, percebeu os elementos perfeitos para embalar as cenas de seu filme. O diretor via relação entre os gemidos melosos do baiano e o ranger de carros de boi. Caetano também ficou empolgado com a oportunidade. Algum tempo depois, estava no Rio de Janeiro para começar os trabalhos. Com a ajuda das imagens cruas do filme, deixou a criatividade fluir e os temas nasceram. A experiência com sonoridades agradou tanto que ao fim do trabalho ficou o desejo de continuar experimentando. Iria matar essa vontade em cima de um pé de araçá. Em breve, começaria a gravar um de seus discos mais polêmicos.

Naquele período, já com tudo matutando na cabeça, Caetano esteve em Santo Amaro. Visitou amigos, parentes, e relembrou os tempos de infância, quando fazia arte e subia no galho das árvores. Passado e presente se misturavam e outras lembranças vieram à tona. Ainda nos tempos do Solar da Fossa, Caetano acordara intrigado após uma noite de sono agitada. No delírio de um sonho, se viu diante de um pé de araçá carregado de frutos. Um deles, porém, se diferenciava dos outros. Era azul ♪[48]. Essa visão onírica do araçá ficou guardada para vir ao mundo tempos depois. Sobrou para o araçazeiro de uma vizinha de dona Edith, sua mãe de leite. Naquela visita a Santo Amaro, com a ajuda de umas pinceladas, a cena foi reproduzida. Não foi mais um daqueles quadros pintados por ele. Caetano tomou coragem, escalou a árvore e pintou de azul um dos frutos. Visto do chão, o efeito era inspirador. Pronto: o próximo disco acabava de ganhar nome: *Araçá Azul*.

A expressão "boa de prato" podia servir para designar alguém que comia de tudo, ou até mesmo com talento para cozinhar. Chamar dona Edith assim tinha um contexto bem diferente. O gosto pelo samba vinha dos tempos de menina. De lá também herdara a tradição de utilizar o prato de louça e a faca de cozinha como instrumentos musicais. Em tudo que era festa na cidade, estava lá dona Edith para tocar seu prato e animar o samba de roda. O tempo passou e o hábito permaneceu. Caetano já conhecia o talento de sua mãe de leite, mas ouvi-la numa festa na casa de dona Canô foi o "tchan" que faltava.

---

[48] ♪ "Araçá Blue"

Em pleno processo de criação para o novo disco, convidou Dona Edith para fazer parte do projeto.

Aquilo só podia ser doideira da cabeça dele. Assim pensava dona Edith. Mas Caetano estava seguro do que dizia. Em resposta às desculpas da instrumentista de que estava idosa demais para a tarefa, reagiu com o exemplo de Clementina de Jesus, lançada ao grande público com mais de 60 anos. Depois dessa, dona Edith ficou sem argumentos. Não tinha jeito. Pedido de filho não se nega e ela topou. Faria parte da banda e pronto. E ganharia até nome artístico: Edith do Prato. Guilherme Araújo, sempre criativo, mais uma vez foi o responsável pelo batismo. No início, Caetano achou meio deselegante, depreciativo, mas depois se acostumou. Afinal, a ordem era experimentar.

Para a gravação, Caetano rumou em direção a São Paulo. Na cabeça, um monte de ideias. O Estúdio Eldorado seria seu laboratório musical. Embora predominasse o clima de improviso, a gravadora topou o projeto sem qualquer restrição. André Midani sempre levou fé no taco de seu artista. Daquela vez não seria diferente. Mesmo que tudo fosse realizado em total mistério. Quando os trabalhos começaram, ninguém entrava no estúdio, além de Caetano e dois técnicos de gravação. Naquele início, nenhum músico podia participar. Assim criava a atmosfera necessária às experimentações que pretendia fazer. Já na primeira música deu para sentir a tendência.

Nos quase seis minutos da faixa "De Conversa", o que mais se ouve é uma mistura de vozes, murmúrios, gritos, grunhidos e assobios. E para não ficar só nas experiências, no meio do caos sonoro, Caetano inseriu um trecho de "Cravo e Canela", de Milton Nascimento e Ronaldo Bastos. A influência concretista também ajudou no processo criativo. Na faixa "Gilberto Misterioso", uma frase enigmática do poeta Sousândrade foi musicada: "Gil engendra em Gil rouxinol". E em "De Palavra em Palavra", dedicada ao poeta Augusto de Campos, Caetano criou um palíndromo, uma frase ou palavra que pode ser lida do mesmo jeito de frente para trás e vice e versa. Como se fosse um mantra indiano, no meio da música Caetano canta lentamente: "amaranila-nilinalinarama".

Mesmo com todo esse experimentalismo, o disco também reservava espaço para uma pontinha de música tradicional. Foi aí que as portas se abriram para a chegada de velhos conhecidos. Perinho Albuquerque, Perna Fróes e Tuzé de Abreu deixaram sua contribuição. Fizeram o som de algumas faixas. A voz e o prato de dona Edith também estiveram presente. A guitarra infernal de Lanny Gordin ecoou firme na faixa "De Cara", dele e de Caetano, e em "Eu Quero Essa Mulher", um samba de Monsueto e José Batista transformado em *rock*. Outro convidado de peso foi Rogério Duprat. Famoso pelo caráter experimentalista de seus trabalhos, não podia ficar de fora. Basta lembrar o singelo flato gravado no disco branco de 1969. Duprat fez o arranjo orquestral da faixa "Épico". E levou tão a sério o título que o resultado poderia muito bem servir de trilha para um daqueles clássicos de Cecil B. DeMille. A diferença é que o ambiente de gravação não ficava na *Cinecittà*, em Roma, muito menos às margens de um rio Nilo cinematográfico. Para essa faixa, a voz de Caetano e os demais sons foram captados em plena avenida São Luís, centro nervoso de São Paulo.

Em outubro de 1972, aquele fim de tarde chuvoso ajudou mais do que atrapalhou. Com o trânsito lento, o som das buzinas e o ronco dos motores se integraram ao arranjo de Duprat e deram o toque que faltava. Em resumo, Caetano fez o que deu na telha. No cômputo final, experiências havia de sobra, mas faltava a chamada música tradicional, aquela com maior potencial de venda. Como o próprio Caetano avisaria na parte interna da capa dupla, o disco seria mesmo para "entendidos". Com o fim das gravações, já podia esperar pelo resultado.

Enquanto não acontecia o lançamento, daria tempo de realizar dois outros trabalhos. Naquela época, Caetano iniciaria sua "carreira" de produtor. E, por sinal, a tarefa seria bem prazerosa. Era o disco *Drama – Anjo Exterminado*, de sua irmã Maria Bethânia. Mas ele não estaria sozinho. Chamaria Perinho Albuquerque para fazer os arranjos. O curioso é que dentre as canções escolhidas havia uma parceria até então inédita dos irmãos Velloso. A letra de "Trampolim" nascera durante um sonho. Bethânia acordou, escreveu, e pediu ao mano para fazer os ajustes e musicar. A integração natural entre os dois ajudou e o resultado final foi bem aceito. Com o fim do trabalho, o próximo passo de Bethânia seria montar o novo espetáculo.

Caetano também queria fazer show, mostrar que tinha fôlego de sobra para começar de novo. A próxima apresentação revelaria uma dupla tão dinâmica quanto surpreendente.

❧

O baiano Roni Berbert de Castro era um cara enturmado no meio musical brasileiro. A paixão pela música o fizera dono de uma loja de discos no Porto da Barra, onde Gal Costa trabalhara de balconista. Como só vendia o que gostava, não conseguiu sobreviver por muito tempo. A loja foi para o vinagre. O gosto pela música, porém, superava as dificuldades e ele não deixaria de atuar no ramo. Volta e meia se virava para produzir um show na Bahia. E quanto mais impensável fosse o projeto, mais motivação ele tinha. Assim matutou a ideia de reunir duas estrelas que diziam não se misturar, feito água e óleo: Chico e Caetano. Ele nunca se convenceu de que a história da rixa entre os dois fosse para valer. Aquilo só poderia ser intriga da imprensa sensacionalista. Alguém precisava desfazer esse mal-entendido.

Roni, então, imaginou um show com os dois dividindo o mesmo palco. Ligou para um, depois para o outro. Explicou o conceito, o potencial histórico do encontro, a atmosfera a ser criada em torno da notícia. Nem precisava continuar. Os dois toparam na hora. O que parecia impensável para muitos teria lugar no palco do Teatro Castro Alves, nas noites de 10 e 11 de novembro de 1972. Para não fugir ao estilo deles, Chico se apresentaria com Ruy, Miltinho, Magro e Aquiles, seus parceiros do MPB4. Caetano, com o pessoal que havia tocado no álbum *Araçá Azul* e em alguns shows. Perinho, Tutty, Moacir, Perna, Tuzé, e Bira na percussão. Dona Edith, claro, novamente com seu prato, daria o ritmo daquela cozinha experimental.

As primeiras reuniões aconteceram em Salvador, na casa de Caetano. Havia pouco tempo para ensaiar e ajustar o roteiro. Coisa de dois, três dias. Mas foi o suficiente. Boas ideias surgiram nesses encontros. Para temperar mais o show e dar uma apimentada nas apresentações, Caetano pediu a Chico para cantar "Com Açúcar, Com Afeto", que fora composta para Nara Leão, ou seja, uma cantora. Ao recriar um clima de casal, Caetano botava mais lenha na fogueira no papel da esposa submissa. Chico, por sua vez, quem diria, foi ainda mais além. Em outro número, sugeriu que os dois representassem as lésbicas apaixonadas de "Bárbara", música de Chico e Ruy Guerra. Mais provocante não podia ser.

Na estreia do show de Chico e Caetano, a lotação estava esgotada. Os cambistas faziam a festa. Nem o fato de ser parente de artista garantia vida fácil. Irene, irmã de Caetano, foi barrada num ensaio, e Dedé, a esposa em pessoa, precisou comprar ingressos para ela e a família. Não fosse assim, não entrava. Muita gente ficou a ver navios do lado de fora. Músico sem crachá também dançava. Tuzé de Abreu, namorador como ele só, depois de uns amassos, emprestou sua identificação para o broto. Ela entrou e ficou a esperar por ele. Mais tarde, ao voltar para fazer o show, Tuzé foi barrado. Seu Pinga, porteiro do Teatro Castro Alves, não queria saber de conversa. Sem identificação não entrava. *"Mas o senhor não se lembra de mim?"* Não. Para piorar a situação, dificilmente o porteiro guardaria a fisionomia de qualquer um dos músicos. O homem era estrábico. O problema só foi resolvido com a chegada de um dos anfitriões da festa. Chico Buarque apareceu, passou uma lábia em seu Pinga e livrou o amigo da encrenca.

Com o time completo, Chico e Caetano arrebentaram na primeira noite. Mas eles não eram desafetos?! Não, isso é o que diziam as más línguas. O tapa de luva de pelica foi dado com classe nos fofoqueiros de plantão. Ainda assim, as diferenças de estilo ficaram nítidas. Enquanto o recatado Chico se mantinha mais tímido no palco, Caetano não parava quieto, dançava, rebolava, e cantava com a boca carregada de batom berrante. O público delirava com todo aquele contraste. O clima em Salvador corria assim, em ritmo de festa. Naquele mesmo dia, entretanto, nem todo mundo tinha motivos para festejar. Bem longe dali, no Rio de Janeiro, uma tragédia havia acontecido de manhã cedo.

Na noite anterior, em 9 de novembro, Torquato Neto fazia aniversário. Completava 28 anos. À noite, saiu com a esposa Ana Maria e alguns amigos para comemorar no Bar das Pombas, na Usina. No clima de descontração, a hora passou rapidamente. Era madrugada quando os dois chegaram cansados no apartamento onde moravam, na rua Mariz e Barros, na Tijuca. Já na cama, o casal conversou como de costume. Tudo parecia normal. Só que havia um cheiro de morte no ar. E Ana Maria nem percebeu. Torquato esperou a esposa dormir para dar cabo da própria vida. Assim que ela pegou no sono, o poeta se trancou no banheiro, vedou as janelas, a porta, e abriu o gás do aquecedor. Enquanto esperava a morte chegar, escreveu um bilhete derradeiro:

"*atesto q FICO. Não consigo acompanhar a marcha do progresso de minha mulher ou sou uma grande múmia que só pensa em múmias mesmo vivas e lindas feito a minha mulher na sua louca disparada para o progresso. Tenho saudades como os cariocas do tempo em que eu me sentia e achava que era um guia de cegos. Depois começaram a ver e enquanto me contorcia de dores o cacho de bananas caía. De modo q FICO sossegado por aqui mesmo enquanto dure. Ana é uma SANTA de véu e grinalda com um palhaço empacotado do lado. Não acredito em amor de múmias e é por isso que eu FICO e vou ficando por causa de este AMOR. Pra mim chega! Vocês aí, peço o favor de não sacudirem demais o Thiago. Ele pode acordar.*"

Na manhã seguinte, o corpo de Torquato Neto jazia no chão do banheiro. A poesia brasileira sofria pesada baixa. Segundo os amigos mais próximos, o álcool em excesso e as constantes crises de depressão haviam sido os principais vilões da tragédia. Ninguém imaginava que a soma de todos esses fatores poderia levá-lo às últimas consequências. Para a tristeza de muitos, assim aconteceu. Não tinha mais volta. A pedido da família, o corpo foi embalsamado e seguiu para Teresina, Piauí, terra natal de Torquato, onde seria enterrado.

Em Salvador, a notícia chegara como uma bomba no meio da passagem do som. O choque foi inevitável. Embora o nervosismo tivesse tomado conta dos cantores, o show tinha que continuar. Mesmo abalados, Chico e Caetano cumpriram o contrato, mas sem nenhuma chance de prorrogação da temporada. Não havia mais clima. Ciente do inevitável sucesso do encontro, a gravadora não deixou de levar equipamento para fazer o registro. No início de 1973, o disco estaria nas lojas. Caetano é que não teria muito tempo para ouvir como ficaria. Trocar fralda de criança também dá trabalho.

Rogério Duarte costumava dormir até mais tarde, no entanto, na manhã de 22 de novembro de 1972, estranhamente fugiu à regra e acordou cedo. Alguma coisa dizia que sua amiga Dedé precisava falar com ele. Confiando em seu lado místico, resolveu conferir. Tiro e queda. Depois de ligar para um, para outro, descobriu que ela havia sido levada para o Hospital Português em trabalho de parto. Preocupado, Rogério também correu em direção ao local para dar o apoio necessário. E Dedé ia mesmo precisar. Embora alguns parentes estivessem com ela, Caetano tinha viajado para o Rio a trabalho.

Já na mesa de operação, doutor Newton Assis e doutora Déa Cardoso suaram o uniforme para tirar a criança da barriga de Dedé. O útero não dilatava o suficiente. A dificuldade obrigou os médicos a utilizar o fórceps, o mesmo aparelho que provocara o defeito no queixo de Noel Rosa. Daquela vez, porém, o final foi diferente. Às 11h35 nascia o primeiro filho de Caetano Veloso. Ainda roxo do parto, o menino foi levado ao colo da mãe. Naquele rápido instante, sob efeito de anestesia, Dedé não teve dúvidas. Era mesmo Moreno. Moreno Gadelha Veloso. Algum tempo depois, quando trouxeram a criança de volta, Dedé levou um susto. Não era possível, alguém devia ter trocado o bebê. Já limpo, vestido e com a respiração normalizada, um bacorinho loiro recostava em seu colo. Se os pais eram morenos, natural que o filho também fosse. Mas a dúvida não durou muito tempo. O nariz dos Gadelha estava ali para desfazer qualquer mal-entendido.

Rogério Duarte foi o primeiro amigo a conhecer a criança. E quando Dedé o viu no corredor, levou outro susto. Na rapidez com que tudo havia acontecido, não esperava encontrá-lo ali. Nem ele. Não fosse o tal "sexto sentido", àquela hora Rogério ainda estaria no quinto sono. Já Caetano precisou ser avisado via Embratel, por telefone mesmo. Apesar dos esforços, só conheceu o filho à noite, quando conseguiu um voo para Salvador. Todo bobo, o pai coruja considerava a chegada do *baby* um presente pelo seu aniversário de casamento, ocorrido dois dias antes. E que presente. O batismo do menino aconteceria na Igreja da Boa Viagem. A madrinha seria Gal Costa e o padrinho só podia ser ele: Rogério Duarte.

Enquanto Caetano curtia uma de paizão, a gravadora lançava no mercado seus trabalhos mais recentes. No início de 1973, dois novos discos estavam nas prateleiras. Um deles até saía, mas insistia em voltar para o mesmo lugar. Na opinião de alguns, *Araçá Azul* tinha sua importância histórica, acima de tudo um trabalho de vanguarda. Para a grande maioria, porém, não passava de uma boa merda. Felizes, as pessoas levavam o LP para casa, mas quando ouviam aquela miscelânea de gemidos aleatórios, corriam para pedir o dinheiro de volta. As experiências sonoras não foram bem recebidas e o sonho azulado de Caetano virava um pesadelo de vendas. O disco se tornou recordista de devoluções na história da música brasileira.

Com *Caetano e Chico – Juntos e Ao Vivo*, gravado no Teatro Castro Alves e lançado na mesma época, a conversa foi outra. Todo mundo queria ouvir o encontro inédito de dois supostos desafetos. A vendagem disparou e, de certa forma, deixou a gravadora mais tranquila em relação ao fracasso comercial do outro LP. O disco era mesmo de qualidade, mas também tinha lá seus remendos. A censura federal não gostou nem um pouco daquela história de Caetano e Chico no papel de duas mocinhas apaixonadas. E para que o amor entre iguais não virasse moda, os caras mandaram enxertar palmas e gritos nas palavras chaves da música. Quem não havia assistido ao show, jamais captaria o espírito da coisa. Aquela, sim, era uma faixa para entendidos.

Apesar dos contratempos, os shows iam de vento em popa. Aliás, com algumas exceções. No meio daquela turma boa estava dona Edith, que se orgulhava de nunca ter quebrado um prato em suas apresentações. Ainda assim, para uma eventual necessidade, sempre levava mais de um na bagagem. Contudo, o prato não tocava sozinho. O segredo estava na maneira de roçar a faca na louça. Sem o talher não havia som. Será que todo mundo entenderia? Afinal, que "terríveis" intenções aquela simpática senhora teria com uma faca em seus pertences? E foi exatamente dessa forma que alguns guardas pensaram quando abriram a bagagem dela na chegada à Florianópolis. Acostumada à vida simples de Santo Amaro, dona Edith ficou nervosa. Na dúvida, o segurança do aeroporto achou melhor confiscar o perigoso utensílio. Não teve conversa. Somente horas depois, já no hotel, as autoridades entenderam do que se tratava e a faca foi devolvida. Não seria a única vez que esse "prato e faca" dariam o que falar.

Na mesma cidade, o show nem tinha começado e um sujeito "pra lá de Marrakesh" cismou com o prato de dona Edith. Embora fosse mais chegado a um copo, o cara queria porque queria levar a louça como lembrança. Caetano ainda tentou convencer o bebum a sair do palco, com a promessa de que o prato seria dele ao final da apresentação. Mas não adiantou. Estava decidido a não arredar o pé dali enquanto não levasse o brinde. Quem procura, acha. Bastou a polícia entrar em cena e o sujeito não quis mais saber do prato. Resolvido o incidente, o show pôde continuar sem maiores problemas. Dona Edith não seria a única a passar sufoco na temporada. Até o fim de 1973, Caetano passaria alguns. Nada que o assustasse. Profissional acima de tudo, não podia se dar ao luxo de recusar trabalho. Em maio daquele ano, haveria um caprichado.

❦

Para fazer parte do mercado brasileiro, a multinacional Philips precisou comprar a CBD, a Companhia Brasileira de Discos. Corria o ano de 1958.

Em meados de 1971, com os negócios solidificados no país, a companhia passou a se chamar CBD-Phonogram. Além do empenho da própria empresa, o sucesso se devia à boa administração do presidente André Midani. Em 1973, o elenco da gravadora abrangia mais de 70% dos grandes astros da época e também das promessas recém-lançadas. Elis, Chico, Caetano, Gil, Simonal, Fagner, Ivan Lins, Jorge Ben, Erasmo, Nara, Gal, Bethânia, Rita Lee, Jair Rodrigues, eram alguns dos artistas da casa. Numa jogada promocional, e para reviver o período áureo dos grandes festivais, Midani criou um evento de impacto: o *Phono 73*. A ideia era reunir o elenco em duetos, alguns óbvios, outros nem tanto, e quase todos inéditos. Além de promover seus artistas, a gravadora encontrava uma forma criativa de quebrar o marasmo imposto pela ditadura.

Convidado para a festa, Caetano chamou Hermeto Paschoal para fazer dupla com ele. Hermeto, porém, não aceitou. Preferia cantar sozinho. Outro nome, então, foi escolhido. Para a alegria dos bordéis de todo o Brasil, o substituto se chamava Odair José, considerado por muitos o rei da música "brega". Isso nem de longe incomodava Caetano. Muito pelo contrário. Abraçar o que muita gente classificava de "lixão da música" tinha sido uma das marcas do Tropicalismo. No Palácio das Convenções do Anhembi, em São Paulo, Caetano não faria nada que não estivesse acostumado a fazer. Se no palco o *duo* com Odair prometia afinação, nos bastidores o clima ficou estranho com outro participante do evento.

Nos ensaios, Caetano conversava com Nara Leão, quando Fagner se aproximou. Sempre muito simpática, Nara trocou algumas palavras com o cearense. Já Caetano fingiu que nem era com ele. Ficou de costas para o jovem talento que começava a despontar. Fagner ficou sem entender. No fundo, tinha fascínio pelo baiano, queria ser como ele. Até chegar ali os dois já haviam se trombado algumas vezes pelo caminho. O ranço de um episódio anterior dera sua parcela de contribuição. Durante um encontro, pediram uma canja a Caetano, mas o cansaço não permitiu a reverência. Fagner, por sua vez, chegava motivado, cheio de gás. Nem tinha gravado disco ainda, mas trazia no bolso um repertório inteiro de boas canções. Não se fez de rogado e assumiu o posto. Saiu de lá aclamado pelos presentes. Rivalidade, vaidade, oportunismo, falta de química, muitos sentimentos se misturaram na ocasião. O diálogo, no entanto, não acontecia e a imprensa marrom aproveitava. Volta e meia saía uma notinha aqui, outra acolá, com farpas partindo de ambos os lados. Com o sucesso de seu primeiro LP, o *Manera Fru Fru Manera*, Fagner se tornou o xodó da gravadora e o paparico das grandes estrelas. Por outro lado, o *Araçá Azul* de Caetano continuava recordista em devoluções. O clima de ciumeira aumentou e o bolo desandou de vez. A relação de ambos continuaria mal resolvida e no futuro ganharia novos capítulos. Naquele momento, porém, melhor deixar de lado as desavenças particulares para se concentrar no compromisso coletivo. Além do mais, esse não seria o único percalço do evento.

Embora agradassem à maioria do público, os artistas se entristeciam ao perceber que os tempos ainda não haviam mudado. Numa das noites, Chico Buarque se apresentaria ao lado de Gilberto Gil. Para completar o impacto do encontro, os dois compuseram "Cálice". A "linguagem da fresta", usada na época para fugir dos censores, havia funcionado em muitos casos. Daquela vez não. O duplo sentido nas entrelinhas ficou claro até demais para a censura federal. Conclusão: a música não passou na avaliação dos censores. Chico e Gil, contudo, não aceitaram a mordaça. Como forma de protesto, subiram ao palco decididos a entoar a melodia, apenas frisando a palavra "Cálice". Nem isso conseguiram. No momento em que Chico começou a cantar, um dos técnicos, fosse por instruções superiores ou por cagaço mesmo, cortou o som do microfone.

Já o espetáculo de Elis não apresentou qualquer problema técnico. Embora atrapalhado pela chuva de vaias, o som funcionou perfeitamente. Os protestos do público tinham lá sua explicação. Pouco tempo antes, Elis havia participado de um evento promovido pelo Exército. Ressabiada com o governo militar, a plateia não perdoava a cantora por isso, mesmo sem saber os detalhes que forçaram Elis a aceitar aquele convite intimação.

Caetano e Odair fizeram a festa brega da noite. Na época, Odair fazia sucesso com o espalhafatoso *hit* "Pare de Tomar a Pílula". Por pouco, o cantor não deu um tiro no próprio pé. Enquanto os militares pregavam o controle da natalidade, Odair estimulava nas rádios a abolição completa do anticoncepcional. No show, os dois cantaram outra pérola: "Vou Tirar Você Desse Lugar". O tal lugar citado era nada mais nada menos que a "casa da luz vermelha". Boa parte da plateia não gostou e se mostrou preconceituosa em relação ao ídolo das domésticas. A vaia inevitável aconteceu e deixou Caetano furioso. O insólito encontro, claro, deu o que falar, e reforçou nele a fama de artista sem preconceitos. Na época, o baiano disparou uma frase emblemática: "*Não há nada mais Z do que um público classe A.*"

Naqueles shows, duas baianas também aprontaram. Bethânia e Gal no mesmo palco seria óbvio se Bethânia não tivesse assumido uma postura individualista desde o estouro da Tropicália. Já que o espírito coletivo do evento não combinava com monólogo, o *Phono 73* se mostrou uma boa oportunidade para juntar forças. O entrosamento de ambas funcionou e o resultado agradou ao público. Aquele famoso contraste de vozes pôde ser apreciado na interpretação de "Oração de Mãe Menininha", a canção composta por Caymmi em homenagem à respeitada ialorixá baiana. O público paulistano delirou. No final da apresentação, o que elas não fizeram no primeiro *duo* de suas carreiras, no Teatro Vila Velha, aconteceu no palco do Anhembi. Num clima de "que se dane a censura", o beijo na boca saiu com vontade.

Na primeira quinzena de maio de 1973, o *cast* da Phonogram tinha interrompido seus compromissos para participar do evento. Caetano, por exemplo, precisou dar uma pausa na turnê que fazia por cidades do interior de São Paulo, o chamado circuito universitário. Os episódios acontecidos com dona Edith, em Florianópolis, ficaram no passado e nem se falava mais no assunto. Muito em breve, porém, o cantor estaria no meio de outra confusão. E essa o deixaria bem mais chateado.

Naquela época, Caetano e sua irmã iniciaram uma aproximação maior com o candomblé, em Salvador, no terreiro de Mãe Menininha do Gantois. Bethânia a conhecera por intermédio de Vinicius de Moraes, então marido da atriz Gesse Gessy, filha de santo de Mãe Menininha. Bastou Bethânia colocar os pés no solo sagrado daquele terreiro e o encanto pela religião brotou naturalmente. Outras figuras importantes do meio cultural, como Dorival Caymmi, Jorge Amado, Mário Cravo, Pierre Verger, Carybé, e o próprio Vinicius, também batiam cabeça naquele barracão. Não demoraria muito para os irmãos Velloso serem incluídos na lista. Naquele primeiro momento, contudo, a ialorixá seria mais uma conselheira e amiga, uma espécie de guia espiritual para ambos. Só mais tarde, quando chegasse a hora, os irmãos se tornariam filhos de santo da casa, com os ritos e obrigações a que teriam direito.

No ano anterior, a respeitada mãe de santo havia completado 50 anos no comando de seu candomblé. Na época dos festejos, Dorival Caymmi compôs "Oração de Mãe Menininha". A atitude de veneração foi reforçada pelo *duo* de Bethânia e Gal no *Phono 73*, e por Caetano, que incluíra a canção no show que havia percorrido várias cidades do interior de São Paulo. Para variar um pouco, nem todo mundo entenderia. Se até em Salvador havia preconceito contra a religião, que dirá no restante do Brasil. A surpresa maior se daria no Rio de Janeiro, em junho, no finalzinho da temporada.

Como acontecera em ginásios e estádios pelo Brasil, a apresentação no Museu de Arte Moderna, o MAM, tinha tudo para dar certo. No início do show as coisas pareciam bem. Aparências enganam. Naquela noite, três mulheres da plateia resolveram estragar a festa. Nitidamente alteradas, as três, uma baiana e duas cariocas, começaram a vaiar o artista. Com a voz embargada, faziam um coro debochado de: "*Cê tá por fooora, Caetano! Uuuuuuuu! Uuuuuuu!*" E justamente na interpretação respeitosa de "Oração de Mãe Menininha" a inconveniência aumentou. Paciência tem limites. Chateado com a situação, Caetano jogou a toalha. Parou a música e chorou feito uma criança. Para não perder a pose, lembrou-se dos espetáculos lacrimosos de Edith Piaf e passou a imitá-la. Só depois dessa tirada, conseguiu retomar as rédeas da apresentação. Aquela passou, mas, em breve, outro incidente aconteceria. Esse, no entanto, bem mais grave.

❦

Em meados de 1973, depois de morar no Rio Vermelho e no Largo do Budião, em Amaralina, de frente para o mar, Caetano e Dedé se mudaram para uma casa própria, em Ondina, também próxima à praia. Novos ares, novos rumos. Com filho pequeno e um marzão daqueles dando sopa, levavam a vida ao sabor do vento. Enquanto os Veloso curtiam uma tranquilidade em família, bem longe de lá, o governo esboçava importantes mudanças. No final de seu mandato como presidente, Médici indicou para seu sucessor o general Ernesto Geisel. Médici podia pensar que o nó apertaria com mais força. O tempo, porém, mostraria o contrário. Geisel prepararia o terreno para a abertura do regime. Um processo lento, é bem verdade, mas nada que a democracia não esperasse com paciência.

Naquele período, Caetano curava a ressaca de um ano agitado. Com mais tempo para curtir sua terra natal, fazia novas amizades a todo momento. Pelas mãos de Nando Barros, colega do Clássico, chegava uma turma de jovens talentosos que logo aumentaria seu círculo de amigos. Antônio Risério, aspirante a escritor, e Paulo César de Souza, futuro tradutor das obras de Nietzsche, faziam parte dessa leva. Assim como o guitarrista Toni Costa, que em breve passaria a frequentar a casa do novo amigo na companhia de sua belíssima namorada, Ana Amélia de Carvalho, a Anamelinha. Para quem saíra vivo de brigas, vaias, prisões e exílio, o paraíso ficava ali.

Em tempos de festa, então, nem se fala. Mais um Carnaval chegava e com ele o desejo de lançar outra música arrasta quarteirões. Mesmo com toda a pressa necessária, os foliões de Salvador precisariam esperar um pouco até conhecê-la. Para cumprir a burocracia da época, Caetano enviou "Deus e o Diabo" ao crivo da censura. Acabou "gongado". Acredite: o verso "Dos bofes do meu Brasil" foi considerado ofensivo demais e o teor da letra ganhou um vistoso carimbo de "VETADO". Insistente, Caetano trocou "bofes" por "pulmões", respirou fundo e mandou a letra novamente. Ia demorar um pouco até chegar a resposta oficial. Paciência. Além do mais, seria melhor Caetano se preservar e não se desgastar com o assunto. Um estresse bem pior apontava ali do lado.

No fim de novembro de 1973, a temporada chegava ao fim com um show em Salvador, na Concha Acústica do Teatro Castro Alves. Lugar conhecido, lotado de baianos, tudo para ser um momento de alegria. Não foi. Passava das nove da noite, quando Caetano subiu ao palco. Não era dentro do teatro, mas na Concha Acústica, ao ar livre. O som, portanto, tinha lá seus defeitos. Mesmo assim, as primeiras músicas foram conduzidas sem maiores problemas. Em determinado momento, Caetano deitou no chão para cantar "A Volta da Asa Branca", de Zé Dantas e Luiz Gonzaga. No período experimental em que vivia, criou uma roupagem diferente para a música. Começava lenta, murmurosa, e só depois de um longo tempo, Tuzé entrava com a flauta para fazer o acompanhamento. Era um número difícil de executar. Exigia concentração.

Naquela noite, a plateia não quis saber disso. Durante a performance, o público perdeu a paciência e esboçou as primeiras vaias. O coro se formou rápido e em pouco tempo as únicas palavras ouvidas no meio da gritaria eram "veado" e "bicha". Não havia jeito de continuar e Caetano se enfezou. Parou de cantar, levantou, arremessou o microfone no chão, e mandou todo mundo para a puta que pariu. Dessa vez não teve chororô. O espetáculo acabou ali, antes do previsto. As quase duas mil pessoas presentes ficaram inconformadas. Algumas exigiam o dinheiro de volta, outras se sentiam desrespeitadas pela atitude do artista. Na confusão, a polícia local resolveu agir para evitar o pior. Caetano foi detido e levado para depor na delegacia. Seu Zezinho, dona Canô e Dedé, que estavam na plateia, e dois advogados, acompanharam o cantor.

Mais calmo, diante do delegado, Caetano precisou se defender. Esclareceu todo o contexto da briga e disse que só disparou os impropérios movido por forte emoção. A explicação parecia convincente. Mesmo assim, por desencargo, a autoridade mandou o cantor fazer exames. Ainda desconfiado, queria saber se a tal "forte emoção" não provinha de uma substância qualquer ingerida por ele. Continuava "Caretano" como sempre, ninguém provou nada e o assunto foi arquivado.

No meio do tiroteio, uma boa notícia. O frevo "Deus e o Diabo" passou pela censura a tempo de ser lançado no Carnaval. Caetano, enfim, respirou aliviado. A música ecoaria pelas avenidas de Salvador na festa que estava por vir. E ela prometia fortes emoções. Aliás, não só o Carnaval, mas a temporada inteira de verão prometia ser daquelas.

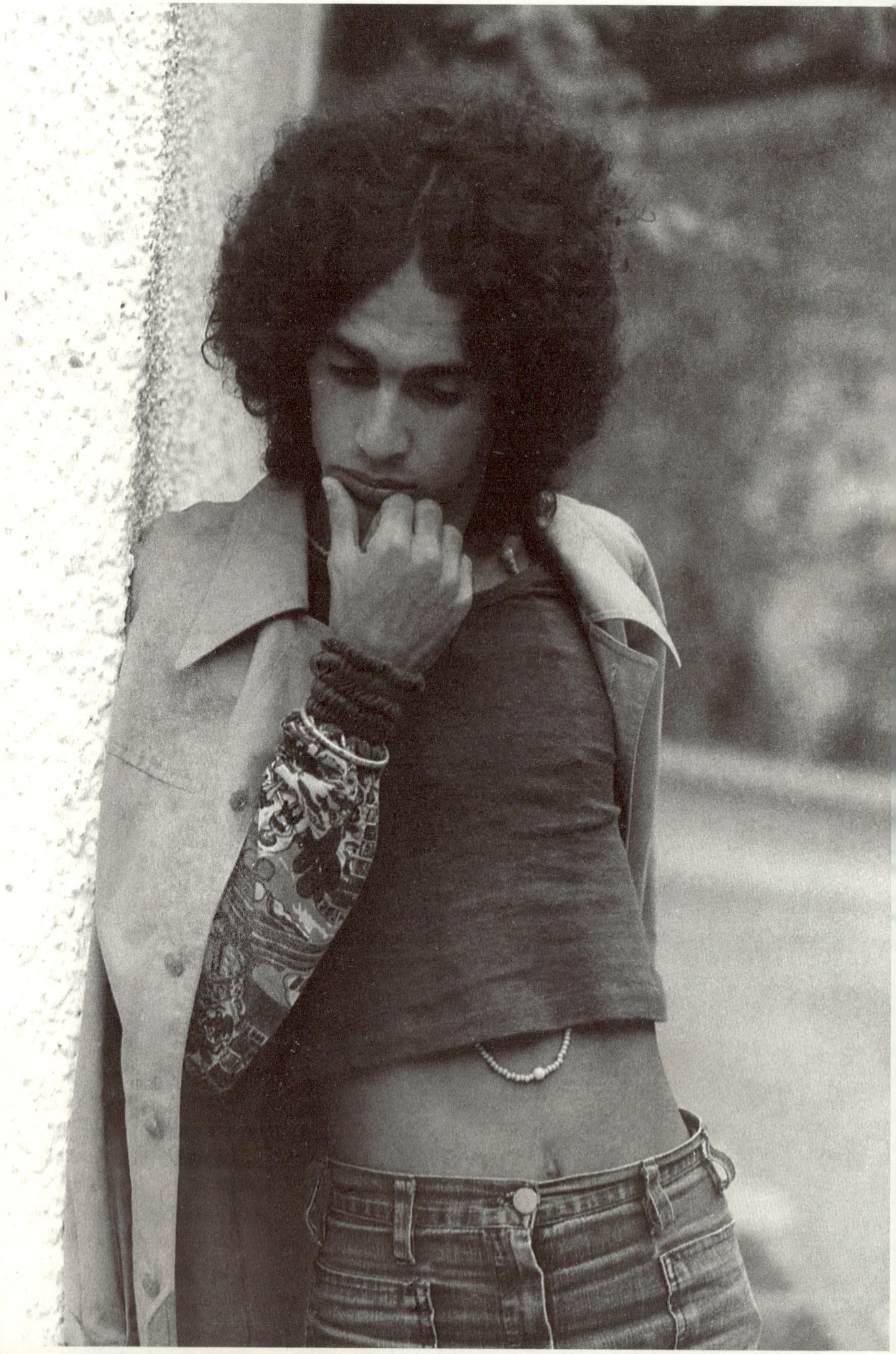

14

UMA TEMPORADA JOIA

Nem precisava de boa memória. O público que passou pela Concha Acústica do Teatro Castro Alves, no final de 1973, dificilmente esqueceria o "bafafá" que envolveu Caetano Veloso, a plateia e a polícia baiana. Até quem não tinha nada a ver com a história saiu de lá com uma baita dor de cabeça. Passado pouco mais de um mês daquele show, o próximo trabalho bem que poderia ser em outra cidade e, de preferência, após um longo e merecido descanso. Errou duplamente quem pensou dessa forma. Para quem tinha Guilherme Araújo como empresário, o episódio não seria motivo para recusar uma oportunidade profissional. E quem sabe não podia ser também uma grande jogada de *marketing*?

Em Salvador, durante o verão, acontecem algumas das festas mais badaladas do ano. O período serve de aperitivo para a folia que toma conta das ruas durante o Carnaval. No início de 1974, Guilherme Araújo arranjou um jeito de colocar seus pupilos para servir o tira-gosto principal. Fechou com o Teatro Vila Velha uma temporada de espetáculos com estreia em 10 de janeiro. Não havia tempo a perder. E como Guilherme sempre ouviu dizer que uma andorinha só não faz verão, tratou de reunir de uma vez três de seus contratados: Caetano Veloso, Gilberto Gil e Gal Costa.

A Phonogram também queria aproveitar os frutos daquela temporada. Tratou de enviar técnicos e aparelhagem para registrar tudo e transformar em disco logo depois. O projeto consistia em gravar as apresentações de Gil, Caetano e Gal, selecionar o melhor de cada um, e compor um disco único no final. A seleção do repertório não seria uma tarefa complicada. A sintonia daquele trio vinha de longe, do início dos anos 1960, e também de perto, daquele mesmo palco. O "batismo" deles acontecera exatamente ali, sob os refletores do Vila Velha. A sensação de saudosismo foi inevitável. O prazer de estar de volta motivava e trazia lembranças de um tempo em que ainda sonhavam com o sucesso. A sensação de *déjà vu* foi ainda maior para Caetano. A turma que o acompanhava também conhecia o Vila Velha de outros carnavais. Entre os músicos de sua banda estariam lá os irmãos Perinho e Moacir Albuquerque, Tuzé de Abreu e Perna Fróes, todos velhos conhecidos daquele teatro.

Por conta do episódio ocorrido na Concha Acústica, havia grande expectativa pela apresentação de Caetano. Não importava se o palco fosse outro, o som tivesse mudado e o público também. O cheiro de nitroglicerina misturado com dendê continuava intenso na atmosfera de Salvador. As guitarras elétricas, o esporro do TUCA, o *happening* da Sucata, o disco *Araçá Azul*, a carreira dele provava que de tempos em tempos uma surpresa vinha à tona. Alimentar esse quê de polêmica tinha sido também um caminho natural em sua carreira. O que ele aprontaria daquela vez? Nesse clima, os fãs esperavam por cada novo show do artista. Ele também sabia disso; chegava até mesmo a estimular esse sentimento. Gostava de se reinventar o tempo inteiro, e assim não decepcionava seu público ávido por novidades.

Na estreia, a penumbra do palco anunciava um Caetano bem mais moderado. Sob a fraca luz, o cantor repetia os poucos versos da canção "Tudo Tudo Tudo", da nova safra de composições. Um verdadeiro acalanto composto para ninar Moreno. Tudo muito calminho. Nada de experimentalismo daquela vez. Quando acenderam as luzes, lá estava o novo "velho" tropicalista, de calção branco e camiseta vermelha, as cores do Esporte Clube Bahia, seu clube do coração, pronto para bater sua bola. Fosse o Vila Velha algo semelhante à Fonte Nova, ele não entraria de batom, brinco, colares e pulseiras mil. Mas aquele era o seu lugar sagrado, o campo onde sabia exibir todo seu talento. Ali nunca ficaria só e seu público já entrava no clima com ele.

Caetano cantou músicas inéditas, como "Minha Mulher", "Pelos Olhos", e a surpreendente "Pipoca Moderna", composta em parceria com a Banda de Pífanos de Caruaru. Além de apresentar músicas próprias, não deixou de render homenagem aos mestres de sempre. Cantando "Felicidade" fazia sem saber uma das últimas honras a Lupicínio Rodrigues. Em agosto daquele ano, a música brasileira perderia esse festejado compositor gaúcho, pai da dor de cotovelo.

Naquela temporada, Caetano ainda dividiu o palco com outro cantor. Aliás, cantor e flautista. Além de tocar o instrumento de sopro da banda, Tuzé de Abreu também compunha e cantava. Aquele compacto duplo gravado em Londres, *O Carnaval de Caetano*, já continha "Barão Beleza", uma de suas obras. O próprio Caetano estimulava o pessoal da banda a compor e apresentar novidades nos shows. Moacir, Perna, Tutty e Perinho também já haviam mostrado serviço. Naquela apresentação, um grupo de fãs pediu em coro "Gaiola Invisível", outra canção de Tuzé de Abreu. Ele fazia grande sucesso no meio baiano e os pedidos não deixavam dúvida disso. Com um cartaz daqueles, não seria Caetano a "cortar seu barato". O "vá em frente" serviu de senha e Tuzé mandou ver. Conclusão: foi ovacionado. Nem tudo, porém, saiu perfeito. Em meio aos aplausos e gritos de "bis", o ciúme lançou sua flecha preta e esse evento aparentemente simples traria maiores consequências num futuro próximo.

Além de Caetano, a temporada de verão teve suas outras andorinhas baianas. Acompanhada pelo músico Dominguinhos, Gal Costa animou o público com suas interpretações. Numa delas, cantou o delicado samba "Acontece", de Cartola. Noutra, promoveu a estreia de Péricles Cavalcanti como compositor ao interpretar "Quem Nasceu?". O público baiano já havia assistido a Gilberto Gil que, entre outras performances, cantou "O Sonho Acabou", composta ainda nos escombros do Festival de Glastonbury. Apresentou também "O Relógio Quebrou", em homenagem ao amigo Jorge Mautner, autor da música. Os baianos não seriam os únicos artistas daquela temporada. Além deles, Luiz Melodia, o próprio Jorge Mautner e Rosinha de Valença também subiriam ao palco do Teatro Vila Velha em horários alternativos. Só mesmo no fim da festa se teve a medida certa do que tudo representou. Foi uma temporada e tanto, mas, em 22 de fevereiro de 1974, o sonho, sem trocadilho, acabou. Ou quase.

Passado o período de shows, a Phonogram tinha um leque de gravações de Caetano, Gil e Gal para compor as faixas de um LP. Um disco em conjunto, intitulado *Temporada de Verão – Ao Vivo na Bahia*. O problema é que nem sempre a gravação ao vivo sai de boa qualidade, como foi daquela vez. O som de algumas músicas apresentou problemas. Para essas o jeito foi fazer um "bis" na casa de Caetano, com um esforço tremendo para reproduzir o clima ao vivo. Como o público do teatro não cabia na casa dele, os aplausos foram inseridos artificialmente. Uma parte da produção do disco transcorreu assim, tudo na base da solução caseira. Palmas em alguns trechos, um retoque de violão ali, um realce na voz acolá. Aqueles eram os anos 1970. Enquanto o trabalho não ficava pronto, a vida seguia seu rumo.

Em março de 1974, mudanças significativas aconteciam no governo. O general Ernesto Geisel tomou posse na presidência da república. Depois do desastre autoritário promovido pelo governo Médici, perto dele qualquer um que viesse seria pinto. O país vivia um momento crítico, atolado na crise mundial de petróleo e na decadência do chamado "milagre brasileiro". Geisel prometia uma "abertura lenta, segura e gradual". Mas não se engane, não. De qualquer jeito seriam mais cinco anos de governo militar nas costas. Para bom entendedor, meia palavra basta. As mudanças aconteciam, mas a passos de cágado. Embora tudo continuasse mais ou menos do mesmo jeito, a saudade batia fundo em quem ainda amargava um exílio doloroso. Feliz daqueles que ainda podiam voltar ao país sem ser incomodados.

No começo daquele ano, um amigo dos tempos do exílio estava de passagem pelo Rio de Janeiro. Após sair do conjunto A Bolha, Arnaldo Brandão viajou para Londres em busca de novas oportunidades. Naquele início dos anos 1970, o músico deixara o país casado com sua fiel companheira de aventuras, Cláudia O'Reilly, a Claudinha. Em suas andanças pelas terras da Rainha, conheceu novos sons, estudou música clássica e até fez amizade com Mick Taylor, guitarrista dos Rolling Stones. No verão de 1974, Arnaldo e Claudinha foram passar férias no Rio de Janeiro. De passagem pela cidade no mesmo período, Caetano reencontrou o amigo e, de quebra, ainda conheceu Claudinha. Aliás, conheceu e se encantou de imediato.

Por mais que o bronzeado estivesse desbotado pelo período vivido em Londres, Claudinha não perdia seu charme. Não só na aparência, como no jeito despojado e bem carioca de ser. Avançada e extrovertida, era uma típica representante da cidade. Assim como seu novo amigo Caetano, a moça gostava de matar sua sede com uma garrafa de Coca-Cola.♪[49]. Fazia da praia seu *habitat* natural. Para ela, reunir e fazer amigos nas areias escaldantes da zona sul carioca era uma verdadeira religião. E aproveitava até o último minuto. Muitas vezes só se retirava para dormir depois de ver os primeiros raios de sol despontarem na linha do horizonte. Por essas e outras, podia-se dizer que Claudinha era uma espécie de emblema da zona sul do Rio, tal qual Copacabana é para o Brasil. Isso tudo fascinou Caetano e ele queria mais.

Até aí, porém, Arnaldo empatava com ele. Quando esteve em Londres pela primeira vez, em 1970, sentiu o mesmo por Dedé. Caetano vivia um casamento aberto. Se pintasse um clima, tudo bem, melhor não resistir e se entregar. A atração por Claudinha, então, foi mais do que natural e não despertou maiores constrangimentos. Ainda mais porque ela e Arnaldo também rezavam pela mesma cartilha liberal. Eram o que podíamos chamar de Sartres e Simones dos trópicos. Embora sobrasse transparência no comportamento deles, não podiam esquecer de tomar os cuidados necessários e se proteger das armadilhas do sentimento. Enquanto isso não afetava a "cuca" de ninguém, casais como esses se completavam dessa forma, apesar dos preconceitos da ala mais conservadora da sociedade.

❧

Em maio de 1974, quando o disco do Vila Velha estava nas melhores lojas do ramo, Caetano e banda esticaram a temporada de verão até o Rio de Janeiro. Naquela época, Perinho tocava guitarra, era arranjador, produtor e orientador do grupo. Em respeito a essa posição de liderança, suas ordens, sugestões e pedidos eram seguidos à risca, como se fosse uma banda militar. Perinho encarnava o "sargentão", e desse jeito conduzia sua "tropa". Aos pou-

---

[49] ♪ "Jóia"

cos isso começou a gerar antipatia nos demais. Organizar tudo fazia muito bem, mas não precisava levar tão a sério. Nos ensaios, o clima ficou nebuloso. Nem todo mundo gostava de abaixar a cabeça para ele. Ainda mais quando o orgulho pessoal entrava em jogo. Para Tuzé, havia a certeza de que "Gaiola Invisível", sua música apresentada no Vila Velha, continuaria no repertório. Não foi bem assim. Caetano chegou trêmulo, meio sem jeito, para dizer que Perinho havia cortado a canção. Tuzé ficou muito chateado, mas fazer o quê? Teve de acatar. A química do grupo começava a se desfazer.

Depois de uma apresentação em Niterói, no Clube de Regatas Icaraí, partiram para o Teatro Tereza Raquel, no Rio. Esse seria o próximo da lista a conhecer a nova fase de Caetano. Tal qual na temporada de verão na Bahia, o show transcorreu bem, sem nenhum incidente. A fase experimental havia mesmo ficado para trás. Um fato, contudo, embaralhou de vez os brios da banda. Uma fã que havia assistido ao show na Bahia pediu a Tuzé para cantar "Gaiola Invisível", justamente a canção cortada durante os ensaios. Mesmo ciente da reprovação de Perinho, Tuzé ficou de ego inflado. Aí bateu a dúvida: canta ou não canta? Estava sem saber o que fazer. Queria tocar sua música e ainda fazer graça frente à gatinha, mas não tinha autonomia para decidir. Diante do impasse instalado, novamente Caetano deu seu aval e ele cantou. A parte chata é que sua glória pessoal representava mais um golpe na decadência da banda.

Muitos fatores colaboram para o fim de um ciclo, seja no amor, na amizade, na profissão. No caso daquele grupo, as diferenças de personalidades contribuíram de forma significativa. O convívio, que já era complicado, se tornaria insuportável. A banda estava com os dias contados. Dali até o fim de 1974, aos poucos, cada um se voltaria para projetos próprios, com outros artistas e novas parcerias. Mas até que houvesse a diáspora definitiva, Caetano ainda faria uma saideira com eles. Antes disso, porém, quem mudaria de ares seria ele próprio.

Morar na Bahia, especialmente em Salvador, cercado de amigos e parentes, era muito agradável para Caetano e Dedé. Viver numa cidade festiva deixa qualquer um de "cuca" fresca, sem "grilos". Ainda assim, Caetano não esquecia as horas passadas no divã durante o exílio em Londres. Gostou de viajar nas teorias de Freud e quis repetir a dose em terras baianas. Só que naquela época, acarajé e psicanálise não combinavam com tanta facilidade. Salvador não dispunha de profissionais que Caetano conhecesse de nome. Uma opção seria mudar de cidade, talvez voltar para o eixo Rio-São Paulo. Com ressalvas, porque Dedé não queria saber de São Paulo. Achava a cidade moderna, de excelente infraestrutura, mas com muito trânsito, sem praia, urbana em excesso. Para ela, se a mudança tinha que acontecer, que fosse, então, para o Rio de Janeiro.

Desejo atendido, o casal arrumou tudo e se mudou. Primeiro para um imóvel de temporada, na rua General Urquiza, em frente à Praça Antero de Quental, no Leblon, e logo depois para um apartamento na avenida Delfim Moreira, junto à praia, no mesmo bairro. A chegada ao Rio de Janeiro inaugurava uma fase promissora na vida e na carreira de Caetano. Novas inspirações, novos parceiros e novas musas o aguardavam nos anos seguintes. Já no início daquele período, a chegada de um parceiro engrossaria seu repertório com uma penca de boas canções. Não se tratava de nenhum estreante. O talento de João Donato vinha de longe, do jazz e da Bossa Nova, quando a Tropicália nem sonhava existir.

O mais novo João que entrava na vida do baiano havia passado uma longa temporada nos EUA. Por ser amigo de João Gilberto, conheceu em Los Angeles a esposa dele na época, a cantora Miúcha. De volta ao Brasil, no início da década de 1970, o convívio com a cantora continuou. Donato conhecia o trabalho de Caetano e Gil tanto quanto ambos conheciam o dele. Quando bateu a vontade de trocar figurinhas, foi Miúcha quem fez a ponte. Com Donato cheio de boas músicas na manga, todas sem letra, não demorou e engataram as primeiras parcerias.

Entre tantas outras, "Lugar Comum", com Gil, e "A Rã", com Caetano, foram canções que nasceram nesse período. A partir daí a parceria só se multiplicou. Em seguida vieram "Bananeira", "Tudo Tem" e "Deixei Recado", com Gil, e "Naturalmente", com Caetano. O entrosamento aconteceu e o trabalho fluiu feito um rio caudaloso. Fizeram canções suficientes para abastecer por um bom tempo a carreira deles e de quem estivesse por perto. Gal Costa também acabou entrando na correnteza desse rio. Naquela época a cantora começava a gravação de mais um disco e aproveitou para utilizar grande parte desse material. De um jeito ou de outro, esses artistas e suas obras mais recentes estariam lá. A começar pelo produtor, ele mesmo, Caetano Veloso.

Produzir o disco de Bethânia de 1972 tinha sido gratificante e Caetano tomou gosto pelo ofício. No ano seguinte, por pouco a experiência não se repetiu no LP *Índia*, de Gal Costa. Embora a direção musical tenha ficado a cargo de Gil, Caetano deu muitos toques no projeto. A postura da cantora em cena e várias canções do repertório, inclusive a própria "Índia", foram sugestões dele. Em 1974, porém, Gal finalmente seria de fato produzida por ele. Ao assumir o comando da empreitada, Caetano decidiu mudar o estilo da amiga, de modo que seus dotes de cantora pudessem sobressair com mais intensidade. Não seria a Gal intimista de *Domingo*, o disco de estreia, tampouco a Gal explosiva de "Divino Maravilhoso". Em *Cantar*, a moçoila seguiria o caminho do meio, o equilíbrio entre os dois estilos.

O *staff* envolvido no projeto seria de primeira. Caetano Veloso, Gilberto Gil e João Donato estariam presentes para compor, dar palpites, fornecer repertório, e, no caso de Donato, também fazer arranjos e tocar piano. Entre as faixas, "A Rã", parceria de Donato e Caetano, outras de Donato com seu parceiro Lysias Ênio, e canções novíssimas de Caetano, como "Jóia" e "Lua Lua Lua Lua", esta última uma influência "concreta" de Haroldo de Campos. Para Gal, a experiência não poderia ter sido melhor. Nos encontros, Donato se mostrava sempre muito divertido. Apesar do pouco tempo de convívio era como se os dois se conhecessem de longa data. Na casa da cantora, na Estrada do Tambá, no Vidigal, a turma fazia a maior farra. A química aconteceu e o trabalho saiu naturalmente.

Caetano também ficou satisfeito. Considerava produzir uma tarefa agradável, e, de certo modo, tranquila. Se o artista fosse daqueles mais excêntricos, aí o trabalho ganhava contornos espinhosos. Muito em breve aconteceria exatamente isso. Com o LP de Gal finalizado, Caetano estava na Bahia para encarar a produção de outro disco. Não o dele, mas o trabalho de estreia do músico experimental Walter Smetak. Experimental e bem difícil de se lidar. A ideia de produzir o disco tinha surgido bem antes, quando Caetano se impressionara com a montoeira de instrumentos exóticos criados pelo músico. O fascinante leque de sugestões sonoras que saía deles levava o ouvinte a inúmeros caminhos musicais e não poderia ficar restrito a seus concertos particulares. Daí a motivação de deixar um documento para a posteridade.

Bem à moda Smetak, as gravações seriam realizadas no porão do Teatro Castro Alves. Pela amizade antiga e afinidade natural, o *habitué* de sua oficina e ex-aluno, Tuzé de Abreu, tocaria no disco. A ele caberia também a difícil missão de servir de tradutor, uma ponte entre Caetano e Smetak. Os dois representavam polos contrários, de características bem distintas. Caetano, um completo liberal, tranquilo, calmo. Smetak, por sua vez, indisciplinado, inquieto, inventivo. E só se deixava dominar se tivesse alguém de pulso firme a puxar por ele. A princípio, Tuzé teria esse ingrato papel. Até se esforçava em fazê-lo da melhor forma possível, mas com Smetak não tinha moleza. O homem era mesmo arretado.

Os dias se passavam e nada do disco ficar pronto. O jeito foi pedir reforço. A ajuda providencial viria de um cabra-macho de outras épocas. Roberto Santana estava de passagem pelo Rio de Janeiro quando recebeu a ligação aflita de Caetano. O tempo corria, o orçamento estourava e ele não conseguia transformar o talento de Smetak em algo digno de registro. Pedido de amigo não se nega. Pouco tempo depois, os esporros de Roberto Santana ecoavam no ambiente. Rapidinho a ordem voltou a imperar e o projeto entrou nos eixos. Com uma longa experiência em questões de conflito, revelou-se a pessoa certa para conduzir a batuta. E não ficou só nisso. Numa das faixas,

Roberto teve de tocar um dos instrumentos exóticos inventados por Smetak. À exceção do próprio inventor, ninguém mais sabia dizer se era um Bicéfalo, uma Vina, ou mesmo um Colóquio. De todo modo, o produtor precisou de muito fôlego para tirar som da enorme mangueira de jardim adaptada a um bocal de trombone. Foi a "vingança" do músico suíço.

Além da dificuldade para tocar, Roberto Santana tinha de fazer um esforço danado para prender o riso. Aos olhos dos outros músicos, a cena era de rolar de rir. Aí ele não se aguentou também e soltou a gargalhada bem no meio da gravação. Smetak ficou uma fera. Ele queria um mínimo de respeito e seriedade com seu trabalho de estreia. A pretensa chacota não ficou barata. Com um arco de *cello* na mão, Smetak saiu em disparada e correu atrás de Roberto Santana em volta da Concha Acústica. O velhinho estava em plena forma. O produtor não levou uma cipoada por pouco. A sorte dele foi o músico ter gostado. Ao ouvir a gravação, Smetak percebeu que pelo menos Roberto Santana riu afinado. Saiu desse jeito mesmo no disco.

Depois de muito trabalho, broncas e correrias, o LP ficou pronto. Como o próprio Caetano pensava na época, Roberto Santana era mesmo bem treinado para dar fim a qualquer "cerca-lourenço" que atravancasse o andamento de um projeto. Em suma, foi um disco gravado no grito. Logo depois, para aproveitar o embalo, Caetano também gravou seu tradicional compacto com novas músicas de Carnaval. Se a festa ganhava cada vez mais força na Bahia, sem dúvida tinha nele um de seus maiores colaboradores.

O compacto de Carnaval estava garantido, mas fazia tempo que o cantor não lançava um LP com músicas inéditas. A última vez havia sido quase dois anos antes, com *Araçá Azul*. Por falta de repertório não poderia ser. Material novo tinha de sobra. Estava na hora de pensar seriamente nessa possibilidade.

❦

Morar no Rio ajudava na hora de rever antigos companheiros da Bahia. Vários deles também haviam se bandeado para a Cidade Maravilhosa. Certa ocasião, Caetano visitou o novo quartel-general dos "Novos Baianos". Um sítio no povoado de Boca do Mato, em Jacarepaguá, zona oeste carioca. A cobertura da Conde de Irajá já não comportava tanta gente e a inevitável mudança aconteceu. Para aquela turma de nômades musicais essa decisão foi providencial. Saíram de uma selva de pedra em Botafogo para um local cercado de natureza e com espaço a perder de vista. No meio de tantas áreas livres não foi difícil reservar uma parte plana do terreno para servir de campinho.

Loucos por futebol, qualquer pedaço de terra batida servia para animadas peladas, ou "babas", como se diz na Bahia. E quando surgia o desejo de jogar com mais espaço, num campo maior, estilo Maracanã, corriam todos para um clube nas imediações. Mas com o campinho à disposição raramente isso acontecia. Os visitantes também podiam brincar, só precisavam disputar posição com os "fominhas" da casa. Moraes Moreira, Luiz Galvão e Dadi só faltavam dormir com a gorduchinha. A camisa do clube de coração mal saía do corpo suado e tinha até quem sonhasse jogar profissionalmente um dia. Caetano estava longe disso. Sempre foi um "perna-de-pau" assumido e só entrou em campo pela honra de dar o pontapé inicial de uma partida de profissionais. Pé-quente ele foi. Não havia torcedor do Bahia que não lembrasse daquela histórica goleada de 5 a 1 aplicada sobre o Santos, com Pelé e tudo, nos idos de 1969.

Em Jacarepaguá não havia nenhum Pelé. Uns jogavam mais, outro menos; a maioria ficava na média. No meio daquela festa da bola, Caetano repetiu o simbólico gesto de início de partida. E ficou só nisso. Dada a saída, preferiu assistir ao jogo sentado na arquibancada, ou melhor, no galho de uma imponente caramboleira. Árvore não faltava no sítio. Os visitantes podiam até escolher o pé de fruta com melhor visão. Enquanto a turma corria atrás da bola, Caetano ficava no alto, acompanhando tudo e se deliciando com as carambolas, como nos tempos de Santo Amaro. A vida levada naquele sítio se mostrou tão animada que a notícia logo se espalhou. Não demorou e um monte de gente famosa apareceu por lá para ver de perto. Elke Maravilha, Chacrinha, Gal Costa e Fagner volta e meia chegavam de surpresa para uma visita. Isso sem falar nas caravanas de turistas que se formavam só para conhecer aquele idílico acampamento com cheiro de liberdade.

Em meados da década de 1970, visitar os "Novos Baianos" no sítio da Boca do Mato representava uma espécie de fuga do mundo real. Em tempos de ditadura, o programa alternativo sempre seria uma boa opção para quem quisesse respirar novidades e arejar a cabeça. Mas não a única. Naquela época, não faltavam grandes eventos no eixo Rio-São Paulo. Num desses, a música brasileira ganharia um presente e tanto. Um alagoano danado de bom entraria em cena para conquistar seu espaço entre os grandes.

Em janeiro de 1975, acontecia no campo do Botafogo, no Rio, o primeiro festival Hollywood Rock, com precursores do gênero como Raul Seixas, Mutantes, Erasmo Carlos, Rita Lee, Celly Campello, entre outros. Na mesma época, em São Paulo, eram realizadas as primeiras eliminatórias do Festival Abertura, promovido pela Rede Globo. O evento carioca tinha Nelsinho Motta como produtor e servia de prenúncio para o que o Brasil assistiria na década seguinte, em termos de bandas, festivais e megaeventos de rock. Já em São Paulo, os organizadores do Abertura queriam preencher o vazio deixado pelo último dos grandes festivais, o VII FIC, realizado em 1972. Cada um, a seu jeito, entraria para a história da música brasileira. E quem passasse por qualquer um deles não se arrependeria.

Caetano preferiu participar do Abertura. Não para competir, já que ainda se mantinha irredutível em sua promessa de não mais concorrer nesse tipo de evento. Foi somente na condição de espectador interessado. O surgimento de novos talentos o estimulava. Nada melhor do que ver tudo pessoalmente. E veria mesmo. Entre os concorrentes que se apresentaram no Teatro Municipal de São Paulo, havia os tarimbados Hermeto Paschoal, Jorge Mautner, Walter Franco e Jards Macalé, mas no meio deles despontavam também as grandes promessas. Carlinhos Vergueiro, Leci Brandão, Alceu Valença e Djavan faziam parte dessa leva. Caetano gostou das novidades, mas ficou impressionado mesmo com a força e a beleza do seu quase xará Djavan Caetano Viana.

Coincidências à parte, Djavan surgia no cenário musical brasileiro com "Fato Consumado", uma canção alegre, de linha melódica refinada e letra original. Seriam suas marcas de sucesso no futuro. Todavia, naquele momento, quem ficou siderado por ele foi Caetano. Na primeira oportunidade, ele e Dedé se aproximaram do alagoano recém-chegado. A empatia foi imediata e logo surgiu a amizade. Além de pedir a Djavan para cantar no quarto onde estavam hospedados, Caetano o encabulava com as brincadeiras que outrora fazia com Toquinho. Na condição de novato, o tímido Djavan não conseguia dizer se o posto de "namorado" de Caetano Veloso era honra ou motivo para ficar ainda mais encabulado.

Enquanto uns morriam de vergonha, outros aprontavam das suas. Nas eliminatórias, durante sua interpretação de "Princípio do Prazer", Macalé se deliciava mordiscando maças e devorando pétalas de rosas. Essa de comer flores no palco não era nenhuma novidade. Uma década antes, Caetano fizera o mesmo naquele seu primeiro show individual do Vila Velha. No Abertura, Macalé apenas incrementou o cardápio. Ainda bem que ninguém ficou chocado com o estranho *happening* a ponto de antipatizar com a música. Feliz e de estômago entupido com a estranha salada, o comilão foi classificado para a final, marcada para a noite de 4 de fevereiro de 1975, com transmissão ao vivo pela Rede Globo.

Na mesma noite se apresentariam outros 15 concorrentes. Antes de anunciá-los, os mestres de cerimônias Miele, José Wilker, Márcia Mendes e Marília Gabriela chamaram ao palco os convidados especiais do evento. Gilberto Gil, Ney Matogrosso, Milton Nascimento e Dorival Caymmi fizeram as honras e prepararam o terreno para a moçada que viria em seguida. Cada um deu seu recado, e, para que o evento pudesse ser mesmo chamado de "Festival", não faltaram as famigeradas vaias. Walter Franco, com sua "Muito Tudo", foi um dos que ouviram a manjada desaprovação do público. O velho ditado, porém, avisa: quem ri por último ri melhor. E naquele embate com a plateia, Walter Franco saiu vitorioso no final. Com ou sem gritaria faturou a terceira colocação. O vice-campeonato ficou para Djavan, e o jovem Carlinhos Vergueiro, com a música "Como um Ladrão", faturou o primeiríssimo lugar. Depois do anúncio foi só partir para o abraço. Que o diga Djavan!

No balanço final, podia se dizer que a promessa de sacudir a poeira e revelar talentos foi bem cumprida pelo Abertura. Novos destaques ganharam espaço a partir daquele festival. Djavan, então, nem se fala, teve motivos de sobra para comemorar. Além de conhecer e se tornar o "bem-querer" de seu mestre Caetano, levou para casa os votos de sucesso de outro ídolo, Dorival Caymmi, registrados na dedicatória da foto que tiraram juntos na ocasião. Com as bênçãos de Caymmi, Djavan, dali em diante, engataria um sucesso após o outro e se tornaria um dos compositores mais populares do País.

No fim do evento, Caetano retornou para o Rio de Janeiro. Não podia esquecer que também era um profissional do ramo da música. O monte de canções compostas no longo período sem disco precisava ser despejado em algum canto. O desejo de fazer um trabalho com inéditas amadurecia havia tempos. Chegava a hora de botar a "mão na massa".

※

Com um leque de músicas à disposição, a proposta inicial seria lançar um álbum duplo. Todavia, o desejo perene de buscar o algo mais fez com que ele mudasse de planos. Além disso, Caetano não simpatizava com esse formato. Na opinião dele, atrapalhava o entendimento conceitual do disco. Portanto, em vez de um álbum duplo, seriam lançados dois discos de características opostas, porém, complementares. O rigor e o relaxamento, o luxo e o lixo, Apolo e Dionísio, duas partes contrárias de um todo, uma espécie de *yin-yang* da música. Não parava por aí. A fim de ironizar aquele monte de pessoas que cobravam dele uma postura mais engajada, de criador de tendências, lançaria ao mesmo tempo dois pseudomovimentos, com direito a manifesto e tudo, que dariam nome aos discos: "Jóia" e "Qualquer Coisa".

Manifesto do Movimento "Jóia":

"respeito contrito à ideia de inspiração. alegria. saber a calma para ir perder a pressa para estar. inspiração quer dizer: todo esforço em direção a esforço nenhum, nenhum esforço em direção a todo esforço em direção a esforço nenhum. todo esforço em direção a nenhum esforço em direção a todo esforço em direção a nenhum. todo esforço em direção a nenhum esforço em direção a todo esforço em direção a nenhum esforço em direção ao todo.

nenhum círculo é vicioso a ponto de impossibilitar o verde, o aparecimento do verde, a esperança do aparecimento do verde, escravo livre da insensatez azul e do equilíbrio amarelo.

respeito contrito à ideia de inspiração. jóia. meu carro é vermelho. inspiração quer dizer: estar cuidadosamente entregue ao projeto de uma música posta contra aqueles que falam em termos de década e esquecem o minuto e o milênio.

inspiração: águas de março.

o sexo dos anjos. e não fazemos por menos."

Manifesto do movimento "Qualquer Coisa":

"I nada de novo sob o sol. mas sob o sol.
II evitar qualquer coisa que não seja qualquer coisa.
III cantar muito
IV soltar os demônios contra o sexo dos anjos
V a subliteratura. a subliteratura e a superliteratura. e até mesmo a literatura.
VI por que não?
VII jazz carioca. samba paulista. rock baiano. baião mineiro.
VIII jazz carioca feito por mineiros. samba paulista feito por baianos. baião mineiro feito por cariocas. rock baiano feito por paulistas.
IX e até mesmo a música, por que não?
X mas sob o sol.
XI a década e a eternidade, o século e o momento, o minuto e a história.
XII exemplos: a obra de jorge mautner. a pessoa de donato. o papo de gil. o significante em maria bethânia. o significado em elis regina. baiano e os novos caetanos etc.
XIII fama e cama. sempre de novo deitar e criar.
XIV salvador dali no fantástico.
XV o show da vida.
XVI bob dylan live.
XVII qualquer coisa é radicalmente contra os radicalismos e, paradoxalmente, considera ridículo tal paradoxo, ridiculamente não vê nenhum paradoxo nisso. decididamente a favor do advérbio de modo.
XVIII a televisão está melhor do que o carnaval. insistir no carnaval.
XIX e de novo sob o sol. e sempre."

Com eles, Caetano queria mesmo fundir a cuca da crítica no melhor estilo Chacrinha: *"estou aqui para confundir, não para explicar"*. Sozinho, porém, não chegaria a lugar algum. Para a gravação, o cantor necessitava do apoio de bons músicos. O problema é que sua antiga banda não se bicava mais. Não havia mais clima para que tocassem juntos como antes. Ensaios e shows estavam fora de cogitação. Turnê, então, nem pensar. Mas não seria esse o caso. Caetano precisava deles para fazer um trabalho avulso, a gravação de dois discos simultâneos. Nada mais natural. Perinho, Tuzé, Moacir e os outros conseguiam tocar o repertório até de olhos vendados. Só eles poderiam fazê-lo sem a necessidade de cansativas semanas de ensaios. Caetano tentou a sorte e fez o convite. Para a felicidade de todos, os caras toparam. As diferenças e vaidades foram postas de lado por algum tempo e o *grand finale* do grupo pôde começar. Esta, sim, foi uma atitude joia.

No estúdio Havaí, no Rio de Janeiro, os discos ganharam forma. Para manter a proposta original, a concepção de cada LP trazia a marca do movimento correspondente. Embora tivesse a mesma liberdade de trabalhos experimentais, *Jóia* teve um acabamento mais bem apurado. Um disco limpo, por assim dizer. Em contrapartida, *Qualquer Coisa* nascia de um trabalho mais caótico, meio salada musical, na qual prevaleciam canções de outros compositores em diferentes idiomas. Os Beatles, por exemplo, ganharam três faixas: "Eleanor Rigby", "For No One" e "Lady Madonna". O aparente desleixo não impediria o sucesso da música título. Roberto Carlos ficaria apaixonado por "Qualquer Coisa", a ponto de ligar só para despejar sua queixa por não a ter recebido de presente.

Além do pessoal da antiga banda, músicos novos e velhos parceiros estiveram lá para dar uma força. A convite de Caetano, João Donato tocou piano em algumas faixas, e Arnaldo Brandão, de volta ao Brasil em definitivo, emprestou o som de seu baixo à valsa "La Flor de la Canela", hino peruano de Chabuca Granda. Até aí o conjunto da obra tinha um quê de vanguarda, uma pitada de deboche, outra de provocação, todavia, faltava aquela pequena dose de polêmica para apimentar ainda mais. Quando o projeto gráfico dos discos foi concebido, poucos poderiam imaginar, mas foi justamente daí que o burburinho saiu.

A capa de *Qualquer Coisa* era algo mais comum, nada de grande impacto. Não deixava de ser uma estampa criativa, na qual Caetano aparece em quatro fotografias desfocadas, semelhante à capa do álbum *Let It Be*, último trabalho dos Beatles. Essa de fazer o papel dos quatro garotos de *Liverpool* foi mais uma invenção de Rogério Duarte. Com a capa de *Jóia*, o resultado ganhava uma dimensão um pouco maior. Nela, Caetano mostrava livremente seus dotes mais primitivos. A partir de uma foto, pintou a si mesmo, sua mulher Dedé e seu filho Moreno do jeito que vieram ao mundo. Do ponto de vista artístico, nada demais; todo mundo nasce pelado mesmo e num país tropical o pouco uso de roupas deveria ser algo absolutamente comum. Só que a paranoia da ditadura continuava e nem tudo podia ser tão liberal assim. Dedé e Moreno apareciam sentados, discretos, mas Caetano ficou de pé, num audacioso nu frontal. Para a censura da época, aquilo foi mais do que falta de vergonha.

Em julho de 1975, pouco depois de chegar às lojas, o disco virava caso de polícia. Alegando atentado violento ao pudor, a Polícia Federal recolheu todo o estoque das lojas. As fãs mais assanhadas certamente garantiram o seu, porém, quem demorou a comprar ficou sem saber o real tamanho da encrenca. Mas a gravadora não queria ficar no prejuízo e agiu rápido. Retocaram a pintura de forma a torná-la menos agressiva. O desenho de duas pombas foi suficiente para cobrir seu "dito cujo", responsável por tanto barulho. Mesmo assim, houve polêmica. Persistiam os nus de sua mulher, de quem mal se via um dos pequeninos seios, e de seu primogênito. Uma nova capa precisou ser feita, dessa vez só com as pombas. Também sumiram com outra foto da família ao natural na contracapa. Por pouco *Jóia* não saiu com uma capa toda em branco, como o disco de 1969. O desenho original só voltaria a aparecer anos mais tarde, por conta do lançamento de sua obra em CD, quando a ditadura já seria história.

O zum-zum-zum não ficou restrito ao universo de quem tinha mais de dezoito anos. Até Moreno enfrentou problemas por conta do episódio. No colégio, teve que aguentar a encarnação das outras crianças que viram a família Veloso peladinha numa capa de disco. Muito menino ainda, Moreno ficava encabulado, contudo, já sabia que ser filho de uma celebridade como Caetano Veloso tinha dessas coisas. Com ou sem polêmica, os discos estavam lançados. A banda é que não teve salvação. Claro que isso não significou o fim da amizade, tampouco a chance de trabalhos futuros com os músicos. Juntos, porém, não mais.

Se a banda acabava ali, o mesmo não acontecia com a polêmica de *Jóia*. A fofoca da capa do disco ainda renderia assunto por mais um ano, até a promotora Luci da Costa Silva pedir o arquivamento do caso ao juiz Paulo Gomes. Para a representante do Ministério Público, o único atentado que existia no episódio repousava na beleza duvidosa do peladão da capa. Definitivamente os cambitos de Caetano não faziam o tipo da magistrada. Como se diz no jargão jurídico, *in dubio pro reo*, na dúvida encerrar o caso seria o mais prudente. Essa movimentação, porém, só aconteceria em meados do ano seguinte. Naquele momento, enquanto a justiça ainda discutia o sexo dos baianos, Caetano Veloso seria convocado para um trabalho irrecusável.

᪥

Registrar grandes espetáculos para depois lançar em disco tinha se tornado tradição na gravadora Phonogram. O faro comercial de André Midani não dormia no ponto. Em 1975, outra boa chance surgiu e ele agarrou à unha. Chico Buarque e Maria Bethânia aceitaram uma proposta para fazer uma temporada em conjunto no Canecão. Ninguém esquecia o sucesso daquele disco gravado ao vivo no Teatro Castro Alves, com Chico e Caetano dividindo o mesmo palco. Com Bethânia não poderia ser diferente. Midani, então, vislumbrou ali outro disco histórico. E sem pensar duas vezes, convocou Caetano para compor a equipe de criadores do show, formada ainda pelo cineasta Ruy Guerra, o ator Oswaldo Loureiro e o próprio Chico.

Pouco depois, estavam todos reunidos na casa de Chico para bolar um espetáculo à altura de seus protagonistas. Naquela noite, o esforço inicial foi o de encontrar uma justificativa para o encontro. Além de lembrar os motivos óbvios, os profissionais, Caetano buscou na astrologia uma explicação misteriosa. Tanto Chico quanto Bethânia nasceram sob o signo de gêmeos e havia a perspectiva de o show estrear em gêmeos. Por outro lado, ele, Ruy Guerra e Oswaldo Loureiro formavam um trio de leoninos típicos. A partir daí uma chuva de ideias inundou a reunião. Mas tudo ainda girava no plano teórico, filosófico e, sobretudo, astral. Foi preciso Chico dar uma de Roberto Santana, pegar papel e caneta, e definir de uma vez o roteiro prático da apresentação. Amanhecia quando a turma chegou a um consenso. O repertório foi escolhido e a coordenação musical ficaria a cargo de Perinho Albuquerque. O show estava desenhado.

Entre muitas ideias, Chico e Caetano decidiram compor especialmente para a ocasião. Bethânia era mesmo uma cantora privilegiada. Nem no espetáculo que os dois apresentaram no Teatro Castro Alves isso havia acontecido. A inédita parceria nasceu pouco depois. Caetano compôs e gravou num cassete a primeira parte de "Vai Levando". Enviou para Chico, que se encarregou de completar a obra, seguindo a linha melódica e o padrão de letra criados originalmente. Pronto. Estava selada a primeira parceria de ambos a tempo de ser apresentada no show. Outro que ganhou com isso foi Midani. A nova canção seria, com certeza, um ponto forte do disco. E nem precisava tanto.

Se os astros iriam ajudar, ninguém podia prever, mas que um fenômeno estranho deixaria todo mundo de boca aberta, ah, isso deixaria. Antes da estreia, Chico foi à casa de Bethânia, na Estrada das Canoas, em São Conrado, para discutir detalhes. Na tarde daquele encontro, ambos viram uma luz misteriosa despontar no céu. Ficaram impressionados. O pior é que o fenômeno se repetiu mais intensamente durante a temporada. No caminho para o Canecão, em carros separados, Chico e Bethânia viram, não um, mas vários pontos luminosos riscando o céu do Rio de Janeiro. Se eram discos voadores, meteoritos, cometas ou sei lá o quê, ninguém podia afirmar. Contudo, no palco, todo mundo conhecia muito bem as duas estrelas da noite.

O espetáculo *Chico Buarque & Maria Bethânia* foi um sucesso de público e de crítica. A alegria foi tanta que eles nem sentiram o tempo passar. Foram meses de temporada com casa cheia. O clima descontraído nos bastidores agradava visitantes e artistas. Chico, no entanto, às vezes tinha a impressão de trabalhar com duas pessoas distintas. No camarim, encontrava uma Bethânia; no palco, outra completamente diferente, incorporada, transformada. Embora Chico não concordasse, a amiga pensava algo parecido sobre ele. O talento, o amor à profissão, a paixão pelo palco se revelavam iguais para ambos. Nesse ponto tinham que concordar com as divagações astrológicas de Caetano. Eram gêmeos, sim, senhor.

Além do público, que ia e voltava, amigos e parentes tiveram a oportunidade de ver o show até não poder mais. Caetano perdeu as contas das vezes que foi com Dedé ao Canecão. As gravações foram feitas em junho de 1975, e o disco *Chico Buarque & Maria Bethânia Ao Vivo* saiu logo depois, com o mesmo sucesso da temporada.

O fim do ano se aproximava e Caetano estava satisfeito com seus últimos trabalhos. Lançou dois discos com canções inéditas, produziu outros tantos, participou da elaboração do show de Chico e Bethânia, compôs novas músicas. Não havia motivos para reclamar. A carreira dele crescia a cada ano. Por outro lado, as dificuldades para administrar tudo aumentavam na mesma proporção. A GAPA, Guilherme Araújo Produções Artísticas Ltda., firma criada por Guilherme para organizar as carreiras de seu elenco, expandia-se cada vez mais e não raro contratava gente para dar conta do trabalho. Àquela altura, novos colaboradores já haviam sido incorporados à equipe de produção.

Ninguém fazia concurso para ganhar vaga. Até mesmo um fã poderia conseguir o emprego dos sonhos dele. Se fizesse um favor aqui, outro ali, e caísse nas graças de Guilherme, começava a trabalhar. Com ele não havia processo de seleção. O *feeling* pessoal ditava as regras na hora de trazer gente boa. Cumprisse os requisitos e o santo batesse já podia ocupar uma das mesas do escritório da GAPA, no prédio do Cine Ricamar, em Copacabana, no Rio de Janeiro. Caetano nunca se intrometia nessa área. Dedé, muito menos. Entre os que no futuro se somariam à equipe, estava Manoel Benedito Marinho Neto, o Bineco Marinho. Jovem de origem humilde, apaixonado pelos baianos, festeiro como ele só, e muito prestativo em tudo que lhe pediam. Um sujeito bem-humorado, que faria de tudo para proteger o patrão artista da presença de pessoas inconvenientes e até de quem nada de mal faria ao cantor.

Com o passar do tempo, Bineco ganharia a confiança de todos, a ponto de assumir uma posição de fiel escudeiro de Caetano. Escolher a cueca que ele usaria no show, preparar a vitamina de Moreno, pagar as contas do mês, estavam na lista de atividades cotidianas que ele passaria a realizar com um sorriso de orelha a orelha. No período em que trabalhasse com eles, Bineco faria um trabalho formidável. Só não poderiam imaginar que depois ele é quem daria muito trabalho. Caetano só abriria firma própria muito tempo depois. Por isso, Bineco seria contratado apenas informalmente. Não teria registro profissional em carteira. Nem a futura dupla função de contrarregra e secretário particular modificaria esse *status*.

Feliz da vida, Bineco aproveitaria cada minuto na companhia de seus ídolos. A falta de vínculo e o horário flexível lhe dariam chance até de trabalhar para outros artistas, como Ney Matogrosso e Elza Soares. A condição informal com Caetano não seria motivo de preocupação. Enquanto pudesse participar das farras, andar no meio dos artistas e fazer parte do *high society* carioca, entre um "birinaite" e outro, teria a vida que pediu a Deus. Era o que na época chamavam pejorativamente de "poeira de estrela". Caetano não fazia o tipo patrão rigoroso, não tinha jeito para negócios e nem tinha essa pretensão. Não queria organizar esse "movimento", e Dedé estava com ele para o que desse e viesse. Em geral as pessoas chegavam até ele por intermédio de Guilherme. Se fosse para aceitar o profissional, aceitava. Se fosse para dispensar, também. Em geral ficava com a primeira hipótese.

E assim, enquanto o caldo não desandasse, Bineco viveria seu sonho particular, nos favores, nas viagens, nas festas.

Em 30 de setembro de 1975, Caetano subiu ao palco do Canecão com Chico Buarque e Milton Nascimento. Pela primeira vez os três cantavam juntos no mesmo espetáculo. Apesar dos mexericos da imprensa, Chico fazia o bis com a família Velloso. Diferente da temporada com Bethânia, daquela vez seria um espetáculo único, em homenagem ao compositor popular. E nada melhor que três deles para comandar a festa. Uma "festa imodesta", como dizia a canção homônima de Caetano que encerrou o show com as três vozes em uníssono. Pelo menos no palco, os artistas ainda podiam se abraçar, comemorar e extravasar sem preocupação. Fora dele, porém, a sensação era outra, principalmente para quem permanecia visado pelos órgãos de repressão.

Embora a imprensa tivesse recuperado em parte seu espaço, a brutalidade se mantinha no governo Geisel. Em outubro de 1975, o jornalista Vladimir Herzog foi torturado e morto nos porões do DOI-CODI de São Paulo. Crimes como esse aconteciam a todo instante. A maioria nem chegava ao conhecimento público. Abafar fazia parte da estratégia. Afinal, ninguém mais acreditava nas lorotas de que o sujeito havia sido atropelado, suicidara-se ou fora atingido em fuga. A tão sonhada abertura tardava ainda. Apesar de tudo, a esperança equilibrista habitava o coração daqueles que sonhavam com a volta do irmão do Henfil. Os tempos eram de barbarismo, mas era preciso acreditar que dias mais doces estavam por vir.

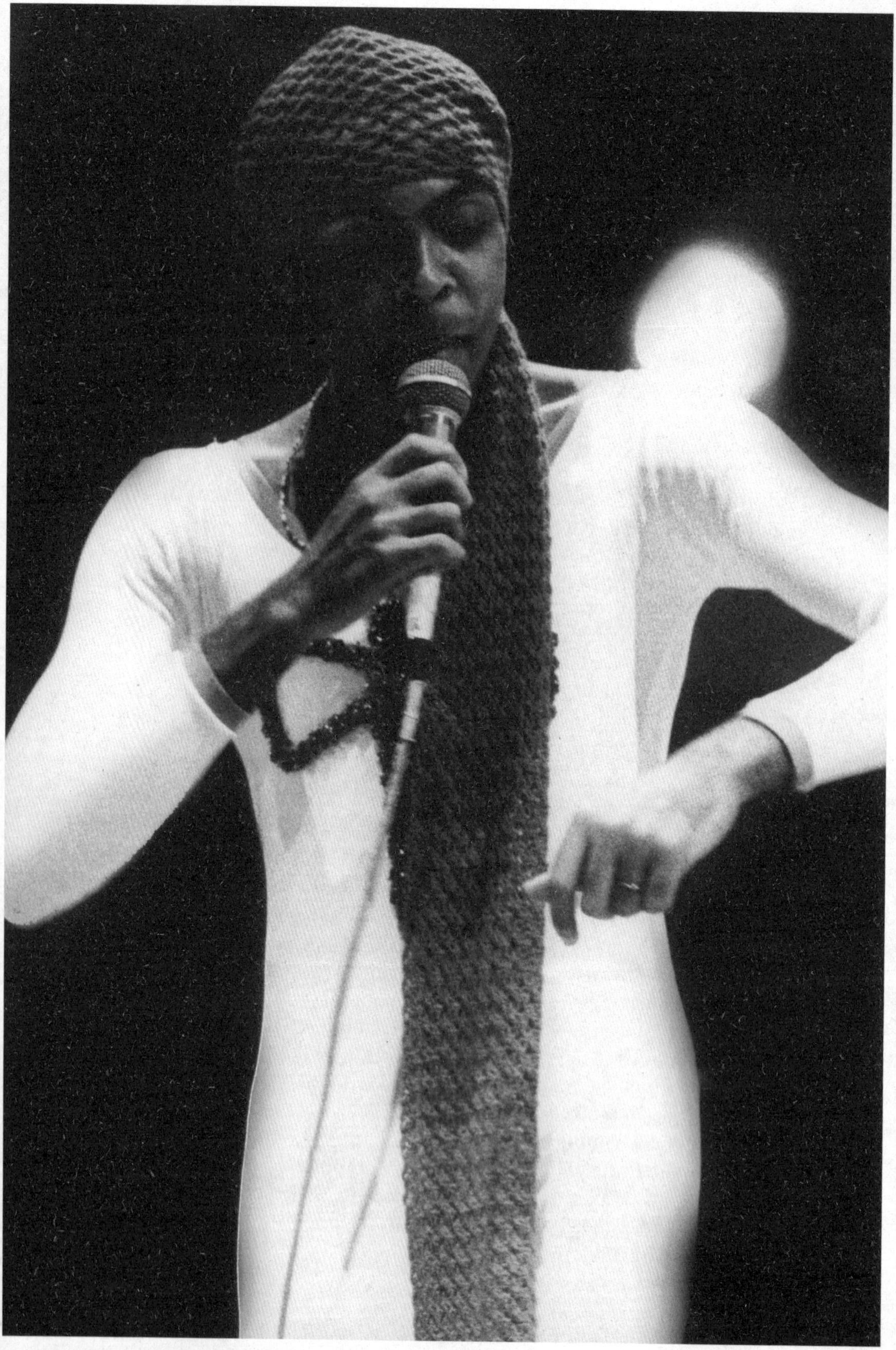

15

BARBARIZAR... SEM PERDER A DOÇURA

Era uma vez um país tropical, abençoado por Deus e bonito por natureza. O sol brilhava o ano inteiro e seu povo sorria de felicidade. Até mesmo quando faltava motivo para tanto. O brasileiro precisou se acostumar a ser valente desde muito cedo. E aquela geração mais ainda. Nos idos de 1976, depois de mais de uma década de governo militar, o tal "milagre econômico" já tinha ido para o espaço fazia um bom tempo. E não havia mais quem engolisse a fajuta máxima de que ninguém segurava esse país. A mão de ferro do Estado ainda esmagava e oprimia quem ousasse se rebelar contra o *status quo*. Só que em todo regime que se preze, por mais fechado que possa parecer, sempre haverá uns doidos para jogar pedra na vidraça. É uma questão de física: ação e reação.

Nossa história continua com quatro doidos, nem tão doidos assim, às vezes bem dóceis, às vezes terrivelmente bárbaros, que se encarregariam de escrever mais um capítulo desse enredo. Maria Bethânia, Caetano Veloso, Gal Costa e Gilberto Gil. Esses quatro jovens artistas plantariam uma nova semente no campo viçoso da cultura brasileira. Os quatro no mesmo palco, em torno de um ideal comum, formariam um grupo de músicos. Não seria um "supergrupo", daqueles de estilo *pop*, mas sim, um "subgrupo", como bem preferia Caetano.

Doze anos após a primeira reunião dos quatro em *Nós, por Exemplo...*, e onze depois de *Arena Canta Bahia*, chegava a hora de fazer um apanhado das muitas estradas por onde haviam passado. Depois da temporada de verão de 1974, na qual Caetano, Gal e Gil se revezaram no palco do Vila Velha, em meados de 1976 o quarteto completo finalmente se reuniria como nos bons tempos. A novidade ficava por conta do poder agregador, e até um tanto inesperado, de Maria Bethânia. Aliás, inesperado só se fosse para os mais distraídos, porque a cantora sempre teve personalidade forte e naquela ocasião sabia muito bem o que queria. A ideia do encontro partiu dela. Foi ela quem ligou para Caetano e mandou chamar todo mundo.

O plano de Maria Bethânia seria juntar novamente os quatro no mesmo espetáculo. Uma celebração digna para os mais de dez anos da prolífica carreira de cada um deles. Para iniciar esse projeto audacioso, falou primeiro com o mano Caetano. Ele ouviu, pensou e logo se mostrou favorável à proposta. Como se não bastasse o plano ser muito bom, ainda por cima Bethânia em pessoa fazia a convocação. A irmã, que tantas vezes fora sua guia, novamente apontava um caminho diferente a seguir. A conversa prosseguiu e, depois de ouvir tudo com muita atenção, Caetano comprou a ideia.

Considerando o histórico do quarteto, não poderia ser uma celebração qualquer. É bom lembrar que eles começaram juntos. Tinham a mesma base. Primeiro veio o coletivo, depois é que estabeleceram suas carreiras individuais. Para retornar às raízes, Caetano queria até mesmo um nome que os identificasse como grupo. Ainda não tinha uma sacada inventiva para o batismo, mas isso viria com o tempo. O importante seria conectar logo aqueles quatro baianos fabulosos. Do núcleo familiar, o chamado de Bethânia seguiu em direção a Gal e Gil. No meio do caminho, encontrou uma barreira complicada a ser vencida: a tal da agenda. Mas o ímpeto de fazer o encontro resolveu a questão e a solução desse problema foi, literalmente, uma questão de tempo. Demorou alguns meses para planejar tudo, assim, como quem dá à luz a uma criança. E para aproveitar todo esse período de gestação, também deram forma a novas músicas, compostas especialmente para o evento.

Ainda no primeiro encontro em família, inspirada num sonho de Bethânia, nasceu "Pássaro Proibido", letra dela e música de Caetano. Era só o começo. Em seguida, Gil fez um tanto e Caetano mais um pouco. Trocaram experiências e no meio de tudo começaram a compor em parceria. Com tanta munição guardada, em breve estariam preparados para conquistar o mundo. Para fechar o conceito de espetáculo, incluíram no repertório "Fé Cega, Faca Amolada", de Milton Nascimento e Ronaldo Bastos, "Atiraste uma Pedra", de Herivelto Martins e David Nasser, e "Tárasca Guidon", de Waly Salomão, na época assinando ainda com o misterioso pseudônimo Waly Sailormoon. Para gerar uma criança basta somente um pai e uma única mãe. Aquele filho teria a felicidade de ter dois de cada.

O dom de dar nome aos bois não tornava Caetano mais importante que os demais. Longe disso, só que ele gostava da brincadeira. Com *Nós, por Exemplo...* havia sido assim. Uma década mais tarde, o filme se repetia. De uma daquelas conversas filosóficas com Jorge Mautner, Caetano chegara à conclusão de que eles eram os mais doces dos bárbaros. Do pensamento para uma nova canção♪[50], e dali para denominar o grupo de amigos, foi um pulo. Muito em breve os quatro ganhariam a estrada com um nome forte: "Doces

---

[50] ♪ "Os Mais Doces dos Bárbaros"

Bárbaros". Aliás, os quatro sozinhos, não. Além de técnicos, assistentes, empresários e amigos, uma leva de gente talentosa ficaria responsável pelo som da caravana. Arnaldo Brandão, Chiquinho Azevedo, Djalma Corrêa, Mauro Senise, Perinho Santana, Tomás Improta e Tuzé de Abreu seriam os músicos da banda. Cheios de amor no coração, estavam todos prontos para a invasão.

❧

A turnê *Doces Bárbaros* seria uma empreitada de peso, daquelas difíceis de conduzir e administrar. A missão de colocar os quatro bárbaros em cena ficaria sob a batuta de Guilherme Araújo. Daquela turma com a qual ele havia trabalhado, Bethânia estava em outra desde uma comentada briga ocorrida nos anos 1960. E Gil também não pertencia mais a seu elenco de contratados. Além de juntar artistas tão díspares, o fato de não trabalhar mais com alguns deles também dificultava um pouco. Não bastasse a questão interna, havia toda a parte operacional envolvida. Passariam por dez cidades, de norte a sul do Brasil. Além disso, a turnê renderia um compacto e um LP duplos, um filme dirigido por Jom Tob Azulay, uma infinidade de registros fotográficos e muitas e muitas laudas na imprensa. Certamente, uma superprodução digna da grandeza dos quatro artistas envolvidos.

Numa quinta-feira, 24 de junho de 1976, o show estreou no Palácio das Convenções do Anhembi, em São Paulo. Contagiado por toda a expectativa natural pela junção de grandes artistas, o público foi conferir em peso. No palco, ambientados no cenário estilo lona de circo, de Flávio Império, os quatro se davam as mãos e, no clima de mitologia religiosa africana, se apresentavam com as cores do orixá protetor de cada um. A pantalona azul claro de Caetano, por exemplo, obra do figurinista Will Arembepe, rendia homenagens a Oxóssi, segundo a tradição do candomblé. Além disso, a impressão de estreantes que queriam passar dava ao espetáculo a carga de despojamento necessário para abrilhantar o roteiro bem costurado. De "Os Mais Doces dos Bárbaros" até "Nós, por Exemplo", quase duas horas de um Carnaval particular que a plateia assistia privilegiada.

Do início promissor, com um público na casa do milhar, o desejo de pegar a estrada pediu passagem. Depois de São Paulo, fariam um show em Campinas e de lá dariam uma esticada um pouco maior: quatro dias em Curitiba. Na região sul do país, as baixas temperaturas faziam lembrar o período londrino. Como nos velhos tempos, os baianos novamente se encarregariam de esquentar o clima. A cidade era grande e acostumada a receber astros da MPB. A adoração que os quatro suscitavam logo se tornou foco de convergência e a população local deu aula de hospitalidade. Tratados como ídolos, artistas e músicos recebiam paparico o tempo inteiro. E o cordão de tietes aumentava a cada passeio, cada ensaio, cada apresentação. Era a coroação de um projeto nascido em berço esplêndido. A massagem do ego chegava em boa hora, ainda mais quando se tinha a amizade de um dos maiores poetas daquela região, Paulo Leminski, "o que chegou sem ser notado".

A vida de Paulo Leminski teve um de seus momentos mais decisivos exatamente quando conhecera Caetano Veloso um par de anos antes. Leminski encontrara seu ídolo no dia em que este decidira fazer uma visita inesperada acompanhado de Gal Costa. Naquela época, entre um golpe e outro de judô, Leminski labutava com unhas e dentes para fazer sua arte conhecida do grande público. Tropicalista declarado, tremeu mais que vara verde ao encontrar o ídolo pela primeira vez. Em meados de 1976, assim como a cidade inteira, Leminski abraçaria aqueles Bárbaros de corpo e alma. Durante o período da turnê em Curitiba, tiveram a chance de colocar os assuntos em dia. Com os quatro reunidos, a paixão do poeta por Caetano e Gal naturalmente reforçaria a admiração por Bethânia e Gil.

Amigos, desconhecidos, admiradores, o carinho da cidade foi tanto que nem todos estavam confortáveis para seguir viagem. Gal e Bethânia, principalmente. Pareciam pressentir uma situação complicada no caminho daqueles "quatro cavaleiros do após-calipso". A próxima escala da turnê seria em Florianópolis. Desde a preparação do roteiro, a cidade não tinha agradado às cantoras. Se o tal sexto sentido feminino se manifestava, ninguém sabia dizer. O fato é que ambas sentiram uma vibração estranha na escolha. Nunca tinham ido a Florianópolis, muito menos havia razão para antipatizá-la. Simplesmente não queriam ir. Apesar de todo pressentimento, a escala foi mantida. Estavam juntos até ali, então não podiam retroceder. Tentariam prosseguir, mas dariam com a cara em portões mais grossos do que poderiam imaginar. Em Florianópolis, o acampamento dos Doces Bárbaros seria invadido por um grupo decidido a interromper a viagem.

❧

Na manhã de quarta-feira, 7 de julho de 1976, na antiga cidade de Nossa Senhora do Desterro, atual Florianópolis, a trupe ocupava boa parte dos quartos do Hotel Ivoram. Ainda não havia movimentação em torno de um provável café. Acostumada a trocar a noite pelo dia, a turma dormia tranquilamente até mais tarde. Por volta das 7h, alguns policiais chegaram ao estabelecimento. Traziam a suspeita de que os artistas hospedados naquele hotel portavam narcóticos. Elói Gonçalves de Azevedo, delegado responsável pela batida, recebera a denúncia de um amigo particular, que tinha visto o show em Curitiba. Ciente de sua obrigação como policial de respeito, não queria escorregar no mesmo erro onde outros derraparam. Restava-lhe a responsabilidade de apurar cuidadosamente os fatos. E, se fosse preciso, iria até as últimas consequências para fazê-lo.

Os artistas estavam na cidade desde segunda-feira, dia seguinte à última apresentação em Curitiba. Ocupavam o terceiro, quarto e quinto andares do hotel. Mas isso também não importava. Os homens da lei vasculhariam cada canto daquele prédio. Acompanhado de Clóvis Ferraro, também delegado, e meia dúzia de policiais, Elói obteve na recepção uma lista com cada membro da equipe e partiu para o flagrante. Se a movimentação na entrada do hotel não foi suficiente para chamar a atenção do grupo, a revista em cada quarto seria. No terceiro andar havia pouca gente. Daniel Rodrigues, empresário de Gil e produtor da excursão, estava naquele andar e tudo começou pelo quarto dele. Elói vinha com tudo. O *mise-en-scène* fazia parte de seu show. Tinha passado por tantas situações semelhantes que conhecia o roteiro de olhos fechados: algumas perguntas secas, a cara de poucos amigos, a revista detalhada e... bingo! Lá estaria a droga. Daí era só prender o meliante. Às vezes a ordem das ações não alterava o resultado, pois ele, policial de faro, não demorava a conseguir seu objetivo. Daquela vez, a primeira tentativa foi frustrada. Daniel estava "limpo". Não havia nada que pudesse comprometê-lo. Não podia ser. Elói estava tão seguro de si que não conseguiu aceitar. Alguém devia ter vazado a ação. Tudo bem. Tinha mais gente no andar de cima.

Daniel nem acreditou no furacão que acabara de passar. Refeito do susto, veio a preocupação natural em relação aos outros. Embora estivesse livre de qualquer suspeita, não podia garantir o mesmo dos demais. Precisava avisá-los para que se preparassem. Que tal o telefone? Valeu a tentativa. Nada feito. Por algum motivo os aparelhos do hotel não completavam a ligação. Sem ter muito que fazer para ajudar os amigos, apenas viu da porta os policiais rumando para o andar de cima. Exatamente no quarto andar se concentrava boa parte da equipe. Ali o delegado faria sua festa particular.

Em um dos primeiros quartos do corredor estava Gilberto Gil. As batidas repentinas na porta o assustaram. Quem seria? No caminho para atender, Gil nem imaginava o que encontraria do outro lado da porta. Apenas boas hipóteses passaram por sua cabeça. Talvez um revigorante café da manhã que chegava depois de uma noite cansativa. Até poderia ser um grupo de fãs loucos para conhecer aquele abraço e um pouco mais. Nada disso. A polícia havia chegado sem enviar nenhum sinal. E eles não queriam a paz. Estavam ali porque sentiam o cheiro da droga. Prenderiam os responsáveis por qualquer "sujeirada" que estivesse por perto. Mas com Gil não tinha o menor problema. Os "canas" podiam mexer onde quisessem. A calma ajudava, mas não seria tão tranquilo assim.

De tanto fuçar, acharam. Numa pequena bolsa, estilo carteira indiana, Gil guardava uma bagana de maconha. Estava lá havia dias, esquecida, desde que a recebera de presente em São Paulo. Como não era consumidor regular, deixou para acender no momento em que desse na telha. Obsessivo no combate ao uso de drogas, o delegado Elói fazia o tipo "linha-dura", e queria saber de quem era aquele bagulho. Ainda sob efeito de um torpor matutino, e mesmo diante da presença inoportuna, Gil não titubeou. O cigarro de maconha lhe pertencia, sim, e só ele tinha a ver com aquilo. Depois dessa, ia ter de se explicar na delegacia. E Elói estava só no começo da caçada.

O ritual de busca e apreensão continuaria no quarto ao lado, onde estava Caetano. Ele tinha ouvido todo o burburinho no quarto de Gil. Discrição não era o forte daquela força-tarefa. Ciente do que se desenrolava do outro lado, pensamentos desagradáveis passaram por sua cabeça como num filme de suspense. Eles não vieram para brincadeira e logo estariam atrás de explicações que ele não poderia dar. Aquela sensação de ter sua privacidade invadida voltava com a força de um tijolo caindo na cabeça. Naquela fase de primeiras horas do dia, quando começava a sentir sono, mais uma vez seria surpreendido por homens da lei. As reminiscências do episódio de sua detenção em 1968 continuavam a reverberar. Na medida do possível, tinha chegado ileso até ali, só que o monstro da repressão continuava a assustá-lo e mais uma vez esmurrava sua porta.

Pouco adiantava tentar bloquear a entrada ou fingir que dormia. O estupro mental seria inevitável. Se no quarto ao lado Gil tratou de curar suas feridas de imediato, Caetano enfrentava seus traumas mais profundos. Ele também não tinha nada a esconder, porém, a postura do delegado o incomodava. Os policiais reviraram o quarto inteiro. Cada cantinho de gaveta, o colchão, os sapatos, nada escapou. No final, ficou tudo revirado. Elói tinha uma denúncia de fonte confiável. Como não teve sucesso em sua busca minuciosa, encrencou com um frasco de tranquilizantes. Devido aos problemas de insônia, Caetano contava com a segurança de uns comprimidos de Valium para usar nas noites mais difíceis. O problema é que esse tipo de remédio só saía da farmácia com apresentação de receita médica, e esta, Caetano não possuía naquele momento. No calor da revista, Elói não queria conversa. Nem adiantava apelar à tia Lea, que também estava no grupo e tinha o contato do médico que havia receitado. O delegado não lhe dava esse direito. Foi preciso convencê-lo sem a ajuda de ninguém. Depois de muito "disse me disse", Caetano conseguiu essa façanha e foi liberado. O frasco de tranquilizantes, no entanto, seria levado para a delegacia como símbolo de mais uma conquista da equipe. A lista de apreensões não terminaria aí. Nos outros quartos, a equipe do delegado coletaria outras evidências, terminando sua missão de busca com uma coleção inteira de supostas provas.

Caetano havia passado por situações mais complicadas na vida, não seria nessa que ele abandonaria os amigos. Estaria ao lado deles até o fim do caminho.

❧

A Delegacia de Tóxicos de Florianópolis certamente não estava habituada àquela movimentação toda. Policiais, músicos, empresários, técnicos e demais integrantes da equipe de produção dividiam o espaço naquele cenário desapropriado. Numa das mesas próximas repousavam os troféus da apreensão: o frasco de Valium de Caetano; uma folha seca de coca, que Maria Pia, empresária de Gal e Bethânia, utilizava como marcador de livros; o pó de pemba utilizado por Bethânia e Gal para cultuar seus santos, e que fora apreendido como se fosse cocaína; o baseado de Gil; outra bagana encontrada com Tomás Improta e Mauro Senise; um pacote de maconha encontrado com Djalma Corrêa e Chiquinho Azevedo. E poderia ser pior.

Os telefones que pareciam bloqueados tinham completado a ligação em alguns dos quartos. Com isso, Arnaldo, que estava carregado de maconha, teve tempo de meter a erva na privada e dar descarga. Ainda teve a audácia de zombar da cara fechada de Elói que, diante da escassez de evidências, sabia que alguém tinha conseguido avisá-lo. Arnaldo não perdeu a pose e confirmou que foi isso mesmo que aconteceu. Tuzé foi outro que escapou por pouco. Instrumentista calejado, tinha o curioso hábito de limpar as pastilhas de sua flauta com papel de cigarro. Criado nas rodas de música das filarmônicas baianas, sabia que assim conservava o instrumento muito melhor do que limpando com papel ou pano normais. Quase que o pedaço de papel ajudou a preencher ainda mais a icônica mesa.

O saldo foi a detenção de Gil, Chiquinho, Djalma, Tomás, Mauro e Maria Pia. Não por muito tempo. Maria Pia seria liberada em seguida, pois não havia cometido crime algum. Apenas gostava de marcar seus livros de modo extravagante. Tomás e Mauro combinaram a versão de que a bagana viera de uma noitada com alguns jovens da cidade, estes sim, verdadeiros donos da droga. Apesar da pressão psicológica que enfrentaram, os dois se saíram bem e foram liberados. Djalma foi inocentado por Chiquinho, que assumiu ser o único dono do pacote de maconha encontrado no quarto deles. Para Gil e Chiquinho, porém, não teve álibi que os livrasse. O processo foi instaurado e teriam de responder por ele dali em diante.

A notícia correu feito um raio. Àquela altura, uma legião de repórteres dispostos a divulgar o furo se acotovelava na porta da delegacia. Elói dizia que não tinha nada a ver com o tumulto e tampouco poderia segurá-los na entrada por mais tempo. Àquela altura, todos sentiam no ar o desejo do delegado em fazer autopromoção com o caso. Por sorte, ser uma figura pública e reconhecida tem seus benefícios. Logo a cidade inteira soube do acontecido e as manifestações de apoio se multiplicaram. Embora bem-vinda, toda essa comoção não adiantava do ponto de vista formal, já que a sentença não viria de júri popular. Por outro lado, também não podia ter sua força ignorada, na medida em que a opinião dos catarinenses poderia pressionar as medidas do judiciário.

Influenciadas ou não, decisões favoráveis acabaram sendo tomadas. Beneficiados por um mandado judicial, Gil e Chiquinho podiam pelo menos cumprir seus contratos. Naquele clima pesado o melhor verbo a ser conjugado seria "tentar". O fato de responder a um processo tornava difícil tocar o restante da turnê como se nada tivesse acontecido. Mesmo assim, naquela noite fria, fizeram a última apresentação em Florianópolis. Abalados com os últimos acontecimentos, músicos e artistas não conseguiram apresentar o que tinham de melhor. Em resumo: o show foi uma merda. Terminava assim o primeiro ato desses Doces Bárbaros.

✿

O uso da maconha sempre foi um tema tabu e motivo de perseguição por parte da polícia e da sociedade. Mas os tempos mudam e assuntos dessa natureza tendem a ser repensados a todo momento. Em meados de 1976, o Brasil de Ernesto Geisel estava a meio caminho da abertura. O corte definitivo das amarras ditatoriais não havia se dado ainda, mas já se podia sentir uma melhora. No Rio de Janeiro, os malucos-beleza herdeiros do Píer curtiam seu bagulho numa boa, sem serem incomodados por uma polícia que ainda se preocupava mais em caçar comunistas. Passado quase um mês desde o episódio fatídico da erva, o grupo se reuniria novamente, dessa vez para cantar aos pés do Cristo Redentor.

Como Gil tinha assumido publicamente seu envolvimento com drogas, principalmente a maconha, a sentença dele e de Chiquinho Azevedo foi a de cumprir reclusão em clínica psiquiátrica. Primeiro passaram um período em Florianópolis, no Instituto São José. Depois vieram para o Instituto Philippe Pinel, em Botafogo, no Rio de Janeiro. Difícil alguém cumprir internação feliz da vida. O problema é que não havia outro jeito. Como diz o ditado: se não pode vencê-los, junte-se a eles. No Pinel, Chiquinho rapidamente se enturmou com outros pacientes. Ali o baterista deixava de ser um estranho no ninho para se tornar parte dele. Gil, por outro lado, preferia ficar mais introspectivo. Na rotina do sanatório, cada um, à sua maneira, recarregava as baterias para pegar a estrada novamente.

No mesmo ano em que a Bahia deixava de cobrar licença para o funcionamento das casas de candomblé, o preconceito continuava solto no Brasil.

Gil não era daqueles usuários mais constantes. Mesmo assim decidiu, corajosamente, assumir sua posição perante a sociedade, colocando as primeiras lenhas nos debates sobre a descriminalização da maconha. Depois do episódio vivido por ele, o tema ganharia outra conotação. O velho estigma de "maldita" perderia força a partir daquele período, ainda que o assunto rendesse debates intermináveis no futuro.

Dali em diante, o diálogo ficou mais aberto e muito se falaria em maconha no Brasil. O tema também já tinha sido vinculado ao nome de Caetano Veloso. Ninguém acreditava que um cara cabeça como ele, com pinta de bicho-grilo, amante da liberdade e representante da geração 1960, não apertasse um baseado de vez em quando. A realidade, no entanto, era outra. Das drogas, Caetano continuava fora. Isso não o impedia de ficar ao lado do parceiro na hora em que ele mais precisava. No centro das discussões, Gil levou à frente suas ideias libertárias, e suas declarações sobre o caso realçaram seu perfil engajado. Mas o cerne da questão não estava no viés político, não importava ser de centro, direita ou esquerda. Abordar o problema sem máscaras, de corpo e alma, causava muito mais efeito. E para fazer arte no Brasil de 1976 só mesmo com alma e muita paciência. E ele as tinha de sobra. No meio da batalha, Gil soube esperar pelo momento do recomeço. Em 4 de agosto ainda havia dúvida se a justiça o liberaria para a retomada artística. A estreia no Canecão estava marcada e, mesmo na véspera, o impasse que envolvia sua participação continuava pendente.

O suspense durou até os últimos minutos. Valeu a pena esperar. Gil foi liberado. Para delírio dos fãs, a caravana dos Doces Bárbaros retornaria com o time completo. O grupo estreou no Rio e ficou em cartaz até 19 de setembro. Foram quase dois meses de lotação esgotada.

❧

Depois da tormenta, vem a calmaria. Muita gente acha que o tempo passou a correr mais rápido depois do advento do computador. Exageros à parte, a velocidade das transformações ocorridas no decorrer do século vinte dava mesmo essa impressão. Na vida de brasileiros bem musicais as mudanças tinham características mais dançantes, por assim dizer. Mal terminava uma turnê, com direito a furacão no meio, a turma entrava em outra roda-viva com a moda das discotecas. Naquele período, o quente era rodopiar na pista escura, deixar os sapatos bem lustrados, deslizar à luz de globos espelhados pendurados no teto e curtir o som em passos cuidadosamente coreografados. Eram tempos frenéticos aqueles.

Inspirado pelas grandes casas nova-iorquinas, Nelson Motta dava asas ao sonho de criar um local para embalar as noites tropicais dos cariocas. Em agosto de 1976, Nelsinho levantou seu primeiro voo. Inaugurou, no quarto andar do recém construído Shopping da Gávea, a boate The Frenetic Dancing Days Discotheque. A casa, porém, já nascia com data de validade. Permaneceria no local apenas até o início das obras do Teatro dos Quatro. Seria por pouco tempo, é bem verdade, mas suficiente para sacudir as noites do Rio de Janeiro e gravar o nome na história do entretenimento carioca. No repertório variado não poderiam faltar James Brown, Gloria Gaynor, Andrea True Connection, KC & The Sunshine Band, Marvin Gaye, Bee Gees, Carl Douglas, Barry White e Tim Maia. Embalados pela trilha da época, cada um se movia na pista como se fosse o próprio Toni Tornado ou, ainda, um John Travolta dos trópicos. E eles queriam *more, more, more...*

Com um babado desses agitando a cidade, não dava para ficar longe muito tempo. Não bastasse o local ser dirigido por Nelsinho, as mixagens ficavam nas mãos de Pelé, aquele mesmo do tempo da Sucata, agora tratado carinhosamente de Dom Pepe. As tribos de moderninhos se encontravam na Dancing Days. Quem queria ser visto balançava o esqueleto por lá. O clima que agradava dez entre dez frequentadores atraía novos adeptos. Atento às novidades, Caetano passou boas noitadas debaixo do globo espelhado, sempre cercado de amigos e muita luz néon. Ali não faltava gente bonita para admirar e investir na paquera. A atriz Sônia Braga foi uma das musas que passaram a reinar naquela pista.♪[51] Um avião que enlouquecia o imaginário de qualquer brasileiro. Caetano que o diga.

Com toda aquela gente jovem, bonita e bronzeada, o local transpirava sensualidade. Até as garçonetes, que depois ficariam conhecidas como As Frenéticas, chamavam a atenção com seus espartilhos provocantes e seu jeito *sexy* de ser. Naquele território livre havia espaço para todos. Anônimos, famosos e quase famosos, curtiam lado a lado os embalos das noites cariocas. No meio de todo esse povo um jovem de personalidade aparecia de vez em quando. No futuro, Caetano também trocaria influências com aquele garoto agitado de Ipanema. Pouquíssima gente o conhecia pelo nome. Agenor de Miranda ninguém tinha ouvido falar. Para os amigos e toda a torcida do Flamengo, seu apelido soava bem mais alto: Cazuza.

❧

O ano de 1976 foi aquele embalo. Por mais que houvesse uma derrapada ou outra, marcou. O próximo também começaria bem. Para não perder o costume, logo no início a Philips manteria a tradição de lançar um compacto de Caetano com músicas de Carnaval. Dessa vez vinha com "Piaba" e "A Fi-

---

[51] ♪ "Tigresa"

lha da Chiquita Bacana". No início de 1977, os foliões de Salvador já podiam contar os dias pela chegada dos trios. O Carnaval daquele ano cairia em fevereiro, mas o próprio Caetano não teria tempo de aproveitar as loucuras da festa. Naquele período, um convite surpreendente o levaria a terras nunca dantes visitadas.

Gilberto Gil conhecia a velha África de outros tempos. Não apenas de cartão postal, dos poemas de Castro Alves e das histórias contadas pelos mais antigos, como na tradição dos *Griôs* daquele continente. Gil sabia muito bem onde ficava Luanda. Estivera por lá dez anos antes. Então não deixaria escapar outra chance de regressar à matriz da raça, sobretudo num momento em que estava muito mais consciente de suas raízes. Daquela vez levaria Caetano, seu parceiro de todas as horas. Com as malas prontas, os dois rumaram para o 2º FESTAC, o Festival Mundial de Arte e Cultura Negra, a ser realizado em janeiro e fevereiro de 1977, em Lagos, na Nigéria.

A Nigéria colonial havia se unificado como território em 1914, quase duas décadas depois de a Inglaterra tomar conta da região entre Daomé (atual Benin) e Camarões. Em 1947, o 1º Governo Federal assumiu o controle do país, mas as disputas internas ainda atrapalhavam uma união nacional. A crescente participação dos nigerianos nos rumos do país levou à independência em outubro de 1960. Conflitos de origem tribal culminaram numa violenta guerra civil, em 1967, onde se pretendia separar a província do leste, denominada Biafra, do restante do país. A guerra se estendeu por três anos e o resultado foi um massacre de mais de dois milhões de pessoas, a maioria vítima da fome. Em 1976 a poeira até podia ter assentado, mas o cenário não era totalmente estável.

Para enterrar de vez as mazelas do passado, nada melhor do que realizar um evento onde a comunidade negra pudesse se reunir, debater valores e discutir problemas em comum. Não por acaso esses eram os principais objetivos do FESTAC. A 1ª edição tinha ocorrido alguns anos antes, em Dakar, no Senegal, e cabia à Nigéria dar continuidade à programação, reforçando a posição africana para o resto do mundo. No meio de um intenso processo de reconstrução, a África também queria mostrar sua face. O clima de globalização contagiou cada liderança no mundo e delegações de todo o planeta desembarcaram em Lagos naquele período.

O evento tinha também seu lado social. O conjunto de prédios onde ficavam hospedadas as delegações seria destinado posteriormente a planos habitacionais patrocinados pelo governo, uma espécie de BNH local. Algo semelhante aconteceria com o sistema de transporte coletivo criado especialmente para a ocasião. Os novos ônibus serviriam à população de uma cidade tomada por um trânsito caótico. O legado estava garantido. Durante o evento não haveria do que reclamar. Para alegrar a festa, várias manifestações artísticas, com muita música e dança, teriam vez e seriam levadas a cabo por grandes astros da música, como os filhos da terra King Sunny Adé e Fela Kuti, o norte-americano Stevie Wonder, a sul-africana Miriam Makeba e o baiano Gilberto Gil.

A esse elenco até poderia ser incluído Caetano Veloso. Afinal, o sangue africano também corria em suas veias. Por mais que fosse um mulato suficientemente claro para ser chamado de branco, não podia negar suas origens. Aquele era um festival de celebração universal antes de tudo, por isso Caetano poderia cantar e tocar se quisesse. Embora sua contribuição à cultura local tenha sido discreta, o mesmo não se podia dizer em relação a seu aprendizado. Trazia na bagagem uma experiência inesquecível. O convívio com uma cultura rica, diversificada, distante e ao mesmo tempo tão próxima. Pode não ter sido como a viagem de Gil a Recife, quando buscava um som que se afinasse com a fusão de ritmos que seria a Tropicália. Impacto igual não foi, mas também não ficou muito atrás. Dali em diante, sempre haveria Lagos.

As marcas deixadas em Caetano tiveram sua profundidade. A Juju Music, a religião, a comida, os shows. Muita lembrança boa de uma terra até então virgem para ele. Os "causos" também ficariam na memória, como aquele do motorista que os levava para cima e para baixo e não mudava o discurso na hora de negociar preço. Os brasileiros perguntavam quanto custava uma blusa e o homem respondia: *two Naira fifty Kobo*[52]. Perguntavam quanto valia um chapéu e a resposta vinha de pronto: *two Naira fifty Kobo*. Um badulaque, idem. Um quitute, o mesmo valor, sempre *two Naira fifty Kobo*. Naira era a moeda corrente e *Kobo* sua fração decimal. Com aquele motorista, a Nigéria se antecipava ao modismo global das lojas que passariam a vender tudo a $1,99 em tempos de estabilização econômica. Com tanta gente criativa por perto, esse mantra financeiro acabaria inspirando a criação de uma obra. O magro motorista que se empolgava ao ritmo da dança local teve seu nome de batismo esquecido, mas seu apelido ainda seria lembrado por muito tempo.

Com influências recebidas diretamente da fonte, os participantes daquele festival amplificavam seus motores criativos. Em breve a nova música africana também ganharia o devido espaço na carreira de muito artista brasileiro. E o que é melhor. Tudo a um preço bem simbólico: *two Naira fifty Kobo*.

❦

Nem bem Caetano chegou de viagem e teve de enfrentar mais uma dura despedida. Dessa vez forçada. Em 27 de março morria Anecy Rocha, vítima

---

[52] "Two Naira Fifty Kobo"

de uma queda acidental no poço do elevador do edifício São Judas Tadeu, em Botafogo, onde morava com o marido e o filho. A delicadeza de sua imagem, exibida em um bom número de filmes, tinha se firmado depois da atuação na novela *Bandeira 2*, da Rede Globo, ambientada na Escola de Samba Imperatriz Leopoldinense, no subúrbio de Ramos. Em seu concorrido enterro, no meio de tantos cineastas, atores e atrizes, teve-se a dimensão do séquito de admiradores que ficaram órfãos. Entre eles, Caetano. Aliás, muito mais que admirador, um eterno amigo, namorado, companheiro, irmão.

Pouco antes, em janeiro, outra de suas musas tinha deixado saudades. Os olhos verdes de Maysa haviam se fechado para sempre. Despedira-se de uma vida agitada para entrar na história. Logo Maysa, que assim como Brigitte Bardot, servira de inspiração para tantos desenhos de Caetano. Os traços delineados por uma criança nem o tempo consegue apagar. Da morte inevitável ninguém escapa. A imagem enigmática da cantora ficaria gravada para sempre. Com uma notícia ruim atrás da outra, parecia que o ano seria de perdas. Pura impressão. As compensações da vida chegariam aos poucos. A começar pelo aperitivo de entrada: o lançamento de *Alegria, Alegria*, dessa vez em forma de livro.

Alegria, Alegria seria uma coletânea da produção intelectual de Caetano, das crônicas dos tempos de estudante universitário a entrevistas inéditas. O amontoado de textos foi organizado pelo amigo Waly Salomão e publicado pela Editora Pedra Q Ronca. Depois de lançado no Rio, com Caetano assinando inúmeros exemplares, a primeira edição se esgotou rapidamente. Com a editora pequena demais para alimentar reimpressões, novas tiragens seriam raras. Mais gente comentaria sobre ele do que o leria propriamente. No futuro, até mesmo em sebos ficaria difícil encontrar um exemplar perdido da primeira edição.

Em 1977, a estreia literária de Caetano foi deveras agradável. Até poderia ter sido com um livro de poesias, dada sua habilidade em criar versos originais, de rimas raras e formas distintas, quase sempre ornamentados com imagens inspiradoras. A escolha dele, no entanto, recaiu sobre seu lado prosador, cuja matéria prima principal saía de seu pensamento em constante ebulição. Feito uma fonte que jorra e renova o caminho à frente, o processo criativo de Caetano permanecia em constante renovação. Naquela época, mais um trabalho sairia de sua cabeça pensante para ganhar forma. Em breve, os primeiros frutos de sua passagem pela África poderiam ser colhidos.

Para soltar todas as feras, um novo disco começou a ser produzido. *Bicho* era um nome sugestivo e ao mesmo tempo bem a calhar. No repertório havia bicho, ou melhor, música para todo gosto. "Tigresa", "O Leãozinho" e "A Grande Borboleta", que também aparecia na capa desenhada por Caetano, compunham a lista das canções. No meio dessa fauna musical, havia também espaço para "Gente" e "Um Índio". Como de costume, a inspiração veio de todos os lados. "O Leãozinho", por exemplo, Caetano compôs pensando no baixista leonino Dadi e sua cabeleira em forma de juba. Assim como o motorista de Lagos inspirou a inevitável "Two Naira Fifty Kobo", que inaugurava a Juju Music no Brasil. E as homenagens não paravam por aí. Além dessa, a herança da cultura negra também poderia ser sentida na canção "Odara". Waly Salomão foi quem apresentou o termo, que significa bonito, formoso, bom. Caetano sabia de sua origem africana, também já tinha ouvido no canto de Clara Nunes e nos terreiros de candomblé. Naquele contexto, a palavra ganhava contornos muito além da canção. Com o disco lançado, "Odara" passou a ser um modo de agir, de se vestir, de ser, estar ou ficar. O próprio Caetano assumiu para si a semântica com a força de um leão. Quando se referiam a "Odara" pejorativamente, aí mesmo é que ele se afirmava mais ainda Odara.

Não bastasse a esquerda festiva cobrar dele mais comprometimento político, havia muita gente querendo cutucar o leão com vara curta. A crítica musical não perdoava Caetano. Enquanto a irmã recebia elogios e ganhava o primeiro disco de ouro por *Pássaro Proibido*, Caetano vendia menos da metade e não parava de receber cobranças e pauladas da crítica. O alvo predileto recaía justamente sobre a canção "Odara", vista como símbolo máximo de alienação num período em que as lutas pela liberdade continuavam em trânsito. A relação com a imprensa, que já não era das melhores, descambou. Tudo começou com uma série de matérias desfavoráveis à reunião dos Doces Bárbaros, publicadas no *Jornal do Brasil*. Foram os primeiros golpes. O tiro de misericórdia dessa primeira fase, porém, seria dado pela revista *Veja*.

Depois do lançamento de *Bicho*, o caminho tortuoso ficou ainda pior. E a relação com a imprensa estremeceu com mais força por conta de uma entrevista concedida ao repórter Antônio Chrysóstomo, publicada nas páginas amarelas da *Veja* de 15 de junho de 1977. Assim que a matéria saiu, enxugada e remontada após a edição das mais de três horas de depoimento, Caetano não gostou do resultado. Por carta, reclamou que seu pensamento tinha sido distorcido e retalhado, possivelmente por interesses alheios à sua vontade. Foi um "fuzuê" daqueles. Motivados pela missiva de Caetano, os editores Zuenir Ventura e Carmo Chagas apertaram o repórter. Sem ter para onde correr, Chrysóstomo preparou um relatório em sua defesa. Entre outros argumentos, disse que o processo de edição era normal em qualquer veículo de comunicação. Para ele, Caetano mostrava suas garras de fera ferida. No fim do relatório, deixou no ar a hipótese que ouvira na época de que os baianos seriam capazes até mesmo de articular campanhas para desmoralizar a imprensa. Sobrou farpa para todos os lados. O clima ficou pesado, mas não seria por conta desse episódio que Caetano decretaria um de seus famosos boicotes à imprensa em geral. Chrysóstomo, antes seu amigo pessoal de longa data, preferiu cortar relações por ali mesmo.

❦

Disco pronto, discoteca. O fenômeno da Disco Music continuava a todo vapor e trazia outros filhos à tiracolo. Um deles, a Soul Music, também proliferou no Brasil. Cassiano, Hyldon, Tim Maia, Gerson "King" Combo, eram alguns dos artistas que seguiam essa trilha. No meio deles, havia também outra atração de peso: a Banda Black Rio. Formada em 1976, o grupo emplacou no ano seguinte a música "Maria Fumaça" como tema de abertura da novela *Locomotivas*, exibida na Rede Globo. De certo modo a banda era filha do Tropicalismo. Aglutinava a influência que chegava principalmente dos EUA e apimentava com o tempero da Zona Norte carioca. Liderada por Oberdan Magalhães, seus músicos eram de primeira linha e ainda por cima tinham aval do experiente Paulo Moura, que também estivera em Lagos. Ele conhecia todo mundo e vez por outra cochichava no ouvido de alguém a respeito da banda. Com tantas credenciais, Caetano ficou com aquele desejo de experimentar. Logo depois, aconteceu um encontro com o próprio Oberdan. Aí juntou a fome com a vontade de comer.

A turma da Banda Black Rio nem acreditou, mas tudo tinha conspirado para que a união vingasse. Caetano estava sem banda desde o fim da turnê *Doces Bárbaros*; também não podia contar com seus antigos colaboradores, e nem era o caso de repetir as experiências que tivera com o grupo Bendegó logo após o fim de sua própria banda. Até mesmo o clima de *Bicho* combinava com o som da Black Rio. O disco não era totalmente dançante, mas tinha potencial para ser explorado nessa linha. Influenciado pelos ritmos do momento, Caetano queria uma festa de arromba para o lançamento. A Dancing Days seria uma boa pedida, mas lá não poderia ser. Depois do sucesso da casa na Gávea, Nelson Motta se preparava para abrir uma nova boate, dessa vez no Morro da Urca. A nova Dancing Days só ficaria pronta para o verão do ano seguinte.

Outra opção poderia ser a Discoteca Tropicana, a porção *disco club* do Canecão, comandada pelo incansável Nelson Motta. Poderia se o som da casa não tivesse desagradado Caetano durante a turnê dos Bárbaros. Ele queria algo novo para o próximo espetáculo. De preferência, um lugar que tivesse mais intimidade com o clima das discotecas. Não foi assim que aconteceu. Em 7 de julho de 1977, exatamente um mês antes de comemorar seus 35 anos de vida, Caetano estrearia seu show no Teatro Carlos Gomes, no Rio de Janeiro. Para completar ainda mais o clima conceitual do que pensava em fazer, Caetano abriu espaço para a Banda Black Rio e batizou o espetáculo de *Maria Fumaça Bicho Baile Show*, uma clara alusão ao carro chefe da banda. A combinação tinha tudo para dar certo, mas o resultado surpreenderia negativamente.

Embora tudo parecesse conspirar a favor, a química não aconteceu. Nem o apelo de Caetano para que parte das cadeiras fosse retirada, prontamente atendido pela produção do teatro, adiantou. Sua esperança era de que o público encontrasse espaço para dançar, como se estivesse numa discoteca para valer. Não teve jeito. Mesmo com a inegável qualidade dos arranjos, o show foi um fracasso de público e de crítica. Seguro acerca de sua jornada, Caetano achava a reação descabida, principalmente por parte da chamada crítica especializada. Até porque muita gente que conhecia pouco ou absolutamente nada do assunto se travestia de crítico musical para arremessar pedra nos discos, nos shows e, principalmente, nos artistas.

Ousado, Caetano não quis saber. O show com a Banda Black Rio, tumultuado primeiramente por questões burocráticas, como a escolha de um palco adequado à proposta, seria levado também para apresentações em São Paulo. Só que a repercussão foi a mesma do Rio de Janeiro. Não adiantou insistir. Por alguma razão, a parceria não engrenava de jeito nenhum. Pior: do ponto de vista financeiro a banda perdia bem mais, pois o pouco dinheiro que chegava tinha de ser rateado entre os vários integrantes. Com tantos fatores jogando contra, o inevitável aconteceria em breve. O trabalho com a Banda Black Rio tinha data e hora para terminar. Com a cabeça em outra direção, Caetano também amadurecia mais uma virada em sua carreira.

Estatísticas apontam que em torno de 50% das empresas abertas no Brasil não sobrevivem aos primeiros cinco anos de vida, muitas delas por falta de planejamento. Em época de crise, então, mais ainda. A carreira de Caetano passava dos 10 anos e ele se mantinha firme e forte. Seus discos não vendiam como os de alguns de seus colegas, mas cativava um grupo de fiéis admiradores. Algumas músicas eram tocadas nas rádios e a televisão, vez por outra, abria espaço. A canção "Alegria, Alegria", por exemplo, ao completar dez anos de existência, tornava-se tema da novela global *Sem Lenço, Sem Documento*. Um motivo e tanto para soprar velinhas. Comemorar as vitórias é sempre bom, principalmente perto de pessoas queridas. Envolto num ciclo de criação profundamente coletivo, Caetano continuaria a abrir espaço para seus amigos participarem de sua vida profissional.

❦

Antes de montar uma banda para seu primeiro trabalho solo, Moraes Moreira não imaginava o caminho que o grupo trilharia. Primeiro Moraes recorreu a velhos conhecidos. De início chamou Dadi, que já havia tocado com os Novos Baianos a convite de Baby Consuelo. Depois vieram Armandinho e Gustavo Schroeter. Com a chegada de Mu, irmão de Dadi, o sentimento de união se instalou e não demoraria muito para pintar um clima extra. Ary Dias chegaria depois para completar o time. Os caras tinham uma base instrumental muito forte e perceberam que dava para abrir uma frente além do trabalho com Moraes. Gravaram uma fita demo e correram atrás de uma gravadora. Depois de algumas tentativas sem sucesso foram parar na Warner. Quem estava com a bola cheia por lá era o bom e velho André Midani, pinçado da PolyGram para iniciar as atividades da multinacional no Brasil.

Midani queria alcançar sucesso igual ou superior ao obtido durante sua passagem pela PolyGram. Para isso precisava contar com um *cast* de peso. Começou bem. Trouxe Gilberto Gil, mas parou por aí. Só tinha uma estrela guia em sua constelação. À procura de novos talentos, ouviu a fita demo e decidiu unir o útil ao agradável. Os caras eram bons, então Midani resolveu bancar a produção do disco. Era um tiro no escuro, mas o gringo tinha faro apurado. Gostou da pinta dos músicos e principalmente das músicas. A banda tinha jeito de quem poderia emplacar, no entanto, se quisessem mostrar a cara, precisariam de um nome forte. Sem problemas. Ali estaria um dos segredos do sucesso do grupo. Por influência direta de Caetano, Dadi, o leãozinho, resgataria a força de uma antiga marca.

Ciente da capacidade de Caetano em criar nomes, Dadi foi procurá-lo cheio de dúvidas para o batismo de sua nova "velha" banda. Daquela vez, porém, seria diferente. Caetano não precisaria inventar nada de outro mundo para convencê-lo. A Cor do Som, nome da banda que acompanhava os Novos Baianos, formada por Dadi, Jorginho, Pepeu, Baixinho e Bolacha, já lhe parecia bem criativo. Dadi nunca tinha olhado por aquele prisma. O nome realmente era danado de bom. O único problema é que ele não detinha os direitos da marca e a turma havia descartado a ideia antes, por achar que A Cor do Som seria uma exclusividade dos Novos Baianos. Para usá-la teriam de pedir permissão a Pepeu Gomes e Luiz Galvão.

Pedido feito, não houve problema algum. Com carta branca dos pais da criança, o grupo absorveu o nome A Cor do Som e partiu para a gravação do primeiro disco, um trabalho quase todo instrumental. A exceção ficava por conta da faixa homônima: "A Cor do Som". Para dar uma força aos afilhados, Caetano cedeu sua "Tigresa", que recebeu uma roupagem toda especial, colorida pelo som original da banda. Daí foi só partir para o abraço. Com a cara e o coração, o grupo foi lançado. O disco nem vendeu tanto – cerca de seis mil cópias – mas com som de qualidade e forte presença de palco, conquistaram gregos e troianos no meio da crítica especializada. Nem o rabugento crítico musical José Ramos Tinhorão, cansado de descer o malho em muita gente, deixava de se dobrar àqueles garotos. Reconhecimento de respeito.

E as menininhas de Ipanema, então? Essas iam à loucura. Faziam de tudo para ver aqueles rapazes cabeludos marcando ponto. O bairro, que ganhara fama pelas belas mulheres, permanecia na crista da onda. No fim dos anos 1970, a mundialmente conhecida garota de Ipanema ainda povoava o imaginário de muito marmanjo. Só que o lugar vivia em constante mutação. Naquela época, outra garota daria muito o que falar. Não importava se fosse cria de Copacabana. Em Ipanema ela também se soltava.

❧

O último a cair na água é mulher do padre. Em meados dos anos 1970, a famosa praia de Ipanema continuava o lugar da moda. Com a demolição do Píer, a badalada porção de areia entre as ruas Teixeira de Melo e Farme de Amoedo perdera o status de "dunas do barato" ou "dunas da Gal", mas não a majestade. Quem quisesse saber da última, ou mesmo se enturmar com a *intelligentsia* carioca tinha de passar por aquele quarteirão. E nem só de moradores da região vivia o local. Conhecida no mundo inteiro, a praia recebia gente de todo canto. Se tivesse um bom papo, uma boa ideia para trocar, garantia seu metro quadrado cativo na areia. O pessoal do Asdrúbal fazia parte desses ilustres privilegiados.

Quase no fim de uma década que aproveitava as conquistas dos anos sessenta, uma turma vivia a aventura de fazer teatro nas areias das praias cariocas. A sensação de ar livre não era força de expressão, já que o principal palco de ensaios ficava exatamente na praia de Ipanema. Eles não contavam com uma estrutura montada, mas tinham uma vontade tremenda de fazer um teatro alternativo, nem politizado demais nem comercial em excesso, mas, acima de tudo, que representasse os anseios de sua geração. Aquele grupo da pesada, reunido em torno do mesmo ideal, tinha um nome peculiar: "Asdrúbal Trouxe o Trombone".

A partir de abril de 1977, o grupo vinha encenando sua *Trate-me Leão*. A peça estava badaladíssima, a ponto de pegar mal confessar não a ter visto, durante um descolado bate-papo de calçadão. Nessa, Caetano foi conferir. Já queria ter conhecido antes. Tânia Maria, sua prima de Guadalupe, volta e meia dava um toque para ele assistir a uma apresentação do grupo. Achava que tinha tudo a ver com ele. E também não era por falta de vontade. A agenda é que atrapalhava. Por conta de seus compromissos profissionais, já tinha perdido *O Inspetor Geral* e o *Ubu*. Dessa vez não poderia haver desculpas.

E Tânia Maria acertou em cheio. A admiração bateu de imediato. A criação coletiva *Trate-me Leão* tinha um quê de deboche, outro tanto tropicalista, e um pouco do clima coletivo dos bons tempos do Vila Velha. Movido pelo impacto que a montagem lhe causou, Caetano quis conhecer o grupo mais de perto. Resolveu ir até o camarim. Adorado por boa parte do elenco, o leonino Caetano poderia ficar tranquilo porque seria muito bem tratado. Principalmente por uma das jovens atrizes, sua amiga virtual de outros tempos.

Regina Casé nunca foi daquelas fanáticas por Caetano Veloso, mas se considerava uma "amiga íntima" do baiano. Mesmo sendo filha de Geraldo Casé, produtor e diretor de TV, e neta de Ademar Casé, um dos pioneiros do rádio no Brasil, não teve a chance de conviver com Caetano. O primeiro encontro se deu quando ela estava na faixa dos 13 anos, durante um show de Maria Bethânia. Foi uma apresentação digna de fã, e por isso nada de muito diferente aconteceu depois. E nem precisava. No mundo particular de Regina, os dois já eram amigos íntimos virtuais muito antes disso. Nunca te vi, sempre te amei. Nos bastidores de *Trate-me Leão* o encontro ganhou outra dimensão. A intimidade, antes somente no plano esotérico, se tornaria uma realidade cotidiana e bem material.

A amizade que fluía foi se revelando no brilho dos olhos. Semelhante ao que acontecera com Maria Bethânia, Caetano também traduziria Regina, tornando viável o que parecia inviável. Aquela sensação de se conhecerem havia muito tempo ficou no ar. Coisas de outras vidas, diriam os espíritas. A inevitável aproximação aconteceu. Regina era casada com Hamilton Vaz Pereira, outro egresso da trupe do Asdrúbal. Caetano, com Dedé. Isso não atrapalharia a felicidade de bons momentos a dois. A relação deles não seria algo planejado. E das coisas que dizem respeito ao coração, é bom deixar quieto.

❦

Fim de festa, hora de se preparar para a próxima. O ano chegava ao fim e o compacto de Carnaval ainda não tinha sido definido. A rotina se repetia havia alguns anos e um bom material fora produzido ao longo da década. Em vista disso, Roberto Santana achou que seria mais interessante deixar o compacto com inéditas para o ano seguinte. Por que não montar um disco inteiro dessa vez? Foi dele a proposta de fazer uma compilação dos compactos gravados anteriormente. No final de 1977 chegava às lojas *Caetano... Muitos Carnavais...*, resultado dessa incursão.

Em festa boa, a música não pode parar. A cidade do Rio de Janeiro é bem distante da linha do Equador. De Greenwich, então, nem se fale. Não existe nenhum marco geográfico demarcando a cidade como limítrofe de qualquer porção mais peculiar da Terra. Mesmo sem possuir qualquer ponto referencial dessa natureza, exatamente ao sul dessa cidade começava a ser descoberta uma tal outra banda da Terra.

Durante o dia, a praia de Ipanema fervilhava; à noite, o Baixo Leblon é quem dava as cartas. Ali, Caetano e Dedé gostavam de se reunir com os amigos. Arnaldo Brandão e Claudinha O'Reilly, Bolão, Dadi e Leilinha ♪[53], Tomás Improta, Petit, e mais um monte de gente que volta e meia batia ponto. No jeitão carioca de levar a vida, a turma botava a conversa em dia, comia pizza no Guanabara, tomava chope e muita Coca-Cola. O cinema, vez por outra, também fazia o papel de agregador. Nem sempre o filme agradava a todos, porém, quando a sugestão vinha do surfista Petit, a rapaziada ia até lá ver de perto. Numa dessas, Caetano foi com a turma assistir ao novo filme de Bruce Lee ♪[54]. Pancadaria nunca fez seu estilo, todavia, a figura tranquila e infalível do lutador impressionava qualquer um. Não deu outra. Na companhia daquela gente bronzeada, das meninas e do próprio Petit, Caetano ficou encantado.

Um dia no cinema, outro na praia, uma noite no Baixo, outra em Ipanema. Para aquela turma não havia rotina. A liberdade prevalecia e ninguém tinha obrigação de seguir o ritmo do outro. Nem todo mundo gostava de praia, assim como nem todo mundo ficava até mais tarde na rua. A grande maioria, contudo, tirava som. Da parte do pessoal que virava a noite na casa de Caetano, tocando e cantando, Arnaldo Brandão e Vinícius Cantuária eram os mais frequentes. Com eles de violão em punho, o barulhinho bom estava garantido.

A dupla se conhecia desde a década de 1970, quando começaram no meio musical brasileiro. Atuando em diferentes grupos de rock, os dois fizeram história muito antes de o ritmo apagar de vez o rótulo de lixão, ganhar respeito na mídia e se afirmar, o que só aconteceria em meados dos anos 1980. Arnaldo integrou A Bolha, e Vinícius, O Terço. Na formação da banda dos Doces Bárbaros, Arnaldo ainda tinha tentado encaixar Vinícius, mas quis o destino que as baquetas ficassem com Chiquinho Azevedo naquela ocasião. Nada de pressa. Muito em breve os bons ventos ainda soprariam na carreira de Vinícius Cantuária.

De tanto tocarem juntos na casa de Caetano, calhou de um dia ele mostrar "Odara" e "Tigresa" de uma tacada só. Isso aconteceu antes mesmo do lançamento de *Bicho*. As músicas eram apenas esboço, diamante bruto a se lapidar. Daquele encontro, Vinícius teve o *feeling* de atacar um solo para "Tigresa". Arnaldo, por sua vez, engatilhou um *riff* de baixo para "Odara", numa levada totalmente *funk*. Os caras eram bons. Empolgavam. Diante do que ouvia, Caetano delirava e via suas músicas ganharem personalidade. Precisava daquilo. Sendo assim, Arnaldo e Vinícius ocuparam posições

---

[53] ♪ "Gente"
[54] ♪ "Um Índio"

na gravação dessas faixas em *Bicho*. Só não puderam se alegrar muito, afinal, a divulgação estava marcada com a Banda Black Rio. Tudo a seu tempo. A hora deles chegaria.

Mesmo antes de encerrar a participação da Banda Black Rio, Caetano tinha em mente os próximos passos para sua carreira. Depois da influência marcadamente dançante, e muito mais afro do que havia feito até então, queria investir numa sonoridade mais instrumental, algo mais acústico, de banda mesmo. A Cor do Som arrebentava e, num processo de mestre e aprendiz, influenciava aquele ex-Bárbaro. Caetano tinha tocado com músicos de alta qualidade. Sempre lutou por isso. Não seria diferente em seu novo trabalho. E queria mais. Desde a renovada vivência coletiva dos Doces Bárbaros se mostrava predisposto a tocar com uma banda mais típica, com todos agrupados sob a força de um nome impactante e consistente.

Daqueles encontros em sua casa no Leblon, com Vinícius e Arnaldo, surgia a centelha do que seria seu novo projeto. Eles formariam o núcleo que alimentaria os primeiros raios de sol a banhar a outra banda da Terra.

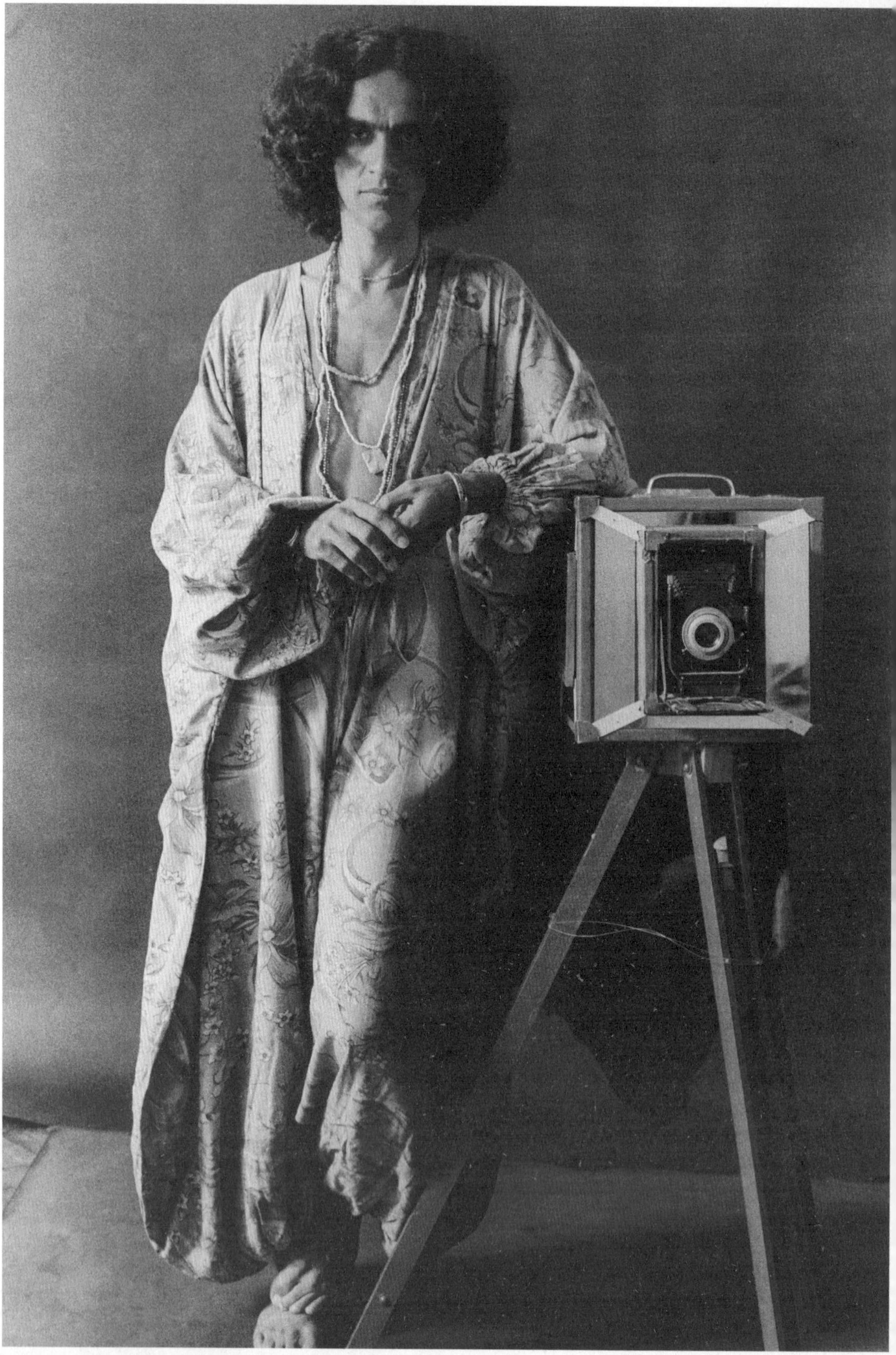

16

DENTRO DA ESTRELA AZULADA

Ninguém sabia direito onde ficava a outra banda da Terra. Muito menos se ela existia de fato. Um enigma para os mais chegados a estudos geológicos ou coisa do gênero. Não ficava no coração do hemisfério Sul, na América, tampouco num ponto equidistante entre o Atlântico e o Pacífico. Em dezembro de 1977, o mistério poderia ser esclarecido mais facilmente do que se imaginava. Bastaria comprar ingresso e correr para o show de Caetano Veloso, no Teatro Clara Nunes, Shopping da Gávea, zona sul carioca.

Muita gente se surpreendeu quando soube que ele não se apresentaria com a Banda Black Rio. Trabalharam tão pouco tempo juntos que os fãs esperavam a continuidade. Mas a mudança tinha explicação. Para entender melhor, vamos voltar alguns meses. No início, Caetano pensava assim também, contudo, a parceria não rendeu o esperado e foi preciso abrir uma nova frente. Nesse clima de renovação, Caetano ganhou coragem, tomou o bondinho e fez um show acústico, mais relaxado, na Concha Verde do Morro da Urca, no projeto "Quem sabe, sobe", coordenado por David Tygel. Ele, o baixista Arnaldo Brandão e o baterista Vinícius Cantuária. Nas alturas, o embrião da Outra Banda da Terra ♪[55] começava a ganhar forma.

Esse show também rendeu uma grata inspiração a seu empresário. Ao perceber uma plateia inteira reunida naquele cenário paradisíaco, Guilherme Araújo teve um *insight*. Vislumbrou ali uma grande festa carnavalesca, com muita gente fantasiada, muita pluma e paetê, lantejoula, quilos de confete e serpentina a perder de vista. Como não ficava apenas no mundo da fantasia, botaria logo a mão na massa, para deixar tudo pronto em fevereiro do ano seguinte, quando promoveria o primeiro dos famosos bailes de Carnaval do Pão de Açúcar. Enquanto Guilherme sonhava com seu futuro cintilante, Caetano continuava com suas experiências musicais.

---

[55] ♪ "A Outra Banda da Terra"

Na mesma época, para deixar a rapaziada firme e bem ensaiada, o baiano se apresentou no Instituto de Educação, tradicional colégio da Tijuca, zona norte do Rio de Janeiro. Com ele não tinha essa frescura de cantar somente em lugares badalados e espaçosos. O colégio não existia com essa finalidade, portanto, não havia estrutura para receber um artista popular. A turma ganhou um camarim improvisado, um reduzido espaço à guisa de palco, e precisou se virar com recursos mais escassos que verba para educação. Mas tudo isso não importava. O contato com a energia do público jovem impulsionava o grupo e compensava qualquer dificuldade. Naquele espetáculo estilo *pocket*, o calor e a gritaria das colegiais incendiaram a banda para os shows maiores que viriam em breve.

Com a chegada do pianista Tomás Improta, do percussionista Edu Gonçalves, o Bolão, e com o apoio do baixista Rubão Sabino e do guitarrista Perinho Santana, o núcleo da nova banda havia se formado. No começo, alguns deles ainda estariam divididos com outros trabalhos e nem todos participariam dos primeiros shows, o que não seria empecilho ao batismo de fogo da banda. Embora a imprensa não tivesse oficializado ainda, no show do Teatro Clara Nunes o grupo finalmente foi apresentado da forma que ficaria conhecido na história: A Outra Banda da Terra.

Naquela estreia tudo caminhou bem. A química que faltou com a Banda Black Rio, dessa vez sobrou, e o resultado agradou a gregos e troianos. Caetano estava à vontade. Cantou músicas antigas, como "Cá Já" e "São João, Xangô Menino", deu sua roupagem ao clássico "Eu Sei Que Vou Te Amar", de Tom e Vinicius, e apresentou "Muito Romântico", outro presente dado a Roberto Carlos. O rei, diga-se de passagem, não tinha motivos para reclamar. Nem precisava repetir o chororô por não ter gravado "Qualquer Coisa". No decorrer do ano ainda seria agraciado com um de seus maiores sucessos, "Força Estranha", música de versos profundos que exaltaria o dom de cantar e o próprio Roberto. Isso tudo era prova de que Caetano estava mesmo de bem com a vida.

A sensação de grupo unido em torno de um ideal o fez lembrar a época em que gravou o disco *Transa*, em Londres. O clima despojado, solto, dava uma sensação ótima de leveza e liberdade. Para dar continuidade àquela boa fase, o caminho natural seria gravar um disco. Já tinha canções inéditas, a banda estava afiadíssima, suas experiências como produtor lhe davam cancha para se autoproduzir. Mas ele queria mais. Embora contasse com uma equipe e tanto, mandou buscar reforços: o tecladista Perna Fróes, o mutante Sérgio Dias Baptista, o percussionista Marcos Amma, que já havia participado de alguns de seus shows e, novamente para dar uma força na produção, Roberto Santana. Com um time desses, o resultado tinha tudo para se transformar em sucesso de público e de crítica.

O repertório também mostrava qualidade. Foi o início de uma das melhores fases de Caetano Veloso, como músico e artista. Embalado pelo sucesso de canções desse período, sua fama se solidificaria de tal forma que ficaria na memória dos fãs de maneira ainda mais profunda que a dos tempos tropicalistas. No disco de 1978, canções que se tornariam clássicos, como "Sampa", "Terra" e "Tempo de Estio", seriam gravadas pela primeira vez. A inspiração se manifestava das mais variadas formas. O momento fértil favorecia e, mesmo quando jogava palavras ao léu, seu lado compositor enxergava música nas entrelinhas. Assim, meio por acaso, "Sampa" foi construída.

Convidado a dar um depoimento sobre São Paulo para um especial da TV Bandeirantes, Caetano decidiu primeiro montar um texto com suas impressões sobre a cidade. Ao sabor da escrita foi se lembrando de um sem número de imagens, ruas, esquinas, cenários, personagens e ícones paulistanos, que, de alguma forma, estiveram presentes em sua vida e carreira. No processo mágico pelo qual uma grande obra passa, as palavras ganharam vida própria. Nascia a letra de uma nova canção. A melodia, com referência direta a "Ronda", de Paulo Vanzolini, outro emblema da cidade, foi composta em seguida, tudo muito rápido. A partir daquele momento, São Paulo ganhava uma descrição peculiar, musical, cheia de referências, resultado do olhar poético e isento de alguém que viera de longe, mas que aprendera a amar a cidade como se fosse sua.

Nada acontecia por acaso e a inspiração musical sempre dava a última palavra. Até quando lhe pediam uma lembrança, Caetano pensava em forma de melodia. Desde que reencontrara Regina Casé numa daquelas apresentações do Asdrúbal, os dois passaram a ter forte ligação e nunca mais se largaram. Certa ocasião, quando Caetano estava de malas prontas para ir à Bahia, Regina pediu que lhe trouxesse um presente. Ele viajou, fez o que tinha de fazer, e não esqueceu o pedido da morena. Não, não foi um livro sobre santos, de que tanto ela gostava; também não foi uma fitinha do Senhor do Bonfim, tampouco um legítimo berimbau. O presente poderia até tocar no rádio. Era a canção "Muito", composta especialmente para ela. A emoção indescritível tomou conta da atriz. E aumentou ainda mais quando ela soube que seu presentinho particular daria nome ao novo LP: *Muito (Dentro da Estrela Azulada)*.

O clima nas gravações era o melhor possível. Tudo funcionava às mil maravilhas. Nada de pressão, muita alegria, bom humor, juventude e experiência, lado a lado. Uma combinação perfeita. Além das inéditas, uma das faixas amplificava o signo da inovação. A gravação de "Muito Romântico" não contou com instrumentos. Foi acompanhada por um coral formado por sopranos, tenores e contraltos, totalmente à capela, bem ao estilo *gospel* das igrejas americanas do Harlem, em Nova York. A letra também ajudou a criar o clima coletivo da interpretação: "*Com todo mundo podendo brilhar num cântico... Canto somente o que não pode mais se calar... Noutras palavras, sou muito romântico.*" A ideia partiu de Perna, que também se encarregou de buscar o pessoal de voz potente que deu um tom especial à música.

No fim de tudo, Caetano ficou satisfeito com o resultado. A alegria daquela rapaziada lhe dava mais vitalidade para trabalhar e, de certa forma, o deixava mais preparado para enfrentar os desafios que surgiriam no futuro próximo, quando o disco recebesse o crivo da crítica especializada. Embora fosse gratificante tocar com seus novos parceiros, seria necessário dar uma pausa no trabalho. Precisava atender a mais um chamado de Maria Bethânia.

Em meados de 1978, Bethânia teve a ideia de fazer um show beneficente em Santo Amaro. Levantaria fundos para a Igreja Matriz de Nossa Senhora da Purificação, na época bastante deteriorada. O pedido vinha de Dona Canô, que sempre apoiou a instituição e não queria vê-la daquele jeito. Aderindo à causa familiar, Caetano se juntou à irmã e o show em dupla foi um grande sucesso. A combinação deu tanto pé que logo eles cairiam na estrada. Cantariam em Salvador, Rio de Janeiro, São Paulo, Curitiba e Porto Alegre. Em Salvador, a estreia aconteceu em 30 de maio de 1978, no aconchego do Teatro Santo Antônio. Embora fosse bem menor que o Teatro Castro Alves, o Santo Antônio tinha um porteiro igualmente rígido na hora de controlar a entrada.

Na noite de um dos shows, uma grossa chuva caía em Salvador. Mesmo com o aguaceiro os ingressos esgotaram. Não sobrou nem na mão dos cambistas. Um tumulto logo se formou nos arredores do teatro. Chegar até a porta se tornou um drama. Para complicar, o segurança do Santo Antônio era partidário da filosofia de seu Pinga, aquele porteiro do Castro Alves que barrava até músico de banda. E dessa vez seria pior. Caetano chegou para o show e o guarda exigiu sua identificação. O problema é que ele não portava documento algum e foi impedido de entrar. Caetano ficou uma fera e discutiu com o homem. Não podia ser barrado daquela maneira em seu próprio espetáculo. E nem adiantava levantar o tom de voz. Quanto mais gritava, mais o guarda assumia seu papel de autoridade. A confusão só se desfez depois de muito "deixa disso" e a confirmação de que aquele sujeito maquiado, todo de branco e cheio de guias, cantaria ao lado de Maria Bethânia naquela noite.

Passado o susto, ficou tudo em família novamente. A convocação havia partido de Bethânia, então grande parte da produção também tinha ficado a critério dela. O velho conhecido Perinho Albuquerque, que já trabalhava com ela havia algum tempo, assumiu a direção musical do show. Outras convidadas especiais também estiveram presentes. A violinista Rosinha de

Valença, que já tinha trabalhado com Bethânia, e Mônica Millet, diretamente do terreiro do Gantois, deram um charme especial ao evento. Caetano também não ficaria sozinho, e trouxe com ele o pianista Tomás Improta, referendado pelas mãos de Perinho. O resultado desse grande encontro seria mais um disco gravado ao vivo. A gravadora nem esperou a chegada do show no Rio de Janeiro. Para garantir o dela, enviou equipamento e registrou tudo lá mesmo, na minitemporada baiana.

No finalzinho de junho, o show *Maria Bethânia e Caetano Veloso* foi levado ao Canecão. Com o sucesso das primeiras apresentações, havia uma grande expectativa em relação ao espetáculo. A procura por ingressos também foi intensa. Para evitar tumultos na estreia, os jornais cariocas recomendavam: "*Chegue mais cedo e jante.*" De barriga cheia, o público viu no palco os dois irmãos quase se fundindo em uma única entidade. Corpos esguios, cabeleiras selvagens; a mesma roupa, as mesmas contas. Dupla ou casal, irmãos ou parceiros? A resposta: tudo isso ao mesmo tempo, em completa simbiose. Não foi à toa que o escritor argentino Julio Cortázar, anos antes, jurara de pés juntos que Bethânia e Caetano eram, na verdade, *la misma persona*.

Para explicar a história de cada um, os dois praticamente trocavam de identidade no palco. Entre outras referências biográficas, Caetano cantou "Carcará", de João do Vale e José Cândido, e Bethânia cantou "Alegria, Alegria". Por motivos óbvios, "Maria Betânia", de Capiba, foi lembrada. E para contrapor a esta, "Maria Bethânia", criada por Caetano no frio de Londres, entrou no repertório. Os clássicos, como não poderiam deixar de ser, também foram resgatados. "Número Um", de Mário Lago e Benedito Lacerda, e "O Que Tinha de Ser", de Tom e Vinicius, ecoaram forte no Canecão. A empolgação foi tanta que em uma das apresentações, Caetano despencou da frente do palco. Fora o susto, felizmente nada de grave aconteceu e a temporada de um mês foi aproveitada até a última noite, com a casa sempre cheia.

No meio da temporada carioca, o disco *Maria Bethânia e Caetano Veloso Ao Vivo* chegou às lojas. Era o desfecho digno de uma reunião histórica. Descontando as apresentações amadoras e os shows com outros artistas, aquela foi a primeira vez que os dois subiram juntos ao mesmo palco.

❦

No finalzinho dos anos 1970, os "ciganos" Caetano, Dedé e Moreno colocaram as trouxas nas costas e se mudaram mais uma vez. Saíram do apartamento da Delfim Moreira, no Leblon, para uma ampla casa na rua Peri, no arejado bairro do Jardim Botânico. A partir de então as visitas à família iriam se multiplicar. O local passaria a ser sinônimo de festa e animação. Os donos da casa, sobretudo Dedé, pelo jeito despojado de ser, se mostrariam tão receptivos que ninguém deixaria de retornar. E quando fosse instituída a famosa feijoada domingueira, aí é que amigos, parentes, músicos e artistas preencheriam cada cantinho daquela residência. Nos próximos anos, muitas festas, comemorações e porres, de alegria e de tristeza, aconteceriam na casa do Jardim Botânico.

Com ar puro de sobra e mais espaço para receber visitantes, o convívio com os amigos aumentou. Entre uma visita e outra, novos trabalhos também se consolidavam. A relação com o pessoal do grupo A Cor do Som, no entanto, vinha de mais longe. No caso de alguns integrantes, bem mais longe, antes mesmo do batismo da banda. No decorrer de 1978, uma espécie de parceria aconteceria entre eles, com o cinema no papel de agregador. O cineasta Neville d'Almeida era um apaixonado pela obra de Nelson Rodrigues. Impulsionado por este sentimento, resolveu adaptar o conto "A Dama do Lotação", de *A Vida Como Ela É...* Para Neville, foi um negócio da China. Nelson, péssimo negociador, vendeu os direitos do filme pela mixaria de quinhentos dólares.

Embora os direitos tivessem custado uma pechincha, a verba destinada à trilha continuou baixa. Por desencargo, na hora da escolha decidiram contratar um velho colaborador da classe: Caetano Veloso. Com a grana e o tempo reduzidos, também foi preciso agilizar a preparação da música. Para dar um toque extra ao trabalho, Caetano buscou reforço musical de um grupo de amigos: os integrantes de A Cor do Som. No estúdio em que ensaiavam, Caetano chegou com a letra ainda por terminar. Ali mesmo, enquanto a banda preparava o arranjo e ensaiava a melodia, a obra foi finalizada. Algum tempo depois, "Pecado Original" fazia o pano de fundo nas cenas em que Sônia Braga enlouquecia os homens ao realizar suas mais loucas fantasias.

Com a ajuda generosa das curvas de Sônia, o filme fez um sucesso estrondoso. Embora tenha pechinchado na compra dos direitos, Neville não tinha alma pequena. Ele próprio insistiu com a Embrafilme para que Nelson recebesse 5% dos lucros com a bilheteria. E só depois disso, Nelson ganhou a bolada merecida. O filme ultrapassaria a marca de sete milhões de espectadores, uma das maiores bilheterias nacionais de todos os tempos. As imagens da mulher morena e sensual ficariam gravadas na retina do brasileiro e povoariam os sonhos dos libertinos de plantão. Por um longo tempo, haveria muito marmanjo doido para se arrumar com uma Sônia Braga da vida.

Para Caetano, foi gratificante trabalhar com Armandinho, Mu, Dadi, Ary Dias e Gustavo Schroeter. Com a proximidade, seria natural que a parceria desse novos frutos. Não deu outra. Algum tempo depois, aconteceria um episódio primordial na história do conjunto. Os ensaios de Caetano e sua banda eram realizados no estúdio da gravadora, que funcionava na Barra da

Tijuca, zona oeste do Rio de Janeiro. Próximo a esse local, numa casa alugada pelos baianos Armandinho e Ary Dias, A Cor do Som realizava ensaios bem mais modestos, típicos de fundo de garagem, mas com toda animação e improviso a que tinham direito. Vinícius Cantuária sabia disso e gostava do clima da rapaziada. Tanto que insistiu para Caetano dar um pulo até lá.

Os dois chegaram de repente e foi a maior festa. Conversa vai, conversa vem, Caetano cantou "Beleza Pura", recém-composta e cheia de referências a lugares da Bahia, cujo mote principal vinha de um refrão do violeiro Elomar: "*viola, alforria, amor, dinheiro não*". A identificação natural do baiano Armandinho foi imediata, e o restante do grupo se arriscou a acompanhar. Pouco tempo se passou entre esse momento e a inclusão da música no disco *Frutificar*. Além dessa, as faixas "Abri a Porta", de Gilberto Gil e Dominguinhos, e "Swingue Menina", de Mu e Moraes Moreira, seriam as responsáveis pela grande virada do conjunto. Deixariam de ser uma banda puramente instrumental, começariam a cantar, vender discos, ganhar o Brasil e, depois, o mundo. Beleza pura, dinheiro sim.

Essa banda de afortunados não tinha mesmo do que reclamar. Além de receber o apoio de padrinhos de peso, contavam com um defensor para todas as horas. Aliás, não seria nenhuma surpresa se Vinícius Cantuária entrasse mais uma vez naquela garagem, com uma fita cassete no bolso, prontinha para alçá-los novamente ao topo das paradas de sucesso. Amigo de todo mundo, Vinícius estimulava esse contato e fazia a ponte com Caetano, que compunha a pleno vapor. E tanto quanto lhe pedissem para fazer algo prazeroso, mais ele fazia. Não importava se fosse para compor, dividir show ou até mesmo ajudar um velho conterrâneo.

Em meados de 1978, por exemplo, Caetano participaria de mais um curta-metragem *underground*, e novamente como ator.

❦

Naquele ano, os Novos Baianos foram contratados pela gravadora CBS. Criativo do jeito que era, Luiz Galvão chegou à nova casa com mil ideias na cabeça. E parecia ter chegado no *timing* certo. A gravadora queria apostar e não faria qualquer restrição. Mesmo as viagens mais loucas seriam bem recebidas. Na reunião de planejamento, Galvão propôs a produção de alguns curtas, com a presença dos integrantes do grupo e participação especial de convidados, para exibi-los durante os shows. Nesse clima favorável, os empresários embarcaram na dele de olhos fechados. O projeto multimídia, então, foi levado a cabo e sua veia de diretor de cinema pulsou forte novamente.

Com argumentos do próprio Luiz Galvão e de Lula Martins, um a um os curtas foram finalizados. *Alma de Palhaço, Gato, Oi, Gato!* e *Lixeiro* compunham a lista das pérolas filmadas. Os roteiros transitavam entre o bem-humorado, o criativo e o completamente insano. O melhor de tudo eles deixaram para o fim. *Gênesis 2000*, último dos filmes, apresentaria uma visão surrealista do episódio bíblico da criação do homem. Eva, a primeira mulher, seria interpretada por Baby Consuelo. A seu lado, apenas com a genitália coberta, Caetano Veloso faria o Adão baiano da trama. E para formar o trio mais popular do Antigo Testamento, vestido a caráter, Gato Félix tentaria convencer no papel de serpente.

O Éden criado por Luiz Galvão ficava em Salvador, num sítio próximo ao aeroporto da cidade. Um lugar cheio de árvores, arbustos, muito mato, pedras e uma enorme ribanceira. O local assustava um pouco, mas não tirava o bom humor da equipe. Ninguém conseguiu segurar o riso ao ver a figura de Gato Félix, todo enfeitado e com o rabo da fantasia enroscado no tronco de um coqueiro. A cena hilária aliviava o cansaço e descontraía toda a equipe, mas não podiam ficar só na bandalheira. Tinham um filme a rodar. Tudo bem. Assim que conseguissem se concentrar de verdade, a tomada seria para valer.

A sequência previa Caetano e Baby abraçados, rolando ribanceira abaixo, depois de um caloroso beijo. O problema é que esqueceram de limpar o trajeto. O terreno acidentado machucava muito, mas Caetano nem precisaria se preocupar. Assim que o diretor gritou: "*Ação!*", Baby, com seu instinto materno, agarrou firme seu par romântico e protegeu cada ossinho de seu corpo franzino até que chegassem ao final da ribanceira. Fora alguns arranhões, ninguém se feriu. Aí Baby soltou aquela gargalhada. Estava tudo azul; Adão e Eva, sem pecado e sem juízo. O filme não ganhou espaço no circuito tradicional e muito menos no alternativo. Para valer a ideia original do projeto, a cena antológica da rolada na ribanceira e muitas outras mais foram apresentadas apenas durante os shows dos Novos Baianos.

Agradecido pela participação do amigo, Galvão se empolgou e pediu algo mais. Conhecia Caetano de longa data, estavam no mesmo ramo havia tempos e ainda não tinham feito nada juntos. Faltava, então, a parceria musical, que veio justamente durante as filmagens de *Gênesis 2000*. Além dos cumprimentos do diretor pela inusitada participação, Caetano recebeu a letra de "Farol da Barra". Algum tempo depois, o agrado foi retribuído com a melodia. A partir desse momento, puderam se afirmar parceiros de fato. Para Galvão, fã de carteirinha de Caetano, a relevância do episódio foi tanta que a canção estaria no título do LP que o grupo gravaria naquele ano, com um belo cartão postal do próprio Farol da Barra estampado na capa.

No segundo semestre de 1978, a família Veloso recebia ótima notícia: Dedé esperava seu segundo filho. E quem sabe daquela vez seria a menina que o casal tanto desejava. Pelas contas, o bebê nasceria em abril do ano seguinte, mas nem adiantava ficar ansiosos. A maré não estava boa. Até lá, Caetano teria muita chateação para se preocupar antes de curtir a nova visita da cegonha.

No fim do ano, os trabalhos com A Outra Banda da Terra foram retomados. Para divulgar o disco *Muito*, Caetano e a banda realizaram em novembro uma temporada de shows no Teatro Tereza Raquel, em Copacabana. Embora fosse o caminho natural de qualquer disco lançado, aquele, especialmente, precisaria mesmo de muita divulgação. Àquela altura, a crítica já tinha "descido o cacete". Nada foi perdoado, nem "Sampa" nem "Terra", muito menos as outras canções. Até a capa do LP, na qual Caetano aparece no colo de dona Canô recebendo um cafuné, foi sumariamente espinafrada. Tão logo sentiu as primeiras pauladas, o baiano virou bicho. A fama de ser o artista que mais brigava com a crítica, e com a imprensa em geral, se estabeleceu definitivamente a partir do disco *Muito*. Foi a gota d'água num processo que vinha de outros tempos.

Na volta do exílio começaram as perseguições do pessoal do *Pasquim*. Na mesma época, aqueles que cobravam dele uma postura mais politizada entraram na onda. Mais tarde, em 1976, a revolta com o *Jornal do Brasil* aconteceu por conta de uma série de matérias desfavoráveis à turnê *Doces Bárbaros*. No ano seguinte, o disco *Bicho* também ganhava chutes e pontapés, sobretudo por causa das canções "Odara" e "O Leãozinho". O dançante espetáculo *Maria Fumaça Bicho Baile Show* foi esculhambado até dizer chega. Nessa, a Banda Black Rio apanhou junto e acabou na estrada. Brigas com o pessoal da revista *Veja*, então, viraram rotina. Naquele mesmo ano aconteceu o desentendimento com o repórter Antônio Chrysóstomo. Em 1978, outro bafafá parecido. O jornalista Geraldo Mayrink meteu o pau em *Muito* e Caetano novamente revidou, na imprensa, nos programas de televisão, nos shows, nas rodas de amigos. Era a filosofia do "bateu, levou". Esse comportamento incomodava muita gente, calava a boca de outros tantos, mas, em geral, incitava novos revides.

Nesse imbróglio entre artistas, críticos e jornalistas entrou o cineasta Cacá Diegues para cunhar a expressão que viraria moda dali em diante. Segundo o cineasta, Caetano, Gil e outros artistas do gênero eram vítimas da chamada "patrulha ideológica", a mesma que também já havia lhe atingido. Com o disco *Muito* o problema extrapolou até para as rádios. Na opinião de Caetano, as emissoras ignoravam suas músicas por motivos não convincentes. "Terra", por exemplo, por ser longa demais. Inflamado com o tema, Caetano chegava a interromper seus shows para fazer comícios contra seus detratores. Quem assistia aos espetáculos dele na época sentia-se numa imensa tribuna, em que ele despejava toda sua revolta e queixa contra a crítica e a imprensa de um modo geral.

Em pleno período pré-anistia, uma boa parcela da classe artística cobrava dele um engajamento maior pela causa. Mordido de outras épocas, ele encarava com certo cuidado a tal "promessa de abertura". No calor da briga, Caetano e uma de suas músicas foram ironizados até por uma velha amiga. No show *Transversal do Tempo*, enquanto Elis Regina cantava "Gente", um imenso cartaz exibia o *slogan* "Beba Gente", no logotipo da Coca-Cola. Ainda que fosse capricho dos produtores, Caetano foi assistir, não gostou e saiu sem falar com Elis. Era pedrada chegando de tudo quanto era lado. No meio desse clima, Caetano e a gravadora tiveram outro prejuízo. O disco *Muito* se revelou um fracasso de vendas.

Enquanto essa briga esquentava na imprensa e no *show business*, mudanças importantes aconteciam no fim do governo Geisel. Começavam os últimos meses de um mandato que tivera seu início marcado pela repressão, e depois pelo começo de um processo lento e gradual de redemocratização do país. No início, Geisel tinha usado e abusado dos instrumentos antidemocráticos a seu dispor. Com o tempo, porém, abandonou esse estilo e lutou para atingir o objetivo de deixar o país melhor. Travou confronto com a chamada "linha dura", exonerou militares suspeitos de torturas, destituiu outros mais, e nomeou gente que compartilhava de suas ideias. Entre erros e acertos, entraria para a história do Brasil como o presidente que extinguiu o AI-5. Antes tarde do que nunca.

Mesmo com as boas novas ecoando pelas ruas, ninguém podia esquecer que os militares continuavam no poder. Eleito presidente pelo Congresso Nacional, o general João Baptista Figueiredo tomaria posse em março do ano seguinte. Apesar de tudo, os ventos da mudança sopravam cada vez mais fortes no Brasil. Havia muita incerteza, mas com a regulamentação da Lei da Anistia, os brasileiros que continuavam exilados já podiam sonhar com uma possível volta ao país. A esperança, equilibrista ou não, continuaria sendo a última a morrer.

🌱

O ano de 1979 começaria mais leve. Em primeiro de janeiro, deixava de vigorar o maquiavélico Ato Institucional nº 5. A notícia espalhava um alívio geral e irrestrito, literalmente. Caetano, que fora preso dias depois de o Ato nascer, também ficou satisfeito por sentir os primeiros ventos da democracia soprando levemente. Contudo, naquele período não dava para se inteirar do assunto, desabafar publicamente, tampouco sair às ruas para comemorar. A alegria do povo brasileiro contagiava, mas não o ajudaria a resolver o terrível problema enfrentado por ele na própria casa. Uma situação que lhe exigia participação muito mais direta.

Passado pouco mais da metade da gestação, Dedé apresentou sinais de que a gravidez não corria bem. Em 6 de janeiro, passou mal e foi parar no Hospital Português, em Salvador, o mesmo em que tivera Moreno. Não estava na hora de o bebê nascer. Faltavam mais de 90 dias ainda. Normalmente a gestante espera nove meses até conhecer o filho. Mas nem sempre é assim, a saúde às vezes surpreende e apressa a roda do tempo. Com apenas cinco meses e uma semana, nascia Júlia. Ver aquele pinguinho de gente indefeso gerava um misto de alegria e apreensão. Por ser prematura, a menina foi colocada na incubadora e lá ficaria até se recuperar. Esse era o maior desejo de todos. Infelizmente não evoluiu desse jeito. A pequena Júlia não resistiu e faleceu com pouco mais de dez dias de vida.

Perder uma filha assim, de maneira tão repentina, afeta a cabeça de qualquer pessoa. Um drama terrível se abateu na família. Dali em diante, seriam necessárias muitas horas de análise e longas conversas no divã para que o trauma diminuísse. Desaparecer, jamais. Um pedacinho deles havia partido e isso não tem cura. Para um artista, porém, a velha máxima "O show tem que continuar!" tinha sua validade, até em meio a uma tragédia pessoal como aquela.

No fim de janeiro, Caetano e sua banda fariam o show *Muito* no Teatro Castro Alves, em Salvador. A partir dali, levariam o espetáculo a várias cidades do Brasil e até da América do Sul. O contato com lugares, pessoas e culturas tão distintas certamente o ajudaria a superar os golpes da vida. E mais: o inspiraria a renovar seu repertório.

🌸

Com tanta gente torcendo contra o disco *Muito*, Caetano precisava correr atrás do prejuízo. Uma turnê foi acertada por cidades do interior de São Paulo e do Nordeste, a primeira excursão com o pessoal da nova banda. Mesmo naquele período de muitas brigas, os shows foram bem recebidos. E como havia sempre uma pausa entre um e outro, dava tempo de curtir os lugares pitorescos de cada cidade. Na orla de Aracaju, em Sergipe, a dica imperdível era degustar a "Moqueca de Cação" do tradicional restaurante João do Alho ♪[56], situado na avenida Beira Mar. Aquele que exagerasse no rega-bofe fumegante podia tirar uma soneca no hotel para recuperar as forças. À noite, a inspiração também fervia.

---

[56] ♪"Aracaju"

Em um dos quartos, Tomás Improta se divertia com uma pequena flauta comprada no mercado local. Embora fosse tudo na base da brincadeira, o instrumento às vezes incomodava. Vinícius Cantuária, que dividia o quarto com o amigo, já não aguentava mais o som agudo no ouvido e o desafiou a criar uma melodia que prestasse. Tomás não só topou o desafio como deu conta. De tanto soprar a flautinha, acabou tirando um som bacana. Finalmente convencido, Vinícius pegou o violão e criou as harmonias. Meio caminho andado. Para completar a obra, faltava colocar letra, mas nem precisavam ir muito longe. Um especialista no assunto ocupava o quarto ao lado e eles foram até lá tentar a sorte.

Caetano ouviu a melodia com atenção, gostou e prometeu fazer a letra. Para a surpresa de Tomás e Vinícius, a parceria dos três nasceria pouco depois, sob o título de "Aracaju". A outra surpresa foi saber que Caetano também tinha composto uma canção naquela mesma noite. A lua de Sergipe não era diferente de qualquer outra, todavia, inspirava belas imagens. Na opinião de Caetano, sua nova música não era tão boa quanto a deles. Mesmo assim, não se acanhou em cantar "Lua de São Jorge" pela primeira vez.

Rodar o Brasil com aquela turma enchia a bagagem de boas histórias. Foi um período gratificante, de viagens inspiradoras. No Rio de Janeiro, a inspiração estava curtida na pele havia mais tempo. Amiga de longa data, Baby Consuelo visitava Caetano com frequência. Em meados de 1979, enquanto montava o repertório para seu próximo disco, aproveitou e pediu a ele uma canção. Caetano prometeu, teve boa vontade, mas a música não surgia de jeito nenhum. Baby esperou até o último instante e não se arrependeu. O momento chegou durante um encontro de amigos. O jovem Petit, surfista e morador de Ipanema, também frequentava a casa de Caetano. Numa noite, no meio de animada conversa na sala, Caetano se lembrou do pedido de Baby e a criatividade veio como uma onda. A música nasceu naturalmente, sem que os presentes percebessem. Em poucos minutos estava pronta. No dia seguinte, Caetano ligou e disse à cantora que fizera uma canção pensando nela, inspirado em Petit e no Rio de Janeiro. Na mesma tarde, Baby aprendeu e gravou a bronzeada "Menino do Rio". Além de se encaixar na voz dela, o arranjo original de Pepeu Gomes, quase uma parceria, completou o que se tornaria seu primeiro sucesso em carreira solo. Alguns meses depois, a gravação seria tema de abertura da novela *Água Viva*, escrita por Gilberto Braga e Manoel Carlos. Aí ninguém segurou mais. Todos os dias, no horário nobre, a música tocava na telinha da Globo. Com o sucesso alcançado, a canção se tornaria um emblema carioca, da geração saúde, e de todos aqueles que curtiam a vida na praia, de calção, biquíni, e corpo aberto no espaço. Uma espécie de versão masculina de "Garota de Ipanema".

O poder da criação tem mistérios que o compositor não consegue explicar. Essa luz que chega de repente, acende a mente e o coração, como diria o sambista João Nogueira em seu disco do ano seguinte, podia surgir das mais variadas fontes. No caso de Caetano não havia restrição, preconceito ou regra pré-estabelecida. Batesse o desejo de criar uma melodia, um poema, um verso original, as cordas do violão começavam a vibrar junto. Também não havia segredo algum. Caetano não escondia de ninguém a fonte de suas inspirações: uma gata, uma tigresa, um músico, um surfista tatuado, um encontro, uma foto, um filme. Naquele período, ele não imaginava que também seria "motor de luz" para a criação de uma bela obra.

Em abril de 1979, Gilberto Gil se hospedou na casa de Caetano. Seria uma visita de médico, bem rápida. Estava de malas prontas para os EUA, onde iniciaria uma longa turnê para divulgar seu disco *Nightingale*, gravado por lá com apoio de músicos locais. Na véspera da viagem, Gil foi para o quarto descansar. O dono da casa, todavia, tinha outro ritmo. Não conseguia dormir cedo nem por um decreto. E ainda mais se pintasse um programa legal. Naquele período estava em cartaz *Superman: O Filme*, campeão de bilheterias do momento. Com o novato Christopher Reeve no papel do homem de aço, o filme estreara nos EUA em dezembro do ano anterior, com os cinemas botando gente pelo ladrão. Poucos meses depois, fenômeno semelhante aconteceria no Brasil. O tamanho das filas assustava até super-herói, mas Caetano não se intimidou e foi conferir. Garantida a diversão, luzes acesas no fim, hora de voltar e fazer propaganda do filme.

Ao chegar em casa, com a adrenalina a mil, Caetano desandou a contar a história. Tinha gostado muito do filme, sobretudo da cena em que o herói salva da morte a mocinha, dando voltas em torno da Terra para fazer voltar o tempo. Com sua eloquência peculiar, natural que a empolgação o levasse a falar alguns decibéis acima. Gil, coitado, queria dormir e não podia. Um falatório danado na sala. Até que não deu mais. Se não podia vencê-los, melhor juntar-se a eles. Mesmo cansado, Gil foi prestar atenção à história contada pelo amigo cinéfilo. Não se arrependeu. Por meio da narrativa minuciosa de Caetano, ele assistiu ao filme inteiro. Depois de muito bate-papo, a animação esfriou e finalmente foram dormir, ou pelo menos tentar. Depois de ter "assistido" à improvisada *avant-première*, Gil não conseguiu mais pregar o olho. Era mais um com insônia na casa. Os ecos de Caetano, as imagens do filme, a força que movera o super-herói para salvar sua amada, tudo aquilo ainda girava em sua cabeça. Sem dormir, Gil descarregou a tensão da forma que mais gostava: compondo. Naquela madrugada, com a ajuda do violão, papel e lápis, criou "Super-Homem – A Canção". Assim que ouviu, Caetano achou linda e ficou contente por saber que, de alguma forma, contribuíra para o nascimento da música. Logo ele, que nos tempos tropicalistas cantava aos quatro ventos que havia nascido para ser um Super-Bacana.

Estimular a inspiração do antigo parceiro foi gratificante, mas a dele não estava adormecida. Ao contrário, continuava a todo vapor. Já tinha repertório suficiente para compor mais um disco. De preferência um que tivesse mais sorte que *Muito*, em termos de crítica e de público. Entretanto, precisava conter a ansiedade. Até começar os trabalhos para valer, teria de cumprir seus compromissos agendados. Por mais difíceis que fossem. Em abril de 1979, ele e sua banda enfrentariam uma pedreira no exterior. E para que não se convertesse em uma viagem sem volta, o melhor seria dançar conforme a música, fosse ela um samba, uma rumba, ou ainda um sensual tango argentino.

❦

Guilherme Araújo não tinha muita afinidade com a política. Já lhe bastavam os problemas causados pela ditadura, que o levaram a se exilar em 1969. Naquela época o Brasil respirava ares mais amenos, mas a Argentina sufocava em meio a uma violenta ditadura militar. Com a chance de levar seu pupilo ao estrangeiro, Guilherme não titubeou diante da instabilidade política do país. Cantar no exterior não chegava a ser uma novidade para Caetano. Em 1968 estivera na Europa por conta de seu contrato com a Rhodia, e durante o exílio se apresentara lá várias vezes. As circunstâncias, porém, eram bem diferentes. No fim dos anos 1970, entre tangos e tanques, o povo argentino vivia em constante tensão e literalmente aterrorizado.

Assim que a notícia da viagem foi divulgada, teve gente na banda que se arrepiou dos pés à cabeça. Tomás Improta sabia exatamente o tamanho da encrenca que eles enfrentariam em Buenos Aires. Até sua mãe, do tipo superprotetora, perdeu o sossego a partir dali. Em março de 1976, Francisco Tenório Jr., professor de piano de Tomás, estivera na cidade acompanhando Vinicius de Moraes e Toquinho. Numa noite ele saíra do hotel para fazer um lanche e comprar medicamentos. Nunca mais voltaria. Tenório foi um dos primeiros civis, entre milhares de outros, que desapareceriam durante a ditadura militar argentina. O Médici de lá se chamava Jorge Videla, que assumira o poder após derrubar a presidente Isabelita Perón. Por essas e outras, todo cuidado seria pouco.

No meio dessa atmosfera pesada desembarcaram na Argentina. Preocupada com a segurança do filho, àquela altura a mãe de Tomás já devia ter rezado "Pai Nosso" até em castelhano. Incapaz de ajudar à distância, não lhe restava outra saída. Já *in loco* puderam perceber que a situação havia ficado mais séria do que se imaginava. Com tantas histórias semelhantes, parecia que todo argentino passava seus dias à procura de um parente sumido. Nas caminhadas pela cidade, o medo aumentava. Cabeludos podiam levantar suspeitas a qualquer momento. Toda cautela não seria exagero. Em pontes e viadutos tinha até placa com aviso de atenção, pois o risco de sofrer atentado se multiplicava nesses lugares.

Mesmo com toda pressão psicológica, cumpriram a agenda de shows. Fizeram apresentações numa precária TV local e num lugar de nome bem pitoresco, o "Obras Sanitarias". Para a felicidade da trupe, não eram os únicos brasileiros na Argentina. Egberto Gismonti e Hermeto Paschoal, que também havia se apresentado nesse lugar de nome curioso, estavam em solo portenho naquele período. A revista argentina *Periscopio* classificou de "*La invasión brasileña*" a passagem deles por lá naquele ano. No bom sentido, claro, porque mesmo com a rivalidade de vizinhos, os argentinos sabem apreciar música de qualidade. Para Caetano, mais do que fazer parte dessa tal invasão, aquele foi o início de um longo namoro com países de língua espanhola.

❧

Em meados de 1978, a Companhia Brasileira de Discos Phonogram alterou sua razão social e passou a se chamar PolyGram Discos Ltda. Para os mais íntimos, apenas PolyGram. Entrava nome, saía nome, ganhava apelido, e Caetano permanecia na casa. Enquanto muitos artistas seguiram o rastro do bem-sucedido executivo André Midani na novíssima gravadora Warner (WEA), como o próprio Gil, Caetano se mantinha fiel às origens. Embora não vendesse tanto quanto Roberto Carlos, Maria Bethânia ou Chico Buarque, a gravadora o deixava livre para fazer o que a inspiração ditasse. Era do que ele precisava, ficar solto e sem pressão. A maneira mais produtiva para um artista com sensibilidade à flor da pele. Em julho de 1979, nesse clima de liberdade criativa, um novo LP foi colocado no forno: *Cinema Transcendental*.

Embora tivesse total abertura com a PolyGram, Caetano não podia esquecer que a gravadora era uma empresa como outra qualquer, e, como tal, queria lucrar com a venda de seu produto: o disco. O resultado comercial de *Muito* havia sido desastroso. Com *Cinema Transcendental* não podiam correr o mesmo risco. Por conta disso, o trabalho de pré-produção foi mais cuidadoso. Músicas alegres e de fácil aprendizagem, como "Beleza Pura", "Lua de São Jorge" e "Menino do Rio" fariam parte do repertório. Seguindo o estilo bem dosado, também não faltariam canções mais elaboradas, com versos profundos, como "Elegia" e "Cajuína", aquela de Péricles Cavalcanti e Augusto de Campos, criada a partir de uma das elegias do poeta John Donne, morto no século XVII.

"Cajuína", no entanto, foi composta por causa de outro poeta. No dia da morte de Torquato, Caetano ficou muito triste, mas não chorou. Anos depois, quando esteve em Teresina para fazer um show, o pai do poeta, Heli da Rocha Nunes, o visitou no hotel. Ao ver aquela figura familiar, a emoção tomou conta de Caetano e o choro contido veio à tona feito uma cachoeira. Heli, então, o levou até sua casa. Lá, em meio a fotos do filho na parede, consolou o baiano, que não parava de chorar. Para amenizar a dor da saudade, ofereceu-lhe um copo de cajuína, que é uma bebida típica do Piauí. Depois foi ao jardim, colheu uma pequena rosa e a entregou ao amigo do filho. Caetano nunca escondeu de ninguém sua admiração profunda pelo poeta. Foi uma emoção ímpar rever aquela pessoa que, inevitavelmente, o remetia ao universo e à figura de Torquato. No contexto daquele encontro, as questões existenciais afloraram com mais força e, no meio delas, a inspiração. Pouco depois, num quarto de hotel em outra cidade, a música seria composta.

Além da referência à Torquato, havia também no disco a bem-humorada interpretação de "O Vampiro", de Jorge Mautner, com direito à imitação do sotaque peculiar do autor. Não acabou. A inspiração para o repertório vinha mesmo de todos os lados. A música "Trilhos Urbanos", por exemplo, remete a um período distante e ao mesmo tempo familiar. A letra conduz o ouvinte na travessia de um verdadeiro mapa biográfico, cheio de referências à Santo Amaro da Purificação e seus personagens históricos. A melodia criada, porém, tinha ligação direta com a música de um dos "chapas" da banda de Caetano. Além de baterista, Vinícius Cantuária era compositor. Nos ensaios, vira e mexe cantava suas músicas para a turma ouvir. Certa vez, mostrou "Lua e Estrela" e Caetano adorou.

A canção fora inspirada num efêmero amanhecer na praia do Arpoador, onde Vinícius ficara encantado com uma moça que usava o tal anel de lua e estrela citado na letra. Os acordes iniciais ficaram no subconsciente de Caetano e serviram de inspiração para fazer a melodia de "Trilhos Urbanos". Quem tivesse ouvido mais apurado, perceberia o parentesco entre as duas canções. Nada de plágio; ao contrário, era proposital e assumido. Com essa atitude, Caetano reconhecia publicamente a qualidade da obra de Vinícius. E não ficaria só na homenagem. A delicada "Lua e Estrela" entrava na fila para ser gravada no futuro. Mas isso ficaria para outro LP. Naquele momento, as energias estavam todas concentradas em *Cinema Transcendental*.

A produção ficou totalmente por conta de Caetano. A responsabilidade, portanto, seria em dobro. Na verdade, nem tanto assim. Produção mesmo não acontecia na prática. Ficavam todos muito à vontade no estúdio, levavam namoradas, amigos e ninguém recebia ordens. De qualquer forma, se as coisas dessem errado, a pancada cairia na cabeça dele. E olha que de bordoada Caetano entendia. Àquela época, no entanto, ele estava mais seguro de si e, além disso, apostava cegamente no trabalho d'A Outra Banda da Terra. O grupo renovava sua inspiração, dava tesão de cantar junto e ainda valorizava seu lado músico, dando-lhe confiança para tocar seu próprio violão. Era uma alegria constante trabalhar com os rapazes da banda. O filme que ele queria apresentar em seu *Cinema Transcendental* tinha esse enredo alegre, cheio de imagens bonitas e gente talentosa. Nas ruas não haveria faixas de divulgação nem panfletagem. Pelo menos, não para o disco. Em 1979, o *slogan* pintado em cartazes, muros e adesivos, clamava por liberdade e anunciava o epílogo de um longo filme de terror.

Com o afrouxamento da repressão a partir do final do governo Geisel, o povo brasileiro ganhou força e passou a exigir "Anistia ampla, geral e irrestrita!" em todo canto do país. Em agosto de 1979, a vitória veio. Naquele mês, João Figueiredo assinava a Lei da Anistia. Centenas de prisioneiros políticos, exilados, expatriados, subversivos e clandestinos seriam beneficiados. Parecia um sonho. Só que quando a esmola é demais, o santo desconfia. E realmente havia um detalhe que deixava na boca um gosto amargo de decepção. A lei também previa perdão para os possíveis torturadores. Quer dizer, para criar uma brecha, os militares levaram ao pé da letra o lema da campanha popular. Toda moeda tem dois lados. Essa foi a solução encontrada para jogar uma pá de cal no assunto.

Assim que divulgaram as primeiras listas de anistiados, dezenas de exilados começaram a desembarcar nos aeroportos do Brasil. Personalidades da vida pública com histórico mais atuante, como Fernando Henrique Cardoso, Márcio Moreira Alves, Leonel Brizola, Darcy Ribeiro, Paulo Freire, Miguel Arraes, Betinho (irmão do Henfil), e até o ex-guerrilheiro Fernando Gabeira, estavam na leva dos que voltariam para casa. Como se fosse a chegada da seleção brasileira de futebol, muitos deles sairiam do aeroporto carregados nos ombros ao som de bandas populares, com cartazes de boas-vindas e centenas de pessoas em volta.

A sensação de leveza era tanta que, algum tempo depois de chegar, Gabeira resolveu praticar os costumes que aprendera no exterior. Já no primeiro verão dos anistiados, colocaria a liberdade de expressão a toda prova. Nas areias do Posto 9, em Ipanema, desfilou tranquilo, vestindo uma tanga de crochê lilás, emprestada de sua prima, a jornalista Leda Nagle. Para quem o conhecia como sequestrador de um embaixador americano, foi bastante esquisito vê-lo em trajes sumários. Ninguém entendeu nada. Naquele período, Gabeira ouviu muito marmanjo dizer "*O que é isso, companheiro?*" Mas era bom que todo mundo se acostumasse, esse seria o Gabeira que o Brasil veria dali em diante.

Ao contrário da esquerda mais radical, chocada com a minúscula tanga, Caetano encarou com naturalidade a atitude do ex-guerrilheiro. Afinal, nesse território entre o feminino e o masculino ele passeava havia muito tempo. Basta lembrar de suas apresentações na volta do exílio, quando subia ao palco rebolando, de bustiê, batom e brinco. A quantidade de vezes que ele foi chamado de "bicha" não estava no gibi. E para não ir tão longe, na época da anistia mesmo, havia muita gente que estranhava seu comportamento durante os shows com A Outra Banda da Terra. Ele se sentia tão à vontade com os rapazes da banda, mas tão à vontade, que invariavelmente tascava um selinho na boca de cada um deles, entre um número e outro. No futuro, muita gente ganharia o seu e o gesto viraria moda entre os descolados. Todavia, no fim dos anos 1970, essa atitude ousada e transgressora deixava muita gente de boca aberta.

Em meio à euforia e o desbunde, o governo Figueiredo marcava, por assim dizer, o início do fim de uma era. Novos líderes surgiriam e o poder nas mãos dos militares estava com os dias contados. Caetano continuava afastado dos episódios mais críticos do período e não se envolvia abertamente com política. Entre participar de uma passeata ou aceitar o convite de um amigo para cantar, ficava de longe com a segunda opção. Por conta disso, em novembro de 1979, quebraria uma promessa que parecia inquebrável.

Em setembro de 1968, quando vociferou contra os festivais de música popular, Caetano não estava de brincadeira. Revoltado com os episódios desagradáveis vivenciados no FIC daquele ano, seu ódio tinha razões de ser. O tempo, porém, cicatriza as feridas. No Festival Abertura, em 1975, ainda firme em sua resolução de nunca mais participar de um festival, apareceu apenas na condição de espectador. Porém, onze anos depois de fazer a promessa, no final de 1979, ele voltaria atrás e participaria de um festival de música popular. E para a surpresa de muitos, desta vez, não como compositor, mas como intérprete. E só estaria nessa condição graças a outro fera do ramo.

Quando soube do evento, Jorge Ben resolveu inscrever "Dona Culpa Ficou Solteira". Com um título sugestivo desses, quem tinha imaginação viajou. Apaixonado por Jorge Ben e sua obra, Caetano ficou doido. Até então cada um estava em seu canto. Bastou um encontro casual durante uma caminhada na praia de Ipanema, em frente à rua Montenegro, atual Vinicius de Moraes, para que tudo mudasse. Na conversa, Caetano disse a Jorge Ben que não tinha intenção de participar do festival como competidor. No máximo, faria um número no intervalo das apresentações. A lâmpada mágica piscou para Jorge Ben. A oportunidade estava ali e não poderia escapar. Foi a partir disso que ele lançou a ideia: que tal se o amigo interpretasse sua música? Puxa vida, negar um pedido de Jorge Ben?! Nem pensar.

A TV Tupi investiu pesado na produção do "Festival 79 de Música Popular". Mais uma tentativa de reviver o período áureo dos festivais da Record, durante os anos 1960. Bom, se esse era um dos principais objetivos da festa, acertaram na escolha do organizador do evento. O calejado produtor Solano Ribeiro mais uma vez estaria à frente da produção. A cidade também seria a mesma. O Palácio das Convenções do Anhembi, em São Paulo, abrigaria o palco da disputa, criado pelo cenógrafo Cyro del Nero, também responsável pelos ambientes dos grandes festivais da Record. E para completar o *revival*, alguns dos participantes escalados contabilizavam boas peripécias anteriores.

Depois de ouvir mais de 7.000 composições, em torno de 500 horas de gravação, o júri selecionou 36 músicas para as semifinais. A primeira delas foi realizada em 15 de novembro de 1979. É claro que os organizadores tinham esperança de revelar novos talentos. Para isso serviam os festivais de antigamente. Mas não foi o que aconteceu naquela noite. O que a plateia viu foi o triunfo dos veteranos. Em parceria com Moreira da Silva, Jards Macalé apresentou o samba de breque "Tira os Óculos e Recolhe o Homem". Por pouco não deixaram de se apresentar. Para incrementar o número, Macalé inventou de entrar no palco algemado ao parceiro. Um guarda havia emprestado as algemas, mas, como doía ficar com elas, resolveram tirar. O problema é que a chave não aparecia, ninguém achava a bendita. Algum sacana tinha aprontado. Só depois de muito tempo é que deram um jeito e se livraram do apetrecho. No entanto, para manterem o contexto das algemas, Macalé as levou para o palco e, no fim da apresentação, as jogou para o público.

Na mesma noite, Caetano recebeu vaias e aplausos. No show de apresentação, a plateia aprovou, mas quando anunciaram sua classificação, em seu retorno ao palco, a tradicional "festivaia" começou e uma chuva de bolinhas de papel caiu em cima dele. O samba de Macalé e Moreira da Silva, assim como a canção "Canalha", de Walter Franco, além da composição da dupla Hilton Acioli e Jô, "Chama", foram as outras três obras classificadas. Ou seja, só passou macaco velho. A então jovem cantora Diana Pequeno, muito aplaudida depois de interpretar "Facho de Fogo", de João Bá e Vidal França, protestou com veemência quando soube da decisão do júri. Sentiu-se traída por um grupo de reacionários que não quiseram dar vez ao novo. De nada adiantou. Ficou por isso mesmo.

A finalíssima aconteceu em 8 de dezembro de 1979. Anunciada a classificação final, Caetano e Jorge Ben saíram de mãos abanando. A vitoriosa foi "Quem Me Levará Sou Eu", de Dominguinhos e Manduka, que fora classificada em outra semifinal, interpretada pelo cearense Raimundo Fagner. Walter Franco, com "Canalha", levou o vice. Pelo menos o terceiro lugar resgatou o propósito original da disputa e fez a redenção dos novatos. "Bandolins", de Oswaldo Montenegro, foi a premiada. Ainda no campo das novidades, o prêmio de melhor arranjo foi concedido a "Sabor de Veneno", do emergente músico Arrigo Barnabé. Novamente marcado por vaias, protestos, performances e boas surpresas, outro festival de música popular chegava ao fim.

Para Caetano, tudo bem. Ele já estava em outra. Naquele mês, aproveitou a estada em São Paulo para fazer a estreia do show *Cinema Transcendental*, no Teatro Pixinguinha. Isso aconteceu na época em que Caetano se apresentava com uma enorme pena de pavão no palco. No mesmo período, também começou a prova de fogo do disco. Natural haver uma expectativa, considerando o histórico ruim do disco anterior. Para alívio do baiano, porém, a turma passou no teste. Tanto o show quanto o disco se saíram bem. Com belas canções e novos elementos, dessa vez o trabalho recebeu elogios de público e crítica. Depois de levantar e sacudir a poeira, a volta por cima começava a ser dada.

Canções como "Menino do Rio" e "Lua de São Jorge" foram rapidamente decoradas pelo público. Até com as rádios Caetano voltava às boas. "Beleza Pura", sem trocadilho, tocava que era uma beleza. A versão gravada pelo grupo A Cor do Som ia pelo mesmo caminho e figurava entre as dez mais executadas no Rio. Ainda em dezembro, o show seguiu para o calorão do Teatro Tereza Rachel, em Copacabana. As pás dos poucos ventiladores não tinham a menor chance de amenizar a fornalha carioca. Mesmo com o público pingando de suor, o sucesso se repetiu e em breve esquentaria também a vendagem do disco. Um mês após ser lançado, em torno de 60 mil cópias foram vendidas. Pouco ainda, mas para quem tinha vendido a metade no disco anterior, era uma retomada aos trilhos do sucesso comercial.

❧

No início de 1980, só para não perder o hábito, Caetano lançaria mais um compacto: *Carnaval 80 de Caetano Veloso*, que tinha sua "Massa Real" de um lado, e "Badauê", de Moa do Catendê, do outro. Com apoio de uma banda entrosada e de um repertório constantemente renovado, sua popularidade só fazia crescer. Na próxima década começaria uma nova etapa em sua carreira, com outras musas, outras experiências, outros sons, outras palavras...

17

O QUE É QUE O BAIANO TEM?

Em janeiro de 1980, o brasileiro curtia os efeitos da abertura política iniciada no governo Geisel e mantida pelo então Presidente João Figueiredo. Embora muita gente se beliscasse para saber se sonhava ou não, os bons ventos animavam até os mais pessimistas. A nova década por vir prometia ser bem diferente da anterior. Mais aberta, mais alegre, mais roqueira. Em seu cinema particular, isto é, no seu disco *Cinema Transcendental*, Caetano também se empolgava com as boas novas em cartaz. Lançado no fim do ano anterior, o LP dava a volta por cima em relação a *Muito*. A crítica elogiava, as rádios tocavam as músicas, e, melhor de tudo, vendia bem.

Aliás, "bem" talvez não fosse o termo adequado. Para os padrões dele, no entanto, superar 60 mil cópias merecia comemoração. O disco anterior vendera a metade. Caetano Veloso não fazia parte do grupo de grandes vendedores de discos da música brasileira. Nesse clube seleto, sua irmã Maria Bethânia tinha carteirinha. O lançamento de *Mel* se deu com mais de 500 mil cópias vendidas. Isso sem falar de *Álibi*, seu LP anterior, que caminhava a passos largos para ultrapassar a expressiva marca de um milhão de cópias vendidas. Ela seria a primeira cantora brasileira a realizar a façanha, algo que apenas o rei Roberto Carlos conseguia. E tamanho sucesso não deixava de respingar em Caetano. Os discos da cantora saíam com pelo menos duas ou três canções do mano. Em *Mel*, a faixa título era dele com Waly Salomão. Em breve a dobradinha seria repetida em *Talismã*. Com Bethânia no *front*, os direitos autorais estariam garantidos por um bom tempo.

A boa fase não se resumia à grana. Mulheres bonitas também choviam na horta. No início dos anos 1980, Caetano e os rapazes da banda estavam mais populares que galã de novela. No fim de cada espetáculo, as garotas faziam fila na porta do camarim para tirar fotos, pedir autógrafos ou apenas falar com eles. Valia tudo para se aproximar dos ídolos. E no paredão de estrogênio sempre havia aquela fã que se destacava mais. Assim entrou em cena uma bela gata chamada Vera Zimmermann.

Estudante ainda, a moça tinha espírito aventureiro. Nas férias, botava a mochila nas costas, se despedia da mãe e viajava pelo Brasil com sua turma, conhecendo lugares, pessoas e aproveitando o melhor da vida. Acostumada a passar o verão em Salvador, conheceu os músicos d'A Outra Banda da Terra. Daí para seguir a turnê foi um pulo. No fim do show *Cinema Transcendental*, em São Paulo, conheceu Caetano no camarim. No melhor estilo *groupie*, não imaginava a longa estrada que estava prestes a percorrer. A empatia entre ambos foi imediata. No caso de Caetano, pudera. Imagine só: loira, tipo *mignon*, 16 aninhos e dona de um belo par de olhos azuis. Gostava de música, sonhava ser atriz e adorava tocar violão. Quem havia de resistir? Durante a conversa, Caetano a convidou para assistir ao show que daria início a uma longa turnê por várias cidades do interior paulista, o conhecido circuito universitário. Afeita a uma boa aventura *on the road*, Vera não pensou duas vezes: "*Fui!*"

A rotina de cada apresentação era uma loucura. Chegavam nas cidades, iam direto ao ginásio montar a aparelhagem. Com tudo pronto, corriam para o hotel, tomavam banho e à noite faziam o show. Cansados, retornavam para o hotel, dormiam, ou apenas tentavam, e no dia seguinte partiam para outra. Em ritmo frenético, esses bandeirantes da música desbravariam as cidades de Americana, Araçatuba, Barretos, Presidente Prudente, Ribeirão Preto e Campinas. Apesar de todo frenesi, romances pintavam aos montes. Os músicos saíam com menina do coro, tiete, fã; até camareira de hotel entrava na lista. Se pintasse o clima, rolava mesmo. A amizade colorida entre Caetano Veloso e Vera Zimmermann esquentou logo na primeira parada. Um romance relâmpago, mas intenso. Pena que no melhor da festa o casal foi interrompido pela produção. O ônibus não podia seguir viagem sem eles♪[57].

Momentos inspiradores não só pelos romances. Nessa época, Caetano via o Brasil crescer "para dentro". Aquele interiorzão ganhava importância e se destacava na economia do país. Os operários do ABC paulista mostravam sua força e as primeiras greves da classe, lideradas por um metalúrgico barbudo chamado Luiz Inácio "Lula" da Silva, sacudiam o panorama. No início de 1980 essa gente corajosa e cheia de esperança fundava o PT, o Partido dos Trabalhadores. E que ninguém duvidasse da classe operária brasileira. Ao passar pelas cidades, Caetano admirava tudo com seu olhar de poeta, para depois registrar em suas letras, durante o pouco tempo que lhe restava livre: as altas horas da madrugada.

Num quarto de hotel em Presidente Prudente, nu e abraçado ao violão♪[58], Caetano exorcizou suas impressões numa letra estilo diário de bordo. O tes-

---

[57] ♪ "Vera Gata"
[58] ♪ "Nu Com a Minha Música"

temunho de suas andanças pelo interior paulista ficaria registrado em versos. Bom para não se perder. Foram tantas as cidades que muitas vezes os músicos acordavam sem saber direito onde estavam. A bagana podia contribuir, mas o ritmo acelerado confundia até os caretas. Além do mais, o cansaço da viagem também afetava o raciocínio. Embora a produção tivesse boa vontade, não havia *roadie* para ajudar nas constantes "mudanças". Na hora de levar o equipamento debaixo do braço, cada um ficava com o seu. Arnaldo Brandão carregava o contrabaixo sem dificuldades. Vinícius Cantuária sofria e muito. Além de ajeitar nas costas a parafernália de sua bateria, tinha de montar e desmontar tudo quase diariamente.

No auge da maratona, porém, ninguém reclamava. Estava tudo azul e havia as compensações. O cheiro de liberdade, o clima de aventura, a conquista de novos fãs, novas plateias. Tudo isso não tinha preço. No fim estavam todos exaustos, mas felizes e de alma lavada.

❧

Quem não conhecia Caetano jurava que ele não tinha tempo para nada além de trabalho. Nem tanto assim. Como bom baiano, também gostava de uma farra. Entre uma turnê e outra, se divertia, em geral com música no meio. E quando, ao mesmo tempo, podia dar força aos amigos, o prazer dobrava. Em janeiro de 1980, a trupe do "Asdrúbal Trouxe o Trombone" entrava em cartaz no Teatro Dulcina com sua mais nova empreitada: *Aquela Coisa Toda*. O espetáculo fora criado a partir das experiências vividas durante os anos passados coletivamente. Na prática, o texto era apresentado em cenas fragmentadas, com temas e inspirações indigestas, como a origem da tragédia através da música, o filósofo Nietzsche, a morte, e outros assuntos desse calibre. A fórmula, porém, continuava a mesma. O escracho e o deboche, marcas registradas do grupo, estariam lá em meio aos temas eruditos.

A peça ficou em cartaz até março. Depois passou por Salvador e Brasília, e só retornou ao Rio no meio do ano, onde foi apresentada no Parque Lage, no ginásio da PUC e depois no Teatro Ipanema. Caetano foi conferir e mais uma vez se encantou. Que satisfação assistir a tanta gente talentosa em cena, sobretudo a amiga Regina Casé, dessa vez na pele da personagem "Camaleoa" ♪[59]. Com seus trabalhos anteriores, o Asdrúbal vinha de um estrondoso sucesso, de crítica e de público. Um dia é da caça, e outro é do caçador. A nova montagem, no entanto, recebeu uma saraivada de críticas. Caetano tinha vivido aquele filme outras vezes e saiu em defesa do grupo. Para ser mais contundente daquela vez, o desagravo veio em forma de canção. A letra fala

---

[59] ♪ "Rapte-me, Camaleoa"

de Regina Casé, cita nominalmente sua personagem, contudo, muito mais que isso, a intenção na hora de compor foi homenagear o grupo inteiro. Se os críticos entenderiam, seria outro problema. E, para ser franco, na opinião dele também não importava mais.

Na mesma época, uma jovem cantora e compositora despontava no cenário pop rock brasileiro: Marina, irmã e parceira de Antonio Cícero. Marina Correia Lima tinha uma biografia curiosa. Nascida no Rio de Janeiro, aos 5 anos se mudou com a família para Washington, D.C., onde o pai foi trabalhar como gerente de operações do Banco Interamericano de Desenvolvimento (BID). Para amenizar os efeitos da adaptação, os pais deram a ela um violão. Com ele no colo, os invernos rigorosos ficaram bem mais brandos. Aos 12, regressou ao Brasil sem ler e escrever em português. Durante a viagem, trancada no interior de um navio, se deu conta de que tinha deixado para trás seu fiel companheiro. Cadê meu violão? Na falta do "braço" amigo, sem a mesma vibração de antes, descobriu a real importância das notas musicais em sua vida. Algum tempo depois, voltaria aos EUA, dessa vez para estudar Teoria de Harmonização no conservatório de música. Nesse meio tempo, Antonio Cícero deixou Londres e também foi para a América do Norte. A primeira parceria não demorou. Numa noite ela se deparou com um poema do irmão, gostou e decidiu musicar. Assim nasceu "Alma Caiada".

A mãe de Marina e Antonio Cícero é prima de Lea Millon, então os dois são primos distantes de Dedé e Sandra Gadelha. Lea administrava a carreira de Maria Bethânia e fez a ponte para que ela conhecesse o trabalho da moça. Bethânia gostou do que ouviu e chegou a iniciar a gravação de "Alma Caiada", só que a censura, acredite se quiser, implicou com a letra. De Bethânia para Caetano o caminho foi natural. Em 1979, Marina lançou seu primeiro disco, *Simples Como Fogo*, no qual gravou "Muito", de Caetano. No ano seguinte, começou a preparar "Olhos Felizes". Àquela altura, um dedo de Caetano Veloso fazia toda a diferença no trabalho de qualquer novato. Foi aí que ele compôs "Nosso Estranho Amor" especialmente para Marina. E mais. Gravou a música com ela, numa participação especial que rendeu um clipe na TV. Desde então, ninguém segurou mais a jovem cantora. Em pouco tempo, Marina Lima se tornaria uma das vozes femininas mais importantes da "Geração 80".

Enquanto esse movimento evoluía aos poucos, Caetano continuava a percorrer sua estrada pessoal. Em seu caminho evolutivo, tinha chegado muitas vezes a lugares surpreendentes. Nada comparado, porém, ao universo paralelo que ele atravessaria em breve. As matas de Oxóssi esperavam por ele, ao som de atabaques e adjás.

Caetano Veloso e Maria Bethânia, como duas contas da mesma guia, estavam ligados ao candomblé de Mãe Menininha desde meados dos anos 1970. E havia muito mais gente na mesma vibração. Políticos, artistas ou simples anônimos. A Colina do Gantois, em Salvador, onde funciona o terreiro, estava acima de qualquer divergência. Não raro, inimigos de plenário ficavam lado a lado, como velhos camaradas, para assistir à festa de um orixá, ouvir um conselho espiritual ou apenas consultar os búzios. Algumas décadas antes, no entanto, frequentar candomblé na Bahia poderia levar o sujeito a acender suas velas no xadrez. A repressão da polícia não dava trégua. Graças a Oxalá, esse tempo ficara para trás. Naqueles dias, quem quisesse um pouquinho do axé da casa, podia subir a colina com fé e sem medo.

Os irmãos Velloso subiam muitas vezes. Iam até lá em busca das palavras sábias daquela senhora de batas douradas, em respeito a Oxum, seu orixá. Juntos ou separados, volta e meia recuperavam suas forças no terreiro mais famoso da Bahia. No início dos anos 1980, a ialorixá achou por bem que os dois se tornassem filhos de santo, para que tivessem mais acesso à força da casa, ao axé da casa, como se diz no candomblé. Existia, porém, um estranho detalhe. Por algum motivo misterioso, a zeladora achava melhor que os dois fizessem o santo juntos, na mesma época. Eles, que sempre respeitaram Mãe Menininha, seguiram a recomendação. Além de irmãos de sangue, a partir dali se tornariam irmãos de santo, de esteira e de barco, como se diz no linguajar dos barracões.

Nos dias em que ficaram recolhidos, cumpriram os ritos e obrigações para dar força e também agradar aos orixás que regem suas cabeças. Assim como Jorge Amado, Roberto Santana e Carybé, Caetano é filho de Oxóssi, da qualidade Ibualama,[60] orixá da fartura, da caça e dos caçadores, cuja cor no candomblé é o azul, e o símbolo é um arco e flecha em ferro forjado, o Ofá. Bethânia é filha de Iansã, também conhecida como Oyá, a deusa dos ventos, dos relâmpagos e das tempestades, cuja cor é o vermelho grená, e o símbolo é um raio. Nas imagens, aparece empunhando uma espada e um chicote feito com rabo de cavalo ou de boi, o Eruexim. Para um artista, o fato de se tornar filho de santo de um candomblé ganhava outras dimensões. Além de se fortalecer espiritualmente, entrava em contato com novos elementos estéticos que, em algum momento, seriam convertidos em arte. Muita gente bebeu da fonte. Basta ouvir as canções de Dorival Caymmi, os afrossambas de Vinicius de Moraes e Baden Powell, ler os romances de Jorge Amado, admirar as pinturas de Carybé.

A força do orixá é também a força da natureza. A beleza de todo simbolismo dos cultos africanos também conquistou Caetano. Canções como "Iansã",

---

[60] ♪ "Guá"

"Guá", "As Ayabás" e "Oração ao Tempo" foram surgindo à medida que o contato com aquele universo também se intensificava. No futuro, outras canções com temática afroespiritual também nasceriam, como "Eu e Água", "Dedicatória" e "Milagres do Povo". A influência não ficaria apenas nas músicas. Dali em diante, o uso das contas e as obrigações periódicas também passariam a ser cumpridas. Caetano e Bethânia estreitariam ainda mais o vínculo com a casa. A energia espiritual passaria a pulsar mais forte na vida deles. Nos próximos trabalhos, a força dos orixás, mesmo invisível, também estaria presente.

E por falar em trabalho, a fábrica de músicas não parava. Na fase d'A Outra Banda da Terra, Caetano estava mais inspirado que nunca. As canções brotavam dos poros. Prontas, não poderiam ficar só nas fitas caseiras e no círculo de amigos. O registro em disco seria o destino inevitável. Os executivos da PolyGram estavam doidos para lançar outro LP de Caetano Veloso. Depois do sucesso de *Cinema Transcendental*, queriam atirar logo a próxima pedra. O baiano, por sua vez, não negava fogo. E nem precisava. Tinha um novo repertório prontinho. Em setembro de 1980, começariam as gravações. O disco teria uma cara mais urbana e bem paulista também. Muitas canções nasceram em quartos de hotel, dentro do ônibus, durante a longa excursão pelo interior de São Paulo.

A ligação com a cidade também aparecia na faixa título do LP. Na letra de "Outras Palavras" Caetano mostrou que aprendera a lição dos poetas concretos e suas influências. A expressão é uma gíria baiana que Caetano ouvia muito na voz de Mônica Millet. Até aí nenhuma novidade, um ou outro também poderia conhecer o jargão. Com o restante da letra, no entanto, muita gente se surpreenderia. Nela, Caetano fez da língua portuguesa seu quintal. Criou jogos de palavras, neologismos, aglutinou termos, enfim, pintou e bordou com o idioma. Feito um James Joyce dos trópicos, inventou termos como "sexonhei", "homenina", "felicidadania" e "orgasmaravalha-me". Para completar o clima, outro artista que adorava brincar com palavras também seria lembrado. No meio da salada musical, acrescentou "Verdura", do poeta e amigo Paulo Leminski. No todo, o disco era bem eclético. A poesia de vanguarda estava lá, sim, mas sobravam histórias, romances, amores e muitas confissões.

Caetano seria novamente o produtor do disco. Só que dessa vez não conseguiria aplicar a mesma metodologia dos álbuns anteriores, em que havia um critério de trabalho mais ou menos definido. Ainda que o rigor típico de produtores não fosse aplicado, no mínimo a gravação precisava de uma sequência planejada. *Outras Palavras* não teria essa direção clara e alguns imprevistos tirariam dele o controle para manter um mínimo de rigor no trato. Isso até poderia deixá-lo bem chateado, se o motivo desses tais imprevistos não atendesse pelo nome de João Gilberto. Mais uma convocação de emergência e Caetano parava tudo novamente. Dessa vez, ia participar de *Brasil*, o novo disco de seu ídolo supremo.

João Gilberto, porém, não estava satisfeito, queria outros dois importantes reforços. Além de Caetano, o *Brasil* de João contaria com o baiano Gilberto Gil, e a participação especial de Maria Bethânia cantando "No Tabuleiro da Baiana", de Ary Barroso. Ninguém ousaria recusar. E nem queriam mesmo. A *trip* que se iniciava seria longa, mas não tinha problema. Se estavam com João, tudo bem. Mesmo que fosse para rodar o Rio de Janeiro como parte do processo criativo do mestre. Na fase inicial, os encontros se deram num espaçoso apartamento no Leblon, alugado a pedido de João Gilberto, com uma cozinheira baiana fazendo parte do pacote. Só não ficariam trancafiados o tempo inteiro.

Naquela época, João Gilberto já era conhecido por sua excentricidade e rigor. Até o projeto amadurecer, demoraria um tempo. Muitas noites, Caetano e Gil chegavam ao apartamento para ensaiar e, em vez disso, João mudava os planos. Decidia ir com eles até o restaurante Fiorentina, no Leme, procurar o compositor Bororó, para matar uma saudade inesperada. Outras vezes ia todo mundo à casa de João Donato colocar o papo em dia e desfrutar do bom humor peculiar do anfitrião. E quando batia o desejo incontrolável, enfrentavam uma viagem pitoresca até Barra de Guaratiba, com João atrás do volante, só para adoçar a garganta com broas de milho, pés de moleque e outros doces vendidos num armazém local.

O método *sui generis* de João Gilberto funcionava. Quando finalmente entraram em estúdio, a gravação foi concluída em pouco mais de quatro sessões. De longe, parece ter sido a etapa mais fácil, mas não foi bem assim. Essa parte também deu uma boa canseira. Na verdade, o trabalho inteiro deixou a turma exausta. Ainda no apartamento alugado, tiveram que retirar a proteção de uma luminária que incomodava o cantor. Não satisfeito, João também mandou retirar os porta-retratos que teimavam em olhar para ele o tempo todo. Depois, na gravação, o produtor executivo Guto Graça Mello se esmerou para atender às novas exigências. Ofereceu inúmeras opções de bancos e microfones, diminuiu a intensidade da luz e desligou os aparelhos de ar-condicionado. Para a mixagem, os técnicos também precisaram de paciência. O trabalho foi realizado nos EUA. Dono de um ouvido sobre-humano, João implicava com sons quase etéreos. Até que tudo ficasse aceitável para seus padrões, meses se passariam. O *Brasil* de João Gilberto só mostraria sua cara em junho de 1981. E não ficaria restrito apenas ao disco. Rogério Sganzerla teve a feliz ideia de filmar os bastidores da gravação, abrilhantando ainda mais o projeto como um todo.

Assim que foi liberado, Caetano retomou o trabalho interrompido. *Outras Palavras* entrou em ritmo de finalização. Além de "Verdura", de Leminski, canções de outros compositores foram incluídas no repertório. "Lua e Estrela", de Vinícius Cantuária, finalmente ganhava sua versão na voz de Caetano. "Sim/Não", dele e do percussionista Bolão, ficou com a quinta faixa do LP. Além dessas, estavam lá "Blues", de Péricles Cavalcanti, "Quero um Baby Seu", de Paulo Zdanowski e Luís Carlos Siqueira, e uma grata surpresa em francês: o clássico "Dans Mon Île", de Maurice Pon e Henri Salvador. Os fãs da obra, no entanto, também deviam sua inclusão a outro compositor. O registro teve grande influência de Roberto Menescal que, em conversas com Caetano, recomendara a gravação da música. Em dezembro de 1980, as últimas palavras do disco foram essas. A partir dali, bastava ensaiar, preparar o show e cair na estrada novamente.

❦

No início de 1981, Caetano se reunia com os rapazes da banda quase diariamente. Ensaiaram até a exaustão para que tudo ficasse um brinco. A estreia do show *Outras Palavras*, marcada para o início de maio, aconteceria no Canecão, Rio de Janeiro. Antes, porém, um compromisso firmado havia algum tempo por Guilherme Araújo teria de ser cumprido. Mais um show na capital Argentina, só que ninguém precisava se preocupar tanto dessa vez. Não havia marinheiro de primeira viagem, já conheciam os caminhos, o público já os conhecia e o governo Jorge Videla chegava ao fim. Pelo menos dessa vez, dona Ivy, mãe de Tomás Improta, poderia economizar nas orações e dormir mais sossegada.

Em Buenos Aires, a reação foi a melhor possível. O exigente público adorou o show. No final das duas noites de apresentação, quatro mil argentinos pediam bis, uma, duas, três e até quatro vezes. E não parava por aí. Caetano e os músicos se surpreenderam ao perceber que os portenhos sabiam várias canções de cor. Arrepiaram-se quando ouviram a plateia fazer coro em "Terra", com a pronúncia dos "erres" mais acentuada por causa do sotaque. A América Latina começava a conhecer os segredos do baiano. Só que, como diz o velho ditado, tudo que é bom dura pouco e eles tiveram que voltar para colocar as novas palavras de Caetano no letreiro do Canecão.

Era mesmo uma retomada do sucesso. A procura pelos ingressos foi tanta que, antes mesmo do show estrear, a direção da casa decidiu ampliar a temporada em mais uma semana. No auge das apresentações, Caetano quebraria o recorde de público que pertencia a Roberto Carlos. Naquela primeira noite, em 6 de maio de 1981, ele também faria as pazes com o Rio de Janeiro. Algum tempo antes, no calor das brigas e polêmicas, havia feito críticas às desigualdades do Rio e à postura *blasé* do povo da zona sul carioca, as quais foram exploradas pela imprensa até a exaustão. A polêmica em nada atrapalhou e os fãs compareceram em massa ao show do Canecão.

O momento tinha mesmo cara de festa de arromba. Já na primeira música, uma grata surpresa. O tremendão Erasmo Carlos subiu ao palco para entregar um presente a Caetano. Uma cópia do "disco de ouro" referente à vendagem do LP em duetos, *Erasmo Carlos convida...*, do qual Caetano havia participado na faixa "Quero Que Vá Tudo Para o Inferno". Logo ele, que vendia pouquinho, não esperava receber um desses, ainda mais por uma participação. Maravilhado com o episódio, Caetano retribuiu a prenda tascando um beijo na boca de Erasmo. O público foi ao delírio. No meio da algazarra, não perdeu a chance de brincar com a plateia dizendo que acabara de ganhar seu primeiro "disco de ouro". Parecia até um prenúncio. Enquanto ficava de papo nos shows e distribuía beijos nos amigos, *Outras Palavras* vendia como água de coco no verão.

O mais curioso é que o LP, por causa do trabalho com João Gilberto, não tivera uma produção contínua como nos dois anteriores. Mesmo assim, rumava para ser "disco de ouro". Um feito inédito na carreira dele. O sucesso alcançado com "Lua e Estrela" ajudaria, e muito. A canção arrebatou o coração dos fãs. A todo momento, uma rádio a executava atendendo a pedidos. Incluída na trilha da novela *Baila Comigo*, da TV Globo, como tema da personagem de Lídia Brondi, penetrou ainda mais no subconsciente da população. O sucesso foi tanto que até hoje muita gente pensa que a canção é de autoria de Caetano Veloso, quando, na verdade, foi composta por Vinícius Cantuária. Em Salvador, na primeira semana de julho de 1981, o inevitável aconteceu: Caetano recebeu seu merecido primeiro "disco de ouro", resultado da vendagem de 100 mil cópias de *Outras Palavras*.

O baiano estava com tudo e não estava prosa. Naquele período, participaria da estreia do programa *Mocidade Independente*, apresentado por Nelson Motta na TV Bandeirantes. O convite seria óbvio para quem conhecia o projeto. Ao conceber a ideia, Nelsinho buscou criar nas noites de sábado um espaço pós-tropicalista, onde pudesse reunir gente atrevida, experimental e até maldita, artisticamente falando. O clima anárquico era evidente. A começar pela equipe de apoio responsável pela parte teatral do programa. Nelsinho contratou o pessoal do "Asdrúbal Trouxe o Trombone" como atração fixa. Começava ali a história televisiva de Regina Casé, Luiz Fernando Guimarães, Evandro Mesquita, Patrícia Travassos, entre outros.

Para a noite de estreia, além de Caetano Veloso, Nelsinho chamou Arrigo Barnabé, outro amaldiçoado da música brasileira, na época o representante mor da vanguarda paulistana. A química diante das câmeras fluiu naturalmente. Cada um, à sua maneira, apresentou sua arte ao público que assistia da poltrona de casa. Em seguida, Nelsinho reuniu os dois para uma entrevista, meio debate, meio bate-papo de esquina. Enquanto isso, no mesmo horário, a TV Globo exibia mais um capítulo de *Baila Comigo*. Com picos de 90% de audiência alcançados pela novela, a competição ficava duríssima. Para Caetano, porém, não havia problema. Gostasse ou não, em qualquer uma das emissoras, a voz dele ecoava.

Fora as questões de audiência, a estreia marcante agradou. *Mocidade Independente* cumpriu seu papel. E para dar continuidade ao projeto, nas edições seguintes outros transgressores participariam. Os próximos seriam Walter Franco, Itamar Assumpção, Eduardo Dusek e Raul Seixas. A despeito de todo cuidado na seleção dos artistas, ficaria provado que o brasileiro gosta mesmo é de novela. No decorrer da temporada, a audiência despencaria no abismo, a ponto de obrigar a emissora a tirar o programa do ar. O último foi exibido em 22 de agosto de 1981. Por uma lamentável coincidência, essa seria uma data duplamente triste. Naquele dia, o cineasta Glauber Rocha se despediu do mundo, vítima de complicações decorrentes de uma gama de doenças pulmonares.

❦

A próxima parada da turnê *Outras Palavras* seria o palco do Teatro Castro Alves, em Salvador. Com um repertório mais popular e ampliado a cada temporada, Caetano também renovava seu público e conquistava fãs de todas as idades. Exibindo um vigor de adolescente, cantava para uma plateia jovem, cheia de gatinhas que assoviavam, gritavam e chamavam seu nome a todo instante. As mais atiradas se jogavam em cima dele; outras, mais tímidas, prefeririam admirar de longe. No segundo grupo estava Cristina Mandarino, uma linda mocinha que chegava para sacudir as estruturas da rapaziada.

Adolescente ainda, Cristina raramente saía de casa sozinha. A mãe marcava em cima. Para assistir a um show de Caetano Veloso não havia com o que se preocupar. O irmão e uma amiga estariam lá também. Com eles a filha ficaria segura. Bem, das maldades do mundo, poderiam protegê-la; dos olhos de um poeta, impossível. Enquanto conduzia o show, Caetano percebeu a loirinha que chamava a atenção pela beleza de menina-moça. Mas ele estava no meio do espetáculo. Como poderia falar com ela? Nessas horas a criatividade ajuda. Aproveitou os versos de "Lua e Estrela" e enviou o torpedo. Em pleno show, travou um diálogo à distância. Caetano cantou: "*Quem é você? Ôôôô... Qual o seu nome?*" E ela, depois da insistência da amiga, respondeu: "*Cristina*". Ao que ele continuou, no ritmo da música: "*Conta pra mim... Diz como eu te encontro...*" No movimento dos lábios a jovem deixou escapar o mapa da mina: "*Ondina*".

Por coincidência, Caetano tinha casa de praia no mesmo bairro. E mais: quase em frente ao local onde ela morava. Poucos dias depois, ele estava na porta de casa, cercado de repórteres, quando Cristina atravessou a rua sem olhar para trás. À luz do dia, o baiano viu o quanto a moça era linda.♪[61]. Mas ela não estava ali por acaso. Também já o tinha visto e, por insistência das amigas, passou por lá a fim de simular um encontro casual. Nem precisou de muito esforço. Quando os repórteres se dispersaram e a rua ficou deserta, o reencontro aconteceu. Eles conversaram e se entenderam muito bem. Até demais. Logo surgiu o convite para assistir ao próximo show. Foi um negócio de pele. Cada um, a seu jeito, sentiu atração pelo outro. Dali em diante a amizade ganharia contornos de paixão intensa.

A grande diferença de idade se revelou um pequeno detalhe. Para o namoro firmar, no entanto, havia um detalhe maior. Caetano era casado. Mas quem disse que Dedé seria a última a saber? Com eles não havia esse negócio de um esconder do outro. No relacionamento aberto firmado por eles desde o início, era permitido envolvimento extraconjugal desde que o outro soubesse o que rolava. Isso valia para ambas as partes. O grau de entendimento chegava a níveis impensáveis para uma família conservadora. Muitas vezes, como foi o caso de Cristina e da própria Regina Casé, Dedé se tornava amicíssima da suposta concorrente. Nesse clima eles se completavam. Quem poderia criticar? Ninguém tinha nada a ver com a vida deles.

Cristina, no entanto, enxergava tudo por outro prisma. Muito novinha, inexperiente, tinha dificuldade de entender tanta liberdade. E na idade em que estava, queria mesmo curtir a vida que se abria a sua frente. Com o passar do tempo, Caetano se apaixonou. Passeavam juntos, iam a shows, às vezes namoravam próximo à Lagoa do Abaeté. Enfeitiçado, o baiano passava horas admirando sua nova gata. Até nos detalhes aparentemente sem apelo sentimental, seus olhos viam charme. Praieira como ela só, Cristina vivia bronzeada. Nos dias mais quentes, a fim de se proteger do sol, empastava o rosto com pomada Hipoglós. Na visão dos mais espirituosos, o resultado podia ser burlesco. Para o olhar poético e apaixonado de Caetano, a cena ganhava outra dimensão. A imagem remetia à face alva de uma gueixa♪[62], às antigas máscaras orientais e ao Kabuki, o tradicional teatro japonês.

Não demorou muito, Cristina começou a frequentar o universo de Caetano, conviver com amigos, parentes e músicos da banda. Aí morava o perigo. No auge da adolescência, com a energia peculiar da juventude, a moça se envolveu com Arnaldo Brandão. Caetano fazia sucesso entre as menininhas, mas Arnaldo não ficava atrás e mandava bem nesse quesito. Seu fã-clube

---

[61] ♪ "Você é Linda"
[62] ♪ "Você é Linda"

particular só fazia crescer a cada show. Quando incorporou Cristina à lista, o caldo azedou entre ele e o amigo patrão. Embora fossem todos de mente aberta, e com um séquito de garotas caindo aos pés, não estavam livres de uma reação inesperada. E não deu outra. O ciúme enviou sua flecha negra e por pouco uma briga não aconteceu. Caetano, porém, preferiu reconhecer que seu coração havia dançado nessa♪[63]. No fim das contas, ninguém ficaria com ninguém. Fora a amizade que permaneceria, depois das aventuras e desventuras do trio, cada um seguiria seu rumo e passaria a cuidar da própria vida.

Personagem de uma história envolvente, Cristina deixaria marcas nessa fase da vida de Caetano. Entre outras, ficaria eternizada em sua obra musical, sobretudo pela declarada "Você é Linda", que se tornaria uma das músicas mais conhecidas e gravadas da carreira de Caetano. Embora as experiências se multiplicassem, o sentimento por Dedé continuava firme. Ela era, sem dúvida, a grande paixão de sua vida, com quem mantinha um amor livre, desimpedido, sem máscaras e sem egoísmos.

❧

Afinal, o que é que esse baiano tinha? A mulherada caía em cima. Naquela boa fase, Caetano teria outro *affaire* marcante. Dessa vez trocaria as jovens por uma felina experiente, bonita o bastante para despertar desejo até em padre de batina. Em meados de 1981, engatou um romance com a tigresa Sônia Braga. Foi uma tremenda onda, que deixou todo mundo morrendo de inveja. Na época, o sonho secreto de qualquer brasileiro em sã consciência era passar uma noite no Hotel Maksoud Plaza com Soninha no mesmo quarto. Caetano poderia realizar essa fantasia, se quisesse. Na contramão das tendências, escolheu algo mais criativo e inspirador. Que tal viajar de trem?

Com as agendas cheias, os dois viviam no eixo Rio-São Paulo. Numa dessas, surgiu a ideia de fazer o percurso no "Trem de Aço" ou "Trem de Prata" como depois ficaria conhecido. E assim eles embarcaram. Sem perder o trem que saía às onze horas da noite, o casal deixava a Estação Pedro II, na Central do Brasil, Rio de Janeiro, rumo à Estação da Luz, em São Paulo. Mesmo durante a madrugada, a paisagem bucólica da trilha encantava. À medida que a locomotiva atravessava campos, vales, montanhas e cidades, as cores se misturavam, criando um mosaico de imagens inspiradoras♪[64]. Antes de chegar a seu destino, o trem percorria lugares como Barra do Piraí, Agulhas Negras, Cachoeira Paulista, Taubaté, São José dos Campos, entre outros. O

---

[63] ♪ "Comeu"
[64] ♪ "Trem das Cores"

passeio era mesmo encantador, pena que acabava. Às oito da manhã, o trem chegava ao fim da linha. Como qualquer passageiro, Caetano e Sônia saíram atordoados e felizes depois da inesquecível viagem.

Essa não seria a única viagem deles. Em setembro de 1981, Caetano se apresentaria em Lisboa, e Sônia, como sua nova namorada, estaria lá para prestigiar. Aliás, prestigiar e ser prestigiada. Com a exibição das novelas *Gabriela* e *Dancin' Days* em Portugal, Sônia fazia um enorme sucesso detrás dos montes. Caetano também havia conquistado espaço naquelas plagas. As filas que se formavam na porta do Coliseu dos Recreios, em Lisboa, eram atípicas para um show de artista estrangeiro. E mais, durante a apresentação, os portugueses faziam coro em "Menino do Rio", que já conheciam da novela *Água Viva*. No fim, todo mundo ficou satisfeito. Na volta ao Brasil, porém, o casal Caetano e Sônia Braga não continuaria junto por muito tempo. Para viver o amor em toda sua plenitude, ele ainda preferia sua esposa. Namorar de verdade, tinha que ser com ela. O coração, porém, tem suas armadilhas.

Com Caetano estava tudo bem no campo sentimental. Em relação a Dedé não se podia dizer o mesmo. Seria bom que ele deixasse a carreira e as fãs um pouquinho de lado e prestasse mais atenção no que acontecia dentro da própria casa. O casamento deles passaria por uma grave crise e o fantasma da separação ameaçaria baixar no quintal do Jardim Botânico.

♪

Ao contrário do que muita gente poderia pensar, Dedé e Caetano se amavam, e muito. Cada ser humano, porém, reage de uma forma diante das situações enfrentadas no decorrer da vida a dois. Caetano lidava de modo natural com o fato de ser um *superstar*, viver cercado de gente, viajar o tempo todo, fazer shows e badalar muito. Fora o cansaço, tirava de letra. Já Dedé, por ser tímida demais, tinha dificuldade em acompanhar a vida agitada do marido. A partir de meados da década de 1970, a carreira dele voltou a deslanchar e o casal entrou numa roda-viva sem fim. No interior dos camarins, a fim de enfrentar melhor a situação, ocasionalmente Dedé buscava apoio nos drinques, e algumas vezes acabava exagerando na dose ♪[65]. O corpo humano, no entanto, tem seus limites e em algum momento o dela começaria a reclamar.

Na virada para os anos 1980, os primeiros sinais apareceram ♪[66]. Não tinha nada a ver com o relacionamento aberto que os dois mantinham desde o início. A parte física é que pedia socorro. Nesse clima, os dois brigavam por

---

[65] ♪ "Qualquer Coisa"
[66] ♪ "Ela e Eu"

motivos sem explicação. Até que numa dessas, o clima esquentou além do limite e eles se separaram. Caetano sofreu um golpe terrível.♪[67]. Não queria ficar longe da mulher, de seu amor, sua grande musa e parceira de todas as horas. Chegou a ficar hospedado em um apart-hotel. Lutou pela reconciliação e conseguiu. A separação foi breve, durou menos de um mês. Como não aguentaram ficar longe um do outro, decidiram voltar e começar de novo. A crise, entretanto, deixou suas marcas. Se não houvesse mudanças dali em diante, o casamento de quase vinte anos estaria seriamente ameaçado.

Com a casa "arrumada" novamente, o casal podia trabalhar com a cuca mais fresca. Naquela época, Dedé havia se integrado ao grupo de teatro de Luís Antônio Martinez Corrêa, irmão de Zé Celso, para a realização da montagem de um texto do poeta russo Vladimir Maiakóvski. Intitulado *O Percevejo*, o espetáculo contaria com Dedé Gadelha no elenco, teria músicas de Caetano Veloso a partir de poemas de Maiakóvski e cenografia assinada por Hélio Eichbauer. Luís Antônio vinha de um trabalho bem-sucedido, a montagem de *Ópera do Malandro*, de Chico Buarque, com Marieta Severo, Elba Ramalho, entre outros, e estava na crista da onda.

Para o novo trabalho, Luís Antônio manteria o bom nível. Ele sempre soube da paixão de Dedé por Maiakóvski. Por isso a convidou. A montagem seria apresentada em várias cidades do Brasil e do exterior, ganharia prêmios e ainda renderia uma parceria musical Brasil-Rússia: "O Amor", de Caetano Veloso, Vladimir Maiakóvski e Ney Costa Santos. O tema da história, porém, não ficaria restrito ao interior dos teatros. Faria também grande sucesso na voz de Gal Costa, que a gravaria em seu disco de 1981. No longo período em que a peça ficasse em cartaz, Caetano e Dedé trocariam um pouco de papéis. Ela viajaria a trabalho, ele cuidaria de Moreno em casa. Até aí não existia desvantagem. Pelo contrário, pois o garoto, inclusive, daria uma forcinha ao trabalho do pai.

❦

Num período de tantas experiências, boas e ruins, Caetano renovava seu repertório como quem troca de camisa. Montava seu novo disco e ainda distribuía canções para estrelas que começavam a brilhar. Foi assim com Marina Lima, foi assim com Ângela Ro Ro. Em 1981, a voz rouca da rebelde de Ipanema deixava registrada no disco *Escândalo!* a faixa título que Caetano havia composto inspirado na fama de brigona ostentada por ela na época. Ajudar amigos era bom, mas ele tinha que correr atrás do seu também. Em dezembro daquele ano, se trancaria em estúdio para preparar *Cores, Nomes*, seu mais novo trabalho.

---

[67] ♪ "Queixa"

Parecia rotina, mas não era. Quando se tratava de Caetano Veloso, o inesperado sempre acontecia. Nesse disco, um novo parceiro surgiria em sua carreira. Aliás, um parceirinho. Aos oito anos, Moreno demonstrava muito mais afinidades com números do que com palavras. Nesse ponto não puxou ao pai e muito menos à tia Bethânia. Certa vez, porém, enquanto Caetano dedilhava o violão, percebeu o interesse de Moreno pela melodia. Na brincadeira, deu um mote para ele completar. Para a surpresa do pai coruja, o menino fez o resto da letra de "Um Canto de Afoxé Para o Bloco do Ilê". Tempos depois, na gravação, Moreno faria caras e caretas para imortalizar sua voz infantil no inconsciente de quem ouvisse a música.

As surpresas não paravam por aí. Djavan de vez em quando aparecia no estúdio. Numa das visitas levou um presente para o amigo: a canção "Sina". Caetano se emocionou com a beleza da obra e pirou de vez quando se deparou com os detalhes da letra. Aconselhado pelo autor, prestou atenção nos verbos. Foi aí que ele notou no meio deles o diferencial: "Caetanear". Na gravação da música, o óbvio aconteceu. Caetano conseguiu com a EMI-Odeon o passe de Djavan emprestado para que fizessem o dueto. E Djavan foi além. Passou todas as orientações na hora de gravar, cuidou de cada detalhe, praticamente produziu a faixa. Na hora da gravação, Caetano retribuiu a homenagem criando o verbo: "Djavanear".

Nesse disco, outra parceria de sucesso teve início. A crítica torcia o nariz, os preconceituosos faziam questão de ignorar, mas o povo cantava junto. Caetano preferia ficar no terceiro grupo. Para esse trabalho, a adocicada "Sonhos", de Peninha, foi ressuscitada de modo acústico, acompanhada apenas do violão. A canção retornaria às paradas, pois já tinha feito sucesso no fim da década de 1970, quando fora tema da novela *Sem Lenço, Sem Documento*, exibida pela Rede Globo. Em *Cores, Nomes* ganhava roupa nova e voltaria a ser lembrada pelos fãs. A parceria entre os dois não terminaria aí. No futuro, com Peninha por perto, o amigo baiano jamais estaria sozinho.

Entre cores, nomes e tantas parcerias, assim correu o novo trabalho de Caetano. Após finalizar o disco, ensaiariam até a estreia do show, esperada por uma imprensa faminta e um público insaciável. Nada tão engessado que o impedisse de fazer algo diferente. Como, por exemplo, cantar debaixo de uma lona de circo.

❦

Respeitável público, em janeiro de 1982, no auge do verão, um fato inusitado acabaria com o marasmo que reinava no Rio de Janeiro. A chegada de um circo. Um pouco diferente dos tradicionais, esse era voador. Entre os responsáveis pela invenção estavam Perfeito Fortuna, Márcio Calvão, Maurício Sette e José Carlos Fernandes, todavia, a evolução da obra ganharia uma legião de outros colaboradores. Ivo Setta, Maria Juçá e José Lavigne teriam participação direta em muitos projetos nascidos debaixo da lona azul e branca do Circo. O núcleo principal do "Asdrúbal Trouxe o Trombone" também, e, no caso deles, a contribuição começaria mais cedo ainda.

Com o sucesso que faziam, um monte de jovens decidiu participar da trupe e o número de integrantes cresceu em proporções faraônicas. Para que todo mundo tivesse uma chance, outros núcleos teatrais foram criados. Não fosse assim, haveria ator esperando sentado na fila até agora. Para dar oportunidade a todos, a trupe gerou suas primeiras crias. Assim nasceram grupos como "Banduendes Por Acaso Estrelados", de Evandro Mesquita e Patrícia Travassos, "Corpo Cênico Nossa Senhora dos Navegantes", de Perfeito Fortuna, "Vivo Muito Vivo e Bem Disposto", de Hamilton Vaz Pereira, e "Sem Vergonha", de Luiz Fernando Guimarães e Regina Casé. Em resumo: gente saindo pelo ladrão. Faltava lugar para acomodar todo mundo.

Foi aí que surgiu a ideia de criar um espaço alternativo, onde essa gente toda pudesse fazer arte até debaixo d'água. Depois de algumas tentativas fracassadas, Perfeito Fortuna e seus confrades conseguiram um espaço nas areias da praia do Arpoador. Eles contaram com o apoio da primeira-dama do estado, Zoé Chagas Freitas, que intermediou junto ao prefeito Júlio Coutinho, para que a tenda fosse armada naquele cenário paradisíaco. Na semana de inauguração, foi um boca a boca danado nas ruas de Ipanema. Os próprios atores, fantasiados e maquiados, saíram em campo, carregando faixas e cartazes para divulgar os espetáculos da estreia, marcada para 15 de janeiro, uma sexta-feira. Naquele fim de semana inaugural também haveria música no meio das encenações, e, no meio da música, Caetano Veloso.

Amigo de todo mundo, o baiano não ficaria à margem do projeto. Em uma das noites, deu sua parcela de contribuição. Um show para quem quisesse ver o circo pegar fogo. Tudo pela arte e em nome da amizade. Caetano não cobrou um centavo de cachê. Gilberto Gil, Djavan, Eduardo Dusek, Paulo Moura & Orquestra também se apresentariam na primeira temporada do Circo Voador. Muito em breve seria a vez de Chico Buarque dar suas cambalhotas naquele picadeiro. E não era apenas medalhão que pisava ali. Novos grupos de rock, como a Blitz e o Barão Vermelho, começaram a decolar para o sucesso naquele palco prosaico. A mudança estava só no começo.

Tudo parecia conspirar a favor do rock nacional. Nesse mesmo período, entrava no ar a Rádio Fluminense FM, que passaria a divulgar fitas demo de bandas novas que se apresentavam no Circo Voador ou que apenas seguiam a tendência do momento. Ninguém desconfiava ainda, mas a música brasileira sofreria uma transformação radical nos anos seguintes. O chamado BRock – termo que o jornalista Arthur Dapieve adotaria no futuro – mostraria todo seu poder de fogo, não importava se fosse na cena musical de São Paulo, Brasília, Bahia ou Rio de Janeiro.

Por causa do contrato firmado entre os criadores e a Prefeitura, o Circo ficou pouco tempo no Arpoador. Não foram três meses que abalaram o mundo, mas três meses que sacudiram o cenário cultural do país como havia tempos não se via. Pena que no final daquele primeiro ato uma notícia triste chocaria o país inteiro. Em 19 de janeiro de 1982, Elis Regina morria em São Paulo, vítima de parada cardíaca, em decorrência da ingestão de um coquetel mortífero de álcool e cocaína. Por vários motivos, a partir daquele período nada seria como antes no cenário musical brasileiro.

Alguém sabe dizer qual a ligação entre Lamartine Babo, João do Rio e Oswald de Andrade? Bem, seria possível citar algumas, todavia, no início de 1982, o que os unia se chamava Júlio Bressane. Em *Tabu*, seu novo filme, esses e outros ícones da cultura brasileira seriam os condutores da história. E na pele de Lamartine Babo se escondia Caetano Veloso. Atuar nunca foi seu forte, mas viver um compositor de música popular não exigia esforço de interpretação. Por isso aceitou o papel. Além do mais, correu tudo muito rápido. Rodar os esquetes do filme, que misturava música com imagem, não atrapalhou em nada os ensaios de *Cores, Nomes*. Entre representar e cantar, ele preferia de longe a segunda opção.

E fazia com tanto gosto que o resultado gerava elogios e prêmios. Em 1982, dividiu o "Troféu Vinicius de Moraes", de melhor cantor de 1981, com seu ídolo João Gilberto. Nada mal para quem sempre achou que a música não seria seu ganha-pão. Quisesse ou não, seria sim, e por muito tempo. O novo show estava montado e a estreia aconteceria num lugar atípico para as grandes estrelas da época. Mais uma vez na contramão das tendências, faria um show simples, desprovido de cenário, num lugar até então pouco badalado. Em 30 de abril daquele ano, as cores e os nomes de Caetano seriam apresentados no Teatro Guaíra, em Curitiba.

No período em que ficou em cartaz, teve tempo de visitar seu amigo Paulo Leminski. Na companhia desse marginal do bem, pôde novamente sentir o cheiro da vanguarda transgressora que usa a palavra como arma de ataque. De Curitiba o show seguiu para São Paulo, depois Rio de Janeiro e, mais à frente, Salvador. Com sotaques um pouco mais, um pouco menos acentuados, em cada um dos shows o público poderia cantar, aproveitar e "caetanear" tudo que houvesse de bom.

A música absorvia Caetano de tal sorte que ele poderia compor até dormindo. E quem estivesse por perto e caísse em suas graças sempre ganhava um presentinho. Em 1982, A Cor do Som estava às voltas com a gravação do disco *Magia Tropical*. Vinícius Cantuária, sempre ele, estava atento e novamente daria uma forcinha. O diminutivo é só expressão. No fundo, Vinícius encheu o saco para Caetano enviar uma novidade à moçada. E deu certo. Caetano tinha se apresentado em Porto Alegre e passeou muito pela cidade. O contato com o clima agradável do lugar e com as pessoas bonitas nas ruas gerou a inspiração. A canção "Menino Deus" nasceu logo depois. Vinícius agradeceu, gravou no cassete e levou às pressas para seus protegidos. Na voz do leãozinho Dadi, outro sucesso nascia para o grupo. Aliás, grupo era uma palavra que Caetano gostava de usar, fosse ele de amigos, músicos ou atores.

No dia em que assistiu a uma encenação de *Capitães da Areia*, baseada no romance de Jorge Amado, não imaginava o quanto sua vida mudaria a partir dali. No palco do teatro Ipanema, viu uma garotada de talento despontar na cena teatral brasileira. Eram todos oriundos do lendário curso de teatro Tablado, criado nos anos 1950 por Maria Clara Machado. A turma recém-formada estava cheia de gás e daria o que falar. Felipe Camargo, Maurício Mattar, Alexandre Frota e Malu Mader faziam parte do grupo. Entre eles, com a mesma paixão e vontade de vencer, havia uma jovem de apenas 13 anos, com personalidade forte, decidida e madura o bastante para enganar a pouca idade. Seu nome: Paula Mafra Lavigne.

Filha do advogado criminalista Arthur Lavigne e da psicanalista Irene Mafra, Paula recebeu forte influência da formação de ambos. Pelo lado do pai, herdou o cuidado na execução das tarefas e a capacidade de tirar proveito das situações, fossem boas ou ruins. Com a mãe sentia-se protegida, porém, vivia como se estivesse o tempo inteiro no divã. No todo teve uma criação liberal. A mãe, por exemplo, achou graça quando o colégio mandou um comunicado informando que a filha Paulinha, aos sete anos, cobrava dinheiro dos garotos do colégio para levantar a saia da irmã. O jeito precoce para negócios só foi interrompido quando a irmã se cansou da brincadeira. Não ganhava um centavo de "cachê". No máximo um lanchinho, e olhe lá.

Algum tempo depois, a psicóloga do colégio sugeriu que Paula fizesse um curso de teatro, para dar vazão a tanta energia. Quem sabe não extravasaria melhor as emoções que a tornavam uma jovem inquieta. Empolgada, foi em busca do melhor. Começou a fazer o Tablado, e a estudar, ensaiar e atuar. Em meados de 1982, no fim da apresentação de *Capitães da Areia*, Caetano se aproximou do grupo e convidou todo mundo para ir a seu show. Naquele primeiro encontro não teve nada desse negócio de amor à primeira vista, paixão fulminante. Antes de tudo, veio o carinho, a admiração. Mesmo porque, Paula namoraria um parceiro dele, Vinícius Cantuária. Por pouco tempo. Assim que os dois terminassem, Caetano entraria em cena novamente. A amizade inicial ganharia contornos de atração e eles começariam a sair.

Ainda que o pai da moça confiasse nela, ele precisaria se acostumar a um cenário bastante complexo. O futuro namorado da filha de 13 anos, além de casado, rumava para se tornar quarentão em agosto daquele ano. Só que aquele ditado batido de que o amor tem razões que a própria razão desconhece encontrou lugar nessa história. Com o tempo, o casal foi se gostando mais e mais, e um sentimento bonito nasceu entre os dois. Paula era virgem quando conheceu Caetano. Isso mudou em agosto de 1982, na festa dos quarenta anos dele. O presente foi uma noite de amor inesquecível. A partir daí não tinha mais volta. Próximos ou distantes, namorados ou casados, separados ou reatados, estariam unidos para o resto da vida.

Aos poucos, Paula se integraria ao universo de Caetano. Ele ainda estava casado, sim, mas, muito em breve, a dupla Paula e Caetano formaria um time campeão, na vida particular e, sobretudo, na profissional. Naquele momento, contudo, o que eles mais queriam era curtir a nova fase que se iniciava na vida deles, em casa, nas festas, nos shows, nas horas de lazer no Baixo Leblon.

❧

Com ou sem namorada, Caetano trabalhava sem parar. Em agosto de 1982, ele e sua turma rodaram por várias cidades do norte e nordeste do Brasil. Uma turnê cansativa e agradável ao mesmo tempo. Caetano era um cara muito paparicado por seus secretários particulares, Bineco Marinho e Márcia Alvarez. Bineco tinha chegado por intermédio de Guilherme Araújo no final dos anos 1970 e se enturmou aos poucos com a equipe de Caetano. Preparava o banho dele, separava a roupa, e se empenhava para aprontar o café do jeito que ele pedia. Um dengo só. Nesse ritmo, cidades como Belém, Teresina, Fortaleza, Salvador, Aracaju e Recife foram percorridas num piscar de olhos. Trabalho não faltava. Somente quando voltava ao Rio, Caetano podia namorar, passear e se atualizar com o que havia de mais novo na praça.

Assim começou sua admiração pelo Barão Vermelho. Cazuza, Guto Goffi, Roberto Frejat, Maurício Barros e Dé Palmeira desenvolviam uma química explosiva no palco. Caetano gostava de todos, mas seus olhos pousavam com mais atenção no irrequieto vocalista da banda, Agenor de Miranda, o Cazuza, filho do produtor João Araújo, seu velho conhecido. O convívio, desse modo, tinha sido inevitável. O jovem Cazuza muitas vezes entrou na sala e deu de cara com Caetano e Gil, às vezes Elis, os Novos Baianos, em reunião com o pai. Ainda moleque, frequentava o Píer de Ipanema e, rapazola, tornou-se *habitué* das feijoadas domingueiras na casa do Jardim Botânico. Na adolescência cansou de dar canjas em bares do Baixo Leblon e ficar de porre na boate Dancing Days, muitas vezes diante dos olhos de um Caetano cercado de amigos. Durante todo esse tempo, foram muitas as tentativas de aproximação. Todas sem sucesso. O que ele tinha de talentoso, tinha de arredio.

Em outra ocasião, Caetano foi assistir a uma peça do Asdrúbal e se surpreendeu ao ver Cazuza cantar em cena. Depois de se aproximar do elenco, o rapaz passou a se apresentar com a trupe, assim como Bebel Gilberto, Leo Jaime, Serginho Dias, e tantos outros. Nesse período, Caetano quase ficou sem dedo por causa do ciúme de Cazuza. Ele rodou a baiana quando o viu de papo com Serginho Dias, numa das mesas da Pizzaria Guanabara, no Baixo Leblon. Ameaçou ir embora, mas voltou e tentou dar com a mochila na cabeça de Serginho. Caetano puxou o amigo e a bolsa caiu em seu dedo mínimo. No interior da mochila, em vez de poemas, havia uma garrafa de uísque. Doeu um bocado, mas o episódio não atrapalharia a futura amizade.

Ainda nessa época, por insistência do colega Leo Jaime, Cazuza assumiu os vocais do Barão. A princípio, ser filho de um dos executivos mais influentes da indústria musical brasileira não ajudou muito. Contudo, quem prestasse atenção nas letras escritas por ele, e na simbiose da dupla Cazuza & Frejat, não media esforços para convencer João Araújo de que valia a pena apostar nos garotos. Dois desses visionários foram os produtores Ezequiel Neves e Guto Graça Mello que, de tanto insistirem, conseguiram bancar a parada e o primeiro disco foi gravado. Ninguém poderia fazer previsões ainda, e todo apoio ajudava. Caetano seria um a estender a mão nos anos seguintes.

O Circo Voador tinha sido despejado do Arpoador, mas não ficou na rua por muito tempo. Aterrissou na Lapa, em 23 de outubro de 1982. Logo depois, Caetano estaria lá para fazer um show e reforçar suas bênçãos ao projeto. Aliás, àquela altura, as tais bênçãos vinham de todas as direções e muita gente nova se beneficiava com elas. A partir daquela data, vários capítulos da afirmação do rock nacional aconteceriam nesse palco. O show de lançamento do primeiro disco do Barão Vermelho, por exemplo, aconteceu ali, na noite de 4 de dezembro de 1982. A chuva torrencial foi só um detalhe e não impediu a presença de muita gente bem relacionada. Caetano Veloso e Paula Lavigne estavam lá, abraçadinhos na plateia, e não se arrependeriam. Dali em diante, eles passariam a ser dois dos maiores incentivadores do grupo.

Nos anos seguintes, o Barão Vermelho teria que dividir a preferência com outros representantes da "Geração 80". Muito em breve, bandas como Paralamas do Sucesso, Kid Abelha & os Abóboras Selvagens, Ultraje a Rigor e Titãs entrariam nas conversas da juventude daquela época tanto quanto o tênis All Star e as calças coloridas da Company.

Em meados de 1982, Caetano teve tempo de mergulhar em mais um projeto cinematográfico. Dessa vez criou a canção tema de *Índia, a Filha do Sol*. Com roteiro escrito a partir de um conto do romancista Bernardo Élis, o filme teve direção de Fábio Barreto e contou com os talentos de Nuno Leal Maia e Glória Pires nos papéis principais. Assim que a obra fosse lançada, o público assistiria nas telas a uma aventura antropológica ambientada no interior do país e embalada ao som da inédita "Luz do Sol". Aquele não seria o último trabalho com o diretor. Alguns anos se passariam até Fábio Barreto se lembrar dele em outro projeto, mas isso já é cena para os próximos capítulos.

comune di roma
assessorato alla cultura
assessorato al turismo

SAMBA!
consorzio
cooperativo

BAHIA DE TODOS OS SAMBAS
roma · circo massimo
23-31 agosto 1983

Nel luogo del concerto non sarà consentito introdurre bottiglie, lattine ed ogni altro tipo di oggetto contundente; sarà vietato l'uso e quindi l'introduzione di apparecchi audio e video, cineprese e macchine fotografiche.

OMAGGIO
N° 00604

18

CONEXÕES INTERNACIONAIS

Baiano não nasce, estreia. Tremendo de um clichê, mas com Caetano Veloso cabia. O quesito inauguração era com ele mesmo. Nos anos 1960, havia inaugurado o teatro Vila Velha, em Salvador, e, logo à frente, o movimento Tropicalista. Foi assim também com o programa *Mocidade Independente*, de Nelsinho Motta. E mais uma vez na primeira edição do Circo Voador. Ninguém podia negar. Caetano tinha ímã para essas coisas. No início de 1983, seria novamente convidado para outro marco inicial de peso. A primeira edição da série de entrevistas do programa *Conexão Internacional*, a ser transmitida pela recém-criada Rede Manchete.

Poderia ser um programa de entrevistas como outro qualquer, se Caetano não fosse o entrevistador; e o entrevistado, ninguém menos que Mick Jagger, o polêmico líder dos Rolling Stones. O encontro reunia os ingredientes certos para render uma considerável audiência. Caetano Veloso, cantor, compositor, também polêmico, chamado por alguns de o Bob Dylan brasileiro, ou ainda, veja que curioso, de o próprio Mick Jagger nacional. O interesse da imprensa e do público seria líquido e certo. Juntar a dupla dinâmica é que não seria assim tão simples. Foi preciso uma soma de fatores para colocar os dois, frente a frente, diante das câmeras de televisão.

O programa foi idealizado pela Intervideo, uma produtora de televisão independente, de Walter Salles, Roberto D'Ávila e Fernando Barbosa Lima. Para o encontro das feras, porém, só o prestígio dos donos não bastou. Eles suaram a camisa para conseguir trazer Jagger. Os vários telefonemas para Alvenia Bridges, relações-públicas do artista, não foram suficientes para fechar a vinda. Tiveram que buscar reforço. Julio Mario Santo Domingo Jr., um milionário da Colômbia fanático pelos Rolling Stones, namorava Vera Rechulski, prima de Nelson Motta, e não por acaso amiga de Alvenia Bridges. Fã incondicional da banda e com dinheiro de sobra, Julio podia se dar ao luxo de seguir turnês inteiras, nos mais diversos lugares do planeta. Tanta deferência mereceu a contrapartida. Depois de um tempo, o milionário tornou-se amigo dos Stones, e de Mick Jagger em especial. Com a ajuda de toda essa turma, finalmente convenceram o inglês a participar da atração.

No Brasil, o jornalista Roberto d'Ávila explicou o projeto a Caetano e pediu ajuda na entrevista. Não dominava o inglês e muito menos o *rock and roll*. As apresentações dos Stones, acompanhadas durante o exílio, ficaram cristalizadas na memória de Caetano. Ainda estava longe do fanatismo de Santo Domingo, todavia, tietava de forma assumida o líder da banda. Ele pesou tudo, refletiu e, no fim, topou a parada. A entrevista seria realizada em Nova York. Caetano ainda não conhecia a "cidade que nunca dorme", portanto, mais uma estreia marcante na vida dele. A gravação do programa aconteceria em plena 5ª Avenida, na cobertura do edifício nº 1, onde Vera Rechulski morava.

As pedras rolaram, rolaram, e finalmente se encontraram. Havia toda uma expectativa no ar. Caetano bancava o repórter profissional pela primeira vez na vida. E logo diante de um ídolo de sua geração. Responsabilidade em dobro. Nesse contexto, o lado tiete falou mais alto e Caetano ficou tímido. Nada que atrapalhasse a entrevista. Com ou sem timidez, num clima animado, os dois artistas trocaram experiências e muitas confissões. Falaram de cultura de massa, música, Ray Charles, Prince, Beatles, John Lennon, e da curiosa diferença de peso do *rock and roll* no início da carreira de cada um. Para Jagger, determinante. No caso de Caetano, relativo, já que um fenômeno bem brasileiro o atraíra com muito mais força: a Bossa Nova. No fim da entrevista, já íntimos e descontraídos, Jagger, Caetano e o restante da equipe foram se refrescar ao sabor do vento forte do *skyline* de Manhattan. Às gargalhadas, Jagger bancou o guia turístico e apresentou a cidade aos colegas brasileiros. Na época, os visitantes ainda podiam admirar no horizonte o contorno das imponentes torres gêmeas do World Trade Center.

Para Caetano, as poucas horas de convívio fizeram aumentar sua admiração por Mick Jagger. Com a missão cumprida, o duelo de titãs acabava ali. Restava saber qual seria a reação do público quando a entrevista fosse ao ar.

❦

O ano começava e um novo LP apontava na proa. Em plena década de 1980, num período em que a música brasileira passava por uma intensa renovação, artistas e produtores escolhiam com cuidado o repertório dos discos. No caso de Caetano, os dois papéis se confundiam. Era o artista e o próprio produtor. Para ele, a escolha do repertório tinha sido muito mais uma coleta das últimas composições do que uma estudada estratégia comercial para atender a uma febre de momento. Melhor assim. Além do mais, gosto não se discute. Uns preferem *rock and roll*; outros, salsa; uns, Bossa

Nova; outros, música romântica; uns, samba; e os mais versáteis, tudo isso ao mesmo tempo.

Para o novo disco de Caetano, intitulado *Uns*, o ecletismo novamente mostraria sua face. No melhor estilo tropicalista, o baiano abraçava de tudo um pouco. Gravou "Eclipse Oculto", um rock de sua autoria, pequena concessão a um fenômeno em curso. Mas até aí nada de anormal. E também se ficasse apenas nisso, poderiam dizer que ele pegava carona no modismo. Será? Quando os acordes de "Quero ir a Cuba", uma autêntica salsa caribenha do próprio Caetano, ecoassem nas vitrolas, quem pensasse assim começaria a mudar de ideia. Depois, um clássico da Bossa Nova, "Coisa Mais Linda", de Carlos Lyra e Vinicius de Moraes, seguido pela romântica "Você é Linda", e uma canção germânica composta por Caetano sobre um personagem obscuro do século XIX, o compositor alemão Peter Gast, amigo íntimo do filósofo Nietzsche. Ainda não convencido? Para não restar dúvidas, fecha-se o disco com "É Hoje", de Didi e Mestrinho, um samba-enredo capaz de levantar defunto, tema da Escola de Samba União da Ilha do Governador no Carnaval de 1982.

Mantendo a tradição, alguém tinha que dar uma canja. E que tal uma canja em família? Na faixa "Salva Vidas" e no sambão de encerramento, Maria Bethânia deixou sua marca. O resultado final agradou tanto que esse disco se tornaria um dos preferidos de Caetano. Ironicamente, também seria um divisor de águas em sua carreira. Os anos de alegria com os rapazes d'A Outra Banda da Terra estavam com os dias contados. A fase de maior felicidade de sua vida musical terminaria em breve. Mas parar por quê? Caetano não desconfiava, mas a ideia amadurecia aos poucos, nos camarins, nos bastidores, no coração da banda. Estava longe de ser um motim, uma traição ou coisa do gênero. Quando tudo viesse à tona, os motivos seriam colocados em pratos limpos. Todavia, enquanto não discutiam a relação, o show tinha de continuar.

O primeiro deles aconteceria em junho de 1983, no Canecão, Rio de Janeiro. No lançamento de *Uns*, como de praxe, a plateia estava apinhada de jornalistas, críticos, amigos, tietes, famosos e muita gente agradecida. Lucinha e João Araújo eram fãs e amigos de longa data. Isso por si só já seria um bom motivo para o casal assistir ao show na fila do gargarejo. Contudo, existia outra boa razão. Caetano havia se tornado um dos maiores incentivadores do Barão Vermelho, a banda liderada por Cazuza, jovem filho de ambos. Gostava das músicas, ia aos shows, elogiava nas entrevistas e fazia campanha a favor. Os pais corujas, claro, ficavam envaidecidos. E ficariam mais ainda quando o show esquentasse para valer.

No palco, Caetano desfiava as músicas do novo disco e relembrava antigos sucessos. No fim de cada número, uma Lucinha e um João eufóricos juntavam suas palmas às do restante do público. Até que, no piscar dos refletores, veio a forte emoção. Caetano cantou: "*Eu quero a sorte de um amor tranquilo... com sabor de fruta mordida...*". Lucinha ficou estática. Não podia acreditar. Ela conhecia muito bem o autor daquela poesia. Eram os primeiros versos de "Todo o Amor Que Houver Nessa Vida", escritos por Cazuza. João ainda não havia reconhecido e precisou ser cutucado pela esposa para a ficha cair. Se ainda restavam dúvidas sobre o talento do filho, aquele show serviu para derrubá-las de uma vez por todas. Muito emocionados com a homenagem, faltaram palavras aos dois. Nem precisava. Caetano fez questão de enaltecê-lo ainda mais, proclamando Cazuza o maior poeta da "Geração 80". No fim, o público delirou. O casal Araújo, então, mais ainda. O sonho do filho se tornava realidade.

O show foi bem recebido pelo público em geral, no entanto, a opinião estava longe de ser unânime. Os críticos carregaram na tinta na hora de bater. Classificaram de morno, fastidioso, sem ritmo e sem empolgação. Implicaram até com o fato de Caetano ter falado palavrão durante o espetáculo. A bruxa estava solta novamente. Não seria de forma tão pesada quanto na época de *Muito*, em que ele brigara com todo mundo, porém, novas desavenças aconteceriam em breve. E algumas por motivos inesperados.

A tão aguardada estreia de *Conexão Internacional* foi ao ar pela Rede Manchete em 16 de junho de 1983. Durante uma hora e meia, Caetano Veloso e Mick Jagger conversaram e trocaram confidências entre quatro paredes. Adivinha o resultado? Polêmica, claro. Fora a incômoda voz do tradutor sobreposta à do cantor inglês, o trabalho agradou a Caetano. Mas como era de se esperar, não seria a opinião de todo mundo. A bomba explodiu. Um crítico implacável se manifestou publicamente. Autor de um texto potente, o jornalista Paulo Francis não gostou da postura acanhada do brasileiro diante do astro inglês. Francis interpretou a timidez de Caetano de forma maldosa e o criticou duramente no jornal *Folha de S.Paulo*. Para o jornalista, o baiano fora nitidamente humilhado por Jagger, que, em vários momentos, teria debochado dele durante a entrevista. Acusava Caetano de fazer o "*maltrapilho estilizado*" e, com isso, "*simbolizar a miséria raquítica do baiano e interiorano brasileiro, para efeito de mero consumo visual*".

As duras declarações de Francis davam início a uma nova briga de cachorro grande. Sim, porque no ano anterior, Caetano já havia se desentendido com outro intelectual de peso, o crítico e ensaísta José Guilherme Merquior. Em resposta a uma crítica de Caetano, Merquior o classificou de "*pseudo-intelectual de miolo mole*" que tentava usurpar a área do pensamento. Para se defender, Caetano lembrou que "*os artistas e não os pensadores eram chamados para opinar sobre assuntos diversos*". E para não jogar mais lenha na fogueira, encerrou a polêmica ao dizer que "*a questão deveria ser pensada com amor e delicadeza e não com a mão pesada do Merquior*".

Com Paulo Francis, porém, o sentimento ganhava outra dimensão. A briga com o jornalista tinha um quê de decepção pessoal. Caetano sempre gostou de Francis. Ainda adolescente, lia artigos dele publicados na revista *Senhor*. Mais tarde, durante a ditadura, estiveram presos no mesmo quartel. E por algum tempo, na época do exílio, até trabalharam para o mesmo veículo de imprensa, o *Pasquim*. Enfrentar uma desilusão inesperada por si só machuca muito. Bem pior quando o dessabor chega de alguém por quem se tem profunda admiração. Quer queira ou não, havia um vínculo entre eles, que foi quebrado com a troca de "gentilezas" na imprensa. Embora Caetano admirasse Francis, não engoliu os desaforos. Devolveu na mesma moeda. Ao ser questionado sobre o assunto numa entrevista para a Rede Manchete, desancou o jornalista. Chamou Francis de *"bicha amarga"*, *"boneca travada"* e *"filha de Fu Manchu"*. Essa não seria a primeira nem a última briga pública. Apenas mais uma no meio de tantas.

A imprensa marrom agradecia e delirava, e alimentava ainda mais a polêmica. E já que o clima estava quente no Brasil, uma viagem longa ajudaria a esfriar os ânimos. Naquele mês de junho, começariam os preparativos para o início da primeira grande turnê internacional da carreira de Caetano Veloso.

Nem o clima esquisito que rondava a banda influenciou na preparação. Com tudo acertado, tinha de honrar o compromisso da melhor forma possível. Nenhum detalhe poderia ser esquecido. Nesse contexto, Guilherme Araújo achou por bem contratar um reforço experiente em turnês internacionais para dividir com ele as tarefas: o produtor Carlos Alberto Sion, que havia trabalhado com Alice Cooper, Tom Jobim, Milton Nascimento, entre outros. Escolado no assunto, Sion seria uma espécie de *tour manager*, um produtor técnico, que daria apoio logístico durante a viagem e ajudaria na produção dos shows. O homem, porém, não fazia apenas o feijão com arroz. Persistente em seus trabalhos e bem relacionado no meio musical, mais cedo ou mais tarde, seu "algo mais" apareceria. Equipe formada, mantenha a poltrona na posição vertical, aperte os cintos e observe o sinal luminoso de não fumar.

O giro mundo afora começaria pela França. A estreia, porém, não seria com o pé direito. Com a agenda apertada, chegaram com show marcado para o dia seguinte, no Olympia, em Paris. Caetano sempre teve problemas com insônia. Ao contrário dele, Guilherme seria capaz de dormir em pé com uma britadeira em cada ouvido. Recém-chegados de uma viagem longa, o cansaço os empurrava para uma boa cama. Enquanto o corpo está em movimento, a mente permanece em vigília. Durante o show, Guilherme já havia escolhido um lugar para estacionar a carcaça. O assento aveludado na plateia lhe pareceu bem aconchegante. Até demais. Não deu para segurar. Mal o show teve início, Caetano pegou seu empresário dormindo nas primeiras filas. É proibido cochilar. Parou tudo e o esporro foi em francês mesmo, para que todo mundo entendesse.

Nos bastidores, o clima ficou estremecido entre os dois. Felizmente por pouco tempo. Ninguém estava ali para guardar rancor. Além do mais, a bronca foi o único contratempo do espetáculo. O público gostou e a imprensa local rasgou elogios. Não havia porque ficar em pé de guerra. Como os dois se conheciam de outros carnavais, uma conversa franca se encarregou de ajustar os ponteiros. A paz voltou a reinar. E seria bom que reinasse absoluta, pois a próxima parada da turnê, em pleno Oriente Médio, ficava em uma região onde historicamente paz e tranquilidade costumam durar pouco: Israel, terra sagrada.

Desde sua criação, em 1948, o Estado de Israel se tornou palco de sucessivas guerras, a maioria por disputa territorial. Em junho de 1982, o exército israelense cercou Beirute, capital do Líbano, com o objetivo de aniquilar o quartel general da OLP (Organização para a Libertação da Palestina), naquela região. Cumpriu parte da missão. Depois do ataque, um acordo foi feito e a sede da OLP se transferiu para a Tunísia. Mesmo com a vitória aparente, a guerra entre palestinos e israelenses estava longe de acabar. Em meados de 1983, quando as tropas de Israel ainda voltavam para casa, o país sofreria uma invasão. Mas, alto lá. A ocupação dessa vez seria de paz, amor e muita música. Numa espécie de festival de arte local, artistas brasileiros chegariam de todos os cantos para se apresentar no país. Caetano Veloso viria da França. Já em território israelense, Djavan, Ney Matogrosso e Elba Ramalho reforçariam a "missão" brasileira.

Fizeram shows num estádio lotado, em Tel Aviv, capital do país. E também se revezaram num anfiteatro antigo, na cidade de Haifa, ao norte de Israel. Para aproveitar a estada, o grupo de Caetano passeou pela região. Conheceram praias, cidades históricas e quase afogaram Guilherme Araújo no Mar Morto. Uma façanha quase impossível, diga-se de passagem, pois o Mar Morto, na divisa com a Jordânia, é a massa de água mais salgada do planeta. Ninguém consegue se afundar ali. Guilherme caiu de barriga e, quando conseguiu levantar a cabeça da sopa salina, seus olhos pegavam fogo. Mas era tudo na base da brincadeira e não faltou gente para socorrê-lo. Fora o mergulho fatídico, a turma se sentiu em casa. Na costa israelense, alguns lugares lembravam muito o litoral brasileiro. Barracas de praia por todos os lados, cerveja, refrigerante, e gente à beça se esbaldando no Mar Mediterrâneo. O clima familiar foi aproveitado até onde deu, pois o giro continuava. De volta ao hotel, tiveram que se apressar na arrumação das malas e correr para o

Aeroporto Ben Gurion. O público da Suíça esperava ansioso para ver a apresentação deles na noite brasileira do badalado Festival de Jazz de Montreux.

A 17ª edição aconteceria entre 7 e 24 de julho de 1983. O cartaz, com um desenho estilizado do artista americano Keith Haring, dava o tom do evento. Artistas de vários países e de estilos diversos se revezariam a cada noite. Com moral elevada, a música brasileira ganhou uma exclusiva: a "Brazil Night", prevista para 9 de julho. Nem todo mundo que passou por Israel estava escalado para cantar em Montreux. Caetano e Ney estavam na lista. Elba, que estivera lá em 1981, e Djavan, dariam lugar ao suingue de João Bosco. Em 7 de julho, primeiro dia de festival, teve gente que nem quis saber de aproveitar as acomodações luxuosas do Grand Hotel Suisse-Majestic, com vista deslumbrante para o Lago Léman. Com feras do porte de George Benson e Dizzy Gillespie arrebentando na abertura, parte da equipe foi direto para o show.

Dois dias depois os artistas brasileiros subiam ao palco do Montreux Casino. João Bosco abriu a noite e botou os gringos para dançar com músicas do naipe de "Nação", dele, de Aldir Blanc e Paulo Emílio; "Aquarela do Brasil", de Ary Barroso; e "O Mestre-Sala dos Mares", também dele com Aldir Blanc. Logo depois foi a vez de Caetano mostrar seu trabalho. O problema é que os organizadores, imaginando que o samba dominaria a noite brasileira, retiraram mesas e cadeiras para que o povo pudesse dançar. Assim, na apresentação de algumas canções mais lentas, como "Peter Gast", por exemplo, o público ficou um pouco impaciente. Mas isso não apagaria o brilho do espetáculo. Caetano tinha outras cartas na manga. A clássica "Dans Mon Île", que ele havia gravado no disco *Outras Palavras*, foi uma delas. Cantar em francês o fez ganhar mais simpatia do público. E não ficou só nas lentinhas. As dançantes "Eclipse Oculto" e "Odara" também ecoaram aquela noite.

Com a tarefa de fechar os shows individuais, Ney Matogrosso, todo fantasiado, e sua banda lotada de metais, subiram ao palco em seguida. O cartaz de Ney estava mesmo em alta, literalmente. Keith Haring havia criado um especialmente para ele. Com a energia que lhe é peculiar, nem precisava de um *staff* tão grande. Ney sabia contagiar plateias como poucos. Na Suíça não foi diferente. O encerramento contou com todos os brasileiros juntos no palco. O fim da noite não poderia ter sido melhor. No geral, o público e os organizadores gostaram. Alguns se arriscaram a dizer que foi a noite mais vibrante e explosiva de todo o Festival. Eles não seriam os únicos privilegiados. O som do evento foi gravado e não ficaria na gaveta dos colecionadores. Ainda naquele ano, o disco *Brazil Night – Montreux 83* seria lançado no Brasil pelo selo Barclay, com a compilação dos melhores momentos. No dia seguinte à apresentação, Caetano e sua turma já estavam com tudo pronto para partir. Mais algumas horas de voo e eles atravessariam o Atlântico, pousando em Nova York.

Ao chegarem no Aeroporto JFK, havia um representante da produção local para recebê-los. Como seria o mais natural, Caetano se dirigiu ao homem com seu inglês britânico, mas bem que poderia ter economizado no vocabulário. O americano anfitrião respondeu em bom português e ainda por cima com sotaque pernambucano. Vixe, que surpresa agradável! Nesse clima, Caetano conheceu Arto Lindsay, um estrangeiro que daria muito o que falar no futuro. Para o momento, seria o colaborador e intérprete dos integrantes da equipe, durante a estada deles por lá. Experiência em lidar com brasileiros, músicos e as duas coisas juntas, o americano tinha de sobra.

Filho de pais missionários, Arto Lindsay havia morado no interior de Pernambuco, em Garanhuns, dos 3 aos 18 anos. Embora tivesse estudado num colégio para estrangeiros, o jovem Arto se manteve antenado no universo musical que o cercava. Por meio dos discos, da TV e do rádio, a música brasileira chegava a seus ouvidos. E para não ficar fora da festa, formou uma banda, a Contribution, e se enturmou com artistas locais, como Robertinho do Recife e Naná Vasconcelos. De volta aos EUA, no início da década de 1970, a música já estava no sangue, na alma, nas entranhas, e assim permaneceria. Em julho de 1983, já conhecido no meio musical novaiorquino, foi contratado para colaborar na produção do próximo artista a se apresentar no Public Theater: Caetano Veloso.

A longa turnê internacional terminaria em Nova York, na primeira apresentação profissional dele por lá. Fechar em grande estilo não seria nada mal. Entretanto, na noite tão esperada, imprevistos deixaram o cantor decepcionado. Acostumado a tocar em lugares grandes, bem estruturados, com aparelhagem de primeira, Caetano esperava encontrar uma estrutura ainda melhor em Nova York. Pelo menos no Public Theater, isso ficou longe de acontecer. A iluminação era precária, e o som, péssimo. Tiveram a nítida sensação de que roía osso quem não fosse estrela americana. E azedou de vez quando uma pré-apresentação local, a peça *Orgasmo Adulto Escapes from the Zoo*, se prolongou além da conta e deixou gente *vip* de molho na plateia. Ao receber a notícia de que Tom Jobim estava lá, Caetano ficou sem saber se chorava ou ria. O maestro raramente assistia a shows alheios e, logo naquela vez, teria de esperar quase uma eternidade.

Duas horas após o previsto, acabou o tal pré-espetáculo. Àquela altura, Caetano já estava virado no cão. O lado profissional, porém, falou mais alto. Um pouco depois da meia-noite, entraram todos em cena. O mesmo *Uns* apresentado no Brasil, na Europa e no Oriente Médio desfilaria naquele palco. A diferença estava nas condições desastrosas do Public Theater. Mesmo afetado por elas, Caetano se apresentou da forma mais respeitosa possível. Conduziu o show sem deixar transparecer para o público a decepção e a tristeza que massacravam sua alma. As outras duas noites não seriam muito diferentes. Atraso não haveria, mas a carga emocional pesada estaria lá, pois ele havia chorado muito nos dias anteriores. Apesar disso tudo, o público e a crítica abraçaram a proposta. Para a surpresa total de Caetano, o crítico do *New York Times*, Robert Palmer, teceu-lhe rasgados elogios em meia página do jornal.

Embora pasmo com os louvores, as palavras de Palmer chegavam em boa hora para Caetano. Às vezes, o que parece fundo de poço é na verdade uma luz no fim do túnel. Além dos elogios da crítica, a passagem pelos EUA abriria as portas do mercado local para Caetano. A ponte seria facilitada pelos bons contatos do produtor Carlos Aberto Sion nos EUA. Sion era amigo de alguns executivos da Warner Music americana, entre eles Donna Russo e Tommy LiPuma. Por intermédio deles, soube que a gravadora possuía um selo pequeno, o Nonesuch, sem muitos recursos, porém de prestígio, cujo diretor artístico, Bob Hurwitz, outro velho conhecido, tinha interesse em trabalhar com música brasileira.

Pelas mãos de Donna Russo, Hurwitz não só havia conhecido Sion, como foi conferir o show de Caetano no Public Theater. Gostou do que viu e o estalo bateu. Naquele período, porém, não dava para esboçar um projeto envolvendo o nome Caetano Veloso. A Nonesuch ainda não tinha cacife para bancar um disco do artista brasileiro. Por outro lado, Hurwitz poderia contar com a ajuda irrestrita de Sion a qualquer momento. Ia demorar um pouco, mas os dois voltariam a conversar, e aí, sim, os trabalhos para lançar o primeiro disco de Caetano Veloso no exigente mercado americano começariam para valer.

Nesse clima promissor a turnê chegou ao fim. Muitas horas de voo, alegrias, esporros, decepções, novas amizades e novos horizontes. Cansados e doidos para rever suas famílias, Caetano e os rapazes da banda regressaram ao Brasil no final de julho de 1983. Era bom estar de volta, mas era bom também aproveitar o curto período antes de seguir viagem novamente. Depois de voltar dos *States*, Caetano só teve tempo de relaxar alguns dias. Em agosto, pouco depois de comemorar seu 41º aniversário, carimbou o passaporte novamente para iniciar mais uma de suas conexões internacionais. Próximo destino: Roma, cidade dos Césares.

❧

O cineasta italiano Gianni Amico tinha grande paixão pela cultura brasileira. Gostava do cinema, da música, do povo, de tudo. Em 1983, gostar não foi suficiente. Algum tempo antes, no Brasil, conhecera e se encantara com Dorival Caymmi. O contato com o universo baiano estimulou sua criatividade. E como já matutava um evento com artistas brasileiros na Itália, viajou cheio de ideias mirabolantes. Os planos não ficariam só no campo da imaginação. Ainda mais porque na Itália havia quem apostasse neles também. Assim, com o apoio do secretário de cultura de Roma, Renato Nicolini, de 23 a 31 de agosto daquele ano, Gianni Amico promoveu um festival de cultura brasileira em plena capital italiana, o "Bahia de Todos os Sambas".

O palco do evento foi montado nas ruínas do Circo Massimo, local onde os antigos imperadores assistiam a violentas corridas de bigas, as mesmas retratadas pelo cinema no épico *Ben-Hur*, de William Wyler. O cheiro de história estava no ar, mas daquela vez os romanos assistiriam a modernos gladiadores da música brasileira, num desfile de som, suor e lágrimas. Um espetáculo da legítima música da Bahia, para que os italianos também pudessem descobrir o que é que o baiano tem. E não só de música brasileira viveria Roma naqueles dias. O cinema nacional também marcava presença. Em homenagem póstuma, seriam exibidos filmes do diretor Glauber Rocha, morto em agosto de 1981.

Em pleno verão italiano, a turma de brasileiros que chegava para o evento não ostentava espadas, elmos e músculos torneados. Na arena montada, as armas dos nossos gladiadores eram outras: o violão, a voz e o jeito baiano de ser. Os italianos veriam apresentações de João Gilberto, Dorival Caymmi, Batatinha, Gal Costa, Gilberto Gil, Caetano Veloso, Moraes Moreira, Nana Caymmi, entre outros. Bem organizado, o festival não ficaria restrito apenas aos visitantes que estivessem por lá na época. Os cineastas Paulo César Saraceni e Leon Hirszman, com apoio do próprio Gianni Amico, estariam presentes para registrar as melhores cenas do evento e transformá-las em documentário para quem quisesse assistir no futuro. E boas imagens não faltariam.

Durante o dia, Caetano foi flagrado pelas lentes dos cineastas em conversas animadas com Dorival Caymmi. Não perderia a chance de conversar com outro mestre de seu panteão de eleitos. À noite, apresentou mais uma vez o show do disco *Uns*. Em termos de qualidade musical, os italianos não podiam reclamar. Cada um dos brasileiros apresentou o que tinha de melhor. O festival foi um sucesso. Lotação esgotada em todas as noites. Naquele autêntico clima carnavalesco, até um trio elétrico percorreu as ruas de Roma para encerrar a festa. E não era um trio qualquer. Na falta da Praça Castro Alves, a Piazza Navona foi o ponto de parada do Trio Elétrico Armandinho, Dodô e Osmar. O povo italiano delirou.

Por nove dias seguidos o cheiro do acarajé se espalhou pela cidade e os gringos conheceram o charme brejeiro do baiano. Os artistas que tantas vezes se apresentaram na "Roma Negra", como Salvador também é conhecida, fizeram da Cidade Eterna a capital baiana na Europa. Por pouco não disseram que o Coliseu era o Estádio da Fonte Nova. Brincadeiras à parte, a imprensa italiana saudou os músicos brasileiros com entusiasmo. Pelo visto, dali em diante muito bambino daria o braço a Gianni Amico na paixão incondicional pela cultura brasileira.

❦

A turnê do disco *Uns* não acabava na Itália. Pouco depois de voltar ao Brasil, Caetano retornou ao Canecão e, no início de outubro, aterrissou em São Paulo, no Palácio das Convenções do Anhembi. Embora o show estivesse amadurecido em razão das várias apresentações no Brasil e no exterior, a estreia paulista foi mal recebida por parte da crítica. À exceção da boa recepção estrangeira, algo não ia bem naquela temporada. Caetano não imaginava o tamanho do foguete que estava para cair. De São Paulo, o show seguiu para o Teatro Castro Alves, em Salvador. A turnê continuava nos trilhos, mas o clima e a motivação não eram os mesmos havia um bom tempo. Não dava mais para adiar. Chegava a hora de lavar a roupa suja acumulada.

Caetano tinha uma banda especial em vários aspectos. Todos músicos talentosos e de muita personalidade. Além de bons instrumentistas e arranjadores, alguns deles também compunham e cantavam. Isso sem falar no charme pessoal de cada um. Caetano costumava alternar a carga de trabalho de ano em ano. Isto é, em determinado ano havia mais shows, mais divulgação, mais compromissos. No seguinte, o ritmo ficava mais lento e as viagens, apresentações e ensaios eram reduzidos. Os chamados "ano sim" e "ano não" de sua carreira. Durante os anos em que a agenda ficava mais folgada, alguns integrantes da banda buscavam trabalhos extras. O negócio, porém, começou a dar certo, e muito. O que parecia alternativo ganhou ares de principal.

Vinícius Cantuária se lançou em carreira solo em 1983. Gravou um disco, ganhou fama, cantava em programas de televisão, tinha seu público. Muitas vezes nos shows de Caetano, os fãs cercavam Vinícius para pedir autógrafo, assinar discos, tirar fotos e outras coisas mais. Natural que, com talento e dedicação, ele conquistasse seu espaço. Arnaldo Brandão seguia pelo mesmo caminho. No ano mais ameno, ele e Cláudio Zoli montaram uma banda, a Brylho, que fazia um sucesso enorme com o *hit* "Noite do Prazer", que, aliás, se tornaria um clássico da época. O público comparecia aos shows, as músicas tocavam nas rádios, a imprensa comentava.

Com um clima desses, no decorrer do ano a necessidade de trilhar um caminho próprio ganhou força. Até Tomás Improta sentia algo semelhante, pois começava a investir numa escola de música que havia montado. A sensação de angústia entre eles piorava durante os shows, sobretudo nos momentos em que Caetano ficava sozinho no palco. Era como se deixassem de investir em suas carreiras pessoais, que se mostravam bem promissoras por sinal. Isso vinha se acumulando em silêncio, até que eles resolveram conversar com o patrão. Ser sincero não seria nada fácil. Ninguém termina um casamento que deu tão certo de uma hora para outra, mas eles estavam firmes.

Ao saber da decisão dos músicos, Caetano ficou sentido. Afinal, aquilo significava o fim de um dos períodos mais felizes de sua carreira profissional. Mas ele não tinha com o que se preocupar. Não ficaria na mão. Antes de tudo, Vinícius e Arnaldo eram amigos dele e prezavam pela ética. Quando os dois tomaram a decisão de sair da banda, já tinham os nomes de seus possíveis substitutos. Vinícius indicou o baterista Marcelo Costa, o Gordo, cujo talento ele conhecia do conjunto A Barca do Sol, que Caetano também já conhecia. Arnaldo indicou o amigo Tavinho Fialho, baixista que havia tocado na banda Sabor de Veneno, de Arrigo Barnabé. Estava ali a semente da nova formação. A decisão caberia a Caetano.

O choque havia sido grande, todavia, a indicação de bons músicos abria uma nova estrada a seguir. Perder a velha banda foi, certamente, uma experiência desagradável. A separação ajudou a complicar um período que já estava conturbado. O show *Uns* vinha sendo criticado, seu casamento estremecia, e, agora, a banda de amigos deixava de existir. Pelo menos a perda, no caso deles, foi relativa. Sempre estariam por perto, tocando, colaborando, visitando. No meio de uma fase tão difícil, piorar parecia impossível. Ou quase. Tudo isso não seria nada perto do que estava por vir.

❦

José Telles Velloso, o seu Zezinho, sempre se mostrou um homem forte. Basta dizer que trabalhou a vida toda nos Correios sem tirar férias. Sólido feito uma rocha, não se abatia por qualquer motivo. Na década de 1970, seu médico detectou um tumor na próstata que precisou ser extirpado. A doença assustou todo mundo, mas não o desanimou. Foi operado, fez tratamento de quimioterapia e radioterapia, sofreu muito, mas se recuperou. O tempo passou depressa e o peso da idade começou a incomodar. Em outubro de 1983, ele chegava aos 82 anos de vida. Era um homem idoso e naturalmente não exibia mais a vitalidade que tanto marcara sua vida. Braços e pernas estavam cansados. O corpo também já não respondia como antes. Mais vulnerável, a doença voltou a se manifestar. Só que dessa vez com muito mais força.

Em novembro de 1983, seu Zezinho foi internado no Hospital Português, em Salvador. O quadro era grave. A praga da doença, ao invés de regredir com o tratamento, espalhava-se cada vez mais. Os médicos, sem ter muito o que fazer, lhe deram alta na primeira melhora que teve. A família ainda nutria esperanças de uma recuperação. Em 4 de dezembro, um almoço foi organizado em Salvador. A felicidade por ver todo mundo à mesa trazia um pouco de alento. Contudo, seu Zezinho pressentia que o fim estava próximo. Ele, então, pediu que o levassem para Santo Amaro, sua terra querida, onde vivera boa parte de sua história. Queria morrer em paz onde sentia-se melhor.

No dia seguinte, seu desejo foi atendido, viajou para Santo Amaro. Mesmo fragilizado, ainda conseguiu desfrutar de cada cantinho de sua casa nos dias que se passaram. Foram suas últimas despedidas. Na manhã de 13 de dezembro, levou o filho Rodrigo até a porta e depois resolveu descansar. Parecia disposto, mas no decorrer do dia passou mal. O desespero tomou conta de todos. Assim que a notícia se espalhou, os outros filhos "voaram" para Santo Amaro. Caetano, Bethânia e Roberto viriam de mais longe e corriam sério risco de não o ver mais com vida. Não deu outra. Por volta das 18 horas, seu Zezinho faleceu, vítima de complicações decorrentes do câncer. Um trauma terrível se abateu na família. O enterro foi no dia seguinte, no cemitério de Santo Amaro. Dias depois, uma revelação surpreenderia a todos.

Para poupar seu Zezinho, a família nunca contou sobre o câncer. Mas ele era muito mais sabido do que supunham. Ao mexer nas coisas dele, Mabel encontrou anotações indicando que seu pai sabia de toda a verdade. Para não assustar demais a esposa e os filhos, ele mesmo fazia questão de fingir não saber de nada. A história do patriarca da família lembrava a célebre frase de Euclides da Cunha em *Os Sertões*: "O sertanejo é, acima de tudo, um forte." O velho Zezinho ♪[68] foi durão até seus últimos dias de vida.

❦

No início de 1984, o Brasil vivia um período agitado do ponto de vista político. O processo de abertura do país entrava em sua fase decisiva. A corda tinha começado a apertar em março de 1983, quando o deputado Dante de Oliveira propôs uma emenda constitucional visando restabelecer eleições diretas. A princípio ninguém deu muita importância, mas quando outros políticos de peso aderiram à ideia, a história mudou. No momento em que entraram na briga, o senador Teotônio Vilela e o deputado Ulysses Guimarães estavam decididos a só sair dela com a vitória democrática nas mãos. Assim nascia a campanha das "Diretas Já!".

A partir daí o movimento ganhou novos adeptos. Comícios inflamados aconteciam em todos os cantos. No começo apenas gatos pingados apareciam, depois a multidão ganhou as ruas. Até o fim da campanha, em abril de 1984, milhões se reuniram em comícios no Rio de Janeiro, na Igreja da Candelária, e em São Paulo, na Praça da Sé. Àquela altura, a união em prol das diretas dava trégua até nas divergências políticas. Basta dizer que em São

---

[68] ♪ "O Homem Velho"

Paulo, políticos como Ulysses Guimarães, Orestes Quércia, Lula, Tancredo Neves, Leonel Brizola, Franco Montoro, Fernando Henrique Cardoso, entre outros, dividiram o palanque de mãos dadas. Mas naquela oportunidade o medo venceu a esperança. Apesar dos esforços, a Câmara dos Deputados rejeitou a emenda e o sonho das diretas foi adiado. A semente, porém, estava plantada. E logo em seguida iria germinar com a candidatura de Tancredo Neves à presidência da República, em disputa com Paulo Maluf.

Caetano simpatizava com o movimento, contudo, atravessava mais um período de transição em sua vida particular e profissional. No meio dessa agitação toda, seguia seu rumo. Embora a dor da perda paterna ainda corroesse sua alma, daria continuidade à montagem da nova banda. As sugestões de Vinícius e Arnaldo foram acatadas, isto é, o baixo e a bateria já tinham donos. Apenas com esses instrumentos não dava nem para esboçar um show acústico. Para formar uma banda de verdade, seria preciso incluir guitarra, percussão, metais e teclados. Então faltava muita gente ainda.

Marcelo Costa, numa conversa com Caetano, sugeriu convidar Marçalzinho, filho de Mestre Marçal, para assumir a percussão. E Tavinho Fialho, com seu jeito irresistível de pedir as coisas, conseguiu convencer o chefe a manter o caçula Zé Luiz no sax e na flauta. Ele seria o único remanescente da antiga banda. Para os teclados, o próprio Caetano convidou Ricardo Cristaldi, que havia tocado com Jorge Ben e Ney Matogrosso. Os dois não conviviam diariamente a ponto de frequentar a casa um do outro; porém, vira e mexe se esbarravam nos palcos da vida, nas coxias, nos camarins, onde conversavam muito. O esboço de amizade pouco influenciou na decisão. Caetano não dava ponto sem nó na hora de convidar músico. O talento inquestionável e o lado profissional de Cristaldi foram essenciais na escolha.

E a guitarra? Bem, a guitarra seria entregue a um conhecido de longa data. Em Salvador, no início da década de 1970, Toni Costa já frequentava a casa de Caetano. Pelas mãos de sua namorada, Ana Amélia, conheceu e se enturmou com um grupo de amigos em comum. Não parou por aí. Após Caetano se mudar para o Rio de Janeiro, volta e meia se encontravam numa festa, num evento. Toni, porém, não se resumia apenas a um velho camarada. O som de sua guitarra estremecia até os mais exigentes. Na época da transição, por exemplo, já havia tocado com artistas do porte de Maria Bethânia e Moraes Moreira. E foi justamente numa dessas que as pontas foram ligadas. Caetano tinha assistido a um show de Bethânia com Toni estraçalhando no palco. Não esqueceu do que vira. Quando precisou de um guitarrista, não teve dúvidas, chamou o músico. Convite aceito, a banda estava pronta e um novo ciclo se iniciava na carreira de Caetano.

Apesar dos problemas do ano anterior, a inspiração não dormiu no ponto. Pelo contrário. Para um artista com sensibilidade aguçada, o sofrimento pode até ajudar no processo criativo. Pouco antes de iniciar o verão, em Salvador, compôs algumas canções. Ainda não dava para montar um LP inteiro. Na volta ao Rio de Janeiro, a criatividade novamente fluiu e outras músicas saíram do forno. Aí o repertório ganhou corpo. O passo seguinte seria a gravação do disco. Confere? Não, não confere. Mais uma vez Caetano surpreenderia com uma atitude ousada. Na contramão de tudo que se fazia na época, decidiu cair na estrada primeiro, em vez de gravar o disco. O grupo faria uma divulgação preliminar das músicas novas e só entraria em estúdio depois de tudo amadurecido.

Com material de sobra para trabalhar, o novo grupo passou a ensaiar firme. A banda ganhou até nome: Banda Nova. Um nome e ao mesmo tempo uma notícia. Começava ali um período de adaptação. Gente nova, diferentes perfis, outro ritmo de trabalho. Com eles o quesito disciplina ganhou uma importância maior no dia a dia dos ensaios. Isso não queria dizer que os rapazes da banda anterior fossem indisciplinados. A ausência de um produtor linha dura e o convívio de muito tempo é que permitiam um relaxamento maior durante os trabalhos. Com os novos parceiros, a química ainda estava no início. E Caetano só ficaria mais à vontade com eles no decorrer do tempo. Mas não demoraria muito. A lua de mel teria início em 24 de maio de 1984, na estreia nacional do show *Velô*, no Palace, em São Paulo.

Velô de Veloso, de velocidade. Podia ser a abreviação do sobrenome, mas também uma gíria comum da época, que não saía da boca de seu filho Moreno. Acabou pinçada. Este foi o nome escolhido para o novo trabalho. O teste de fogo ia começar. Diante do cenário futurista de Luciano Figueiredo e Jorge Salomão, irmão de Waly, a plateia assistiu a uma espécie de recomeço para Caetano. Muita coisa havia mudado na vida dele em poucos meses. O resultado de tudo estava naquele palco. E mudança às vezes faz bem. O público saiu satisfeito, e a crítica, ao contrário do trabalho anterior, dessa vez elogiou, sobretudo pela originalidade poética de canções do porte de "Podres Poderes", "Língua", "O Homem Velho", "O Quereres" e "Shy Moon", todas da nova safra.

Os músicos também passaram no teste. O clima foi tão bacana que até Vinícius Cantuária esteve lá para cumprir um rito de passagem. Antes do show, desejou sorte a todo mundo e passou de forma simbólica as baquetas a Marcelo Costa, o novo baterista. Estava sacramentado. Caetano tinha uma nova banda; ou melhor, uma Banda Nova. Nesse clima de festa fizeram a temporada em São Paulo. E ninguém queria mais parar. Em junho, chegou a vez do Canecão, no Rio de Janeiro, ouvir as inéditas. O sucesso se repetiu. Tudo caminhava bem. A paz parecia reinar de novo, mas só parecia. Naquele período, Caetano novamente leria críticas severas nas páginas de um jornal de grande circulação. Pior de tudo. O autor da porrada seria um velho conhecido de guerra.

Receber críticas de Paulo Francis, por quem Caetano nutria admiração, já tinha sido uma experiência decepcionante. E quando o dessabor viesse das palavras do concretista Décio Pignatari, o golpe seria ainda mais duro. Além de amigo pessoal, Caetano reconhecia o valor do trabalho dele e respeitava suas ideias. Criticar do ponto de vista estético, uma canção, uma letra, ou até mesmo um show, tudo bem. Mas se manifestar contra posturas políticas, ação ou omissão diante de um fato em evidência, era outra história. E foi o que aconteceu. Décio criticou a pouca participação dos baianos na campanha pelas diretas. A atitude inesperada provocou uma nova briga. Como era de seu perfil, Caetano não engoliu essa também, e se defendeu. Voaram farpas para todos os lados.

A polêmica com Décio mexeu com Caetano, mas não atrapalharia o andamento de *Velô*. Pouco tempo depois de encerrada a temporada do Canecão, a turma seria arrastada para terras distantes. O ano anterior havia sido o mais internacional da carreira de Caetano desde a volta do exílio. Em 1984, para não perder o hábito, outras conexões internacionais foram incluídas em seu currículo. A Europa, mais uma vez, recebeu sua visita. Em Barcelona, Caetano fez um show ao ar livre com ótimos elogios da imprensa local. Durante sua estada no Velho Continente, também foi possível dar um pulo em Londres para matar saudade. Não, não era do exílio. Paula Lavigne estava por lá.

Caetano enfrentava um período atribulado em sua vida particular e profissional. Embora o sentimento entre ele e Paula existisse, no meio de tudo havia Dedé, Moreno, os shows, os compromissos, o ti-ti-ti. Por outro lado, Paula estava na flor da idade e em pleno processo de crescimento profissional. Agarraria qualquer boa oportunidade que aparecesse. Naquele período, resolveu dar uma pausa na carreira de atriz e foi estudar inglês em Cambridge, na Inglaterra, por insistência dos pais. Apesar da distância, não esqueceu o baiano quarentão. Ele, por sua vez, também não esquecia os bons momentos que passaram juntos. Na primeira oportunidade pela Europa, esticou até Londres para rever sua amada. Em clima de aventura, Paula fugiu do colégio só para se encontrar com o cantor. À noite, jantar romântico. Com a cabeça nas nuvens, Caetano esqueceu de levar dinheiro e Paula teve de pagar com as economias de sua mesada. Apenas um detalhe, nada que diminuísse o valor do reencontro. A história deles estava só no começo e ainda renderia muitos capítulos no futuro. O episódio ajudou o casal a se conhecer mais um pouco, contudo, a estada em Londres não poderia se estender muito. Com a sensação de amadurecimento unânime em cada integrante da nova equipe, Caetano sabia que tinha chegado a hora de gravar o novo disco.

Em outubro de 1984, rumaram todos para o estúdio. A produção do álbum dessa vez seria em dupla. Caetano soubera da longa experiência de Cristaldi em estúdio, então preferiu dividir com ele as tarefas. O repertório escolhido foi basicamente o mesmo apresentado na turnê. A estratégia de inverter tudo deu certo. Montar o show primeiro permitiu uma avaliação antecipada das canções. O laboratório musical aconteceu na prática. Estava todo mundo afiado quando os trabalhos começaram. Àquela altura, conheciam a fórmula certa para agradar ao público. Mas Caetano não queria que ficasse tudo igualzinho. *Velô*, o disco, precisava ter um diferencial em relação a *Velô*, o show. Que tal dois diferenciais?

Richard David Court, o Ritchie, poderia ser mais um turista inglês visitando o Brasil durante o verão. Nada disso. O gringo chegou em 1972 e não quis mais voltar. Passou a viver da música. No decorrer daquela década, fez parte do lendário conjunto Vímana, ao lado de Lobão e Lulu Santos, no tempo em que os três usavam cabelos quase na cintura. O sucesso, porém, só aconteceu no início dos anos 1980, de cabelo curtinho, quando se lançou em carreira solo. Canções como "Menina Veneno" e "Casanova" já estavam na boca do povo quando ele foi assistir ao show *Velô*, em São Paulo. Ritchie adorou e fez questão de dizer isso ao dono da festa. Para a surpresa de Caetano, que muitas vezes se envergonhara das letras escritas no idioma bretão, o inglês também gostou de "Shy Moon". Achou a letra linda. Isso reforçou a segurança de Caetano em incluí-la no disco. E mais. Rendeu o convite para uma participação de Ritchie na gravação. Bom para os dois.

Já o outro diferencial seria um tipo bem brasileiro. Uma mulata irrequieta, de voz rouca, acostumada a botar para quebrar. Elza Soares fazia parte da velha guarda do samba, mas no palco dava banho de energia em muita adolescente. Quando Caetano compôs o samba-rap "Língua", pensou imediatamente nela para gravar em dueto. Elza, que não negava fogo, foi até lá e deu o toque final com seu suingue inconfundível. Com os músicos bem ensaiados, as outras canções foram gravadas rapidinho. Em 2 de novembro de 1984, em pleno feriadão de Finados, o disco ficou pronto.

Dias depois, estrada novamente. Mais uma apresentação internacional a caminho. Se bem que no caso da Argentina, de tão próxima, não poderia ser considerada tão internacional assim. As apresentações de Caetano por lá nem foram muitas, todavia, bastaram para fazer de Buenos Aires seu quintal platino, uma espécie de filial da Bahia. O público o conhecia bem, comprava seus discos, lotava os shows e ainda cantava junto. Entre 8 e 12 de novembro, Caetano se apresentou no Cine Teatro Opera de Buenos Aires. Além de mostrar as canções do novo LP, no melhor estilo Gardel, praticou seu castelhano ao interpretar "Mano a Mano", um dos tangos mais tradicionais da

Argentina. Foi ovacionado. A imprensa portenha só faltou chamar Caetano de "*Dios*". O baiano estava mesmo incensado pelos argentinos.

Na volta ao Brasil, daria tempo de dar um giro pelas capitais do norte e nordeste. No fim de novembro, com o disco pronto, ninguém queria ficar parado. Isso é bom, mas daí a ser posto para correr já seria sacanagem. A turnê ia muito bem, obrigado, até chegar em Aracaju, capital de Sergipe. Cristina Mandarino, aquela moça para quem Caetano havia composto "Você é Linda", continuava amiga de todo mundo. Ao saber que haveria um show pertinho de Salvador, resolveu dar um pulo até lá para dar uma força. A jovem assistiu à apresentação e no fim se integrou ao grupo. Enquanto isso, políticos da cidade faziam questão de levar a turma toda para jantar num restaurante local.

O lugar estava lotado. Garçons, políticos, capatazes, jagunços, fãs, e, no meio de toda essa gente, a turma de Caetano Veloso. Famintos, devoraram o rega-bofe servido num piscar de olhos. O jantar não custava um tostão, mas a "conta" chegou. Um político exigiu que Caetano cantasse para o público presente. Seria sua retribuição. Puxa, espera aí. Havia acabado de jantar, estava cansado, e ninguém tinha combinado nada. Necas de cantoria. O homem, então, se enfezou e começou um bate-boca. Canta, não canta, canta, não canta. No tumulto, um limão caiu dentro do pote de pimenta que estava perto de Cristina. Ela, que até então assistia calada, quando viu a sujeirada na roupa, rodou a baiana. Levantou, pegou a farofa na mesa e jogou no primeiro cabra que encontrou pela frente. Aí, meu rei, o tempo fechou. Garrafas e copos começaram a voar. Uma baixaria homérica. Mais do que nunca chegava a hora de picar a mula. Ainda mais porque um dos jagunços não era partidário do "onde queres revólver, sou coqueiro". Ele estava armado, sim, e por pouco não tirou o trabuco da cinta. Felizmente, antes do pior acontecer, conseguiram se mandar do local. Com alguns arranhões e molho de pimenta na roupa; mas todos vivos, graças ao Senhor do Bonfim.

Apesar do susto, a turnê não estava encerrada ainda. O *grand finale* aconteceu em 12 de dezembro, na danceteria Radar Tantã, em São Paulo. Pelo menos, ao fim daquela temporada, não receberam nenhum convite inesperado para uma boquinha. E foi melhor assim. Ninguém aceitaria mesmo.

❦

No final de 1984, uma pergunta não queria calar: Tancredo Neves ou Paulo Maluf, quem seria o novo presidente do Brasil? A resposta só viria a público em 15 de janeiro do ano seguinte, dia em que o resultado das eleições revelasse o nome do vencedor. Embora o povo estivesse com Tancredo, não poderia fazer mais do que demonstrar sua preferência. Com eleições ainda indiretas, o destino do país estaria nas mãos do Colégio Eleitoral, reunido no Congresso Nacional, em Brasília. De qualquer forma, em poucos dias o país assistiria a uma conquista histórica: a eleição do primeiro presidente civil brasileiro após 21 anos de intervenção militar.

Para quem sofrera com a ditadura seria também uma vitória particular. A palavra "mudança" estava mesmo na moda. Caetano poderia achar que nos meses anteriores havia passado por todas as possíveis e imagináveis mudanças, na vida particular e na profissional. Puro engano. O futuro a Deus pertence, diz o velho ditado. Em breve outra mudança radical aconteceria em sua vida. Se boa ou ruim, só o tempo iria dizer.

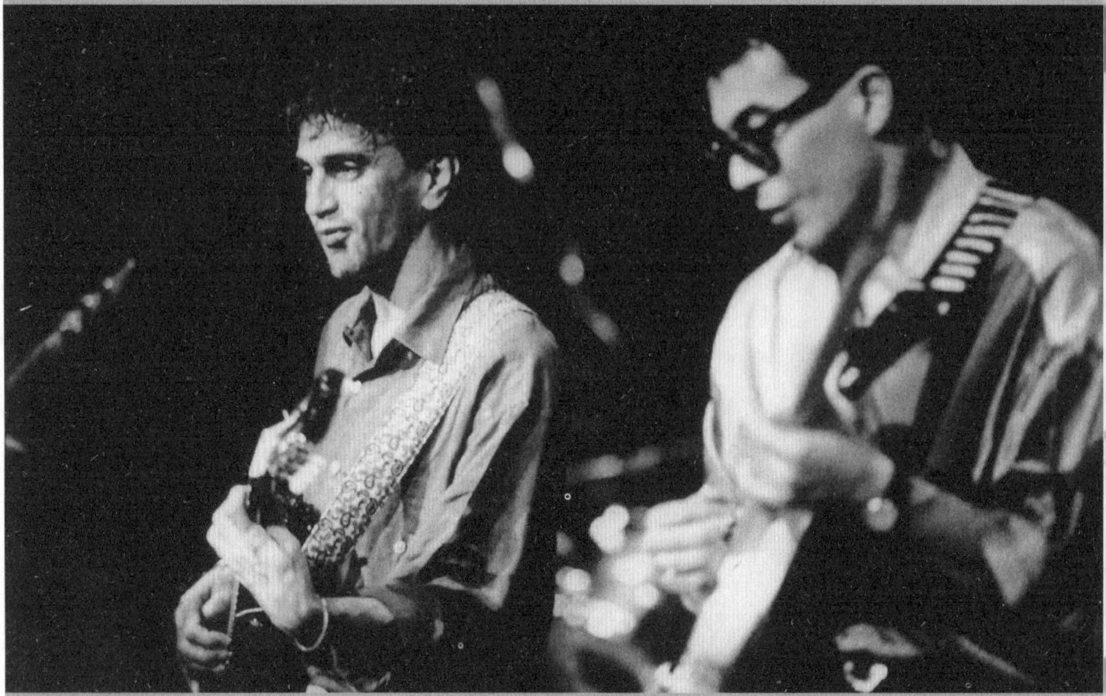

19

BAIÃO DE DOIS

Os Estados Unidos lançaram a moda. A Inglaterra amplificou a ideia. Em janeiro de 1985, o Brasil finalmente entrava na rota dos grandes eventos de música pop internacional com o megafestival Rock in Rio. Um espetáculo de proporções monumentais chegava para sacudir o verão carioca. Muita gente talentosa se encaminhou para os lados de Jacarepaguá, num terreno próximo ao autódromo. James Taylor, Queen, Yes, Iron Maiden, Rod Stewart, Erasmo Carlos, Barão Vermelho, Paralamas do Sucesso e tantos outros. Pela primeira vez na história um evento estilo Woodstock, com direito a lama e tudo mais, aconteceria em terras tupiniquins.

Festival de música tinha tudo a ver com Caetano, ainda mais em clima de festa, sem a concorrência típica dos grandes festivais da TV Record. Mas daquela vez não seria exatamente assim. O idioma no título dava a pista: Rock "*in*" Rio e não "no" Rio. Predominava a ideia de reunir o maior número de estrelas da música mundial em apresentações históricas. Digamos que seria um espetáculo para inglês ver. Aliás, inglês só, não. O sucesso atravessou fronteiras. Nas "internas", porém, foi segmentado. Pelo menos no tratamento. Os artistas internacionais receberam o melhor. Os "de casa" não tinham direito nem a uma passagem de som decente. Mesmo com toda parafernália disponível, exigir qualidade dessa forma ficava complicado. E o que dizer da salada musical de juntar no mesmo dia o rebolado de Ney Matogrosso com a guitarra do Whitesnake, ou, ainda, o balanço de Al Jarreau com o sotaque de Alceu Valença? No meio disso tudo os brazucas sofriam. Os integrantes do Kid Abelha e os Abóboras Selvagens que o digam. Agradaram seus fãs, mas enfrentaram uma pedreira. Milhares de "metaleiros" pagaram ingresso para ver AC/DC e Scorpions, bandas que fechariam a noite. Na ânsia de assistir logo a seus ídolos, não pensaram duas vezes. Promoveram uma chuva de pedras para cima dos coitados músicos brasileiros.

Longe dali, Caetano dava uma pausa merecida na turnê de *Velô*. O disco só foi lançado quando o show já tinha amadurecido. Em outras palavras, ele e os rapazes da Banda Nova tiveram que suar a camisa no ano anterior. Pela lógica, 1985 seria "ano não", ou seja, um ano mais descansado, sem tantos compromissos, sem gravação de disco novo, com uma ou outra viagem escolhida a dedo. Fora isso, toda proposta deveria ser muito bem avaliada. Não valia a pena se meter em praia "estrangeira" com todos os riscos inerentes. Foi assim com o festival carioca. Caetano recusou o convite. Achava que os brasileiros mereciam mais espaço. Fechar uma noite, por exemplo. No auge da festa, Gilberto Gil lamentou a falta do amigo, assim como a de Tim Maia e Jorge Ben. Mas como o Rock in Rio foi uma geleia geral das boas, Caetano não deixou de prestigiar como público. No fim, ficou a satisfação de ver seu país ganhar um bom espaço no cenário da música mundial.

❦

Nem tudo eram flores. Alegria na música, apreensão na política. O que deveria ser mais sentido, e até celebrado, ficava com um gostinho amargo de fel. Em 1984, o povo brasileiro quis votar para presidente. Foi à rua, fez comício pelas "Diretas Já!", colocou milhões em praças e avenidas dos grandes centros. Mesmo com o Chacrinha buzinando "Alô, Anacleta, o povo quer direta", não teve jeito. O apelo popular não bastou para convencer a Câmara dos Deputados. A emenda "Dante de Oliveira" caiu por terra. O povo teria de esperar um "cadinho" mais. Como em todo Carnaval que se preze, a quarta-feira de cinzas jogava um balde de água fria e, pelo menos em termos de eleição, tudo voltava ao que era antes.

Movido pelo clamor da sociedade, o nome de Tancredo Neves ganhou força. Representante da oposição unida para bater Paulo Maluf, acabou eleito pelo voto do Colégio Eleitoral. Mesmo com a eleição indireta entalada na garganta, o povo podia comemorar. Não deixava de ser um marco na história do país. Primeiro presidente civil depois de mais de vinte anos de ditadura militar. Ganhou, mas não levou. Atingido por uma severa diverticulite, Tancredo morreria em abril de 1985, deixando seu vice com a incumbência de dirigir a nação. José Sarney, antes articulador dos militares, mudava de lado e assumia o posto.

Os dois últimos anos também trouxeram grandes mudanças para Caetano. A morte do pai, a troca da banda, uma grande turnê internacional. Um ciclo findava para que outro pudesse iniciar. Na pororoca que movimentava o rio de sua vida não sobraria pedra sobre pedra. No início da ditadura, tanto esquerda quanto direita reclamavam de sua postura política interpretada como dúbia. Polêmico de nascimento, em sua dualidade se mostrava "à esquerda da esquerda". Já no fim dessa longa noite sessentista de vinte anos, sua postura estava mais branda, mas não menos participativa. A agenda "pós-

84" podia ser apertada, mas ainda assim Caetano Veloso achava espaço para dar seu recado.

Apoiou o movimento das "Diretas Já!", queria Tancredo para presidente e até achou Antônio Carlos Magalhães *sexy*. No caso das "Diretas", ao contrário de outros artistas que abraçaram a causa de modo mais explícito, Caetano teve uma participação mais comedida. Assim como acontecera na volta do exílio, a cobrança novamente bateu à sua porta. Não bastava dizer que apoiava o direito do voto do cidadão e como consequência o dele próprio. Teve gente reclamando que o artista não se assumia, ficava em cima do muro. O saldo de mais algumas patrulhas ideológicas no currículo foi um belo arranhão na amizade com Décio Pignatari. Nada melhor que o tempo para curar as feridas.

Paciência ele teria. Apesar dos arranhões, das mudanças e dos ciclos, o cantor seguia seu rumo, no Brasil ou fora dele.

❧

Depois do tradicional descanso do verão baiano, Caetano arrumava as malas novamente para botar o pé na estrada. Em maio de 1985, ele e a Banda Nova retornariam com *Velô*. Em continuidade à perna internacional da turnê, Portugal, Espanha e França seriam os próximos destinos. Antes de partir, porém, uma gravação em estúdio aguardava por ele. Espera aí! O ano de 1985 não seria um "ano não"?! Tudo bem, essa não era a gravação de um disco de carreira. Caetano participaria de uma criação coletiva ladeado por mais de uma centena de artistas. Todos reunidos por uma causa nobre: ajudar o Nordeste brasileiro. Também ele, um nordestino, ficaria orgulhoso com essa participação. Mesmo que alguns, para variar, insistissem em dizer o contrário.

Inspirado no sucesso "We Are the World", dos colegas americanos liderados por Quincy Jones, o Sindicato dos Músicos do Rio de Janeiro resolveu promover sua cota de solidariedade. Em vez da África, escolheram o povo carente do Nordeste. Durante três dias e noites, técnicos de som, operadores, músicos e cantores se reuniram para gravar o compacto simples "Nordeste Já". Ao todo, mais de 150 pessoas se envolveram no projeto. Para ter uma noção do que foi o encontro, estavam lá Chico Buarque, Tom Jobim, Milton Nascimento, Elba Ramalho, Elizeth Cardoso, Fagner, Fafá de Belém, Wagner Tiso, Roberto Carlos, Erasmo Carlos, Gonzaguinha, Tim Maia, Emilinha Borba, Marlene, Gal Costa, Gilberto Gil, Maria Bethânia, e por aí vai. Caetano não poderia ficar de fora dessa festa. Participou como cantor e contribuiu na criação da principal música do disco: "Chega de Mágoa". O resultado saiu dentro do esperado. Mesmo com algumas falhas técnicas naturais num trabalho realizado a toque de caixa, a importância de tudo estava no "fim" e não no "meio". O problema é que muitos não pensaram assim e desancaram o projeto.

Para os adeptos do chamado "complexo de vira-latas", o esforço de doação parecia adiantar pouco. A inspiração podia ser o "We Are the World", mas esqueceram que o ímpeto de ajudar famílias desamparadas desencadeou o projeto. Para esse fim, valia qualquer sacrifício. No entanto, algumas notas de jornal insistiam na comparação, totalmente desnecessária, e denegriam a iniciativa. Esqueceram até que a gravação americana do "USA for Africa" havia sido inspirada em projeto parecido criado pelos ingleses. Na histórica polêmica de quem inventou o avião, os americanos não deixam por menos e fazem o maior escarcéu em prol dos irmãos Wright. Aqui os brasileiros defendem o 14 Bis. Mas no caso do LP coletivo, precisavam lembrar a toda hora que os gringos já tinham feito isso antes e, para despeito de alguns, com muito mais qualidade.

E pensar que o próprio Quincy Jones, admirador da cultura brasileira, prenunciava um cenário auspicioso à classe artística verde e amarela: no futuro, quem mandaria em termos de música seria o Brasil, país possuidor de qualidade musical comparada apenas à americana, inglesa e francesa. Ouvir desaforo calado não era o forte de Caetano. Assim que voltasse da Europa meteria o dedo na ferida.

A primeira escala foi na conhecida Lisboa, em Portugal, onde *Velô* aportaria por três noites no Coliseu dos Recreios. Apaixonado pelo idioma desde os tempos de estudante, Caetano mais uma vez levava sua contribuição àqueles que nos deixaram de herança a "última flor do Lácio". Ele sempre gostou de roçar sua língua na língua de Luís de Camões e daquela vez não foi diferente. A poesia original do novo repertório convencia até os mais rigorosos. "O Quereres", "Podre Poderes" e "Língua" faziam parte da nova leva de canções. Os patrícios adoraram e pediram a Deus que ele voltasse em breve. Nem precisava tanto. Portugal tinha um cantinho especial guardado em seu coração. Daquela vez, porém, não podia demorar muito. A irmã, Maria Bethânia, aguardava por ele ansiosa na vizinha Espanha.

O dia de San Isidro, padroeiro de Madri, é 15 de maio. Para comemorar, os espanhóis realizam uma festa animada, no estilo das Micaretas, os Carnavais fora de época que agitam o Brasil de norte a sul. As comemorações daquele terceiro ano com os socialistas no poder eram tão especiais como nos anos anteriores, mas teriam diferenciais bem brasileiros. O melhor da festa ficou para o encerramento. De manhã, os espanhóis vibravam com o gingado do toureiro na arena, e de noite dançavam ao som de ilustres artistas do nosso país. O povo madrileno não escutava música brasileira como seus vizinhos portugueses, franceses e até os italianos. De qualquer forma, brindariam à presença de dois baianos legítimos. Primeiro, Maria Bethânia; depois, Caetano Veloso.

A capital Madri ainda não estava habituada à nossa música como forma de entretenimento. Para tirar todos os atrasos possíveis e imagináveis, o jeito foi fazer não um, mas dois shows de qualidade. Bethânia, e, em seguida, Caetano, proporcionaram ao público do Palácio dos Esportes de Madri três horas de uma festa regada à mais pura música brasileira. Bethânia fez uma retrospectiva de seus grandes sucessos, enquanto seu irmão apresentou uma versão reduzida de *Velô*. No fim, depois de dez minutos de ovação em pé, os irmãos voltaram para o bis impagável. Os dois ali, pertinho um do outro, repetiam sem perceber o encontro histórico que havia gerado um disco ao vivo no final dos anos 1970.

Depois da fúria espanhola, no bom sentido, é claro, mais festa. Dessa vez, à francesa. A dedicação de Caetano em mostrar seu trabalho no exterior continuava a lhe render afago dos gringos. A França, reconhecida pelo seu apreço aos direitos do homem, preparava uma homenagem à altura. Reunia uma série de celebridades mundiais para demonstrar seu apoio a essa causa tão nobre, exatamente no Fórum Internacional de Direitos Humanos. Convidado por ninguém menos que Jack Lang, ministro da cultura francês, Caetano mostrou sua arte e cantou toda forma de amor por sua "Terra", que, aliás, é uma de suas canções de maior sucesso nas plateias do mundo.

Vida agitada essa de artista. Madri, hoje; Paris, amanhã. Viajar é bom, mas a volta para casa também. Passada a rápida temporada europeia, Caetano regressava ao Brasil para dar continuidade aos shows de *Velô*. Nenhuma mudança radical no roteiro. O grande reforço ficava por conta de "Chega de Mágoa", que Caetano fazia questão de incluir vez por outra. Ele acreditava que o esforço coletivo de levar um pouco de esperança aos mais necessitados tinha sido prejudicado por uma comparação descabida. Nem o mistério que cercava os números da vendagem o desestimulava. Apesar dos pesares, Caetano fazia sua parte sempre que podia. Por isso, tome-lhe "Chega de Mágoa", para que a população se lembrasse de ajudar a quem precisa.

❦

Em meados de 1985, Caetano compôs "Milagres do Povo" para fazer parte da trilha da minissérie global *Tenda dos Milagres*, adaptação da obra homônima de Jorge Amado. Nesse clima de celebração baiana, Dorival Caymmi, Gerônimo, Vevé Calasans, Moraes Moreira, Jorge Portugal, e ainda Roberto Mendes, em parceria com sua conterrânea Mabel Velloso, ela mesma, irmã de Caetano, também entregaram suas músicas e mais uma vez a Bahia fazia a festa da televisão brasileira. O LP sairia logo depois, pela Som Livre, completando o sucesso da minissérie. Participação hoje, trilha amanhã, shows, muitos shows. E tem quem diga que baiano é preguiçoso. Pelo menos naquela fase agitada, Caetano ajudava a enfraquecer esse antigo estereótipo.

Somando todos os compromissos, a turnê *Velô* tornava-se o espetáculo mais duradouro da carreira dele até então. Daquela vez, o "ano não" seria, isso sim, um ano de muito trabalho. As apresentações não iriam parar. Incluindo aí os primeiros shows, locais como Salvador, Rio de Janeiro, Sul do país, região Centro-Oeste e interior de São Paulo estavam no roteiro. Descontando as apresentações no exterior, não havia grandes novidades no circuito. A tradicional presença no Teatro Castro Alves, um aguardado retorno à capital federal, a presença no Circo Voador, uma força ao pessoal do DCE da Unicamp, quando passasse por Campinas, e a visita obrigatória às praças que o ajudaram a consolidar sua carreira.

Nem bem chegava num lugar já era hora de partir. A mala tinha que estar sempre pronta. Criar raízes dessa forma só mesmo pelo resultado de muito trabalho. Guilherme Araújo entendia bem sobre esse processo. E andava doido para colher frutos em terras mais distantes. Um desejo antigo não se perdera com o tempo. Ele ainda queria invadir a praia dos americanos. Guilherme sempre alimentou o sonho de botar o pé no mercado estadunidense, sobretudo no circuito nova-iorquino. Ele, viajante descolado, tinha conhecido a Europa muito antes do exílio de Caetano e Gil, mas não deixava de sonhar com a América. Por ele, teriam escolhido a terra do Tio Sam e não a do Príncipe Charles. Um palpite muito intuitivo ainda aguçava sua vontade em fazer de Caetano uma estrela digna da Broadway.

O baiano gostava da ideia, mas sem fixação. Se surgisse a chance, não tinha nada contra aproveitá-la. Só não queria fazer dela uma bandeira. Nesse clima *light*, sem pressão, as oportunidades surgem naturalmente. Não deu outra. Em fins de setembro de 1985, o Carnegie Hall, palco do memorável show que globalizou a Bossa Nova, abriria suas portas para o cantor brasileiro. E tinha mais. Na agenda estava incluída a gravação de um disco destinado ao mercado americano. Pelo menos naquela temporada, por uma boa causa, caía por terra a tradição do "ano não". Gravaria o segundo álbum em menos de um ano. A difícil empreitada começou um pouco antes, pelas mãos do amigo e produtor Carlos Alberto Sion. Ele e Caetano se aproximaram quando Sion colaborara com Guilherme na organização da excursão internacional do show *Uns*, dois anos antes. Naquela oportunidade, Caetano debutava nos palcos nova-iorquinos nas apresentações no Public Theater, marcadas pelas terríveis condições técnicas disponíveis. Apesar dos problemas, ali já plantava o que o próprio Sion acreditava ser o caminho natural de Caetano: a penetração no mercado norte-americano.

Alinhado ao que o empresário de Caetano pensava, Sion aproveitou muito bem seus contatos na Warner Music americana. Por intermédio de Donna Russo, conhecera o carismático Bob Hurwitz, à época diretor artístico do selo Nonesuch, pertencente à própria Warner. Nas conversas com Hurwitz,

Sion soube do interesse do executivo na música que se fazia no Brasil. Para fechar ainda mais o cerco, Hurwitz fora convidado a ver o show de Caetano no Public Theater. Fã do som brasileiro, o americano gostou do que viu. Já naquela época, uma proposta de contrato foi engatilhada. Em princípio modesta, sobretudo porque a Nonesuch era um selo menor, sem apelo comercial. Mesmo assim, não foi fácil convencer a outra parte do negócio. Só depois de um ano e meio de muita conversa e trabalho de bastidor, Caetano finalmente cedeu à insistência de Sion e partiu para a gravação do LP americano. O repertório estava escolhido e o compromisso no Carnegie Hall serviu mais como pretexto para a gravação do disco. Mas nem tudo sairia como no roteiro. Problemas inesperados novamente aconteceriam. O filme se repetia em Nova York. Dessa vez, uma falha na divulgação do show colocava em risco a conquista da América. Faltaria público para a noite de estreia.

A *Big Apple* costumava receber artistas do Brasil para concorridas apresentações. Contava com grandes colônias de brasileiros e portugueses, e ainda o reforço dos latinos, que compareciam sempre que se tratava de nomes mais conhecidos. Guilherme possuía essa vivência. A experiência com Gal Costa ali mesmo, três meses antes, tinha sido mais que positiva. Daquela vez, porém, engoliu a seco o que não contava. A verdade é que o assunto não foi notícia. Não deu no *New York Times*. Para não dizer que não se falou, pequenas notas esparsas foram publicadas. Resultado: apenas uns gatos pingados se aventuraram, cerca de quinhentos deles. Um número até razoável, mas se tratando de uma casa capaz de receber cinco vezes mais, ficou longe de ser um estouro de bilheteria. Naquela noite, os promotores acharam por bem adiar o show para o dia seguinte. Profissional em seus compromissos, Caetano não queria cancelar, tanto que ficou irritado e abatido diante do inevitável. Não estava acostumado com aquilo, mas não teve jeito. A adrenalina ficou contida para depois. O que não pôde fazer na véspera, descarregou no dia seguinte, com a casa bem mais cheia, em torno de 1.500 pessoas. Embora achasse que sua música não despertasse interesse no público de língua inglesa, o caminho para ter seu lugar marcado em Nova York estava sendo pavimentado.

Ao contrário dos percalços na organização do show, correu tudo bem nas acomodações de primeira do Vanguard Studio, onde o LP americano foi gravado. Nem a ausência momentânea dos músicos Toni Costa, Marcelo Costa e Marçalzinho, seduzidos por uma apresentação de Sting no Radio City Music Hall, poderia atrapalhar. Duas tardes foram suficientes para fazer o trabalho. No disco *Made in USA*, Caetano gravou sucessos como "Terra", "Leãozinho", "Coração Vagabundo", mesclados a canções menos populares, como "Ca Já", "O Homem Velho" e "Pulsar". E para não ficar somente no bom português, guardou espaço para as americanas "Billie Jean", de Michael Jackson, "Get Out of Town", de Cole Porter, e a inglesa "Eleanor Rigby", de Lennon e McCartney.

De volta ao clima acústico, com reminiscências de "Jóia" e "Qualquer Coisa", Caetano gravava um disco despretensioso, que não tinha previsão de lançamento no Brasil. Certeza, apenas uma: a semente foi plantada.

❦

Para os que gostam de estatísticas, vamos zerar o calendário e considerar 1985 um ano de muito trabalho. Não dava para negar. Definitivamente seria um "ano sim", pois depois de tantos compromissos, outro bem especial aguardava por ele. A realização de um show e, de quebra, a gravação de mais um disco. Bancado pela produtora Echo, com promoção da Rádio Globo FM, o projeto "A Luz do Solo" tinha como cenário a joia criada pela família Guinle nos anos 1930: o Golden Room do Copacabana Palace. Palco de shows memoráveis e templo da elite carioca por anos a fio, o majestoso salão agradava aos mais exigentes artistas. Por vários motivos, o Golden Room falava alto ao coração do leão. Negar uma participação dessas seria também um golpe na tradição. E olha que ele até poderia declinar do convite, digamos, à francesa, afinal, acabara de ser condecorado o mais novo *Chevalier des Arts et des Lettres* (Cavaleiro das Artes e das Letras) da França.

No início de outubro, recém-chegado de Nova York, Caetano foi a Brasília encontrar uma autoridade. Problemas com o governo novamente? Não, nada disso. Pela importância de sua obra para a cultura mundial, e para a França especialmente, o já conhecido ministro da cultura francês, Jack Lang, veio ao Brasil para conceder ao baiano um título de nobreza. Se Paul McCartney receberia o título de *Sir*, não caberia a Caetano, por mais rebelde que fosse, recusar essa homenagem. Aceitou de bom grado, mas não perdeu a chance de comentar o fato com bom humor, ao dizer que talvez devesse se esforçar em não merecer a condecoração. Esforço por esforço, seria melhor se guardar para o próximo compromisso. Correria para o Rio, para traduzir "A Luz do Solo" em graça, em vida, em força, em luz...

No Copacabana Palace, Caetano se apresentaria apenas com seu violão. Tocaria músicas de seu repertório e de outros compositores de sua predileção. Viria com Noel Rosa, Tom Jobim e o amado mestre João Gilberto. Os mais jovens também tinham vez. Arnaldo Brandão, amigo de longa data, desfazia a banda Brylho e iniciava a Hanoi-Hanoi. Na fissura de pupilo entusiasmado, correu para mostrar a Caetano seu novo material de trabalho. O ex-patrão logo se entusiasmou quando ouviu o baixista cantar: *"Linda como um neném... que sexo tem? Que sexo tem?"* O que Arnaldo apresentava em primeira mão agradou em cheio. Não que fosse um hábito, pois Caetano só jogava arroz de festa em quem merecesse. Aquele som tinha mesmo um toque especial. "Totalmente Demais", a canção que puxava o disco, nascia com vocação para o sucesso. Arnaldo, todo bobo com os elogios, foi pego de surpresa quando o amigo pediu para tocar a música em seu próximo show. E "Totalmente Demais" não seria uma faixa perdida no repertório escolhido. Caetano, como diz a letra da música, só vai na boa. A canção daria nome ao LP. Tanto entusiasmo valeria a pena. O primeiro disco de platina pela vendagem de 250 mil cópias estava a caminho.

Depois do projeto "A Luz do Solo", o baiano só precisava cumprir seu último show do ano, marcado para 22 de outubro de 1985. Daí em diante só o descanso interessava. Nada melhor que umas férias merecidas. Será? Férias, para um músico, é como férias para jogador de futebol. Convide-o para uma pelada entre amigos e ele vai aparecer. Por analogia, Gilberto Gil fez o mesmo com Caetano. O show *20 Anos-Luz*, em comemoração a seus vinte anos de carreira, estava em cartaz em novembro. Confraternizar com os amigos fazia parte do roteiro, e Caetano, claro, parceiro velho de guerra, também estaria lá no bem conhecido Palácio das Convenções do Anhembi.

Gilberto Gil comemorava, mas quem fazia festa era o público. Além de Caetano, teve canja de Roberto Carlos, Raul Seixas, Chico Buarque e tantos outros que influenciaram Gil ao longo de sua carreira. Cada um, a seu modo, abrilhantou a festa do cantor e levou seu público ao delírio. Não parou aí. Juntar tanta gente boa permitiu o bis de um momento histórico na música brasileira. Em meio a tantas performances, Gil, Caetano, Gal e Bethânia, lado a lado, cantavam juntos novamente. O retorno informal dos Doces Bárbaros pegou todo mundo de surpresa. E logo no mesmo palco em que a turnê do grupo havia estreado. Se Gil faria vinte anos, na prova dos nove, os cavaleiros do após-calipso fariam dez. Não foi uma reunião oficial do "supergrupo", mas seria o prenúncio de que os quatro juntos também teriam muito a comemorar no futuro.

※

Muitas mudanças em 1985, um ano instigante. Com a morte do ator americano Rock Hudson, primeiro artista a se declarar portador do vírus da AIDS, um novo panorama surgia em meio à luta contra o que muitos chamavam de o "Mal do Século". Mikhail Gorbachev assumiu o poder na URSS para não deixar pedra sobre pedra. No Brasil, o ritmo ainda caminhava devagar. O sopro da mudança estava mais para brisa. A República podia ser "nova", mas a democracia guardada por tanto tempo ainda precisava de um bom polimento. José Sarney no poder e tudo parecia caminhar numa pasmaceira só. Os descontentes de plantão continuariam assim por muito tempo ainda. Na tentativa de domar o dragão da inflação, Sarney cortaria os zeros da moeda depois de implantar o Plano Cruzado, o primeiro de uma série de planos econômicos malsucedidos. A praga da inflação parecia invencível. O ano prometia ser daqueles.

Depois de tanta agitação, botar o pé no freio era tudo o que Caetano pedia para 1986. Não seria fácil. As mudanças radicais iniciadas um par de anos antes teimavam em acontecer. No rio caudaloso de sua vida, nem o amor de Dedé, sua parceira de longa data, escaparia à revolução. Tragados no meio do furacão que é a vida de um *pop star*, Caetano e Dedé não se entendiam mais como antigamente. Às vezes brigavam por nada, noutras, não se falavam por tudo. A queixa existia. A vida de ribalta tem suas chagas. Desde cedo, Caetano se acostumara a elas. Até certo ponto, Dedé também, mas a resistência dela não suportou. A situação incomodava fazia algum tempo. Separações ocorreram, momentos rápidos que serviram mais para fortalecer na hora da reconciliação. Até mesmo esse esforço não foi suficiente.

Em meados de 1986, Dedé chegava a seu limite. Ela queria parar o mundo para poder descer. O turbilhão vivido pelo casal tinha afetado sua cabeça. Sentia que estava doente, com a mente atormentada, e cansada do ritmo alucinante que vivera durante anos. Precisava de um tempo longe daquilo tudo. Inclusive de Caetano. Resolveu dar um basta. E para conseguir seu intento, teve de ser radical. Buscaria abrigo junto a Hélio Eichbauer, o conceituado cenógrafo com quem havia trabalhado na peça *O Percevejo*.

Ela e Caetano ainda ensaiariam uma volta na virada do ano. Pouco depois de comemorar mais um aniversário de casamento, fizeram as malas e partiram para a tradicional temporada de férias em Salvador. Mas nem a mudança de ares foi capaz de acertar uma relação que enfrentava um desgaste emocional acumulado. Namoros à parte os dois sempre tiveram. Só que daquela vez foi diferente. Dedé encontrou seu eixo e já estava apaixonada por Hélio. Por sua vez, Caetano também firmava seu relacionamento com Paula Lavigne, e começava a tomar outro rumo. O "fim" chegou decidido. O casamento não duraria para ver seu vigésimo verão. O amor, esse dura para o resto da vida.

Às vezes uma fase precisa terminar para dar início a outra: "Ciclo". O casamento com Dedé se encaixa nessa tese. Foi preciso chegar ao fim para Caetano viver outra fase necessária em sua vida. Naquele início de 1986, o baiano deixava o Jardim Botânico e se mandava para o não muito distante Leblon. Retornou ao bairro em que havia morado para colocar sua vida em dia. Uma separação é sempre complicada. Apesar do sentimento natural de perda, fossa não combinava com ele. E para não deixar que "ela" se instalasse na mesma casa, Caetano contava com o colo "amigo" de uma jovem que incendiava novamente a chama do seu amor.

A menina de 13 anos cresceu em todos os sentidos. Aos 17, Paula Lavigne carregava a mesma determinação de antes. Embora ainda fosse uma adolescente, tinha ares de mulher madura. E, na visão de Caetano, muito mais do que isso. Uma mulher de pele branquinha ♪[69], olhos vívidos e lábios de pétalas de rosa. Encantado havia um bom tempo, uniu-se de vez a ela depois da separação. Pouca gente poderia imaginar que aquela jovem daria jeito em Caetano. Não que ele precisasse de alguém para fazer isso. Mas tudo que é bom pode melhorar. Aos poucos, Paula conquistaria seu espaço e assumiria vários papéis na vida do marido. Na hora certa, a moça deixaria a frente das câmeras para organizar a vida pessoal e profissional de Caetano. Guilherme, Sancho Pança de primeira hora, até agradeceria. Depois de tantos anos, o cansaço o abatera e ele preferia voltar seus esforços para os animados bailes de Carnaval que promovia, além de outros projetos pessoais.

❦

Caetano Veloso, por outro lado, se mostrava cheio de gás à beira de completar 44 anos. A renovação acontecia a cada temporada. Em todos os sentidos. Repertório, postura, estilo e ideias, continuavam sendo reciclados passados mais de vinte anos desde o início de sua carreira. Com ânimo de garoto, Caetano estava para o que desse e viesse. O que veio, bem no meio de suas férias, foi uma proposta tentadora de apresentar um programa fixo na TV Globo, com ninguém menos que Chico Buarque a seu lado.

No ano anterior, a TV Globo dera pistas de que voltaria a investir em atrações musicais. Com o "Festival dos Festivais", a emissora atuou no ramo e ainda ajudou a revelar novos talentos da música brasileira. Foi assim com Leila Pinheiro, Emílio Santiago, Tetê Espíndola, Os Abelhudos e muitos outros. Em 1986, a emissora continuaria apostando na combinação "música e TV", com o lançamento de um programa inédito. Daniel Filho e Roberto Talma seriam os responsáveis pela condução do projeto. Para aproveitar o clima de redemocratização, queriam retomar contato com um cantor de peso, que também remetesse aos tempos que ficaram para trás. Foram em busca do politizado Chico Buarque, que vivia uma relação entre tapas e beijos com a TV Globo.

Chico vinha de um longo boicote à emissora, desde os anos 1970, e lá não colocava os pés de jeito nenhum. Entre uma ressalva aqui, outra ali, predominava aquela briga de esquerdista convicto de quem não queria se vender para uma grande defensora da direita. Contudo, ambos estavam entre os maiores e melhores do Brasil em suas respectivas áreas. Fazer essa reconciliação não seria fácil. Daniel e Talma, porém, sabiam como dobrar a possível resistência de Chico. Não seria uma briga ideológica que afastaria o sonho de tê-lo no comando de uma atração mensal em horário nobre. Atrás da cortina eles guardavam o argumento que o convenceria sem remorso.

---

[69] ♪ "Branquinha"

Os tempos também eram outros. A abertura se anunciava e uma integração estava nos planos de Daniel e Talma. A dupla queria promover uma reunião com os principais nomes da música que se fazia na América Latina. A integração cultural entre os países do bloco seria por si só enriquecedora. Chico tinha um interesse particular pelo assunto. Seus olhos verdes brilharam. Ele começava a comprar a ideia. Ao saber que dividiria o palco com outro grande expoente da MPB, Caetano Veloso, aí não resistiu e aceitou de vez.

A imprensa nem insistia mais naquela história antiga de que os dois eram antíteses ambulantes, rivais de coxias, inimigos discretos e outras sandices dessa natureza. Isso tudo ficara esquecido num passado não tão distante. Embora o público soubesse que eles seguiam caminhos artísticos diferentes, também suspeitava que no fundo havia uma afinidade sincera entre eles. A chance de voltar a ter um programa para chamar de seu, desde o fim traumático do *Divino Maravilhoso*, na TV Tupi, pareceu uma pedida e tanto. Nem precisava falar muito mais. Caetano também topou fazer o programa. Esse baião de dois daria o que falar.

Chico & Caetano estreou numa noite de sexta-feira, 25 de abril de 1986. Desde o primeiro programa, o tom de celebração da música antecipava para o público o que seria o restante da temporada. Um clima despojado de dois amigos que pouco se viam e tinham muito a dizer. Deitavam no palco para cantar, riam o tempo todo, interrompiam a música quando o andamento não agradava e não tinham vergonha de olhar para a dália quando esqueciam a letra da música. Como não poderia deixar de ser, para completar o clima de festa, tiveram liberdade para convidar quem bem entendessem. E quanta gente boa passaria pelo Teatro Fênix no decorrer do ano. Com tantos bons momentos, *Chico & Caetano* se tornaria um *happening* dos anos 1980.

❦

Façam a revolução. Esse era o lema da época. E parte do refrão de "Rádio Pirata", sucesso instantâneo do grupo RPM, liderado pelo jornalista Paulo Ricardo. O vocalista fazia o tipo galã de novela, os músicos tinham talento e o som produzido por eles caía feito uma luva no criativo panorama musical dos anos 1980. Empurrados pelo tino comercial de Manoel Poladian e apoiados pela capacidade artística de Ney Matogrosso na direção, rapidamente o RPM tornou-se um fenômeno. O culto a seus shows transformava-se em histeria. Por onde passavam, arrastavam multidões, com desmaios ocorrendo a todo momento. O sucesso retumbante do disco *Revoluções por Minuto*, com "Olhar 43", "A Cruz e a Espada", "Louras Geladas" e a própria canção título, garantia o repertório das apresentações. Mas eles queriam mais.

Em fins de 1985, a banda fez a turnê *Revoluções por Minuto*. Para incrementar o espetáculo, Paulo Ricardo decidiu cantar "London, London", composição de Caetano dos tempos de exílio. Embora não estivesse no disco de estúdio, a versão "piano e voz" criada pelo grupo arrebatava os fãs. Não ficaria só nisso. No meio da turnê, algum espertinho teve a brilhante ideia de gravar a performance. O resultado ficou tão bom que a faixa acabou pirateada. A partir daí aconteceu o que ninguém previra. A música passou a tocar nas rádios e a frequentar as paradas de sucesso, quase sempre como a mais pedida. Atenta a essa movimentação, a gravadora CBS não perdeu tempo. No meio de 1986, bancou o disco *Rádio Pirata – Ao Vivo*, dessa vez, claro, com "London, London" incluída. O resultado foram milhões de discos vendidos, superando de longe outras bandas da época. Parte do sucesso também se devia a "London, London", pérola que estava perdida no cancioneiro de Caetano.

Para quem achava Paulo Ricardo dono de ombros lindos, o mimo foi reconhecido à altura. Caetano já gostava do RPM, e, a partir dali, passou a gostar ainda mais. Em pleno período de afirmação do rock brasileiro ficava difícil não participar de um jeito ou de outro. Atraído pelo fenômeno do momento, Caetano foi até ao Maracanãzinho para comprovar tudo ao vivo. Ficou emocionado ao ouvir a interpretação de sua música acompanhada pelo enorme coro do público jovem presente. Algum tempo depois, durante a bem-sucedida temporada do programa *Chico & Caetano*, Paulo Ricardo e Caetano cantariam "London, London" para as câmeras da telinha. Algo como um encontro "ao mestre com carinho". Aliás, encontros não faltariam naquele programa. Até o fim de 1986, muitos deles dariam o que falar. Espia só quem participou.

Num dos programas, Astor Piazzolla e Tom Jobim deram o ar da graça. Tudo bem que o programa se chamava *Chico & Caetano*. Na condição de anfitriões os dois tinham de aparecer. Mas daquela vez poderiam até ficar da coxia só admirando. Piazzolla e Jobim, sozinhos, já se bastavam. Para acompanhar esses mestres da música também tinha de ser muito bom. Os músicos que tocavam com Tom Jobim eram todos de mão cheia. Seu violoncelista, então, nem se fala. Aliás, se fala sim. Caetano prestou toda a atenção naquele homem um tanto corpulento, de barba cerrada, mãos hábeis e ouvidos mais que apurados: o maestro Jaques Morelenbaum. E era de um profissional desse calibre que Caetano precisava para incrementar ainda mais os arranjos de suas músicas. Tudo a seu tempo. Em breve estariam unidos numa parceria para lá de prolífica.

Caetano sempre foi de assumir seus interesses artísticos. Muitas vezes deu a cara para bater quando se tratava de seus gostos. Interessado nas manifestações culturais de rua de Salvador, logo apoiaria o movimento que começava a ultrapassar as fronteiras da Bahia e ainda se chamava "Fricote". Uma parte do fenômeno se devia a tudo que fora plantado por ele e Gil no final dos anos 1960. Com a ajuda da TV, uma nova leva de conterrâneos ganhava a mídia nacional, e mais uma vez Caetano daria sua contribuição. Ele e Chico abriam espaço para outro baiano "arretado" incendiar a plateia do Teatro Fênix. Holofotes acesos, lá estava Luiz Caldas e sua banda de integrantes *made in* Bahia, prontos para sacudir a audiência de pés no chão, como se estivessem em pleno Farol da Barra.

Até quem era para ir e não foi recebeu tratamento carinhoso. Assim aconteceu com o impagável Tim Maia. No ensaio ele veio escoltado pela Banda Vitória Régia e arrebentou. No dia seguinte, na gravação, tudo mundo esperava por ele, mas nada do homem aparecer. O tempo passou depressa e só depois de vários telefonemas difíceis de decifrar, a equipe concluiu de modo lacônico: Tim Maia não vem. No dia da exibição, restou a um Caetano bem-humorado explicar para o público os bastidores de mais uma peça pregada pelo velho síndico.

No decorrer da temporada, o programa ainda colecionaria muitos momentos marcantes. Elza Soares, Baden Powell, Pena Branca e Xavantinho, Legião Urbana, também pisariam o palco do Teatro Fênix, ao lado de Chico e Caetano, em verdadeira pletora de alegria. A presença desses e de outros convidados marcaria a memória televisiva daquela geração.

❧

Com Caetano não tinha essa história de amigo meu não tem defeito. Se deslizasse feio corria o risco de aguentar sua ira incontida. Até mesmo um rei não ficaria livre. Em tempos de um autoritarismo disfarçado promovido pelo governo José Sarney, a velha censura se apresentava muito bem de saúde. A mais recente película de Jean-Luc Godard, *Je Vous Salue, Marie*, chegava ao Brasil com o signo do profano. Contar a história de uma bem moderna Maria, em alusão à mãe de Cristo, parecia demais para o maior país católico do planeta. José motorista de caminhão também não agradava. Cenas de nudez dos personagens principais, então, nem pensar. O Papa João Paulo II tinha desaconselhado o filme, mas os europeus puderam vê-lo normalmente. No Brasil não foi assim. Diziam que a censura havia acabado; melhor dizer que estava apenas suspensa. Liberdade de expressão não contava e o filme foi proibido. Vetado à exibição pública, só era possível vê-lo em sessões piratas. No meio da celeuma, defensores e atacantes entraram em cena. Para quem pensa que o radicalismo das opiniões nasceu com a internet, melhor rever o conceito.

Até então, nada de anormal. A democracia desrespeitada pela ignóbil proibição dava margem a longos debates. Só não me diga que Roberto Carlos congratulou o presidente por escrito. Isso foi demais. Por essa, Caetano não esperava. Ação de um lado; reação de outro. O Rei não estava nu, mas estava equivocado, na opinião libertária de Caetano. Em artigo publicado no jornal *Folha de S.Paulo*, o baiano demonstrou sua irritação com todas as letras. Uma atitude que envergonhava a classe, disparou. Sempre disposto a dar uma boiada por uma briga, não pedia licença para ir à luta. Se Roberto apoiava o veto, Caetano contra-atacava e pedia sua liberação. Naquele momento não estavam de braços dados na mesma causa. Briga de cachorro grande. Pela arte do cinema, Caetano cerrava os dentes. Em breve teria de cerrar mais ainda, e dessa vez para defender uma obra de sua autoria.

Muito antes de se tornar músico profissional, Caetano escrevia críticas de cinema para *O Archote* e o *Diário de Notícias*. Essa paixão antiga não é segredo para ninguém. Caetano adora Fellini, Godard, Bergman, ama Giulietta Masina, Brigitte Bardot, e conhece tudo da produção de Júlio Bressane, Rogério Sganzerla, Glauber Rocha, Cacá Diegues e tantos outros. Muitas vezes teve participação ativa e direta nos filmes deles. Com o passar dos anos, o contato aguçou sua curiosidade e debaixo dos caracóis de seus cabelos passou a fervilhar a ideia de fazer cinema pelas próprias mãos. No início da carreira chegara a pensar em abandonar a música e se tornar cineasta. A prisão e o exílio o obrigaram a permanecer na carreira musical. Em 1986, contudo, finalmente chegara a hora de fazer uma primeira experiência no ramo, dirigindo seu próprio filme: *O Cinema Falado*.

O título saiu de uma canção de Noel Rosa, "Não Tem Tradução", gravada por Aracy de Almeida e incluída na trilha de um filme de Sganzerla. A ideia da película se completou quando Caetano lembrou-se do romance polifônico *Três Tristes Tigres*, de Cabrera Infante, que apresenta monólogos independentes ao longo de suas páginas. A mistura desses dois conceitos moldou a cara final do filme. Uma colagem de momentos de seu universo afetivo, com direito a muita falação. Textos ditos sem a obrigatoriedade de uma ação definida em tempo e espaço. Ou seja, um *Araçá Azul* das telas. Com a ideia pronta na cabeça e a câmera na mão, Caetano fechou os olhos e partiu para as locações.

O filme foi feito a toque de caixa. Mas não sem o esmero peculiar à Caetano. O que acontecia é que ele continuava a ter compromissos como músico e cantor. Mas pelo sonho de ser cineasta valia tudo. Até trocar seu horário de vampiro. Para aproveitar a luz do sol, durante os 21 dias de filmagem dormia às onze da noite e acordava às sete da manhã. Contribuía o fato de ser uma produção enxuta, sem a necessidade de grandes recursos técnicos ou cenográficos. Para contracenar com suas ideias, lançou mão de parentes, amigos e amores, como Regina Casé, Paula Lavigne, Hamilton Vaz Pereira, Maurício Mattar, Dorival Caymmi, Chico Dias, Wellington Soares, Antonio

Cícero, Felipe Murray, Dasinho, Elza Soares. E se tinha tanta gente reunida em momentos de celebração, um deles era muito especial para Caetano.

A cena seria uma surpresa para Rodrigo Velloso. No caminho para Santo Amaro muito bate-papo e descontração, mas contar o santo que é bom, nada. Rodrigo sabia que teria de sambar, só não imaginava a trilha. Um samba de roda típico da região, talvez. Não importa. Afeito a uma boa farra estava pronto para fazer seu papel. Já no *set* de filmagem, com o quintal de Dona Canô preparado, de repente começou a tocar "Águas de Março". Artista nato, Rodrigo emendou sua coreografia improvisada. A ginga de seu bailado natural emocionava a equipe. Quando caiu uma chuva repentina, acharam que a natureza também fazia seu papel. As águas de março chegavam fora de época para molhar a terra de Santo Amaro e lavar a alma do animado dançarino. Rodrigo encarnava um Gene Kelly tropicalizado e o diretor mantinha a câmera ligada. Para não perder nada, continuou a rodar no interior da casa.

Apesar de toda a verborragia, também não faltaram cenas cantadas e dançadas em *O Cinema Falado*. Em outra tomada, à noite, com a Igreja da Matriz da Purificação iluminada ao fundo, Caetano e Dasinho discorrem sobre os filmes italianos da adolescência de ambos. A cena sofre um corte rápido e Dasinho emenda uma coreografia impecável. Se Rodrigo bancou o Gene Kelly, Dasinho fez um Fred Astaire caribenho, bailando aos pés da igreja, ao som de uma versão de "Mel" em castelhano. Na sua máquina do tempo particular, Caetano guardava aquele momento impresso em película. Pois é. A vida não precisa de justificativa. E que homenagem a Fellini! As "aulas" na tenra juventude, nos antigos cinemas de Santo Amaro, foram bem assimiladas. O italiano que esperasse. No futuro, Caetano reservaria a ele uma homenagem ainda mais explícita.

❦

Em agosto de 1986, pouco depois de seu aniversário, passado o que os místicos chamam de "inferno astral", uma notícia chata o atormentou. A Bahia, e por que não o Brasil, perdia uma de suas mães mais queridas. Morria, aos 92 anos de idade, Maria Escolástica da Conceição Nazaré, a Mãe Menininha do Gantois. Mulher guerreira, passou boa parte do tempo na luta em prol da religião. Nunca desistiu de ver o candomblé reconhecido, mas soube ceder para poder conquistar. Merecedora de todos os tributos, foi enterrada com honras de chefe de Estado. Pelas mãos dela, Caetano tinha abraçado seus orixás. Na hora da partida soube levar seu bom adeus.

Antes de ir à Bahia, Caetano passara por São Paulo com seu novo show acústico. Uma continuação de *Totalmente Demais*, porém, com o repertório mais dominado. Retornava com mais segurança, visto que ele achava ter ficado nervoso na gravação do LP ao vivo. Algumas faixas tinham sido prejudicadas por isso. Erros de letra e no andamento saltavam aos olhos e aos ouvidos e mereceram ajustes. A nova turnê, com as músicas mais ajustadas, chegava para acertar tudo. Talvez fosse um preciosismo, mas o desejo de fazer o melhor falou mais alto. De toda forma, o público adorou ter uma nova chance de assistir. Muitos também queriam comprovar o que havia sido notícia antes: o bigodinho de malandro-agulha cultivado especialmente para as filmagens. Caetano não costumava deixar a barba por fazer. À exceção da temporada londrina, quando o desleixo exterior refletira seu drama interior, poucas vezes aparecia de "cara suja". A nova turnê reservou essa surpresa de estilo, mas apenas por curto período. E como o povo adora uma notícia, foi lá comprovar o visual novo.

Aliás, falando em notícia, quer saber da última? Agora, sim, deu no *New York Times*. Um ano depois de gravado, finalmente saía nos EUA o disco americano. Com letras traduzidas por Arto Lindsay, o americano mais pernambucano das Américas, o LP *Caetano Veloso* chegava às melhores lojas do ramo. Começava a dar resultado a estratégia de lançar o baiano nos EUA. A repercussão veio a reboque, sem o esforço de qualquer plano de *marketing*. O *New York Times* elegeu o disco como um dos dez melhores lançamentos do ano. Uma proeza e tanto para quem esperava menos. A novidade não ficou só na América. Na mesma época, o nome Caetano Veloso ganhava mais força no exterior com as comparações que os periódicos *L'Express* e *The Times* fizeram dele com Bob Dylan e Mick Jagger.

O baiano ficava lisonjeado. A música desses caras fazia sua cabeça, assim como a de outros artistas ingleses e americanos. Coração tropicalista é assim, sem fronteiras. E como tal, também recebe músicos latino-americanos. O programa *Chico & Caetano* não deixava de ser uma celebração da música latina. Algumas vezes a força do convidado extrapolava o espaço da telinha. Como na vez da argentina Mercedes Sosa. Na sexta-feira, 3 de outubro, a gravação transcorreu da melhor forma possível, com a cantora papariçada pelos anfitriões Chico e Caetano, os convidados Gal Costa e Milton Nascimento, e mais um público de 600 privilegiados. No dia seguinte, haveria apresentação de Caetano na Praça da Apoteose. O show *Caetano, Voz e Violão* deveria ter sido realizado duas semanas antes, mas uma chuva insistente obrigara o adiamento. E foi melhor assim. Os deuses da chuva tinham razão. Mercedes Sosa ficaria na cidade naquele fim de semana e marcaria presença na plateia do colega brasileiro.

O show começou com atraso, porém, para quem havia esperado por duas semanas, meia hora não foi nada. Entre uma fala e outra, Caetano costurou antigos e novos sucessos. A surpresa maior veio no fim da apresentação. O baiano emendou "Volver a Los 17", da chilena Violeta Parra, a mesma que ele havia cantado em grupo no dia anterior. Mercedes retribuiu da melhor forma possível. Subiu ao palco para fazer o dueto. Foi pouco. Chico e Milton também estavam na plateia. Todo mundo queria o bis do encontro histórico do dia anterior. Aos gritos do público, Chico e Milton engrossaram o coro no palco. Quem não tinha visto não precisaria mais ficar triste. E para abandonar toda a tristeza de lado, Caetano, em seguida, partiu para um final apoteótico. Deixou a alegria atravessar o mar e ancorar na passarela ao som do samba enredo "É Hoje", da União da Ilha do Governador. Parecia mesmo o maior show da Terra. Os deuses do samba só podiam agradecer e dizer amém.

O ano de 1986 estava perto de acabar. Chegava o tempo do Festival Internacional de Cinema, Televisão e Vídeo do Rio de Janeiro, ou Fest-Rio para os íntimos. A terceira edição foi o evento escolhido para Caetano apresentar oficialmente sua obra: *O Cinema Falado*. Não bastassem vários representantes de peso, outros importantes nomes mundialmente reconhecidos por suas atuações na música participavam com seus filmes. Entre eles, o líder da banda Talking Heads, David Byrne, com seu *True Stories*, e Laurie Anderson e seu *Home of The Braves*. A apresentação seria na Sala Glauber Rocha, no Hotel Nacional, em São Conrado. Palco de gala para mais uma ocasião antológica.

Na exibição do filme, em sessão *hors concours* realizada à meia-noite de 23 de novembro de 1986, a polêmica voltou a pedir passagem. Tudo que não parece convencional pode causar estranhamento à primeira vista. *O Cinema Falado* é assim. Como o nome já diz, é cinema falado. O caráter experimental predomina. Uma série de momentos encadeados sem uma aparente ordem natural, mas com o toque Caetano de ser. Grandes discussões filosóficas, os amigos, as pessoas queridas, suas mulheres, seus homens, a família, Santo Amaro, Rio de Janeiro, a dança, o samba, a pintura. Registros importantes para ele, "*um ensaio de ensaios de filmes possíveis*", como ele próprio definiu na época. Nem todo mundo entendeu dessa forma.

O cineasta Arthur Omar, por exemplo, não esperou o fim da sessão para disparar impropérios contra Caetano. No meio da polêmica, foi levantada a hipótese de que a Embrafilme teria apoiado o projeto apenas por Caetano ser quem era. Na prática, isso não aconteceu. Caetano tinha se autofinanciado. Ele e a GAPA, de Guilherme Araújo, bancaram os custos, que estava longe de ser uma grande produção. Arthur Omar falou tudo o que pensava. Mas não ficou sozinho. Suzana Amaral, cineasta de *A Hora da Estrela*, filme baseado na obra de Clarice Lispector, foi outra que bateu forte. Para ela, Caetano não passava de um "*urubu da vanguarda*". Nem mesmo o fato de Caetano considerar o filme dirigido por ela um exemplo de produção atenuou suas críticas. Em resumo, o bombardeio veio de todos os lados. A crítica especializada não falou bem de *O Cinema Falado*. O tal filme cabeça confundiu muita gente. De sua parte, Caetano não estava interessado no que diziam os *experts*. Interessava a ele apenas fazer seu cinema. Mesmo que não fosse um cinema convencional.

A experiência prazerosa o faria ter vontade de dirigir mais vezes. Não fosse essa atividade, em sua essência, trabalhar com a arte da espera, talvez o "nada-aparente-irrequieto" Caetano tivesse paciência para produzir outros filmes. Como sua pluralidade artística permitia concessões a uma linguagem mais acessível, o próximo passo seria fazer um filme com enredo bem definido. No entanto, também pesou a lembrança viva da parte traumática, com todas as bordoadas que recebera, e suas pretensões cinematográficas davam um tempo por ali.

Chico & Caetano tinha data para acabar. O contrato previa a edição de nove programas mensais. Em 26 de dezembro, foi ao ar o último deles. A atração saía de cena, mas deixava sua marca. Para a alegria do público, um disco de melhores momentos seria lançado pela Som Livre. Quem não pôde assistir à temporada completa teria a chance de revivê-la com a ajuda do vinil. E muita gente ia mesmo precisar. A audiência, de fato, não fora das melhores. Inclusive porque, em alguns episódios, ficava difícil competir com a nudez de Maitê Proença em *Dona Beija*, novela da Rede Manchete exibida no mesmo horário. Apesar da audiência irregular, o programa cumpriu seu papel. A televisão ganhava de volta a emoção dos musicais ao vivo, o que levaria a Rede Globo a voltar a exibir o programa *Globo de Ouro*, apostando novamente no formato.

Entre mortos e feridos, 1986 terminava bem. Foi um ano agitado, mas Caetano estava feliz. Até a rusga com Décio Pignatari, aquela sobre a maior participação no movimento das "Diretas Já!", ficava para trás, e os dois poetas se davam as mãos outra vez. O movimento concretista, que tanto havia influenciado Caetano, não guardava rancor. Na arte, o sentimento que predomina é outro: *All you need is love*. E, por amor, Caetano incendiaria o movimento musical que tomaria as ruas de Salvador no próximo verão. Axé!

Prêmio Shell
Para a
Música Brasileira
1989

Caetano Veloso

20

CHICLETE COM BANANA

Coloque uma dose de samba-reggae em cima de um caminhão de trio elétrico. Em seguida, adicione elementos do candomblé: o som dos atabaques, as danças, as crenças e o ritmo ijexá. Acrescente uma pitada das coreografias dos blocos afro, e, por fim, misture tudo com o frevo baiano dos blocos de trio. Reserve um artista talentoso, cheio de energia, e, de preferência, com muito carisma. Na hora de gravar o disco, procure o Estúdio WR, de Wesley Rangel, em Salvador. Com os tambores preparados, aproveite o que há de mais atual em sonoridade e abuse de recursos eletrônicos.

No Carnaval de 1987, muita gente na Bahia já conhecia essa receita de sucesso. Começava a ganhar força no Brasil um tipo de música que no decorrer do ano receberia o nome de axé-music♪[70]. Embora uma soma de fatores tivesse colaborado para o surgimento dessa febre nacional, alguns artistas foram pioneiros. No decorrer da década de 1980, Luiz Caldas, com seu "fricote", e também a cantora Sarajane, que tinha gravado uma versão modificada da mesma música, plantaram a semente que embalaria multidões. Começaram a fazer shows de norte a sul do país, apareceram em programas de televisão de grande audiência e, depois de vender milhares de discos, tornaram-se celebridades nacionais. Essa enorme exposição na mídia fez com que os ritmos da Bahia se popularizassem de maneira assombrosa. Era só o começo.

Durante o verão de 1987, enquanto Luiz Caldas e Sarajane colhiam os frutos da fama, as ladeiras de Salvador eram sacudidas pelo som de dois *hits* locais: "Faraó (Divindade do Egito)", de Luciano Gomes, e "Macuxi Muita Onda", mais conhecido como "Eu Sou Negão", de Gerônimo. Quando estourou o Carnaval daquele ano, as duas canções já estavam na boca do povo, nos tambores dos blocos afro, e no som dos trios elétricos. "Eu Sou Negão", uma mescla de ritmo caribenho e ijexá, autêntico samba-reggae, atravessou as fronteiras da música. Como um verdadeiro manifesto afro, a canção esti-

---

[70] ♪ "Bahia, Minha Preta"

mulou a valorização da cultura negra. Com seus versos de afirmação social ecoando a todo instante, ser "negão" passou a ser motivo de orgulho nas ruas e ladeiras de Salvador. Não parou por aí. A canção estava predestinada a fazer algo mais: fundir a cuca de um gringo bem longe do agito.

Naquele ano, Caetano Veloso mais uma vez curtia o Carnaval em Salvador, no epicentro do caldeirão musical. E fazia com muito orgulho e merecimento. Se a festa se tornou popular em todo o país, ele também havia colaborado para isso acontecer. A partir do fim dos anos 1960, gravou diversos compactos, com frevos, marchas e sambas, os quais lançava religiosamente na época do Carnaval. Isso sem falar nas incontáveis vezes em que defendeu a música de sua terra em coletivas de imprensa, debates, entrevistas, discos e canções. O Tropicalismo gerou vários filhos. Um deles se chama axé-music.

Por essas e outras, como quem curte o filho que nasce, Caetano aproveitava o Carnaval da Bahia, entre parentes e amigos. No mesmo grupo estava o animado Duncan Lindsay, irmão de Arto Lindsay. Integrado ao clima da região, àquela altura Duncan já havia se transformado em autêntico baiano, legítimo representante da "boa terra". No meio da festa, o som de Gerônimo tocou e todo mundo ficou maluco: "*Eu sou negão... Eu sou negão... meu coração é a Liberdade!*" Naquele momento, eles se lembraram de Arto congelando no frio da distante Nova York. Foi quando alguém teve a ideia de compartilhar com o amigo um pouco da festa, mesmo que fosse só por telefone.

Do outro lado da linha, Arto atendeu e ficou enlouquecido: a agitação popular, o som dos atabaques, o refrão da música de Gerônimo. Não entendeu muito bem, mas gostou do que ouviu. A música baiana soltava as amarras e atravessava fronteiras via Embratel. Mesmo de longe, o americano conseguiu sentir a vibração irresistível do Carnaval de rua de Salvador. O ritmo contagiou o gringo. Preso ao telefone, o desejo de participar da festa só aumentava. Ele queria largar tudo e se meter no meio do povo, mas seria impossível de onde estava. No máximo, podia contar com a movimentação pouco temperada ao redor da Times Square. A ligação foi encerrada, o Carnaval passou, mas por muitos dias o americano ficou com o refrão de Gerônimo grudado na cabeça, igual chiclete.

Tempos depois, Arto comprou o novo disco do Prince: *Sign "O" The Times*. Fazendo pose na capa, de guitarra em punho, estava Cat Glover, coreógrafa e *backing vocal* do cantor, por sinal muito parecida com ele, pequenina e musculosa. A imagem confundia. De tão ambígua, não dava para saber se era homem, mulher, a dançarina ou o próprio Prince travestido. A visão andrógina inspirava. Arto gostava de Prince e sabia que Caetano também o admirava. Enviar o disco de presente se revelaria uma boa surpresa. Preparou tudo e reservou o dia para visitar uma filial do *U.S. Post Office*, a fim de remeter a bolacha o mais breve possível. Antes de fechar o embrulho, porém, resolveu incrementar com algo a mais. E justamente esse algo a mais, um pequeno detalhe, faria toda a diferença. Na foto da capa, Arto escreveu uma dedicatória em forma de pergunta: "*Caetano, eu sou neguinha?*" ♪[71].

Dias depois, o baiano recebia aquele quadrado branco de papelão, com a pergunta enigmática. Ao ver aquela interrogação jocosa, imediatamente associou ao episódio ocorrido no Carnaval daquele ano, em que Arto enlouquecera com a música de Gerônimo. Adorou o presente, claro, e ficou intrigado com a charada. Arto jogava pimenta no molho e Caetano refogaria. A criatividade latente agradeceu. Mais um elemento a ser incorporado ao próximo LP. Em breve, muitos outros temperos baianos seriam aproveitados na fervura. Os trabalhos para o novo disco estavam para começar. Por coincidência, um desfalque na banda também seria providencial. E do jeito que a Bahia estava em alta, beber da própria fonte seria ótimo negócio.

❦

Durante um show de Caetano em Nova York, o guitarrista americano Pat Matheny estava na plateia com olhos de água. Marçalzinho nem imaginava que estava sendo observado e, como de costume, fez uma grande apresentação. O americano ficou tão impressionado que não se conteve. Convidou o ritmista para fazer parte de sua trupe. Algum tempo depois, Marçalzinho deixava a Banda Nova para seguir carreira internacional. Não seria Caetano que travaria a carreira do rapaz. Por outro lado, também não podia ficar sem percussionista. Precisaria de alguém à altura para substituí-lo. Problema nenhum. A imagem de um baiano que arrebentava na banda Acordes Verdes, de Luiz Caldas, permanecia bem viva na memória dele.

Antônio Carlos Santos de Freitas é o nome de batismo, mas quem fosse a Salvador procurar um sujeito com esse nome pomposo, ficaria a ver o sobe e desce do Elevador Lacerda. Mas se perguntasse por Carlinhos Brown, aí meu rei, não tinha quem não conhecesse. Na Bahia, Brown já era mais famoso que a Preta do Acarajé. Os conterrâneos babavam em suas performances com tambores, atabaques, latas ou qualquer coisa que pudesse gerar som. Fosse em cima de trios, em blocos afro, nos terreiros de candomblé, nas ladeiras, nas ruas e, sobretudo, em cada esquina da favela do Candeal, onde passara boa parte da vida. Compositor prolífero, suas músicas também faziam sucesso nas festas locais. Com a banda de Luiz Caldas, começou a ficar conhecido fora do circuito baiano. A participação de Caldas no programa *Chico & Caetano* foi decisiva. Além de ampliar sua fama de grande percussionista, rendeu a ele importantes amizades.

---

[71] ♪ "Eu Sou Neguinha?"

As gravações do LP já tinham começado quando Tavinho Fialho e Toni Costa foram buscar Brown, que havia chegado da Bahia. Os dois músicos logo perceberam que Caetano tinha feito a escolha certa. O homem parecia ligado 24 horas na tomada. Com dúzias e dúzias de canções no bolso, e uma vontade enorme de tocar e fazer sua arte. No seio do novo patrão, certamente encontraria condições ideais para dar vazão a tanta energia. Ainda mais porque a música baiana e toda sua originalidade percussiva estava nas alturas. Quando o disco ficasse pronto, essas influências ficariam nítidas. E Brown, como legítimo representante da casta, estaria presente das mais variadas formas. Era só esperar para ver e ouvir.

A produção dessa vez foi entregue a um especialista no ramo: Guto Graça Mello. A presença de um produtor com larga experiência também ajudaria Caetano a renovar suas ideias, aprimorar seus conhecimentos e aprender novas técnicas do ofício. Com o time completo, a gravação ganhou força. No repertório havia muitas novidades. Pouco tempo antes, Caetano tinha conversado com Toni Costa sobre uma música que gostaria de fazer. Explicou o que desejava e Toni tirou a melodia na guitarra. Caetano gostou e no dia seguinte trouxe a letra pronta de "Vamo Comer". O casamento entre letra e melodia gerou uma mescla de rumba, rock e música baiana, com temas sociais e políticos espalhados ao longo das linhas. Questões como legalização do aborto, pena de morte, fome, AIDS, PT, e outras mais, faziam parte dos versos. Para fechar o serviço, Luiz Melodia, a pérola negra do Estácio, gravaria, em participação especial, com Caetano.

Outra das novas era "Noite de Hotel". Caetano compôs numa noite de fossa num quarto de hotel em Lisboa. Entediado, não aguentava mais assistir aos videoclipes captados pela antena parabólica. Com a distância, a saudade de sua mulher, Paula Lavigne, só aumentava. Nesse clima a canção saiu. Na letra, entre outras citações, Caetano faz referência ao poeta Carlos Drummond de Andrade. E como no repertório havia uma canção chamada "José", homônima do poema, quase que o título do disco caminhou nessa direção. Mas no meio do caminho havia uma pedra. Drummond morreria logo depois, em agosto de 1987. Caetano, então, achou melhor não fazer referência no título. Até porque o "José", da nova canção, é o bíblico e não o citado no poema. Assim, em vez de "José", que fora a primeira ideia, o disco seria simplesmente batizado de *Caetano*.

No meio de tudo, o baiano guardou espaço para uma canção em homenagem a Giulietta Masina, sua grande paixão no cinema. No encarte com as letras, "Giulietta Masina", a canção, foi dedicada ao amigo Tuzé de Abreu, outro apaixonado assumido pela atriz italiana. "Eu Sou Neguinha?", por motivos óbvios, foi dedicada a Arto Lindsay, autor da pergunta misteriosa. Além dessas, os batuques de Carlinhos Brown ecoaram com mais força nas faixas "Depois Que o Ilê Passar", de Miltão, e "Iá Omim Bum", de compositor anônimo, referência a Mãe Menininha do Gantois. Para fazer as honras da família, a neta dela, em pessoa, Mônica Millet, colaboradora antiga dos Velloso, também participou na percussão. Resumindo: era um disco "negão", sim, senhor.

Com lançamento previsto para outubro de 1987, em São Paulo, a imprensa se movimentava para garantir o melhor lugar na tradicional coletiva que antecedia aos shows de abertura de Caetano. A expectativa aumentava a cada ano e daquela vez não seria diferente. Aliás, daquela vez seria, sim. Uma decisão polêmica mudaria o rumo dessa prosa.

A relação de Caetano com o teatro é quase tão antiga quanto a paixão dele pelo cinema. Basta citar a inauguração do Vila Velha, os "dramas" na infância, as muitas encenações assistidas, e, claro, lembrar de Alvinho Guimarães, com suas peças musicadas por Caetano em começo de carreira, na efervescente Salvador dos anos 1960. Isso sem contar os trabalhos com o Teatro de Arena, de Augusto Boal, e, logo à frente, a influência direta do Teatro Oficina e as montagens de Zé Celso que tanto ajudaram a moldar o Tropicalismo. Em junho de 1987, antes de engrenar para valer nos trabalhos do novo disco, mais uma vez Caetano abriria espaço na agenda para colaborar com a arte dos palcos. Atenderia a um convite de Hélio Eichbauer para fazer a trilha da peça *Alta Vigilância*, de Jean Genet, a ser dirigida pelo próprio Hélio.

Para mergulhar na atmosfera da história, Caetano foi até sua antiga casa, no Jardim Botânico, onde a turma se reunia. Assistiu a alguns ensaios, analisou com atenção os diálogos e leu o texto do espetáculo, cuja temática aborda a convivência de três presidiários e um carcereiro. Acompanhar de perto o trabalho dos atores Antonio Breves, João Signorelli, Roberto Bataglin e Paulo Nigri funcionou muito bem. Para criar o clima da prisão, Caetano compôs uma trilha instrumental. E também não deixou de ir ao teatro para dar força ao grupo e ver o conjunto da obra. A relação com o teatro não acabava ali. No futuro, novos convites chegariam, e ele, com a motivação de sempre, estaria lá para contribuir.

Ainda nessa época, os fãs de Caetano sentiriam novamente o gosto de um certo fruto proibido. *Araçá Azul*, o disco que tinha batido o recorde em devolução quando fora lançado, voltaria às prateleiras. Ousadia? Nem tanto. O momento era outro, a posição de Caetano no mercado também. Além disso, o LP original havia se tornado objeto de colecionador. Na década de 1980, quem desejasse possuir um legítimo "Araçá" nas mãos teria que ter muita paciência e dinheiro no bolso para gastar. Os mais persistentes rodavam de sebo em sebo atrás de um exemplar perdido. Muitas vezes em vão. E quando davam sorte de encontrar, o preço quase obrigava à desistência. Para saciar a fome desse público, a PolyGram decidiu relançar o disco.

Reviver gravações antigas agradou aos mais saudosistas, mas quem preferia olhar para o futuro também podia ficar tranquilo. Sempre tinha um disco novo para se ouvir. Todos os anos, Caetano reunia a imprensa em coletiva para o novo lançamento e falava até não poder mais. Não raro, saía com uma ou outra declaração polêmica e as brigas se arrastavam durante meses nas páginas dos jornais. Contudo, esse estresse não acontecia só com a imprensa. Isso também irritava Caetano. Ele próprio estava de saco cheio dessa birra que parecia não ter fim. Com o histórico de tantos embates verborrágicos acumulados em sua carreira, tinha chegado à conclusão de que às vezes falava demais.

A gota d'água caiu de vez no início do ano, quando decidiu responder às críticas de Paulo Francis sobre a Bahia e os baianos. No calor das discussões, farpas foram atiradas para todos os lados. Até o Rio de Janeiro entrou na dança, pois a cidade daquela gente que falava mal dos baianos, ele não admirava nem de longe. O Rio de Janeiro que ele amava de verdade tinha a ver com Jorge Ben, Paulinho da Viola, Regina Casé. Com as veias do pescoço dilatadas, dizia-se farto de um carioquismo anos 1950. Figuras como Millôr Fernandes, Ivan Lessa, e, sobretudo, Paulo Francis, queria ver bem longe.

Nessa briga, quem também pagou o pato foi a carioca Regina Casé. Pelas declarações do amigo baiano, a moça teve que ouvir muitos desaforos de conterrâneos enfurecidos. A secretária eletrônica quase explodiu de tanta mensagem malcriada. Assim que escutava a gravação, Regina levava um susto atrás do outro. Apito longo, pausa: "*Como você permitiu isso?*"; outro apito longo, pausa: "*Volta pra Bahia com ele!*"; mais um apito longo, pausa: "*Vê se some daqui!*", e assim por diante. A fita ficou tomada de impropérios. No início de outubro, antes da estreia do show *Caetano*, no Palace, em São Paulo, a consequência de tanto conflito veio à tona. Foi o basta. Caetano simplesmente não falou com a imprensa. E assim permaneceria por tempo indeterminado. Mas como assim? Nem uma pergunta? Não. Com ou sem entrevista, a mídia tinha que cumprir seu papel. Para não ficar sem assunto, o jeito foi assistir a *Caetano*, o show, e ver no que ia dar.

E deu em "Giulietta Masina". A maioria do público só conseguia ouvir a música durante o show. Primeiro porque pouca gente possuía o disco recém-chegado às lojas. Depois porque as rádios não tocavam. Não foi um boicote por conta do silêncio forçado. A implicante censura achou forte demais o verso: "*Ah, puta de uma outra esquina*" e resolveu proibir sua radiodifusão. Quem comparecesse teria a chance de apreciá-la na íntegra. É claro que o show não se resumiu a esse episódio. Entre antigas e novas composições,

Caetano aproveitou a temática de "Eu Sou Neguinha?" e criou uma performance que se tornaria uma das marcas de sua carreira. No auge do show, tirou a camisa, enrolou na cabeça, colocou as mãos nas cadeiras e rebolou. Isso acontecia no mesmo instante em que ele fazia a pergunta maliciosa do refrão: "*Eu sou neguinha?*"

No início de novembro de 1987, o show estreou no Scala II, Leblon, Rio de Janeiro. Se em São Paulo a polêmica do silêncio fora sentida com mais força, no Rio outro fator aumentava a expectativa para a estreia. Ninguém havia esquecido as declarações que envolveram Paulo Francis, o povo carioca e, por tabela, a própria cidade. Caetano, porém, tinha um trunfo na manga. Para provar que seus comentários eram dirigidos a um grupo específico incluiu no repertório "Valsa de Uma Cidade", de Ismael Neto e Antônio Maria, verdadeira declaração de amor ao Rio de Janeiro. Em São Paulo, muita gente torcera o nariz; no Leblon, as luzes brilharam novamente, o recado foi entendido e os cariocas retribuíram com o que tinham de melhor: seu carinho. Foi assim em todos os dias de show. Bandeira branca hasteada, tudo voltava ao normal.

O ano terminava em clima de paz. Para os mais atentos a efemérides, 1987 não seria como outro qualquer. Faça as contas. Quem fosse bom em matemática e fã de música responderia de bate-pronto: vinte anos de Tropicália. Para alguns, o tempo passou depressa. Para outros, simplesmente congelou. Havia ainda aqueles que não queriam deixar a data passar em branco. Em São Paulo, por exemplo, a direção do Sesc Pompeia promoveu uma série de eventos comemorativos. Na quase maioridade tropicalista, foram realizadas exposições, debates, palestras, mostras de vídeo e shows musicais. Não faltaram estudiosos do assunto, pensadores, admiradores e companheiros. Fazia parte desse grupo o professor de literatura e compositor José Miguel Wisnik, amigo de Caetano desde 1975, ano em que o entrevistara no lançamento dos discos *Jóia* e *Qualquer Coisa*.

Na época, Wisnik trabalhava como editor-assistente de cultura no jornal *Movimento*. Ainda que ele próprio não admitisse, a música já existia em sua vida desde a década de 1960, quando inscrevera uma canção num festival universitário promovido pela TV Tupi. Por esse motivo, o que deveria ser um encontro jornalístico, caminhou para o lado artístico em comum. A entrevista não foi lá essas coisas, mas a conversa descontraída serviu para que trocassem experiências e se tornassem grandes amigos, daqueles que se leva para a vida inteira.

No evento promovido pelo Sesc Pompeia, Wisnik foi coordenador de alguns debates. Uma grande parte da família Tropicalista também esteve por lá. Os amigos e fiéis escudeiros intelectuais Antonio Cícero, Rogério Duarte, Waly Salomão, assim como os escritores Celso Favaretto e Ismail Xavier, foram alguns dos que trocaram opiniões e experiências sobre o tema. Além de debates, mostras e palestras, houve um show musical intitulado *Três Caravelas*, no qual participaram Tom Zé, Itamar Assumpção, Luiz Tatit, entre outros. Velas sopradas, vida longa ao Tropicalismo.

Como de praxe, Caetano passaria o Carnaval de 1988 na sua Bahia querida. Verão, tempo de relaxar, curtir o calor e dar uns mergulhos no Porto da Barra. Para um baiano de férias, tudo isso é válido. Para um cantor e compositor com 20 e poucos anos de carreira, sempre muito requisitado, descansar por completo seria praticamente impossível. O dever o chamava. Em janeiro, estaria em cartaz no Teatro Castro Alves. Mesmo com a agenda cheia, fazer show naquela terra lhe fazia muito bem. Até seu humor melhorava. Tanto que nesse período deu uma trégua ao silêncio para conceder uma entrevista à imprensa local depois de um bom tempo de boca fechada. Pela primeira vez divulgava detalhes sobre *Caetano*, seu disco mais recente.

Passada a festa, estava de volta à capital carioca. Mais uma vez colocaria seu dedo em um projeto cinematográfico. O romance *Dedé Mamata*, de Vinícius Vianna, seria adaptado para o cinema e chegaria às telas brasileiras em meados de 1988. Com direção de Rodolfo Brandão, o elenco contava com jovens estrelas do porte de Malu Mader, Guilherme Fontes e Marcos Palmeira. Convidado a participar do projeto, Caetano compôs "Falou, Amizade" especialmente para a trilha. A canção tocaria no início do filme, no meio e no final, quando os créditos fossem exibidos e o público começasse a se levantar das poltronas para esticar as pernas. Embora não fosse incluída no disco de carreira de Caetano, a obra ficaria muito conhecida e ganharia uma boa quantidade de fãs, dentro e fora do escurinho do cinema.

Esse tipo de colaboração sempre agradava por vários motivos. Quebrava a rotina de shows, oxigenava as ideias, ampliava os horizontes. Se bem que, no caso dele, em evidência havia um bom tempo, convites apareciam aos borbotões e as temporadas não caíam na mesmice. Em maio de 1988, por exemplo, surgia uma nova chance de se apresentar em Nova York. Caetano fora incluído no escopo artístico do "*Brazil Projects*" ou, para não desagradar os defensores do idioma, no "Projetos Brasil". No período de um mês, a arte brasileira em todas as formas seria apresentada aos nova-iorquinos. Na área musical, além de Caetano, que inauguraria a série, subiriam ao palco do Town Hall, Leny Andrade, João Bosco e João Gilberto, este último para fazer o espetáculo de encerramento.

Na abertura do evento, Caetano mostrou o mesmo show apresentado em São Paulo e Rio de Janeiro. Quer dizer, quase. Incluiu um mimo especial para agradar em cheio a plateia. No meio do repertório, cantou "Just One of Those Things", escrita por Cole Porter, em 1935, para o musical *Jubilee*. Dessa vez, a passagem pela cidade foi bem diferente das experiências anteriores. Nenhum imprevisto chateou Caetano. O público gostou e a crítica mais ainda. Além dos aplausos, o show lhe rendeu novos elogios no *New York Times*. Se com a crítica americana estava em lua de mel, com a brasileira o panorama continuava em pé de guerra. A birra se mantinha firme e a lei da mordaça resistia. Os jornalistas brazucas não tiveram direito a nenhum comentário.

Antes de deixar Nova York, Caetano veria uma cena daquelas de cair na gargalhada. A porta do elevador do hotel se abriu e João Gilberto saiu primeiro. Logo atrás vinha Paulinho Boca de Cantor, todo desajeitado, equilibrando inúmeros objetos nas mãos. Paulinho morava na cidade na época e foi assistir ao show do amigo João. Os dois haviam se encontrado às 3h da manhã, a fim de relembrar as boas histórias vividas na Cobertura da Conde de Irajá, em Botafogo. Conversaram até o sol nascer. No dia seguinte, ainda sem dormir, João resolveu deixar o hotel. Cismou de ir para outro lugar. O adido cultural que dava suporte a ele achou outro ponto e a troca seria providenciada. No momento em que Caetano encontrou a dupla, Paulinho fazia a mudança, carregando os trecos de João. Bandejas, lanches, frutas, algumas intactas e outras pela metade, e todas aquelas excentricidades dignas de João Gilberto. A cena hilária faria qualquer pessoa chorar de tanto rir. Caetano só conseguiu segurar até a hora em que João quebrou o silêncio para comentar a cena, com aquele jeito manso de Juazeiro: "*Está vendo porque é que existem Novos Baianos?!*" Paulinho Boca de Cantor bancando o mordomo de João Gilberto não tinha preço. Caetano riu de se escangalhar.

Conversar e se divertir com os amigos, tudo bem. Falar com a imprensa, ainda não. Apesar disso, ou até por isso mesmo, a imprensa falava dele. Em junho de 1988, os jornais do Rio anunciavam a exibição, no Cineclube Estação Botafogo, do ciclo de cinema intitulado "Quatro Faces de Caetano". Na mostra, o público podia comprovar que o cinema era mesmo uma das grandes paixões do baiano. Naquela semana, com a exibição dos filmes *O Cinema Falado*, *Os Doces Bárbaros*, *Tabu*, *São Bernardo* e *Índia, a Filha do Sol*, ficaria patente o que muita gente suspeitava. Em se tratando de cinema, Caetano jogava em todas as posições. Na seleção dos organizadores, ele apareceu como diretor, cantor, ator e compositor de trilha.

Embora o cinema de vez em quando absorvesse os talentos de Caetano Veloso, o mar pelo qual fora tragado quase à revelia se chamava música. O poder dessa arte causava nele as mais diferentes sensações e, dependendo do local do show, as lembranças, boas ou ruins, afloravam naturalmente.

Em setembro de 1988, Caetano levou mais um show seu à Concha Acústica do Teatro Castro Alves, em Salvador. Daquela vez seria preciso muito boa memória para se lembrar da confusão ocorrida ali em 1974. Na ocasião, Caetano fora hostilizado pela plateia, a apresentação terminara antes do previsto e ele acabara a noite na delegacia. Os tempos mudaram e o protagonista dessa história também. Quatorze anos depois, o cantor estava mais maduro. Com o passar dos anos, ganhou mais domínio de palco e se acostumou às mais diversas reações da plateia. Além disso, as condições técnicas evoluíram de tal forma que dificilmente deixavam o artista na mão. Com tantos fatores pró, o resultado esperado aconteceu: nenhum incidente foi registrado, o espetáculo foi um sucesso, o público agradeceu e saiu satisfeito.

Cantar na Bahia gerava nele uma satisfação toda especial. Aliás, o que viesse daquela região, fosse comida, arte ou gente talentosa, aos olhos de Caetano era o mesmo que saísse das terras do Eldorado. No show da Concha Acústica, mais um pedacinho da "boa terra" havia se incorporado à turma. Em outra baixa musical, o baterista Marcelo Costa, o Gordo, deixara o grupo para tocar durante um período com Lulu Santos. E, novamente, a Bahia seria responsável por cobrir o segundo desfalque da banda em menos de dois anos.

Nilton César, o Cesinha, praticamente nasceu de baqueta nas mãos. Com larga experiência em bateria e percussão, aprimorou seus dotes em trios elétricos, bandas de axé, gravações de discos, participações e muitas horas de ensaio. Seu primeiro contato com Caetano foi em cima de um trio, no Carnaval de 1983. Ainda adolescente, Cesinha tinha o rosto imberbe e usava cabelos compridos. Com esse biotipo, muitas vezes se passou por menina aos olhos dos menos atentos. Com Caetano não foi diferente. Ele se impressionou ao ver aquela "moreninha linda" botando para quebrar. Rápido no gatilho, quis conhecer a moçoila. E qual não foi sua surpresa? Na verdade, era o baterista Cesinha, dono de mãos habilidosas, que anos depois seriam muito bem aproveitadas. Passado o constrangimento inicial, os dois se conheceram e o episódio virou folclore na memória de ambos.

O tempo passou e Cesinha, mais maduro, foi tocar com Luiz Caldas, ao lado de Carlinhos Brown e outros músicos. A exemplo de Brown, na vez em que eles participaram do programa *Chico & Caetano*, Cesinha se enturmou com o pessoal da banda de Caetano, em especial com o colega de profissão Marcelo Costa. E quando Brown ingressou no grupo, aumentaram as chances de Cesinha também entrar. Pouco mais de um ano se passaria até surgir uma oportunidade real com a saída de Marcelo Costa. O próprio Marcelo sugeriu a contratação de Cesinha. E com o *lobby* incansável do parceiro Brown, o baterista entrou em cena.

O mais novo integrante não pôde nem descansar direito. Mal se juntara ao grupo e já tinha show marcado. Para não decepcionar os novos colegas, queria dar o melhor de si, mantendo o nível dos demais. A fim de conhecer o repertório, recebeu um cassete com uma gravação precária de uma apresentação recente. Com pouco tempo para ensaiar, teve que aprender tudo na marra. E mais. Cesinha estava acostumado a tocar com volume lá em cima, fruto das muitas horas tocadas nos trios elétricos. Para a nova fase, precisou diminuir alguns decibéis. Mas não havia problema algum. Com a vontade que estava, mudar o estilo foi o de menos. Superar o nervosismo inicial dos primeiros shows, um em Campina Grande e outro em Salvador, é que foi mais difícil. Com o tempo, porém, tudo isso ficou pelo caminho. Cheio de gás, Cesinha estaria em São Paulo, já como titular da Banda Nova, para o bis de Caetano no Palace.

Quem não tinha visto da primeira vez ganhava nova chance no fim de setembro, com a reapresentação do show. Casa cheia, o sucesso foi o mesmo. Logo depois, em outubro, a turma seguiu para uma turnê por estados do sul do Brasil. O público, dessa vez, ficou dividido em Florianópolis. Nesse mês acontece em Blumenau a badalada Oktoberfest, o festival de cerveja e cultura alemã que desde 1984 agita os catarinenses e recebe turistas de todos os cantos do país. Isto é, concorrência líquida e certa, sem trocadilho. Entre ouvir o baiano cantar "Eu Sou Neguinha?" ou secar o estoque de cerveja da festa, os jovens preferiram a segunda opção. O ginásio do SESC, de Florianópolis, recebeu um terço das 3 mil pessoas previstas.

Naquele outubro de 1988, o esperado público catarinense de fato não apareceu, mas algo muito mais esperado por todo o povo brasileiro finalmente se tornava realidade. Em Brasília, no plenário, o presidente da Constituinte, deputado Ulysses Guimarães, depois de repudiar as ditaduras, encerrou seu discurso dizendo ao país: "*Declaro promulgada!*" E, com o livro erguido na mão esquerda, ainda emocionado, completou: "*O documento da liberdade, da dignidade, da democracia, da justiça social, do Brasil... que Deus nos ajude que isto se cumpra.*" Em meio aos aplausos, acabava de ser promulgada a nova Constituição da República Federativa do Brasil que, entre outros direitos adquiridos, anunciava a tão sonhada eleição direta para o próximo pleito. No meio de toda euforia, a temporada de Caetano chegava ao fim. Mas só a temporada. Os trabalhos avulsos continuariam a todo vapor. Nos últimos meses do ano, mais uma vez inauguraria um projeto cultural. Esse costume ele já tinha, a surpresa ficava por conta de como tudo havia começado.

Algum tempo antes, em casa, Moreno Veloso recebia aulas do professor e violonista Almir Chediak. Para Chediak, dar aulas de violão era uma atividade absolutamente natural. A convivência com aquele aluno é que daria uma dimensão a mais em seu trabalho. Certo dia, durante uma aula normal, enquanto ajudava Moreno a dominar o instrumento, Chediak pensou em como seria importante para profissionais da área de música, se compositores populares tivessem sua obra catalogada em forma de partitura, respeitando o modo original com que as músicas tivessem sido compostas. Isso facilitaria o trabalho de muita gente, ajudaria a divulgar o repertório dos artistas e deixaria os fãs felizes da vida. Assim nascia o projeto *Songbook*.

Para inaugurar a série, Chediak pensou primeiro em Caetano Veloso. Aquela velha atração para estrear projetos se manifestava à revelia novamente. Ao terminar mais uma aula, Chediak explicou a ideia ao pai de seu aluno, que aceitou sem pestanejar. Começou bem, mas o trabalho estava só no início. Contar com o apoio do homenageado foi apenas uma das etapas da empreitada. No meio de um cancioneiro tão variado, em termos de ritmo e sonoridade, havia uma longa estrada a percorrer. Colocar em prática o que estava no plano intelectual tomaria muitas horas de pesquisa, seleção de repertório, revisão de letras, partituras e outros cuidados. Com paciência e determinação, Chediak enfrentaria a agenda apertada de Caetano até vencer cada uma dessas etapas.

No fim de 1988, ficava pronto o primeiro álbum da série, com 135 canções, em dois volumes. O badalado lançamento aconteceu em 19 de dezembro, na boate People, no Leblon, Rio de Janeiro. Foi uma festa de arromba. Na inauguração de um "manual de sons" não poderia faltar música. Então, quem aparecesse por lá e conhecesse bem o assunto, teria que dar uma canja. Muitos convidados ilustres cantaram naquela noite. Entre outros artistas, Carlos Lyra, Nara Leão, Gal Costa, Tim Maia e Cazuza subiram ao palco para imprimir seu toque pessoal à festa. Convidado por Chediak, Cazuza aproveitou a deixa para sugerir que o próprio Chediak o acompanhasse ao violão. Os dois ensaiaram, e a performance em duo, com uma eventual participação de Caetano, de fato aconteceu na noite do lançamento. Tocaram "Alguém Cantando", "Janelas Abertas nº 2" e "Esse Cara".

Lançado o primeiro *Songbook*, muitos outros surgiriam depois. Nomes como Tom Jobim, Edu Lobo, Dorival Caymmi, Noel Rosa, e o próprio Cazuza, ainda seriam lembrados. Com o surgimento de mais e mais canções a cada ano, rever as edições se tornaria uma tarefa constante. No caso de Caetano, essa tal revisão poderia começar bem antes do previsto. Faltava pouco para o lançamento de mais uma leva de novas músicas. Em meados de 1989, outro disco entrava no forno.

O vínculo profissional com os norte-americanos se estreitou muito após Caetano ter gravado para o mercado local. A admiração de Bob Hurwitz, representante do selo Nonesuch, aumentava a cada novo projeto. Além disso, com o passar do tempo, a ligação artística com Arto Lindsay transcendeu ao trabalho de intérprete e tradutor de letras. Além de Arto e seu parceiro de banda, Peter Sherer, curtirem o som do brasileiro, outras simbioses musicais passaram a acontecer entre eles. Àquela altura, a dupla de gringos ainda colhia os frutos de um reconhecimento especial recebido no ano anterior. O baiano incluíra "Copy Me", de autoria deles, nos shows de divulgação do LP *Caetano*. Com tantas afinidades entre o brasileiro e os estrangeiros, não seria nenhuma surpresa se o próximo trabalho de Caetano Veloso apresentasse pelo menos um dedinho a mais do Tio Sam.

Com um repertório mais ou menos pronto, munição existia de sobra para começar o projeto. Foi Bob Hurwitz quem deu o pontapé inicial. Na conversa com Caetano, os nomes dos líderes do Ambitious Lovers, Arto Lindsay e Peter Scherer, surgiram como possíveis produtores. O contato se deu entre eles e o acerto foi combinado. Com isso, parte dos trabalhos aconteceria em estúdios de Nova York, parte no Estúdio Transamérica, no Rio de Janeiro. Quer dizer, um misto de "chiclete com banana" dos anos 1980. Com as músicas escolhidas e a ideia central alinhavada, os dois produtores desembarcaram no Brasil, a fim de realizar as primeiras gravações. Mas precisariam se adaptar aos ritmos do país tropical.

No meio das canções selecionadas havia uma surpresa, considerada legítima prata da casa. Quando Carlinhos Brown saiu da Bahia para se integrar à Banda Nova, chegou com a corda toda. Entre uma gravação e outra, não parava quieto, tirava som de tudo, compunha o tempo inteiro, e vira e mexe mostrava suas composições. Naquela época, já tinha várias delas. No meio das músicas tocadas por ele, estavam futuros sucessos, dentre eles "Meia Lua Inteira", de um balanço contagiante, daqueles de fazer mexer pernas, braços, e o esqueleto inteiro, se a saúde permitisse. Com referências diretas à canção "Alegria, Alegria", na expressão "sem documento" e, sobretudo, no verso "caminhando contra o vento", Brown resolveu perguntar ao autor se via algum problema nas citações. Para explicar melhor, teve de tocar a canção. Caetano, que é rei desse recurso, ficou bobo quando ouviu a obra. O ritmo animado, a originalidade da letra, as referências, tudo o agradou. A música também estava nos planos da banda Chiclete com Banana, mas Caetano não se incomodou. Gravaria assim mesmo. Sábia decisão.

Na hora do vamos ver, deixaram Brown se soltar no estúdio para construir o arranjo. Pela estrutura rítmica da canção, não seria uma tarefa simples. Horas se passaram sem que o ponto certo fosse encontrado. O profissionalismo de Brown falava mais alto e novas tentativas eram realizadas em busca da batida perfeita. Até que, em determinada hora, Toni Costa pediu para ajudar. Entrou em cena com sua guitarra, fez algumas levadas e, a partir de uma delas, o filho nasceu. Com um caminho a seguir, o restante do trabalho fluiu com facilidade. Além de Brown, Toni e o próprio Caetano, Cesinha, Arto Lindsay, Peter Scherer e Tavinho Fialho também participaram da gravação.

Assim que a parte brasileira do trabalho terminou, retornaram aos EUA para completar com outras gravações e fazer a mixagem final. Como os músicos de Caetano ficaram no Brasil, em Nova York o projeto ganhou o reforço de músicos locais, e também a luxuosa participação de um pernambucano experiente radicado na América do Norte havia algum tempo: Naná Vasconcelos. É dele a percussão que aparece nas faixas "O Estrangeiro", "Jasper", "Outro Retrato", "ETC." e "Este Amor". Ponto para o produtor. A ideia partiu de Arto Lindsay, que já conhecia de longa data o talento de Naná.

Além dessas participações, vale citar uma curiosidade. No repertório, Caetano celebrou a democracia sentimental. Homenageou duas das mais importantes mulheres de sua vida. "Este Amor", composta em homenagem a Dedé Gadelha, sua ex-esposa, e "Branquinha", inspirada em Paula Lavigne, a mais nova dona de seu coração. Entre horas de voo, participações, homenagens, "e outras mumunhas mais", o disco ficou pronto. No fim das contas não dava para saber se havia mais "chiclete" ou mais "banana". Caetano não voltou de lá americanizado, porém, batizou o disco com toda diplomacia a que tinha direito. E considerando que a lembrança do impactante livro de Alberto Camus, lido ainda na época da prisão, tinha sido intensa na fase de concepção do trabalho, o título escolhido sintetizava tudo: *Estrangeiro*.

Com a porteira aberta nos EUA, o disco também seria lançado no mercado norte-americano. Além disso, outra novidade na carreira de Caetano viria no bojo do projeto. A gravadora começava a apostar na tecnologia do CD, o *Compact Disc*, grande inovação tecnológica que chegava ao mercado fonográfico brasileiro. O vinil, com todo seu charme, começaria a escassear para dar lugar ao novo. E não parava por aí. Para esse trabalho, a diversificação nas mídias foi ainda maior. A faixa "O Estrangeiro" ganharia um videoclipe dirigido pelo próprio Caetano, com direito a reprodução de uma pose de Cole Porter registrada nos anos 1920, na cena em que Caetano aparece sem camisa, semideitado, sob a luz da Baía de Guanabara, que havia conquistado o pintor Paul Gauguin.

Até que a banda ficasse à vontade com o repertório, muito ensaio haveria pela frente. Nesse clima de excelência profissional, a estreia nacional da turnê só aconteceria em junho de 1989. O local seria o Canecão, no Rio de Janeiro, um dos *points* tradicionais de estreia dos shows de Caetano.

❦

Por muito pouco, a mostra de cinema do ano anterior em homenagem a Caetano, apresentada no Cineclube Estação Botafogo, não ganharia mais um longa-metragem. Naquele mesmo ano, o cineasta Júlio Bressane assinava contrato com a Embrafilme para rodar *Os Sermões – A História de Antônio*

Vieira. Não muito tempo depois, Caetano desempenhava na frente das câmeras o papel do poeta baiano Gregório de Matos, o "Boca do Inferno", no mais novo trabalho de seu companheiro de exílio. Em uma das cenas, Caetano entoa versos do soneto "Triste Bahia", musicado por ele e escrito pelo vate satírico. A história ainda contou com a participação de outro poeta, o concretista Haroldo de Campos, em sua primeira experiência como ator. O filme, porém, só estrearia no final de 1989.

Em abril, Caetano se mandou para a Europa. Passou primeiro pela Itália, para cantar no Festival de Música de Bari, a convite dos Ambitious Lovers, que iriam fazer show por lá. Não muito longe, em Portugal, as apresentações com a Banda Nova aconteceram no Coliseu do Porto, em 17 de maio, e no Coliseu dos Recreios, em Lisboa, nos dias 18 e 19. Conhecido e admirado do jeito que era na terra dos patrícios, os shows foram manchetes em todos os jornais. Elogios sobraram, para dar e vender, pois não se resumiam ao artista principal. A banda inteira recebeu afagos. Um dos mais festejados foi Carlinhos Brown. Acostumado a tirar som dos mais estranhos objetos, Brown executava uma performance com latas e baldes que, reza a lenda, eram os mesmos que ele usava quando vendia amendoim na infância. Os "portugas" deliraram.

Naquelas terras, Brown também ficava mais à vontade, com uma sensação de viver em seu próprio país. Mesmo idioma, arquitetura semelhante a de Salvador, comida farta. Pelo menos ali não passaria o mesmo problema enfrentado pouco antes, na Espanha. Na hora de pedir a boia, o percussionista fez muita gente cair na gargalhada. Cheio de dúvidas, com o cardápio nas mãos, Brown perguntou a Toni Costa se o "gambá" daquela região era confiável. Toni estranhou a pergunta e foi conferir no menu. Não teve como segurar o riso. Em espanhol, camarão é *gamba*, e foi nessa que Brown levaria "lebre por gato". Acostumado aos pratos típicos da Bahia e seus nomes de origem africana, em terras distantes precisou se adaptar para não passar fome.

Ao contrário do que se podia pensar, o repertório desses espetáculos na Europa não abrangia o material do novo disco. A turma insistia para Caetano incluir música nova, mas ele preferia guardar as surpresas para o lançamento oficial do disco. E quer saber? Nem precisariam esperar tanto.

Em 7 de junho de 1989, a esperada noite chegou. Poucos minutos antes do show, cortina fechada, público apreensivo, coração em *beat* acelerado. Chegada a hora, os primeiros acordes de "Meia Lua Inteira" ecoaram no interior do Canecão. Em seguida, a banda entrou completa, os refletores foram acesos e as cortinas se abriram. Uma bela e colorida imagem se descortinou junto. Por sugestão de Paula Lavigne, uma reprodução da pintura de Hélio

Eichbauer para o cenário do 2º ato da peça *O Rei da Vela* cobriu o fundo do palco. A imagem refeita pelo artista – a original fora queimada anos antes durante uma performance – trazia a Baía de Guanabara estilizada, toda colorida, o mesmo cartão postal que o antropólogo Claude Lévi-Strauss havia detestado, conforme relatou em seu livro *Tristes Trópicos*.

No centro do palco, para seguir a linha estética do cenário, Caetano conduziu o espetáculo vestido em cores tropicais, com predominância do nacionalíssimo verde e amarelo. E pensar que o disco, por vários motivos, fora batizado de *Estrangeiro*. Mas Caetano é assim mesmo. Gosta de surpreender, andar na contramão das tendências, subverter a ordem das coisas. "Onde queres revólver, sou coqueiro", a pitada tropicalista estava garantida no espetáculo. Como de costume, antigos e novos sucessos, além das tradicionais surpresas. Algumas nacionais, outras internacionais, como "You've Changed", eternizada na voz de Billie Holiday, sugestão de Toni Costa, que adorava interpretá-la nas horas vagas.

Aliás, a inclusão da música fez um certo poeta sair satisfeito do Canecão no fim do show. Àquela altura, Cazuza estava muito enfraquecido em virtude das complicações decorrentes da AIDS. Ainda assim, encontrou forças para ver o amigo. Para não causar constrangimento ou burburinhos na plateia, ajudado pela enfermeira, pais e amigos, Cazuza entrou somente quando as luzes se apagaram. No anonimato assistiu a tudo. Gostou tanto que não resistiu à tentação de ir ao camarim. Ele amou o som que vinha daquela Baía de Guanabara. O amigo Bineco, da produção de Caetano, o levou até os bastidores antes do primeiro bis. O encontro emocionou a todos. Cazuza fez questão de elogiar a nova roupagem de "You've Changed", que ele adorava. Eles não suspeitavam, mas seria o último show de Caetano que Cazuza veria. O tempo não para. Um ano depois o roqueiro estaria morto.

As luzes, no entanto, começaram a se apagar muito antes. Nara Leão havia partido poucas horas antes da estreia. Caetano não ignorou o fato, interpretou canções em homenagem à cantora, e, no fim, dedicou a apresentação a ela. A plateia o aplaudiu de pé. Na mesma noite, a literatura perdia o poeta curitibano Paulo Leminski, vítima de cirrose hepática. *Estrangeiro*, o show, começou assim, com alegrias, surpresas e muitas perdas para a cultura do Brasil. Apesar de tudo, o espetáculo permaneceu em cartaz durante todo o mês de junho.

Em julho de 1989, ao lado de João Bosco e João Gilberto, Caetano retornou à Europa. Lá, botaria em seu currículo mais uma noite no Festival de Montreux. Como parte do projeto "Canta Brasil", os artistas se apresentaram em vários países. Os três eram figurinhas carimbadas e o resultado foi o melhor possível. Logo após voltar ao Brasil, o show *Estrangeiro*, com tudo a que tinha direito – cenários, figurinos, banda –, aterrissaria no Palace, de São Paulo. No fim de outubro, seguindo seu tradicional circuito, seria a vez dos baianos conhecerem as novidades do bom filho. O show foi apresentado no Teatro Iemanjá, no Centro de Convenções da Bahia. Mesmo com tanta estrada, nenhum percalço digno de registro aconteceu. Nem as críticas de que o show não repetia o clima do disco, sobretudo pela ausência dos músicos estrangeiros, foram suficientes para afetar o bom humor do grupo. Essa tranquilidade, porém, não se manteve o tempo inteiro.

Numa apresentação em Caxias do Sul, no Rio Grande do Sul, a turma combinou de se encontrar no aeroporto e depois seguir viagem. Brown e Cesinha, que moravam na Bahia, sempre percorriam uma distância maior e algumas conexões a mais. Naquela vez, Cesinha veio, mas Brown perdeu o voo. O baterista avisou a turma que o colega se atrasaria e resolveu esperar por ele. Para adiantar, Caetano seguiu na frente. O problema é que deu a hora do show e nada de Cesinha e Brown chegarem. Foi uma loucura. O público gritava, xingava, empurrava as grades de proteção. Caetano discutiu e se estressou. Quando finalmente os dois chegaram, só deu tempo de entrar em cena com a roupa do corpo. A bronca sobrou para todo mundo. Mas ficou só nisso. Na carreira deles, o número de bons momentos superava os imprevistos e a paz sempre voltava a reinar.

Àquela altura, uma boa notícia já tinha chegado aos ouvidos de Caetano. No fim do ano, ganharia um importante prêmio de reconhecimento. Concedido pela primeira vez em 1981 ao compositor Pixinguinha, em homenagem póstuma, o Prêmio Shell para a música brasileira fora criado com o objetivo de laurear compositores brasileiros, em reconhecimento ao conjunto da obra e também à contribuição à música de seu país. Em anos anteriores, nomes como Tom Jobim, Dorival Caymmi, Braguinha, Herivelto Martins, Milton Nascimento e Chico Buarque tiveram o prazer de recebê-lo. Em 1989, chegara a vez de Caetano Veloso beliscar o seu.

Em 21 de novembro, uma terça-feira, em badalada festa no Teatro Municipal do Rio de Janeiro, o prêmio chegou às suas mãos. No palco, o bem--humorado presidente da Shell do Brasil, Robert Broughton, não perdeu a chance de fazer uma brincadeira quando percebeu as cores da roupa do homenageado. Como ele havia tirado o paletó verde, restaram do figurino apenas a calça vermelha e o blusão amarelo, usados nos shows de *Estrangeiro*. Aquele colorido tinha um quê peculiar. Broughton agradeceu a deferência de Caetano. A princípio, ninguém entendeu nada. Logo depois, o executivo provocou risos ao esclarecer que o ilustre premiado viera daquele jeito de propósito, só para homenagear as cores da Shell, patrocinadora da premiação. Ainda bem que o cantor teve a elegância de não cantar "Paisagem Útil" naquela noite. Não ficaria bem falar da lua oval da Esso nas barbas do concorrente.

Pela conquista, Caetano engordou sua conta bancária em 8 mil dólares e acrescentou mais um troféu à sua estante. A cerimônia, todavia, não ficou só no "oba-oba" da distribuição de prêmios, abraços e apertos de mão. Premiado pelo conjunto da obra, Caetano não sairia sem dar uma amostra de sua arte. Afinal, por causa dela estava ali. Para ele, tudo bem. Além de ser seu ganha-pão, cantar, desde sempre, se tornara um exercício prazeroso e natural. Ainda mais quando um convidado bem familiar fizesse uma participação. Conviver com a música durante tanto tempo acabou influenciando de algum modo. Naquela noite, Moreno Veloso tocou percussão com o pai. No final, já mais à vontade nos bastidores, um orgulhoso Caetano fez questão de apresentar o filho a duas lendas da música brasileira: Braguinha e Herivelto Martins.

Em novembro, Caetano acrescentava à sua coleção um belo troféu com a concha símbolo da Shell no topo, mas teria de reservar espaço para o próximo. A performance daquela temporada, toda calcada no disco *Estrangeiro*, ainda seria reconhecida com o Prêmio Sharp de Música, para melhor cantor e melhor álbum de 1989. Esses prêmios, porém, só seriam entregues a ele em agosto do ano seguinte.

No fim de 1989, mudanças significativas aconteciam no Brasil e no mundo. Em novembro, o símbolo maior da guerra fria desmoronava a golpes de picaretas, chutes e pontapés. O Muro de Berlim, que durante décadas separou a Alemanha em duas, finalmente virava poeira. Um marco na história do século XX. Estouros de champanhe, flores, abraços, beijos, lágrimas, escombros, e, no meio de tudo, um monte de gente festejando a unificação do país. No Brasil, o povo comemorava a chance de votar para presidente pela primeira vez em quase trinta anos.

Como previa a nova Constituição brasileira, o presidente seria eleito após dois turnos de votação. No primeiro deles, realizado em novembro, os dois candidatos com maior votação foram o ex-governador de Alagoas, Fernando Collor de Mello, e o líder do Partido dos Trabalhadores, Luiz Inácio "Lula" da Silva. Em dezembro, no segundo turno, o povo foi às urnas depositar suas esperanças. Ninguém aguentava mais a situação do país. Em meio à crise que se arrastava, a população ansiava por renovação, e Collor, com seus discursos inflamados, suas frases de efeito e sua aparência jovial e bem-apessoada, representava naquele momento o que a maior parte queria.

Naquele período, Caetano já tinha voltado às boas com a imprensa. O jejum não poderia durar mais do que durou. Ambos se "odiavam", ambos se amavam. Dois lados da mesma moeda. Aproveitando o ensejo, declarou seu voto publicamente. Na solidão da urna, tinha votado em Leonel Brizola no primeiro turno, e em Lula no segundo. O candidato de Alagoas não o convencia. No entanto, sua opinião não influenciou no resultado final. Collor venceu. Ninguém desconfiava ainda, mas não demoraria até que as confusões do novo presidente começassem a pipocar. Mais sofrimento para cima desse povo maltratado.

No fim de 1989, não adiantava chorar o leite derramado. Até que se provasse o contrário, Collor receberia a faixa presidencial com a promessa de caçar todos os marajás do governo, acabar com a corrupção, fazer e acontecer. O tempo, contudo, mostraria que essa história tomaria outro rumo.

⁂

A palavra mudança continuava a rondar o universo musical de Caetano Veloso. Ele próprio não pensava muito nisso, mas sua mulher, Paula Lavigne, pensava o tempo inteiro. Empreendedora por natureza e incansável em tudo que fazia, vinha participando de modo cada vez mais ativo na carreira do marido. Primeiro com pequenas sugestões, como o tipo do cenário, a aprovação de um novo integrante da banda, a inclusão de uma música aqui, outra ali. O hábito faz o monge. Muito em breve, Paula tomaria gosto pelo negócio, na prática. Quando isso acontecesse, ninguém mais seguraria a moça.

国際陳列館 EVENT GUIDE

1990 8 AUGUST

8月3日金 14:00
シンポジウム「道路緑化と環境」
道路総の環境・景観を保護・保全するために道路緑化がはたす役割の重要性を考えるシンポジウムです。
社団法人道路緑化保全協会 主催

8月9日木 第1回14:00 第2回18:00
ケニア・キャリヤコ ニヤヨ コーラス コンサート
アフリカの各部族に伝わる口承音楽をアカペラ(ドラム共演)で歌うケニアの若者達のコンサート。歌詞の簡単な説明があります。

8月11日土 18:30
NANIWA まちづくりトーク
「難波宮」の歴史的・文化的背景をさぐりながら、今後の大阪の「人づくり」「まちづくり」について、パネラーが討論します。
社大阪青年会議所 主催

8月14日火〜17日金
ハイビジョン シネマウィーク vol.3
まだ一般公開されていない大作映画を、国際陳列館に設置する200インチの大型映像ハイビジョンで鑑賞するビッグイベントの第3弾です。
(予定作品)「ダイハード2」「白い牙」他
(現在交渉中)

8月19日〜23日木
朝日こども絵画コンクール
「ぼくの町、わたしの家に、こんな花を咲かせたい」をテーマに、全国の小学生と幼稚園児を対象にした絵画コンクールの入賞作品を展示します。
朝日新聞社 主催

国際アニメーション フェスティバル
「LOVE & PEACE」をメインテーマに、世界中から募集されたアニメーションの入賞作品を上映します。
朝日新聞社 主催

8月29日水 12:30
ハイク・フォーラム
世界の子どもたちが日常のハイク(俳句)を朗読します。あわせて、多彩な審査員による世界子どもコンテストの公開審査をお楽しみいただけます。
日本航空株式会社 主催

8月31日金 13:30
EXPO'90 SABO国際シンポジウム
地球の緑(樹生)は、気象の変化のほかに、人為の農業・加工業・文化などの影響を受けています。緑の保護や育成、回復のために砂防が担っている役割と今後の展望が語られます。
建設省 主催

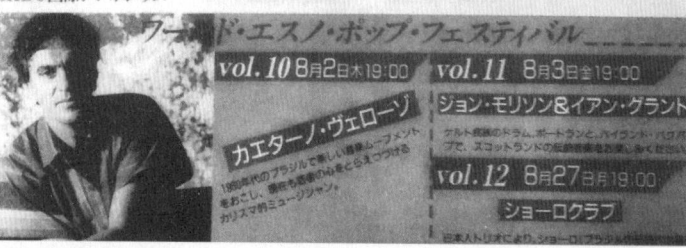

プラント・フォト・ハンティング (PPH)

映像による植物探索「プラント・フォト・ハンティング(PPH)」。日本代表的な植物の映像を収集した「PPH・日本の四季咲」(映像集)が、200インチの大型映像で、毎日ご覧いただけます。また3階では、全国の植物探索家による「PPH・手近元の植物は私有財産です」。できてくる花の美しさをお楽しみいただけます。このほか、お好みのPPH映像を特別にご覧できる視聴を用意しています。PPHのビデオもご希望の方は、3階バザールの係へお問い合わせください。

ハイビジョン「生命樹」

すべての生命の根源として、世界各地で崇められてきた「生命樹」の姿を、美しいハイビジョン映像でご覧いただけます。200インチの大画面に展開される「いのちの樹の物語」を、そこへすわりたい、毎日上映です。

THE GARDEN

アメリカ・イギリスで活躍するドキュメンタリスト映画マロン・ギルプロダクションが、アメリカのPBSネットのひとつWETAと協力して制作した映画「世界の庭園」を毎日上映します。

フード・エスノ・ポップ・フェスティバル

vol.10 8月2日木 19:00
カエターノ・ヴェローゾ
1960年代のブラジルで楽しい音楽ムーブメントをおこし、現在も音楽の幅をひろげつづける、カリスマ的ミュージシャン。

vol.11 8月3日金 19:00
ジョン・モリソン&イアン・グラント
ケルト民族のドラム、ボートランと、アイランド・バグパイプ、スコットランドの伝統音楽をお楽しみください。

vol.12 8月27日月 19:00
ショーロクラブ
日本人トリオにより、ショーロ(ブラジル古典音楽)

21

UMA NOVA ORDEM MUSICAL

Caetano Veloso muitas vezes levou fama de bairrista. Com a Bahia sendo exaltada de forma tão veemente em suas entrevistas, nos debates, nas suas músicas e influências, não havia como negar sua posição de grande defensor da boa terra. Na verdade, nem ele queria isso. Muito pelo contrário, pois fazia questão de reafirmar. Mas também se fosse preciso descer o sarrafo, não economizava na dose. No início de 1990, Caetano achou Salvador uma imundície. Nunca tinha se deparado com tanto abandono, tanto desprezo. A fama de cidade suja se espalhava pelo Brasil na mesma velocidade que o lixo se alastrava pelas ruas. E para um polo turístico com tanto potencial, o título, de fato, não cheirava bem. Um desastre, por assim dizer.

Engasgado com a situação, o filho ilustre não se conteve durante a coletiva que antecedeu o bis de *Estrangeiro* no Teatro Iemanjá do Centro de Convenções da Bahia. Pergunta daqui, pergunta dali, tudo corria bem até o assunto descambar em política. A deixa acabou servindo ao propósito. Caetano aproveitou o momento e despejou toda sua queixa de cidadão baiano. Fez duras críticas à administração do então prefeito Fernando José. No calor da discussão, até hipótese de renúncia foi levantada. Apesar de toda polêmica, deixou claro que desejava, antes de tudo, chamar a atenção para o problema e contribuir na busca de uma solução. Não queria pichar apenas por pichar. Não alimentava nenhuma rusga pessoal, tampouco divergência política. O verão de 1990 começava a esquentar além da conta.

Com o fim da curta temporada no Teatro Iemanjá, Caetano precisaria recuperar forças. Só não imaginava o barulho que viria pela frente. Em 26 de janeiro, noite de sexta-feira, ele e a família levaram um baita susto. Por pouco uma tragédia não aconteceu em sua casa de veraneio, em Ondina. Uma bomba de fabricação caseira foi jogada no quintal e três tiros foram disparados contra sua casa. Um dos projéteis atravessou a porta principal e se alojou na parede da sala. Mesmo com uma greve da Polícia Civil em curso, as primeiras investigações levavam a crer que se tratava de uma retaliação às críticas sobre o prefeito. Naquele momento, porém, tudo não passava de especulação. À medida que a investigação avançasse, mais e mais dúvidas apareceriam. No fim, tudo daria em pizza. Ninguém seria preso. Caetano dormiria com essa e engrossaria as estatísticas de violência do país. Outras armas já haviam sido apontadas para ele em situações anteriores. Daquela vez foi diferente. Apertaram o gatilho. Quem atirou podia tê-lo ferido ou, quem sabe, calado sua voz para sempre. A morte, no entanto, espreitava em outra curva.

Na véspera do atentado, o baterista Pedro Gil, filho de Gilberto Gil com Sandra Gadelha, afilhado de Caetano, tinha sofrido um grave acidente automobilístico. Na altura da chamada Curva do Calombo, na Lagoa Rodrigo de Freitas, no Rio de Janeiro, ele perdeu o controle de sua Parati, bateu numa árvore e capotou diversas vezes. Com a violência do impacto, Pedro ficou preso ao que sobrou do carro. Resgatado com vida, chegou ao hospital Miguel Couto com traumatismo craniano. Entrou em coma profundo. Transferido para a Beneficência Portuguesa, passou por uma cirurgia para a retirada de um coágulo no cérebro. Precisou da ajuda de aparelhos para respirar. O sofrimento duraria por muitos dias. Os médicos tentaram de tudo. Na madrugada de 2 de fevereiro, a esperança de recuperação caiu por terra. Pedro Gil tinha apenas 19 anos e toda uma vida pela frente. A dor da perda foi sentida não só por familiares e amigos. Pelos fãs também. Pedro Gil tocava bateria no conjunto Egotrip. A viagem musical da banda nunca mais seria a mesma dali em diante.

Apesar do começo de ano atribulado, nem só de notícia ruim vivia o cantor. Pouco antes da morte de Pedro Gil, Caetano fez parte de um especial da TV Bahia, dirigido pelo amigo Álvaro Guimarães, em homenagem a Castro Alves. Dessa vez não faria trilha. Muito menos cantaria. A participação consistia em recitar o poema "Ode Ao Dous de Julho", escrito pelo poeta baiano. O velho hábito de seu Zezinho tinha feito escola no seio familiar. Com a força dramática de suas apresentações, Bethânia provava que havia herdado o gosto do pai. Caberia a Caetano honrar mais uma vez a tradição da família. O cenário escolhido, por motivos óbvios, foi o Teatro Castro Alves. A reforma pela qual passava na época não atrapalhou a gravação. No imenso teatro vazio, Caetano declamou o poema fazendo o gesto com a mão direita erguida, tão marcante do poeta.

Enquanto o Nordeste homenageava seus ícones, o Sul lançava novos talentos. Uma jovem cantora vinda das terras de Elis Regina surgia na cena musical brasileira. Em abril de 1990, Adriana Calcanhoto lançava o disco *Enguiço*, cujo repertório trazia a faixa "Naquela Estação", parceria de Caetano Veloso, João Donato e Ronaldo Bastos. Incluída na trilha da novela *Rainha da Sucata*, da TV Globo, como tema da personagem Mariana, vivida por Renata Sorrah, sua execução diária em horário nobre abriu caminho para Adriana exibir seu potencial. A canção se tornou um *hit* romântico. Conhecida nacionalmente, muito em breve a gaúcha e suas novas composições confirmariam a intuição de quem havia apostado nela.

Com o destino da moça bem encaminhado, Caetano continuava a traçar o seu. A "vida útil" do show *Estrangeiro* se aproximava do fim, mas ele queria aproveitar até o último sopro. O disco recebeu elogios de seu amigo David Byrne, líder do Talking Heads, e também da crítica especializada americana. Jon Pareles, do *New York Times*, comparou *Estrangeiro* com o álbum *Rei Momo*, do próprio David Byrne. Em sua análise, deixou clara sua tendência para o lado brasileiro. Na opinião dele, o baiano soava mais cosmopolita e a experiência transcultural de seu disco funcionava melhor que a do americano. Questão de gosto, mas, em outras palavras, o mercado externo se mostrava receptivo às novas experiências musicais de Caetano. E, sendo assim, o melhor seria aproveitar o momento e levar o show para o estrangeiro uma vez mais. Não importava a distância.

Em março de 1990, o povo brasileiro assistia à "vaca ir pro brejo" novamente. No meio da crise, o presidente Fernando Collor de Mello anunciava em cadeia nacional o fatídico Plano Collor. Entre outras medidas bombásticas, congelamento de salários, tabelamento de tarifas, mudança de moeda e, pior de tudo, um inacreditável confisco de contas bancárias. As soluções heterodoxas adotadas trariam graves consequências. Nos meses seguintes, a crise aumentaria. Quase nada se faria em termos de produção cultural. A venda de discos cairia no abismo, e, com a extinção da Embrafilme, o cinema brasileiro ficaria às moscas. Foi um "salve-se quem puder". Mais do que nunca, quem vivesse de arte no Brasil precisaria se virar.

Caetano se virava bem. Nos próximos trabalhos rodaria o globo terrestre. Em julho, viajou para a Suíça e se apresentou mais uma vez no Festival de Montreux. Para o fiel público do evento, ouvir música brasileira havia se tornado um hábito. Desde 1978, o festival contava com pelo menos uma noite dedicada aos artistas brasileiros. Cantar naquelas bandas não era nenhuma novidade. Em sua terceira participação, Caetano fazia a festa dos fãs mais cativos. A consolidação de um espaço contava muito, mas caberia ao show *Estrangeiro* fazer jus ao nome, alargando ainda mais todas as fronteiras possíveis e imagináveis. E dessa vez Caetano aplicaria o conceito ao extremo. O céu é o limite. No próximo item da agenda, o baiano apresentaria sua visão particular da Baía da Guanabara à primeira incursão na misteriosa Terra do Sol Nascente.

O Japão recebia bem a música brasileira, sobretudo a Bossa Nova, tão celebrada por lá. O interesse é tanto que tem gente no país que aprende português só para entender o que diz essa música tão exótica. As histórias que vinham de longe inspiravam artistas e empresários. E para aproveitar esse clima favorável, o baiano faria uma turnê pelas ilhas japonesas. Na volta da Europa, não tiveram muito tempo para descansar. Em 30 de julho, Caetano, Banda Nova e comitiva partiram para a outra banda da Terra. Foram mais de 36 horas de viagem até o desembarque no Aeroporto Internacional de Narita, na província de Chiba, cerca de 60 km do centro de Tóquio. No mesmo dia da chegada, tomaram outro voo em direção a Osaka, onde ficariam hospedados no Osaka Grand Hotel. Exaustos da viagem e sob os efeitos do *jet lag*, o grupo não queria saber de outra coisa senão descansar. Trabalho para valer, só na noite seguinte, quando apresentariam o primeiro show de Caetano Veloso no Extremo Oriente.

Um país de cultura milenar, um lugar distante, um povo perfeccionista e um mercado a ser conquistado. A chance não podia ser desperdiçada. E como ninguém daria sopa ao azar, uma estratégia de *marketing* bem bolada foi posta em prática muito tempo antes. Para não fazer feio, a equipe responsável montou um farto material de divulgação. No *press release*, fotos de Caetano, biografia, discografia, letras das canções em português e japonês, com ilustrações originais do artista Sawada Toshiki, o mesmo que assinava as capas de vários álbuns brasileiros lançados no Japão à época. Em cores quentes, predominando o vermelho e o amarelo, seguindo a estética de *Estrangeiro*, a capa trazia uma singela mensagem em destaque: "Um Fresco Verão – Eu quero oferecer a minha música para você".

Como parte das atrações da Expo'90, Caetano subiu ao palco do International Friendship Pavilion para mostrar aos japoneses seu jeito estrangeiro de ser. A organização do evento destacou a participação do brasileiro e reservou espaço no programa para estampar sua imagem. Com a boa divulgação, os japoneses abriram os olhos e apuraram os ouvidos para acompanhar o espetáculo. Ninguém se decepcionou. Estreia com pé direito, folga no dia seguinte. A turma estava livre para conhecer melhor o país do *sushi*. O bom de boca Carlinhos Brown teria chance de comer de pauzinhos. Caetano ainda não. Antes precisava responder a uma sabatina de perguntas dos jornalistas locais reunidos em coletiva.

No sábado, 4 de agosto, Caetano fez seu último show em Osaka. Dessa vez, o espetáculo foi apresentado no IMP Hall. No dia seguinte, na velocidade do trem-bala, chegaram a Tóquio para cumprir a segunda e última parte da excursão. O primeiro show na capital japonesa aconteceu em 7 de agosto de 1990, aniversário de Caetano. O espetáculo ocorreu no Nihon Seinenkan. Caetano completava 48 anos de vida. Antes do show, Paula Lavigne e a produção deixaram preparado um evento surpresa. E não esqueceram de nada. A festa particular teve torta, parabéns, apagar de velinhas e porre. Longe de casa, num país exótico, valia tudo para extravasar. Cada doido com sua mania.

O tecladista Ricardo Cristaldi podia viajar para a Escócia, mas não deixava de levar seu estoque de uísque brasileiro. E tinha de ser Old Eight, sua marca preferida. Se fosse do legítimo, não dava dor de cabeça, garantia o músico. No Japão, ficavam zonzos com tanta mulher parecida. E achavam as japonesas lindas. Só que a barreira do idioma atrapalhava um movimento mais assanhado. Os caras ficavam na fissura. Na falta do que fazer, acionaram o *pay-per-view* da TV a cabo. O conservadorismo local, porém, não permite exibir tudo na íntegra. Lá, os filmes pornô escondem o mapa do tesouro. O monte de tarjas cobrindo as partes íntimas das atrizes não é efeito especial. É censura explícita. Esconder só aumentava a curiosidade. Quem sabe a salvação não estaria lá fora?

Num dia de folga, Cesinha, Carlinhos Brown e Wellington Soares, *roadie* do grupo, caminhavam pela cidade quando toparam com um cinema sugestivo. Emoldurado por um cartaz de filme de sexo explícito americano, ali deveria ser tudo mais aberto. O filme começou. No raso roteiro, sem muita demora, a atriz tirou a roupa. Esperavam ansiosos por isso. Mas o ânimo esfriou rapidinho. As malditas tarjas insistiam em atrapalhar o melhor ângulo da bela jovem. Mais uma vez, cortaram o tesão da rapaziada. Nessa, Brown se enfezou de vez e armou o maior barraco no cinema. Levantou da cadeira e disparou: "*Tá pensando que é assim? Não é, porque eu já vi!*" Os japoneses levaram um susto. Foi aquele "fuzuê". Novamente frustrados, deixaram o local e reconheceram a derrota. O jeito seria esperar pelo retorno ao Brasil, onde poderiam amenizar os efeitos do choque cultural.

Para a sorte deles, a espera não seria tão longa. Faltava pouco para a turnê chegar ao fim. Em 8 de agosto, cumpriram o último show no país asiático. A despedida aconteceu no palco do mesmo Nihon Seinenkan da estreia na capital japonesa. Chega de *Estrangeiro*. Nos próximos meses, um novo trabalho começaria a ser desenvolvido. Mais do que isso. As consequências de uma força que evoluía aos poucos nos bastidores seriam sentidas em breve. Mudanças significativas estavam para acontecer. Um novo ciclo começava.

❦

O início dos anos 1990 ficou marcado por grandes modificações no cenário político mundial. Com o fim da guerra fria e a ruína do comunismo no leste europeu, o planeta mudou de cara. A Alemanha estava reunificada e, desde o fim de 1989, as várias repúblicas soviéticas revelavam desejos de liberdade. A onda de abertura envolveria outros países. Em pouco tempo, o mapa-múndi seria radicalmente alterado. E não foi somente na Europa que a onda de mudanças chegou intensa. Em fevereiro de 1990, o líder negro sul-africano Nelson Mandela deixou a cadeia após 27 anos de cárcere. Fora da prisão, Mandela promoveria uma revolução social em seu país. O regime racista do *Apartheid* estava com os dias contados.

Alguns queriam mudar o mundo com palavras; outros, à força. Na madrugada de 2 agosto de 1990, o Iraque de Saddam Hussein invadiu o Kuwait do Emir Jaber Al-Sabah. Começava a Guerra do Golfo, que em breve envolveria várias nações do planeta e teria graves desdobramentos no futuro. Com tanta agitação acontecendo ao mesmo tempo, não foi à toa que, em setembro daquele ano, o então presidente dos EUA, George H. W. Bush, o pai, em discurso na ONU, anunciava que o mundo viveria uma "Nova Ordem Mundial" ♪[72]. A expressão chegou a todos os continentes, influenciando quem já vinha pensando em renovação. Mudar passou a ser palavra de ordem no início de 1990.

A carreira de Caetano também estava prestes a passar por outra grande transformação. Os próximos trabalhos já teriam os conceitos de uma "Nova Ordem Musical". Naquele ano, Caetano combinou com a PolyGram que não gravaria disco com músicas inéditas. Mas ficar sem novidade também não estava em seus planos. Com um acordo fechado entre a Nonesuch e a PolyGram, uma solução bem a calhar agradou a brasileiros e americanos. Chegava a hora de lançar no Brasil o disco acústico gravado especialmente para os EUA em fins de 1985. E para completar o tradicional roteiro de seus lançamentos, o passo seguinte seria montar um espetáculo para divulgar o trabalho.

Assim que a ideia foi compartilhada com a equipe, alguns músicos se conscientizaram de uma dura realidade: ficariam sem trabalhar com Caetano por um bom tempo. O disco acústico a ser divulgado abria mão da presença de parte deles. Caetano se apresentaria acompanhado apenas de seu violão e dos músicos que participaram da gravação do disco. Toni Costa no violão adicional, mais a dupla Marcelo Costa e Marçalzinho na percussão. Toni estava por perto, ainda fazia parte da banda, e os dois, após um período trabalhando com outros artistas, foram convidados a se reintegrar. Esboçavam-se ali os últimos suspiros da Banda Nova.

Com o retorno de Marcelo Costa e Marçalzinho para a temporada de shows acústicos, Cesinha e Carlinhos Brown teriam que buscar trabalho em outras bandas. Em tempos de confisco de poupança e inflação galopante não dava para ficar muito tempo parado. Àquela altura, porém, com o amplo reconhecimento no meio musical, não seria difícil encontrar novo ganha-pão. O mesmo aconteceria com Ricardo Cristaldi e Tavinho Fialho. Estratégia montada, não havia mais chance de recuo na decisão. Por um bom tempo, o

---

[72] ♪ "Fora da Ordem"

espetáculo acústico com o repertório do disco americano seria apresentado ao público brasileiro. Pelo menos enquanto o show tivesse fôlego, cada um teria que seguir seu próprio rumo.

Em 8 de outubro de 1990, Caetano rumou para a Avenida Venceslau Brás, em Botafogo, onde ficava o Canecão, local de estreia de *Acústico*, seu novo espetáculo. Por causa do formato, o lado intérprete do baiano ficou mais em evidência. O clima também pedia elegância no vestir. E assim foi feito. No espetáculo, Caetano aparecia de paletó, sentado num banquinho e com seu violão sobre as pernas cruzadas. O visual cheirava a João Gilberto, sem dúvida. E não era para menos. O repertório conduzido pelo instrumento que o tornara célebre valorizava as qualidades do intérprete. Apoiado na afinação de sua voz, Caetano aliou mais uma vez a inventividade costumeira de seus trabalhos a clássicos brasileiros, como "Três Apitos", de Noel Rosa, e "Cidade Maravilhosa", de André Filho, com nova roupagem.

A temporada se estendeu por duas semanas e teve boa recepção de público e crítica. Do Canecão foi direto para debaixo de uma lona bem conhecida. Em dezembro, o Circo Voador seria reinaugurado após passar por dois meses de reforma. O local não ficou sem atividades durante esse período, mas precisava terminar suas melhorias para ser aproveitado por inteiro. O espaço recém-construído, com mesinhas, seria a grande novidade. Com o fim das obras, Perfeito Fortuna queria voltar em grande estilo. Fora a amizade antiga, Caetano sempre esteve envolvido com o projeto, desde a primeira versão, quando a lona fora montada no Arpoador quase uma década antes. Por essas e outras, o primeiro a pisar no reformado Circo Voador foi ele mesmo, Caetano Veloso, apresentando seu show acústico.

Muito à vontade com o público jovem do Circo, o "ano não" do baiano fechava entre amigos e sob a proteção dos Arcos da Lapa. Fim de temporada, pausa para descanso. Aliás, nem tanto. No decorrer de 1991, Caetano encerraria o período em formato acústico, mas não ficaria parado. Próximo passo: gravação do disco com inéditas.

❧

Os anos 1990 começavam com pinta de 1960. O mundo inteiro se mostrava preocupado com o futuro do planeta. Níveis de poluição insuportáveis, desmatamento, buraco na camada de ozônio e esgotamento de recursos naturais deixavam qualquer um de cabelo em pé. O assunto passou a ser motivo de debates, manifestações e protestos. A Floresta Amazônica havia se tornado um dos principais símbolos do movimento. Considerados antenas da raça, os artistas não ficariam fora da discussão. O cantor Sting, vocalista do The Police, e o ex-Beatle Paul MacCartney, foram apenas alguns dos nomes de prestígio mundial que levantaram a bandeira verde. Sting foi além. Esteve no Brasil em nome da causa, e não voltou de mãos vazias. Nada de ímã de geladeira ou chaveiro personalizado. Ao deixar o país, levou na "bagagem" um legítimo representante das selvas amazônicas, o cacique Raoni, chefe da tribo Caiapó. Muito em breve, os dois passariam a peregrinar de braços dados mundo afora.

Em 10 de março de 1991, Caetano também entrou na festa. Ele, Gilberto Gil e Tom Jobim, outro ferrenho defensor da natureza, se juntaram a Sting e Elton John, num show no Carnegie Hall, em Nova York, com o objetivo de levantar recursos para a Fundação Mata Virgem. Na prática, Caetano não militava pela causa como seus colegas Sting e Tom Jobim. Para ele, todo dia é dia de índio. Mas essa posição não o afastava de eventos musicais em prol do meio ambiente e dos primeiros donos da terra. Convites dessa natureza permitiam a ele juntar o útil ao agradável. Ali o roteiro se repetiu. Com ou sem causa, a apresentação ao lado de ícones da música pop mundial foi uma experiência prazerosa. Entre eles não havia estrelismo. Pelo menos naquela tribo, estavam todos na mesma canoa em busca de apoio financeiro à instituição brasileira.

O momento favorecia também os próprios artistas. A onda ecológica que invadia o planeta abria novas frentes de trabalho para Caetano. Pouco tempo depois, ainda em março, começou a série de eventos ligados à Rio 92, ou Eco 92, a conferência criada pela ONU sobre meio ambiente e desenvolvimento que, em junho do ano seguinte, levaria ao Rio de Janeiro mais de uma centena de chefes de Estado. Como parte dos preparativos, a Prefeitura do Rio decidiu promover espetáculos de música ao ar livre, na Enseada de Botafogo. Com a Baía de Guanabara ao fundo, nomes como Milton Nascimento e Caetano Veloso seriam os anfitriões da festa. Milton Nascimento fez o show que lançou oficialmente a Rio 92. No meio do espetáculo teve palhinha de Caetano. A participação valeu como treino, pois ele seria o próximo a cantar para aquele mundo de gente. Em 21 de abril, um domingo, véspera do "Dia da Terra", a vez dele chegou. O espetáculo foi apelidado de "Show da Terra". Músicas como "Terra", "Valsa de Uma Cidade" e "O Estrangeiro", por motivos óbvios, foram apresentadas ao som do violão e diante de um dos cartões postais mais famosos do mundo.

Caetano fez uma apresentação única e de muita emoção. Milhares de pessoas espremidas diante do palco, cantando junto, vibrando na mesma energia. Estavam ali para curtir o show, mas também para mostrar que o carioca abraçava a causa verde. O esforço coletivo começava a dar frutos. A nítida mudança na consciência ecológica dos brasileiros não deixava dúvidas. O tempo, contudo, mostraria que a luta seria longa. Persistir seria indispensável. Naquele momento, porém, o mais importante seria ganhar cada vez mais adeptos.

O clima de transformação contagiava além da questão ambiental. A carreira de Caetano também passava por uma grande mudança. Tudo acontecia nos bastidores, no escritório, em casa. Uma atriz saía de cena. Em seu lugar, nascia a empresária Paula Lavigne.

❧

A carioca Paula Mafra Lavigne começou sua carreira como atriz. Quando conheceu Caetano, exercia no Teatro Ipanema a profissão que abraçou depois de seguir uma orientação do colégio. Mas não parou por aí. Depois de passar uma temporada estudando em Londres, fez trabalhos importantes para a TV, como a minissérie *Anos Dourados*, e as novelas *Brega & Chique* e *Vale Tudo*, todas pela Rede Globo. A imprensa, no entanto, não poupava críticas a seu trabalho. No fundo, ela própria também não gostava de se ver em cena. Ainda com a carreira de atriz em curso, sua vida pessoal deu uma guinada. Não era segredo para ninguém que a jovem Paula havia se tornado mulher de um medalhão da música popular brasileira. As críticas a seu trabalho como atriz muitas vezes levaram em conta essa posição, só para ganhar mais holofotes. Ninguém desconfiava, mas, na condição de musa e companheira, a moça começou a mergulhar cada vez mais fundo no universo musical de Caetano Veloso.

No papel de esposa, cada mulher reage de uma forma diante de um mundo desses. Dedé participava de tudo, mas evitava botar o dedo na produção ou na parte técnica. Com Paula Lavigne foi diferente. Desde o início, a moça demonstrou personalidade oposta. Ativa, decidida, exigente e empreendedora. Com essas características, não ficava satisfeita quando presenciava uma falha de produção, um contrato mal negociado, ou a falta de um músico mais adequado para determinado trabalho. De forma gradativa passou a tomar conta dos negócios do marido. Primeiro, com sugestões esporádicas. Uma canção ali, um cenário acolá. Depois, com mudanças estruturais. Começou pela equipe que cercava Caetano. Paula não aprovava o trabalho do secretário particular dele, Bineco Marinho. Os dois batiam de frente. Caetano, na opinião de Paula, precisava de alguém que tivesse, ao mesmo tempo, uma postura profissional e distanciada. Ela não queria alguém que tomasse decisões pelo artista e começou a procurar um substituto para Bineco. Mas só faria isso no final da temporada de *Estrangeiro*, quando vislumbrou a candidata ideal para assumir o cargo.

Virgínia Casé secretariava a irmã Regina e as atrizes Débora Bloch e Cláudia Raia, as três fazendo enorme sucesso no humorístico *TV Pirata*, da Rede Globo. A agenda das atrizes vivia lotada, mas ela dava conta. De família de artistas, Virgínia estava mais do que acostumada ao *métier* sem se deslumbrar. Com seu jeito materno, começaria por gerenciar os problemas domésticos do casal. Pagar contas, evitar que o dentista fosse marcado no horário da passagem de som, ou, ainda, alertar sobre aquele jantar importante. Chegou assim, devagarinho. Competente na execução do serviço, logo passou a frequentar também o universo artístico do cantor. Depois de fazer um estágio nos bastidores dos shows, estava pronta para ganhar a nova função. O inevitável, então, aconteceu: a demissão de Bineco.

Os ventos da renovação sopravam sem parar. Paula queria avançar ainda mais nos negócios. Outra mudança de peso foi a saída de Guilherme Araújo. Nos anos 1960, com suas ideias originais, o empresário tivera um papel fundamental para o advento da Tropicália. Mais de 20 anos depois, Guilherme deixara passar o trem da evolução e não conseguia mais vender a grife Caetano Veloso pelo seu real valor. Fechava inúmeros contratos, mas, em geral, o preço ficava aquém de um artista com bagagem mundial. Paula já administrava grande parte do escritório, natural que avançasse nesse terreno. Trocando em miúdos, a nova empresária assumiria o controle das negociações para mostrar, na prática, que seu marido poderia ganhar muito mais do que vinha ganhando.

Do pessoal antigo, nem todos ficariam fora dos planos. À exceção de Márcia Alvarez, que já não trabalhava lá desde meados dos anos 1980, grande parte da equipe do escritório seria mantida. Na condição de fiéis escudeiras, Lea Millon e Ivone Salgado se encaixavam na nova filosofia empresarial e ficariam também. A equipe de produção e assessoria de imprensa, que passaria a cuidar da carreira do artista, contava ainda com a habilidade profissional de Gilda Mattoso, Marcus Vinícius e Beth Araújo, os três com passagem pela gravadora PolyGram. O furacão da mudança afetaria até a formação da banda. Isso aconteceria no segundo semestre de 1991, quando Caetano finalizasse a temporada do show acústico e partisse para a gravação de um novo disco. A Banda Nova, que ficara de molho um bom tempo, não voltaria mais a se reunir por completo.

Na "Nova Ordem Musical" imposta por Paula Lavigne, nem tudo, porém, sairia do jeito esperado. Guilherme Araújo entregou o cargo por meio de um acordo que lhe deixou satisfeito, sobretudo por respeitar direitos adquiridos em contratos anteriores. Já com Bineco não foi bem assim. Ele não se conformou com a forma como trataram sua demissão e encrencou com o valor recebido. Embora trabalhasse com Caetano desde meados dos anos 1970, não possuía vínculo profissional com a Uns Produções Artísticas, criada somente em 1987 por Paula e Caetano. Prevalecia a ligação profissional que ele tinha com a GAPA, de Guilherme Araújo. Nos trabalhos com Caetano não havia cumprimento de horas mínimas para configurar vínculo com a Uns. No dia a dia, predominava o trabalho de secretário particular, sem horário fixo ou expediente pré-estabelecido. Com base nesse critério a indenização foi calculada.

O impasse, porém, se instalou nesse ponto. Bineco achava que deveriam ter considerado o período integral em que esteve à disposição de Caetano, com todos os direitos trabalhistas garantidos em lei, como férias, décimo terceiro salário, indenização por tempo de serviço e aviso prévio. E mais. Na opinião dele, tudo isso em valores compatíveis com a função de produtor executivo e não de secretário particular ou assistente de Márcia Alvarez, como tudo fora calculado. Indignado com o que achava uma injustiça, Bineco – antes parceiro de todas as horas – fez o que ninguém imaginava: moveu uma ação trabalhista contra Caetano Veloso e a firma Uns Produções Artísticas.

A notícia pegou todo mundo de surpresa. Foi um choque para aqueles que lhe estenderam a mão no início de tudo. Mas não adiantava lamentar. O processo entrava em curso e, a partir dali, os advogados trabalhariam no caso. A querela se arrastaria durante anos. Muitas horas de audiência ainda aconteceriam até a decisão final. E somente no fim de 1998 o juiz bateria o martelo, determinando o pagamento de multa, a atualização das anotações na carteira de trabalho do requerente e o recolhimento do INSS atrasado. Nada mais além disso. Bineco, porém, não viveria para assistir ao final dessa história. Morreria em setembro de 1996, aos 38 anos, vítima de complicações decorrentes da AIDS.

Apesar do contratempo na justiça, a reengenharia musical aconteceu. Os próximos trabalhos de Caetano já teriam a marca de um novo perfil empresarial. O rigor estaria presente desde a negociação de um contrato até a contratação de um músico.

♪

Em junho de 1991, Paula e Caetano comemoravam uma nova conquista: Paula estava grávida. Com a chegada de um filho ao mundo particular de ambos, outra mudança influenciaria a rotina do casal. Em breve, Paula teria de se afastar das atividades profissionais e receberia mais cuidados. Aliás, durante qualquer gestação todo cuidado é pouco. No fim dos anos 1970, Caetano perdera uma filha recém-nascida, Júlia, que não resistira depois de nascer prematura. Na década seguinte, passou pela experiência de um aborto, quando Paula, ainda adolescente, achava que um filho naquele momento afetaria a relação deles que apenas começava. Ambos sentiram o baque da decisão. Aos 22 anos, Paula continuava jovem, mas vivia outra fase no casamento. Daquela vez, a gravidez tinha sido planejada. Muito em breve, dariam juntos as boas-vindas♪[73] ao mais novo membro da família.

---

[73] ♪ "Boas-Vindas"

Em paz na vida conjugal, hora de garantir o leite da criança. Em agosto os trabalhos para o novo disco começaram. Não dava para adiar. Foi esse o combinado com a gravadora. A experiência bem-sucedida com os americanos apontava o caminho. Para a produção, Caetano convidou novamente a dupla Arto Lindsay e Peter Scherer. Dessa vez, porém, apenas Arto aceitou. A decisão geraria uma diferença fundamental em relação a *Estrangeiro*. No trabalho anterior, Peter Scherer havia tocado, criado arranjos, e participado ativamente em tudo. Sem ele, a contribuição de Caetano teria de ser maior. Sobretudo porque o próprio Arto queria tirar de vez da cabeça dele a ideia de que não era capaz de conceber arranjos, tocar com perfeição, criar harmonias e exercitar suas habilidades musicais.

A exemplo do disco anterior, o novo trabalho seria gravado na ponte aérea Rio de Janeiro–Nova York. Tanto no Brasil quanto nos EUA, muitos artistas seriam convidados para a festa. Atenção para não perder a conta. Os baianos Gilberto Gil e Gal Costa participaram na faixa "O Cu do Mundo", cuja ideia da letra surgiu quando Caetano leu nos jornais que a Bahia era o estado com maior número de linchamentos do país. Para dar seu recado no samba de roda "Boas-Vindas", Edith de Oliveira trouxe seus pratos diretamente de Santo Amaro. O pandeiro da veterana Mônica Millet deu o ritmo de fundo. Nas palmas, Moreno Veloso também dava as boas-vindas ao futuro irmão, para quem a música fora composta. E, finalmente, Naná Vasconcelos daria o toque final na hora de montar tudo em Nova York.

Para não fugir às inovações, Caetano musicou um texto do livro *Galáxias*, de Haroldo de Campos: "Circuladô de Fulô". Daí também saiu o título enigmático do disco: *Circuladô*. Até então, só veterano foi citado, gente que havia influenciado o baiano ou mesmo trabalhado com ele em outras ocasiões. A primeira grande novidade apareceria com mais força na delicada "Itapuã". Na estratégia de seu produtor, Caetano participaria mais da concepção dos arranjos. No entanto, especialmente nessa faixa, um músico de primeira linha, também maestro, seria convidado para fazer um arranjo adequado a um quarteto de instrumentos de cordas. O homem em questão atendia por um pomposo nome de origem polonesa: Jaques Morelenbaum.

Pertencente a uma família de músicos, Morelenbaum acumulava uma longa experiência no ramo. Nos anos 1970, tinha integrado o conjunto A Barca do Sol, a exemplo de Marcelo Costa, que se tornaria baterista de Caetano anos depois. Na década de 1980, com o talento mais do que reconhecido no meio musical brasileiro, Morelenbaum tocou e fez arranjos para artistas bem variados. O dom de trabalhar com estilos diferentes o levou a colaborar na discografia de Olivia Byington, Vinícius Cantuária, Milton Nascimento, Gonzaguinha, Zizi Possi, Luiz Caldas, Lobão e muitos outros. Não importava o ritmo, o artista, o estilo. Com a música na alma, não havia barreiras para o maestro.

Em 1986, aconteceu aquele primeiro encontro com Caetano. Naquela época, Morelenbaum tocava na banda de Tom Jobim. Numa das edições do programa *Chico & Caetano*, houve a participação de Tom e Astor Piazzola. Como titular absoluto na banda de Tom, Morelenbaum tocou na ocasião. No final de agosto de 1991, a colaboração dele em *Circuladô*, tanto no arranjo de "Itapuã" quanto em sua participação na faixa "Circuladô de Fulô", trouxe o toque de sofisticação que Caetano tanto buscava. Para quem passava por um período de grandes modificações na carreira, Morelenbaum era um nome a ser lembrado com carinho no futuro.

Os últimos dos moicanos da Banda Nova, Toni Costa e Tavinho Fialho, fizeram suas despedidas em algumas faixas. Inspirado nos assuntos em voga no Brasil e no mundo no início da década de 1990, Caetano compôs "Fora da Ordem". Questões como a sujeira de Salvador, a violência nas grandes cidades e a "Nova Ordem Mundial" foram abordadas na letra. Na criação do arranjo, Caetano pensou na *Soul Music* dos anos 1970, influenciado por um disco de Curtis Mayfield presenteado por Arto Lindsay. Na hora de gravar, Arto e Caetano colocariam uma fita com a base desejada. Caberia a Toni Costa ouvir e reproduzir a levada na guitarra. O problema é que alguém esqueceu a tal fita. Para Toni, não havia tempo ruim. Enquanto a equipe se virava para buscar o cassete, ele pediu para que explicassem o som desejado. Com a dica improvisada, encontrou no choro de seu instrumento o elo perdido que Arto tanto procurava. O prêmio viria em breve. Aquela seria a principal faixa de trabalho do disco.

Finalizada a etapa brasileira do projeto, começaria a fase final, nos EUA. Em setembro de 1991, Caetano agendou espetáculos em Nova York, no Town Hall e no Ballroom. Àquela altura, sentia-se bem mais à vontade naquela região. Não seria a primeira nem a segunda, tampouco a última apresentação dele na "capital do mundo". E, novamente, colocava ali uns "parênteses" em meio a seu processo criativo. O motivo principal de ter aceitado a miniturnê foi a chance de repetir uma estratégia que havia dado certo alguns anos antes: fazer show e, ao mesmo tempo, aproveitar a excelente qualidade técnica dos estúdios americanos. Mataria dois coelhos com um tiro só. Depois das apresentações, Caetano daria continuidade à elaboração do novo disco.

Naturalmente ninguém precisava saber desses detalhes. A pausa não atrapalharia o produto final. Muito pelo contrário; serviria até para deixá-lo mais apurado. Casa cheia no Town Hall e mais uma leva de elogios no *New York Times*. No Ballroom, o sucesso se repetiu. Cumprida essa etapa, Caetano rumou para o East Hills Studios. Ali, novas surpresas – musicais, pessoais e até literárias – seriam registradas durante a última etapa da gravação do novo disco. Para a faixa "Ela Ela", por exemplo, Caetano compôs a letra em Nova York, a partir de solos de guitarra improvisados por Arto Lindsay. Em termos de experimentalismo, a obra não devia em nada ao laboratório musical do disco *Araçá Azul*, no qual ele abusara de textos falados, improvisos e sons de todos os tipos. Até mesmo Paula Lavigne, que inspirara a composição, achou uma esquisitice o resultado. Continuava preferindo as canções compostas para as outras musas.

Além de produzir e tocar, Arto Lindsay convidou um amigo seu, músico erudito mundialmente respeitado, para entrar no projeto. Assim, o japonês Ryuichi Sakamoto travou seu primeiro contato pessoal com Caetano Veloso. Com a música brasileira, no entanto, a relação vinha de mais longe. Sakamoto gostava de Bossa Nova e tinha paixão pela obra de Tom Jobim. Também já tinha ouvido falar no trabalho de Caetano. Ao receber o convite inesperado não se fez de estrela e aceitou de pronto. A expressão não é exagero. A estrela do japonês, de fato, brilhava alto. Sakamoto ganhara fama divulgando sua arte em premiadas produções do cinema mundial. *O Último Imperador*, por exemplo, de Bernardo Bertolucci, tinha conquistado o Oscar de "melhor trilha sonora" três anos antes. Adivinhe só quem fazia parte da equipe responsável?

No disco do baiano, Sakamoto esteve presente na faixa "Lindeza". Músico sensível na essência, seu estilo de compor se encaixava com maestria no romantismo delicado da canção. A partir de uma ideia original de Caetano, sob orientação de Arto Lindsay, Sakamoto elaborou o arranjo. E para reforçar seu toque pessoal na obra, também acompanhou o colega brasileiro ao piano. Não seria o último convidado. Outra que participou nos vocais de algumas faixas foi a jovem cantora Bebel Gilberto, filha de João Gilberto e Miúcha. Nascida em berço musical, a participação da moça traduzia na prática, para os americanos, um conhecido dito popular: "filho de peixe, peixinho é".

Nova York dava sorte a Caetano. Pisou na *Big Apple*, aparecia trabalho. Mesmo antes de viajar, Caetano já sabia das dificuldades para conciliar os horários. Com os shows agendados e um disco por terminar, a estada na cidade seria apertadíssima. O cantor não podia perder a concentração para não prejudicar os detalhes finais de *Circuladô*. Para aceitar qualquer compromisso extra, só por um motivo muito forte. E ele apareceu. Naquele período, Arto Lindsay também dirigia por lá um musical sobre Carmem Miranda. A cantora virava assunto novamente e os editores do *New York Times* queriam convidar um brasileiro para escrever um artigo sobre ela. Eles cogitaram alguns nomes, mas quando souberam que um artista do porte de Caetano Veloso estava do outro lado da esquina, não pensaram duas vezes.

O telegrama havia chegado ao Ballroom no período em que Caetano finalizava seu show. Não havia como fugir. Os homens o acharam e o convite foi lançado. A princípio seria difícil aceitar. O tempo escasso não ajudava. Além do mais, o cantor estava no meio de um processo de gravação. Por outro lado, também seria uma boa oportunidade para expor seus pontos de vista sobre o assunto, dissertar sobre a música brasileira, e divulgar suas experiências e sua história de vida para um número considerável de leitores americanos. Ainda sem saber direito como encontrar tempo para redigir o artigo, resolveu encarar o desafio.

Cumpri-lo até o final se revelou uma difícil tarefa. Aproveitava qualquer pausa para organizar as ideias e colocá-las no papel. E só assim, entre uma parada e outra, nos intervalos dos ensaios, e antes de dormir no hotel, conseguiu terminar o texto. Em sua dissertação, Caetano fez reflexões peculiares sobre o que representava Carmem Miranda para os brasileiros, para o mundo, e para sua história pessoal. Com seu jeito memorialista de escrever, lembrou os motivos que fizeram com que a cantora se encaixasse no movimento tropicalista lançado nos anos 1960, e ainda ressaltou a herança deixada por ela muitos anos depois de sua morte.

Escrito originalmente em português, o passo seguinte seria a tradução. Foi o de menos. O estudioso de cultura brasileira Robert Myers, amigo de Caetano, se encarregou dessa parte e o artigo finalmente foi publicado. Nem Caetano imaginava o tipo de reação que suas linhas provocariam. Anos depois, a resposta viria em forma de páginas, muitas páginas. Por causa desse artigo, Caetano escreveria um extenso livro de memórias. Naquele período, porém, não cogitava se lançar na grande aventura literária que o futuro ainda reservava para ele. Na cabeça de Caetano, as palavras tinham sua importância, mas perdiam de longe para a profusão de notas musicais, harmonias e arranjos, que integravam seu processo criativo naquele momento. Pelo menos até a chegada de outra correspondência, seriam estes os assuntos prioritários de sua mente agitada.

E não é que outro convite chegou às mãos dele? Dessa vez a mensagem vinha de mais longe. Maddalena Fellini, irmã de Federico e representante da *Fondazione Fellini*, sugeria que Caetano fizesse um show em homenagem a Giulietta Masina e ao próprio Fellini, em Rimini, cidade natal do cineasta. Ainda para justificar a escolha, Maddalena revelou que a atriz tivera a chance de ouvir a canção composta para ela em meados dos anos 1980. De fato, algum tempo depois de lançá-la em disco, Caetano esteve em Bari, na Itália, e lá recebeu uma ligação de Roma em nome da atriz. Na ocasião, ambos não tiveram sorte, pois Caetano dormia. Ele só soube horas depois, quando acordou. Depois disso, nunca mais recebera um telefonema de Giulietta Masina. Preferia acreditar que ela não gostara da música; tudo não passava de um sonho.

O roteiro dessa história, porém, foi outro. Ela gostou, sim, e ficou emocionada. Não dava para acreditar. Por todos os motivos do mundo as palavras de Maddalena tocaram o coração de Caetano. Fellini e Giulietta faziam parte de sua história particular, como dois amigos íntimos que povoavam seus sonhos desde a adolescência em Santo Amaro. Cantar em Rimini seria mais do que uma honra. Assim que acertassem tudo, o baiano viajaria todo orgulhoso. A data ainda não havia sido fechada. Não seria para logo, mas não tinha problema. O tempo, esse compositor de destinos, não diminuiria a paixão de Caetano pelo cinema italiano, por Giulietta, Fellini, e por todo o universo que os cercava. A Itália podia esperar por mais essa bonita homenagem.

✦

Em novembro de 1991, *Circuladô* chegava às lojas de todo o Brasil. A imprensa elogiou, sobretudo pela postura crítica do cantor diante dos problemas sociais do país. Na temática indigesta de "O Cu do Mundo", Caetano dava seu recado, mas talvez a música que melhor representasse suas ideias fosse "Fora da Ordem". O Brasil, na opinião dele, não se encaixava nessa tão badalada nova ordem mundial. Além de abrir o disco, a canção ganharia uma roupagem visual em forma de videoclipe. Com a recém-chegada MTV ao Brasil, o canal a cabo criado nos EUA para exibir música 24 horas por dia, os artistas ganhavam mais um poderoso meio de divulgação. Com direção geral de Andrucha Waddington e José Henrique Fonseca, e direção de arte de Daniela Thomas, o clipe de seis minutos estreou em dezembro.

O primeiro show, porém, aconteceria somente em março do ano seguinte. Até lá, Caetano aproveitaria suas tradicionais férias de verão. Mas só o início delas. Precisava deixar tudo preparado: definir os integrantes da banda, montar repertório, roteiro, ensaiar e fazer os ajustes finais. A pausa reduzida não foi a única mudança. O descanso, dessa vez, não seria como antigamente. Paula estava no fim da gravidez. Pelas contas, o bebê nasceria em fevereiro, durante o verão ainda. O casal havia decidido que a criança nasceria carioca, a exemplo da mãe. Com isso, aquela longa temporada na Bahia, religiosamente cumprida todos os anos, ficou adiada por motivos de força maior.

A rotina, porém, não mudou por inteira. O fato de ostentar um barrigão não impedia Paula de opinar no processo criativo do show. Para começar os ensaios, precisavam montar a banda. A turnê do novo disco rodaria o mundo, então a escolha precisava ser criteriosa. O baixista Dadi foi um desses poucos eleitos. Paula explicou a ideia básica do projeto: juntar gente amiga e, ao mesmo tempo, talentosa, para manter um clima agradável durante as viagens. Amigo de Caetano desde os tempos dos Novos Baianos, o músico se encaixava no perfil pretendido. Convite tentador, sem dúvida nenhuma. Precisava apenas resolver um probleminha: na mesma época, Dadi começou a tocar na nova formação do Barão Vermelho. Como poderia abandonar a banda em pleno voo?

Angustiado em seu dilema particular, Dadi postergou até onde pôde. Poucos dias antes de começar os ensaios com Caetano, a história chegou aos ouvidos de Roberto Frejat, que assumira o vocal desde a saída de Cazuza. Aí não teve jeito. Os dois tiveram que conversar sobre o assunto. Em consideração ao grupo, o baixista ainda esboçou permanecer. No entanto, Frejat percebeu que aquela decisão não espelhava o que pedia o coração do músico. E, diante daquele indisfarçável desejo de tocar com o baiano, Frejat soube compreender. Com tudo em pratos limpos, Dadi deixou o Barão, pronto para encarar o desafio de fazer parte da banda de Caetano pela primeira vez.

Outro convocado de peso foi Jaques Morelenbaum. No caso dele, a dificuldade se revelou ainda maior. Ele tocava com Tom Jobim, o que já garantia agenda cheia, e também acompanhava Egberto Gismonti em turnês mundo afora. Só havia um atenuante. A princípio, faria apenas uma participação. Ainda não poderia ser considerado integrante fixo da banda. Mas seria questão de tempo. Além da inegável qualidade musical, a química com Caetano fluía bem. Ainda que fosse necessário trabalhar com três grandes artistas ao mesmo tempo, o homem daria um jeito. Perder a chance, nem pensar. Por outro lado, Caetano também se sentia honrado com a presença de um músico do calibre de Morelenbaum. Às vezes batia até uma insegurança, que Paula Lavigne rapidamente fazia desaparecer. A participação de Morelenbaum estava garantida até a última ordem.

Calejado como *roadie* da Banda Nova, o próximo a assumir seu posto seria Wellington Soares. Quem mandou andar muito com Carlinhos Brown? Iria dividir a percussão com Marcos Amma, que já havia trabalhado com Caetano no LP *Muito*, no fim dos anos 1970, e também participara da gravação de *Circuladô*. Marcelo Costa seria mantido na bateria, mas outro remanescente da primeira formação não teria a mesma sorte. Toni Costa ainda ligou para saber se estaria no grupo. Queria fazer parte, mas Caetano estava decidido a mudar o som. Até pediu que Toni sugerisse um nome para substituí-lo na guitarra. Compreensivo, Toni citou o baiano Luiz Brasil. Não tinha sido apenas ele. Por coincidência, Dadi também havia sugerido a contratação do mesmo músico. E mais. Além de reforçar a indicação, conseguiu o telefone da sogra de Luiz, na Bahia, onde o guitarrista passava as férias de verão. Não importava onde estivesse, queria o destino que ele tocasse naquela banda.

Pouco depois, Luiz Brasil desembarcava no Rio de Janeiro. Trazia uma boa experiência na bagagem. Nos anos 1970, fora integrante do grupo baiano Mar Revolto, que misturava rock baiano com xaxado. Àquela altura, mantinha também participação semanal no *Domingão do Faustão*, exibido pela Rede Globo aos domingos. Além de ser bom guitarrista e conhecido no meio musical da Bahia, o músico mantinha amizade com Moreno Veloso, Armandinho, Marcelo Costa, Toni Costa, Dadi, entre outros. Parte integrante dessa grande família de amigos, Luiz Brasil podia ser considerado "de casa". Com uma oportunidade única a sua frente, seria uma questão de pegar ou largar. Pegou... e segurou firme.

No início de fevereiro de 1992, Caetano, Paula Lavigne e Virgínia Casé estavam diante da TV, grudados no sofá da sala, assistindo ao último capítulo da novela *Vamp*, de Antônio Calmon, exibida pela TV Globo. Luiz chegou nesse clima. Enquanto todos caíam na gargalhada diante das cenas finais da novela, quase não se falou em trabalho. O aparente descaso não condizia com a realidade. A escolha estava decidida. Pouco antes de Luiz ir embora, depois da novela, claro, Caetano explicou a ideia do projeto, comentou sobre a formação e, na hora de tocar no ponto principal, foi direto ao assunto: pediu a Luiz que passasse no escritório para acertar os detalhes com Ivone Salgado e seguir com o grupo. O próximo passo seria ensaiar até a exaustão para a estreia, em março, no Canecão.

No meio disso tudo, porém, uma pergunta não queria calar: quando nasceria o segundo filho de Caetano Veloso?

❧

Com a formação dos músicos completa, os ensaios começaram. O clima era o melhor possível. Ensaiar todos os dias agradava a todo mundo, mas também cansava. E dependendo de como estivesse a vida pessoal, o efeito do cansaço triplicava. Na cabeça de Caetano, um fator pesava como chumbo. A mulher dele entrava nos últimos dias de gravidez. As contrações começariam a qualquer momento e a preocupação o deixava dividido. Desde que ficara grávida, Paula queria ter o neném em parto normal. Ela tinha horror à cesariana. Achava um absurdo quem escolhia essa forma de ter filho. O problema é que nem sempre a escolha é da mãe.

O dia da estreia de *Circuladô* se aproximava e nada do bebê sair da barriga. Com o passar dos últimos dias de fevereiro, a tensão do casal aumentou ainda mais. Àquela altura, a criança passara do tempo de nascer e ninguém conseguia ficar tranquilo. Caetano sempre sofreu de insônia, mas de vez em quando tirava seus cochilos. Por conta do drama vivido, nos primeiros dias de março, simplesmente não pregou o olho. Passados quase dez meses de gestação, o bebê parecia não ter pressa de vir ao mundo. Por causa das complicações, Paula teve de esquecer a ideia de parto normal. Com os nervos à flor da pele, o mais importante era a criança nascer com saúde.

Na manhã de sábado, 7 de março de 1992, pouco antes do lançamento de *Circuladô*, a cesariana foi realizada na Casa de Saúde São José, no

Humaitá. Com quase um mês de atraso, Zeca Lavigne Veloso finalmente respirava os ares do Rio de Janeiro. Chegava para receber as boas-vindas de toda a família. A mãe e a criança passavam bem, diziam as primeiras notícias. Já o pai carecia de um bom descanso. Com o sono mais atrasado que o de costume, precisava se recuperar logo para dar início à temporada de shows. Pelo menos enquanto não passasse o dia da estreia, trocar fralda de criança nem pensar.

CAETANO tropicália GIL

Teatro Castro Alves
16 a 18 de dezembro de 1994 - às 21 horas

22

CIRCULANDO MUNDO AFORA

Quarta-feira, 11 de março de 1992, noite de estreia de *Circuladô*. Caetano mal teve tempo de guardar a fisionomia do filho. Quatro dias depois do nascimento de Zeca, vivia momentos de ansiedade nas coxias do Canecão, no Rio de Janeiro. Por mais que estivesse tudo dentro do previsto, estreia é sempre estreia. Para os novatos da banda o nervosismo batia ainda mais forte. Na plateia, também predominava o clima de expectativa. Qualquer coisa poderia acontecer em um show de Caetano Veloso. Com o histórico do cantor na memória, os fãs sempre esperavam o inesperado. E quanto mais surpresas, melhor. Nem demorou muito. Elas começaram assim que as cortinas se abriram.

Quem esperava encontrar um cenário bucólico, de flores circulando ou composto de imensos girassóis, na linha estética da capa do disco, se surpreendeu. Enquanto o maestro Jaques Morelenbaum, sozinho ao violoncelo, abria o espetáculo, ao fundo os holofotes iluminavam a cenografia montada mais uma vez pelo experiente Hélio Eichbauer. A enorme reprodução em tom mostarda de uma pintura rupestre, típica dos homens primitivos que um dia habitaram nosso planeta, fazia o pano de fundo para a entrada de Caetano e dos outros músicos. A ideia gerou um efeito diferente. A sombra dos artistas, refletida no cenário ao fundo, se confundia com os desenhos ancestrais de cenas de caça, lutas, homens das cavernas e animais selvagens.

No palco, a batalha deles era outra. Mesmo os mais experientes sentiam o peso da responsabilidade de tocar pela primeira vez na banda de Caetano. Com a emoção aflorando debaixo da barba espessa, Morelenbaum ficou tenso. Normal sentir o friozinho na barriga numa situação dessas. Mas foi só no início. Passado o primeiro impacto, tocou seu instrumento como extensão do próprio corpo. Em outra performance individual, a capacidade de improvisar é que revelaria o talento do músico. No ensaio geral, Caetano tinha feito um teste para verificar se o fio da guitarra de Luiz Brasil esticava até a beira do palco. Depois de uma série de frevos baianos, o músico ficaria dono daquele pedaço para fazer o que bem entendesse com o instrumento; um solo no melhor estilo Jimi Hendrix. No ensaio correu tudo bem; durante o show, nem tudo. Na hora do solo, uma das cordas se partiu e o deixou em apuros. E agora? Se B. B. King foi capaz, Luiz Brasil também seria: o músico emendou o solo com a corda quebrada e saiu ovacionado.

Outra surpresa aconteceu por influência de Paula Lavigne. Antes da estreia, ela havia comentado que achava bonita a música "Debaixo dos Caracóis dos Seus Cabelos", de Roberto e Erasmo Carlos. E ainda sugeriu que fosse incluída no roteiro. Caetano achou a ideia o máximo e contou o que ela não sabia. A canção fora feita para ele, logo após Roberto tê-lo visitado em Londres, na época do exílio. Por coincidência, seu retorno completava duas décadas naquele ano. A referência, portanto, viria mesmo a calhar. Paula chegou a pensar que fosse uma brincadeira. De fato, a história não tinha sido divulgada publicamente. No meio do espetáculo, Caetano abriu o jogo. Emocionado, falou do período da ditadura, de sua prisão, seu exílio, e, finalmente, revelou o segredo por trás da música. Assim que os primeiros acordes ecoaram no interior do Canecão, o público ouviu a voz suave de Caetano cantar: "*Um dia a areia branca seus pés irão tocar... e vai molhar seus cabelos na água azul do mar...*". Naquela noite, a composição ganhava outra dimensão. Muita gente se contagiou e passou a ouvi-la de maneira diferente. A surpreendente revelação tornou-se uma das marcas do show. A *mise-en-scène* de Caetano, que puxava as calças até a metade da perna, também. Assim como a parceria com Milton Nascimento em "A Terceira Margem do Rio", a leitura do poema "Americanos", e até a releitura de "O Leãozinho", dessa vez acompanhado por Dadi, o leãozinho em pessoa, solando seu baixo como quem agradece à homenagem.

A estreia se deu nesse clima autobiográfico. Referências pessoais, emoções, sucesso de público e crítica. Estava só no começo. A turnê de *Circuladô* seria uma das mais longas de toda a carreira de Caetano. E uma de suas preferidas também. A estrada que se abria à frente ainda reservava muitas surpresas e alegrias para todo o grupo. E falando em estrada, lá vamos nós...

※

No Rio de Janeiro, o show ficou em cartaz até o fim de março. Em abril, seguiu para o Palace, em São Paulo. O sucesso se repetiu com casa cheia durante o mês inteiro. Sem descanso, já no início de maio, Caetano atravessou a fronteira e se apresentou no Teatro Opera de Buenos Aires. Foram apenas duas apresentações que confirmaram a popularidade dele em terras platinas. A partir dali, no decorrer do mês, o espetáculo percorreria várias cidades do sul do Brasil. O disco fora lançado no fim do ano anterior. A temporada, portanto, estava apenas começando e mesmo assim os bons frutos começariam a ser colhidos.

Em maio de 1992, acompanhado de Paula Lavigne, Caetano foi ao teatro do Hotel Nacional, no Rio de Janeiro, para receber não um, mas três prêmios Sharp de Música. A 5ª edição do evento homenageava Luiz Gonzaga. Os organizadores criaram um clima de "arraiá", enfeitando o palco com bandeirinhas de festa junina. Para completar o tema, reservaram o show de abertura para uma orquestra de sanfoneiros, com Dominguinhos, Hermeto Paschoal e muitos outros. A admiração de Caetano por Luiz Gonzaga vinha dos tempos de menino, quando pedia à mãe para sintonizar no rádio o programa do "Rei do Baião". Fosse apenas pela homenagem já valeria comparecer à festa. Caetano, porém, não estava ali a passeio. Os jurados concederam a ele os prêmios de melhor cantor, melhor música, pela canção "Itapuã", e melhor projeto visual para o disco *Circuladô*. Perdeu o de melhor disco para o *Songbook Noel Rosa*, organizado por Almir Chediak. Mas não se chateou. Estava bom demais. E ficaria ainda melhor nos próximos meses. Motivos não faltariam para comemorar.

No primeiro semestre de 1992, o excesso de trabalho apagou um dado importante da memória de Caetano. Em 7 de agosto, completaria meio século de vida. Embora não desse muita importância ao fato, os fãs, a imprensa, parentes e amigos fariam questão de soltar fogos e anunciar para todo mundo. Quando chegasse a hora, as comemorações se multiplicariam, desde festa surpresa em família até especiais de rádio e televisão, além de grande repercussão em revistas e jornais do país inteiro. Definitivamente, a data não passaria em branco.

No decorrer de junho, a turnê de *Circuladô* se mantinha firme em sua jornada, dessa vez por cidades do sudeste e centro-oeste do país. No fim do mês, nova parada no Rio de Janeiro, mais precisamente no Imperator, uma casa de shows situada no bairro do Méier. Naquele palco, o espetáculo teve um gostinho diferente. A apresentação foi filmada para fazer parte de um especial de TV dirigido por Walter Salles e José Henrique Fonseca, a ser exibido em agosto, na TV Manchete, como parte das comemorações dos 50 anos. A equipe precisou correr contra o tempo, e também se encaixar na atribulada agenda de shows do aniversariante, já que a turnê-maratona não parava. No mês de julho seria a vez do norte e nordeste, mas nos primeiros dias haveria uma brecha na agenda. Os diretores do especial aproveitaram a chance para registrar imagens de Caetano em Santo Amaro, onde tudo havia começado, e em Salvador, outro cenário importante de sua história de vida. Tudo para fechar o programa até a data marcada, em agosto. Foi uma correria só.

Enquanto os cineastas cuidavam dessa parte, Caetano fazia a dele. O show ainda percorreria Recife, Fortaleza, Teresina, São Luís, Belém e Manaus. Nem tudo, porém, sairia do jeito esperado. No meio do ano, o frio às vezes dá o ar da graça. Com todo mundo cansado, a resistência diminui. Bastou um pegar uma gripe para que os outros fossem derrubados igual dominó. Ainda bem que havia na equipe um anjo da guarda para todas as horas. Mãe cuidadosa em casa, Virgínia Casé tinha vocação para cuidar de pessoas. Prevenida, sempre montava um *kit* de sobrevivência para levar nas turnês, com fogão portátil, colher de pau e panela. Se a turma enjoasse da comida do hotel, logo improvisava uma sopa, às vezes uma deliciosa macarronada. Nessas horas, o lado cozinheira sobressaía. A porção enfermeira, no entanto, não dormia no ponto. Em caso de emergência, encarnava Ana Nery para fazer plantão com sua *nécessaire* de primeiros socorros. Termômetro, Aspirina, Dipirona, Engov e Sal de Frutas não faltavam dentro da pequena bolsa. À medida que o estoque diminuía, era renovado nas drogarias de todo o Brasil. Ai se não fosse Virgínia quando a turma caiu de cama. Incansável, batia de porta em porta, com sua farmácia portátil, para medir a temperatura de um, levar leite queimado para outro, ou lambuzar todos com Vick VapoRub. Teve marmanjo que até fingiu doença só para ganhar o dengo da enfermeira.

Tratados como bebês, o resultado não poderia ser outro. O resfriado foi embora rapidinho e a turma conseguiu passar bem até o último compromisso, em Manaus, no início de agosto. Pausa na turnê. Hora de soprar as velinhas.

❦

Nos primeiros dias de agosto, especulações acerca de onde Caetano passaria seu aniversário inundaram as páginas dos jornais. Alguns apostavam no Rio de Janeiro; outros juravam que a festa seria em Salvador. Dentre as muitas versões, a mais incrível, e também a que mais ganhou força, foi a de que o baiano festejaria com a esposa e os filhos em Nova York, bem longe do burburinho. Errou feio quem apostou nessa ou naquela hipótese. Na última hora, Caetano driblou todo mundo e saiu de fininho. Em busca de aconchego, viajou para sua querida Santo Amaro. Sábia decisão.

Naquela sexta-feira, 7 de agosto de 1992, as rádios do país inteiro transmitiam especiais de Caetano Veloso. As emissoras da Bahia não paravam de tocar as músicas do filho ilustre. Jornais e revistas publicaram tabloides especiais. Desde o início da semana, canais de TV prestavam homenagens em horários e programas diversos. Entrevistas e depoimentos eram reprisados, enquanto shows de todas as épocas eram tirados do baú e colocados no ar.

Até o especial da TV Manchete, gravado entre Rio de Janeiro e Bahia, terminou a tempo de ir ao ar no decorrer da semana.

Na casa de dona Canô, parentes e amigos prepararam uma surpresa para tocar fundo o coração do aniversariante. Os mais distraídos embarcavam na lorota do irmão Roberto. Apesar de mais velho que Caetano, sem qualquer cerimônia recebia os convidados como caçula dos homens, assim, na maior cara de pau. No calor da festa, mesmo quem não caía no conto do vigário de Roberto, entrava na brincadeira. E uma turma boa estaria por lá para celebrar junto. Sem que Caetano soubesse, os colegas do Clássico Severino Vieira voltariam a se reunir como nos velhos tempos. O círculo com *"o ponto vermelho de inquietude no amarelo da conformação"*, antigo lema do grupo, estava mais vivo do que nunca.

Wilebaldo, Wanderlino, Marina, Mabel, Neyla, Altino, Marilene e Terezinha entraram acompanhados de esposas, maridos e filhos. A emoção tomou conta de todos. Nem a chegada dos cabelos brancos conseguiu apagar da lembrança os bons momentos da juventude. E para que as histórias vividas no Casarão Amarelo surgissem com mais nitidez, abriram o baú de recordações. Em meio a tantas relíquias, personagens como Candolina, Maria Emiliana, Celina Contreiras, ganharam cores vivas na memória de cada um. Trabalhos de fim de ano, provas, redações, bilhetes, e até o uniforme usado por Mabel no final do curso, todo rabiscado com dedicatórias e desenhos dos amigos, passaram de mão em mão. O sentimento de nostalgia contagiou a turma inteira. Caetano completava 50 anos de vida desse jeito: uma volta ao passado inesperada, entre parentes e amigos de longa data.

Assim reinou o clima em Santo Amaro, com senhores e senhoras reunidos, celebrando a vida como crianças, na mais doce tranquilidade. Mas a história de cada um não é escrita só de momentos bons. Longe daquela cidade, um grupo bem maior estava para se reunir. A motivação, no entanto, seria bem diferente. E mais. O final sombrio dessa outra reunião mancharia de vermelho a história da maior metrópole da América Latina.

❧

São Paulo, 2 de outubro de 1992. No início da tarde, uma briga entre dois presos gerou um tumulto que desencadeou uma rebelião no Pavilhão 9 da Casa de Detenção do Carandiru. Começou assim um dos episódios mais sangrentos da história do Brasil. Para acabar com o motim, cerca de 350 policiais, com armas em punho, cassetetes, escudos e cães, invadiram o presídio. A tropa conseguiu abafar o levante, mas o terrível saldo em números chocaria o país. A ação resultou em dezenas de mortos e feridos. Ao todo,

111 presos♪[74], brancos, negros, mulatos e cafuzos, jaziam estraçalhados pela ação da polícia. O sangue escorreu rápido pelos corredores do presídio; o julgamento dos culpados, porém, demoraria anos para acontecer. O episódio nunca mais seria esquecido. Uma passeata, uma canção, um filme, um disco; tudo seria motivo para cobrar justiça.

Poucos dias depois do massacre, Caetano estava em São Paulo para cumprir a segunda temporada de *Circuladô* no Palace. Com o sucesso do espetáculo, os convites não paravam de chegar. Paula Lavigne não só sabia disso como enxergava ali uma boa oportunidade. O repertório do show ia muito além do que fora registrado no disco de estúdio. Canções como "Jokerman", de Bob Dylan, "Black or White", de Michael Jackson, "Oceano", de Djavan, ou mesmo "Debaixo dos Caracóis dos Seus Cabelos", ganhavam novas versões no palco, bem ao estilo Caetano de interpretação. Aproveitar uma chance para registrar tudo isso seria uma boa pedida.

Paula Lavigne pensava assim. Com esse ímpeto, levou à PolyGram a proposta da gravação de um disco ao vivo. O difícil foi convencer a gravadora de que o projeto valeria a pena. A estratégia em breve se mostraria bem-sucedida, mas naquele momento não tinha engrenado ainda, pois havia muitas dúvidas. Argumentos não faltaram, mas eles não percebiam o potencial financeiro da ideia. O mar não estava para peixe e ninguém queria arriscar perder dinheiro. E quem disse que perderiam? O tino comercial de Paula não a permitia desistir facilmente. Visionária, resolveu bancar por conta própria. E só assim a gravadora decidiu participar também.

As gravações aconteceram durante a temporada no Palace. Com um leque enorme de canções para escolher, ficou difícil selecionar o repertório para compor o álbum. Melhor pecar pelo excesso. Fariam, então, um disco duplo, intitulado *Circuladô Vivo*. A capa reproduziria o cenário mostarda do show, com as figuras pré-históricas rudimentares. E quando fosse lançado completaria o pacote de fim de ano. Na mesma época, chegaria às lojas uma fita de vídeo com aquele show gravado no Imperator na comemoração dos 50 anos. O tempo mostraria a todos o sucesso da fórmula. Depois desse, os próximos trabalhos de Caetano seguiriam linha semelhante de lançamento.

No final de novembro, *Circuladô* chegava à Bahia. Com a agenda preenchida até nos feriados, a temporada mais parecia um teste de resistência. Precisava ter fôlego de atleta para aguentar tantas horas de ensaios, viagens, shows, entrevistas, sessão de fotos. Para suportar o tranco, o maestro Jaques Morelenbaum procurava manter-se em forma nas horas vagas. Sempre que podia, montava no selim de seu "camelo" e saía pelas ruas pedalando. Morador de Santa Tereza, no Rio de Janeiro, costumava aproveitar as folgas para

---

[74] ♪ "Haiti"

subir de bicicleta a Estrada das Paineiras. Com o final da temporada previsto para o Canecão, no Rio de Janeiro, Caetano e seus músicos retornaram à cidade. Para não perder o hábito, Morelenbaum foi dar suas pedaladas como bom filho de Deus.

Naquele sábado, 12 de dezembro, seria a penúltima apresentação de *Circuladô* daquele ano. Mas, um acontecimento inesperado ameaçou mudar tudo. No auge do passeio, a roda da frente da bicicleta entrou num buraco. O resultado foi uma capotagem com pouso forçado. A mão direita, acostumada à delicadeza no trato das canções, não foi suficiente para segurar todo o peso do corpo robusto. A dor terrível denunciou a gravidade da situação. No mesmo dia, o músico procurou a emergência de um hospital. O pior estava por vir. Depois de radiografar a mão do maestro, o médico identificou a fratura. Para se recuperar, precisaria engessar. Só havia um problema, aliás, dois: o espetáculo daquela noite e o de domingo. Como tocar seu instrumento com o braço imobilizado?

O prazer de trabalhar numa atmosfera agradável serviu de mola propulsora. Se fosse necessário, entraria em cena contundido, mas de "luva branca" nem pensar. No desespero, encurralou o médico: E se eu não engessar? Vou ficar com sequelas? Não, mas sentiria uma dor infernal até a fratura se consolidar por completo. Naquela situação havia dois caminhos: recuar ou enfrentar o desafio e partir para o sacrifício. O músico estava ferido, mas vivo. Encheu o peito de coragem e ficou com a segunda alternativa. Ninguém ficaria sabendo. À noite, subiu ao palco impregnado de analgésicos. Tocou como sempre, sofreu como nunca. Assim como o jogador alemão Beckenbauer, que atuou na semifinal da Copa de 1970 com o ombro deslocado, Morelenbaum resistiu heroicamente até o fim. E só quando o show terminou veio à tona o terrível drama que acabara de superar. Passado o efeito do analgésico, uma dor insuportável o fez desabar no assoalho. No dia seguinte, o sofrimento se repetiu e, com a mesma bravura, cumpriu a última etapa da missão.

Aliás, bravura em meio a sofrimento é uma característica do povo brasileiro. Ainda naquele mês, em 29 de dezembro, milhões assistiram ao final melancólico do governo Collor de Mello. Após ser denunciado pelo próprio irmão, Pedro Collor, como parte de um esquema de transações financeiras ilícitas, o presidente virou alvo de uma CPI. No decorrer do ano, o povo passou a exigir sua saída. Foi a época dos "caras pintadas", em alusão aos jovens que pintavam o rosto nas enormes passeatas ocorridas pelo Brasil. Aceitas as denúncias, a Câmara dos Deputados aprovou a abertura do processo de *impeachment*. Collor buscou uma saída honrosa até o último minuto. Momentos antes da votação, renunciou ao cargo para não perder seus direitos políticos. O vice, Itamar Franco, assumiria logo depois, enquanto seu antecessor saía pela porta dos fundos da história, aos gritos de "Fora, Collor!".

Mas o mundo político também gira. Anos depois, o ex-presidente retornaria à vida pública, eleito senador por Alagoas. Em 2016, votaria pela admissão do processo de *impeachment* que afastaria a presidente Dilma Rousseff do poder. Um dia da caça, outro do caçador.

O ano de 1992 ficaria marcado por passeatas, protestos, mudança de governo, violência. Um filme bem parecido esteve em cartaz nos anos 1960. Só que naquele tempo havia um tempero adicional: o Tropicalismo. Para os que gostam de efemérides, fazia 25 anos desde que tudo começara no Festival de Música Popular da TV Record de 1967. Em pouco tempo, alguns dos principais estetas do movimento deixariam essa lembrança bem mais fresca.

※

No início de 1993, a turnê de *Circuladô* daria uma pausa. Mas seria por causa justa. Em agosto do ano anterior, na festa dos 80 anos de Jorge Amado, no Pelourinho, onde brigas eclodiram no meio do público, um projeto importante começou a nascer. Diante daquele caldeirão social, Caetano e Gil decidiram fugir dos festejos mais tradicionais da efeméride tropicalista. Nada de honrarias, orquestras, show coletivo, e coisas do gênero. Em vez do lugar-comum, Caetano propôs a Gil que fizessem, apenas os dois, um disco comemorativo, composto em sua maioria de canções inéditas. Antes de tudo, um trabalho que reafirmasse a essência da Tropicália. Nem a violência explodindo diante deles ou a fila de soldados ♪[75] dando porrada na nuca do povo os desmotivava. Pelo contrário: se tornariam seu principal fio condutor.

A diversidade de ritmos, as referências pessoais, o toque experimental e a marca do protesto, estariam presentes nas novas composições. Canções como "Haiti", "Cinema Novo" e "Dada", parcerias da grife Gil & Caetano, nasceram nessa época. Caetano escreveu a letra e criou a linha melódica de "Haiti". Boa parte da força da obra estava na letra. Uma poesia densa, carregada de imagens fortes e críticas sociais. Mesmo assim, Caetano achou que faltava um toque final. Foi quando Gil entrou para criar a marca definitiva da obra. É dele o *riff* de abertura, repetido no decorrer da música, que mergulha o ouvinte na atmosfera sombria da canção. No geral, o processo criativo da dupla funcionou dessa forma: Gil predominava na música; Caetano, nas letras.

Em março, no maior sigilo, os trabalhos começaram. Gil e Caetano, porém, sentiram a necessidade de contar com um produtor técnico experiente, que também tivesse afinidade com a proposta. Os dois, então, convidaram Liminha, ex-Mutante e antigo militante da causa tropicalista, que havia produzido alguns discos de Gil. Em comunhão com os baianos desde molecote,

---

[75] ♪ "Haiti"

ficou fácil entrar em sintonia. À medida que as músicas eram passadas, as ideais surgiam, e os convidados especiais também. Liminha, por exemplo, sugeriu chamar Carlinhos Brown e a Timbalada para tocar na faixa "Cada Macaco no Seu Galho", de Riachão. Esses três mosqueteiros modernos trabalhavam em total democracia. As sugestões nasciam, eles conversavam, algumas eram aproveitadas; outras, não.

Na base do "um por todos e todos por um", o trabalho fluiu sem estresse, na maior tranquilidade. O clima informal ajudou, e *Tropicália 2*, o disco, ficou pronto sem mais delongas. Com lançamento previsto para agosto, na sequência emendariam os shows de divulgação. Não seria nada fácil conciliar o trabalho em dupla com a carreira individual. Mas também não seria impossível. Em nome do movimento, todo o esforço valeria a pena.

❦

Os dois nem sequer subiram ao palco e o tititi começou. Em maio de 1993, o visual irreverente da dupla causou furor na cerimônia de entrega do 6º Prêmio Sharp de Música, no Teatro Municipal do Rio de Janeiro. Para dar um toque diferente ao rigor da festa, eles enrolaram um tecido sobre as calças do *smoking* como se fosse um sarongue. Em breve, a ousadia teria um preço. Naquele momento, os dois só queriam curtir a festa e levar para casa o que lhes fosse de direito. Caetano saiu do teatro com o prêmio de melhor cantor de MPB, pelo 2º ano consecutivo, e melhor disco de MPB para *Circuladô Vivo*, que também ganhou como melhor projeto visual. Àquela altura, ninguém mais tinha dúvidas de que o investimento tinha valido a pena. Paula Lavigne estava feliz da vida. A PolyGram mais ainda.

Uma semana depois, a turnê de *Circuladô* foi retomada. Dessa vez para um show ao ar livre, em Realengo, zona oeste do Rio de Janeiro. A chance mexeu com os sentimentos de Caetano. O lugar lhe trazia lembranças dos tempos da ditadura. No fim dos anos 1960, ele ficara preso num quartel da Vila Militar, em Deodoro, bem perto dali. Voltar àquela região anos depois e cantar para 100 mil pessoas lhe rendeu uma forte emoção. Nos bastidores, outras sensações vieram à tona. O passado insistia em bater à sua porta. Um fã misterioso conseguiu permissão para entrar no *trailer* camarim, improvisado atrás do palco. Minutos depois, o mistério terminava. O Comandante do 3º Regimento de Carros de Combate saía de lá satisfeito. Não, dessa vez não o levaria preso. Levar escova de dente nem pensar. Aquele tormento tinha ficado para trás. Com o violão do filho autografado por Caetano, o militar deixava o local agradecido. E pensar que até ameaça de metralhadora o cantor sofrera durante a ditadura. Os tempos mudaram. A música venceu.

No final de junho, começou a etapa europeia da turnê: Portugal, Inglaterra, Bélgica, França, Suíça, Alemanha, Áustria e Itália entraram na lista. Uma festa para estrangeiros fãs de samba e futebol. A fama corria o mundo. Isso às vezes ajudava, às vezes não. No Olympia de Paris, as cadeiras foram retiradas para que o público fizesse um autêntico Carnaval. Essa ideia não tinha funcionado em outras ocasiões. Lembra do show com a Banda Black Rio, no Teatro Carlos Gomes, no fim dos anos 1970, e da noite brasileira em Montreux, no início dos anos 1980? Pois é, na França a sina se repetiu. Uma gafe histórica, diga-se de passagem. Nem com os Beatles as cadeiras saíram do lugar. E foi acontecer logo na vez dos brasileiros. Primeiro, com Chico Buarque, depois, com Caetano e Gil. Os três se apresentavam no Olympia na mesma época, mas nenhum deles levava a bateria da Mangueira a tiracolo.

Em julho, na Suíça, Caetano e Gil subiram pela "enésima" vez ao palco de Montreux. Outra gafe aconteceu. Crentes que abafavam, os organizadores saudaram os 50 anos de Gilberto Gil com faixas e cartazes. Na verdade, o cantor completava 51. Até aí tudo bem; apenas uma pequena distração. Os deslizes, porém, continuaram. No show de Caetano, a síndrome do Carnaval prevaleceu e a pista ficou livre. Nessas horas, o velho estigma do país atrapalha os artistas mais ecléticos. Não deu outra. A polêmica remoção de cadeiras mais uma vez não funcionou. Embora alguns frevos fizessem parte do roteiro, a essência do espetáculo seguia uma toada diferente. O público não entendeu e o falatório predominou na plateia. Caetano fez ali uma das piores apresentações da temporada. A viagem, porém, não foi perdida. Cantar com Gilberto Gil aqueceu as turbinas da dupla para os shows de *Tropicália 2*.

Como parte do projeto Kaiser Music, *Tropicália 2* estreou em setembro, na Praça da Apoteose, Rio de Janeiro. Gil e Caetano, acompanhados de uma banda mista, mostraram suas novas composições ao público carioca. Não se tratava de uma reedição do movimento, mas de uma forma de instigar novas discussões, sobretudo em relação às questões sociais e políticas do país. O momento conturbado propiciava esse debate. Assim mesmo, não dava para fugir do saudosismo natural. Clássicos tropicalistas, como "Baby" e "Aquele Abraço", tiveram lugar reservado na celebração. Em outubro, o show passou por São Paulo, no Polo de Arte e Cultura do Anhembi, e depois aportou no Parque de Exposições de Salvador, no início de 1994. Três décadas de amizade celebradas numa "quase" total tranquilidade.

O "quase" ficava por conta de um artigo escrito por James Brooke, correspondente do *New York Times* no Brasil. A reportagem relatava aspectos do comportamento brasileiro diante do homossexualismo, citando Gil e Caetano como exemplos de artistas que alardeavam abertamente sua bissexualidade e usavam vestidos em público. A notícia revoltou Caetano. Depois de ler e reler o artigo, o cantor concluiu que o jornalista fora leviano ao publicar uma afirmação falsa sobre seu comportamento. O fato de ter improvisado um sarongue no Prêmio Sharp, que muitos jornalistas classificaram como saia, não dava liberdade ao americano para falar daquele jeito. A resposta não demorou. Toda sua indignação foi despejada durante uma entrevista no programa *Jô Soares Onze e Meia*, na época exibido no SBT. O desabafo ainda continuou por muitos dias nas páginas da mídia impressa. Você já acompanhou outras brigas de Caetano. Não seria a primeira, muito menos a última.

Em novembro, *Tropicália 2* saía temporariamente de cena e *Circuladô* retornava. E dessa vez para seu último giro. Apesar dos protestos, internos e externos, e por mais que adiassem seu fim, um dia teria de acabar. Depois de conquistar os Teatros Opera, na Argentina, e Solis, no Uruguai, o espetáculo circulou por cidades do interior de São Paulo. A última despedida aconteceu em 20 de novembro de 1993, no Ginásio Poliesportivo de Franca, totalizando 134 concertos no Brasil e no exterior, em quase dois anos de estrada. A partir dali a ordem seria descansar e curtir uma fase de reverências e nostalgia.

Em dezembro, Caetano recebeu homenagens da Orquestra Sinfônica e do Madrigal da UFBA. Só o ensaio no salão nobre da Reitoria já teria valido a pena. Lembranças do tempo em que ele frequentava aquele ambiente afloravam a todo momento. Nos anos 1960, o jovem Caetano, com o peito repleto de sonhos, assistia deslumbrado às apresentações do pianista David Tudor baseadas nas obras de John Cage. Os sonhos não envelhecem, e, para alguns, se tornam realidade. Naquele fim de ano, três décadas depois, o experiente Caetano Veloso se deleitava com arranjos eruditos de suas próprias músicas.

Ouvir suas canções com roupagem clássica lhe trouxe uma emoção diferente. Mas ele que preparasse o coração para o que estava por vir. A próxima homenagem seria de arrepiar.

A diretoria da Escola de Samba Estação Primeira de Mangueira teve dúvidas na hora de definir o enredo do Carnaval de 1994. Os temas sugeridos não convenciam, eram sisudos demais e não se encaixavam no perfil popular da "verde e rosa". No clima de indecisão, o diretor médico da Mangueira, doutor André Luiz Freire, soprou uma dica no ouvido do vice-presidente da escola, Ivo Meirelles. O médico, inspirado nas comemorações dos 25 anos da Tropicália, sugeriu que a escola levasse para a avenida a história dos quatro artistas baianos: Gilberto Gil, Caetano Veloso, Maria Bethânia e Gal Costa.

Apaixonado por música brasileira, Ivo pirou com a ideia. Só que ele sozinho não apitava nada. Muita gente precisava ser convencida ainda.

No dia seguinte, o assunto foi levado ao presidente da escola, Roberto Firmino, e ao restante da diretoria. Com o sucesso do Carnaval baiano, a rivalidade com a festa carioca crescia a cada ano. Muitos imaginaram que isso pudesse influenciar de forma negativa na preferência do público, na imprensa e até nas notas dos jurados. Os mais otimistas pensavam o contrário. Viam na homenagem a integração dos eventos e a chance de aproveitar, num único desfile, o que havia de melhor nos dois. O carnavalesco Ilvamar Magalhães também tinha receios, sobretudo porque não havia dinheiro suficiente para dar o destaque que os quatro mereciam. Apesar das adversidades, Ivo tinha um plano bem bolado e insistiu. Os recursos viriam se eles aceitassem. Poderiam fazer um show histórico na quadra da Mangueira. Os ingressos venderiam igual chope no verão, enquanto as cotas de patrocínio e os direitos de filmagem completariam o caixa. Alguém ainda tem dúvida? Depois de tudo pesado na balança, a diretoria resolveu apostar. Com as bênçãos da velha guarda, nascia o enredo "Atrás da Verde e Rosa Só Não Vai Quem Já Morreu", referência direta a um dos grandes sucessos carnavalescos de Caetano.

Ivo fez a ponte entre a escola e os baianos. Já conhecia Gal Costa e seu irmão, Guto Burgos. Por meio deles, a epopeia chegou aos demais. A recepção foi a melhor possível. Estavam todos vivos, em plena atividade, e seriam tema de enredo de uma grande escola de samba carioca. Um privilégio para poucos. Ainda mais na Mangueira, uma das escolas mais tradicionais e queridas do Rio de Janeiro, "a maior escola de samba do planeta", como seria chamada muitas vezes. A promessa de que fariam o possível para colaborar estimulou ainda mais a diretoria. Como na turnê *Doces Bárbaros*, conciliar a agenda dos artistas se revelaria um desafio. Ivo apanhou muito até conseguir marcar o show que reuniria os quatro para a noite de 15 de janeiro de 1994, em cenário ilustre: o Palácio do Samba, quadra de ensaios da Mangueira.

Àquela altura, o samba-enredo da parceria David Correia, Paulinho Carvalho, Carlos Sena e Bira do Ponto, escolhido na acirrada disputa dos meses anteriores, ecoava na voz potente de Jamelão durante as noites de ensaio: "*Me leva que eu vou, sonho meu... Atrás da verde e rosa só não vai quem já morreu!*" A faixa seria uma das mais tocadas daquele Carnaval e se tornaria um clássico. Com o refrão na ponta da língua, componentes, admiradores e torcedores da escola se entregaram de corpo e alma à festa. Todos queriam reservar sua fantasia. A grande procura faria com que a escola desfilasse botando gente pelo ladrão. No mês seguinte, a Mangueira levaria para a avenida os vivos que sairiam de suas casas; os doentes, de suas camas; e até os mortos, de suas tumbas.

A vontade do povo também se refletiu na noite do show. Três mil ingressos foram vendidos, mas, na quadra, pelo menos cinco mil pessoas se divertiam. Lotação mais do que esgotada. Sem acordo com a Rede Globo, a TV Bandeirantes entrou em cena para filmar o espetáculo. Uma grande confraternização social, com artistas, moradores da favela, colunáveis, autoridades, todos espremidos lado a lado, em mesas, camarotes e por toda a quadra. O momento mais esperado chegou e nem sinal do mestre de cerimônia. Organização era só um detalhe. No tumulto, um integrante da diretoria, Beto Careca, pegou o microfone, fez uma rápida introdução e o show começou. Cada um dos baianos cantou três músicas de repertório próprio e outra em honra à escola. Caetano preparou uma surpresa. Apresentou uma composição inédita. Ainda com a letra mal decorada, os versos de "Onde o Rio é Mais Baiano" foram entoados em pleno Palácio do Samba, berço esplêndido de sua inspiração. Com a obra, Caetano engordava a lista de compositores que já tinham declarado amor à verde e rosa. No fim, os quatro se juntaram a Jamelão para cantar o samba-enredo da escola, acompanhados pelo som arrepiante da bateria. Sairiam de lá ovacionados e mergulhados até o pescoço num clima de "já ganhou".

Um mês depois, encontro marcado na Marquês de Sapucaí. Domingo de Carnaval, 13 de fevereiro de 1994. Quinta escola a desfilar, a Mangueira entraria perto da meia-noite, mas a carruagem virou abóbora antes mesmo da primeira mulata colocar o umbigo de fora. Ninguém conseguia explicar porque o carro alegórico de Gilberto Gil estava com os pneus arreados. Uma das versões culpava 11 pregos misteriosos. Daquele jeito, a alegoria não podia mais entrar. Na correria, o jeito foi levá-lo para o último carro, onde desfilaria ao lado de outros destaques. Com Gil não tinha esse negócio de estresse, queria cair no samba e se esbaldar na avenida, não importava de que jeito. Passados os primeiros sufocos, o desfile começava impactante.

A comissão de frente, representando Oxalá, orixá ligado ao poder da criação, abria o espetáculo com prata reluzente. Elementos baianos e cariocas, como surdos, coqueiros, pandeiros, berimbaus e mulatas, compunham o carro abre-alas: "Explode, Mangueira!" Em seguida, a religiosidade baiana de cada um dos homenageados se fez presente pelas figuras de ogãs e ekedis. A partir desse ponto, as cores tradicionais da escola, que até então pouco se via, começaram a ganhar algum destaque. Os integrantes da bateria, com a rainha Rose Nascimento à frente, evoluíam em traje de gala, misturando rosa, dourado e branco, e levantando o público da Passarela do Samba ainda sem muita empolgação. Enquanto o surdo de primeira fazia sua parte, o casal de Mestre-Sala e Porta-Bandeira dançava com galhardia, empunhando com garra o estandarte da Estação Primeira. Dali em diante a Tropicália pediu passagem.

Hippies de verde, rosa e branco prenunciavam os quatro cavaleiros do após-calipso. O carro com o movimento trazia como destaques o transformista Eric Barreto, de Carmen Miranda, e José Luiz, representando o Planalto Central do Brasil. Uma legião de carcarás anunciava a entrada de uma balouçante Maria Bethânia, trazendo o mel de abelha-rainha a coroar a hora da estrela. Logo em seguida, alegorias que exaltavam as músicas "Menino do Rio", "Menino Deus" e "Lua de São Jorge" inseriam Caetano Veloso no enredo. Do alto do carro denominado "Simplesmente Caetano", o próprio bailava sorridente em seu terno verde e rosa. O conjunto de sua imagem esguia e colorida remetia a um Coringa tropical. No carro seguinte, Gal Costa surgia bronzeada, de bustiê colorido e barriga de fora. Acenava para os dois lados, enlouquecendo seus fãs. O desfile encerrou com a presença de Gilberto Gil. Mesmo ocupando espaço improvisado, Gil não parou quieto o tempo inteiro. A ele coube a honra de arrastar a massa de componentes que seguia o último carro da escola. Atrás da verde e rosa só não vai quem já morreu. Será? Naquela noite mágica, há quem jure ter visto Cartola, Nelson Cavaquinho e tantos outros saudosos mangueirenses evoluírem na avenida. Os mais antigos só se lembravam de carga emotiva igual no enredo em homenagem a Braguinha, dez anos antes. Minutos depois, os componentes deixavam a avenida embriagados de alegria e de alma lavada.

A ressaca, porém, chegaria com a abertura dos envelopes durante a apuração. Nem toda a parcialidade de sambista roxo daria para apagar os escorregões do desfile. O Carnaval leve, solto e relaxado desandou. O contingente de quase 5.000 componentes conseguiu se sair bem e evoluiu com harmonia. O samba garantiu a nota 10 do quesito, mas na avenida foi diferente. Mesmo com a força de Jamelão, a empolgação esfriou ao longo do trajeto. As alegorias e adereços foram consideradas pobres e enxutas. O que se viu foi um resultado muito aquém do gabarito dos artistas homenageados e da própria Mangueira. Meses antes, pouca gente apostaria em tamanho fracasso. No fim das contas, o 11º lugar ficou amargo. A escola nem voltaria para o desfile das campeãs no fim de semana seguinte. O título daquele ano ficou com a Imperatriz Leopoldinense, da carnavalesca Rosa Magalhães.

A magia do tempo, contudo, também faz girar o mundo da fantasia. A história dos baianos com a Mangueira não terminava ali. No Carnaval de 2016, mais de duas décadas depois da homenagem aos Doces Bárbaros, Maria Bethânia e a força de seus orixás teriam sua redenção. Com o enredo "A Menina dos Olhos de Oyá", do jovem carnavalesco Leandro Vieira, a escola arremataria o título, encerrando um jejum de treze anos. Embalada pelo samba de Alemão do Cavaco, Almyr, Cadu, Lacyr D Mangueira, Paulinho Bandolim e Renan Brandão, Maria Bethânia avisava *"Não mexe comigo que eu sou a menina de Oyá!"*

Ainda no início de 1994, duas figuras femininas influentes na vida de Caetano voltariam a ser lembradas. Em fevereiro, a Bahia comemorou o centenário de nascimento de Mãe Menininha do Gantois. Exposições, seminários, festas, shows, e até lançamento de um selo comemorativo, marcaram o acontecimento. A festa maior foi realizada no próprio terreiro, na colina do Gantois. Lá, Caetano prestou suas homenagens, assim como Gil, Bethânia, Gal Costa, Regina Casé, Margareth Menezes, Gerônimo, Daniela Mercury e muitos outros amigos, filhos de santo, adeptos e simpatizantes da religião. Na força de seu canto, a delicada "Oração ao Tempo" levou sua homenagem em forma de música à saudosa ialorixá.

Em 23 de março, o sentimento de perda predominou. Morria de câncer no pulmão, em Roma, a atriz italiana Giulietta Masina. Foi como se Caetano tivesse perdido uma companheira de longa data. A mesma sensação que lhe arrebatara meses antes, na morte de Fellini, que, por sinal, apressara a viagem da esposa Giulietta para o outro lado da vida. Embora Caetano viajasse para a Europa com frequência, o destino não lhe permitira conhecer o casal. Impactado pela morte da atriz, Caetano escreveu um artigo intitulado "A Voz da Lua". Nele, registrou suas opiniões sobre a importância dela para o cinema italiano, para a obra de Fellini e para sua própria formação pessoal e artística. Aliás, Caetano sempre teve o costume de valorizar suas reminiscências e origens. Nos textos, nas músicas, nos discos. O próximo trabalho dele traria essa marca na essência.

A direção da PolyGram cansou de pedir a Caetano para gravar um disco com versões em espanhol de suas músicas. Ele, por sua vez, cansou de negar. Não gostava de versões e por isso não queria fazer. A gravadora não aceitava e insistiu sob o pretexto de que seria uma grande oportunidade para inseri-lo com mais força no mercado de língua hispânica. Bem promissor, por sinal. Novamente, Caetano recusou, mas dessa vez não foi tão lacônico. Devolveu uma contraproposta. Por que não gravar um disco composto só de canções latino-americanas de sua preferência? Estava lançado o desafio. A PolyGram aceitou a ideia e um dos discos mais bem-sucedidos da carreira de Caetano Veloso começaria a ser produzido.

O antigo sonho de gravar a trilha sonora de sua juventude em Santo Amaro começaria a se concretizar. As gravações teriam início em maio e se estenderiam até junho. Contudo, até chegar lá, um minucioso trabalho de pesquisa, em termos de repertório, letras de músicas, arranjos e dados históricos das canções seria realizado. Na primeira etapa da empreitada, Caetano não precisou ir muito longe. Pelo menos fisicamente. Encontrou a si próprio, mergulhando nas profundezas de suas lembranças. Muitas das músicas estavam lá, adormecidas por décadas. Desde então, uma a uma, as canções ressuscitaram de seu imaginário para ganhar vida nova. Clássicos como "Rumba Azul", de Armando Oréfiche, "Maria Bonita", de Agustín Lara, e "Contigo en La Distancia", de César Portillo de La Luz, e muitos outros, foram resgatados do pensamento e receberam uma interpretação particular de Caetano.

O projeto começava bem, mas, sobretudo nas letras, não dava para confiar apenas na memória afetiva. Precisava ir mais longe ainda. Nesse momento, entrou em cena uma pessoa chave. Aficionada por música hispano-americana, a atriz carioca Márcia Rodrigues, que interpretara a "Garota de Ipanema" do filme de Leon Hirszman, possuía um acervo generoso de gravações, discos e publicações, abrangendo o continente americano de cabo a rabo. Na coleção de relíquias musicais da atriz, Caetano se apoiou para completar sua pesquisa. As surpresas foram muitas nessa etapa. A dona do tesouro participou ativamente. Esclareceu dúvidas, fez sugestões e apresentou a Caetano canções que ele ainda não conhecia. Márcia sugeriu, por exemplo, incluir "Tonada de Luna Llena", do venezuelano Simón Díaz, na lista de possíveis gravações. A canção daria o que falar.

Embora Caetano já tivesse gravado boleros, rumbas e outros ritmos latinos, dessa vez o projeto tinha outro peso. Por isso, a fim de garantir o toque de requinte necessário, Jaques Morelenbaum chegava para coproduzir o disco, tocar, e ainda criar os arranjos. Rumbas, boleros, tangos e guarânias de todas as épocas desfilavam no repertório. As faixas iam desde a mexicana "La Golondrina", composta em 1862 por Narciso Serradell e Niceto de Zamacois, até "Un Vestido y Un Amor", lançada nos anos 1990 pelo argentino Fito Paez. O desafio de criar os arranjos estimulou o maestro e ele se dedicou de corpo e alma. A alma ficava por conta de seu violoncelo, instrumento perfeito para criar a atmosfera nostálgica e romântica capaz de arrebatar corações mundo afora. O resultado completo, porém, só seria conhecido no final de junho, quando o disco fosse lançado oficialmente. A canção "Fina Estampa", de Chabuca Granda, daria título ao trabalho. No encarte das letras, amigos de infância e parentes, ligados de alguma forma a cada música, seriam lembrados. Ao eterno amigo Chico Motta, dedicaria "Capullito de Alelí", Dasinho receberia "Mi Cocodrilo Verde", o irmão Rodrigo, "Rumba Azul", e Dona Canô, "La Golondrina".

Até chegar ao produto final, porém, horas e horas de pesquisa, ensaios, e a dedicação intensa de muitos colaboradores, pesaram na balança. Caetano também tinha feito a parte dele, criando versões bem particulares de cada música escolhida. A partir dali, os próximos passos ficariam por conta da gravadora e do escritório. O cantor não pensava em turnê, todavia, o tempo e uma enxurrada de convites o fariam mudar de ideia.

Com o disco prontinho para ser lançado, Caetano estaria dividido novamente. Em meados de 1994, a parceria com Gil em *Tropicália 2* ainda perdurava, mesmo que de forma mais enxuta. O show da dupla, outrora com banda, se transformou no acústico *Tropicália Duo*, apenas com os dois cantores em cena. Nesse formato, ganharam a Europa e os EUA nos meses de junho e julho. A turnê seguiu sem maiores complicações, mesmo no meio de um clima festivo de Copa do Mundo de futebol, em plena América do Norte. Os gringos assistiram primeiro à performance da dupla. Faltava mostrar a cara nova do show no Brasil. E olha que de cara nova o país começava a entender.

Em 1º de julho de 1994 nascia o "real", a nova moeda brasileira. O governo Itamar Franco chegava a seus últimos momentos. A equipe econômica liderada pelo então Ministro da Fazenda, Fernando Henrique Cardoso, tentava sua última cartada. Nos meses seguintes, o Brasil assumiria o controle da inflação e conquistaria a tão sonhada estabilidade econômica. O plano foi tão bem-sucedido que se transformou no principal lastro da campanha de Fernando Henrique, que deixou o cargo de ministro para se candidatar a presidente do país naquele mesmo ano. Venceria de barbada, em outubro, ainda no primeiro turno. Lula, incansável, novamente teria de esperar sua vez.

Em 17 de julho, outra grande conquista. A seleção brasileira de futebol quebrava um jejum de 24 anos ao ganhar a Copa do Mundo dos EUA, numa disputa de pênaltis contra a Itália. Roberto Baggio mandou um foguete por cima do travessão de Taffarel, e depois foi só comemoração. *"Acabou! É tetra! É tetra! É tetra!"*, gritava o narrador Galvão Bueno, abraçado a Pelé, na transmissão da final pela TV Globo. Uma vez mais o Brasil mostrava ser o país do futebol. E, naquela conjuntura dos anos 1990, também o país da estabilidade econômica, da inflação baixa, e, claro, do Carnaval, da música popular...

No início de setembro, Caetano embarcava para o México a fim de se apresentar por lá pela primeira vez. Embora canções do novo disco estivessem no roteiro, o compromisso no Auditório Nacional, na Cidade do México, fora agendado muito antes de Fina Estampa começar a ganhar forma. Cantar nas terras de Frida Kahlo seria uma experiência nova e gratificante para o baiano. Na cabeça dele, porém, não iria passar disso. Ledo engano. O que parecia apenas mais um espetáculo se tornaria o marco inicial de uma longa temporada de shows no Brasil e no mundo.

Caetano não cogitava fazer uma turnê específica de *Fina Estampa*, todavia, o espetáculo apresentado no México poderia ser considerado um protótipo. Ainda estava longe de ser uma superprodução à altura do disco. Não havia orquestra, cenário, figurinos, roteiro. Os boleros, sim, estavam lá no meio do repertório misto, assim como alguns músicos que participaram das gravações no estúdio. Caetano saiu do Brasil acompanhado de seu filho Moreno e seus fiéis escudeiros musicais Luiz Brasil, Jaques Morelenbaum e

Marcelo Costa. Apoiado por esse grupo reduzido, o baiano subiu ao palco na Cidade do México. Ali eles se apresentaram para um público acima do esperado. A recepção foi a melhor possível e deu pistas do que viria à frente.

Após voltar ao Brasil, poucos dias depois, Caetano se juntava ao parceiro Gil novamente. No final de setembro, *Tropicália Duo* iniciou uma curta temporada no Metropolitan, no Rio de Janeiro. O acústico estava amadurecido. Os artistas, então, nem se fala. Os 30 anos de amizade e um sem número de momentos vividos lado a lado contavam muito a favor. No palco, os dois pareciam Bebeto e Romário, tamanho o entrosamento na hora de conduzir o espetáculo. A torcida, ou melhor, o público seria o grande beneficiado. Duplamente. Quem foi até lá, assistiu ao vivo; quem não foi, teria a chance de curtir pela TV, a voz, o charme, as contas e as sandalinhas da dupla. As câmeras registraram cada detalhe. Em breve o show seria exibido em forma de especial.

Cantar com casa cheia, para um público só seu, sempre foi a grande realização de um intérprete. Caetano não podia reclamar. Os anos de estrada lhe deram esse privilégio diversas vezes. O inverso também acontecia com frequência. Assistir a alguém cantando podia lhe trazer a mesma emoção de se apresentar para uma plateia lotada.

No início dos anos 1960, um grupo de atores e diretores da Bahia suou a camisa para construir o que Gilberto Gil chamaria de "pia batismal de todo artista baiano": o Teatro Vila Velha. A partir de 1964, ano de sua inauguração, o Vila Velha alternou períodos de altos e baixos. As várias crises financeiras quase derrubaram o velho teatro. Não fosse a ajuda de meia dúzia de mecenas e a determinação de alguns de seus fundadores, como Carmem Bittencourt, Tereza Sá, e Carlos Petrovich, haveria pouco a se comemorar nos 30 anos de vida da instituição.

Em outubro de 1994, o Vila Velha seria reaberto após passar anos no ostracismo. Assim como na época da primeira inauguração, eventos foram programados para captar recursos, a fim de reconstruir o teatro, revitalizá-lo e marcar o começo de uma nova fase cultural da instituição. Na programação, estavam previstos shows de Caetano Veloso, Gilberto Gil, Maria Bethânia, Tom Zé – todos sem cobrança de cachê – e também a estreia da peça *Bai Bai, Pelô*, de Marcio Meirelles e o Bando de Teatro Olodum. Na Salvador de então, se existia um lugar onde música e artes cênicas se completavam, esse lugar se chamava Teatro Vila Velha.

Quatro anos antes, o presidente do Grupo Cultural Olodum, João Jorge, lançara a ideia de expandir as atividades da instituição. O teatro mostrava-se um bom caminho e João Jorge propôs ao diretor Marcio Meirelles montar uma companhia que levasse o nome do bloco. O Bando de Teatro Olodum nasceu em seguida e não demorou para que os primeiros espetáculos brotassem de suas oficinas de criação. Entre as atrações estava a "Trilogia do Pelô", composta pelas peças *Essa é Nossa Praia*, *Ó Paí, Ó* e, finalmente, *Bai Bai, Pelô*, que estrearia na reabertura do Vila Velha, com a responsabilidade acumulada pelo sucesso das duas primeiras.

Caetano conhecia bem o pessoal do Bando. Tinha se tornado fã desde que tivera a oportunidade de assistir a *Ó Paí, Ó*, meses antes. Ver aqueles atores talentosos em cena reafirmava seu gosto pelo teatro, instigado com mais força pela última vez nos anos 1970, com a trupe do Asdrúbal Trouxe o Trombone. Cantar no Vila, na estreia de uma peça do grupo, dobrava o sentimento de felicidade. Poderia rever amigos, ganhar outros tantos, e curtir o elenco do Bando que começava a despontar, entre eles o ator Lázaro Ramos. Como não queria perder nenhum detalhe, resolveu tirar uma tarde para assistir ao ensaio aberto do grupo. Assim que a turma soube da presença dele na plateia, teve gente na coxia que tremeu igual a vara verde.

Virgínia Rodrigues, uma cantora de coro de igrejas descoberta por Marcio Meirelles, estreava no Bando. Esse fato por si só já seria motivo para causar nervosismo. A presença de Caetano ampliava ainda mais o sentimento. Tímida, começou a pedir a seus santos que ele fosse embora antes de o ensaio começar. Torcia para que tivesse aparecido apenas para dar um "oi". Pura ilusão. Ainda bem que os orixás não ouviram suas preces. Aconchegado na poltrona, Caetano acompanhava atento o enredo sobre a mudança radical na vida dos moradores do Pelourinho, depois da grande reforma promovida pelo governo da Bahia. Na última cena, em meio a uma briga, o personagem Negócio Torto é ferido acidentalmente por uma faca. Enquanto agoniza no chão até a morte, os outros atores se aproximam e um falatório começa. Ao longe, Virgínia Rodrigues, na pele da personagem Comadre da Baiana, assistia a tudo sem dizer uma palavra. Aliás, nem podia. Era muda. O contexto fazia parte do surpreendente desfecho. A Comadre andou lentamente até o corpo, sentou-se ao lado dele e, milagrosamente, começou a interpretar "Verônica", uma triste canção em latim de domínio público.

A cena impactava pela carga dramática do conjunto. A morte do personagem, a deficiente que começa a falar, a voz potente de *mezzo* soprano de Virgínia Rodrigues. Na plateia, Caetano se emocionou. Ele conhecia o cântico desde menino, tradicionalmente entoado em várias cidades do interior da Bahia, durante a Procissão do Senhor Morto. No entanto, a força da interpretação de Virgínia multiplicou por mil a emoção. Naquele momento, Caetano se convenceu de que nascia uma estrela, um Sol negro, e, a partir dali, não sossegaria enquanto não pusesse Virgínia dentro de um estúdio de gravação. Demoraria um pouco, mas sua hora chegaria. Para o momento, o mínimo que poderia fazer seria convidá-la para cantar em seu espetáculo. Mesmo debaixo de toda a timidez, Virgínia aceitou feliz da vida. Nem todo seu nervosismo a impediria de brilhar.

No sábado, 22 de outubro de 1994, Caetano deu sua parcela de colaboração ao novo Teatro Vila Velha. E a colaboração foi recíproca. Além da participação do Bando, Virgínia Rodrigues interpretou "Alguém Cantando", do próprio Caetano, que ela conhecia de suas apresentações nos corais de Salvador. O repertório parou por aí. Virgínia não podia abusar. Precisava poupar sua voz para o dia seguinte, estreia oficial de *Bai Bai, Pelô*. Enfim, as portas do Vila Velha estavam abertas novamente.

※

Caetano encerrou a temporada em dezembro, ao lado de Gil, com o espetáculo *Tropicália Duo,* no Teatro Castro Alves. Àquela altura, o escritório dele começava a perder as contas dos pedidos que chegavam para contratar apresentações de *Fina Estampa*. E quanto mais o baiano fugia da turnê, mais os convites acumulavam. Convites, aliás, eram comuns em sua trajetória. E sendo ele um artista multimídia, nem todos vinham do mundo da música.

23

VAMOS COMER CAETANO?

No fim de 1991, Caetano Veloso não imaginava que a redação de um simples artigo pudesse render tantos frutos. Publicado no *New York Times*, o texto sobre Carmen Miranda caiu nas mãos do editor George Andreou, da poderosa editora norte-americana Alfred Knopf. O jeito particular com que ele havia exposto opiniões sobre música brasileira impressionou em cheio o americano. Mais do que isso, aguçou sua curiosidade. Andreou queria saber mais, muito mais. Fisgado por um talento literário pouco explorado até então, propôs que o cantor brasileiro ampliasse as ideias sintetizadas no artigo. Em outras palavras, o editor queria um livro de Caetano Veloso.

E Andreou foi direto ao assunto. Por carta, convidou o brasileiro a escrever suas memórias. No meio delas, o baiano teria total liberdade para narrar suas reflexões e pensamentos sobre a música brasileira, o Brasil, os brasileiros e a relação de tudo isso com o mundo. Por vários motivos a tarefa não seria simples. A agenda de Caetano vivia lotada, e ele, por sua vez, achava que não seria capaz de escrever um livro que pudesse despertar interesse de leitores brasileiros e muito menos de estrangeiros. A proposta, então, foi recusada. E pela segunda vez. O editor da Companhia das Letras, Luiz Schwarcz, encomendara uma obra semelhante para ser lançada nas comemorações dos 50 anos de Caetano. Embora a ideia tivesse valor, não fora aceita pelos mesmos motivos. O americano, porém, não estava disposto a desistir facilmente. Convencer seria difícil, mas não impossível. Andreou voltou a insistir. Enviou outra carta, e dessa vez com uma nova estratégia. Propôs se encontrar pessoalmente com Caetano. Encontro não significava compromisso, assinatura de contrato, ou algo assim, então, não faria mal a ninguém. No mínimo, ganharia um amigo. Polido, o baiano topou... e mordeu a isca.

Na conversa franca e amigável, Andreou ganhou o brasileiro no papo. Falou muito bem, e seu poder de persuasão, aliado a sólidos argumentos para justificar a importância do livro, minaram a resistência do cantor. O brasileiro saiu com o compromisso de pelo menos tentar escrever algumas anotações, exercitar suas ideias e fuçar sua memória, como se fizesse um laboratório literário particular. Assim que os primeiros trechos foram escritos, Caetano teve a impressão de que ali estavam esboços a serem desenvolvidos. Pensava que essas anotações transferidas pacientemente para o *notebook* seriam, de fato, apenas anotações. Nada disso. O livro começava a ganhar liga e ele nem tinha se dado conta ainda.

O sentimento de dúvida, aos poucos, foi sendo substituído pelo ímpeto de escrever um livro de verdade, daqueles que, de tão grossos, conseguem ficar em pé sem apoio. Para dar conta do recado, o autor precisaria de muita organização e disciplina. E, além disso, tempo para se dedicar por inteiro ao trabalho. Empolgado, Caetano prometeu a si mesmo que tiraria um ano para fechar o livro. Promessa complicada essa. Os compromissos continuariam a aparecer e raramente seriam recusados. Caetano ficara famoso na condição de cantor e compositor, não de escritor. Portanto, a música brigaria com a literatura nos próximos três anos de labuta. Restariam os intervalos de gravações, as noites maldormidas, as folgas, as férias em Salvador. Nessas horas, Caetano se autopsicografaria e exorcizaria seus fantasmas num exercício de memória e reflexão que provocaria nele os mais variados sentimentos.

A princípio o livro seria editado apenas nos EUA, mas o acerto com George Andreou também beneficiaria outro obstinado. Por conta das recusas anteriores, Caetano escolheu a editora Companhia das Letras, de Luiz Schwarcz, para lançar o livro no Brasil. Nos anos seguintes, o editor e os poucos que sabiam do projeto esperariam pacientemente pelo ponto final. No início de 1995, o livro estava em andamento. Poderia ser um bom ano para se dedicar exclusivamente à literatura. Até poderia, se o escritor em questão não atendesse pelo nome de Caetano Veloso.

❦

Naquela época, o cineasta e amigo Júlio Bressane rodava *O Mandarim*, um filme sobre o cantor Mário Reis. Não se tratava de uma cinebiografia convencional. No meio da trama, entre contemporâneos de Mário, como Sinhô, Noel Rosa, e Carmen Miranda, o diretor resolveu promover um encontro imaginário entre o personagem-título e um cantor de geração bem posterior. Esse cantor seria Caetano Veloso. Bressane, então, o convidou para viver a si próprio. Experiência com aquele diretor ele tinha. No início dos anos 1980, em *Tabu*, Caetano vivera Lamartine Babo, um compositor como ele. A nova participação seria ainda mais simples. Representar ele mesmo não exigiu tempo nem esforço. Tudo correu sem maiores complicações. Se no cinema os amigos se lembravam dele, em eventos de música as participações aconteciam com mais frequência ainda.

No início de abril, Caetano esteve em São Paulo para participar do projeto Heineken Concerts. Convidado pelo amigo Jaques Morelenbaum, também ficaria lado a lado com outro velho conhecido: o japonês Ryuichi Sakamoto. Embalados nesse clima de confraternização, ninguém queria desligar os holofotes. Caetano gostou tanto que marcou presença na segunda etapa do festival, no Rio de Janeiro. A agenda prometia: Carlinhos Brown, Arnaldo Antunes e Arto Lindsay fariam as honras dessa vez. Animado, Caetano participou até a última noite, realizada no Metropolitan. Com tanta gente conhecida por perto o baiano se sentiu em casa. Passeava pelos camarins, abraçava os amigos e dava bandeira na plateia. Os artistas, por sua vez, não perderam a chance. O microfone é seu! Intimado a dar uma canja, subiu ao palco com Marisa Monte para se juntar a Carlinhos Brown no show de encerramento.

A temporada intensa de participações especiais estava só começando. Ainda naquele mês, viajou a Nova York para emprestar sua voz a um tributo a Tom Jobim. No meio de tantos amigos do maestro, Caetano sentiu falta de um compositor com prioridade absoluta para estar ali: Chico Buarque de Holanda. Às vésperas da apresentação, ninguém conseguia explicar a ausência dele. Inconformado com a injustiça, o baiano protestou de modo elegante. Se o amigo não estava presente, sua música estaria. Em desagravo por causa de Chico, incluiu "Piano na Mangueira" no meio do repertório. A plateia foi ao delírio. No Brasil, assim que soube da homenagem, Chico declarou numa entrevista: *Bonita a lembrança de Caetano. Me lavou a alma!*

Gente reunida lá, gente reunida aqui. Em maio, na volta dos EUA, Caetano havia marcado na agenda mais uma cerimônia do Prêmio Sharp, no Teatro Municipal do Rio de Janeiro. A cada ano a motivação se renovava. Vaidoso até a alma, todo artista gosta de ficar em evidência, na imprensa, na companhia de amigos, ganhando prêmios e celebrando a arte de um modo geral. Assim aconteceu na 8ª edição do evento. E Caetano mais uma vez surpreendeu. O modelito Jean-Paul Gaultier fugiu do convencional ao juntar quimono, sandálias de couro e bengala. O corte em formato oriental fazia parte da criação, e a bengala, um charme a mais. As sandálias garantiam o conforto necessário para o momento. Caetano havia retirado um sinal da sola do pé, então não podia calçar sapatos fechados. Com essa combinação, o baiano desfilou até o palco para incorporar mais um prêmio Sharp à sua coleção. Dessa vez, não ganhou o de melhor cantor ou de melhor disco de MPB. Levou o troféu em uma categoria especial, a de melhor disco produzido em língua estrangeira, por *Fina Estampa*.

O prêmio o deixou feliz. Sem dúvida, era fruto de seu trabalho; ou melhor, um de seus trabalhos. Em meados de 1995, Caetano Veloso vivia quase o tempo todo ocupado, consumido pela literatura, pela música e pelo cinema. Nos próximos meses, seria difícil saber qual deles teria a maior parcela de sua atenção.

❧

Em meados de 1982, o jovem cineasta Fábio Barreto provou pela primeira vez do talento de Caetano. A canção original de seu longa-metragem de estreia, *Índia, a Filha do Sol*, fora composta por ele. A experiência se revelou tão agradável que o desejo de repetir a dose ficaria adormecido na memória do diretor. A chance do bis surgiu em 1995, quando outro projeto de Fábio Barreto sairia do papel direto para as telas do cinema. Até ser finalizado, porém, um longo caminho seria percorrido.

O roteiro de *O Quatrilho*, baseado no romance do escritor gaúcho José Clemente Pozenato, demorou quatro anos para ganhar uma versão definitiva. Mas nem tudo seria tão demorado. Para a elaboração da trilha sonora, Barreto teria o reforço de dois especialistas no assunto: Caetano Veloso e Jaques Morelenbaum. O filme contaria a vida dos imigrantes italianos que fizeram história no sul do Brasil a partir do século XIX. O processo de colonização, a luta pela sobrevivência num país desconhecido, as histórias de amor nem sempre convencionais, a saga de um povo que ajudara a construir a Serra Gaúcha.

Mergulhado nessa atmosfera após assistir às imagens do filme, Caetano compôs as primeiras músicas. Em seu processo criativo, tinha decidido trabalhar a partir de três temas básicos: "Merica, Merica", canção de domínio público composta no final do século XIX por Angelo Giusti, e que versa sobre a saga da imigração italiana na América; "A voz Amada", música e letra compostas por Caetano especialmente para o filme, e um tema instrumental criado por ele em parceria com Morelenbaum. Com base nessas três canções e orientados pelo impacto visual das cenas do roteiro, as demais canções foram concebidas e os respectivos arranjos preparados.

As gravações aconteceram nos estúdios da Som Livre, no Rio de Janeiro, em junho de 1995. Uma vez gravadas, não ficariam restritas ao escurinho do cinema. Àquela altura, a empresária Paula Lavigne já tinha ampliado seu leque de atuação e possuía um selo independente em sociedade com Felippe Llerena e Conceição Lopes. A Natasha Records fora criada em 1992 e desde então passara a ser uma alternativa para novos talentos da música. E não parou por aí. A ideia de expandir a outras áreas do *show business* sempre esteve nos planos de seus empresários. No decorrer de 1995, a trilha sonora de *O Quatrilho* seria lançada pela Natasha Records.

E assim seguia a rotina daquele "Casal 20" da cultura brasileira. A esposa trabalhava de um lado; o marido, de outro. Não seria por acaso que, no futuro, Caetano celebraria em versos o orgulho de formar com Paula um time campeão ♪[76]; nas artes, na vida particular e, principalmente, nos negócios.

❧

Caetano até podia não ser um descobridor dos sete mares, mas, de vez em quando, também fazia suas descobertas. Em junho de 1995, ao lado de Regina Casé, Waly Salomão e da então senadora do PT, Benedita da Silva, visitou a favela de Vigário Geral, no Rio de Janeiro. O aniversário de um ano de abertura da "Casa da Paz", o centro cultural erguido no lugar onde acontecera a chacina daquele bairro, merecia uma comemoração à altura. Entre as várias atividades do centro, estava o trabalho do Grupo Cultural AfroReggae, que, sob a direção social de Waly, mantinha uma oficina de percussão para jovens carentes.

Apoiado por gente de peso, o projeto entrava com força na luta contra a violência. Cada jovem atraído pelas artes seria um soldado a menos no exército do tráfico. Naquela tarde festiva, boa parte deles estava predestinada a seguir o caminho da vitória contra as drogas. O AfroReggae havia sido a primeira banda formada na oficina de percussão de Vigário Geral ♪[77]. Nascida em berço esplêndido, teria Caetano Veloso e Regina Casé como padrinhos. A presença deles deu enorme visibilidade ao grupo, contudo, não seria o único fator responsável pelo futuro sucesso daqueles percussionistas. O talento pulsava forte na veia de cada um. Nos anos seguintes, a banda conquistaria seu espaço. Caetano, por sua vez, seria lembrado como uma espécie de Cristóvão Colombo, pois, a partir de sua visita à favela, o AfroReggae também seria descoberto pelo mundo. Se, para eles, as portas começavam a se abrir, as de Caetano estavam escancaradas, no Brasil e no exterior. Chegava a hora de mais um *tour* pela Europa.

A princípio, Caetano iria à Itália participar do tradicional Umbria Jazz Festival de Perugia, mas um telefonema mudou o rumo da história. O cantor Lucio Dalla, que Caetano conhecera em São Paulo, durante a turnê de *Circuladô*, queria a participação dele num show em homenagem ao lendário tenor Enrico Caruso. Caetano não pensou duas vezes. Aceitou o convite e viajou antes do previsto. O espetáculo aconteceu ao ar livre, em Nápoles, na Piazza Del Plebiscito. O público chegou a cem mil pessoas e a apresentação foi transmitida pela RAI, a principal emissora da TV italiana. Para coroar uma festa desse porte, convidaram uma mestra de cerimônia à altura: Isabella Rossellini. A beleza da atriz impressionava até os mais exigentes. Cha-

---

[76] ♪ "Você é Minha"
[77] ♪ "Waly Salomão"

mado por ela ao palco, Caetano interpretou "Você é Linda", acompanhado por Lucio Dalla e seus músicos. Inspirado pelo cenário em volta, emendou "Luna Rossa", de Vincenzo de Crescenzo e Antonio Vian, tradicional canção napolitana conhecida desde a infância. A gratidão de Lucio Dalla foi nítida e seria também notada no decorrer daquela semana.

    Passado o evento, o italiano continuaria a ciceronear o amigo brasileiro. Viajaram até Capri, a fim de recuperar um pouco das energias. E para relaxar ainda mais, Caetano decidiu fazer um passeio bem família. Levou Paula Lavigne, o filho Zeca, a assessora Gilda Mattoso e sua filha Marina. Ficaram hospedados no luxuoso hotel Punta Tragara, com vista cinematográfica para os Faraglioni, os três rochedos que furam o oceano próximos à costa. Ali passaram uma semana de deleite em frente à tonalidade ímpar do mar de Capri. Caetano nunca tinha visto nada igual, nem no Brasil nem em qualquer lugar do mundo. O azul mais escuro, azul cobalto, o encantou. Os passeios no iate de Lucio Dalla permitiram a ele admirar tudo bem de perto. No balanço das ondas, o baiano se esqueceu da vida. Antes da despedida, só para não perder o hábito, ele e Lucio Dalla fizeram um show informal no hotel, para poucos afortunados.

    Ainda pela Europa, já no início de julho, Caetano participou de mais um espetáculo em homenagem a Tom Jobim. Esse aconteceu em Bruxelas. Pelo menos dessa vez, não esqueceram de convidar Chico Buarque. Encontrar o velho amigo sempre deixava Caetano satisfeito. Se pudesse, mataria a saudade das noitadas boêmias que fizeram juntos em São Paulo, no fim dos anos 1960. Mas só se pudesse, pois a capital da Bélgica não seria propriamente o melhor lugar para se curtir vida noturna. A partir das dez, torna-se difícil arrumar o que fazer. A compensação estaria na próxima parada: Madri, capital da Espanha, onde a noite é uma criança levada.

    Caetano mais uma vez chegou com antecedência. O show seria no La Riviera, dois dias depois. Naquele momento, outro sul-americano fazia as honras da casa: o argentino Fito Paez. Caetano decidiu conferir e não se arrependeria. Ainda sem saber, estava destinado a ter uma noite longa e marcante. Ali começaria uma sólida amizade com o cineasta espanhol Pedro Almodóvar. Não seria um encontro qualquer. Almodóvar já tinha dado provas de seu gosto particular. Antes mesmo de conhecer o cantor, incluíra na trilha de *A Flor do Meu Segredo* a música "Tonada de Luna Llena", que Caetano gravara em *Fina Estampa*. E bem antes disso já tinha usado uma versão de Maysa para "Ne Me Quitte Pas", de Jacques Brel, na trilha de *A Lei do Desejo*. A paixão pela música brasileira e por Maysa seriam apenas dois pontos em comum na costura dessa trama. No auge da conversa, Caetano foi intimado: no dia seguinte veria a pré-estreia de *A Flor do Meu Segredo*.

A recepção do diretor se mostrou tão calorosa quanto as noites madrilenas. Caetano esperava sentir o mesmo com o público espanhol que aguardava ansioso pelo seu show. Até aquele momento, apenas a Cidade do México tivera o prazer de assistir a um protótipo de *Fina Estampa*. Madri foi a segunda privilegiada. E ninguém se arrependeu. O espetáculo repetiu o bom desempenho do show do México e isso colocou ainda mais minhocas na cabeça de Caetano. O grande sucesso dava pistas de que uma turnê *Fina Estampa* poderia começar a qualquer momento. No fim do espetáculo, o tradicional oba-oba dos camarins deu lugar a uma recepção organizada no Hard Rock Café. A mudança renderia mais uma experiência enriquecedora. Entre um convidado e outro, Caetano encontrou o cineasta Fernando Trueba, vencedor do Oscar de melhor filme estrangeiro de 1994, com *Sedução*. E pelas mãos de Trueba ainda conheceria outro diretor espanhol, José Luis García Sánchez. A capital espanhola parecia uma convenção de cinema. E no meio da animação, ninguém pensava em dormir. A festa varou a madrugada.

Na última etapa da excursão, finalmente no Umbria Jazz Festival, em Perugia, Caetano realizou mais uma experiência com *Fina Estampa*. Os shows aconteceram no Teatro Morlacchi. O baiano ainda não tinha intenção de levar a cabo uma grande turnê com aquele repertório. Por outro lado, não podia negar que o espetáculo começava a ganhar corpo. Certamente, uma situação atípica em sua carreira. Não apenas pelo fato de Caetano não querer cair na estrada. Existia outro motivo. Até então, somente os gringos haviam tido chance de assistir à *Fina Estampa*.

❦

Esse panorama começaria a mudar logo após o retorno da Europa. O diretor de TV e produtor musical Fernando Faro queria um show de Caetano Veloso com o repertório de *Fina Estampa* no Tom Brasil, a nova casa de espetáculos de São Paulo sob sua direção. Fernando Faro e Caetano se conheciam de longa data. No auge do Tropicalismo, ele dirigira o polêmico programa *Divino Maravilhoso*, da antiga TV Tupi de São Paulo. Por essas e outras, a proximidade entre os dois permitiria mais que um simples diálogo na hora da negociação.

Desde o princípio, Caetano refutava a ideia de montar um show completo para *Fina Estampa*. No fundo, estava impaciente para se dedicar a um disco de inéditas. Os convites, todavia, não paravam de se amontoar no escritório. Fernando Faro não sabia de qualquer dilema nesse sentido. Ele queria o show do baiano na nova casa de espetáculos. E tinha mais. O Tom Brasil estava disposto a desembolsar um bom cachê para tê-lo. Sim, mas dinheiro não bastava para fazer Caetano mudar de ideia. Aí o produtor apelou para a chantagem emocional. Revelou que possuía uma fita rara, da década de 1950, com Marisa Gata Mansa interpretando "Você Esteve Com Meu Bem?", de João Gilberto e Antônio Cardoso Martins. Os olhos de Caetano brilharam. Passe a fita para cá. Faro sabia o que João Gilberto representava e deu de bom grado o cassete. Isso teve um preço. A proposta se tornou irrecusável e Caetano finalmente topou. Não adiantava lutar contra o destino. O tarimbado produtor ganhava a honra do primeiro grande show de *Fina Estampa* em terras brasileiras. E a música de João ainda faria parte do repertório.

Em três semanas nascia um grande projeto artístico. Para começar, o show abandonou o estilo protótipo para se transformar em um espetáculo de gala, com cenário suntuoso, figurinos apropriados, repertório amplo, arranjos mais bem cuidados, e participação de uma orquestra sinfônica inteira. Por causa da vendagem expressiva do disco de estúdio, mais de 250 mil cópias, a temporada daria vazão ao disco *Fina Estampa ao Vivo*. Além disso, por sugestão de Paula Lavigne, durante aquele período seria gravado um especial, com direção de Monique Gardenberg, para ser exibido no canal de TV por assinatura HBO. Tudo no mais alto nível.

O show estreou no Tom Brasil em 24 de agosto de 1995. Os refletores iluminaram o palco e um novo mundo se revelou, como se parte da história do povo hispano-americano estivesse presente, traduzida em imagens e canções. O cenário, mais uma vez concebido por Hélio Eichbauer, teve como inspiração um fragmento do mural *Panamerican Unity*, pintado pelo mexicano Diego Rivera, entre 1939 e 1940, por ocasião da exposição *Art in Action*, em São Francisco, nos EUA. Com seus traços e cores marcantes, Rivera retratara o cotidiano de um povo culturalmente rico, verdadeiro dono do território americano muito antes da chegada dos espanhóis, e cuja herança cultural influenciara gerações.

O repertório de *Fina Estampa* também fazia parte dessa herança. No show apresentado por Caetano, sons e imagens se integraram com harmonia e perfeição. A boa química entre os músicos também ajudava a criar sinergia. Jaques Morelenbaum, Luiz Brasil e Marcelo Costa, conduzindo seus respectivos instrumentos, tiveram o apoio luxuoso de Zeca Assumpção no Baixo, Mingo Araújo na percussão e Jota Moraes ao piano. O clima de integração artística marcou toda a temporada em São Paulo. No palco, tudo funcionou conforme o esperado. Fora dele, quase tudo. No período em que ficaram em cartaz, toda a parafernália de gravação esteve pronta para transformar o show em disco ao vivo. O triste depois foi constatar que o resultado não tinha ficado legal. Uma falha inesperada impediu a captação do som de parte dos instrumentos e da voz de Caetano.

Pelo menos no último dia a voz dele foi ouvida por gente importante. Caetano se apresentou em benefício do Projeto Axé, de assistência a meninos de rua de Salvador. Pouco tempo antes, ele havia convocado o Presidente da República, Fernando Henrique Cardoso, a se engajar com mais empenho nessa questão. A primeira ressonância veio com a adesão do governo à causa levantada pelo Projeto. O Presidente assistiu ao show, acompanhado de ministros, secretários, do governador de São Paulo, Mário Covas, e do prefeito Paulo Maluf. Parecia até comício eleitoral, tamanho o número de políticos no meio do público. Naquela noite, porém, o único a discursar foi Caetano Veloso. No encerramento, voltou a ressaltar o necessário apoio do governo a causas sociais. E para não ficar só no discurso, o primeiro exemplo partiu dele. A renda seria revertida integralmente ao projeto. Caetano não era candidato a nada, mas conhecia muito bem seu eleitorado, fosse em São Paulo ou em qualquer lugar do Brasil.

Em 21 de setembro, *Fina Estampa* estreou no Metropolitan, no Rio de Janeiro. Dessa vez a equipe de som teve mais sorte. Os equipamentos de gravação funcionaram bem e o som do futuro CD *Fina Estampa Ao Vivo* finalmente foi registrado. A partir desse trabalho os discos de carreira do baiano ficariam um longo período sem versão *long-play*. Àquela altura, a tecnologia do CD havia tomado conta do mercado. Em contrapartida, os trabalhos dele ampliavam os canais de comunicação com o público por outras vias. Durante a temporada carioca aquele especial para o Canal HBO também foi gravado. A tecnologia não parava de evoluir e os empresários não dormiam no ponto. No futuro, o resultado dessa gravação daria origem ao DVD *Um Caballero de Fina Estampa*.

O período de fartura, no Brasil e na América Latina, animava artistas e empresários. Enquanto lançavam um disco ao vivo e um especial para TV a cabo, a versão *Fina Estampa* de estúdio faturava disco de ouro na Argentina, pela vendagem superior a 100 mil discos. Não ficaria só por aí. Em pouco tempo, ganharia também o disco de platina na terra dos *hermanos*. Caetano vivia uma interminável lua de mel com o mundo hispânico, fosse na relação carinhosa do público, fosse na figura de dois ícones da cultura latino-americana. Em outubro, na capital paulista, aconteceu mais uma edição do Free Jazz Festival. O final da primeira noite contou com a participação das lendas da música latina Tito Puente e Celia Cruz, e um convidado com carta branca entre eles: Caetano Veloso.

Puente abriu a apresentação e logo depois chamou a experiente cantora cubana para se juntar a ele. O vestido longo e brilhante, o enorme arranjo de penas na cabeça, a energia, o carisma, o açúcar: Celia Cruz cantava no Brasil. Nos bastidores, um de seus ilustres fãs brasileiros aguardava ser chamado. Caetano conhecia o suingue de Celia Cruz ♪[78] desde os tempos de menino

---

[78] ♪ "Quero Ir a Cuba"

em Santo Amaro. Por todos os motivos do mundo o coração bateu mais forte no momento em que a cantora o chamou para entrar em cena. O baiano pisou no palco como se caminhasse pelas ruas de Havana, assim, no balanço da salsa. Entre outras canções, os dois cantaram "Mi Cocodrilo Verde", de José Dolores Quiñones, gravada em *Fina Estampa*, e o hino cubano "Guantanamera", poema de José Martí. Pena que a diversão durou pouco. O abraço carinhoso no final, com Celia deitada no ombro de Caetano, encerrou a participação do convidado.

Pelo visto, depois daquele encontro, o antigo desejo de ir a Cuba aumentaria ainda mais. Caetano, porém, teria de esperar mais um pouco para caminhar de fato nas ruas de Havana. Naquele período, um compromisso o levaria a andar por esquinas bem mais conhecidas.

˙˚

Depois de uma estreia incontestável, em dois palcos importantes, o marco inicial de *Fina Estampa* estava lançado. Enquanto o show continuava sua trajetória, o mercado externo aguardava uma nova chance de assisti-lo novamente. A demora não importava, os fãs do exterior esperariam pacientemente pelo início da turnê mundial. Os grandes compromissos, contudo, só teriam vaga na agenda no decorrer de 1996. Sorte dos brasileiros que ainda poderiam curtir o som de Caetano Veloso de uma forma privilegiada: ao ar livre e, melhor de tudo, de graça.

Em 9 de dezembro, na comemoração dos 50 anos do Banco Itaú, quem ganhou o presente foi o público paulistano. Alguma coisa sempre acontecia no coração de Caetano, quando ele cruzava a Ipiranga com a Avenida São João. Naquela noite de festa, foram muitas emoções no palco montado exatamente no mais famoso cruzamento da cidade. Para ouvir Caetano celebrar São Paulo, os cem mil convidados da festa se viraram como puderam; espremidos nas ruas, nas calçadas, em cima de marquises e até sobre bancas de revista. O espetáculo tinha forte apelo emocional. Nos anos 1960, Caetano havia morado ali perto. A ligação com a cidade vinha de longe e nos mais variados níveis. Em suas canções, na figura de um artista local, na música típica da região, nos bons tempos vividos por lá. Para celebrar aquele momento único, Caetano cantou músicas suas que faziam referência direta ao lugar. A maior parte do repertório, porém, deu vez a compositores ligados à cidade. Canções de Adoniran Barbosa, Peninha, Paulo Vanzolini, Rita Lee, Arnaldo Antunes, ecoaram num show para lá de especial. A emoção sincera vinha do coração; ele realmente se identificava com aquele universo. Mas Caetano sempre foi um artista múltiplo e sua história tinha ligação com artistas de muitas outras cidades.

O show em homenagem a Tom Jobim, a ser celebrado na praia de Copacabana, no Rio de Janeiro, na virada do ano, provaria essa tese. Em mais um momento especial, Caetano se juntaria a outros nomes da música brasileira para homenagear o maestro que morrera havia pouco mais de um ano. A tradição de shows grandiosos no *Réveillon* de Copacabana se iniciara com as apresentações de Jorge Benjor e Tim Maia, e depois Rod Stewart, havia dois anos. O que antes se resumia a um grande espetáculo pirotécnico, cada vez mais ganhava um forte apelo cultural. Na virada de 1995, a festa já tinha se firmado como um dos maiores eventos do calendário da cidade. Naquele ano, mais uma vez a Prefeitura apostou alto em suas atrações.

Na noite de 31 de dezembro, a multidão esperava ansiosa a entrada de Gilberto Gil, Gal Costa, Milton Nascimento, Paulinho da Viola, Chico Buarque e Caetano Veloso, amigos e parceiros de Tom Jobim. Estavam lá também o Quarteto Jobim-Morelenbaum, uma orquestra sinfônica comandada por Jaques Morelenbaum, e, para fazer o show depois da virada, integrantes da Escola de Samba Mangueira, com Jamelão à frente. Às nove horas em ponto, Gilberto Gil abriu o espetáculo de forma original. Em vez de interpretar uma música do maestro, o baiano apresentou uma canção inédita, "De Ouro e Marfim", cujos versos expressavam seu sentimento por estar ali naquela noite. No auge da apresentação de Gil, o príncipe do samba, Paulinho da Viola, entrou em cena com toda sua elegância e cantou em dupla "Água de Beber", de Tom e Vinicius. Aquele seria apenas um dos muitos duetos da noite. A cada troca de artista, novas duplas se formariam no palco.

Gal Costa entrou logo depois, cantou com Paulinho da Viola e, em seguida, num dos momentos mais emocionantes da festa, interpretou alguns dos maiores clássicos do maestro. O show não acabava aí. Ainda faltava gente para brilhar. A cantora não encerraria sua participação enquanto Caetano não desse o ar da graça. Gal iniciou sozinha o "Tema de Amor de Gabriela": "*Chega mais perto... moço bonito... chega mais perto... meu raio de Sol...*". Com a deixa, Caetano entrou no meio da performance e cantou com a amiga. A interpretação dessa música em dueto foi uma das surpresas combinadas durante os ensaios. Por causa da novidade, Caetano chegou a ficar nervoso nos bastidores, todavia, na hora de apresentar o número, o entrosamento foi o de sempre e o público retribuiu com aplausos e assovios.

Na vez de Chico Buarque, o carioca se manifestou ainda com mais entusiasmo. Da turma reunida, Chico, com certeza, era quem mais bebia da fonte jobiniana. Em sua apresentação, interpretou muitas parcerias dele com o homenageado, outras pérolas do cancioneiro jobiniano, e ainda fez o duo com Caetano em "Anos Dourados". Milton Nascimento foi o último dos seis a entrar. O coração bateu forte no momento de apresentar ao lado de Caetano sua versão para "Eu Sei Que Vou Te Amar", outra criação da dupla Tom e Vinicius. O mineiro também apresentou músicas que marcaram época, como a delicada "Sabiá", ao lado de Gal Costa e Chico Buarque. Àquela altura, a emoção já havia tomado conta de todos. E para o encerramento, a apoteose pediu passagem. Jamelão e os ritmistas da Escola de Samba Mangueira se juntaram aos seis e fecharam com o samba que havia embalado a escola quatro anos antes, no desfile em homenagem ao maestro. O "Tributo a Tom Jobim" chegava ao fim. À meia-noite, o espetáculo de fogos anunciou a chegada de 1996. A explosão maior, no entanto, ainda estava para acontecer.

❧

O barulho começou nos primeiros dias de janeiro. A divulgação de que Paulinho da Viola havia recebido um cachê três vezes menor que o dos outros artistas da festa desencadeou um dos mais tristes episódios da música popular brasileira. As negociações entre Prefeitura, patrocinadores, produtores, artistas e empresários, começaram em agosto, primeiramente pelas mãos da produtora original do show, Helena Rocha, depois por intermédio de sua substituta, a também produtora Gilda Mattoso, que passou a conduzir o trabalho baseada nas condições discutidas anteriormente entre empresários e organizadores.

A primeira providência foi confirmar o valor inicial do cachê com os representantes dos artistas. Como de praxe em qualquer negociação, esse valor seria passível de ser renegociado. Isso já havia acontecido com alguns dos interessados. Cantar na virada do ano não era o sonho de nenhum daqueles artistas. Não fosse a motivação pela homenagem, muitos deles não teriam aceitado. Nesse clima, o preço do cachê tendia a subir. Por meio de seus representantes, Caetano e Gil não concordaram com o valor oferecido pela Prefeitura e já tinham feito uma contraproposta. Doravante as conversas evoluíram na esfera comercial. Enquanto os empresários discutiam o assunto junto à Prefeitura e demais entidades envolvidas, os artistas convidados se mantinham ocupados com o que melhor sabiam fazer: cantar, compor, tocar, enfim, produzir arte.

No desenrolar das negociações, a contraproposta dos escritórios de Gil e Caetano fora aceita pelos organizadores do evento. Os empresários dos outros artistas também fecharam no mesmo valor, à exceção de Lila Farias, esposa e empresária de Paulinho da Viola. Imaginando que todos receberiam a mesma quantia, Lila confirmou o cachê inicial. O resultado desse rolo seria o encerramento das negociações de forma que apenas um, dentre os seis convidados, ganharia cachê menor que os demais. Quando a informação veio à tona em nota publicada no *Jornal do Brasil*, Paulinho da Viola ficou profundamente magoado. A sensação de ter sido passado para trás o levou a tecer comentários que magoaram seus colegas a ponto de golpear amizades de quase trinta anos.

A partir desse momento um disse me disse generalizado reinou na imprensa, na justiça, no governo do Estado e, pior de tudo, na esfera familiar de cada um dos artistas. No calor da briga, os jornais noticiaram que Lila Farias chegara a adulterar um fax de Gilda Mattoso de modo a atribuir a esta a responsabilidade por ter quebrado uma suposta promessa de isonomia no pagamento dos cachês. Depois desse episódio, uma nuvem negra baixou de vez na vida dos artistas envolvidos e de seus familiares. Caetano e Gil foram à imprensa e apresentaram suas versões; Chico manifestou-se por escrito após se manter em silêncio por um bom tempo; Gal também enviou carta à redação de um jornal informando seu posicionamento. E Milton preferiu não falar. Em resumo: ninguém estava satisfeito ou confortável com a situação.

O momento tinha tudo para ser memorável, não obstante, as lembranças guardadas traziam o contraponto desagradável. A tristeza e a mágoa predominaram. Acompanhar na mídia a evolução do imbróglio se tornou um martírio. Nenhum dos artistas nutria sentimento negativo ou de competição em relação ao outro. A prova disso cabia numa lágrima silenciosa. O choro contido de Caetano Veloso e Paulinho da Viola, num encontro casual no elevador da gravadora Cia. dos Técnicos, em Copacabana, cinco meses depois do fato, resumiria o sentimento de ambos. Eles se amavam e muito. Nunca desejaram passar por uma situação daquelas. Os demais capítulos da história se arrastariam na justiça no decorrer dos próximos anos. O resultado não importava mais. Ninguém sairia vencedor.

Para fãs e amigos, melhor seria manter na lembrança os versos inéditos cantados por Gilberto Gil na noite do show: *"Aqui estamos reunidos... À beira-mar... Nessa noite de ano novo... Nessa festa de Iemanjá... Pra prestar nossa homenagem... De coração... Ao grão-mestre dessa ordem... Venerável da canção... Brasileiro de Almeida... De ouro e marfim... Curumim da mata virgem... Antônio Carlos Jobim!"*

Em março de 1996, Caetano abriu brecha na agenda para realizar um sonho antigo: cantar com Dona Ivone Lara. A oportunidade surgiu porque a PolyGram, por meio do projeto "Casa de Samba", preparava o primeiro CD, de uma série, com duplas de artistas consagrados interpretando clássicos do samba. A união de talentos, de estilos e gerações diferentes, formava a base do projeto. No disco de abertura, Caetano e Dona Ivone Lara interpretaram "Alguém Me Avisou", da própria Dona Ivone. Os dois já tinham composto juntos "Força da Imaginação", gravada por Beth Carvalho nos anos 1980. O dueto em gravação primava pelo ineditismo, contudo, não foi dos mais surpreendentes. No *cast* selecionado, havia também Elza Soares e Lobão, Zélia Duncan e Velha Guarda da Portela, Zizi Possi e Miltinho, Ivete Sangalo e Demônios da Garoa, Ivan Lins e Elton Medeiros. Difícil eleger o mais inusitado.

A participação do baiano, porém, não pôde se alongar. Isso se deu por causa de um projeto encomendado pelo cineasta Cacá Diegues: a trilha sonora do filme *Tieta do Agreste*, do romance homônimo de Jorge Amado. Mais uma vez envolvido com cinema, Caetano ficou entusiasmado com a missão. O cineasta, um velho conhecido; a história se passava na Bahia; o autor do romance, baiano; e o elenco de estrelas instigava sua mente criativa. Caetano entrou no clima e compôs os temas inspirado em atores e personagens. Nos versos de "A Luz de Tieta", "O Motor da Luz", "Coração-Pensamento" e "Venha Cá", havia muito de Tieta, Zé Esteves, Perpétua, Leonora, mas também de Chico Anysio, Marília Pêra, Cláudia Abreu e, claro, Sônia Braga.

O brasileiro se acostumou a admirar Sônia na pele bronzeada das personagens de Jorge Amado desde sua participação no papel-título de *Gabriela*, novela da TV Globo, exibida em 1975. No ano seguinte, viveria Dona Flor, em filme campeão de bilheteria. E sete anos depois, interpretaria novamente Gabriela, dessa vez no cinema. Embora também tivesse mexido com o imaginário do público nas adaptações de Nelson Rodrigues, ninguém mais conseguiu separar sua imagem morena e sensual das mulheres que saíam das páginas do romancista baiano. A cada uma delas, Sônia deu vida com seu talento, ajudando a criar o perfil definitivo que entraria no subconsciente dos fãs. Em 1996, *Tieta do Agreste* não deixava de ser também uma ode à Sônia Braga. Musa de outras épocas, novamente ajudaria Caetano a dar cores às suas composições. Mas ele não estaria sozinho.

A exemplo de *O Quatrilho*, o parceiro de todas as horas, Jaques Morelenbaum, reforçaria a equipe. Só que dessa vez a participação seria menos autoral e um pouco mais técnica. Caetano, sozinho, compôs as sete músicas com letras e os demais temas originados a partir delas. A Morelenbaum coube fazer os arranjos e trabalhar na orquestração. Não ficaria só na parte orquestral. Apresentar sugestões também podia, e um bom incentivo nas horas difíceis ajudava, e muito. O maestro não foi o único reforço. O projeto cheirava à Bahia. Então, nada mais natural que novas influências chegassem de lá. Para inserir os ritmos de rua de Salvador, Caetano trouxe da boa terra Neguinho do Samba, pai do samba-reggae, e sua Didá Banda Feminina, legítima representante do ritmo formada apenas por percussionistas mulheres.

Além das meninas da Didá, não faltaria Gal Costa, uma das grandes intérpretes do cancioneiro "jorgeamadiano". Esse conjunto de sons, ritmos, temas e artistas diversos desenhou o grande painel musical do filme *Tieta do Agreste*. A forma como as composições foram colocadas no decorrer das cenas é que não agradou muito o autor da trilha. Em alguns momentos, Cacá Diegues preferiu realçar os diálogos. Para conseguir esse efeito, deixou a música num plano mais discreto ou mesmo retirou da cena. Mas não adiantava lamentar. Nessas horas a palavra final é sempre do diretor. No disco, porém, a última ordem seguiu outro ritmo.

A Natasha Records novamente entrou em cena e lançou o CD com os temas da trilha, tanto os que sobressaíram no filme, como os que ficaram mais escondidos. Gal Costa, Neguinho do Samba e a Didá Banda Feminina emprestaram seus talentos para abrilhantar o filme e o CD. Em breve, os shows de divulgação passariam por São Paulo, Belo Horizonte, Rio de Janeiro e Salvador. Não seria nada fácil juntar aquela gente toda das equipes de produção de Caetano e Gal Costa, mais as meninas da banda Didá, músicos, técnicos, ajudantes, isto é, uma multidão. Apesar da real chance de conflito, as dificuldades seriam superadas, e o espetáculo faria grande sucesso. Cantar com aquelas meninas e seus instrumentos de percussão seria tão gratificante que, num futuro próximo, Caetano sentiria falta da experiência.

Em meados de 1996, Caetano Veloso se tornava o "multi-homem" da música popular brasileira. A partir do ano anterior, suas energias se fragmentaram na redação de um livro de memórias, na composição de duas trilhas para o cinema, na concepção de dois grandes espetáculos, nas apresentações, nas viagens, no lazer, em casa. Como se o tempo inteiro aparecesse alguém faminto, pronto para degustar sua arte, seus cuidados, suas energias. Na vida familiar, por exemplo, Caetano em breve teria mais um motivo para dividir suas atenções. Paula Lavigne estava grávida do segundo filho do casal.

A perspectiva de ser pai novamente não assustava Caetano. Já sabia que o ato de ceder a um filho fazia parte do projeto. Aliás, pela experiência acumulada em outros aspectos, Caetano se sentia preparado para enfrentar qualquer desafio, mesmo que fosse para ser devorado culturalmente, como vinha sendo nos meses anteriores, ou "quase literalmente, em praça pública", como aconteceria em 6 de julho daquele ano, no palco do Teatro Armazém, na Praça Mauá, durante o festival "Rio Cena Contemporânea".

Naquela noite, Caetano e um grupo de amigos foram até a zona portuária do Rio de Janeiro assistir à montagem de *Bacantes*, inspirada no texto de Eurípedes, com os atores do Grupo Oficina Uzyna Uzona, dirigido por José Celso Martinez Corrêa. Caetano conhecia o diretor de outros Carnavais, ou melhor, outras montagens. Nutria grande admiração por ele desde os tempos tropicalistas. Se a agitação dos anos 1960 tinha ficado para trás, a energia criadora de Zé Celso nunca o deixara. Numa peça dirigida por ele tudo poderia acontecer. Como não havia limites, natural que existisse uma expectativa em relação ao que seria apresentado. As cinco horas de espetáculo seriam mais que suficientes para Zé Celso fazer uma revolução.

Por sinal, o tema dava pano para manga. A história da peça, escrita na Grécia muito antes de Cristo pisar na Terra, girava em torno do embate entre Dionísio, deus do vinho e do teatro, e Penteu, rei de Tebas e maior perseguidor dos rituais dionisíacos. Para dar mais realismo à encenação, o conflito entre censura e liberdade era apresentado de forma interativa com o público. No decorrer do espetáculo, em meio a uma atmosfera carregada de erotismo, as personagens ofereciam uvas à plateia. O tira-gosto apenas antecipava as grandes surpresas interativas. Zé Celso escolhia um colo na plateia para sentar, havia uma dança da garrafa estilizada, e, no auge das performances, acontecia um "estraçalhamento" simbólico promovido pelas atrizes que faziam as Bacantes da peça.

Na estreia carioca, Caetano se aconchegou na fila do gargarejo. Os atores não sabiam que ele estaria lá, mas também se soubessem não haveria mudança alguma nos planos. As cenas seriam conduzidas da maneira com que foram ensaiadas, os rituais aconteceriam, a química com o público também. Ninguém tinha o hábito de premeditar uma atitude durante o espetáculo. Quando alguma coisa extraordinária acontecia era porque o clima favorável havia permitido. Às vezes a interação elenco-público evoluía de forma lenta e gradativa, mas nem por isso menos impactante. Naquela noite seria assim também.

Em determinado momento, o personagem Tirésias, interpretado por Zé Celso, levou Caetano ao palco e dançou com ele. A participação se deu da forma mais natural do mundo. Caetano tinha total compreensão artística em relação aos conceitos da peça. Por mais absurda que a interação pudesse parecer, se estivesse dentro do contexto seria assimilada com naturalidade. E o clima era exatamente esse, não só na concepção de Caetano como na dos demais atores do grupo. Entre eles havia uma espécie de conexão astral, um "diálogo" intenso, porém, sem uma palavra sequer, no completo silêncio. A certa altura, a troca foi tanta que suscitou uma intimidade ainda maior. Faltava apenas alguém mais corajoso para tomar a iniciativa.

Por pouco tempo. No começo do segundo ato, a Bacante interpretada por Patrícia Winceski, movida pela força de sua personagem, caminhou até Caetano e, sem nada dizer, o levou até o palco. Nem todo convidado aceitava participar. Antes de tudo, precisava haver cumplicidade. Àquela altura, sobrava em Caetano. Ele foi quase sem sentir e, quando se deu conta, mamava feito uma criança no seio da jovem atriz. Pouco depois, a Bacante interpretada por Fabiana Serroni entrou em cena com uma espécie de capa e uma cabeça de bumba-meu-boi. Começava o ritual do "estraçalhamento", em que o boi seria simbolicamente devorado pelas Bacantes. Fazia parte do roteiro eleger alguém do elenco ou do próprio público para fazer o papel do animal a ser estraçalhado. Caetano ainda estava atordoado com a participação anterior. A rapidez com que as cenas se desenrolaram não lhe deu tempo de formar opinião, pensar, reagir, sair correndo ou o que fosse. Ele estava mais na peça do que qualquer outro ali presente e por isso a capa de bumba-meu-boi foi parar exatamente em cima dele, feito um parangolé estilizado. Mas ele não esboçou nenhuma reação. As Bacantes o deitaram no palco, se posicionaram em volta dele, e, logo em seguida, iniciaram o rito. Em vinte segundos, Caetano estava completamente nu, coberto apenas com uma túnica escura na qual se lia "coxão mole".

A plateia se dividiu. Uns aplaudiram o *happening* com entusiasmo, outros acharam um absurdo cometer um ato daqueles com uma figura pública. Regina Casé foi uma das que protestaram diante do alto nível de exposição a que o amigo se submeteu. A preocupação era com o desenrolar da história no dia seguinte. O número de fotógrafos presentes no teatro seria capaz de identificar até um minúsculo sinal na bunda de Caetano. Não deixariam passar nada em branco. Apesar dos protestos, não teve jeito. A performance aconteceu em sua totalidade. No fim da cena, Caetano vestiu lentamente a cueca, engatinhou para buscar um pé de meia aqui, outro acolá, e depois voltou à sua poltrona para assistir ao restante da peça. No fim do último ato, o grupo parabenizou o diretor, se despediu e deixou o local rumo à zona sul carioca.

Em casa, Caetano e Regina Casé levaram um pito de Paula Lavigne porque não conseguiram evitar uma exposição daquele tamanho. E foi mesmo. "Devoraram" Caetano. No decorrer da semana, a imprensa espremeria o assunto até a última gota. E olha que naquele tempo as redes sociais nem estavam na moda ainda. Patrícia Winceski precisou contar a mesma história dezenas de vezes. Por pouco, não saiu na revista *Playboy*. O impacto do episódio teria força até para inspirar Adriana Calcanhoto a compor uma canção. Em 1998, "Vamos Comer Caetano" seria uma das faixas do CD *Maritmo*. Não adiantava brigar, dar bronca, chamar a atenção, Caetano era mesmo do "balacobaco" e pronto.

Em outubro de 1996, o baiano viajou com sua banda para dar início à turnê europeia de *Fina Estampa*. O público europeu, no entanto, assistiria a um show menos pomposo que o espetáculo apresentado meses antes na Argentina e no Uruguai. Nesses dois países uma Orquestra Sinfônica acompanhou o cantor. O nível elevado agradava aos mais exigentes, todavia, levar uma filarmônica inteira na excursão seria praticamente impossível. Naquela ocasião nenhum integrante da orquestra brasileira saiu do país. Por meio de um acordo, conseguiram a participação de orquestras locais. Jaques Morelenbaum mandou os arranjos, viajou com alguns dias de antecedência e ensaiou uruguaios e argentinos. Quando Caetano chegou para se apresentar, os músicos já sabiam direitinho o que fazer. O espetáculo emocionou o público nos dois países. Muita gente foi às lágrimas. O enorme sucesso motivou uma leva de músicos uruguaios a viajar para a Argentina só para ter o gostinho de assistir novamente. Na Europa seria mais difícil utilizar orquestras locais. O roteiro previa muitas cidades. Contudo, ninguém ficava desmotivado por causa disso. E as surpresas aconteciam a todo momento.

Após um show na Itália, Caetano recebeu no camarim a visita do cineasta italiano Michelangelo Antonioni ♪[79]. Eles já se conheciam, tanto pessoalmente quanto artisticamente. O primeiro contato tinha acontecido no Brasil, ocasião em que o cineasta participava de um festival de cinema. Caetano esteve com ele em dois jantares oferecidos ao diretor italiano, um na casa de Júlio Bressane e outro na de Cacá Diegues. Caetano conhecia bem a arte de Antonioni; o contrário, porém, se deu após os dois serem apresentados. E só depois dos primeiros encontros, o italiano mergulhou na obra do cantor baiano e se tornou seu admirador. A passagem do brasileiro pela Itália permitiu uma nova reunião. Caetano ganhou presentes do italiano, entre eles uma coleção de vídeos de seus filmes. O mimo chegava em boa hora, no meio de uma turnê cansativa. O passatempo das horas vagas, portanto, estava garantido.

Por sinal, as viagens de ônibus entre uma cidade e outra eram sempre muito animadas. A equipe toda brincava, assistia às fitas de Antonioni, jogava cartas, admirava a paisagem pelo caminho. Nas paradas obrigatórias, a turma não deixava de levar uma recordação. Com a música ditando a vida de cada um, ninguém saía procurando aquelas lembrancinhas mais tradicionais. Naquela excursão, o técnico de som Vavá Furquim arrematou uma caixa de CDs intitulada *The Complete Columbia Studio Records*, de Miles Davis e Gil Evans. A coleção fez o maior sucesso e contagiou o grupo inteiro. Parecia até resfriado. Não demorou e os outros foram atrás da mesma coletânea. Caetano comprou a sua e ficou igualmente maravilhado com aquele som sofisticado, representante do chamado *cool jazz*. Foi uma espécie de redescoberta daquele estilo, que traria consequências irreversíveis no futuro. A inspiração chegaria em breve.

Caetano Veloso não gravava um disco de inéditas fazia tempo. O último havia sido *Circuladô*, lançado cinco anos antes. O fato de trabalhar na feitura de trilhas, em projetos especiais e na exaustiva redação de um livro, não permitia uma dedicação do jeito que gostaria. Por outro lado, ampliar suas

---

[79] ♪ "Michelangelo Antonioni"

experiências musicais poderia ajudá-lo a encontrar o fio da meada para seu futuro projeto. O longo período trabalhando com o estilo mais orquestral de *Fina Estampa* lhe deu saudades do tempo em que os tambores da Didá Banda Feminina ecoavam alto perto dele. No balançar do ônibus, durante os mais de 40 dias da turnê europeia, essa miscelânea de ideias, sentimentos, impressões e redescobertas, giraram sem parar em sua cabeça. A partir daí a centelha da criação começaria a funcionar. O resultado dessa mistura só o tempo revelaria.

❧

Em novembro de 1996, a excursão europeia já havia chegado ao fim quando a PolyGram lançou no mercado a caixa de CDs *Todo Caetano*, com trinta discos de carreira do artista e um livreto com letras e textos explicativos. Idealizada por Marcos Maynard, a coletânea revelava aos fãs a extensa discografia do artista, a força de sua energia criativa, a diversidade de sua obra, e muita especulação sobre o que ainda poderia surgir no futuro. A dúvida fazia mesmo sentido. O milagre da criação muitas vezes leva o artista a trilhar caminhos desconhecidos.

Mais previsível, o milagre da vida costuma seguir seu curso natural. Em regra, após nove meses de gestação um casal compartilha a felicidade de assistir ao nascimento do filho tão esperado. Naquele final de ano faltava pouco para o casal Paula e Caetano curtir mais uma vez esse momento. A caixa de CDs estava nas ruas. A de charutos seria esvaziada em breve, mais precisamente em janeiro, quando o bebê viesse ao mundo.

rodas de leitura

1º de julho 1998 às 18h30

Caetano Veloso
LITERATURA E TROPICALISMO

24

DISCOS, LIVROS E TUDO MAIS

Cada nascimento, um *flash*. Nem bem colocava os pés na Terra e o terceiro filho de Caetano já se tornava celebridade. Tom Lavigne Veloso♪[80] nasceu na tarde de 25 de janeiro de 1997, no Hospital Aliança, em Salvador. O batalhão de fotógrafos e repórteres que esperavam ansiosos do lado de fora recebeu as primeiras notícias por intermédio de parentes e amigos. Nascido no mesmo dia do maestro Antônio Carlos Jobim, a homenagem, sem trocadilho, soava em bom tom. Nome de músico carioca, fisionomia de compositor baiano. Enquanto a mãe amamentava, o pai repetia orgulhoso: "*É a minha cara!*"

Um dia depois, a primeira aparição pública. Caetano, Paula e o estreante Tom apareceram na sacada do terceiro andar do prédio. Entre uma foto e outra, Paula fazia sinal de que tudo estava bem com ela e a criança. Embora o bebê tivesse nascido de cesariana, daquela vez nenhum problema havia influenciado na decisão. Tom nasceu na época certa, com saúde e muito tranquilo. Raramente chorava. No parto de Zeca, não tinha sido assim. Os pais viraram noites preocupados. E tudo isso às vésperas de estrear *Circuladô*. Agora seria diferente. Nos próximos dias, Caetano e Paula podiam dormir sossegados. E o baiano mais ainda, já que não tinha nenhum grande show para se preocupar. Mesmo assim, não ficaria livre dos compromissos. Uma gravação eventual, para não perder o costume, e a produção de um disco muito esperado, o manteriam de mãos ocupadas nos próximos meses.

No fim de março, Caetano deixou Salvador rumo ao Rio de Janeiro, para gravar uma das faixas do CD *Casa de Samba 2*, da PolyGram. A boa vendagem da primeira edição justificava a segunda etapa do projeto. A música dessa vez seria "Com Que Roupa?", de Noel Rosa, típico malandro carioca dos anos 1930. E seu parceiro na gravação, veja só, seria Zeca Pagodinho, típico malandro carioca dos anos 1990. Entre outras duplas inusitadas, Roberto Silva e Fernanda Abreu, Lobão e Timbalada, Guilherme de Brito e Fagner. E

---

[80] ♪"Um Tom"

ainda, Beth Carvalho e Belô Velloso, que cantaram "Desde Que o Samba É Samba", do tio Caetano. Como simpatia é quase amor, Zeca e o cantor baiano se afinaram no samba e o resultado agradou em cheio. Por pouco não emendaram um pagode em Xerém regado a uma boa cerveja. Mas esse ficaria para outra hora. Naquele período, Caetano estava envolvido com a produção de uma cantora de voz potente, acostumada a entoar seu canto afinado nas igrejas de Salvador: Virgínia Rodrigues.

A mesma voz de *mezzo* soprano que deleitava os anjinhos barrocos dos altares também encantava Caetano. Começou no ensaio aberto da peça *Bai Bai, Pelô*, do Bando de Teatro Olodum, e não parou mais. Com o vínculo, Caetano viria a ser seu padrinho artístico. A ideia do CD partiu de Marcio Meirelles. Caetano endossou de imediato, só que nem tudo seria tão simples como se pensava. Primeiro, buscaram a ajuda de um programa cultural patrocinado pela Copene Petroquímica do Nordeste. Não deu certo. A escassez de vagas – apenas uma por vez – derrubou a candidata. Como Virgínia Rodrigues não entrou na seleção, tiveram que partir para uma solução caseira.

A Natasha Records estava estabelecida, possuía bons títulos no catálogo, e ainda havia espaço para mais. Virgínia Rodrigues entraria nessa. Em meados de 1996, as gravações começaram. Até ali, porém, a cantora precisou arregaçar as mangas. Na luta pela realização pessoal, tinha percorrido uma longa e sinuosa estrada. Durante a juventude, trabalhara de manicure para ganhar a vida. Embora fosse um trabalho digno, pintar unha de madame não a realizava. Cantando nas horas vagas, Virgínia mandava a tristeza embora. E ainda ganhava uns trocados por isso. Em sua turnê particular, se apresentava em batizados, formaturas, casamentos e coros de igrejas por toda Salvador. A extensão da voz não se traduzia em grandes distâncias. Tudo acontecia nos limites da capital baiana. A situação mudou depois de estrear no Olodum e ser descoberta por Caetano Veloso. Entre uma peça e outra, Virgínia fez ponta no filme *Jenipapo*, de Monique Gardenberg e também participou do CD Âmbar, de Maria Bethânia. Em breve, estaria em *Tieta*, de Cacá Diegues. O sonho maior, porém, seria realizado em 1997, com o lançamento de seu primeiro CD: *Sol Negro*.

A direção artística ficou nas mãos de Caetano e a produção a cargo de Celso Fonseca. Para dar um brilho a mais, três convidados de peso: Djavan, Gilberto Gil e Milton Nascimento. Virgínia quase teve um troço quando soube da participação deles no disco. Mais difícil ainda seria cantar frente a frente com seu ídolo Milton Nascimento. E não parava por aí. Caetano apostava de olhos fechados na cantora. Ele pediu a Luiz Brasil, seu músico de confiança, que assumisse a direção musical do disco. E não escondeu nada. O projeto dispunha de um orçamento apertado, então o músico não podia pensar em grandes cachês. Em nome da amizade, Luiz Brasil não se importou. Na proa desse navio, em pouco tempo teria o prazer de ver desabrochar o interesse do público brasileiro pelo estilo "Jessye Norman dos trópicos" de Virgínia Rodrigues.

O lançamento aconteceu em 28 de maio, no Museu de Arte Moderna da Bahia, no Solar do Unhão, em Salvador. Estrear em casa e no meio de gente conhecida não amenizou o nervosismo da cantora. Muito menos o de fãs, parentes e amigos que estavam na plateia torcendo por ela. Virgínia entrou no palco sem olhar para ninguém. Tentava, com sua técnica particular, vencer a emoção que aflorava à revelia. Cantou uma, duas, três músicas, mas não conseguiu se controlar por muito tempo. Uma lágrima clara finalmente rolou sobre a pele dela e contagiou a todos. Os sentimentos se misturavam no coração da cantora. O peso da estreia, a sensação de vitória sobre as dificuldades, a saudade do pai que havia perdido no ano anterior, o carinho dos amigos. No meio do público, Caetano se emocionou mais uma vez. Não era uma estreia qualquer. No fundo, o lançamento da cantora também representava uma vitória pessoal. Virgínia sabia disso e, igualmente emocionada, conduziu o restante do espetáculo com fé e devoção, doando seu talento como quem agradece aos orixás uma bênção recebida.

O sucesso se repetiu nas demais apresentações em Salvador. Poucos dias depois, o mesmo aconteceria na bem-sucedida temporada carioca, no Teatro Rival. Conduzida pelas mãos de grandes nomes da música brasileira, Virgínia Rodrigues finalmente surgia para o mundo.

※

No mês seguinte, Caetano iniciaria seu giro final como cavaleiro de fina estampa. Para quem não queria turnê de jeito nenhum, o espetáculo teve uma vida útil considerável. A boa recepção das plateias trazia fôlego ao trabalho. Contudo, por mais que a cavalgada lhe rendesse aplausos no mundo inteiro, um dia o show teria de terminar para dar vez a outro. O projeto de um novo CD estava bem amadurecido, e seu livro de memórias caminhava para o ponto final. Em breve, os dois trabalhos viriam à tona e um novo ciclo começaria em sua carreira. Até aquele momento, tinha conseguido se dividir bem com seus vários trabalhos simultâneos. Não seria, então, na "EUA–Japão Tour 97" que ele se atrapalharia com horários, compromissos, ensaios e shows. Caetano, talvez não, mas será que todo mundo teria o mesmo cuidado?

A turnê começou em 16 de junho, no Jackie Gleason Theater de Miami, nos EUA. Dois dias depois, Caetano esticava até San Juan, em Porto Rico, para uma apresentação única no luxuoso Caribe Hilton Hotel. De volta aos EUA, prosseguiu por Nova York, Boston, Los Angeles e, por último, em São Francisco, no Masonic Auditorium. As cidades americanas não se distinguiam tanto da cultura ocidental moderna. Embora existissem diferenças, os brasileiros também se reconheciam no *American life style*. O choque estava do outro lado do mundo, mesmo que o Japão fosse um velho conhecido. O baiano estivera por lá no início da década. De qualquer forma, a experiência anterior não bastou para fazê-lo se acostumar às tradições locais. Na sessão de entrevistas, Caetano reconheceu a jornalista que o tinha entrevistado da primeira vez. A memória afetiva falou mais alto e ele tascou dois beijos na bochecha da japonesa. Ruborizada, a oriental quase desmaiou. Nas ruas, as diferenças continuavam. A intérprete que acompanhava o grupo se esforçava o tempo inteiro para não andar na frente do cantor. A mulher japonesa anda atrás do homem. Esse é o costume. Só que Caetano, ocidental típico, baiano, criado na maior liberdade, no meio de tantas mulheres, não queria participar desse ritual. Em determinado momento, se enfezou e mandou parar tudo. A japonesinha levou um susto e rapidamente deixou de lado qualquer formalidade que ainda restava.

Os shows seriam em Tóquio, mais precisamente no Kirin The Club, uma espécie de clube de jazz japonês. Caetano encontrou ali o experiente saxofonista Sadao Watanabe. Fã de música brasileira e de Caetano, em especial, o homem ficou numa alegria só. Com a presença do brasileiro em sua terra, Sadao achou por bem se preparar para um possível dueto. Ele, que normalmente ensaiava com afinco, aumentou ainda mais a carga de treinamento. O problema é que esmero demais às vezes atrapalha. O local de ensaio ficava a poucos metros do palco. Muitas vezes o músico se estendia por horas e horas, e acabava coincidindo com o horário do espetáculo de Caetano. A sutileza de *Fina Estampa* pedia silêncio na plateia, volume baixo dos instrumentos e concentração absoluta. O motivado Sadao esquecia tudo isso e continuava solando nos bastidores. Os músicos se seguravam para não rir. Os boleros desfilando no palco e o sax de Sadao, em tom bem mais alto, vazando da coxia. Caetano levantava a sobrancelha, olhava para os lados, mas conseguia manter o foco. O japonês só se tocou da gafe depois que recebeu um recado da produção brasileira. Nem o discreto "carão" diminuiria seu ímpeto. Ansioso pela estreia, já tinha se escalado para dar canja ao lado de seu ídolo.

No outro dia da apresentação, depois de ter ensaiado até a exaustão, Sadao Watanabe estava mais do que pronto para tocar com Caetano. Fosse com o exigente João Gilberto, talvez o episódio não tivesse perdão, mas Caetano o recebeu de braços abertos. O difícil seria se despedir dele. Uma vez no palco, o japonês não queria sair mais. Emocionado com a realização, e jazzista por natureza, emendava um solo atrás do outro sem parar. Cada vez mais motivado, não conseguia se dar conta de que o show tinha de prosseguir. O tempo passou e só depois de atingir seu "orgasmo musical" decidiu terminar o solo. Em respeito ao saxofonista, os músicos até mantiveram a seriedade, mas foi inevitável comentar a graça do episódio depois. A carreira internacional de *Fina Estampa* terminava assim, com muita história boa acumulada na bagagem. A partir de então, as energias de Caetano seriam canalizadas para outros dois trabalhos hercúleos: um CD de músicas inéditas e a finalização de seu calhamaço de memórias.

❦

O conceito do novo CD havia surgido no fim de 1996, durante a excursão de *Fina Estampa* pela Europa. Enquanto viajava de ônibus, Caetano mergulhou no *cool jazz* de Miles Davis e Gil Evans, com a ajuda de uma coleção comprada durante a turnê. Ao mesmo tempo em que navegava pela sofisticação sonora dos anos 1950, também sentia saudade dos ritmos de rua de Salvador. A percussão com a qual ele tanto havia trabalhado em *Tieta* tinha dado lugar à suavidade orquestral de *Fina Estampa*. Tropicalista até a alma, Caetano queria mais. Juntar as duas pontas seria seu próximo grande desafio.

Em agosto de 1997, o trabalho começou. Caetano conversou antes com Morelenbaum e Luiz Brasil sobre suas ideias. Os dois entraram em comunhão com ele e o trabalho rapidamente fluiu para o resto da banda. Não seria simples materializar a ousadia musical do projeto. Algumas adaptações foram necessárias para dar o clima que Caetano tanto queria. Percussionistas foram trazidos da Bahia para reforçar a banda. Ao lado deles, em vez das cordas tradicionais, seria incluído um naipe de instrumentos de sopro. Com essa base, os arranjos foram sendo criados. As letras das canções é que pareciam empacadas.

Àquela altura, Caetano finalizava um verdadeiro tijolo literário. Estava, portanto, "literalmente" saturado. As melodias, os arranjos, os sons, fluíam com facilidade. Já as letras foram deixadas de lado, por causa do excessivo contato com as palavras. Não chegava a ser um bloqueio, mas, por força da ocasião, rimas e refrãos acabaram mesmo em segundo plano. Caetano só encontrou energia para fechar as letras aos quarenta e cinco minutos do segundo tempo, quando muitos arranjos já estavam finalizados. Nem por isso deixou de caprichar. Distribuídas nas 14 faixas, estariam influências, reverências, imagens originais, inspiração e muita poesia.

Paula novamente recebeu uma homenagem. Na letra de "Você é Minha", Caetano exaltou o amor e a cumplicidade do casal. Ninguém precisava ficar com ciúmes. O filho caçula também ganhou um presente, enquanto o mais velho trouxe outro. "Um Tom" foi composto para o Tom dos Veloso e a minúscula "How Beautiful Could a Being Be" entrou no repertório com os cumprimentos de Moreno. E já que estava tudo em família, por que não estender o laço? O contato com o universo literário influenciou também na seleção do repertório. Assim, Caetano quis dar sua roupagem a "Navio Negreiro", um dos poemas mais conhecidos de Castro Alves. Produziu então uma obra parte musicada, parte recitada. A primeira ficou por sua conta. E para aumentar a carga dramática da segunda, convidou Maria Bethânia. O curioso é que, na noite anterior, Bethânia tinha lido o mesmo poema num show em Brasília. E ainda nem sabia das intenções do irmão. Os místicos chamam isso de sintonia espiritual.

Nesse clima relaxado as faixas foram gravadas. Produzido na mesma época em que o cantor escrevia seu livro de memórias, o CD também receberia influências e seria chamado singelamente de *Livro*. Embora o trabalho só estivesse começando, Caetano saberia tratar seus compromissos por ordem de prioridade. Nesse critério, ninguém teria mais importância que a sagrada sua mãe. Em 16 de setembro de 1997, dona Canô completava 90 anos de vida. Uma vida intensa, muito bem vivida e, portanto, merecedora de uma comemoração à altura. Naquela semana, a família se envolveria em vários eventos e os filhos estariam reunidos para render homenagens. Além disso, Caetano e Maria Bethânia realizariam um antigo sonho dos Velloso. Gravariam a Novena de Nossa Senhora da Purificação, de Domingos de Faria Machado, a peça musical religiosa preferida de dona Canô.

Caminhar nas ruas de Santo Amaro sempre trazia uma satisfação diferente. A cidade guardava reminiscências de um tempo que não voltava mais. Adolescente ainda, Caetano não conseguia dimensionar como seria sua vida de homem formado. Gostava de ouvir João Gilberto e não imaginava que um dia cantaria ao lado dele. Brincava Carnaval e nem sonhava que a Mangueira o levaria a desfilar na Marquês de Sapucaí. Vestia fantasia nova todo ano e não sabia que sua roupa seria assunto no jornal. Assistia emocionado aos filmes de Fellini e Giulietta, mas sequer passava por sua cabeça a ideia de estar em Rimini para render homenagem aos dois. Tempo, tempo, tempo...

No final de 1991, Maddalena Fellini cogitara pela primeira vez o nome de Caetano Veloso para um show em homenagem ao irmão Federico e sua esposa Giulietta Masina. Naquela época, Caetano ficara enternecido com a proposta, contudo, teria de esperar um bom tempo até esse momento se concretizar. Ao todo, seis anos se passariam. Em 30 de outubro de 1997, seria comemorado na Itália, em Rimini, cidade natal de Fellini, o aniversário de 54 anos de casamento do cineasta com Giulietta Masina. Intitulado *Omaggio a Federico e Giulietta*, o evento comemorativo duraria uma semana, com exibição de filmes do diretor, exposições e shows de música. Maddalena quis aproveitar a ocasião para dar forma às suas antigas ideias. Na passagem de

Fina Estampa por cidades da Itália, no final de 1996, a italiana reforçara o pedido ao baiano para fazer o espetáculo de encerramento dos festejos. Por todos os motivos do mundo, o convite se tornou irrecusável.

Caetano deu uma importância enorme ao evento, entretanto, continuava envolvido com muitos compromissos. O show, então, teve de ser preparado quase em cima da hora. Apesar do pouco tempo, selecionou um repertório personalizado para a ocasião. Em sua linha de raciocínio, incluiu não só temas clássicos de Nino Rota, eternizados nos filmes de Fellini, mas também canções que marcaram sua juventude, período em que fora arrebatado pelo cinema italiano; e, naturalmente, outras que faziam referência direta ou indireta aos dois homenageados. Entre elas, "Gelsomina", de Michele Galdieri e Nino Rota, "Que Não Se Vê", versão em português de Caetano para "Come Tu Mi Vuoi", de Nino Rota e T. Amurri. E mais "Lua Lua Lua Lua", "Trilhos Urbanos" e "Giulietta Masina", compostas por Caetano, "Chega de Saudade", de Tom e Vinicius, e até a melodramática "Coração Materno", de Vicente Celestino, numa sutil referência ao perfil sentimental e popular do cineasta italiano. Um repertório misto, ao mesmo tempo interligado, e à altura da grande celebração. Para aproveitar o ensejo festivo, a PolyGram queria gravar o show para transformá-lo em CD. Um problema inesperado colocaria a ideia em risco.

Caetano chegou em Rimini motivado ao extremo. A emoção de pisar naquela terra mágica mexia com seus sentimentos mais íntimos. Nos passeios, o baiano reconheceu lugares que serviram de cenário para filmes de Fellini. O clima era o melhor possível e os organizadores do evento faziam de tudo para agradar ao brasileiro. Tratamento de primeiro mundo. Só que o excesso às vezes prejudica. Na véspera da apresentação, os italianos insistiram em levá-lo até a República de San Marino, a poucos quilômetros de Rimini. Caetano gentilmente recusou. A noite estava fria e chuvosa. Não queria correr o risco de apanhar um resfriado. Melhor deixar para outra vez. Assim pensava o convidado; os italianos, não. Insistentes, acabaram convencendo o visitante a entrar debaixo do sereno. Resultado: na manhã seguinte, Caetano estava rouco, quase sem voz.

O desespero desabou na cabeça deles. Havia a expectativa natural do público, os planos de transformar o show em disco, e muitos outros aspectos envolvidos: a satisfação pessoal, a motivação de realizar um belo espetáculo, o compromisso com os músicos, a *Fondazione Fellini*, o sonho. Tudo isso prestes a desmoronar por causa de um pequeno descuido. Não, não podia ser dessa forma. Caetano pensou no pior, mas a convicção de que não chegara ali à toa o impediu de continuar pensando assim. Uma desistência seria a última hipótese a ser considerada. Decidido a cumprir sua missão, buscou forças em seu interior e partiu para o sacrifício.

A apresentação seria no Teatro Nuovo, em Dogana, no caminho para San Marino. Não importava mais, todo esforço valia a pena. Ao subir no palco, Caetano sentiu-se revigorado. A emoção à flor da pele, o sentimento de gratidão, a vontade enorme de atender às expectativas, os deuses; tudo ajudou na hora de cantar. A voz saiu com dificuldade, mas forte o suficiente para levar sua mensagem aos fãs de Fellini. Com as cordas vocais aquecidas, quase ninguém percebia a diferença. Mesmo assim, se desculpou para o público por cantar com dificuldades. O grupo todo estava emocionado. Uma atmosfera mágica e misteriosa tinha envolvido os músicos desde o início dos ensaios. Pareciam beatificados, diria o baiano depois. Subir naquele palco havia sido difícil, descer dele seria mais ainda. A plateia foi contagiada e aplaudiu com entusiasmo. Ovacionado em bom italiano, Caetano teve de voltar várias vezes. O espetáculo terminava de forma heroica.

"O melhor o tempo esconde, longe, muito longe, mas bem dentro, aqui." Em San Marino, Caetano sentiu a tristeza, o orgulho e o pesar que dão sentido à vida numa aura metafísica de passagem do tempo. Ainda jovem, no silêncio de seu quarto, sonhara muitas vezes com Giulietta e Federico. Agora, imbuído de uma imensa saudade, conversava com eles sustentado pela força de sua música. A ponte virtual entre Santo Amaro e Rimini, iniciada nos anos 1940, chegava a seu destino, iluminada pelo brilho de uma lua vermelha, imensa, daquelas que Fellini pintava em suas telas, e no embalo de uma boa música napolitana traduzida em português santamarense. E tudo isso, *per Federico e Giulietta*.

Apesar dos imprevistos, a PolyGram gravou assim mesmo. No fundo, ninguém acreditava que o resultado pudesse dar forma a um produto útil e vendável. Fizeram apenas por desencargo de consciência O mais provável seria que a gravação ficasse engavetada. A resposta definitiva, só o tempo, ele de novo, poderia dizer. Em poucas semanas, o próprio Caetano esqueceria essa gravação. Para dizer a verdade, naquele momento seria difícil ter cabeça para tratar de um assunto apenas. Nos próximos meses, o baiano ficaria mais falado que galã de novela.

⚜

Em 26 de outubro de 1997, um domingo, quem comprou qualquer jornal de grande circulação soube da novidade: Caetano Veloso estava lançando seu livro de memórias. Publicado pela Companhia das Letras, *Verdade Tropical* chegava ao conhecimento público de maneira ampla, geral e irrestrita. Em 1º de novembro estaria à venda não só nas melhores, mas em todas as livrarias do país. Caetano passava a régua no Tropicalismo e apresentava a conta dos cacos que ainda restavam. Imprimia de forma crítica sua visão de um dos momentos mais influentes da música brasileira que ele mesmo ajudara a construir.

O burburinho em torno do nome Caetano Veloso não ficaria restrito à divulgação de *Verdade Tropical*. Em novembro chegou a vez de outro *Livro* ser lançado, na verdade, um novo CD. No decorrer de dois meses, a enorme cobertura da imprensa sobre os novos projetos lembrava a época em que Caetano estourou no Festival da Record de 1967. E para alimentar ainda mais os meios de comunicação, os dois trabalhos vinham à tona no aniversário dos 30 anos do Tropicalismo. As homenagens começariam em breve, as discussões aumentariam naturalmente e o interesse pelo assunto voltaria a crescer. Com a ajuda das mídias tradicionais, Caetano se lançava em todas as direções e abria diferentes canais de comunicação com o público. Os caminhos pareciam esgotados, mas o bombardeio cultural não acabava aí. Tinha mais.

À beira do terceiro milênio, os avanços tecnológicos ampliavam as possibilidades de divulgação dos artistas. Nos anos 1990, a internet abria portas virtuais para infinitas possibilidades. Gilberto Gil se tornou um dos primeiros artistas a mergulhar na onda da "infomaré". Em novembro, no auge das discussões em torno de discos, livros e tudo mais, Caetano seguiu o caminho do parceiro e lançou seu *site* oficial. Enquanto os jornais comentavam seu novo CD, os internautas podiam degustar cada faixa antes mesmo do trabalho chegar às lojas, apenas acessando a página www.caetanoveloso.com.br. Fosse nos jornais, nos livros, nas rádios, nas ondas da internet e, muito em breve, também na TV, só se falava do baiano.

Na prática, Caetano nunca deixou de ocupar as páginas dos jornais e ser motivo de discussão. Mesmo durante o exílio, a imprensa lembrava o nome dele em notas esparsas. Todavia, no fim de 1997, uma avalanche de informações veio a público. Inúmeras matérias, tabloides, cadernos especiais e opiniões críticas sobre seu trabalho, passaram a fazer parte de sua biografia. A carreira dele, como de qualquer outro artista, também havia passado por altos e baixos. Nem ele negava isso. Mas ele soube tirar proveito em cada momento. Tanto nos períodos favoráveis quanto nos tempos de penúria, extraiu algo de bom e deixou seu recado. Na forma de uma atitude ousada, uma posição política não convencional, uma bela canção, o cantor baiano moldou toda complexidade estética em torno de seu nome.

Caetano vivia um dos melhores momentos de sua carreira. O que não desconfiava é que poderia melhorar ainda mais. O amadurecimento profissional, a carreira bem administrada, o apuro nos trabalhos, o livro, o novo CD, a comemoração dos 30 anos da Tropicália, o aumento do interesse por sua obra. A soma de todos esses fatores atuava simultaneamente para que um verdadeiro "*boom*" ocorresse em sua trajetória a partir daquele ano.

Qualquer evento cultural relevante que acontecesse no Brasil, se tivesse música no meio, Caetano seria lembrado. Como na eleição das 14 canções mais importantes do século XX.

Por iniciativa do pesquisador Ricardo Cravo Albin, críticos e estudiosos se reuniram para escolher as músicas brasileiras mais representativas dos últimos cem anos. "Aquarela do Brasil", de Ary Barroso, ficou em primeiro lugar, seguida por "Asa Branca", de Luiz Gonzaga e Humberto Teixeira, e "Carinhoso", de Pixinguinha e Braguinha. As premiações não ficariam restritas à velha guarda. Representando as gerações dos anos 1960 e 70, Chico e Caetano entraram na lista, o primeiro com "O Que Será", o segundo com "Alegria, Alegria". E para completar o time dos engajados, João Bosco e Aldir Blanc, autores de "O Bêbado e a Equilibrista", hino da anistia, também ganharam o direito de fazer parte da relação pela boa votação recebida.

O período de festa para a música brasileira apenas começava. Estilos, ritmos, movimentos e suas canções seriam lembrados nos próximos meses. A começar pelos festejos das trinta primaveras da Tropicália.

❦

No meio de tanta divulgação ficou fácil escolher o tema oficial do próximo Carnaval de Salvador: os 30 anos do Tropicalismo. E para esquentar a festa, um evento à altura. Antes mesmo do primeiro trio elétrico sair às ruas, baianos de renome soltariam a voz juntos num especial de TV a ser exibido pela Rede Globo, o *Som Brasil Especial Tropicália 30 Anos*. Gravado no Metropolitan, no Rio de Janeiro, em 11 de novembro, o programa foi ao ar um mês depois. A festa propiciou o encontro de duas gerações da música brasileira. Precursores e herdeiros, pais e filhos do movimento, unidos para celebrar e revisitar as músicas que sacudiram o panorama cultural do país no final dos anos 1960.

Gilberto Gil fez duo com Margareth Menezes na interpretação de "Domingo no Parque". "Alegria, Alegria", de Caetano, virou poema na performance de Daniela Mercury. Gal Costa cantou "Divino Maravilhoso", música que marcara a primeira grande virada de sua carreira. Carlinhos Brown levou ao público uma versão mais percussiva de "Os Mais Doces dos Bárbaros", canção pós-tropicalista intimamente ligada ao movimento. Acrescentando seu estilo forte ao romantismo de "Não Identificado", a então vocalista da Banda Eva, Ivete Sangalo também levou sua contribuição. E "Tropicália", a canção manifesto, ficou a cargo do trio de veteranos formado por Caetano Veloso, Gilberto Gil e Tom Zé. Entre um número e outro, a TV Globo inseria imagens do apresentador Pedro Bial entrevistando as estrelas da noite. Ara Ketu, Cheiro de Amor e Asa de Águia também tiveram seu espaço. No fim, convidados e homenageados fizeram uma prévia do Carnaval que sacudiria Salvador em breve. Numa grande festa de encerramento, Caetano puxou um *pot-pourri* de frevos de sua autoria e dançou como se estivesse em plena Praça Castro Alves.

Ainda no mês de dezembro, o mercado fonográfico também entrava na brincadeira. Na mesma linha do especial para TV, a Natasha Records lançou *Tropicália 30 Anos*, uma releitura dos clássicos do movimento. A maioria das músicas aproveitou a qualidade do estúdio WR, de Wesley Rangel, o templo sagrado da axé-music em Salvador. Por sinal, a segunda casa de muitos dos artistas presentes no disco. Na hora de definir o elenco de convidados, os organizadores repetiram a base escalada para o especial da TV Globo, acrescentando reforços do calibre de Moraes Moreira, Armandinho, Pepeu Gomes, Virgínia Rodrigues, Didá Banda Feminina, entre outros.

No fim de 1997, o Tropicalismo virou moda novamente. Mesmo quem nunca tinha ouvido falar no assunto passou a saber do que se tratava. Ao mesmo tempo, Caetano abria mais portas de comunicação com o público. Artista multimídia, estava mais popular do que nunca. Fosse em jornais, livros, internet, discos, especiais de TV, seu nome surgia estampado de uma forma ou de outra. Onde mais poderia estar? As possibilidades pareciam esgotadas, mas só pareciam. Na vida daquele baiano, sempre havia espaço para o algo a mais.

Com a chegada do fim do ano, Caetano, Paula, filhos e amigos foram passar férias na Bahia. A princípio seria um verão como outro qualquer, não fosse o telefonema surpresa de um cineasta espevitado. Pedro Almodóvar ligava da Espanha avisando que chegaria ao Brasil no fim de dezembro, para curtir uma temporada de férias em Salvador, na companhia dos amigos brasileiros. Caetano adorou a notícia. *Mi casa, su casa.* A amizade entre os dois nascera em Madri, um par de anos antes. Dali em diante, muitos convites foram lançados para que o espanhol passasse uns dias na capital baiana, onde pudesse degustar um acarajé, assistir a um ensaio do Olodum, receber as bênçãos dos orixás, e descobrir o que é que o baiano tem. Com a agenda sempre cheia, as negativas se repetiam. Somente no final de 1997 a história mudou. Almodóvar finalmente aceitava o velho convite do amigo baiano.

Naquela oportunidade, o cineasta não chegou sozinho. A estrela de *A Flor do Meu Segredo*, Marisa Paredes, e o marido dela, José Maria Prado, então diretor da Cinemateca de Madri, vieram na mesma "caravana rolidei". Em Salvador, a comitiva ficou hospedada na casa de Caetano. Bom anfitrião e com alma de cicerone, levou os visitantes para conhecer as principais atrações da cidade. O centro histórico, as praias, a Baía de Todos os Santos, os ensaios de blocos afros, a comida típica. Almodóvar se apaixonou por tudo. Adorou comer cocada e ficou impressionado com a atmosfera do Pelourinho.

Durante a festa de *réveillon*, os espanhóis comemoraram duas vezes a virada do ano. Às nove da noite, equivalente à meia-noite em Madri, e no horário da passagem no Brasil. O ano vindouro prometia fartura para todos. Almodóvar se sentia muito à vontade na casa de Caetano. Mergulhado naquele recanto, recebia doses diárias de inspiração, desde o melodioso "bom dia" do baiano até a hora de dormir. Isso sem falar da presença feminina na casa. Assim como Caetano, ele vinha de um ambiente rodeado de mulheres. Em Salvador, além da constante companhia de Marisa Paredes, Paula Lavigne e sua amiga inseparável, Paula Burlamaqui, estavam sempre por perto. Embora fosse um período curto, não mais que duas semanas, ninguém pensava em trabalho. Mas a inspiração veio à revelia. Nessas horas é melhor deixar fluir. Para dar vazão às suas ideias, o cineasta pediu licença para ocupar o escritório de Caetano e o roteiro de *Tudo Sobre Minha Mãe* começou a nascer. No decorrer do ano, o longa-metragem começaria a ser rodado e se tornaria um dos filmes mais premiados da carreira de Almodóvar.

Em janeiro de 1998, os espanhóis voltaram para a Europa cheios de histórias para contar. Caetano também tinha as suas. O contato com o cinema rendeu uma experiência gratificante. Mas a relação com a sétima arte não terminava no *hasta la vista*. Naquele início de ano, enquanto um cineasta ia embora, outro velho conhecido chegava com uma câmera na mão e uma ideia na cabeça.

No fim dos anos 1950, Cacá Diegues estava entre os muitos brasileiros que detestaram a versão cinematográfica de Marcel Camus para a peça *Orfeu da Conceição*, de Vinicius de Moraes. A terra folclórica mostrada no filme *Orfeu do Carnaval* não estava no mapa que ele conhecia. Embora o filme tivesse tido o mérito de divulgar a Bossa Nova para o mundo, teve também o demérito de perpetuar a falsa imagem que os estrangeiros passariam a fazer do Brasil. Isso decepcionou muita gente, dentre eles o próprio Vinicius de Moraes e o jovem Cacá Diegues. Desde então, o futuro cineasta prometera a si mesmo que um dia levaria às telas sua própria versão da história. A antiga promessa começaria a ser cumprida em 1998, com o início das filmagens de *Orfeu*.

Cacá não queria cometer os mesmos erros de Camus, todavia, não abria mão dos acertos. Na nova versão, o mito de Orfeu seria atualizado para a realidade social do fim dos anos 1990, com o personagem principal na condição de morador de uma favela carioca. E, inserido no contexto, o Carnaval do Rio seria mostrado ao fundo, em cenas autênticas, explodindo em sua real dimensão de cores e fantasias. A direção musical da película estaria nas mãos de um velho conhecido. No início, Caetano até se mostrou resistente, sobretudo pela existência dos temas da primeira versão que, pela qualidade inquestionável, tinham se tornado clássicos da música brasileira. Mas a diplomacia do diretor acabou resolvendo a questão. A trilha original seria mantida, porém, a pedido de Cacá, Caetano iria compor especialmente para o filme um samba-enredo e um tema de amor.

Naquele período, um famoso verso de Chico Buarque, "*Tô me guardando pra quando o Carnaval chegar*", remetia a Caetano. A festa se aproximava e seria bom que ele renovasse o fôlego. Precisaria se desdobrar para cumprir todos os compromissos na ponte aérea Rio-Salvador. A capital baiana homenageava os 30 anos da Tropicália. Na condição de homenageado, não podia faltar de jeito nenhum. Ao mesmo tempo, aconteceria no Rio de Janeiro outro evento imperdível: o desfile da Escola de Samba Unidos do Viradouro, com o enredo "Orfeu, o Negro do Carnaval", de Joãozinho Trinta. Na grande "Ópera Popular", como é conhecido o desfile de avenida, o espetáculo é mesmo de cinema. A Viradouro também falaria do mito grego. Por esse motivo, seu desfile seria registrado pelas câmeras de Cacá Diegues para compor cenas do filme. Pelo menos enquanto tivesse pique, Caetano Veloso estaria presente em tudo.

No início de fevereiro, assistiu a um ensaio na quadra da agremiação, em Niterói. A Viradouro vinha de um campeonato, e sua bateria, comandada por Mestre Jorjão, tinha ficado famosa por ter mostrado uma batida *funk* em plena Marquês de Sapucaí, templo do samba carioca. Esses fatores faziam a quadra lotar todas as noites. Caetano ficou impressionado com a energia do público e dos componentes da escola. O ensaio mais parecia uma grande festa entre amigos. Além de Paula Lavigne, estiveram na quadra Djavan, que viveria um dos Orfeus na avenida, Cacá Diegues, Zezé Motta, Regina Casé e o escolhido para representar Orfeu nas telas, Toni Garrido, vocalista da banda Cidade Negra. Contagiado pela atmosfera, Caetano deu uma canja ao som da bateria de Mestre Jorjão. Ao lado de Toni Garrido, interpretou o samba-enredo do filme de Cacá, "O Enredo de Orfeu (História do Carnaval Carioca)", que ele compôs em parceria com o *rapper* carioca Gabriel o Pensador. Difícil descrever tanta emoção, mas ele que poupasse o coração e a voz. A maratona estava só no início. Próxima parada: Salvador.

Em 19 de fevereiro, Caetano chegava ao Porto da Barra para receber uma menção da Universidade Federal da Bahia e inaugurar o Carnaval da Tropicália. Naquela tarde, ganharia o título de "*doutor honoris causa*", concedido a personalidades de grande destaque em suas atividades, como Dorival Caymmi, Jorge Amado e Glauber Rocha, agraciados anteriormente. A ideia, porém, nascera bem antes, em setembro de 1996, na reunião do Conselho

Universitário da UFBA. O reitor, Luiz Felippe Serpa, e os membros do conselho, aprovaram a honorificência sem grandes discussões. Mas a polêmica costuma seguir Caetano até nas férias. De seu merecimento ninguém tinha dúvidas; o local escolhido para a entrega é que não agradou. Em vez da cerimônia tradicional, cheia de pompa, realizada na reitoria, a pedido de Caetano, o título seria outorgado em cima de um trio elétrico, à brisa do Porto da Barra. Os mais tradicionais foram contra e protestaram. Abadá não combinava com toga. A pressão foi grande, mas não teve jeito; prevaleceu a vontade do agraciado. Por conta da decisão, parte das autoridades não compareceu à cerimônia. Assim mesmo, a outorga foi declarada pelo reitor e pelos membros do conselho. Entre eles, a atriz e amiga Nilda Spencer, que assistiu a dona Canô subir toda orgulhosa no trio para ver seu filho virar doutor. Logo ele que não tinha conseguido finalizar seu curso de Filosofia. Feliz com a homenagem, Caetano desfilou com o trio elétrico e cantou para o público. Nem podia se esbaldar muito. Aquele foi apenas o primeiro. No decorrer do Carnaval, muitos outros estariam a sua espera. E nem demoraria tanto.

Na noite seguinte, sexta-feira, a festa começou na Bahia e Caetano subiu no Trio Eletrônico de Gilberto Gil. Até aí, nenhuma novidade. Os dois já tinham perdido as contas das vezes que cantaram em cima de trios. A surpresa ficava por conta dos convidados ilustres da festa tropicalista. O Carnaval de Salvador virou um grande festival de música, com diferentes ritmos e estilos reunidos. Tinha artistas para todos os gostos. Djavan, Milton Nascimento, Jorge Mautner, Gal Costa, Elba Ramalho, Baby do Brasil, Pepeu Gomes, Dominguinhos e muitos outros. O microfone passava de mão em mão sem parar. O rodízio de canjas levou os foliões ao delírio.

As surpresas não pararam por aí. Nos outros dias de agito, Cássia Eller causou burburinho ao mostrar os seios durante a interpretação de "Brasil", de Cazuza, Jorge Israel e Nilo Romero. Fernanda Abreu fez duo com Daniela Mercury e sacudiu o povo com a batida *funk* carioca. Lulu Santos levou seu pop rock à terra da axé-music, e a dupla sertaneja Zezé di Camargo e Luciano se esbaldou na companhia de Carlinhos Brown e Timbalada. A mistura de ritmos e influências celebrada pelo público confirmava a vitória do movimento. Mais vivo do que nunca, o ideal Tropicalista esbanjava vitalidade décadas depois de ter escandalizado os mais conservadores. Essas notícias chegavam a Caetano pela imprensa. Na segunda-feira de Carnaval já estava de volta ao Rio de Janeiro para assistir ao desfile da Viradouro. Na mesma noite, veria antes o da Mangueira, cujo enredo homenageava seu amigo Chico Buarque.

O desfile carioca é outro tipo de festa, com outras características; um espetáculo de luzes e cores apresentado em diferentes matizes. No início da noite, o vozeirão do alto-falante anunciou a entrada da primeira agremiação. O restante da madrugada passaria assim, com as escolas desfilando na passarela, e Caetano curtindo tudo no conforto de um camarote. A mangueira foi a segunda escola a desfilar, e a Viradouro, a quarta. Chico Buarque de um lado, Orfeu de outro. O impacto visual se repetiu nas duas. Para ele, que não tinha cabeça de jurado, ficava difícil saber qual delas tinha se saído melhor. Cacá Diegues sabia muito bem. Sua câmera não parou de rodar durante o desfile mitológico da escola de Niterói. No calor daquela emoção, registrava apenas uma parte da história. Até o filme ficar pronto, muito trabalho haveria pela frente.

A busca do realismo se tornaria uma das marcas da empreitada, a ponto de uma favela cenográfica com 68 casas ser construída no interior da Colônia Juliano Moreira, em Jacarepaguá, zona oeste do Rio de Janeiro. No decorrer do ano, ali seria o quartel-general do diretor Cacá Diegues, de técnicos e atores do filme. As visitas seriam constantes. Caetano também subiria o morro fictício para fazer uma ponta no filme. Numa das cenas, cantaria o samba-enredo "Os Cinco Bailes da História do Rio", composto por Silas de Oliveira, Bacalhau e Dona Ivone Lara, para o desfile do Império Serrano de 1965. A canção também faria parte do CD com a trilha do filme, preparado por Caetano e coproduzido pela dupla Arto Lindsay e Jaques Morelenbaum.

No decorrer do trabalho, no entanto, nem todos os convidados teriam o mesmo grau de engajamento. O vocalista do Planet Hemp, Marcelo D2, faria uma participação especial a convite de Cacá Diegues. Caetano, como diretor musical, e Paula Lavigne, produtora do filme ao lado de Renata Magalhães, foram até o estúdio acompanhar a gravação. Seria bom se tivesse acontecido. Marcelo D2 não apareceu. Nem é preciso dizer que a equipe toda ficou uma arara. Perderam tempo, dinheiro, e, o pior de tudo, o talento musical de Marcelo D2. O furo renderia pano para manga.

Ao comentar o episódio numa entrevista ao jornal *Folha de S.Paulo*, D2 declarou: *"acho que não tinha a ver, nunca gostei do trabalho do Caetano"*. Acabou cutucando o leão com vara curta. O assunto seria passado a limpo um ano depois, no Video Music Brasil (VMB), a festa de premiação dos melhores clipes da MTV. Por pouco não saiu briga. Na primeira chance, Caetano foi até Marcelo D2, que se apresentara naquela noite, e disse que ele não deveria ter agido daquela forma, que o mais digno seria ter falado cara a cara. Na mesma hora, Paula Lavigne se aproximou e entrou na confusão. O clima quente afastou qualquer chance de diálogo. E chegar às vias de fato não combinava com Caetano. Dado o recado, encerraram o assunto por ali mesmo. Pelo menos, em termos de bate-boca. No futuro, Marcelo D2 ainda lembraria o episódio na letra de "A Arte do Barulho", *rap* de sua autoria.

Discussões à parte, o CD com a trilha de *Orfeu* só chegaria às lojas em março do ano seguinte, um mês antes da estreia do filme. No fim do Carnaval de 1998, Caetano estava exausto, é bem verdade, mas satisfeito até a alma. Na medida do possível, tinha conseguido aproveitar os melhores momentos da festa, tanto no Rio quanto em Salvador. A partir dali precisava descansar. Mas nem tanto. Em breve, deixaria tudo pronto para a estreia do show *Livro Vivo*, no Palace, em São Paulo.

&

O tempo curto não atrapalhou a preparação. Em abril, quando as cortinas do Palace se abriram, o público vislumbrou um cenário escarlate, com um enorme móbile prateado, suspenso em primeiro plano, ganhando formas diferentes à medida que se movia no ar. Essa imagem meio lúdica, meio surrealista, criada por Hélio Eichbauer, se encaixava perfeitamente na fusão de sonoridades que seria apresentada no decorrer do espetáculo. Difícil imaginar uma interseção entre os ritmos de rua da Bahia e o *cool jazz* americano dos anos 1950, entre Carlinhos Brown e Miles Davis, entre Neguinho do Samba e Gil Evans. No entanto, o homem de terno e gravata posicionado no centro do palco gostava de uma boa mistura. Tropicalista antes de tudo, estava ali para mostrar que todas essas coisas poderiam conviver com harmonia, fosse em livro, disco, e, por consequência, no repertório de um show.

A elegância do figurino, estilo cantor de jazz tradicional, incorporava mais um elemento no sincretismo musical proposto. Com essa estratégia de produção, Caetano estendia parte do conceito base à sua maneira de se vestir. Já sua performance nas músicas mais agitadas sugeria a presença das outras influências sonoras. O show começou com "Minha Voz, Minha Vida", sem grandes encenações. No entanto, à medida que as faixas eram apresentadas, ora o público assistia à delicadeza de uma levada "banquinho-violão", como em "Drão" e "Saudosismo", ora via um Caetano de terno e gravata correr de um lado para o outro, pular e dançar, na batida mais acelerada de "Eclipse Oculto", "A Luz de Tieta" e "Não Enche".

No roteiro também havia músicas que em breve dariam o que falar. Caetano fez questão de incluir "Prenda Minha", uma canção típica do folclore gaúcho. O que parecia destoar da ideia original do disco, na verdade tinha forte ligação. A música fora gravada por ninguém menos que Miles Davis. O trompetista precursor do *cool jazz,* muito antes de seus delírios com o *fusion*, tinha bebido na fonte da música brasileira. Em 21 de novembro de 1962, estava na primeira fila do lendário show da Bossa Nova, no Carnegie Hall. Inebriado, gravou em seguida *Quiet Nights*, sua coletânea "brasileira". O disco abre com "Song nº 2" que, pelos créditos, é de "autoria" dele e Gil Evans. Só que a música é, na verdade, "Prenda Minha", do cancioneiro gaúcho, registrada ali sem menção alguma. Ao incluí-la no repertório do show,

Caetano quis estabelecer esse elo, devolver o crédito à verdadeira origem da música e, de certo modo, fazer piada sobre a inusitada apropriação.

Outra canção com história curiosa é "Sozinho", de Peninha. Caetano sempre foi daqueles que, se gostasse da música, colocava no disco não importava o autor. No início dos anos 1980, numa época em que Peninha era visto como brega por muitos, Caetano gravou "Sonhos". Os anos se passaram e sua admiração pelo compositor continuou firme. Um dia, Caetano ouviu "Sozinho" tocar no rádio do carro, na voz *soul* de Sandra de Sá. Gostou tanto que pensou em gravar. Mas faltava ânimo. Além do excelente registro de Sandra de Sá, havia também a potente versão gravada por Tim Maia. A beleza das duas gravações colocava mais insegurança em sua cabeça. Ele tinha dúvidas se poderia acrescentar algum tempero à obra. Faltava um motivo forte para mudar o rumo da história. E ele apareceu. Ao saber depois que a música fora composta por Peninha, Caetano decidiu seguir em frente. Gravaria "Sozinho" como forma de homenagear o autor da obra e seus dois grandes intérpretes.

No palco do Palace, a música de Peninha ecoava no momento mais *cool* do espetáculo, no bloco de "Carolina", de Chico Buarque, e "Saudosismo", de Caetano. A maior novidade, no entanto, não estava no repertório, mas sim nos entreatos. Num deles, Caetano se aconchegou no banquinho, colocou o violão de lado, puxou os óculos de leitura, abriu seu livro *Verdade Tropical* e, para a surpresa do público, começou a ler em voz alta. Pouco antes da estreia, ele tinha selecionado alguns trechos para serem mostrados durante o espetáculo. Mas não de forma aleatória. A passagem que descreve seu primeiro encontro com Gilberto Gil antecipava a interpretação de "Bem Devagar", uma das primeiras canções compostas pelo amigo. Essa combinação de música e literatura, estilos e sonoridades, agradou em cheio. Embora o show tivesse ficado em cartaz por quase um mês, o sucesso levou a diretoria do Palace a querer prorrogar por mais uma semana. Mas naquele momento não seria possível. O palco do Canecão, na capital carioca, aguardava a chegada do elegante baiano.

A nova temporada começou em maio. O público mais exigente do Rio de Janeiro teve o privilégio de assistir a um espetáculo mais amadurecido. Não havia aquela pressão psicológica da estreia, tampouco a expectativa do tipo de recepção. O sucesso e a tranquilidade em São Paulo deram ainda mais confiança ao grupo. No Canecão, o êxito se repetiu, porém, a tranquilidade tão marcante nos primeiros shows receberia um golpe no pescoço. Numa das noites da temporada, no momento em que Caetano começou a interpretar as músicas mais suaves, alguém da plateia cismou com a tal da gravata. O terno já tinha dado o que falar, mas ninguém tinha implicado com o apetrecho. Na hora menos apropriada aconteceu. O sujeito na plateia não entendeu a relação do figurino com o espetáculo e insistiu para que ele tirasse a dita cuja. Falou uma, duas, três vezes. E para quê? Caetano terminou o número desconcentrado, mas espinafrou o inconveniente. O público se manifestou a favor do baiano e protestou também. Ninguém tinha nada a ver com o fato de ele usar gravata ou não.

Fora o episódio desagradável, que acabou tão comentado quanto o show em si, *Livro Vivo* prosseguiria firme em sua estrada. Em junho, sucederia a tradicional perna sul-americana da excursão. O espetáculo seria levado à Argentina, ao Uruguai e, no mês seguinte, pela primeira vez em sua carreira, ao Chile, no palco do Teatro Teletón. A cada apresentação o grupo sentia um maior relaxamento e o resultado ficava cada vez mais amadurecido. Esse fato reforçava em Caetano a ideia de gravar mais um disco ao vivo, nascida com a satisfação obtida nos ensaios e confirmada no bom desempenho dos primeiros shows. Na mesma época, o efeito satisfatório obtido por Gilberto Gil em seu *Quanta Gente Veio Ver*, versão ao vivo de *Quanta*, o encorajava ainda mais. Lançar o torpedo seria uma questão de tempo.

⁂

Em meados de 1998, por mais que não pensasse no assunto, Caetano não podia negar que havia se tornado escritor de fato. Redigir crônicas, críticas de cinema, letras de música, artigos, prefácios, *press releases,* tinha se tornado uma atividade corriqueira; no entanto, o catatau de memórias tropicalistas lançado no ano anterior lhe concedia o *status* de escritor de livros, daqueles que povoam o imaginário popular como ser superior, de inteligência privilegiada, misterioso, recluso, até mesmo sagrado para alguns. Em um de seus diários, José Saramago anotou uma história contada por João Ubaldo Ribeiro. O avô do autor baiano dizia que só podia chamar de livro aquele que se mantém em pé sozinho. Nada que o volumoso *Verdade Tropical*, com suas 524 páginas, não conseguisse realizar com facilidade.

No ano em que esse mesmo Saramago ganharia o Prêmio Nobel de Literatura, o primeiro da língua portuguesa, não seria nada mal curtir um pouco mais do gostinho do ofício. Em primeiro de julho, desfrutando dessa condição de autor, Caetano participava do projeto Rodas de Leitura do CCBB, Centro Cultural Banco do Brasil, no Centro do Rio. Embora senhas tivessem sido distribuídas com antecedência, organizar as filas quase enlouqueceu a equipe de apoio. Para evitar um tumulto maior, os organizadores permitiram a entrada de alguns poucos felizardos sem senhas. Obviamente o teatro lotou. No palco do evento, Caetano chegou no meio do alvoroço, se mostrou nervoso, mas leu com desenvoltura trechos bem maiores dos que eram lidos nos entreatos de *Livro Vivo*. Respondeu a uma série de perguntas do público e, no fim, como todo escritor que se preze, autografou seu livro para os fãs que se acotovelavam no local. Estava satisfeito, claro, mas no fundo não se considerava escritor. E para a incredulidade da maioria, tampouco músico. Ao mesmo tempo, tinha consciência de que a música o tinha levado com mais facilidade ao mundo do entretenimento porque é uma arte da qual gostava desde criança. "Trabalhe no que ame e nunca mais trabalhará na vida": esse antigo ditado se encaixava na história de Caetano. Para ele, cantar sempre seria uma satisfação, no Brasil ou em qualquer lugar do mundo.

No fim de julho, viajou à Europa para apresentar *Livro Vivo* em dois eventos especiais. Em Perugia, na Itália, Caetano novamente participou do Umbria Jazz Festival. No último dia de apresentação, uma surpresa emocionou a todos. Na coxia do Teatro Morlacchi estava ninguém menos que João Gilberto, que tinha show marcado para breve. Ele chegou de mansinho, com Carlos Pagnotta, diretor do Festival, e mais uma vez surpreenderia. Caetano soube da presença dele e ficou emocionado. João nunca havia assistido da plateia a um show de Caetano. No final da apresentação, Caetano caminhou até seu ídolo e lhe deu um abraçaço. Não podia demorar, precisava voltar para o bis. Por outro lado, também não queria sair de perto dele. A solução foi convidá-lo a entrar junto. João Gilberto aceitou e o bis se transformou em show extra. Parte da imprensa perdeu a surpresa. Os jornalistas mais apressados, que saíram para fechar matéria, nunca se perdoariam.

Antes de voltar ao Brasil, Caetano faria uma única apresentação na Expo 98, em Lisboa, Portugal. Ainda não seria o momento de começar outra longa turnê pela Europa. Pelo menos nos próximos dois meses, Caetano queria apenas cantar em cidades de seu país. Aliás, de tanto cantar uma delas, mereceu um título de grande valor simbólico. Em 16 de agosto, numa apresentação especial no Parque do Ibirapuera, Caetano receberia o título de Cidadão Paulistano das mãos de Rita Lee, "a mais completa tradução" da cidade. Conferido pela Câmara Municipal de São Paulo, a entrega aconteceu diante de 110 mil paulistanos que estiveram lá para conferir. Por mais distante que o baiano estivesse, São Paulo jamais o esqueceria. Caetano retribuiu o carinho do público com música. E assim, entre uma surpresa e outra, colecionava recordações das terras por onde passava.

No decorrer de agosto e início de setembro, *Livro Vivo* cumpriria uma extensa turnê por cidades do Norte e Nordeste do país. Àquela altura, Caetano sentia que o espetáculo havia amadurecido o suficiente para deixar todo mundo relaxado e seguro no palco. O diamante, outrora bruto, estava, enfim, lapidado. Chegava a hora de gravar o disco ao vivo.

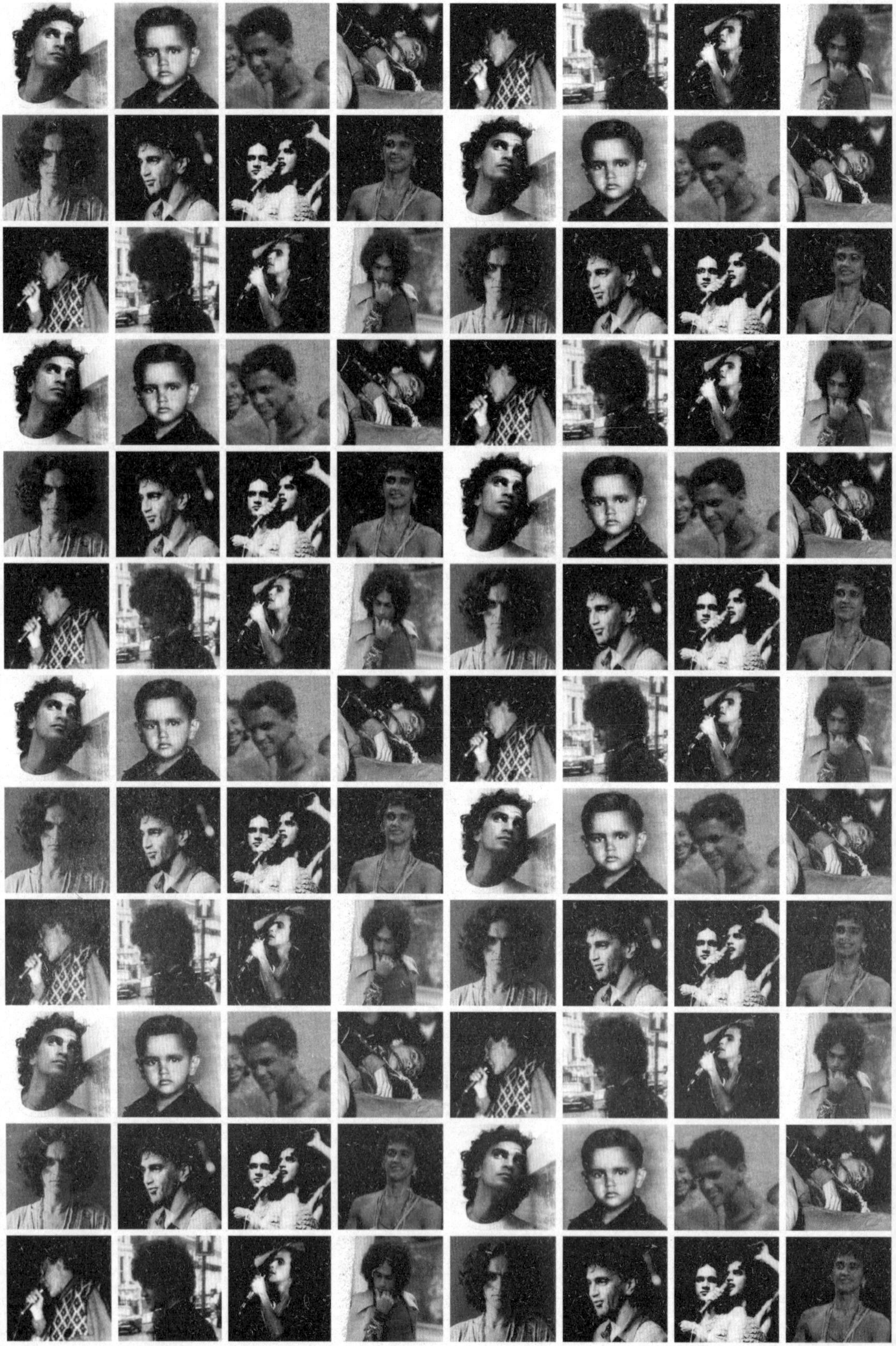

25

PRENDA MINHA, TUA, DELE...

No fim dos anos 1990, gravar uma versão ao vivo de um álbum de estúdio soava para alguns como fórmula desgastada. Muita gente boa seguiu esse caminho com regularidade. Caetano Veloso entrou na onda com *Circuladô* e repetiu a dose em *Fina Estampa*. Apesar dos comentários, a boa vendagem dos discos ao vivo justificava uma nova aposta. A gravadora pensava assim e o cantor não via nenhum problema nisso. Por outro lado, cair no fosso da mesmice também não estava em seus planos.

Em setembro de 1998, Caetano retornou ao Rio de Janeiro para fazer uma pequena temporada no Metropolitan. A imprensa anunciou com destaque. No jornal *O Globo*, uma enorme foto do artista trazia os dizeres: "*Venha cantar com Caetano no Metropolitan*". E quem soltasse a voz ganharia um presente extra, pois ele aproveitaria a chance para gravar *Prenda Minha*, seu mais novo disco ao vivo. Na montagem de *Circuladô Vivo* e *Fina Estampa ao Vivo*, o baiano tinha considerado boa parte do repertório registrado no álbum de estúdio. Em *Prenda Minha*, mudou radicalmente a estratégia. Não usou nenhuma faixa do original. Com essa inovação, Caetano criava um disco novo, independente e enxuto. Além do repertório inédito, havia outra diferença significativa em relação ao disco *Livro*. No decorrer de cada faixa, sobrava aquele relaxamento natural só atingido nas apresentações ao vivo.

O nome do CD bem que poderia ter sido *Livro Vivo*, mesmo nome do show. Afinal, nas dobradinhas anteriores havia sido assim. Mas dessa vez não seria. Avesso ao lugar comum, Caetano botou em prática aquele provérbio bem conhecido: "*A César o que é de César*". O título *Prenda Minha* fazia referência à gravação de Miles Davis e, de certo modo, promovia uma brincadeira com os temas de domínio público em geral. Porém, mais do que isso, devolvia o crédito da música a seus legítimos donos, o povo gaúcho. Não por acaso, Caetano inicia o disco dizendo pausadamente: "*Domínio público, Jorge Ben, Fernanda Abreu, Racionais MC's, Marinheiro Só, Miles Davis...*".

A gravadora e o escritório seguiram a estratégia de *marketing* costumeira. Mesmo nos projetos mais ousados as apostas em Caetano se mostravam generosas. As vendas, porém, nem sempre correspondiam, mas daquela vez poderiam ficar descansados. A divulgação do disco teria a colaboração de muitos outros fatores. A começar pelo repertório selecionado. Especialmente para essa ocasião, Caetano inseriu "Atrás da Verde e Rosa Só Não Vai Quem Já Morreu", samba-enredo da Mangueira de 1994, e o frevo "Vida Boa", de Fausto Nilo e Armandinho. As duas sacudiam a plateia do Metropolitan no fim de cada show. E para manter o clima, também fecharam o CD gravado ao vivo.

Embora essas faixas pesassem no sucesso do projeto, a grande surpresa estaria na música de um velho conhecido. E pensar que a inspiração nascera de um simples diálogo adolescente. Peninha compôs "Sozinho" por acaso, depois de ouvir sua filha Clareana conversando ao telefone com um namorado que a deixava só. Carente, dizia expressões coloquiais como "*Por que não cola em mim?*" e "*E se ele me ganha?*". O tom de queixa estimulou a criatividade e a obra nasceu em seguida, no mesmo clima. Peninha gostou do resultado, mas, sem trocadilho, não ficaria sozinho nessa. O romantismo jovial da canção arrebatou o coração de Caetano. E assim que ele soube o nome do autor, resolveu incluir no repertório como forma de homenagem, ou, como ele próprio dizia, apenas para fazer menção à música. "Sozinho" entrou na seleção do mesmo jeito que entraram "Eclipse Oculto", "Linha do Equador" e "Odara". Conhecidas do grande público, essas canções já faziam parte da lista das mais pedidas nos shows. Naquele disco, porém, o público se encarregaria de eleger sua nova preferência.

Na continuação da temporada, Caetano se apresentou em Salvador, Belo Horizonte e Brasília. Em outubro, voltou mais uma vez ao Metropolitan para fazer uma apresentação única, ao lado de Adriana Calcanhoto, pelo quarto aniversário da rádio JB FM. A lista de aniversariantes famosos não ficaria restrita ao Brasil. Uma semana depois, Caetano voava para a Alemanha, onde participaria do show comemorativo dos 25 anos da Companhia Tanztheater Wuppertal, da coreógrafa alemã Pina Bausch. O convite partiu da própria dançarina, que desejava receber artistas estrangeiros que considerava identificados com seu trabalho inovador. O show aconteceu na cidade de Wuppertal, sede da companhia, e contou com a presença de muitas celebridades mundiais, entre elas o dançarino Mikhail Baryshnikov. Convites dessa natureza apenas provavam que Caetano já tinha conquistado sua credencial cativa para transitar no seleto clube do *jet set* internacional.

O respeito mundo afora não atrapalhava o reconhecimento interno. E até ajudava a expandir as possibilidades. Em novembro, enquanto as primeiras cópias de *Prenda Minha* chegavam às lojas de todo o Brasil, outras músicas de Caetano ganhariam formas originais. Nada menos que 80 de suas canções seriam interpretadas por artistas diversos, só que de maneira um tanto diferente.

❦

Em 1970, o futuro *designer* gráfico Felipe Taborda, ainda adolescente, ficou fascinado com o livro *The Beatles Illustrated Lyrics*, organizado pelo inglês Alan Aldridge. Artistas de vários estilos foram convidados a interpretar visualmente grandes sucessos dos quatro rapazes de Liverpool. Uma lista considerável, diga-se de passagem. Amante das artes, Felipe achou o projeto tão estimulante que decidiu fazer o mesmo em seu país, mas, claro, dessa vez inspirado no imenso painel de imagens produzido pela música brasileira. Em novembro de 1998, suas ideias finalmente sairiam do papel e, literalmente, ganhariam forma. A lista de candidatos não tinha fim, mas apenas um seria escolhido para começar a série. Entre tantas opções, decidiram pelo sugestivo repertório do cantor e compositor Caetano Veloso.

No mesmo estilo do livro inglês, Felipe Taborda convidou 80 criadores brasileiros, não necessariamente artistas plásticos, para interpretar visualmente 80 diferentes composições de Caetano. O projeto de Felipe expandiu as fronteiras criativas e foi além da simples publicação de um livro de arte. As obras criadas, entre elas quadros, fotografias, charges, esculturas, ambientes e maquetes, seriam apresentadas ao público, em forma de exposição, num projeto patrocinado pela Petrobras, e apoiado pela Philips e o jornal *O Globo*. O histórico Paço Imperial, no Centro do Rio, seria o palco dessa fantástica volta ao mundo em 80 canções: *A Imagem do Som de Caetano Veloso*.

O próprio homenageado esteve na abertura da exposição e ficou surpreso com o que viu. Embora muitos artistas fossem velhos conhecidos, ninguém recebeu privilégio, não houve escolha por parte deles. Todas as músicas foram distribuídas por sorteio a cada novo "intérprete". Rubens Gerchman, por exemplo, ganhou "Cajuína", ao passo que preferia receber uma canção com temática urbana. O pintor Glauco Rodrigues recebeu "Avarandado", que era a preferida do artista plástico Waltércio Caldas, que, no sorteio, ficou com "Tá Combinado". O fator surpresa, no entanto, em nada atrapalhou os artistas. Em alguns casos, estimulou ainda mais a imaginação e a criatividade fluiu pelos "cantos" de Caetano.

O *designer* gráfico Luiz Stein traduziu "O Leãozinho" num copo de Matte Leão, bem ao estilo *pop art* das latinhas de sopa Campbell, de Andy Warhol. Para representar "Menino do Rio", a fotógrafa Thelma Vilas Boas fugiu do óbvio e passou longe da praia. Fotografou o peito nu de um rapaz mirrado e pálido, exatamente o oposto do protótipo de surfista retratado na canção. Já a misteriosa foto tirada por Hugo Denizart traduzia "Rapte-me, Camaleoa" com uma imagem de um nu frontal em tons de azul e preto. O camaleão é conhecido pela habilidade de mudar de cor e parecer o que não é. Em parte saiu daí a inspiração do artista. Até os mais desligados se assustariam com o enorme apetrecho do travesti que serviu de modelo. Hélio Eichbauer, por sua vez, não precisou inventar muito. Por coincidência, ganhou uma canção que fazia parte do show mais recente do homenageado. Ao receber a missão de representar "Eclipse Oculto", criou uma versão reduzida do móbile abstrato que compunha o cenário de *Livro Vivo*.

Inspirada em música, a exposição não podia se resumir a experiências puramente visuais. Nela, os visitantes puderam aproveitar o melhor de dois mundos. Enquanto admiravam de perto cada uma das obras, podiam ouvir as composições que as tinham inspirado. Pequenos aparelhos de CD equipados com fones de ouvido foram instalados ao lado de cada peça. Um luxo. O evento multimídia faria tanto sucesso que ganharia um tempo maior que o programado. Previsto inicialmente para ficar em cartaz até meados de fevereiro, seria prorrogado até 14 de março de 1999. E mesmo depois de finalizado, ainda renderia novos frutos. As 80 peças seriam leiloadas, arrecadando uma boa quantia para entidades filantrópicas e obras de caridade.

Caetano vibrou com o resultado da exposição. Na adolescência, por pouco não seguiu a profissão de pintor, levado pelas mãos talentosas do amigo Emanoel Araújo. Ainda que a música tenha vencido a pintura, o gosto pelas artes plásticas nunca se perdeu. Conhecer a versão de outros artistas para suas criações musicais se revelou uma experiência nova. Mas ele que se acostumasse. No decorrer daquele ano, experimentar novidades se tornaria uma prática ainda mais constante. E que tal começar pela casa?

※

No início de 1999, Caetano e família já curtiam os ares de um novo endereço. No final do ano anterior, tinham trocado a cobertura da rua João Lyra, no Leblon, por um apartamento confortável na avenida Vieira Souto, em Ipanema, de frente para o mar. Mudanças faziam bem àquele baiano. Buscar novidades não trazia grandes riscos, sobretudo na vida particular, restrita a um universo menor, e, por isso, mais previsível. Na esfera pública, porém, as consequências de uma escolha mal planejada podem ser desagradáveis. Na hora de moldar o futuro de um país, por exemplo, nem sempre vale a pena mergulhar no desconhecido.

Nas eleições de outubro de 1998, muitos brasileiros não quiseram saber de mudança quando votaram em Fernando Henrique Cardoso para presidente da República. Os motivos que levaram o eleitor a escolher seu nome não eram secretos como o voto de cada um. Ancorado na estabilidade econômica e no controle da inflação, FHC permaneceria no comando por mais quatro anos. Incansável, Lula novamente teria de esperar sua vez. Com esse resultado, o Brasil assistia a um fato inédito em sua curta história de país republicano. Pela primeira vez um presidente se reelegia pelo voto popular. Pesou aquela velha máxima futebolística: "Em time que está ganhando não se mexe."

Em sua nova morada, Caetano estava atento às mudanças de seu país, todavia, ecos vindos de mais longe também despertavam seu interesse. Na mesma época, a crítica internacional classificava o CD *Livro* como um dos melhores lançamentos de 1998 no segmento *World Music*. No Japão, entrou na lista dos dez melhores da revista *Latina*, e na Europa, na relação dos dez mais do tabloide cultural francês *Les Inrockuptibles*. Não parava por aí. O velho conhecido Jon Pareles, do *New York Times*, aquele mesmo que já tinha incensado o álbum *Estrangeiro*, elogiou não só o disco como o próprio Caetano, que ele considerava "*Um dos maiores compositores do século*".

Muitos fatores contribuíram para isso acontecer, pois o encanto pela música brasileira no exterior vinha de outros tempos. A eterna figura de Carmen Miranda, o repertório ensolarado de Dorival Caymmi, as composições de Ary Barroso, o surgimento da Bossa Nova, o advento de uma geração talentosa o suficiente para despertar simpatia mundo afora, com Jorge Benjor, Milton Nascimento, Dori Caymmi, Ivan Lins, Gilberto Gil e o próprio Caetano Veloso. Como se não bastasse, a partir do fim dos anos 1980, início dos 90, artistas de prestígio internacional, como Paul Simon e David Byrne, abraçaram a complexidade da cultura brasileira como até então não se via. O resultado desse crescente interesse abriu um novo canal de comunicação entre os artistas brasileiros e a música internacional. Os tambores do Olodum já tinham ecoado forte no Central Park, no show histórico de Paul Simon, a Tropicália passou a ser discutida nos EUA, Tom Zé ressurgiu das cinzas, Os Mutantes se tornaram objeto de adoração *cult* e discos brasileiros de várias épocas ganhavam espaço em território americano.

Em 24 de fevereiro de 1999, no meio dessa discussão em torno da importância da música brasileira e de seu redescobrimento no exterior, o país recebia a grata notícia de que Gilberto Gil fora premiado com o Grammy na categoria *World Music*, pelo disco *Quanta Gente Veio Ver*, ou, *Quanta Live*, como ficara mais conhecido no exterior. Não foi o primeiro e nem seria o último artista nacional a ganhar o cobiçado gramofone dourado. A vitória de Milton Nascimento, pelo álbum *Nascimento*, no ano anterior, reforçava ainda mais o bom momento da música brasileira fora do país.

Caetano tinha plena consciência de todos esses fatores. Leão de fogo na essência, não raro aumentava a temperatura do caldeirão, colocando mais lenha na fogueira. Fosse nas entrevistas, na postura, em seu livro, ou em eventos dos quais participava, engrossava o caldo da fervura com suas opiniões sobre o assunto. Na vida prática também adicionava seu tempero baiano. No fim de fevereiro, teve a honra de participar com Gilberto Gil, Roberto Menescal, Wanda Sá, Leny Andrade, Carlos Lyra, entre outros, de um show ao ar livre, no Posto 10 da praia de Ipanema, em comemoração aos 40 anos da Bossa Nova. O período de grandes emoções estava só no início. Um mês depois, receberia uma honra ainda maior. O convite para cantar novamente ao lado de um dos principais criadores do movimento: João Gilberto.

O evento aconteceria entre 19 e 21 de março, no Teatro Gran Rex, em Buenos Aires, em outra comemoração pelos 40 anos da Bossa Nova. O pensamento inicial era fazer a apresentação apenas com João Gilberto, mas a ideia evoluiu com o tempo. Conhecedor de música brasileira e de sua relação com o povo argentino, o produtor Roberto Menéndez incrementou o espetáculo inserindo uma participação de Caetano Veloso. O que estava ótimo melhorou ainda mais. João Gilberto não só adorou a sugestão, como fez questão de dar a boa notícia a seu discípulo. Caetano recebia um presente e tanto. Cantar em Buenos Aires, uma cidade que adorava e, ainda por cima, ao lado de seu mestre. Puxa vida, não tinha o que pensar; atrás de João Gilberto só não vai quem já morreu.

De certa forma, Caetano devolveria uma gentileza. Meses antes, João Gilberto havia dado aquela canja inesperada no palco do Teatro Morlacchi, no Umbria Jazz Festival, em Perugia. Na capital argentina, chegava a hora de Caetano retribuir, mas de forma um pouquinho diferente. No Gran Rex, quem abriu foi Caetano, com "Pra Ninguém", cujo verso final, *"melhor do que o silêncio só João"*, sintetizava seu pensamento sobre a estrela da noite. Em seguida, Caetano emendou antigos sucessos e conquistou de vez os portenhos. Com a plateia já no clima, João Gilberto ganhou o palco. Os dois baianos cantaram juntos e depois João prosseguiu sozinho com o show. Nesse momento, Caetano deixou o lado tiete assumir. Enquanto João Gilberto interpretava clássicos de seu repertório, como "Wave" e "Corcovado", ambas de Tom Jobim, ficou apenas olhando, com a mão no queixo, praticamente hipnotizado, numa postura de total devoção. No final, os dois novamente dividiram o palco para interpretar mais meia dúzia de clássicos bossanovistas.

Os argentinos ficaram de bola cheia por terem tido a oportunidade de assistir ao encontro da dupla. Mas eles não seriam os únicos privilegiados. Em breve, os dois voltariam a se reunir num mesmo espetáculo. Mais do que um marco importante para a música brasileira, o sucesso do encontro reforçou no baiano de Santo Amaro um antigo desejo: produzir um disco de João Gilberto.

Em meados de 1999, Caetano não estava tão surpreso pelo interesse de músicos e críticos americanos pela Tropicália, ou mesmo com o sucesso do álbum *Livro* no exterior. Por muito tempo, ele achou que um indivíduo precisaria, no mínimo, entender português para se interessar por sua música. Mas essa perspectiva começou a mudar no início dos anos 1980, quando a imprensa americana elogiou seu show *Uns*, em Nova York, ao mesmo tempo em que artistas importantes da cena local se mostraram receptivos e curiosos em relação à sua obra. À medida que sua carreira se internacionalizava, a ideia de restrição linguística se dissipava, pois, mesmo sem entender "bulhufas" de português, mais e mais gringos amavam sua música. Para seu espanto, alguns decidiam estudar português apenas para entender melhor suas letras. Esse fenômeno evoluiu de forma gradativa, e só depois de muito tempo Caetano reconheceu que sua tese inicial, por motivos diversos, não procedia.

Outro pensamento antigo estava relacionado à pouca vendagem de seus discos. Mas esse fora construído com dados históricos relacionados a sua discografia, então não dava para questionar muito. E quem disse? No decorrer de 1999, a quebra de paradigmas chegaria também à esfera comercial. Essa outra mudança, porém, não ocorreria de forma gradativa, como seria o mais esperado. Aconteceria de modo repentino e, por esse motivo, de um jeito ainda mais surpreendente. Tudo leva a crer que uma soma de fatores promoveria essa grande virada, mas um motivo, especialmente, seria ponto de partida de todos os outros.

Em 18 de janeiro de 1999, estreava no horário nobre da Rede Globo a novela *Suave Veneno*, de Aguinaldo Silva. O elenco trazia José Wilker no papel de Valdomiro Cerqueira, um executivo que migrou do Nordeste e fez fortuna no Rio de Janeiro. Cercado de bajuladores e de uma família quase toda mal-intencionada, Valdomiro dirige um táxi à noite para abrandar sua solidão de homem humilde ligado às raízes. Mas depois de um acidente de trânsito envolvendo uma mulher misteriosa, sua vida começaria a mudar. Enquanto a trama se desenrolava, o público mergulhava no universo de cada personagem, em seus dramas, suas paixões, sucessos e fracassos. A novela demorou a emplacar. Mudanças foram necessárias para que o folhetim engrenasse. Um aspecto, porém, não precisou mudar em nada. No meio dos conflitos dramáticos, havia o romance do pintor Eliseo Vieira com a jovem Márcia Eduarda, vividos por Rodrigo Santoro e Luana Piovani. Enquanto o casal trocava juras de amor, a gravação de "Sozinho", na voz de Caetano, embalava as cenas como tema romântico. Essa contínua exposição funcionou como um estopim.

No decorrer da temporada, a novela subiu de audiência. No bojo do sucesso, o romance protagonizado nas telas por Rodrigo Santoro e Luana Piovani caiu no gosto popular. O conjunto da cena praticamente entrou no subconsciente do brasileiro e gerou uma consequência imediata. *Prenda Minha* começou a vender muito. O fato de uma canção fazer parte da trilha de uma novela, por si só, não determina o seu sucesso. Ajuda na divulgação, sem dúvida, mas, por outro lado, também não garante aumento na vendagem do disco com os demais temas, tampouco do disco de carreira do artista em questão. Aquela não era a primeira e nem seria a última gravação de Caetano a embalar uma novela Global. Então não se pode atribuir tudo somente a esse fato. Os motivos iam além e beiravam o inexplicável.

Em março de 1999, quatro meses depois de lançado, *Prenda Minha* atingia a respeitosa marca de 250 mil cópias vendidas. No fim daquele mês, num show que marcou a reinauguração da Concha Acústica do Teatro Castro Alves, em Salvador, Caetano recebeu o disco de platina por essa vendagem. Àquela altura, a faixa "Sozinho" chegava ao topo das paradas e lá se manteria por um longo período. Na cola do sucesso, convites chegavam de todas as direções, alguns deles improváveis havia bem pouco tempo. Caetano precisou ter fôlego para atender a todos. No decorrer desse período, visitou os programas de maior popularidade da época. Apareceu no programa da Xuxa, no *Domingão do Faustão*, na Hebe Camargo, no Serginho Groisman, no Luciano Huck, e até no *Domingo Legal*, de Gugu Liberato, na época exibido pela emissora paulista de Silvio Santos.

"Público" e "Crítica", porém, não estavam do mesmo lado. Enquanto o primeiro adorava, o segundo rotulava "Sozinho" de brega, como se música romântica popular não pudesse ter qualidade. Acostumado a nadar contra a maré, Caetano sempre desafiou essa tendência de pensamento. A predileção por Vicente Celestino, de quem gravara "Coração Materno" no auge do Tropicalismo, o dueto com Odair José, na interpretação de "Eu Vou Tirar Você Desse Lugar", em pleno *Phono 73*, e mesmo a inclusão de "Cucurrucucu Paloma", em *Fina Estampa Ao Vivo*, reafirmavam sua posição contrária a rótulos. A gravação de "Sozinho" engordou essa lista e alimentou novos debates. Mais uma vez, Caetano desafiava os críticos, e, até mesmo por isso, ganharia mais repercussão pelo *hit* de Peninha. O público, especialmente nesse caso, também mandaria seu recado, visitando ainda com mais frequência as lojas de disco.

Em abril, mais de 500 mil exemplares de *Prenda Minha* já haviam sido vendidos no país inteiro. Disco duplo de platina pela marca. Em toda sua carreira, nenhum de seus discos havia vendido tanto em tão pouco tempo. Enquanto a curva de vendagem subia sem parar, a divulgação se mantinha intensa. Nas rádios, durante os shows, em programas de auditório, na novela, a gravação de "Sozinho" continuava tocando igual a sino de igreja. O bombardeio musical sem tréguas alavancou ainda mais a vendagem do disco. Até os mais otimistas ficariam surpresos com o resultado. No início de junho, o álbum havia superado a incrível marca de 1 milhão de discos vendidos.

Naquele mês, para comemorar a inédita façanha do artista, a PolyGram, que passara a ser Universal Music do Brasil, depois de comprada pela canadense Seagram, promoveu uma festança em sua sede, na Barra da Tijuca. Na entrada do salão de espetáculos, acarajés oferecidos aos convidados antecipavam o clima baiano. Tudo bem se não gostasse do quitute. Um bobó de camarão bem servido completava o cardápio. Naquela noite, Caetano recebeu da gravadora o disco de diamante pelo desempenho fabuloso de *Prenda Minha*. A alegria da conquista foi saboreada na companhia da esposa, dos filhos e de muitos amigos. Alguns tinham relação direta com a música. Entre outros, estavam lá Zélia Duncan, Lulu Santos, Alexandre Pires, Alcione, a banda AfroReggae, Marisa Monte, Nana Caymmi, e até Raimundo Fagner. O ponto alto da festa ficou reservado para o final. Unidos no mesmo palco, Caetano, Peninha e Sandra de Sá cantariam até perder a voz. Tim Maia, se estivesse vivo, certamente não perderia essa.

Desde então, "Sozinho" ecoou repetidas vezes e das mais variadas formas. Contentes até a alma, ninguém enjoava da música. O sentimento de gratidão predominava e eles só queriam saber de cantar. Nesse clima de final de campeonato, a festa varou a madrugada. Àquela altura, qualquer novo esforço para divulgar *Prenda Minha* no Brasil poderia ser dispensado. Em meados de 1999, pelo menos de modo metafórico, era como se o disco, ironicamente, também tivesse alcançado *status* de domínio público, assim como a canção título. Com o tempo, sobretudo por causa de "Sozinho", o CD *Prenda Minha* deixou de pertencer somente a Caetano e à gravadora Universal Music; espalhado em cada canto do país, passou a ser meu, teu, dele, dela, nosso, de todo mundo.

As boas vendas não se resumiam ao CD. O show homônimo, que fora lançado em fita VHS, também saiu em DVD. Numa época em que a tecnologia engatinhava no Brasil, o disco digital de *Prenda Minha*, primeiro trabalho de Caetano nesse tipo de mídia, venderia mais de 70 mil cópias. Vendagem recorde para os padrões do novo filão. Caetano, porém, lutava em duas frentes de batalha. No mercado interno, corria tudo às mil maravilhas. Em outros países, no entanto, ainda precisava reforçar a divulgação do CD *Livro*. Estava na hora de começar mais uma turnê internacional.

❧

No fim de junho, Caetano e sua comitiva rumaram mais uma vez para a América do Norte. A apresentação que abriu a turnê aconteceu no suntuoso Beacon Theatre, em Nova York, como parte do JVC Jazz Festival. Poucos dias depois, uma breve passagem por Vancouver, no Canadá, para se apresentar no palco do Vogue Theatre, como parte do Du Maurier Festival. Logo em seguida, retorno aos EUA para shows em São Francisco, Los Angeles e Austin, no Texas. Àquela altura, o nome Caetano Veloso e o álbum *Livro* estavam ainda mais fortalecidos e, por consequência, sustentavam o enorme respeito da crítica especializada norte-americana. Na mesma época, a tradicional revista *Rolling Stone* chegava às bancas com uma crítica favorável à *Livro*. O título da matéria resumia bem o pensamento dos gringos: *"Um mestre brasileiro no auge de sua forma."* Não foi a primeira nem a última citação na imprensa americana. A badalada revista *Billboard* estampou o culto à Tropicália em matéria de capa. O fato de um artista brasileiro fazer uma longa turnê em solo norte-americano, na mesma época em que ele próprio rendia assunto nas principais revistas especializadas locais, só aumentava sua visibilidade. A semente, outrora plantada com tanto sacrifício, começava a dar frutos vigorosos.

Em meio à temporada de elogios na imprensa, o baiano cumpria seus compromissos finais na América do Norte. Retornou ao Canadá em 8 de julho, dessa vez como atração do Festival de Jazz de Montreal, no tradicional clube Metropolis. Por ora seria a última apresentação naquele país. Dois dias depois, o grupo iniciava o giro final da turnê. Caetano se apresentou nas cidades de Lowell, Minneapolis, Chicago, Washington D.C. e, por último, em Miami. No fim da temporada, em 17 de julho, a excursão já havia percorrido o continente norte-americano de norte a sul, de leste a oeste. A abrangência territorial da turnê, somada ao interesse da crítica pela música brasileira, tornava *Livro* o disco de Caetano mais bem divulgado nos EUA até então. Mais cedo ou mais tarde, esse esforço seria premiado.

Na volta ao Brasil, o descanso não poderia exceder mais de duas semanas. Naquele momento, o fenômeno *Prenda Minha* caminhava para atingir a marca de um milhão e 200 mil cópias vendidas. No decorrer dos meses de agosto, setembro e outubro, entre um compromisso e outro, Caetano empunharia seu violão em palcos espalhados pelo Sudeste, Centro Oeste e Sul do país. Nesse ritmo alucinante, raros seriam os motivos capazes de interromper a maratona de espetáculos. Um deles ficaria a cargo do lançamento de um disco muito especial, quase engavetado para sempre.

❦

Em outubro de 1997, muito emocionado, Caetano deixava o palco do Teatro Nuovo, em Dogana, na República de San Marino, depois de apresentar um repertório montado exclusivamente para homenagear o casal Federico Fellini e Giulietta Masina. O carinho depositado no projeto pôde ser notado na visível satisfação por estar no evento, na alegria de cantar para aquele público especial, nos olhos que brilhavam sem parar. Absorvido pela atmosfera mágica formada ao redor do show, Caetano conseguiu o milagre de superar o grave problema de voz que o acometera no dia anterior. Mais do que nunca, cantou com a alma.

A força dramática da apresentação, porém, não bastou para convencer Caetano, banda e equipe de que o registro do espetáculo tinha valido a pena do ponto de vista comercial. Num primeiro momento, o fatídico problema nas cordas vocais quase emudeceu quem nutria a esperança de transformar o produto final em disco. O "quase" ficaria por conta dos técnicos da gravadora que, mesmo diante da perspectiva ruim em relação ao que traziam na bagagem, prosseguiriam com o trabalho em estúdio mais cedo ou mais tarde.

O tempo passou depressa a ponto de apagar da cabeça de Caetano a ideia de aproveitar o registro. Exigente no quesito qualidade, natural que pensasse dessa forma. Não obstante, meses depois, quando tudo parecia esquecido e ninguém mais tocava no assunto, a gravadora enviou a Jaques Morelenbaum um CD "demo" com o material gravado no show. O maestro também duvidava do bom resultado. Mesmo assim, por desencargo, colocou o disquinho para tocar no aparelho de CD do carro. A viagem revelaria uma grata surpresa. Enquanto dirigia, constatou que o resultado não havia ficado assim tão ruim. A voz de Caetano seguramente soava diferente, mas de uma forma quase imperceptível. Por outro lado, a emoção que contagiara a todos naquela noite estava ali registrada. Em casa, com mais calma e atenção, ouviu a gravação novamente, dessa vez na companhia de sua esposa Paula Morelenbaum, também musicista. Com sua audição bem treinada, Paula percebeu a tal sutil diferença na voz de Caetano, todavia, compartilhava da opinião do marido. O resultado final tinha ficado satisfatório. Empolgado, o maestro avisou a Caetano e ligou para a gravadora sugerindo lançar o CD o mais breve possível.

Caetano também havia recebido uma cópia da gravação e estava igualmente entusiasmado. Não dava para acreditar. No início, chegou a pensar em regravar tudo só para salvar a ideia do disco. Mas esse plano acabou abortado, pois seria impossível reproduzir entre quatro paredes acústicas a carga emocional gerada naquele show. Por outro lado, lançar um CD com sua voz soando abaixo do padrão costumeiro estava fora de questão. Mas a perspectiva se modificou no momento em que ouviu a gravação com carinho. O sentimento estava lá, e também o repertório, o clima, a mágica. Em resumo, a alma do espetáculo havia sido captada. E um detalhe guardava a melhor parte. Depois de ouvir tudo cuidadosamente, Caetano teve a grata surpresa de constatar que sua voz não estava tão ruim quanto imaginava. O que parecia impossível aconteceu. As boas condições técnicas somadas à importância histórica da apresentação finalmente o convenceram de que a gravação precisava chegar ao grande público. Em 17 de setembro de 1999, quase dois anos depois do show, o CD *Omaggio a Federico e Giulietta* seria lançado pela Universal Music.

A festa aconteceu no Museu de Arte Moderna da Bahia, no Solar do Unhão, em Salvador. E para Caetano receber seus convidados no clima do evento, os organizadores criaram uma atmosfera cinematográfica. Entre outros detalhes da decoração, placas espalhadas pelo Solar apresentavam os nomes dos principais filmes de Fellini, como *La Dolce Vita* e *Julieta dos Espíritos*. Além disso, antes da entrevista coletiva, o emblemático *Noites de Cabíria*, um dos preferidos de Caetano, passou na íntegra numa grande tela montada ao ar livre. E pela "enésima" vez emocionou o cantor. Aquele lançamento provava que a estrada da vida é mesmo longa e muitas vezes surpreendente.

Realizações à parte, Caetano continuava percorrendo a sua. Tinha interrompido seu trabalho por uma causa justa, mas logo retornou à rotina de viagens. No decorrer de setembro, as apresentações de *Livro Vivo* continuariam a percorrer o país. Por mais longa que a estrada parecesse, sempre haveria paradas obrigatórias. No final do mês, outro evento irrecusável faria Caetano abandonar de novo sua turnê vitoriosa.

❧

Em meados de 1999, aconteceria a inauguração do recém-construído Credicard Hall, o mais moderno espaço de entretenimento erguido em São Paulo. O excessivo burburinho em torno da notícia se justificava por uma série de fatores. A começar pelos números faraônicos do projeto. O investimento em torno de US$ 30 milhões permitiu aos sócios do empreendimento erguer, sobre um espaço de 25.600 m^2 da Marginal Pinheiros, uma casa de shows com 15 mil m^2, acompanhada de estacionamento para 1.500 veículos. A vista externa já deixava qualquer um de queixo caído, mas a suntuosidade do projeto avançava pelo interior da construção. Lá dentro, os detalhes impressionavam na mesma medida.

No palco de 720 m^2 havia espaço para comportar todo tipo de espetáculo. A tecnologia empregada permitia desde a realização de shows individuais, no estilo "banquinho e violão", até a montagem de musicais da Broadway cheios de efeitos ou de grandes óperas italianas com seus cenários gigantescos. Eventos até então inéditos no Brasil, por conta das dificuldades técnicas, passariam a ter melhores perspectivas com a inauguração da casa. Com lotação versátil, a capacidade de público podia se adaptar ao tipo do evento, variando em torno de 4 mil lugares, quando a utilização de mesas fizesse mais sentido, até 7 mil lugares, nos shows com pista livre. Números até menores que os de outras casas, mas isso também fora proposital. Os sócios, entre eles o publicitário Nizan Guanaes, buscavam mais conforto para os espectadores, que teriam boa visão do palco de qualquer ponto da plateia. No total, eram quatro configurações distintas, com suítes, camarotes, pista, plateia superior e área reservada a pessoas com necessidades especiais. Os bastidores também receberam tratamento de primeiro mundo. Os artistas em cartaz teriam à disposição sete camarins individuais, dois coletivos com capacidade para 240 pessoas cada, uma cozinha industrial, uma confortável sala reservada para receber amigos, e até uma pequena academia de ginástica. Nos mínimos detalhes havia luxo, conforto, tecnologia e sofisticação. Não foi à toa que especialistas classificavam o Credicard Hall como a melhor casa de espetáculos da América Latina.

O show de inauguração seria o batismo de fogo. Para o evento, uma dupla à altura. Em 29 de setembro, João Gilberto e Caetano Veloso abririam a nova casa. Em meio a um bufê de inauguração regado a caviar e champanhe, a apresentação seria restrita a uma seleta plateia de convidados. Tudo parecia bem arrumado, mas ninguém poderia imaginar o que estava para acontecer. Na véspera, Caetano ficara preocupado. Durante a passagem de som, tinha percebido um eco sutil, possível de ser captado apenas do palco ou das primeiras fileiras da plateia. O problema não seria grave, não fosse seu parceiro de ocasião dono de um ouvido absoluto. Essa capacidade que algumas pessoas têm de distinguir cada nota emitida não se restringe a sons puramente musicais. Vai das cordas de um violão a um discreto ruído de ar condicionado. Qualquer estímulo sonoro é capaz de ser identificado e traduzido em nota musical. Na verdade, trata-se de uma distinção cerebral, não do aparelho auditivo propriamente. Não chega a ser tão raro como se pensa. Estudos estimam que uma em cada 10 mil pessoas desenvolve a habilidade, seja pela genética, seja por conta de treino e prática. O detalhe não importa, o fato relevante é que João Gilberto é um famoso dono de ouvido absoluto. O que é dom para alguns, para ele pode incomodar muito. No seu caso, a busca do som ideal chega às raias da obsessão e pode transformar em mau humor sua busca pela perfeição melódica.

Ciente dos riscos, Caetano resolveu alertar o fato à direção da casa. Prevenido, também dissuadiu o parceiro a não testar o som na véspera. Informou que havia um forte cheiro de cola. A desculpa, sem trocadilho, colou, e João Gilberto concordou em não testar o som. O exigente baiano cantaria direto no espetáculo. A sorte, portanto, estava lançada, mas o jogo começaria a ser perdido nos primeiros lances.

Na noite da apresentação, João Gilberto e sua audição biônica acusaram a existência do tal "Mr. Eco" logo no início do espetáculo. No momento em que captou algo estranho no ar, decidiu fazer o teste que não havia feito: "*Acontece que eu sou baiano... acontece que eu sou baiano...*" O resultado veio em seguida, sem o menor constrangimento: "*Tem um eco... que é isso!*" O burburinho começou na plateia. No meio do público estavam políticos, empresários, *socialites*, artistas e muita gente envolvida diretamente no projeto, como técnicos, engenheiros e seus familiares. Ninguém ficou satisfeito. Alheio ao que o público pensava, João Gilberto continuou a criticar o som na segunda música. Na sequência, conforme previsto no roteiro, Caetano o deixou sozinho no palco. A situação se agravou ainda mais. À medida que o tempo passava, o problema parecia incomodar João Gilberto em proporções cada vez maiores. Entre uma canção e outra, o cantor baixava o cacete no som.

A implicância torrou a paciência de quem assistia. O público começou a vaiar e fazer coro para que João Gilberto deixasse o palco. Irritado, o cantor revidou na mesma hora e cantou *"Vaia de bêbado não vale..."* Depois, fez careta, vaiou o público e, em seguida, dando ouvidos à parte da plateia, ameaçou abandonar o local. Àquela altura, Caetano já tinha voltado ao palco e interveio na questão: *"Aquelas pessoas que vaiaram, aqui, João Gilberto, não me são aceitas no coração!"* O desconforto era nítido. Ainda assim, Caetano milagrosamente convenceu João Gilberto a permanecer. Entre aplausos de alguns e vaias de muitos, os baianos prosseguiram até o fim do espetáculo. Antes de encerrar, João Gilberto ainda alfinetou mais uma vez. Ao acompanhar Caetano em "Sampa", no trecho que diz: "*...da força da grana que ergue e destrói coisas belas...*", ele emendou um irônico "*...por exemplo, o som*".

Na saída da dupla, não havia qualquer clima para o bis. Melhor parar por ali mesmo. Ninguém aplaudiu e eles também não voltaram. A discussão sobre o episódio varou a madrugada durante um jantar oferecido a convidados especiais. Dias depois, o publicitário Nizan Guanaes e o empresário Fernando Altério, sócios da casa, reconheceram que João Gilberto tivera razão em reclamar. Havia realmente uma falha na acústica que seria reparada para os próximos shows. Apesar dos pesares, o Credicard Hall estava, enfim, inaugurado e muito bem testado.

✦

No decorrer de 1999, a dupla de baianos deu o que falar dentro e fora dos palcos. No início do ano, a gravadora Universal Music finalmente havia topado lançar um disco de João Gilberto com produção de Caetano Veloso. Na opinião do produtor, o projeto era maravilhoso e, acima de tudo, significava na prática a realização de um sonho antigo. Mesmo com todo sentimento envolvido, o projeto não ficaria livre de contratempos. Conforme o trabalho ganhava corpo, também começavam os rumores de que o cenário não seria assim tão bonito. Boatos diziam que Caetano havia se desentendido com João Gilberto, que os empresários também não se entendiam, e que o projeto estava à beira de afundar. As dúvidas permaneciam, pois, na mesma velocidade com que os boatos chegavam à imprensa, os envolvidos corriam para desmenti-los.

O próprio Caetano enviou carta à imprensa protestando contra a insistente publicação dessas notícias. Apesar das muitas especulações, o burburinho só terminaria em janeiro de 2000, quando o polêmico CD intitulado *João Voz e Violão*, finalmente chegasse às lojas. A foto de capa, que mostra parte do rosto da atriz Camila Pitanga em close, fazendo o sinal de quem pede silêncio, diria mais que mil palavras. Naquele final de 1999, mesmo às voltas com um trabalho de grande valor sentimental, Caetano não podia se dar ao luxo de abrir mão dos projetos que apareciam a todo instante. O bom momento vivido por ele no Brasil e no exterior não lhe dava tréguas.

Em 5 de novembro, o cantor se juntou a Chico Buarque, Virgínia Rodrigues, Gal Costa, Elza Soares, Gilberto Gil e o jazzista inglês Georgie Fame, para uma celebração verde e amarela no palco do Royal Albert Hall, em Londres. O espetáculo único, intitulado "Desde que o samba é samba", ou *Since Samba Has Been Samba*, como preferiam os ingleses, fora preparado pela organização cultural *Brazilian Contemporary Arts* como parte dos festejos pelos 500 anos do descobrimento do Brasil. A abertura ficou por conta dos grupos Folia, London School of Samba e Quilombo do Samba, todos formados por sambistas ingleses e brasileiros residentes na Inglaterra.

Primeira a entrar, Elza Soares sacudiu os cinco mil espectadores com seu tradicional suingue. Entre os ilustres fãs de música brasileira que vibraram na plateia, estavam os cineastas Pedro Almodóvar e Bernardo Bertolucci, a atriz Marisa Paredes, e os roqueiros Jimmy Page, ex-guitarrista do Led Zeppelin, e o baterista Jim Capaldi que havia tocado no Traffic. Ao ver aquela agitação toda no palco, ninguém podia imaginar que a cantora brasileira ainda se recuperava de uma fratura na segunda vértebra lombar, sofrida havia dois meses, após uma queda durante um show. Seguindo orientações médicas, Elza Soares tinha que usar um sufocante colete ortopédico, todavia, na hora que o batuque começou, não deu para resistir. Arrepiada pelo ritmo contagiante, Elza mandou o colete às favas, subiu no salto alto e saracoteou como sempre. Dizem que sambar faz bem à saúde. Pelo menos, naquela ocasião, anestesiou até a alma da cantora. A força do ritmo a tirou do chão à revelia, a ponto de fazê-la superar as terríveis dores com um sorriso de passista. A noite prometia.

Contagiados pela energia de Elza Soares, Gil, Caetano, Gal, Chico, Virgínia Rodrigues e o convidado especial Georgie Fame, se revezaram em cena interpretando clássicos do mais genuíno ritmo brasileiro, como "A Voz do Morro", de Zé Keti, e "Adeus Batucada", de Sinval Silva. Uma verdadeira ode à mais pura raiz do Samba. No final do espetáculo, o grupo todo se reuniu para fechar com "Isto Aqui o Que É" e "Aquarela do Brasil", ambas de Ary Barroso, e "Samba do Avião", de Tom Jobim. No dia seguinte, estavam todos de alma lavada. A sensação de Elza Soares ia muito além disso. O esforço da apresentação extrapolou de tal sorte que ela não conseguia colocar os pés no chão, tamanha a dor que sentia do cóccix até o pescoço. Por essas e outras, a cantora ganhava cada vez mais o respeito de seus colegas, e não raro servia como fonte de inspiração ♪[81].

❦

A temporada se aproximava do fim. Caetano tinha consciência de que 1999 ficaria marcado em sua carreira como um ano de grandes surpresas. Nem o profeta Nostradamus teria sido capaz de prever a enorme vendagem de *Prenda Minha*. Além disso, com o sucesso do CD *Livro* nos EUA, seu nome passava a ser de longe o mais cotado para ganhar o Grammy na categoria *World Music*. Como se não bastassem os episódios atípicos, antes do fim do ano, Caetano teria a chance de realizar um desejo antigo, registrado em forma de canção no distante LP *Uns*, de 1983, quando ainda cantava com os músicos d'A Outra Banda da Terra.

Na época em que compôs a salsa "Quero Ir a Cuba", o baiano não imaginava que a viagem só aconteceria dezesseis anos depois. Ainda que o embargo americano continuasse afetando a economia cubana, o país permanecia atraindo visitantes estrangeiros, ávidos a desvendar os segredos daquele país caribenho. A passeio ou a trabalho, alguns brasileiros se lançavam nessa aventura. O filme *Orfeu*, lançado no Brasil em abril de 1999, participaria do Festival de Cinema de Havana. Caetano compôs parte da trilha e ainda fez uma ponta em uma das cenas; sua esposa Paula Lavigne, ao lado de Renata Magalhães, produziram a película; e a direção foi de Cacá Diegues, seu amigo de longa data. Ou seja, motivos de sobra para dar uma espiada no evento. Assim, nas primeiras horas de 30 de novembro, Caetano e Paula chegavam à ilha de Fidel Castro.

O povo cubano festejou muito a chegada do brasileiro. As rádios locais tocavam suas músicas sem parar. A recíproca, também verdadeira, extrapolava o sentimento de alegria. Embora o clima lembrasse os romances de Cabrera Infante, Caetano tinha a impressão de estar na zona portuária do Rio de Janeiro, ou, ainda, na Cidade Baixa, em Salvador, ao caminhar pelas ruas de Havana Velha. A semelhança logo chamou a atenção. A sensação aumentou ainda mais quando conversou com uma mãe de santo que saboreava um charuto e dava consulta em plena rua. Saravá! Em Cuba, orixás como Iemanjá, Oxum e Xangô são cultuados com a mesma veneração dos candomblés baianos. É a chamada *Santeria* cubana. Por essas e outras, Caetano sentia-se na própria casa.

---

[81] ♪ "Dor de Cotovelo"

Os compromissos oficiais também seriam inesquecíveis. Em primeiro de dezembro, o cantor fez uma rápida apresentação no Teatro Karl Marx, na abertura do festival de cinema. Paula negociou com os organizadores para que o nome do cantor fosse anunciado antes de sua entrada. No início, eles achavam desnecessário pela popularidade dele no país, mas a presença de outros estrangeiros na plateia justificava a apresentação prévia e assim se deu. No dia seguinte, fugindo à regra, Caetano levantou cedo e levou Paula Lavigne para fazer uma caminhada pela cidade. Na volta ao hotel, depois de participar de uma coletiva à imprensa ao lado da equipe de *Orfeu*, se encontrou no bar do hotel com o músico cubano Pablo Milanés, parceiro de Chico Buarque na canção "Iolanda". A emoção de encontrar Pablo e outros músicos só não superou o *gran finale* da madrugada seguinte. À meia-noite, Caetano estava na boate Gato Tuerto, para assistir a um show do lendário compositor César Portillo de La Luz, autor do clássico "Contigo en La Distancia", gravado em *Fina Estampa*. Aos 77 anos, o homem estava em plena forma.

Àquela altura, Caetano já estava arrependido de não ter conhecido antes o país. Se soubesse que seria tão bom, teria se esforçado para incluí-lo em sua agenda de shows. Algumas oportunidades até surgiram em outras épocas, mas acabaram canceladas por um motivo ou outro. O próprio Caetano não sabia direito por que não havia pisado antes naquele lugar tão cheio de cultura e tão parecido com o Brasil. É o tipo de mistério que não se explica, apenas deixa acontecer. No período em que permaneceu na ilha, Caetano se deixou levar pelos ventos do Caribe. E como se conhecesse o país de outros Carnavais, não se furtou em degustar a herança cultural do povo cubano como quem sacia uma fome antiga.

E por falar em herança, o Brasil também valorizava as suas. No final do século XX, o país completava mais cem anos de história. Comparado a países como Egito, Grécia ou China, o Brasil ainda engatinhava passados 500 anos de sua descoberta. A complexa formação de sua cultura, marcada, sobretudo, pela contribuição de povos indígenas, escravos africanos e colonizadores europeus, consolidou a identidade nacional miscigenada, hoje tão conhecida e celebrada no mundo. Mesmo sem uma história milenar, o país produziu arte com dignidade, ampliando sua herança cultural a cada novo ciclo de sua história. Não por acaso, no final de 1999, aproveitando o clima de fim de milênio, muito se falaria das famigeradas listas de melhores do século. Fosse na literatura, no cinema ou na música, escolher as obras mais representativas do período se tornaria mania nos meios de comunicação.

A Rede Globo entrou na brincadeira e anunciou para os dias 28 e 29 de dezembro a exibição do especial "100 Anos de Música". Nele, uma nova lista, dessa vez com as 31 melhores canções brasileiras, seria revelada ao grande público. Embora a escolha tenha levado em conta a opinião de especialistas e personalidades, a tarefa não se mostrou simples. Em torno de seiscentas músicas foram pré-selecionadas. E dentre as cem mais votadas, o júri montou a lista final que faria parte do especial da TV. Na onda do evento, o programa *Fantástico* levaria ao ar uma série de clipes especialmente criados para promover a futura atração. Preocupada com um possível vazamento, a TV Globo fez a edição final apenas poucos dias antes da exibição do especial que fora gravado entre 1º e 7 de dezembro, no Teatro Fênix, no Rio de Janeiro.

Como personagem atuante dessa história, Caetano também participou do programa. Primeiro, na condição de compositor; depois, como intérprete. Entre as canções selecionadas, "Sampa" ficou em 28º lugar, e recebeu uma versão particular de Cássia Eller e Paulo Miklos, do Titãs, no primeiro dia de programa. A porção cantor só entraria em cena na noite de encerramento. Caetano ao violão e Jaques Morelenbaum ao *cello* apresentavam a primeira colocada, "Carinhoso", de Pixinguinha e Braguinha. Mas não acabou aí. Pelo regulamento, essa não seria a canção do século. "Aquarela do Brasil", de Ary Barroso, novamente conquistou o título. A honra de interpretá-la foi entregue a Gal Costa. Naquele fim de ano, ninguém duvidava da importância histórica de cada obra selecionada. Para aqueles que tiveram o prazer de acompanhar de perto o surgimento de muitas delas, não importava tentar saber qual era a melhor, tampouco a mais influente. Além do mais, se dependesse de seus admiradores, continuariam cultuadas para muito além do ano 2000...

26

TOMAR O MUNDO FEITO COCA-COLA

O fim não estava próximo. Nos primeiros dias de 2000, a humanidade já tinha se convencido de que o mundo não acabaria tão cedo quanto pregavam alguns. De pouco adiantaram cartazes e bandeiras de falsos profetas. Até o famigerado "*bug* do milênio" não assustou tanto assim e nada de catastrófico aconteceu na virada do ano. Em meio ao clima de final dos tempos, pelo menos na música popular brasileira, uma previsão se confirmou. No início de janeiro, saiu a lista com os indicados ao Grammy. Caetano Veloso estava entre os relacionados na categoria World Music, pelo álbum *Livro*, e concorreria com outros artistas de importância mundial, como Cesária Évora e Salif Keita.

Enquanto a premiação internacional não chegava, o cinema nacional promovia sua festa. Na noite de 12 de fevereiro, em cerimônia no Hotel Quitandinha, em Petrópolis, aconteceu a entrega do Grande Prêmio Cinema Brasil. Instituído pelo Ministério da Cultura, o prêmio pretendia coroar os destaques da produção nacional do ano anterior. Com a pompa que a cerimônia merecia, criou-se uma atmosfera de Oscar brasileiro ao evento. Logo de início, o clipe com momentos marcantes do cinema brasileiro tratou de mergulhar todo mundo no clima. De frente para a tela prateada, impossível não se reconhecer nos dramas daquelas pequenas cenas e não sentir uma pontinha de orgulho por ter contribuído com essa bonita história.

Caetano fazia parte desse grupo. A trilha de *Orfeu*, seu mais recente trabalho dedicado ao cinema, concorria ao prêmio da categoria. A iminência de levar o troféu lhe trazia felicidade, porém, em meio às homenagens, a emoção virou protagonista e o clima de competição ficou para trás. Ali todos labutavam pelo ideal do cinema brasileiro. Nesse clima, Zezé Motta foi recebida com entusiasmo pelo público presente. A mesma ovação para Fernanda Montenegro, que subiu ao palco depois de Zizi Possi interpretar "Beatriz", de Edu Lobo e Chico Buarque, no instante em que cenas da própria diva, atuando no filme *Eles Não Usam Black-Tie*, iluminavam o salão. Reação semelhante provocou Paulo José. E quem não se arrepiaria ao vê-lo assistindo a si mesmo ainda jovem, atuando em *O Padre e a Moça*, de Joaquim Pedro de Andrade, outro homenageado da noite? Muita gente chorou pelo conjunto da cena. A festa também teve sua parcela bem-humorada. Para pontuar cada entreato, a atriz Regina Casé animava o público como mestre de cerimônia.

Emoções à parte, o prêmio de melhor trilha ficou mesmo para Caetano Veloso, pelo trabalho em *Orfeu*. A história do mito grego ainda seria lembrada em mais categorias. As produtoras Paula Lavigne e Renata Magalhães receberam das mãos de Fernanda Montenegro o prêmio de melhor filme nacional de 1999. Cacá Diegues, no entanto, perdeu o de melhor direção para Daniela Thomas e Walter Salles, de *O Primeiro Dia*. Walter Salles seria jurado no Festival de Berlim e não pôde comparecer. Coube a sua parceira, Daniela Thomas, chorar pelos dois, abraçada a Cacá Diegues por quase meia-hora. Para Caetano, a festa superou as expectativas, dada a carga emotiva apresentada em vários momentos. Nem todo mundo pensava assim.

No dia seguinte, a surpresa. Ao abrir os jornais, o cantor ficou revoltado com o tratamento parcial e irônico dado por parte da imprensa, quase sempre traçando paralelo com a festa do Oscar. A excessiva utilização do termo "tupiniquim", nitidamente empregado em tom depreciativo, o irritou ainda mais. O assunto não morreria ali. Na primeira oportunidade daria sua resposta.

Dias depois, Caetano estaria em Salvador para outra festa, mas dessa vez em família. Rodrigo Velloso havia aberto uma loja de artesanatos no Pelourinho, a Casa do Tecelão. Só que ele não queria uma loja comum, que apenas vendesse produtos artesanais. E assim montou um negócio que transcendia o conceito de comércio puro e simples. Apreciador da culinária baiana, amante das artes e sempre adepto a uma boa conversa, criou o evento cultural "Quartas da Boa Mesa". Quem quisesse participar levava um quitute para servir aos presentes e, de quebra, tornava-se a atração artística da noite. Enquanto os convidados degustavam o rega-bofe, assistiam às performances do participante da vez. Valia tudo. Podia cantar, dançar, fazer malabarismo, contar piadas, recitar poesias.

Na noite de 23 de fevereiro, a atração seria a poeta Mabel Velloso. Até o irmão mais ocupado da família estaria na plateia. Caetano valoriza muito a convivência com familiares e amigos, mas nem sempre consegue tempo livre para estar ao lado deles, ainda mais em local público. O evento coincidiu com suas férias de verão, o que garantiu sua presença. Mabel sabia disso e queria fazer uma grande festa. Também não podia decepcionar sua mãe, que dominava a arte da cozinha e ensinara tudo direitinho a ela. Então, para temperar ainda mais o momento, caprichou na Moqueca de Mapé. Em seguida, separou alguns livros, selecionou uns poemas e montou o roteiro do sarau.

Enquanto Caetano curtia o evento no Pelourinho, Paula Lavigne estava no Rio de Janeiro, atenta ao que se passava no palco do Staples Center, em Los Angeles, na Califórnia. De lá vinham as notícias da cerimônia de entrega do Grammy. A expectativa ficava por conta do resultado na categoria *World Music*. E não somente o clã dos Velloso ansiava pelo troféu. A família Caymmi também cruzava os dedos. Dori, ao lado de Tom Scott, tinha sido indicado ao prêmio de Melhor Arranjo Instrumental pela roupagem original dada à canção "Pink Panther", de Henry Mancini, tema clássico do filme homônimo, gravada no álbum *Cinema: A Romantic Vision*. Em medidas diferentes, as duas indicações mostravam o reconhecimento do trabalho deles nos EUA.

No final da noite, porém, nem todo mundo ganharia. Dori perdeu, mas Caetano levou o caneco. Paula ficou radiante e logo tentou localizar o marido, que estava quase incomunicável, já que não tinha levado celular. Ligou para um, para outro, até que conseguiu o número do telefone de Lala, filha de Mabel, que também estava no evento. Mabel recebeu primeiro a notícia. Para contar a novidade em grande estilo, tomou o microfone e anunciou em alto e bom som para todos os presentes. Caetano se tornava o mais novo brasileiro agraciado com o Grammy.

Embora estivesse feliz com a notícia, o baiano se mostrou discreto. Por pouco tempo. Repórteres bem posicionados aguardavam ansiosos, e, assim que souberam da notícia, correram para conseguir o furo da primeira entrevista. O assédio tinha lá suas razões. Caetano é que não estava tão disposto assim. Lembra aquela festa em Petrópolis? Pois é, ele continuava engasgado com o tipo de cobertura que alguns jornais deram à entrega do Prêmio. Aproveitou para passar sua mensagem com todas as letras. A vitória no Grammy com certeza o tinha agradado, porém, já completamente exaltado, disse que dava muito mais importância ao prêmio do Quitandinha. Surpreendente? Nem tanto. No fundo, Caetano reclamava de uma postura depreciativa de parte da imprensa diante de eventos realizados no Brasil em prol da cultura. Em seu desabafo, citou também o Prêmio Sharp, muitas vezes criticado no mesmo tom. As declarações dariam o que falar nos próximos dias. Mais uma polêmica para sua coleção.

Apesar do estresse, a imprensa não tinha motivos para ignorar a importância da música brasileira no exterior. Àquela altura, três meninos do Brasil haviam trazido o Grammy de *World Music*, pois Milton Nascimento e Gilberto Gil venceram nas duas edições anteriores.

Em maio, Caetano e banda estavam em Udine, na Itália, para o início da turnê europeia de *Prenda Minha*. O roteiro previa ainda uma esticada ao Oriente Médio, que ele já conhecia de outros tempos. No decorrer daquele mês, o espetáculo percorreria cidades e províncias italianas, como Pisa, Fabriano e Roma. Logo em seguida, esticariam até a Suíça para shows em Basel e Zurique. Seria tudo muito rápido, porque na noite seguinte à última apresentação, uma terça-feira, Caetano participaria de um show muito especial em que cantaria com o dono de uma das vozes mais potentes do planeta: o tenor Luciano Pavarotti.

Em meados de 2000, o prestígio de Caetano Veloso no exterior podia ser medido de várias formas. A boa recepção das apresentações fora do Brasil, os prêmios internacionais, o destaque da imprensa estrangeira, o respeito de críticos e celebridades do mundo inteiro, os shows ao lado de estrelas da música mundial, o assédio nos bastidores. Em 6 de junho, no imenso palco montado em um parque de Modena, na Itália, o Parco Novi Sad, aconteceria mais uma edição do espetáculo *Pavarotti & Friends*, dessa vez em benefício da população pobre do Camboja e do Tibet. O tenor em pessoa tinha telefonado para convidar o cantor brasileiro a integrar seu grupo de amigos privilegiados. Na ocasião, Caetano dividiria o palco com estrelas do *pop* internacional como George Michael, Tracy Chapman, Enrique Iglesias, Eurythmics, entre outros.

Desde 1992, Pavarotti promovia espetáculos beneficentes anuais prestigiados por celebridades do mundo inteiro. Em 2000, até o Dalai Lama desceu das montanhas do norte da Índia, local de seu exílio, e compareceu à festa. O show começou com a apresentação de um coral formado por crianças do Camboja e Tibet. Em seguida, ao som da Orquestra Sinfônica Italiana, o anfitrião Pavarotti passou a receber seus convidados no palco. Na primeira participação, Caetano subiu sozinho e interpretou "Desde Que o Samba É Samba", clássico de seu repertório. Entremeado por outras apresentações, voltaria para o dueto com o gigante Pavarotti. Os dois interpretaram "Manhã de Carnaval", de Luís Bonfá e Antônio Maria, que se tornara conhecida no mundo pela trilha do filme *Orfeu do Carnaval*, de Marcel Camus. Emocionante o contraste da voz suave de Caetano com a potência vocal de Pavarotti, ainda que a canção tivesse adquirido ares operísticos com a empolgação do tenor. O público respondeu com aplausos, enquanto bandeiras brasileiras tremulavam em partes da plateia. No encerramento, a tradicional confraternização com os artistas reunidos no palco. Pavarotti já devia estar com cãibra nas bochechas de tanta felicidade, mas não deixou de fazer coro na hora de fechar com a emblemática "All You Need is Love", de Lennon & McCartney. Acompanhados pela orquestra e o coral, os artistas mandavam seu recado para o mundo.

No dia seguinte, Pavarotti podia descansar. Caetano ainda não. No decorrer de junho, percorreria a Alemanha, Israel, França, Inglaterra, Bélgica, Portugal e Espanha. O espetáculo de encerramento seria em 5 de julho, na Itália, onde novamente dividiria o palco com outro artista. Só que, dessa vez, nada de fazer dueto com marmanjo barbado e de voz grossa. O show na Piazza Navona, que marcaria a reforma da embaixada brasileira em Roma, seria ao lado de uma baiana arretada: Daniela Mercury. Cantar na cidade eterna, diante de uma plateia de brasileiros e italianos, e ainda em boa companhia. Os dois artistas se sentiram em casa. Caetano abriu o espetáculo interpretando canções de seus últimos discos. "Onde o Rio É Mais Baiano", "Meditação", "Linha do Equador", entre outras. Daniela Mercury surgiu em seguida e balançou o chão da histórica praça. Não era a Praça Castro Alves, mas bem que poderia ser. A animação do público não devia em nada. A temperatura subiu e o show entrou na reta final. Mais à vontade, Caetano voltou sem paletó e de gravata frouxa. No encerramento, a apoteose. Os dois subiram ao palco para interpretar juntos "Aquarela do Brasil", o "hino nacional" da música popular brasileira. A plateia delirou. Os fãs brasileiros não ficariam só com as notícias vindas de longe. Na mesma semana, a TV Bandeirantes exibiria a apresentação na íntegra em forma de especial.

A turnê europeia chegava ao fim. Percorreram 42 dias de estrada, em 25 shows, por 19 cidades e nove países. Na volta ao Brasil, Caetano não podia esquecer que ainda vivia o período pós-vendagem histórica, pós-reconhecimento internacional, pós-Grammy. A disputa para ter sua participação nos eventos crescia cada vez mais. Em julho, esteve no Garden Hall, na Barra da Tijuca, e participou do espetáculo *A Arte do Encontro*, a convite do Quarteto em Cy e do MPB 4, para lembrar os 20 anos sem Vinicius de Moraes. No auge da temporada, com tantas horas de ensaio cumpridas e outras tantas de show, Caetano podia tocar e cantar seu repertório até de olhos vendados. Nos espetáculos pela Europa e no palco do Garden Hall tudo saiu perfeito e o público aplaudiu sua participação. Em outro evento da mesma época, os aplausos se repetiriam, porém, alguma coisa ficaria fora da ordem.

Na condição de veterano de festivais, Caetano Veloso faria o show de abertura da 1ª eliminatória de mais um festival de música brasileira promovido pela Rede Globo. Quando o apresentador Serginho Groisman chamou o baiano ao palco, a plateia do Credicard Hall, em São Paulo, explodiu em aplausos. Ele abriu com "Sozinho", ao violão, mas na segunda música, enquanto esboçava os primeiros acordes de "Nosso Estranho Amor", Jaques Morelenbaum e Luiz Brasil começaram a tocar "Trilhos Urbanos". A confusão desconcentrou Caetano, que chegou a parar, para, logo em seguida, retomar o prumo. Um susto apenas, mas suficiente para influenciar na performance. Ele conduziu a interpretação até o fim, porém, a todo momento, mexia com a cabeça em sinal de que ainda pensava no ocorrido. No fim da interpretação, se desculpou para finalmente cantar "Nosso Estranho Amor". O público entendeu e vibrou em todas as músicas. Entre os números apresentados, Caetano ainda promoveu um dueto com sua pupila Virgínia Rodrigues, na delicada "Jeito Faceiro", de Jau Lázaro e Pierre Onassis. Muito à vontade, o baiano quase deitou a cabeça no colo da amiga. Um dengo só. Depois do cafuné de Virgínia, encerrou com a emblemática "Alegria, Alegria" e, ovacionado, despediu-se da plateia. Estava aberto mais um festival de música popular brasileira. Embora chamado assim, estava longe de ter a energia e o mesmo charme dos anos 1960.

Em meados de 2000, o cantor e compositor Caetano Veloso tinha muita história para contar. Os anos de carreira lhe trouxeram experiência, alegrias, tristezas, responsabilidades. A cada novo trabalho, o desafio da superação aumentava. O esforço de fugir do óbvio tinha que ser constante. As ideias continuavam a surgir com a mesma profusão de sempre. Dentre as muitas possibilidades, havia um projeto antigo semelhante a *Fina Estampa*, dessa vez com clássicos do cancioneiro anglo-americano; ou, ainda, uma coletânea de suas músicas gravadas por outros compositores. Em resumo, os caminhos estavam abertos à sua frente, faltava apenas o estímulo mais forte para decidir por qual deveria seguir.

Na concepção de um disco, a inspiração decisiva às vezes surge de onde menos se espera. No período em que Caetano começou a pensar em um novo trabalho, sua cabeça estava mais voltada para as sonoridades. Ainda não havia a preocupação em seguir um conceito específico. Esse panorama mudaria no momento em que o livro *Minha Formação*, de Joaquim Nabuco, caísse no colo dele. O assunto aguçou tanto sua curiosidade que ele devorou as memórias do abolicionista de uma tacada só.

No fim, o conjunto da obra o deixou em choque. A visão particular de Joaquim Nabuco acerca da escravidão no Brasil, sobretudo pelos desdobramentos da questão, antevistos de maneira assombrosa e, ao mesmo tempo, com muita clareza, arrebataram Caetano. Um trecho, em especial, chamou ainda mais atenção, não só pela força das ideias e pela carga poética das palavras, mas pelo fato de sintetizar o pensamento visionário do autor:

"A escravidão permanecerá por muito tempo como a característica nacional do Brasil. Ela espalhou por nossas vastas solidões uma grande suavidade; seu contato foi a primeira forma que recebeu a natureza virgem do país, e foi a que ele guardou; ela povoou-o como se fosse uma religião natural e viva,

com os seus mitos, suas legendas, seus encantamentos; insuflou-lhe sua alma infantil, suas tristezas sem pesar, suas lágrimas sem amargor, seu silêncio sem concentração, suas alegrias sem causa, sua felicidade sem dia seguinte... É ela o suspiro indefinível que exalam ao luar as nossas noites do norte ♪[82]*."*

Estava ali o empurrão que lhe faltava. As ideias de Joaquim Nabuco envolveram Caetano de tal forma que o tema se tornou o conceito central de seu novo trabalho. A partir daí, com base nas questões históricas e sociais que envolviam a situação do negro no Brasil, o repertório de *Noites do Norte* começou a ser montado. Nesse período, Caetano compôs "13 de Maio", em referência à abolição da escravatura, e também decidiu gravar "Zumbi", de Jorge Benjor, que se encaixava perfeitamente no clima do disco. Além dessas, o trecho que o impressionara foi por ele musicado, a despeito das dificuldades técnicas em colocar melodia sobre um texto em prosa, com português rebuscado, escrito havia mais de um século. Na canção "Zera a Reza", o cantor mais uma vez renovou sua relação com as palavras, criando uma série de palíndromos no decorrer da letra. No bojo das novidades, ainda havia espaço para mais literatura.

As palavras de Joaquim Nabuco impactaram, mas os livros de Waly Salomão inspiravam pela originalidade. Dentre os poemas de *Tarifa de Embarque*, Caetano se apaixonou por "Cobra Coral". O cantor não sabia que, para escrevê-lo, Waly tinha se baseado num velho cântico Tupi, apresentado ao mundo pelo francês Michel de Montaigne em seu livro de ensaios sobre canibais, no século XVI. A canção virou poema e, ironicamente, voltaria a ser canção, pois Caetano a musicou e assim nasceu a mais recente parceria da bem-sucedida dupla. As referências e homenagens também estariam presentes no disco. Em "Rock'n'Raul", Caetano celebrou seu conterrâneo Raul Seixas e, ao mesmo tempo, tocou no tema acerca do desejo de ser americano, que o próprio Raul havia demonstrado desde o início de sua carreira, e que muita gente compartilhava.

Ao contrário de Raul Seixas, Caetano Veloso nunca teve esse desejo. A identificação com o país sempre esteve presente em suas obras e seu pensamento. Mas nem por isso é xenófobo. Pelo contrário, sua receita é antropofágica e, acima de tudo, tropicalista. As influências estrangeiras se proliferaram na carreira dele ao longo dos anos. Expoentes do cinema italiano, então, tiveram participação decisiva em sua formação. De certo modo, Caetano sentia-se em débito com toda essa gente que ajudou a moldar sua cultura, seu caráter, seu modo particular de ver o mundo, sua história de vida. Já havia retribuído em outras ocasiões, mas ainda faltava muito para zerar o saldo.

---

[82] ♪ "Noites do Norte"

Com o CD *Noites do Norte*, outra parcela da dívida seria paga. Numa atitude inédita, Caetano compôs uma canção em italiano e batizou-a com o nome do homenageado: "Michelangelo Antonioni". Caetano é assim, valoriza seu passado e aqueles que influenciam sua vida: às vezes, na figura de uma pessoa, noutras, na lembrança de uma época inteira.

A canção "Meu Rio" traz muito disso. As recordações do período em que passara com suas primas, em Guadalupe, estão registradas de modo confessional e transparente em seus versos. Na hora de gravar, Caetano convidou Dudu Nobre, legítimo representante da emergente safra de sambistas cariocas. Não seria o único convidado especial. Na faixa "Cobra Coral", formou com Lulu Santos e Zélia Duncan, um coro de três vozes que criou a ilusão de terem sido emitidas por três homens, tal a força vocal de Zélia Duncan. A costumeira participação de Moreno dessa vez aumentou. Em "13 de Maio", o rapaz só faltou cantar no lugar do pai, pois o arranjo e o som da maior parte dos instrumentos saíram das mãos dele.

A sonoridade tão necessária em *Noites do Norte* contou mais uma vez com a turma de percussionistas baianos que tocou em *Livro*. Márcio Victor e os gêmeos Eduardo Jovino e Jovino Eduardo criaram a atmosfera sonora que ele tanto precisava para o novo trabalho. Assim como acontecera com Carlinhos Brown, o talento vigoroso de Márcio Victor impressionara Caetano desde a primeira audição. Também a exemplo de Brown, sua inventividade musical o levaria a voos mais altos. No futuro, Márcio Victor assumiria o vocal da banda Psirico e seria responsável pelo *hit* instantâneo "Lepo Lepo", que embalaria o país de norte a sul no Carnaval de 2014. Enquanto não assumia o papel de protagonista, ajudava Caetano com sua originalidade costumeira.

A busca pelo novo permeou todo o conceito do trabalho e chegou até a fase de divulgação. Nos lançamentos de seus discos, Caetano achava que a imprensa valorizava mais a primazia da notícia que a crítica em si. A pressa, muitas vezes, impossibilitava uma justa avaliação dos trabalhos. Para evitar o problema, em dezembro de 2000, o baiano lançou o CD *Noites do Norte* via internet. Num *site* independente, a equipe de produção disponibilizou vasto material explicativo sobre o CD, além de uma entrevista inédita concedida ao jornalista Geneton Moraes Neto. Para ter acesso bastava se conectar. E se ainda restassem dúvidas, o cantor ficaria à disposição para uma entrevista à parte.

※

Aliás, entrevistas não faltariam nos meses subsequentes. Prêmios e participações também não. Em abril de 2001, Caetano cantou com o grupo de pagode Só Pra Contrariar, no Tom Brasil, em São Paulo, no espetáculo que deu origem a um DVD e a um CD acústico do grupo. A participação de

Caetano daria um impulso extra nas vendagens. O duo com Alexandre Pires na interpretação da romântica "Final Feliz", de Jorge Vercilo, transformou-se num dos maiores sucessos do disco. A resposta do público chegava em forma de pedidos e mais pedidos. As rádios populares não paravam de tocar o dueto inédito. Em poucos dias, outro reconhecimento público também seria sentido, mas dessa vez de modo quase *online*.

Em maio, aconteceu a entrega do Prêmio Multishow de Música Brasileira, no Teatro Municipal do Rio de Janeiro. A escolha dos vencedores foi feita pelo público, que votou em seus preferidos pelo *site* do canal de TV a cabo. E os internautas elegeram Caetano Veloso o melhor cantor de 2000. Durante a cerimônia transmitida ao vivo, o baiano recebeu o troféu das mãos de Djavan. Em seguida, exteriorizou com transparência o momento particular que vivia "*Estou com a impressão de que mereço este prêmio. É uma coisa que eu mereço, não porque eu me considero melhor cantor do que os outros que foram indicados, mas porque o que eu gosto de fazer é cantar.*"

E o que vinha fazendo comprovava sua declaração. Caetano ensaiava a todo vapor para a estreia do show *Noites do Norte*, em junho, no Canecão. O ponto de partida aconteceu no início do ano, numa apresentação única durante o Festival de Verão de Salvador. O cantor se apresentou ao violão, acompanhado de quatro percussionistas. Tinha adorado a experiência de unir percussão e cordas, de modo que o novo espetáculo acabou montado nessa base. O processo de criação, no entanto, demorou a engrenar. Até o roteiro ganhar forma, sofreu diversas modificações. Nesse quesito, Paula Lavigne fez várias sugestões, as quais foram, em parte, acatadas por Caetano.

A formação da nova banda também teria suas idas e vindas. O naipe de instrumentos de sopro dessa vez ficaria de fora. Além da percussão, Caetano queria uma guitarra moderna, com pegada forte e bem roqueira. Pensou no jovem guitarrista Pedro Sá, que havia participado da gravação de "Tropicália 2", do disco atual, e cujo trabalho com Lenine muito o agradara. Mas a ideia recebeu um golpe. Pedro Sá não poderia assumir o compromisso, pois estava envolvido com sua banda, Mulheres Q Dizem Sim. Apesar de ter dito não, sugeriu Davi Moraes, filho de Moraes Moreira, que logo em seguida se integrou ao grupo de Caetano.

Na bateria, um baiano das antigas retornou com força total. Em *Noites do Norte* estava de volta Cesinha, ex-Banda Nova, que havia tocado com Caetano no fim dos anos 1980. O time estava quase completo. Faltava um elemento: o baixista. Bom, a princípio não haveria. O próprio Pedro Sá chegou a sugerir a Caetano montar uma banda sem contrabaixo. O músico acreditava que isso não atrapalharia. Só que, por ironia do destino, com os ensaios em andamento, Pedro Sá se desligou de sua banda. O mundo também gira na cadência da música. Para não ficar sem aquele trabalho, pediu a Caetano que reconsiderasse a sugestão inicial, colocando-o como baixista de seu novo show. Caetano precisou conversar muito com Morelenbaum. Decisão difícil, os trabalhos estavam adiantados. Mas estava escrito nas estrelas. Pedro Sá tinha mesmo que fazer parte daquela banda.

As novidades também se estendiam ao repertório do show. Além de canções emblemáticas como "Noites do Norte" e "Zumbi", Caetano buscou canções que tivessem o mesmo fio da meada. Lembrou-se de "Two Naira Fifty Kobo", composta nos anos 1970, sob o impacto daquela viagem à Nigéria ao lado de Gil. E outras do disco *Bicho*, da mesma época. Tudo a ver com a atmosfera que queria criar. O roteiro também abriu espaço para o pop. "Como uma Onda (zen surfismo)", de Lulu Santos e Nelson Motta, e "O Último Romântico", de Lulu Santos, Antonio Cícero e Sérgio Souza, ganharam roupagens da grife Caetano, e foram inseridas. Para o arremate, o baiano escolheu canções dele, até então só gravadas por outros artistas, como "Escândalo", por Ângela Ro Ro, e "Gatas Extraordinárias", composta para atender uma encomenda de Cássia Eller.

A complexa mistura influenciou na demora do amadurecimento do show. Mas esse não foi o único motivo. Titular da banda, Jaques Morelenbaum não podia faltar. No entanto, tinha assumido compromissos no início do ano que retardaram sua integração ao grupo. As consequências imediatas foram duas: a decisão inédita de realizar no Canecão três ensaios abertos, de primeiro a 3 de junho de 2001, com ingressos a preços populares, e o adiamento da estreia oficial para o dia 7 daquele mês. Mas havia também uma grande vantagem nisso tudo. Oficialmente em clima de laboratório musical, Caetano podia se dar ao luxo de interromper um número ou outro para fazer os ajustes necessários. O "desconto" estaria garantido.

Embora o show estivesse em ritmo de ensaio, ninguém saiu decepcionado. Mesmo com o fantasma do apagão que assolava o país na época, as noites do norte de Caetano tiveram o brilho esperado na estreia. A maioria identificou logo o conceito base do espetáculo. Mas, como de costume, houve gente que torceu o nariz. Atento às manifestações culturais do momento, Caetano colocou em prática uma ideia, nascida ainda nos ensaios fechados. O motivo do burburinho seria uma inserção polêmica, logo após "Dom de Iludir". Perto do fim da música, Caetano emendou o refrão do *funk* "Tapinha", de MC Naldinho. Sem esquecer o característico falsete da gravação original: "*Dói, um tapinha não dói, um tapinha...*" O tapa não doeu, mas deu o que falar. Ponto para ele.

Em julho, o espetáculo seguiu para o DirecTV Hall, em São Paulo, onde foram feitas as primeiras gravações do CD *Noites do Norte Ao Vivo*, e também as filmagens para o DVD. Alheio aos críticos que insistiam em classificar a prática de comercialismo, Caetano mais uma vez abraçou o novo. Gravaria o show inteiro, gerando um disco duplo com o repertório na mesma ordem da apresentação. Era cedo ainda, mas a experiência de *Prenda Minha* foi tão bem-sucedida que a Universal Music não quis esperar para repetir o esquema. A segunda e última parte das gravações aconteceu em 6 e 7 de agosto, na Concha Acústica do Teatro Castro Alves. Foram dois espetáculos atípicos. Logo no primeiro dia, uma surpresa desagradável. Nos bastidores, pouco antes do retorno para o bis, Paula deu a notícia da morte de Jorge Amado. Um baque. A perda de um grande escritor, um baiano ilustre, um amigo querido. Na volta ao palco, Caetano transmitiu a notícia ao público e improvisou um repertório em homenagem a ele, encerrando com "A Luz de Tieta".

No dia seguinte, esteve no velório realizado no Palácio da Aclamação. À noite, mais um show na Concha Acústica. Em outra homenagem ao escritor, encaixou "Milagres do Povo", tema da minissérie *Tenda dos Milagres*. Mas nem só de tristeza viveria aquela segunda noite do norte, em Salvador. Para comemorar o aniversário, ele ganharia uma celebração, com bolo, brinde em família e soprar de velinhas. Já no palco, dividiu a data com os fãs que cantaram um "parabéns pra você" ensurdecedor. Em seguida, recebeu seu convidado especial: Lulu Santos, que apareceu para fazer dueto em "Cobra Coral" e "Como uma Onda (zen surfismo)". A plateia vibrou. Como dessa vez o disco ao vivo registraria o show inteiro, as participações de Lulu entraram no repertório, assim como as canções escolhidas na concepção do espetáculo. E pensar que a quase ausência de "Cobra Coral" destilou veneno de outro baiano "arretado".

Nos primeiros ensaios, Caetano não gostou do resultado da união de vozes em "Cobra Coral". Como não contava com apoio de Zélia Duncan e Lulu Santos, a sonoridade atingida com a banda não o convencia. Acabou mexendo em cobra criada. Waly Salomão ficou desapontado e não escondia isso de ninguém. A eloquente decepção chegou aos ouvidos do cantor. Hora de repensar a situação. Caetano não só admirava, como também respeitava muito o amigo. A preocupação incomodou tanto que ele resolveu incluir a música a partir do show de São Paulo e Waly Salomão voltou a exibir novamente o senso de humor anárquico que lhe era tão peculiar. Sábia decisão, seria uma das mais elogiadas da turnê.

※

Cantar fazia parte da vida de Caetano tanto quanto respirar ou dormir. Poderia ser numa canja entre amigos, nos ensaios, nos shows, no cinema. Em meados de 2001, viajou para a Espanha a convite de Pedro Almodóvar. O cineasta rodava seu mais recente filme. Além da grande amizade, existia uma admiração recíproca pela arte de cada um. Entre outras, Almodóvar adorava a versão de "Cucurrucucu Paloma", de Tomás Mendez, gravada por Caetano em *Fina Estampa Ao Vivo*. Assim que a ouviu, sonhou inseri-la numa de suas produções. A melhor oportunidade surgiu em *Fale Com Ela*. A delicadeza da música se encaixava perfeitamente na atmosfera emotiva do filme. E a obra de Caetano Veloso é mesmo permeada pelo cinema. Curiosamente, Almodóvar só conhecera aquela versão de "Cucurrucucu Paloma" graças à provocação de outro cineasta amigo de Caetano: Neville D'Almeida.

Em Londres, Neville tinha apostado com Caetano que ele não teria coragem de gravar "Cucurrucucu Paloma", por uma suposta atmosfera cafona que poderia haver em torno da obra. Depois de lançado o disco de estúdio, sem a música no repertório, Neville novamente cutucou o baiano com vara curta. "*E aí, não teve coragem?*" Até parece que não conhecia o amigo. A resposta seria apresentada para o mundo inteiro ouvir, na versão ao vivo do disco, e encantaria muito mais gente do que supunha o provocativo cineasta brasileiro.

A voz de Caetano já tinha ecoado em outro filme de Almodóvar, *A Flor do Meu Segredo*, com "Tonada de Luna Llena". Dessa vez, o brasileiro teria mais espaço. Em *Fale Com Ela*, o cantor e alguns de seus músicos participariam de uma cena com forte carga dramática. Almodóvar precisava levar seu ator às lágrimas, e fazer com que o público acreditasse naquela possibilidade, o que deveria ser feito por algo que tocasse fundo o coração. Na opinião dele, somente a voz de Caetano interpretando o antigo bolero serviria àquele propósito. E para completar o cenário, convidou uma plateia muito especial, composta apenas de amigos, para ver e ouvir o cantor brasileiro. Até mesmo "almodovetes" frequentes, como Marisa Paredes e Cecília Roth, que não integravam o elenco do filme, participaram da cena misturadas ao público. Acertou em cheio, sob vários aspectos, pois o longa-metragem atingiria sucesso de público e crítica. Definitivamente, Caetano marcava seu nome junto ao cinema mundial. E não tardava por esperar o que ainda vinha pela frente.

Como cidadão do mundo, também sofria de suas agruras. No final de agosto de 2001, no Rio de Janeiro, ladrões roubaram o caminhão que transportava os instrumentos da banda. Por algum tempo chegou a pensar que havia perdido seu violão da marca Frameworks, mas logo o material foi recuperado. Antes fosse um caso isolado. A violência urbana é um problema social que não escolhe hora nem lugar para acontecer. Menos de um ano depois, o baiano sofreria o mesmo dissabor, agora em Caracas, na Venezuela. Vão-se os anéis, ficam os dedos. Pelo menos ninguém saiu machucado. O perigo, no entanto, continuaria a rondar os músicos brasileiros. Mas, dessa vez, de maneira muito mais assustadora.

Em setembro de 2001, na comunidade hispano-americana, só se falava da entrega do Grammy Latino, organizada pela Academia Latina de Gravação. A honraria seria concedida em uma festa de gala, na linha tapete vermelho do Grammy tradicional. Já na primeira edição, em 2000, Caetano levara o troféu de Melhor Álbum de MPB pelo disco *Livro*. Em 2001, concorria com *Noites do Norte* e ainda subiria ao palco como atração do evento.

Caetano e sua equipe desembarcaram um dia antes da festa. Já sabia que aquela edição seria diferente, mas nem de longe poderia imaginar o roteiro que a história teria. Originalmente, a festa deveria acontecer em Miami, sede da Academia. Para não correr o risco de enfrentar manifestações de grupos anticastristas contra os artistas cubanos indicados ao prêmio, os organizadores transferiram o local da cerimônia. Em Los Angeles não haveria tantos exilados de Cuba, mas a vida por lá também não seria fácil. Aliás, qualquer cidade dos Estados Unidos enfrentaria em breve um terrível pesadelo. A cerimônia estava marcada para 11 de setembro, uma terça-feira, até então uma data como outra qualquer. Mas hoje o mundo inteiro sabe que naquele dia aviões desenfreados cruzaram os céus sobre a cabeça dos americanos.

Por volta das 8 horas da manhã, um plano diabólico entrava em operação. Misturados a passageiros comuns, terroristas tomaram o controle de quatro aviões comerciais, dois da American Airlines e dois da United Airlines, que tinham acabado de decolar. As duas aeronaves que saíram de Boston rumo a Los Angeles tiveram suas rotas alteradas e seguiram para Nova York. Com intervalo de minutos, o terror mandaria sua mensagem ao mundo chocando os enormes aviões contra as torres gêmeas do World Trade Center, no coração de Manhattan. Menos de duas horas depois, as vigas de aço não resistiriam ao incêndio provocado pela explosão e o complexo viria abaixo. Primeiro uma torre, depois a outra, implodidas feito castelo de areia. Não dava para acreditar no que se via pela TV. Parecia o fim do mundo, a terceira guerra mundial. Com esse tom apocalíptico, Conceição Lopes bateu desesperada na porta de Caetano para dar a notícia do ataque em Nova York. Àquela altura, uma cidade irreconhecível. Os escombros, a nuvem de pó que se formou, o pânico dos sobreviventes que vagavam sem destino, os milhares de mortos. A imagem dantesca traduzia apenas parte do caos instalado naquele país. A alguns quilômetros dali, os terroristas já tinham cumprido parcialmente a etapa final da missão suicida, dessa vez mirando alvos governamentais.

Os outros aviões sequestrados seguiram para Washington, D.C. O primeiro deles, o voo 77 da American Airlines, caiu sobre o Pentágono, destruindo parte do prédio. Já o voo 93 da United não atingiu seu alvo graças a um ato de heroísmo. Os passageiros conseguiram reagir ao ataque e levaram o avião a se espatifar no solo da Pensilvânia, evitando uma catástrofe ainda maior. Dentro de uma sala de aula na Flórida, cercado de crianças, o presidente George W. Bush recebeu as primeiras notícias. O impacto o deixaria atônito até que finalmente tomasse suas primeiras providências. Em questão de horas, os aeroportos civis dos EUA estariam fechados para pouso e decolagem. As consequências foram imediatas. Para começar, todos os eventos oficiais foram cancelados, entre eles a cerimônia de entrega do Grammy Latino. Não havia mais clima para celebrações. Sem compromisso a cumprir, Caetano e sua equipe só queriam voltar para casa em segurança. Mas como fazer se ninguém entrava ou saía de lá? A paranoia se instalou e ninguém ficava sossegado. O país estava de pernas para o ar. Entrincheirados na agonia da América do Norte, enfrentariam uma forçada permanência de quase uma semana até que a poeira baixasse um pouco.

Passado o susto inicial, conseguiram deixar o país pela fronteira do México. A volta seria quase um périplo. Foram de *van* até a pitoresca Tijuana, de onde pegaram um avião até a Cidade do México. Antes do retorno ao Brasil, um dia de folga. No domingo, 16 de setembro, dia da Independência Mexicana, mal dava para acreditar que seria possível relaxar um pouco. Até para aliviar o peso da tensão vivida nos EUA, passearam pelo sítio arqueológico de Teotihuacan, em meio a monumentos astecas, construídos muito antes de Colombo entrar em cena. Impossível não refletir diante daquela imagem. Pirâmides imponentes, seculares, construídas por uma civilização extinta, ainda estavam de pé, enquanto uma civilização teoricamente mais evoluída acabava de testemunhar o desabamento de toneladas de concreto em poucos segundos. A inevitável reflexão emocionou a todos. À noite, finalmente tomaram o avião rumo ao Rio de Janeiro.

O mundo mudou depois do "11 de Setembro". Bush declarou guerra ao terror. Em sua política de polícia mundial, mandaria invadir o Afeganistão, sob o pretexto de o país abrigar o terrorista Osama ♪[83] Bin Laden, líder da Al-Qaeda e suspeito pelos atentados. Muitos anos se passariam até o homem ser encontrado e morto por militares americanos. Mesmo depois disso, o clima de tensão que se espalhara pelo planeta permaneceria. O medo de esbarrar com um "homem-bomba" ♪[84] numa esquina qualquer virou rotina. Caetano tinha data marcada para iniciar uma turnê pela Europa. Apesar da grande preocupação, esperava encontrar um clima mais ameno no Velho Mundo. Após voltar dos EUA, descansou apenas uma semana e novamente viajou.

❦

Em meio aos rumores da guerra iminente, o espetáculo *Noites do Norte* percorreria vários países europeus. No final de setembro, Caetano estaria em Assis, na Itália, para receber o prêmio "Michelangelo Antonioni". Idealizado em 1998, o troféu homenageava o cineasta e, ao mesmo tempo, coroava ar-

---

[83] ♪ "Diferentemente"
[84] ♪ "Homem Bomba"

tistas que influenciavam os caminhos das artes mundo afora. As surpresas começaram ainda no dia do show. Como parte do roteiro, Antonioni em pessoa convidou o homenageado e sua equipe para seu almoço de aniversário, servido em sua própria casa, em Trevi, perto de Assis. O luxuoso mimo impressionou a todos. Os detalhes do banquete revelavam o imenso respeito do anfitrião pelo cantor brasileiro. No menu personalizado – um para cada convidado – de capa dura e forrado em seda, lia-se: "*Almoço de gala para Caetano Veloso, na casa de Michelangelo Antonioni, no dia de seu aniversário. Trevi, 29 de setembro de 2001.*"

À noite, em Assis, a emoção mais uma vez deu o tom do evento. No show com voz e violão, Caetano desfiou um repertório misto, com músicas em português e em italiano, incluindo aquela canção inspirada no diretor. O conjunto da cena ficaria na memória daquele seleto público como se fizesse parte dos grandes filmes de Antonioni. No palco, o brasileiro criou uma atmosfera carregada de sentimentos, cantando "*Visione del silenzio... Angolo vuoto... Pagina senza parole... Una lettera scritta sopra un viso... Di pietra e vapore... Amore... Inutile finestra...*", enquanto o cineasta, debilitado por causa de um derrame, dissolvia-se em lágrimas na plateia. No fim, o cantor e compositor Caetano Veloso recebeu o prêmio das mãos do próprio cineasta, ajoelhado diante dele, retribuindo o mesmo respeito e devoção recebidos naquele dia inesquecível. Nas palavras dos organizadores, entre outras contribuições culturais "*a obra de Caetano teve enorme impacto no Brasil contemporâneo*".

&

Naquela ocasião, mais uma vez Caetano incrementou a rotina dos europeus com sua presença. Influenciar o dia a dia de pessoas ao redor do mundo acontece com frequência na vida de artistas de sucesso internacional. O inverso também, mas nem sempre de maneira positiva. Na volta ao Brasil, dois shows no ATL Hall lançaram o CD duplo *Noites do Norte Ao Vivo*. Em dezembro, as apresentações foram na Argentina, na época em que o país enfrentava uma das piores crises de sua história. Caetano, porém, estava com tudo. Mesmo com a economia em recessão, os teatros lotaram. Na base do sacrifício, os argentinos rasparam o que tinham para ver o show. Antes fosse um espetáculo beneficente, pois Caetano não veria a cor do cachê tão cedo. Dentre as medidas econômicas impostas pelo governo argentino havia uma limitação de saque nos bancos. Com isso, boa parte da renda ficaria retida por tempo indeterminado.

Ossos do ofício. Para quem já havia passado por confisco de poupança em sua própria terra, o problema de cachê retido parecia fichinha. O Brasil, por sinal, em breve começaria a entrar em ritmo de mudanças, com as eleições presidenciais que se aproximavam. No decorrer de 2002, esperança e medo seriam os sentimentos mais comuns no coração do brasileiro. O mais forte decidiria o resultado das urnas.

Na manhã de 1º de maio, Dia do Trabalhador, o pré-candidato à presidência da República, Luiz Inácio "Lula" da Silva, assistiu à tradicional missa na igreja Matriz de São Bernardo do Campo. Frei Betto tomou a palavra e lembrou o passado sindicalista de Lula, as lutas trabalhistas do final da década de 1970, e o papel daquela igreja na proteção dos líderes grevistas da região do ABC Paulista. Naquele momento, um filme passou pela cabeça de Lula. A infância miserável no Nordeste, os dias difíceis na indústria metalúrgica, o começo na carreira política, as derrotas seguidas nas três eleições anteriores. Motivos para desistência não faltavam, mas a determinação continuaria guiando suas decisões e ele não desistiria facilmente.

Enquanto a campanha presidencial iniciava, Caetano seguia seu rumo. Pelo menos para ele, os holofotes se voltavam para outra figura forte, mais ligada às artes que a política propriamente: Frida Kahlo. A vida atribulada da pintora mexicana ganharia uma cinebiografia intitulada simplesmente *Frida*. A diretora do longa, Julie Taymor, também havia escrito a letra da canção original do filme, que depois ganhou música pelas mãos de seu marido, o maestro Elliot Goldenthal. Assim que escreveu os versos de "Burn It Blue", Julie imaginou a voz certa para interpretá-los. Com a moral alta fora do Brasil, pelas inúmeras turnês e participações nos filmes de Almodóvar, a diretora lembrou-se de Caetano Veloso. Julie, então, ligou para o Brasil e propôs ao cantor gravar a música nos EUA, ao lado da cantora mexicana Lila Downs.

Só que a tal da agenda cheia novamente atrapalhou. Caetano tinha compromissos que o impossibilitavam de sair do país. Tudo bem. Se Maomé não vai à montanha, a montanha vai a Maomé. Decididos a ter a voz de Caetano no filme, a diretora, seu marido e a cantora mexicana vieram ao Rio especialmente para fazer a gravação. O trabalho no estúdio Mega terminou rápido e deixou os visitantes bem motivados. O casal ainda voltaria ao país e passaria o Carnaval em Salvador, na companhia de Caetano. Com produção bancada pela atriz mexicana Salma Hayek, *Frida* era uma produção americana, falada em inglês, e, por isso, com mais chances de concorrer aos principais prêmios da Academia. O Brasil, de certa forma, daria sua contribuição ao sucesso que o filme alcançaria. No momento certo, a retribuição chegaria em grande estilo.

Em junho, o projeto especial que se mostrava mais concreto diante de Caetano pertencia ao campo da amizade. Um disco com inéditas, em parceria com seu velho companheiro Jorge Mautner. A proposta partira de Caetano no ano anterior e, em meados de 2002, ganhou forma. Naquele período, a dupla havia se fechado em estúdio com Nelson Jacobina, fiel parceiro de Mautner, e mais uma turma de jovens músicos. No decorrer do trabalho elegeram até a musa simbólica do projeto: a atriz Luana Piovani. Aliás, diante da beleza da moça ♪[85] o quesito inspiração não tinha hora nem lugar. A química acontecia sob as bênçãos de um pôster dela colado numa das portas do estúdio, que ficou com cara de oficina de automóveis. Para chegar a esse nível de união, Caetano e Mautner tiveram que trabalhar na preparação de um repertório no qual prevaleceriam músicas inéditas.

As canções nasceram pela ótica particular com que eles peneiravam os assuntos da época. Até os mais espinhosos passaram pelo filtro bem-humorado da dupla e ganharam versos leves e originais. O resultado ímpar não deixava dúvidas de que a autoria dos trabalhos tinha nome e sobrenome em dose dupla: Caetano Veloso e Jorge Mautner. A canção de abertura, "Todo Errado", de Jorge Mautner, pelo estilo meio brega, meio *mariachi*, meio guarânia, sintetizava o conceito base do álbum. Segundo Caetano, "*o repertório era composto em sua maioria por canções do tipo pop-paródicas*". Por sinal, *Eu Não Peço Desculpa*, primeiro verso da espirituosa faixa inicial, passou a ser também o título do CD.

A graça debochada das letras com temáticas apocalípticas evidenciavam o conceito predominante no trabalho. "Coisa Assassina", de Gilberto Gil e Jorge Mautner, sobre drogas, e "Homem Bomba", canção de Caetano e Mautner, inspirada nos ataques terroristas de 11 de setembro, completavam essa lista. Nas poucas regravações, os dois amigos se auto-homenagearam. Caetano gravou, pela primeira vez, a clássica "Maracatu Atômico", de Mautner e Jacobina. Por outro lado, Mautner deu sua muito particular roupagem para "Cajuína", de Caetano.

Na hora de gravar, não faltaram o violão do eterno parceiro Nelson Jacobina e o violino de Mautner. A força motriz, porém, saiu da programação eletrônica do músico Kassin, parceiro de Moreno Veloso e Domenico Lancelotti na banda Moreno + 2, e diretor musical ao lado de Caetano. O clima de trabalho no estúdio Monoaural, na Gávea, foi o melhor possível. A rapaziada estava com tanta sorte que até a madrinha virtual do trabalho, Luana Piovani, visitou o estúdio na época da finalização. Ninguém acreditou quando Caetano avisou que iria trazê-la ao esconderijo da turma. Mas depois ficou todo mundo de queixo caído, vendo a realização do tradicional sonho do mecânico de oficina, com a *pin-up* do calendário se materializando na frente deles. O clima jovial reinava no grupo, ainda que a dupla de protagonistas acumulasse mais de um século de experiência.

---

[85] ♪ "Um Sonho"

Caetano estava à beira de completar 60 anos. Em agosto, na semana do aniversário, semelhante à época em que comemorou seus 50, o grande alvoroço se repetiu, com muitas homenagens e a costumeira enxurrada de especulações sobre onde passaria a data. E o local não chegava a ser novidade. Passaria ao lado de familiares e amigos, na casa de sua mãe, em Santo Amaro da Purificação. Os ares da cidade o renovavam como em nenhum outro lugar do mundo. Naquelas ruas que ele conhecia de cor, Caetano Veloso se via adolescente outra vez. A origem de tudo estava ali, e por toda vida ele nunca esqueceria disso. Esse carinho pela cidade, que ele fazia questão de compartilhar publicamente, era motivo de muito orgulho para dona Canô.

O 7 de agosto começou com a preparação dos quitutes baianos do almoço de confraternização. Vatapá, moqueca e ensopado de camarão, além de doces típicos para sobremesa, compunham o cardápio. O momento, no entanto, foi restrito apenas a parentes e amigos íntimos, como Chico Motta, Dasinho, Antônio "Manteiga" Nunes, Nando Barros, Maria Sampaio, além de poucos privilegiados. Enquanto o grupo se divertia no interior da casa, a imprensa fazia vigília do lado de fora. Não adiantava insistir. O almoço era íntimo e assim permaneceria até o final, quando haveria um brinde em família. Mas a persistência dos repórteres acabaria recompensada. Eles não sairiam de lá com as mãos abanando. Em determinado momento, Caetano e sua mãe andaram até a porta, e de lá o artista emitiu algumas poucas palavras, para o alívio dos repórteres.

No decorrer do dia, mais comemorações. Às 18h seria realizada uma missa na Igreja Matriz de Nossa Senhora da Purificação. Depois, as homenagens se estenderiam ao Teatro Canô Velloso, onde o cantor receberia uma reverência do Coral Miguel Lima, do qual sua mãe fazia parte. Lá, duzentos e tantos convidados se espremeram para levar um abraço ao aniversariante. Mabel discursou, o coral de dona Canô fez uma apresentação especial, e um bolo em formato de violão virou farelo, depois de fatiado e saboreado pelos presentes. No auge da cerimônia, Caetano fez um rápido pronunciamento e cantou duas músicas para atender ao pedido da mãe.

Para muitos, completar 60 anos poderia significar uma aposentadoria. Nem de longe essa ideia passava pela cabeça de Caetano Veloso. Àquela altura, o sexagenário cantor sentia-se um perfeito garoto. No final de setembro, juntava-se ao também "jovem" sessentão Jorge Mautner para o show de lançamento do disco *Eu Não Peço Desculpa*. Estrearam na Via Funchal, em São Paulo. As referências à amizade entre os dois, nascida em Londres, e o clima descontraído, com pitadas tropicalistas e uma boa dose de deboche, dominaram o espetáculo inteiro. Para lembrar a época em que se conheceram, Caetano interpretou "O Vampiro", de Mautner, enquanto Mautner interpretou "London, London", de Caetano. A simbiose musical não parou aí. No meio do show, Caetano citou o livro de Mautner, *Deus da Chuva e da Morte*, e Mautner, em seguida, interpretou "Sampa", cuja letra faz referência ao livro. Essa troca de referências permeou todo o roteiro da apresentação, durante a curta temporada em São Paulo. Em 3 de outubro, no Canecão, o clima se repetiu. Desde o início, o público entendeu a essência do trabalho e se deixou levar. Aplaudiu, cantou junto, e também riu nos momentos mais hilariantes do espetáculo. Pudera. Não dava mesmo para se manter impassível quando se ouvia Caetano interpretar "Voa, Voa, Perereca", marcha-rancho "eroticômica" de Sérgio Amado.

A próxima parada seria em Belo Horizonte. Cumprida essa etapa, o show teria que dar uma pausa. Caetano mais uma vez lutava em muitas frentes de batalha. Não conseguiria pisar em dois lugares ao mesmo tempo. A lei da Física o obrigava a escolher. Apesar do clima de insegurança no mundo por causa do terrorismo e das ameaças de guerra, no fim de 2002, Caetano mais uma vez levaria o espetáculo *Noites do Norte* ao lugar onde tinha visto a face da morte bem de perto: os Estados Unidos da América.

No final de outubro, enquanto Caetano cumpria sua agenda internacional, o Brasil vivia um momento histórico. No segundo turno das eleições presidenciais a população deu um voto de confiança, e Lula venceu o candidato da situação, José Serra. Uma soma de fatores colaborou para o resultado. O amadurecimento político, a campanha bem articulada, as propostas de justiça social, o desgaste do governo FHC, o desejo de mudança, a esperança do povo. O clima de euforia tomou conta do país. A maioria dos brasileiros se reconhecia na figura do seu novo Presidente: um Silva nordestino, ex-retirante, representante da classe operária e da geração que tanto sofrera com a ditadura militar.

Em novembro, quando outro representante dessa geração voltasse de sua turnê norte-americana, o país continuaria em festa. Ainda no primeiro turno, Caetano já tinha percebido que o momento de Lula havia chegado. Naquele período, ninguém podia imaginar os problemas que o ex-metalúrgico enfrentaria anos depois, na chamada "Operação Lava Jato". A exemplo de milhões de outros brasileiros, Caetano também nutria esperança de que houvesse redução das injustiças sociais, erradicação do analfabetismo, diminuição da fome, da miséria, e que o Brasil pudesse finalmente ser digno da riqueza cultural de seu povo. No fim de 2002, a sintonia com o novo governo estaria garantida. Em breve, Caetano receberia a notícia de que seu amigo e parceiro, Gilberto Gil, ganharia o cargo de Ministro da Cultura.

Em dezembro, enquanto não assumia oficialmente a pasta, Gilberto Gil se juntava a Caetano, Bethânia e Gal, para outra reedição do show *Doces*

Bárbaros. Em 2002, o projeto "Pão Music" celebrava uma década de história. Cada um dos quatro havia participado de edições anteriores, por isso nutriam simpatia pelo evento. Àquela altura, reclamar das dificuldades de reunir o grupo já tinha virado clichê. Prevenidos, os organizadores lançaram a proposta no início do ano, venceram a agenda lotada dos quatro e os shows aconteceram. O primeiro em 7 de dezembro, no Parque do Ibirapuera, em São Paulo. O outro, na altura do Posto 3, em Copacabana. Pena que daquela vez Caetano e Gil não tiveram tempo de compor um repertório exclusivo para a ocasião. O público presente nem pensava nisso. Importava mais sentir toda aquela energia dos quatro em cena, mesmo que fosse para ouvir as mesmas canções de sempre.

Os fãs de Caetano, por sinal, teriam muito tempo para ouvir e reouvir sua obra. Naquele mês, a Universal Music relançou a caixa de CDs *Todo Caetano*. A efeméride dos 60 anos continuava a dar frutos. Não por acaso a gravadora batizou 2002 como "Ano *Caet*ano". Um dos principais responsáveis pelo projeto foi o baterista Charles Gavin. Depois de uma pesquisa minuciosa, muita remixagem e remasterização, Gavin conseguiu reproduzir com uma boa dose de fidelidade o clima das gravações originais. Além de surpreender Caetano pelo cuidado na transformação do vinil em CD, com um mínimo de perda, localizou e incluiu gravações raras, como o registro do espetáculo *Maria Fumaça Bicho Baile Show*, apresentado por Caetano e Banda Black Rio, no Teatro Carlos Gomes, no distante ano de 1977.

Ao longo de 2002, Caetano muitas vezes teve uma sensação de volta ao passado. Fosse na reunião de velhos amigos, na audição de discos antigos, ou mesmo nas reflexões íntimas acerca de mais um ciclo encerrado. Os desafios para o ano seguinte seriam igualmente estimulantes, como se ele fosse ainda aquele rapaz recém-chegado do interior, tímido, franzino, que vinha tentar a sorte em outras paragens. A experiência o aprimorou, como homem e artista, e lhe trouxe mais segurança, mais domínio de palco, mais respeito do público. Mas ele não mudou por inteiro. Ainda que tivesse conseguido tudo isso, o menino de Santo Amaro da Purificação continuava dentro dele, na música, na poesia, na obra, na essência.

❧

No início de 2003, a indicação de "Burn It Blue", do filme *Frida*, para concorrer ao Oscar de melhor canção, abriu um precedente histórico: pela primeira vez um cantor brasileiro teria a chance de se apresentar ao vivo na cerimônia de entrega do prêmio. Mas a festa daquele ano seria diferente por vários motivos. Entre outras razões, havia a perspectiva de uma guerra EUA versus Iraque eclodir a qualquer momento. Apesar do conflito iminente, Caetano Veloso aceitou participar da festa, a pedido da diretora do filme, Julie Taymor.

Em meio ao clima de instabilidade, a Academia de Artes e Ciências Cinematográficas manteve a tradicional cerimônia de entrega do prêmio. A guerra estava em curso quando Caetano Veloso e Paula Lavigne viajaram para os EUA. A premiação aconteceria em 23 de março, no Kodak Theatre, em Los Angeles. No decorrer daquele dia, o mais difícil seria chegar à porta do teatro. Voar sobre ele seria impossível. O prédio estava cercado; as ruas, em volta, isoladas; e o espaço aéreo, fechado. Nas imediações havia mais policiais armados que caçadores de autógrafos. Os turistas se entreolhavam desconfiados como se a polícia andasse atrás deles. Nas ruas próximas, a voz da democracia ecoava. A passeata de um lado gritava a favor da guerra; a manifestação, do outro, berrava contra. Dentro do teatro, apesar das recomendações em prol da neutralidade, muita gente se manifestou. O galã mexicano Gael García Bernal, antes de chamar Caetano Veloso e Lila Downs, deu sua elegante espetada nos defensores da guerra. Lembrou que Frida Kahlo *"pintava sua realidade e não seus sonhos"*. Em seguida, disse que *"a necessidade de paz no mundo não era um sonho, era uma realidade"*.

E só depois de muitos elogios – referiu-se a Caetano como o brasileiro mais incrível que conhecera – anunciou a entrada dos intérpretes de "Burn It Blue". Caetano, vestindo um terno escuro, entrou primeiro e cantou a parte inicial da música. Em seguida, trajando roupas típicas do México, Lila Downs entrou na segunda parte. Ele, brasileiro, cantou em inglês; ela, mexicana, em espanhol. A combinação de culturas, o tom épico da canção, o brilho pessoal dos artistas no palco. Por um momento o mundo esquecia que o homem, além de produzir um espetáculo artístico de rara beleza, também é capaz de promover uma guerra, matar seus semelhantes. No final da apresentação, enquanto a plateia hollywoodiana aplaudia com entusiasmo, abraçado a Lila, Caetano fazia questão de agradecer em bom português: *"obrigado..."*.

Embora a guerra tenha provocado uma das menores audiências da história do Oscar, nenhum artista poderia se dar ao luxo de considerar o evento apenas mais um em seu currículo. Em sua infância, o menino Caetano tinha seus pais e irmãos como plateia. Muitas vezes cantou para três, duas, até mesmo uma só pessoa. Na rua cantava para seus fiéis escudeiros, enquanto nas apresentações do colégio recebia o aplauso de uma turma de amigos que sempre o acompanhava. De Santo Amaro da Purificação para o mundo. Em Los Angeles, na festa de entrega do Oscar, Caetano Veloso cantou para um público de mais de 1 bilhão de pessoas espalhadas ao redor do planeta.

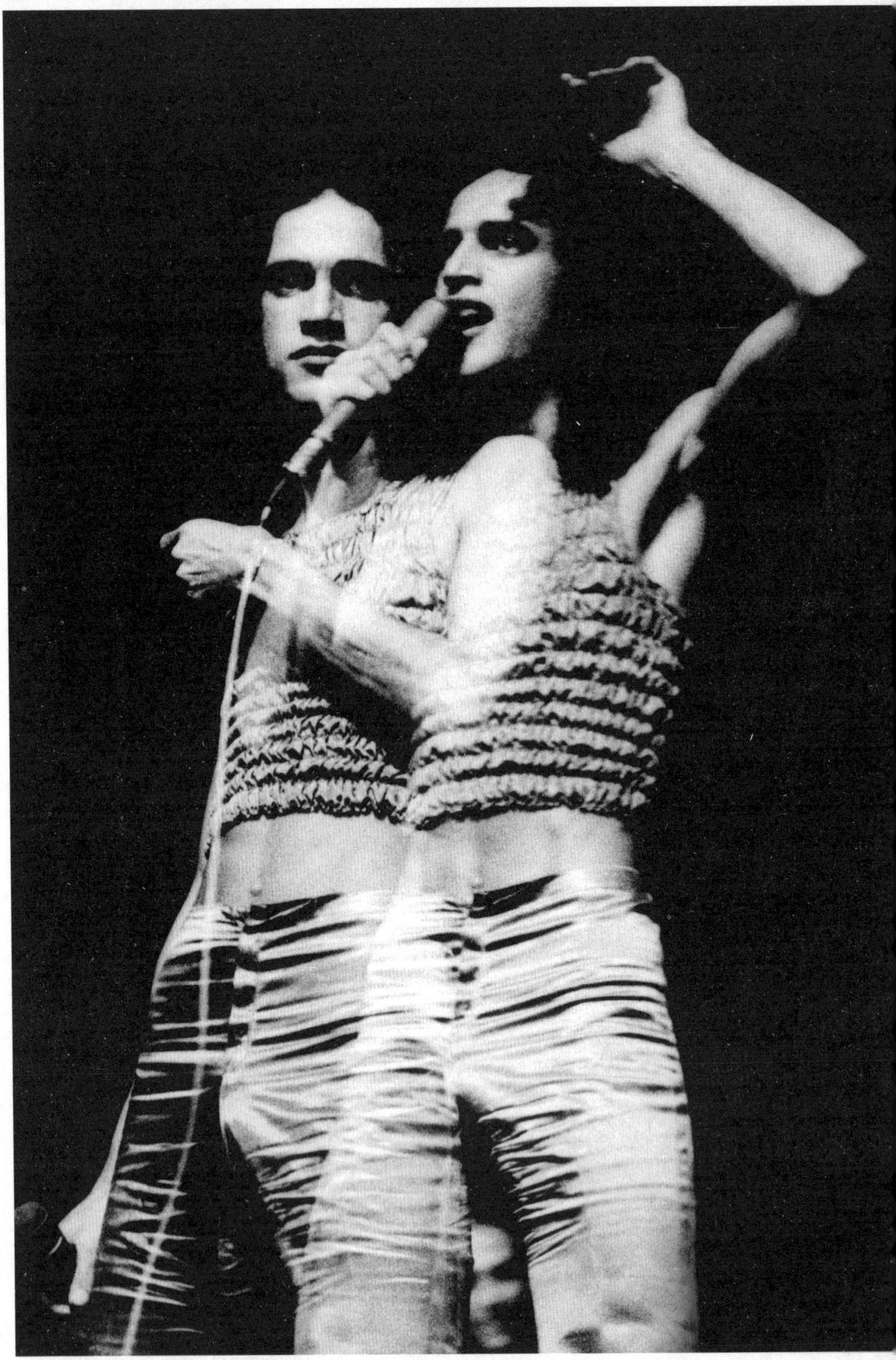

POSFÁCIO

No decorrer do novo milênio, a obra de Caetano Veloso continuaria em progresso. Por muito tempo, ele adiara os planos de gravar um disco com clássicos do cancioneiro anglo-americano. Esperou o momento adequado, o melhor clima, o mais promissor. As discussões em torno da cultura americana, o sentimento de amor e ódio em relação aos EUA, o prêmio Grammy, a apresentação na cerimônia do Oscar, o interesse de artistas e críticos americanos pela música brasileira e pela sua em especial. Nesse caldeirão de ideias, boas ou más, chiques ou cafonas, simples ou caóticas, contraditórias ou esclarecedoras, o cantor sempre transitou com desenvoltura. As pistas foram muitas e, com a insistência do produtor Bob Hurwitz, aquele mesmo do selo Nonesuch, Caetano finalmente lançou seu disco de *standards, A Foreign Sound*, em abril de 2004.

Na cabeça de Hurwitz, somente Caetano teria credenciais suficientes para juntar, no mesmo repertório, Bob Dylan e Cole Porter. Tinha razão, e o cantor fez mais do que isso. A decisão de seguir adiante teve um pré-requisito particular. Gravaria o álbum sob o filtro refinado da Bossa Nova e o olhar provocador da Tropicália. O espetáculo apresentado no decorrer do mês de lançamento, no Carnegie Hall, em Nova York, atestava que a promessa fora cumprida à risca. No roteiro do show, régua e compasso de sua geleia geral: Kurt Cobain embolado com Assis Valente, Jararaca lembrando Carmen Miranda, Condoleezza Rice na companhia de Osama bin Laden, os irmãos Gershwin em paz com Morris Albert (ou Maurício Alberto), coautor de "Feelings"; e, claro, do jeitinho que Hurwitz havia prenunciado, Bob Dylan e Cole Porter, lado a lado, como dois velhos camaradas. Mundialmente lançado, o disco resultaria em uma turnê bem-sucedida pelo Brasil e no exterior. Os bastidores dessa turnê seriam filmados e futuramente dariam vida ao documentário *Coração Vagabundo*, dirigido por Fernando Grostein Andrade.

No início daquele ano, o cantor tinha se apresentado na eterna esquina da Ipiranga com a Avenida São João, em São Paulo, para celebrar os 450 anos da cidade. Seis anos antes recebera o título de Cidadão Paulistano sob as bênçãos de Rita Lee. Baiano de nascimento, carioca de coração, paulista por vocação. Mas Caetano é um cidadão do mundo: Nova York, Londres, Tóquio,

Belo Horizonte. A cidade não importa, o idioma muito menos. A gravação do disco de língua inglesa o fez mergulhar no repertório de outros criadores, mas não tolheu seu lado compositor. Em meados de 2005, compôs com Milton Nascimento a trilha do filme *O Coronel e o Lobisomem*, dirigido por Maurício Farias. E no final desse mesmo ano, se juntou ao amigo José Miguel Wisnik para fazer a trilha do espetáculo *Onqotô* ♪[86], em comemoração aos 30 anos do Grupo Corpo, companhia de dança contemporânea criada em Belo Horizonte, Minas Gerais. O misterioso título da coreografia é uma corruptela mineira da frase "Onde é que eu estou?". A trilha seria lançada em CD, e as belas imagens do balé, em DVD, ambos com o mesmo nome do espetáculo.

O brasileiro tem essa mania de abreviação. "País tropical" virou "Patropi"; "Velocidade", "Velô". Na pressa de falar, "Ó paí, ó" substitui "Olha para aí, olha". A brincadeira não sai de moda. Nessa linha minimalista, o pronome "Você", na concepção musical de Caetano Veloso, foi resumido a Cê, e deu título ao seu CD com inéditas lançado em 2006. O cantor começava mais um ciclo de renovações em sua vida. Aquele seria o primeiro de uma trilogia com a Banda Cê, formada por Pedro Sá, na guitarra; Marcelo Callado, na bateria; e Ricardo Dias Gomes, no baixo. E pensar que tudo nascera em conversas descontraídas com o guitarrista Pedro Sá, que o acompanhava desde *Noites do Norte*, como integrante da banda, e, antes disso, em gravações de discos, e, ainda mais longe, por ser amigo de infância de Moreno. Na eterna busca pela renovação sonora, Caetano propôs a ele, inicialmente em tom de brincadeira, a elaboração de um disco com uma levada rock, a partir do que os dois pensavam sobre aquele estilo de música. O assunto evoluiu e assim nasceu o primeiro CD em parceria com a nova banda.

Com as ideias frescas na cabeça, o repertório fluiu de modo ágil, caudaloso feito as águas do "Velho Chico", e também com um toque bem pessoal, autobiográfico, como tradicionalmente são as músicas compostas por Caetano Veloso. Na mesma época, o baiano havia se separado ♪[87][88] de Paula Lavigne e, naturalmente, esse fato acompanhou seu processo criativo ao longo da construção de todo o repertório. Com os sentimentos à flor da pele, canções como "Deusa Urbana", "Minhas Lágrimas", "Odeio" e "Não Me Arrependo" inundaram de lamentos e confissões as faixas do novo trabalho. Entre as polêmicas criadas em torno do disco, estava o fato de Caetano ter abusado de imagens picantes nas letras. Os versos "*feliz e mau como um pau duro*", de "Outro", e "*mucosa roxa, peito cor de rola*", de "Deusa Urbana", ganharam o

---

[86] ♪"Onqotô"
[87] ♪"Não Me Arrependo"
[88] ♪"Odeio"

previsível rótulo de poesia erotizada. Como de costume, o disco gerou um show, que gerou um disco ao vivo e, também nesse caso, um DVD. No ano seguinte, *Multishow Ao Vivo – Cê* seria lançado nas duas mídias.

※

A experiência com a nova banda e a sonoridade jovial de músicos quase garotos estimularam a continuação do projeto. Um novo CD começaria a ser moldado. Na ideia inicial, Caetano ensaiaria as novas músicas com a banda e a presença do público, semelhante aos ensaios abertos realizados na época de *Noites do Norte*, ou, um pouco mais longe ainda, como na fase anterior à gravação de *Velô*, em que os shows antecederam os trabalhos de estúdio. Em 2008, porém, as experimentações, "não shows" propriamente, aconteceriam por um período bem mais longo, de modo que a construção do projeto final do CD viesse das ideias nascidas durante essas apresentações-laboratório. A estratégia ganhou o nome de *Obra em Progresso*. Por sugestão do multimídia Hermano Vianna, a ideia chegaria à rede mundial de computadores. Caetano criou um blogue homônimo, de modo que os internautas também pudessem enviar contribuições durante todo o processo de construção do novo disco. Esse seria um trabalho construído a muitas mãos.

A temporada começou no Vivo Rio e passaria pelo Teatro Oi Casa Grande, ambos no Rio de Janeiro. Os shows aconteceriam com o blogue em constante atualização, recebendo comentários e sugestões, sem limites ou fronteiras. No início de 2009, Caetano concluiu que a obra tinha de fato progredido, a ponto de ser digna de registro. Ali estavam as bases do segundo disco da trilogia com a Banda Cê, o enigmático *Zii e Zie*. O título causa estranheza ao ouvinte brasileiro, pois trata-se de uma expressão em italiano que significa "Tios e Tias". No repertório, que mistura "Transambas" e "Transrocks", o "titio" Caetano deixou de lado seu mundo interior, que tanto marcara os temas do primeiro disco da trilogia, e viajou para mundos mais distantes, com a ajuda de canções do calibre de "A Base de Guantánamo", "Menina da Ria" e "Falso Leblon". Também abriu espaço para enviar recados em forma de música. Em "Lobão Tem Razão", dá a mão à palmatória e registra uma famosa polêmica envolvendo os dois cantores, no melhor estilo "Noel Rosa/Wilson Batista", que fora muito explorada pela imprensa.

A partir do lançamento do CD, o espetáculo ganhou a estrada e o clima no palco superou as expectativas de Caetano. Embalado pelo novo som, o cantor se apresentaria mais uma vez no exterior, dessa vez chegando até a distante Helsinque, capital da Finlândia, colada à Península Escandinava. Para não perder o hábito, essas apresentações também geraram a versão ao vivo do disco: *MTV Ao Vivo: Caetano Zii e Zie*, lançado no início de 2011, com o reforço de um DVD duplo homônimo, gravado na volta ao Brasil, depois de muita insistência do filho Zeca. Meses depois, a versão ao vivo ganharia o Grammy Latino na categoria "Melhor Álbum de Rock Brasileiro".

❧

Em 2008, a Bossa Nova celebrava 50 anos de existência. O momento merecia uma saudação à altura. Entre os muitos artistas influenciados pelo ritmo, dois nobres entusiastas subiriam ao palco juntos: Caetano Veloso e o rei Roberto Carlos. Na busca do melhor, ambos contariam com a presença dos maestros Jaques Morelenbaum e Eduardo Lages, além do piano de Daniel Jobim. Os dois artistas fizeram apenas um par de ensaios, no estúdio de Roberto Carlos, na Urca, encravado na Baía de Guanabara. Um ensaio para cada banda. Em meio a muita castanha e empadinhas, cantores e músicos carregaram as baterias para os compromissos. Os espetáculos aconteceram no Rio de Janeiro, no Teatro Municipal, e em São Paulo, no Auditório do Ibirapuera, em agosto daquele ano. Muitas emoções marcaram o dueto. Ambos tiveram influência do ritmo em suas carreiras e beberam da fonte de seus criadores, sobretudo João Gilberto e Antônio Carlos Jobim. O repertório escolhido, todo pautado na obra do maestro carioca, seguiu a receita consagrada dos principais cantores brasileiros à época: gerou um disco ao vivo e um DVD, gravados na fase paulista do evento.

Projetos e apresentações em dupla não eram novidades na carreira de Caetano Veloso. O primeiro LP fora dividido com Gal Costa. O artista celebrou os 25 anos da Tropicália com um disco especial, em parceria com Gilberto Gil. Antes disso, fizera show com a irmã Maria Bethânia, que também gerou disco. Anos depois, festejaria em repertório a longa amizade com Jorge Mautner, com gravação de CD e espetáculos de divulgação. Isso para não falar do histórico show com Chico Buarque, no Teatro Castro Alves, no início dos anos 1970, e do badalado programa *Chico & Caetano*, na década seguinte. Entre tantos encontros e desencontros, o cantor também soltou a voz ao lado de Lucio Dalla, Luciano Pavarotti, Lila Downs, Alexandre Pires, Zeca Pagodinho, Milton Nascimento, João Gilberto, Gal Costa, Virgínia Rodrigues e tantos outros artistas do Brasil e do exterior. A satisfação em cantar com gente amiga e talentosa se repetia de tempos em tempos. Em 2010, seria a vez da jovem cantora Maria Gadú, então com 24 anos, fazer dueto com o baiano quase setentão.

Caetano tinha ido a um show no extinto Cinemathèque, em Botafogo, para ver de perto a cantora revelação. Muitos a apontavam como sendo a nova Cássia Eller. E ela mostrou a que veio. O jeito moleque, a postura em cena, o *shimbalaiê*, o canto suave que remetia muito mais a Marisa Monte que a própria Cássia Eller. O conjunto da obra deixou Caetano impressionado. Não muito tempo depois, a moça cantava ao lado dele no Prêmio Multishow de Música Brasileira. O bem-sucedido dueto em "Rapte-me, Camaleoa" agradou em cheio e os fãs quiseram mais. Com a soma de talentos, a dupla não precisava de uma parafernália gigante para agradar. Apenas os dois, voz e violão, seriam suficientes para satisfazer um sem número de admiradores. Por outro lado, uma única apresentação seria uma tremenda maldade. O namoro artístico engrenou e o novo "casal MPB", que se completava como letra e música, seguiu com a turnê *Duo* por várias cidades brasileiras. Começou por Salvador, em 7 de novembro de 2010, depois Bauru, São Paulo, Belo Horizonte e aportou no Rio de Janeiro, em dezembro. O sucesso de público e crítica renderia dois "filhos": o CD duplo e o DVD *Multishow Ao Vivo: Caetano e Maria Gadú*, lançados no início de 2011.

A parceria com mulheres de vozes privilegiadas continuaria no final do ano. Em 23 de novembro, Caetano e Gil se uniram a Ivete Sangalo para gravar um especial de fim de ano da TV Globo. E adivinha só o que aconteceu? O registro renderia o CD e o DVD *Especial Ivete Gil Caetano*. O programa iria ao ar em dezembro. Naquele mesmo período, o cantor já estaria envolvido com outro projeto. No fim de novembro, Caetano terminava de produzir o novo disco de Gal Costa, *Recanto*, com repertório quase todo de inéditas composto inteiramente por ele, e praticamente todo gravado sobre bases eletrônicas. O músico e produtor Kassin, que já havia emprestado suas habilidades técnicas em *Eu Não Peço Desculpa*, contribuiu novamente com o talento de sua engenharia musical. Dessa vez, com o apoio de integrantes das bandas Duplexx e Rabotnik, e de Zeca Veloso, filho do cantor. Moreno, o filho mais velho, também participou ativamente, dividindo a direção musical com o pai. Toda essa garotada teve atuação decisiva no perfil final do produto. Com esse trabalho, Caetano repetia a experiência de 1974, quando produzira o LP *Cantar*, de Gal Costa. Assim como naquela época, *Recanto* renderia um show, que estrearia em março de 2012, também com direção dele.

❦

Baiano do interior, nascido em Santo Amaro, na década de 1940, Caetano Veloso se mantinha em constante renovação havia sete décadas, rejuvenescendo a cada temporada, ampliando seu repertório, montando bandas, interagindo com as novas gerações. Descontando os cabelos grisalhos e a presença dos óculos de grau, o tempo parecia não passar para esse artista "inimigo número um" da acomodação. Na infância e juventude, e mesmo na fase adulta, durante o exílio, o baiano se comunicava com amigos e parentes por meio de cartas e bilhetes, a maioria escritos à mão. Inserido no século

XXI, mergulhado nas novidades tecnológicas que surgem em velocidade estonteante, falar com as pessoas queridas ganhou a ajuda de computadores, da internet, do *e-mail*. Nas mensagens enviadas eletronicamente não havia necessidade de selo, envelope, muito menos carteiro. O tom carinhoso, no entanto, se mantinha, e muitas vezes se resumia a sua costumeira saudação final em superlativo: Um abraçaço ♪[89]. O termo só não ficaria restrito às caixas de correio eletrônico de amigos e parentes. Em breve, os tietês receberiam o mesmo cumprimento, porém, de maneira um pouco diferente, acompanhado de um repertório novinho em folha.

No decorrer de 2012, os trabalhos com a Banda Cê foram retomados. A trilogia ficaria completa com o álbum *Abraçaço*. Ao contrário do disco anterior, que progredira de forma gradativa à medida que o artista testava as novas músicas e recebia pela internet comentários e sugestões, *Abraçaço* teve um processo rápido de gravação. Após algumas semanas de ensaios, a inclusão de uma ou outra faixa, o trabalho foi finalizado em torno de um mês. Entre as canções do novo repertório estavam "O Império da Lei" e "Um Comunista", inspiradas na morte da missionária norte-americana Dorothy Stang e na história do político e guerrilheiro baiano Carlos Marighella, respectivamente. Caetano inicia a *playlist* do álbum com uma das faixas mais elogiadas, cujo título sintetiza seu pensamento sobre João Gilberto e seus apóstolos: "A Bossa Nova é Foda". E, pelo visto, os organizadores do Grammy pensavam o mesmo dele. No final da temporada, o baiano recebeu em Las Vegas, nos EUA, o título de personalidade do ano, em meio a um sofisticado jantar para convidados ilustres, e homenagens de estrelas da música internacional, como Natalie Cole, Nelly Furtado e Alejandro Sanz.

A temporada parecia terminar de maneira impecável, porém, o Natal daquele ano ficaria para sempre marcado na memória de Caetano Veloso. Em 25 de dezembro, a família Velloso perdia sua matriarca, Dona Canô, aos 105 anos de idade. Em outubro do ano anterior, o cantor já havia perdido sua irmã Nicinha. A partir daquele ano, o 16 de setembro, data de aniversário de sua mãe, nunca mais seria o mesmo. Ficariam as lembranças da tradicional missa na Igreja Matriz de Nossa Senhora da Purificação, das festas lotadas de amigos, da presença dos filhos, e, claro, da imagem forte de Dona Canô, com sua sabedoria, seu amor incondicional, sua bondade e alegria de viver ímpares. No ano seguinte, exatamente em 16 de setembro, numa noite fria e chuvosa em Buenos Aires, Caetano se apegaria mais uma vez à imagem doce de sua mãe. Emocionado, escreveria um texto que seria compartilhado em suas redes sociais: "(...) *Sempre que consigo me sentir um pouco alegre, dou*

---

[89] ♪ "Um Abraçaço"

graças à minha mãe", finalizaria o baiano em seu depoimento carregado de ternura, amor e saudade.

❧

Com o disco lançado, só para variar um pouco, Caetano levaria seu abraçaço a fãs e admiradores do Brasil e do exterior. Em março de 2013, o clima jovial da banda inspirou o local de estreia, um dos palcos sagrados da juventude carioca: o Circo Voador, na boêmia Lapa. A emblemática lona conhecia Caetano de outras épocas. O repertório misturava canções do primeiro disco com a Banda Cê, como "Odeio" e "Homem", antigos sucessos, e o repertório do atual, incluindo aí "A Bossa Nova é Foda", "Abraçaço", entre outras. No mês seguinte, o show seguiu para São Paulo, no HSBC Brasil. O público também o recebeu de braços abertos e a recepção se mostrou a melhor possível. Até o final do ano, Caetano gravaria os já tradicionais CD e DVD de cada novo projeto. Àquela altura, seus trabalhos incluíam o novo formato, Blu-Ray. Esse disco, especialmente, ganharia também uma versão no velho e bom vinil. Considerando as divulgações via internet, o abraçaço de Caetano não poupou nenhuma mídia.

Embora bastante festejado, o ano de 2013 não seria apenas de abraços calorosos. Os próximos meses levariam Caetano Veloso para o centro de um debate que sacudiria a imprensa, os artistas, os escritores, os intelectuais, os editores e o grande público: a polêmica das biografias.

❧

O estopim do assunto fora a ação movida por Roberto Carlos, em 2007, contra o pesquisador Paulo Cesar de Araújo e seu livro *Roberto Carlos em Detalhes*. O Código Civil em vigor no país, com seus artigos 20 e 21, preconizava, entre outros termos, uma autorização prévia do biografado ou seus herdeiros, para que uma biografia fosse publicada. Amparado nesses artigos, Roberto Carlos, que não autorizara o livro de Paulo Cesar, moveu seu time de advogados contra o autor e conseguiu tirar a obra de circulação. Para a indignação de muitos, em torno de 11 mil exemplares do livro saíram das prateleiras direto para o fundo de um depósito. O rei vencia a primeira batalha, mas a guerra apenas começava.

Em 2012, a Associação Nacional de Editores de Livros (Anel) ajuizou uma Ação Direta de Inconstitucionalidade (ADI) contra os referidos artigos, de modo que a elaboração e a publicação de biografias no Brasil deixassem de ter a exigência de autorização prévia. Em paralelo, tramitava na Câmara dos Deputados, em Brasília, um projeto de lei, conhecido como "Lei das Biografias", que também tinha o objetivo de revisar as anomalias existentes no Código Civil Brasileiro. A cruzada dos biógrafos, portanto, se desenvolvia em duas frentes de luta; uma na esfera do legislativo; outra, no poder judiciário. Enquanto um lado da questão se movia de modo contundente nos meios legais, o outro começava a organizar sua estratégia de defesa, com o suporte de uma instituição que daria o que falar: a "Associação Procure Saber".

O grupo reunia a empresária Paula Lavigne e os artistas Roberto Carlos, Caetano Veloso, Djavan, Chico Buarque, Erasmo Carlos, Gilberto Gil e Milton Nascimento. No espírito de "um por todos e todos por um", prometia lutar pelos direitos de seus associados, no tocante a assuntos ligados à legislação de direitos autorais, defesa da privacidade, questões inerentes à preservação da vida íntima dos artistas, entre outras garantias cabíveis a eles por conta de sua longa história de vida e da imensa obra produzida. Em 2 de outubro de 2013, o colunista Ancelmo Gois, do jornal *O Globo*, anunciou que eles pretendiam adquirir personalidade jurídica e recorreriam ao STF em defesa da legislação que restringia biografias não autorizadas.

O posicionamento da Associação repercutiu negativamente na imprensa e na opinião pública, sobretudo pelo histórico de cada um dos artistas envolvidos. Em matérias de capa, revistas de grande circulação acusavam os artistas do "Procure Saber" de censores. Muitas dessas publicações aproveitaram para carregar na tinta o tom das críticas. Caetano classificaria essa avalanche de matérias de cobertura parcial da mídia, criticando o que posteriormente chamaria de *"tom histérico e muitas vezes desonesto da imprensa"* e *"linchamento midiático"*. No auge do debate, também veio a público, em 19 de outubro daquele ano, em matéria publicada no jornal *Folha de S.Paulo*, a existência desta biografia, com o título: *"Sem autorização, livro sobre Caetano acabou engavetado."*

A trajetória do cantor e compositor Caetano Veloso, cujas passagens principais estão registradas ao longo deste livro, evidencia de modo incontestável sua posição contrária à censura e a favor da liberdade de expressão. Ele próprio, em muitos momentos, sofrera por conta de seu posicionamento libertário, chegando a ser preso na época da ditadura. Especialmente no caso desta biografia, o cantor manteve essa postura desde o primeiro encontro com os autores, em julho de 2000, nos bastidores do show *A Arte do Encontro*, em homenagem a Vinicius de Moraes. Mas como dizia o poeta: *"a vida é a arte do encontro, embora haja tanto desencontro pela vida"*. Um ano depois, o projeto continuava em curso quando os autores procuraram novamente o cantor a pedido da Editora Objetiva, primeira editora que acreditou no peso desta obra. A intenção era obter uma declaração que desse segurança à continuidade dos trabalhos. Caetano, então, escreveu de próprio punho um documento em que reconheceu a existência da pesquisa e a correção com que ela vinha sendo feita. No final, encerrou com palavras de incentivo à continuação do projeto: "*(...) eles me apresentaram algum material extraído das entrevistas que fizeram, sendo que alguns documentos (textos e fotos) a que tiveram acesso me surpreenderam e emocionaram. Isso anima-me a encorajar a continuação da pesquisa que eles empreendem*".

Embora em nenhum momento o texto apresentasse uma autorização explícita para a publicação do livro, o tom favorável e sincero da carta bastou para a editora seguir com o cronograma, enquanto as entrevistas que serviriam para o arremate final seriam realizadas. Dentre elas, a de Paula Lavigne e Gilda Mattoso. Os autores procuraram o escritório do artista e pediram esse apoio para a finalização do trabalho. O escritório, porém, optou por não participar do projeto. Diante do recuo, a editora também abandonou a empreitada, considerando o alto risco envolvido, já que a lei amparava biografados e herdeiros à época. O livro não recebia uma proibição direta ou qualquer ameaça de processo, contudo, a ausência de uma autorização formal explícita tornava sua publicação inviável em qualquer editora, condenando o livro à solidão de uma gaveta e à frieza virtual de dois velhos PCs.

Assim o original permaneceria por 11 anos. Em junho de 2015, porém, aconteceu a reviravolta que possibilitou a saída do limbo e a retomada do projeto, a partir de um minucioso trabalho de reescrita e de revisão de texto. O pronunciamento definitivo do Supremo Tribunal Federal (STF) retirou a obrigatoriedade de autorizações prévias para a publicação de biografias no Brasil, dando fim à escuridão informativa a que estava condenado o País. Àquela altura, o "Procure Saber" havia se enfraquecido em relação ao tema. Pelo menos naquele momento não contava mais com Paula Lavigne à frente, assim como Roberto Carlos, que saíra após divergências com o grupo. Em uma sessão histórica, a Ministra Cármen Lúcia, relatora da ação, ressuscitou uma expressão antiga para definir sua posição no voto lido em voz alta na sessão extraordinária do STF: "*Cala a boca já morreu*". Os demais ministros seguiram o voto da relatora e o resultado foi 9 x 0, uma goleada superior a que o Brasil sofreria da Alemanha na Copa de 2014.

❦

Polêmicas à parte, em novembro de 2013, Caetano Veloso e Marisa Monte fizeram um show beneficente no Circo Voador. A campanha "Somos Todos Amarildo", que já havia arrecadado fundos por meio de um leilão promovido por Paula Lavigne, continuava angariando recursos para a família do pedreiro desaparecido na favela da Rocinha, cuja história tivera grande repercussão na imprensa. Marisa Monte e Caetano alternaram números solo e em dueto. A parceria vocal em "Cajuína" deixava no ar a emblemática pergunta: "*Existirmos: a que será que se destina?*" Sozinha no palco, Marisa Monte lembrou o lema do Profeta Gentileza, entoando os versos da música que o homenageia. Com uma banda mista, os dois artistas levaram seu apoio à causa com o que sabiam fazer de melhor. No fim do espetáculo, a esperança ecoou na Lapa nos versos de Martinho da Vila cantados pelos dois artistas: "*Canta, canta, minha gente... Deixa a tristeza pra lá... Canta forte, canta alto... Que a vida vai melhorar... Que a vida vai melhorar*".

E a vida de Caetano Veloso deu muitas voltas. De tempos em tempos, o passado insistia em bater a sua porta. Como no decorrer de 2015, ao lado de seu maior parceiro, Gilberto Gil. Os dois se conheceram em 1963, pelas mãos de Roberto Santana. Naquele furtivo momento, nenhum deles poderia imaginar os tantos frutos que aquela união renderia ao longo dos anos de convívio. A ligação entre eles atravessa as fronteiras de uma grande amizade. Quer saber? Os dois nasceram no mesmo ano, na Bahia. A mãe de Caetano se chamava Claudionor; a de Gil, Claudina. O pai de Caetano se chamava José e o de Gil também. Ambos foram fortemente impactados pelo talento inovador de João Gilberto. Nos anos 1960, os dois artistas casaram com duas irmãs: Dedé e Sandra Gadelha. Na mesma década, revolucionaram juntos a música popular brasileira, liderando o movimento Tropicalista. Também, lado a lado, foram perseguidos e presos pela ditadura militar. Depois amargaram um período de prisão domiciliar e um exílio na Inglaterra. Compuseram juntos, viajaram juntos, moraram juntos, choraram juntos, cantaram juntos, gravaram disco em dupla, passaram bons e maus momentos juntos. Na alegria ou na dor, no amor ou na guerra, nas vitórias e nas derrotas, os dois artistas escreveram vários capítulos da história da música popular brasileira.

Como dois irmãos espirituais, Caetano Veloso e Gilberto Gil nunca se afastaram um do outro. Em meados de 2015, essa dupla dinâmica da MPB festejaria 50 anos de carreira que, somados, garantiam a existência de um século de boa música para fãs espalhados no Brasil e no exterior. Ao mesmo tempo, os dois artistas também celebravam essa longa amizade, tão pétrea quanto produtiva. Um show acústico, apenas com os dois, foi elaborado, e seria levado a plateias do mundo inteiro. Intitulado *Dois Amigos, Um Século de Música*, o projeto renderia, com o apoio do canal Multishow, o inevitável registro em álbum duplo e DVD, que seriam gravados em agosto daquele ano, no Citibank Hall, em São Paulo. Com uma agenda gigantesca, em número de países e continentes, a turnê se estenderia por meses, a ponto de permitir aos dois cantores participarem de outras atividades, entre um compromisso e outro. Algumas até por motivos políticos.

Em dezembro de 2015, o então presidente da Câmara dos Deputados, Eduardo Cunha, acatou o pedido de *impeachment* contra a presidente Dilma

Rousseff, que cumpria seu segundo mandato. Em abril do ano seguinte, após os deputados votarem a favor da admissibilidade, o processo de *impeachment* seguiu para votação no Senado, que também aceitou o pedido de abertura. Com essa decisão, a presidente ficaria afastada por um período de seis meses, até seu julgamento definitivo em votação no Senado Federal, quando deixaria de vez o governo. Assim que o afastamento provisório aconteceu, o vice da chapa, Michel Temer, do PMDB, assumiu a presidência do país. Com o Brasil mergulhado em uma profunda crise política e econômica, Temer não demorou a anunciar suas primeiras medidas. Dentre elas, uma em especial, a do fim do Ministério da Cultura, gerou uma onda de protestos no meio artístico. Aparelhos culturais espalhados pelo Brasil, como as sedes da Funarte (Fundação Nacional de Artes), em Brasília e Belo Horizonte, assim como a sede do Ministério da Cultura no Rio, foram ocupadas por artistas e militantes da causa, no movimento batizado de "Ocupa MinC".

Os grupos que integravam a campanha protestavam pelo fim do Ministério da Cultura e exigiam a saída de Michel Temer, cujo governo não reconheciam, e com quem se negavam a dialogar. Durante o período da ocupação, que duraria 73 dias, artistas de peso fariam shows na sede do Ministério da Cultura, no Rio, sacudindo o panorama do local. Roberto Frejat, Lenine, Otto, Erasmo Carlos e Leoni foram alguns dos cantores que soltaram a voz em apoio ao movimento. No meio deles, estaria um conhecido baiano. Entre gritos e cartazes de *#Fora Golpista* e *#Fora Temer*, Caetano Veloso também se apresentou nos *pilotis* do histórico Palácio Gustavo Capanema, sede do antigo Ministério da Educação e Saúde no governo Getúlio Vargas. No meio da apresentação, o cantor desabafou: "*O Ministério da Cultura é uma conquista do Estado brasileiro, não é de nenhum governo.*" O movimento teria êxito apenas em parte. Dias depois, pressionado pela opinião pública e pelos violentos protestos da classe artística, o presidente interino, Michel Temer, revisaria sua decisão e ressuscitaria o Ministério da Cultura, mas continuaria no poder.

No início de 2016, Caetano Veloso reatou o relacionamento com Paula Lavigne e a vida a dois voltou a ser uma realidade. Com uma carreira movimentada e longe de cair na rotina, o baiano já havia concluído no título de sua coletânea de textos lançada em 2005: *O Mundo Não É Chato*. Em agosto, os olhos desse mesmo mundo estariam voltados para ele, mais uma vez. Em clima olímpico, o medalhão Caetano Veloso, em forma aos 74 anos, bateu seu próprio recorde de público atingido na apresentação do Oscar, 13 anos antes. Dessa vez, cerca de 3 bilhões de pessoas no mundo inteiro assistiram à sua participação na cerimônia de abertura da Olimpíada "Rio 2016", em pleno Maracanã, ao lado do eterno parceiro Gilberto Gil e da jovem cantora Anitta. O trio cantou "Isto Aqui o Que É", de Ary Barroso. Na mesma época, o presidente Barack Obama divulgava sua *playlist* de verão, contendo a versão do cantor brasileiro para a delicada "Cucurrucucu Paloma". Se até o líder da maior potência mundial externou discretamente sua admiração pelo cantor e compositor Caetano Veloso, de certo modo, as páginas deste livro, escritas de maneira cuidadosa, honesta, isenta e distanciada, também o farão. Vida longa e próspera a Caetano Veloso!

AGRADECIMENTOS

A ideia de escrever esta biografia surgiu nos anos 1990. Em janeiro de 1997, pedimos autorização para iniciar a pesquisa; um mês depois, recebemos o aval por meio de uma carta escrita por Rodrigo Velloso, irmão do biografado. Embora esse início tenha sido breve, o trabalho inteiro só terminaria duas décadas mais tarde. Nos vinte anos em que estivemos envolvidos no projeto, enfrentamos os mais variados desafios. Ao longo de nossa "odisseia tropical", encontramos inúmeras pessoas que acreditaram em nosso sonho, nos deram coragem e nos apoiaram das mais diferentes formas. E que bom que elas existem (ou existiram) para nos fazer sorrir a cada vez que o mundo nos dizia "não". Afinal, este livro não teria chegado ao fim sem a preciosa colaboração de cada uma delas.

Nosso levantamento começou com a fonte primária da informação. Matérias de jornais e revistas, livros e estudos sobre o tema. Assim criamos o alicerce que sustentaria todo o restante da pesquisa. Em nossas andanças desencavamos quase dois mil artigos, de periódicos do Brasil e do exterior, e devoramos cerca de uma centena de livros (a maioria deles, mais de uma vez), além de inúmeras publicações versando sobre o assunto, até mesmo aquelas com apenas uma linha aproveitável. Pela contribuição de imenso valor para nosso acervo documental, entre bibliografia, periódicos e farto material de áudio e vídeo, somos gratos a Gilvânia Evangelista, Ana Rosa Mascarenhas, Graça Leitão, Wagner Barros, Rafael Lourenço, Sérgio Aguiar, Patrícia Aguiar, Francisco Rigaud, Paulo Ney Barreiros, Luiz Américo, Carlos Renato de Abreu, Bruno Rodrigues, Graça Almeida e ao simpático casal Carlos e Eliana Couto, de Salvador.

A pesquisa ficaria incompleta não fosse a boa vontade daqueles que facilitaram nosso acesso a locais restritos, arquivos públicos e documentos raros. Por essa nobre iniciativa, nossa gratidão a Sylvia Maria dos Reis, Terezinha Marinha Dutra e Luís Alberto de Assis, da UFBA; Gerson Ferreira Lopes, do Museu da Imagem e do Som; Gordo Neto e Marcio Meirelles, do Teatro Vila Velha; Maria Marta Mello de Uzeda, da Escola Dr. Bião; Luiz Guilherme Bernardo e Marcio Veloso Moreira, do Auditório da Cândido Mendes; Maria Sônia, do Centro Educacional Teodoro Sampaio; Sandra Reis, Marilene Pinheiro da Costa, Nelma Barbosa e Juracy Loureiro de Mello, do Teatro Castro Alves; Anninha Guerra, do Tom Brasil; Elizabeth Cristina da Silva, Regina Dieckmann, Marluce e Sérgio Moraes, da Rede Ferroviária Federal (RFFSA), e aos inúmeros bibliotecários do Centro Cultural Banco do Brasil (CCBB), do CEDOC/Funarte e da Biblioteca Nacional. A essa última, um especial agradecimento à equipe que colocou no ar o *site* da hemeroteca digital, um tesouro inestimável para pesquisadores.

Localizar nossos entrevistados exigiu dedicação digna de investigação policial e contou com a participação de muita gente solidária e de boa vontade. Por esse apoio incondicional em fornecer telefones, mapear nomes e localizar endereços, agrademos a Ana Basbaum, Danilo Caymmi, Bianca Ramoneda, Bocato, Clênia Aguiar, Edil Pacheco, Valmir Lima, Maria Braga, Alexandre Dias da Rocha, Marcelo da Silva Teixeira, Roberto Menescal, Iracema Rodrigues, Rai Duprat, Maria do Carmo, Íris Bruzzi, Márcia Leão, Liége Monteiro, Tony Botelho, Lula Wittlin, Gerson Albuquerque, Ludin Nalin, Euclides Coutinho, Márcia Villela, Thales Guaracy, Glória Maria Barreto, Ângela Vasquez, Marcos Caetano, Elza Souza Oliveira, Rosemeire Santos, Vilma Petrillo, Meny Lopes, Fafá e Ivone Salgado.

Dedicar a vida a um projeto de vinte anos nos fez abdicar do convívio de parentes, amigos e amores. Mesmo durante nossa ausência, essas pessoas iluminadas nos compreenderam e nos ajudaram com palavras de apoio, carinho, força, dicas supreendentes e valiosas sugestões. Nosso muito obrigado a Tatiana Pinheiro, Iracema Ferreira, Jorge Ferreira, Ronald Pinheiro, Fabiana Drummond, Rogério Drummond, Flavio Nolasco, Bruno Ferreira, Rogerio Pinheiro, Drica Teixeira, Hannah Pinheiro, Roberto Gil Uchoa, Aluízio Gomes, Márcio Pinto, Sérgio Pinto, Maria de Lourdes, Andrea do Vale, Marcelo Senra, Rafael Chaves (Casão), Juliana Kmiciak, Francisco Cosenza, Valéria Motta, Gil Branco, Felipe Queiróz, Arthur Queiróz, Paulo Queiróz, Pedro Queiróz, Lia, Marina, Marquinhos de Oliveira, Milena Paternostro, Amélia Meijinho, Rafael Maia Gomes, Othon Roitman, Eduardo Neves, Eda Fagundes, Pai Renato, Eliana Belens, Jurema Diniz, Luís Mário, Katia Dantas, Alexandre Miranda, Simone Drumond, Maria Beatriz Assis, Cristina Zouein, Cynthia Mendes, Juracimar Cardoso (Lola), Luiz Vicente, Ana Lúcia Magaldi, Sérgio Benzoni, Christiane Tierno, Isaac Pessoa, Cristilainne Marques, Merian McComb, Akemi Ikeda, Cláudio Britto, Lequinho, Eduardo Uchôa, Márcia Zanelatto, Nana Vaz, Luiz Antonio Peralta, Mariza Dias, Patricia Papa, Daniela Cinelli, Ricardo Martins, José Jorge Randam e Odette Randam.

A história contada neste livro só apresentou detalhes inéditos porque contou com depoimentos daqueles que conviveram com o biografado em algum momento da vida. E o material iconográfico fornecido por essas pessoas nos permitiu montar um painel riquíssimo de informações, o qual foi imprescindível à montagem de todo o quebra-cabeça. Duas décadas depois de iniciado o trabalho, muitos desses entrevistados já não estão mais entre nós. Registramos nosso respeito e gratidão àqueles que separaram tempos preciosos da vida para colaborar com esssa obra. Nossos sinceros agradecimentos a Álvaro Guimarães, Ana Marlene, Antonio Breves, Antonio Cícero, Antônio Nunes (Manteiga), Arnaldo Brandão, Arto Lindsay, Augusto Boal, Baby do Brasil, Benil Santos, Caetano Veloso, Carla Maria, Carlos Alberto

Sion, Carlos Nelson Coutinho, Castrinho, Célia Vaz, Cesinha, Chico Buarque, Chico Motta, Clara Maria Velloso, Cristina Mandarino, Cybele, Cynara, Canô Velloso, Edith de Oliveira (Edith do Prato), Lea Gadelha Millon, Maria Amélia Buarque, Dedé Gadelha, Dijanir Natividade (Dó), Dinda Iracema, Dom Pepe (Pelé), Dori Caymmi, Dorival Caymmi, Édio de Souza, Edu Lobo, Eduardo de Carvalho (Dadi), Emanoel Araújo, Fernando Barros, Fernando Faro, Gal Costa, Geraldo Casé, Geraldo Vandré, Gilberto Gil, Gildásio de Oliveira (Dasinho), Guilherme Araújo, Gustavo Shroeter, Guto Burgos, Ilvamar Magalhães, Irene Velloso, Ivo Meirelles, Jacques Morelenbaum, Jards Macalé, Johnny Dandurand, Jorge Mautner, José Carlos Capinan, José Miguel Wisnik, Luiz Brasil, Luiz Galvão, Mabel Velloso, Manoel Barenbein, Marcio Meirelles, Margarida Salles, Maria Bethânia, Maria de Lourdes (Mariinha), Maria Izabel de Oliveira, Mário Jorge Bruno, Marina Bastos, Marisa Alvarez Lima, Miúcha, Nelson Motta, Nicinha, Nilda Spencer, Patrícia Winceski, Paulinho Boca de Cantor, Pedro Sá, Perfeito Fortuna, Raimundo Fagner, Regina Casé, Respício do Espírito Santo, Ricardo Cristaldi, Roberto Menescal, Roberto Pinho, Roberto Santana, Roberto Velloso, Rodrigo Velloso, Rogério Duarte, Rogério Duprat, Seu Ribeiro, Sílvia Enedina, Tânia Maria, Tomás Improta, Toni Costa, Toquinho, Tutty Moreno, Tuzé de Abreu, Victor Nalin, Vinícius Cantuária, Virgínia Casé, Virgínia Rodrigues, Wanda Sá, Wanderlino Nogueira, Wilebaldo Setubal e Zilda Paim.

O tamanho da colaboração de cada um é imensurável. Contudo, por motivos diversos, algumas pessoas tiveram participação decisiva em momentos críticos da jornada. Nossa eterna gratidão à Dinda Iracema, que nos acolheu como filhos em Salvador, nas nossas temporadas em terras baianas. À cantora Cybele, que teve a nobreza de unir, pela primeira vez, nossas mãos às mãos de Caetano Veloso, em 21 de julho de 2000, nos bastidores do show *A Arte do Encontro*, em homenagem ao poeta Vinicius de Moraes. Nosso carinho e gratidão às nossas mães, Maria das Graças (Nininha) e Ana Marlene, por todos os motivos do mundo. E, sobretudo, àqueles a quem dedicamos o livro, Rodrigo Velloso, Antônio Nunes e Maria Sampaio. Sem vocês não teríamos produzido uma única linha sequer dessa obra.

Também agradecemos a toda equipe do Grupo Editorial Pensamento e do selo Seoman, especialmente na pessoa do editor Manoel Lauand, um eterno apaixonado por biografias, que desde o início entendeu nossa proposta, percebeu seu valor documental, nos deu preciosas sugestões e apostou na materialização em livro do amontoado de histórias, documentos, fotos, estilhaços, sangue, suor, lágrimas e toda sorte de material acumulado e catalogado durante nossa quase interminável pesquisa.

Por fim, lembramos o ano de 2004 como o momento mais difícil enfrentado em nossa trajetória. O material inteiro da pesquisa por pouco não acabou na lata do lixo e o livro quase ficou engavetado para sempre. A interrupção da sequência capitular da história e a necessidade de criar um posfácio são consequências diretas do episódio. Embora Caetano Veloso tivesse escrito uma carta na qual reconheceu a existência da pesquisa e se mostrou favorável à sua continuação, as dificuldades apresentadas pela falta de autorização formal nos moldes exigidos pelas editoras interromperam violentamente o projeto. Os olhos da democracia, contudo, não se fecharam durante os 11 anos em que estivemos em silêncio. O intenso debate que se produziu na sociedade acerca das autorizações prévias de biografias culminou com a histórica decisão da Suprema Corte, em junho de 2015, de abolir essa prática no país. Se um personagem como Lance Armstrong tem mais de 30 livros versando sobre sua vida, por que Caetano Veloso não pode ter?

Agarrados a uma fé inabalável em Deus e com a força dos Orixás da Bahia, retomamos o projeto um mês depois. Aos ministros do STF, que nos devolveram a chave da gaveta onde guardávamos essa biografia, a toda sociedade civil, a todos escritores, editores, jornalistas, artistas e intelectuais, que contribuíram para o longo debate sobre o assunto, registramos nossa mais profunda gratidão. A publicação deste livro é, portanto, um prêmio a todos aqueles que contribuíram para as lutas em favor da liberdade de expressão no Brasil recente. A esse grupo incluímos nossos nomes.

Carlos Eduardo Drummond
Marcio Nolasco

Gostaria de fazer um agradecimento especial à Thereza Eugênia, talentosa fotógrafa baiana, que muito nos ajudou no processo final do livro.

Também não posso deixar de agradecer ao escritório da Uns Produções e Filmes, na figura de Paula Lavigne, por nos ter autorizado o uso da imagem de Caetano Veloso, na capa e miolo, sem nos pedir qualquer tipo de contrapartida.

E aos queridos autores, Drummond e Nolasco, pela confiança depositada em mim e no Grupo Editorial Pensamento.

Manoel Lauand, editor

ÍNDICE DE MÚSICAS
(notas de rodapé)

CAPÍTULO 1
1 ♪ Onde Eu Nasci Passa um Rio
2 ♪ Trilhos Urbanos
3 ♪ Trilhos Urbanos
4 ♪ Cinema Olympia
5 ♪ Trilhos Urbanos
6 ♪ Trilhos Urbanos

CAPÍTULO 2
7 ♪ Nicinha
8 ♪ Livros
9 ♪ Irene

CAPÍTULO 3
10 ♪ Sugar Cane Fields Forever
11 ♪ Meu Rio
12 ♪ Meu Rio
13 ♪ Meu Rio
14 ♪ Não Identificado

CAPÍTULO 4
15 ♪ Giulietta Masina
16 ♪ Jenipapo Absoluto
17 ♪ Adeus, meu Santo Amaro

CAPÍTULO 5
18 ♪ Panis et Circencis
19 ♪ Neide Candolina

CAPÍTULO 6
20 ♪ Bahia, Minha Preta
21 ♪ Bahia, Minha Preta
22 ♪ Bahia, Minha Preta
23 ♪ Bahia, Minha Preta
24 ♪ Clever Boy Samba
25 ♪ Clever Boy Samba
26 ♪ Cinema Novo

CAPÍTULO 7
27 ♪ Itapuã
28 ♪ Rock'n'Raul
29 ♪ Sampa
30 ♪ Sampa

CAPÍTULO 8
31 ♪ Sampa

32 ♪ Um Dia
33 ♪ Divino Maravilhoso

CAPÍTULO 9
34 ♪ Pipoca Moderna
35 ♪ Clarice

CAPÍTULO 10
36 ♪ É Proibido Proibir

CAPÍTULO 11
37 ♪ In the Hot Sun of a Christmas Day
38 ♪ Terra
39 ♪ Irene
40 ♪ London, London

CAPÍTULO 12
41 ♪ Sampa
42 ♪ Nine Out of Ten
43 ♪ Nine Out of Ten
44 ♪ Nine Out of Ten

CAPÍTULO 13
45 ♪ Júlia/Moreno
46 ♪ O Conteúdo
47 ♪ O Conteúdo
48 ♪ Araçá Blue

CAPÍTULO 14
49 ♪ Jóia

CAPÍTULO 15
50 ♪ Os Mais Doces dos Bárbaros
51 ♪ Tigresa
52 ♪ Two Naira Fifty Kobo
53 ♪ Gente
54 ♪ Um Índio

CAPÍTULO 16
55 ♪ A Outra Banda da Terra
56 ♪ Aracaju

CAPÍTULO 17
57 ♪ Vera Gata
58 ♪ Nu Com a Minha Música
59 ♪ Rapte-me, Camaleoa

60 ♪ Guá
61 ♪ Você é Linda
62 ♪ Você é Linda
63 ♪ Comeu
64 ♪ Trem das Cores
65 ♪ Qualquer Coisa
66 ♪ Ela e Eu
67 ♪ Queixa

CAPÍTULO 18
68 ♪ O Homem Velho

CAPÍTULO 19
69 ♪ Branquinha

CAPÍTULO 20
70 ♪ Bahia, Minha Preta
71 ♪ Eu Sou Neguinha?

CAPÍTULO 21
72 ♪ Fora da Ordem
73 ♪ Boas-Vindas

CAPÍTULO 22
74 ♪ Haiti
75 ♪ Haiti

CAPÍTULO 23
76 ♪ Você é Minha
77 ♪ Waly Salomão
78 ♪ Quero Ir a Cuba
79 ♪ Michelangelo Antonioni

CAPÍTULO 24
80 ♪ Um Tom

CAPÍTULO 25
81 ♪ Dor de Cotovelo

CAPÍTULO 26
82 ♪ Noites do Norte
83 ♪ Diferentemente
84 ♪ Homem Bomba
85 ♪ Um Sonho

POSFÁCIO
86 ♪ Onqotô
87 ♪ Não Me Arrependo
88 ♪ Odeio
89 ♪ Um Abraçaço

OBRAS DE CAETANO VELOSO

Disco

Título	Tipo	Gravadora	Ano
Domingo	LP Simples	Philips	1967
Caetano Veloso (*)	LP Simples	Philips	1968
Tropicália ou Panis et Circencis	LP Simples	Philips	1968
Caetano Veloso	LP Simples	Philips	1969
Caetano Veloso	LP Simples	Philips (Famous)	1971
Barra 69 (Caetano e Gil ao vivo na Bahia no Teatro Castro Alves)	LP Simples	Phonogram (Pirata)	1972
Transa	LP Simples	Phonogram	1972
Caetano e Chico Juntos e Ao Vivo	LP Simples	Phonogram	1972
Araçá Azul (**)	LP Simples	Phonogram	1973
Temporada de Verão ao Vivo na Bahia (Caetano Veloso, Gal Costa e Gilberto Gil)	LP Simples	Phonogram	1974
Jóia	LP Simples	Phonogram	1975
Qualquer Coisa	LP Simples	Phonogram	1975
Doces Bárbaros (Ao Vivo) (Caetano Veloso, Gilberto Gil, Maria Bethânia e Gal Costa)	LP Duplo	Phonogram	1976
Bicho	LP Simples	Phonogram	1977
Caetano... Muitos Carnavais...	LP Simples	Phonogram	1977
Muito (Dentro da Estrela Azulada)	LP Simples	Phonogram	1978
Maria Bethânia e Caetano Veloso Ao Vivo	LP Simples	Phonogram	1978
Cinema Transcendental	LP Simples	PolyGram	1979
Outras Palavras	LP Simples	PolyGram	1981
Brasil (João Gilberto, Caetano Veloso, Gilberto Gil e Maria Bethânia)	LP Simples	WEA	1981
Cores, Nomes	LP Simples	PolyGram	1982
Uns	LP Simples	PolyGram	1983
Brazil Night – Montreux 83 (Caetano Veloso, João Bosco e Ney Matogrosso)	LP Simples	Ariola (Barclay)	1983
Velô	LP Simples	PolyGram	1984
Totalmente Demais	LP Simples	PolyGram	1986
Caetano Veloso	LP Simples	Nonesuch	1986
Caetano	LP Simples	PolyGram	1987
Estrangeiro	LP Simples	PolyGram	1989
Circuladô	LP Simples	PolyGram	1991
Circuladô Vivo	LP Duplo	PolyGram	1992
Tropicália 2	LP Simples	PolyGram	1993
Fina Estampa	LP Simples	PolyGram	1994
Fina Estampa Ao Vivo	CD Simples	PolyGram	1995
O Qu4trilho (Caetano e Jaques Morelenbaum)	CD Simples	Natasha	1995
Tieta do Agreste	CD Simples	Natasha	1996
Livro	CD Simples	PolyGram	1997
Prenda Minha	CD Simples	PolyGram	1998
Orfeu	CD Simples	Natasha	1999
Omaggio a Federico e Giulietta	CD Simples	Universal Music	1999
Noites do Norte	CD Simples	Universal Music	2000

Noites do Norte Ao Vivo	CD Duplo	Universal Music	2001
Eu Não Peço Desculpa (Caetano Veloso e Jorge Mautner)	CD Simples	Universal Music	2002
A Foreign Sound	CD Simples	Universal Music	2004
Cê	CD Simples	Universal Music	2006
Multishow Ao vivo – Cê	CD Simples	Universal Music	2007
Roberto Carlos e Caetano Veloso e a Música de Tom Jobim	CD Simples	Sony Music	2008
Zii e Zie	CD Simples	Universal Music	2009
MTV Ao Vivo – Caetano Zii e Zie	CD Simples	Natasha/U. Music	2010
Multishow Ao Vivo – Caetano e Maria Gadú	CD Duplo	Universal Music	2011
Especial Ivete Gil Caetano	CD Simples	U.Music (Globo)	2012
Abraçaço	CD/LP Simples	Universal Music	2012
Multishow Ao Vivo – Abraçaço	CD Simples	Universal Music	2013
Caetano Veloso/Gilberto Gil – Dois Amigos, um Século de Música. Multishow Ao Vivo	CD Duplo	Sony Music	2015

(*) Finalizado em 1967; (**) Finalizado em 1972.

DVD

Título	Ano
Prenda Minha	1999
Um Caballero de Fina Estampa	2001
Noites do Norte Ao Vivo	2001
Multishow ao Vivo – Cê	2007
Roberto Carlos e Caetano Veloso e a Música de Tom Jobim	2008
MTV Ao Vivo Caetano Zii e Zie	2010
Multishow Ao Vivo – Caetano e Maria Gadú	2011
Especial Ivete Gil Caetano	2012
Multishow Ao Vivo – Abraçaço	2013
Caetano Veloso/Gilberto Gil – Dois Amigos, um Século de Música. Multishow Ao Vivo	2015

Livro

Título	Editora	Ano
Alegria, Alegria	Pedra Q Ronca	1977
Verdade Tropical	Companhia das Letras	1997
Letra Só	Companhia das Letras	2003
O Mundo Não é Chato	Companhia das Letras	2005

Filme

Título	Ano
O Cinema Falado	1986

FONTES

Depoimentos

Álvaro Guimarães
Ana Marlene
Antonio Breves
Antonio Cícero
Antônio Nunes (Manteiga)
Arnaldo Brandão
Arto Lindsay
Augusto Boal
Baby do Brasil
Benil Santos
Caetano Veloso
Carla Maria
Carlos Alberto Sion
Carlos Nelson Coutinho
Castrinho
Célia Vaz
Cesinha
Chico Buarque
Chico Motta
Clara Maria Velloso
Cristina Mandarino
Cybele
Cynara
Canô Velloso
Edith de Oliveira (Edith do Prato)
Lea Gadelha Millon
Maria Amélia Buarque
Dedé Gadelha
Dijanir Natividade (Dó)
Dinda Iracema
Dom Pepe (Pelé)
Dori Caymmi
Dorival Caymmi
Édio de Souza
Edu Lobo
Eduardo de Carvalho (Dadi)
Emanoel Araújo
Fernando Barros
Fernando Faro
Gal Costa
Geraldo Casé

Geraldo Vandré
Gilberto Gil
Gildásio de Oliveira (Dasinho)
Guilherme Araújo
Gustavo Shroeter
Guto Burgos
Ilvamar Magalhães
Irene Velloso
Ivo Meirelles
Jacques Morelenbaum
Jards Macalé
Johnny Dandurand
Jorge Mautner
José Carlos Capinan
José Miguel Wisnik
Luiz Brasil
Luiz Galvão
Mabel Velloso
Manoel Barenbein
Marcio Meirelles
Margarida Salles
Maria Bethânia
Maria de Lourdes (Mariinha)
Maria Izabel de Oliveira (Mabel)
Marina Bastos
Mário Jorge Bruno
Marisa Alvarez Lima
Miúcha
Nelson Motta
Nicinha
Nilda Spencer
Patrícia Winceski
Paulinho Boca de Cantor
Pedro Sá
Perfeito Fortuna
Raimundo Fagner
Regina Casé
Respício do Espírito Santo
Ricardo Cristaldi
Roberto Menescal
Roberto Pinho

Roberto Santana
Roberto Velloso
Rodrigo Velloso
Rogério Duarte
Rogério Duprat
Seu Ribeiro
Sílvia Enedina
Tânia Maria
Tomás Improta
Toni Costa
Toquinho

Tutty Moreno
Tuzé de Abreu
Victor Nalin
Vinícius Cantuária
Virgínia Casé
Virgínia Rodrigues
Wanda Sá
Wanderlino Nogueira
Wilebaldo Setubal
Zilda Paim

Jornal

A Capital, Lisboa, Portugal
A Gazeta, São Paulo, SP
A Tarde, Salvador, BA
Bahia Hoje, Salvador, BA
Correio Braziliense, Brasília, DF
Correio da Bahia, Salvador, BA
Correio da Manhã, Rio de Janeiro, RJ
Correio do Povo, Porto Alegre, RS
Correio Popular, Campinas, SP
Diário da Noite, São Paulo, SP
Diário de Notícias, Rio de Janeiro, RJ
Diário de Pernambuco, Recife, PE
Diário de Vitória, Vitória, ES
Diário do Pará, Belém, PA
Diário Popular, Lisboa, Portugal
Diário Popular de São Paulo, São Paulo, SP
El Comercio, Lima, Peru
El Universal, Caracas, Venezuela
Extra, Rio de Janeiro, RJ
Folha da Tarde, Porto Alegre, RS
Folha de S.Paulo, São Paulo, SP
Gazeta de Notícias, Rio de Janeiro, RJ
Jornal da Bahia, Salvador, BA
Jornal da Tarde, São Paulo, SP
Jornal de Santa Catarina, Florianópolis, SC

Jornal do Brasil, Rio de Janeiro, RJ
Jornal dos Sports, Rio de Janeiro, RJ
L'Unitá, Roma, Itália
Notícias Populares, São Paulo, SP
O Archote, Santo Amaro, BA
O Dia, Rio de Janeiro, RJ
O Estado, Florianópolis, SC
O Estado de S. Paulo, São Paulo, SP
O Estado do Paraná, Curitiba, PR
O Globo, Rio de Janeiro, RJ
O Jornal, Rio de Janeiro, RJ
O Liberal, Belém, PA
O Povo, Rio de Janeiro, RJ
O Povo, Fortaleza, CE
Pré-Jornal, Salvador, BA
Prov. Pará, Belém, PA
Revista São Paulo na TV, São Paulo, SP
Rio Capital, Rio de Janeiro, RJ
Se7e, Lisboa, Portugal
Tribuna da Bahia, Salvador, BA
Tribuna da Imprensa, Rio de Janeiro, RJ
Última Hora, Rio de Janeiro, RJ
Última Hora, São Paulo, SP
Valor Econômico, São Paulo, SP
Zero Hora, Porto Alegre, RS

Revista

A Cigarra, São Paulo, SP
Agenda Cultural, São Paulo, SP
Amiga, Rio de Janeiro, RJ
Batera, Não localizada
Bizz, São Paulo, SP
Bravo, São Paulo, SP
Capricho, São Paulo, SP
Caras, São Paulo, SP
Civilização Brasileira, Rio de Janeiro, RJ
Contigo, Rio de Janeiro, RJ
Cult, São Paulo, SP
Da Bahia, Salvador, BA
Dendê, Salvador, BA
Domingo, Rio de Janeiro, RJ
Época, Rio de Janeiro, RJ
Fatos & Fotos, Rio de Janeiro, RJ
Filme e Cultura, Rio de Janeiro, RJ
Gazeta de Alagoas, Maceió, AL
Imprensa, Rio de Janeiro, RJ
International Magazine, Não localizada
InTerValo, São Paulo, SP
Istoé, São Paulo, SP
Luta Democrática, Rio de Janeiro, RJ
M&S, Não localizada
Manchete, Rio de Janeiro, RJ
Marie Claire, São Paulo, SP
Música Brasileira, Rio de Janeiro, RJ
O Bondinho, São Paulo, SP
O Cruzeiro, Rio de Janeiro, RJ
O Pasquim, Rio de Janeiro, RJ
O Sol, Rio de Janeiro, RJ
Periscópio, Buenos Aires, Argentina
Playboy, São Paulo, SP
Problemas Brasileiros, São Paulo, SP
Programa, Rio de Janeiro, RJ
Quatro Rodas, São Paulo, SP
República, São Paulo, SP
Revista do Rádio, São Paulo, SP
Rolling Stone, New York, USA
Senhor, Rio de Janeiro, RJ
Shopping Music, São Paulo, SP
The Austin Chronicle, Texas, USA
Veja, São Paulo, SP
Vídeo, São Paulo, SP
VIP, São Paulo, SP
Vogue, São Paulo, SP

Bibliografia

1968 – O ano que não terminou. VENTURA, Zuenir. Nova Fronteira, 1988. Rio de Janeiro.
81 temas da música popular brasileira. JUNIOR, Luiz Américo Lisboa. (Edição particular) Agora Editoria Gráfica. 2000. Itabuna.
A biografia de Torquato Neto. VAZ, Toninho. Editora Nossa Cultura. 2013. Curitiba.
A canção no tempo – 85 anos de música brasileiras - vol. 1. SEVERIANO, Jairo; MELLO, Zuza Homem de. Editora 34. 1997. São Paulo.
A canção no tempo – 85 anos de músicas brasileiras - vol. 2. SEVERIANO, Jairo; MELLO, Zuza Homem de. Editora 34. 1998. São Paulo.
A década de 80 – Brasil: quando a multidão voltou às praças. RODRIGUES, Marly. Ática. 1994. São Paulo.
A Era dos Festivais – Uma Parábola. MELLO, Zuza Homem de. Editora 34. 2003. São Paulo.
A Folha Explica: Caetano Veloso. WISNIK, Guilherme. Publifolha. 2005. São Paulo.
A forma da festa – Tropicalismo: a explosão e seus estilhaços. CYNTRÃO, Sylvia Helena (org.). Imprensa Oficial/Editora UnB. 2000. Brasília.
A imagem do som de Caetano Veloso. TABORDA, Felipe (cur.). Livraria Francisco Alves Editora. 1998. Rio de Janeiro.
A noite do meu bem – A história e as histórias do samba-canção. CASTRO, Ruy. Companhia das Letras. 2015. São Paulo.

A onda que se ergueu no mar – Novos mergulhos na Bossa Nova. CASTRO, Ruy. Companhia das Letras. 2001. São Paulo.

A trama dos tambores – A música afro-pop de Salvador. GUERREIRO, Goli. Editora 34. 2000. São Paulo.

Almanaque Abril. (Vários). Abril. 2002. São Paulo.

Anos 70 – Novos e Baianos. GALVÃO, Luiz. Editora 34. 1997. São Paulo.

Anuário Estatístico do Estado da Bahia – 1929-1930. (Vários). Imprensa Oficial do Estado da Bahia. 1933. Bahia.

As Palavras. SARTRE, Jean-Paul. Nova Fronteira. 1964. Rio de Janeiro.

Assessora de Encrenca. MATTOSO, Gilda. Ediouro. 2006. Rio de Janeiro.

Atlas extraordinário – Prodígios da natureza - Volume I. Não é citado (tradução). Ediciones del Prado Brasil. 1995. Rio de Janeiro.

Avant-Garde na Bahia. RISÉRIO, Antonio. Cosac e Naify. 1999. São Paulo.

Bim bom – A contradição sem conflitos de João Gilberto. GARCIA, Walter. Paz e Terra. 1999. São Paulo.

Brasil Nunca Mais. Arquidiocese de São Paulo. Vozes. 1985. São Paulo.

Brock – O Rock brasileiro dos anos 80. DAPIEVE, Arthur. Editora 34. 1995. São Paulo.

Caetano Veloso (Col. Mestres Musicais). VELLOSO, Mabel. Moderna. 2002. São Paulo.

Caetano – Esse cara. FONSECA, Heber. Revan. 1995. Rio de Janeiro.

Caetano. Por que não? Uma viagem entre a aurora e a sombra. LUCCHESI, Ivo; e DIEGUEZ, Gilda Korff. Leviatã. 1993. Rio de Janeiro.

Castro Alves – Poesias Completas. ALVES, Castro. Ediouro-Tecnoprint. s.d. Rio de Janeiro.

Cazuza – Só as mães são felizes. ARAÚJO, Lucinha. Globo. 2000. Rio de Janeiro.

Chatô: o rei do Brasil, a vida de Assis Chateaubriand. MORAIS, Fernando. Companhia das Letras. 1994. São Paulo.

Chega de saudade – A história e as histórias da bossa nova. CASTRO, Ruy. Companhia das Letras. 1990. São Paulo.

Chico Buarque – Letra e música. BUARQUE, Chico. Companhia das Letras. 1997. São Paulo.

Cole Porter – Canções, versões. RENNÓ, Carlos. Paulicéia. 1991. São Paulo.

Deus da chuva e da morte. MAUTNER, Jorge. Kelps. 1997. Goiânia.

Dias de luta – O rock e o Brasil dos anos 80. ALEXANDRE, Ricardo. DBA Artes Gráficas. 2002. São Paulo.

Documentos do Recôncavo – O 14 de junho – Santo Amaro na Independência Do Brasil. PEDREIRA, Pedro Tomás. Imprensa Oficial - Santo Amaro/Bahia. 1970. Santo Amaro.

Documentos do Recôncavo – Santo Amaro de 1798 – Manuel F. dos Santos Lira. PEDREIRA, Pedro Tomás. Imprensa Oficial - Santo Amaro/Bahia. 1971. Santo Amaro.

Documentos Históricos de Santo Amaro. PEDREIRA, Pedro Tomás. Imprensa Oficial - Santo Amaro/Bahia. 1973. Bahia.

Dorival Caymmi -- O mar e o tempo. CAYMMI, Stella. Editora 34. 2001. São Paulo.

Ela é carioca: uma enciclopédia de Ipanema. CASTRO, Ruy. Companhia das Letras. 1999. São Paulo.

Ele, o tal cuíca de Santo Amaro. MATOS, Edilene. Secretaria de Cultura de Turismo de Salvador. 1998. Salvador.

Elis Regina – Nada será como antes. MARIA, Julio. Editora Master Books, 2015, São Paulo.

Enciclopédia da Música Brasileira (Itaú Cultural). (Vários). Art Editora. 1998. São Paulo.

Era dos extremos – O breve século XX – 1914-1991. HOBSBAWM, Eric. Cia das Letras. 2005. São Paulo.
Eu não sou cachorro, não. ARAÚJO, Paulo César de. Record. 2002. RJ/SP.
Fragmentos de sabonete e outros fragmentos. MAUTNER, Jorge. Relume Dumará. 1995. Rio de Janeiro.
Geração em Transe – Memórias do Tempo do Tropicalismo. MACIEL, Luiz Carlos. Nova Fronteira. 1996. Rio de Janeiro.
Gilberto Gil (Coleção Mestres Musicais). VELLOSO, Mabel. Moderna. 2002. São Paulo.
Gilberto Gil – Expresso 2222. RISÉRIO, Antonio (org.). Corrupio. 1982. São Paulo.
Gilberto Gil – Todas as letras. RENNÓ, Carlos (org.). Companhia das Letras. 1996. São Paulo.
GiLuminoso – A Po.Ética do Ser – Gilberto Gil . FONTELES, Bené. Imprensa Oficial/Editora UnB/SESC São Paulo. 1999. Brasília.
Glauber Rocha – Cartas ao mundo. BENTES, Ivana (org.). Companhia das Letras. 1997. São Paulo.
Glauber Rocha – Esse vulcão. GOMES, João Carlos Teixeira. Nova Fronteira. 1995. Rio de Janeiro.
História ilustrada dos filmes brasileiros. PAIVA, Salvyano Cavalcanti de. Francisco Alves. 1989. São Paulo.
Isto é Santo Amaro. PAIM, Zilda Costa. Imprensa Oficial do Município de Santo Amaro. s.d.. Santo Amaro.
Janelas. VELLOSO, Mabel. EGBA. 1990. Salvador.
La literature française. SCHMIDT, Maria Junqueira . Companhia Editora Nacional. 1960. São Paulo.
Letras, artes, mídia. PIGNATARI, Décio. Globo. 1995. São Paulo.
Letra Só; Sobre as Letras. VELOSO, Caetano; Organização FERRAZ, Eucanaã. Companhia das Letras. 2003. São Paulo.
Literatura comentada – Gilberto Gil. GÓES, Fred de. Abril. 1982. São Paulo.
Literatura comentada – Caetano Veloso. FRANCHETTI, Paulo; e PÉCORA, Alcyr. Abril. 1981. São Paulo.
Lygia Clark – Hélio Oiticica – cartas 1964-1974. FIGUEIREDO, Luciano Raposo de Almeida. UFRJ. 1998. Rio de Janeiro.
Marginália – "Arte e cultura na idade da pedrada". LIMA, Mariza Alvarez. Salamandra. 1996. Rio de Janeiro.
Música popular e moderna poesia brasileira. SANT'ANNA, Affonso Romano de. Vozes. 1986. Petrópolis.
Na Bahia, contra o império – História do ensaio de sedição de 1798. JANCSÓ, István. Hucitec/EDUFBA. 1996. São Paulo.
Nara Leão – Uma biografia. CABRAL, Sérgio. Lumiar. 2001. Rio de Janeiro.
Nietzsche. JUNIOR, Oswaldo Giacoia . Publifolha. 2000. São Paulo.
Noites tropicais – Solos, improvisos e memórias musicais. MOTTA, Nelson. Objetiva. 2000. Rio de Janeiro.
O Anjo Pornográfico – A vida de Nelson Rodrigues. CASTRO, Ruy. Companhia das Letras. 1997. São Paulo.
O Balanço da Bossa e outras Bossas. CAMPOS, Augusto de. Perspectiva. 1974. São Paulo.
O livro dos Santos. GUIMARÃES, Ariadne C. Ediouro-Tecnoprint. 2000. Rio de Janeiro.

Obra Poética de Arthur de Salles. SALLES, Arthur de. Secretaria de Educação e Cultura. 1973. Salvador.
O mundo não é chato. VELOSO, Caetano; Organização FERRAZ, Eucanaã. Companhia das Letras. 2005. São Paulo.
O réu e o rei. ARAÚJO, Paulo César de. Companhia das Letras. 2014. São Paulo.
Orixás. VERGER, Pierre. Corrupio. 1981. São Paulo.
Os governos militares – 1969/1974. SILVA, Hélio, e CARNEIRO, Maria Cecília Ribas. Três. 1998. São Paulo.
Os sonhos não envelhecem – Histórias do Clube da Esquina. BORGES, Marcio. Geração. 1996. São Paulo.
Passeio no passado. PAIM, Zilda Costa. Bureau. 1989. Santo Amaro.
Paulinho da Viola: Sambista e Chorão (Perfis do Rio). MÁXIMO, João. Relume Dumará. 2002. Rio de Janeiro.
Paulo Leminski – O bandido que sabia latim. VAZ, Toninho. Record. 2001. Rio de Janeiro.
Perfis do Rio – Chico Buarque. ZAPPA, Regina. Relume Dumará. 1999. Rio de Janeiro.
Posto 9 – Pedaço de mau caminho. CHACAL. Relume Dumará. 1998. Rio de Janeiro.
Quem quebrou meu violão. RICARDO, Sérgio. Record. 1991. Rio de Janeiro.
Rádio Nacional – O Brasil em sintonia. SAROLDI, Luiz Carlos, e MOREIRA, Sônia Virgínia. FUNARTE/Instituto Nacional de Música/Divisão de Música Popular. 1984. Rio de Janeiro.
ReVisão de Sousândrade. CAMPOS, Augusto de, e CAMPOS, Haroldo de Campos. Nova Fronteira. 1982. Rio de Janeiro.
Santo Amaro – Centro intelectual e político da independência na Bahia. PEDREIRA, Pedro Tomás. Imprensa Oficial - Santo Amaro/Bahia. 1972. Santo Amaro.
Songbook – Caetano Veloso. CHEDIAK, Almir. Lumiar. s.d.. Rio de Janeiro.
Tarifa de Embarque. SALOMÃO, Waly. Rocco. 2000. Rio de Janeiro.
Todas as letras. RENNÓ, Carlos (organizador). Companhia das Letras. 1996. São Paulo.
Trilogia do Pelô. MEIRELLES, Marcio, e OLODUM, Bando de Teatro do. Fundação Casa de Jorge Amado/Grupo Cultural Olodum. 1995. Salvador.
Tropicália – A História de uma Revolução Musical. CALADO, Carlos. Editora 34. 1997. São Paulo.
Tropicalismo – Decadência bonita do samba. SANCHES, Pedro Alexandre. Boitempo Editorial. 2000. São Paulo.
Vandré, o homem que disse não. SANTOS, Jorge Fernando. Geração Editorial. 2015. São Paulo
Verdade Tropical. VELOSO, Caetano. Companhia das Letras. 1997. São Paulo.
Vinicius de Moraes – O poeta da paixão: uma biografia. CASTELLO, José. Companhia das Letras. 1994. São Paulo.

Páginas na internet

http://www.caetanoveloso.com.br
http://caetanoendetalle.blogspot.com.br
http://www.dicionariompb.com.br

CRÉDITOS

Capa: montagem feita a partir de foto cedida por Thereza Eugênia, de Caetano, em show no início dos anos 1980.

Quarta capa: montagem feita a partir de uma parte da obra "Abaporu", de 1981, do artista Glauco Rodrigues. Imagem cedida por Norma Estellita Pessôa, detentora dos direitos.

Pág.1: Autorretrato de Caetano Veloso feito em aquarela, no início dos anos 1960. Imagem cedida por Fernando Barros.

Pág.8: Caetano em sua casa, em 1982, © Thereza Eugênia.

Pág.14: Caetano aos 4 anos de idade, 1946. Foto cedida por Mabel Velloso, parte de seu acervo pessoal.

Pág.46: Boletim de Frequência do Ginásio Teodoro Sampaio, 1956. Acervo dos autores.

Pág.60: Convite de formatura, 1959. Acervo dos autores.

Pág.74: Caetano em passeio com colegas do Clássico. Início dos anos 1960. Ao fundo, Neyla; mais à frente, Marina e Mabel; à direita, Wanderlino. Foto cedida por Maria Izabel (Mabel), de seu acervo pessoal.

Pág.90: Registro de inscrição na UFBA, 1963. Acervo dos autores.

Págs.110-111: Teatro Vila Velha, 1964, ainda em construção. Imagem cedida por Marcio Meirelles, de seu acervo pessoal.

Págs.146-147: Reprodução da imagem que estampa a capa do disco Terceiro Festival da Música Popular Brasileira (Chantecler, 1967, foto: Oswaldo Micheloni).

Pág.166: Caetano Veloso em apresentação na Boate Sucata, em outubro de 1968. Acervo de Guilherme Araújo, foto cedida aos autores.

Pág.188: Caetano em show de despedida antes do exílio, no Teatro Castro Alves, em julho de 1969. Acervo de Guilherme Araújo, foto cedida aos autores.

Pág.210: Caetano durante seu exílio em Londres, no início de 1970. Acervo de Guilherme Araújo, foto cedida aos autores.

Pág.233: Gilberto Gil, 1973, em apresentação no Teatro Opinião, © Thereza Eugênia.

Pág.234: Caetano no show *Phono 73*, © Thereza Eugênia.

Pág.254: © Thereza Eugênia, 1972.

Pág.272: Gilberto Gil, 1976, em apresentação dos Doces Bárbaros, © Thereza Eugênia.

Pág.293: Reprodução de ingresso do acervo de Tomás Improta. Imagem cedida aos autores.

Pág.294: Caetano, 1979, em ensaio na casa da fotógrafa, © Thereza Eugênia.

Pág.336: Reprodução de ingresso do acervo de Tomás Improta. Imagem cedida aos autores.

Pág.356: Caetano Veloso e Toni Costa, da Banda Nova, que cedeu a foto aos autores.

Pág.376: Reprodução de folheto do Prêmio Shell de 1989, onde Caetano foi premiado. Acervo pessoal de Cesinha. Imagem cedida aos autores.

Pág.396: Reprodução da agenda de shows da Expo 90, no Japão. Acervo pessoal de Cesinha. Imagem cedida aos autores.

Pág.416: Reprodução do cartaz de divulgação do espetáculo Tropicália Duo, de 1994. Acervo pessoal dos autores.

Pág.456: Reprodução de convite para palestra de Caetano no CCBB, projeto "Rodas de Leitura", 1998. Acervo pessoal dos autores.

Pág.476: Mosaico feito a partir das fotos utilizadas neste livro.

Pág.516: Dupla exposição de Caetano Veloso em 1972, em show após sua volta do exílio, no Teatro João Caetano, © Thereza Eugênia.

Pág.528: Caetano, 1982, no especial de Jorge Benjor, © Thereza Eugênia.

Pág.544: Desenho em aquarela feito por Caetano Veloso. Início dos anos 1960. Imagem cedida por Fernando Barros.

Direitos de imagem de Caetano Veloso autorizados por Uns Produções e Filmes.

Direitos de imagem de Gilberto Gil autorizados por Gege Edições.

Proibida a reprodução de qualquer foto ou imagem sem autorização expressa da editora e dos autores.

Todos os esforços foram feitos para se determinar a origem e a autoria das fotos e imagens usadas neste livro. Porém, no caso de fotos obtidas em acervos dos autores, parentes ou amigos do biografado, as cópias das imagens estavam sem identificação do fotógrafo no verso. Teremos prazer em creditar esses fotógrafos nas próximas edições, caso se manifestem.

Conheça outros títulos da editora em:
www.editoraseoman.com.br